Analysen

AUTOBIOGRAFISCHES SCHREIBEN
NACH 1989

Analysen von Erinnerungen und Tagebüchern
ehemaliger DDR-Schriftsteller

Analysen

2003

Verlag Janos Stekovics

Herausgegeben im Auftrag der Stiftung Mitteldeutscher Kulturrat, Bonn
als Band 30 der Reihe „Aus Deutschlands Mitte"
von **Hermann Heckmann**

Bibliografische Information Der Deutschen Bibliothek
Die Deutsche Bibliothek verzeichnet diese Publikation in der Deutschen
Nationalbibliografie; detaillierte bibliografische Daten sind im Internet über
http://dnb.ddb.de abrufbar.

ISSN 1610-15
ISBN 3-89923-042-6

Gesamtherstellung: Copernicus Graphische Werkstatt, Alfter

INHALT

DIE AUTOREN

Charlotte Misselwitz

Geboren 1975 in Berlin (Ost). Studium der Germanistik und Philosophie an der Humboldt-Universität (HUB). 1990-2000 Studium und Teaching Assistant in Chicago (USA). 2003 Studienabschluss, Magistra Artium, an der HUB. Ab Herbst 2003 „Master of Easteuropean Studies" an der Viadrina, Europa-Universität Frankfurt/Oder.

1. Preis im Wettbewerb „Autobiografisches Schreiben nach 1989".

Martina Ölke

Geboren 1970 in Hannover. Studium Germanistik und Geschichte in Freiburg im Breisgau. Magister, Staatsexamen und Promotion in Freiburg. Promotionsstipendium der Friedrich-Naumann-Stiftung. Thema der Dissertation: „Westfälische und orientalische Lyrik und Prosa Annette von Droste-Hülshoffs", die Arbeit erschien 2002 im Röhrig Universitätsverlag. Seit Februar 2002 wissenschaftliche Assistentin (C1) am Institut für deutsche Sprache und Literatur der Universität Dortmund. Derzeitiges Forschungsprojekt im Bereich DDR-Literatur. Weitere Veröffentlichungen über DDR-Literatur, Literatur von Frauen, sowie Vorträge und Veranstaltungen in der Erwachsenenbildung.

2. Preis im Wettbewerb „Autobiografisches Schreiben nach 1989".

Jan Böttcher

Geboren 1973 in Lüneburg, dort aufgewachsen. Seit 1994 in Berlin. Studium der Germanistik und Skandinavistik, Magisterabschluss 2001. Seit 1996 freiberuflich als Autor und Musiker tätig. Begründer des Kulturlabels *KOOK Berlin New York* (1999) und der Band *Herr Nilsson* (1997), dort Sänger und Texter mit bislang vier CD-Veröffentlichungen, zuletzt *Einfacher sein* (2003). Literaturwissenschaftliche Veröffentlichungen zu Reinhard Jirgl, Per Olov Enquist, Johannes Jansen, Lyrik der Sechziger Jahre und zum Lyrikclub Pankow. Wohnhaft in Berlin.

3. Preis im Wettbewerb „Autobiografisches Schreiben nach 1989".

Frank Thomas Grub

Geboren 1972 in Idar-Oberstein. Studium der Fächer Deutsch und Französisch für das Lehramt an Gymnasien und Gesamtschulen in Saarbrücken, Erstes Staatsexamen 1998. Abschluss Aufbaustudiengang Deutsch als Fremdsprache in Saarbrücken 1999. Promotion zum Dr. phil. 2003 mit einer Arbeit über „Wende" und „Einheit" im Spiegel der deutschsprachigen Literatur. Seit 1999 Lehrbeauftragter, seit 2002 Wissenschaftlicher Mitarbeiter an der Fachrichtung 4.1 Germanistik der Universität des Saarlandes. Seit 2000 zudem freiberuflich als Journalist tätig. Wohnhaft in Saarbrücken.

Ankauf im Wettbewerb „Autobiografisches Schreiben nach 1989".

Josette Ommer

Geboren 1976 in Dortmund. 1994 Gastschülerin an der St. Mary's Hall Girls School, Brighton, GB. 1997/98 Studium der Sonderpädagogik in Gießen. Mitherausgeberin des Studierendenstreikberichtes „Lucky Streik – ein Kampf um Bildung", Focus Verlag. Seit 1998 Studium der Germanistik, Philosophie und Anglistik auf Lehramt in Dortmund. Organisatorin von Autorenlesungen im Rahmen der Fachschaftsarbeit.

Ankauf im Wettbewerb „Autobiografisches Schreiben nach 1989".

VORWORT

Die Stiftung Mitteldeutscher Kulturrat ging aus dem 1955 in Hannover gegründeten Verein gleichen Namens hervor. Die deutsche Teilung schmerzte bereits zehn Jahre lang. Zwei Jahre zuvor war in der DDR der Arbeiteraufstand niedergeschlagen worden. 1955 trat die Bundesrepublik dem Nordatlantikpakt bei, die DDR dem Warschauer Pakt. Die Hoffnung auf eine Wiedervereinigung schwand.

Wissenschaftler, die aus der DDR umgesiedelt waren, hatten sich nun das Ziel gesetzt, nicht nur die eigenen Forschungen fortzusetzen und die kulturellen Belange der in der Bundesrepublik ansässigen Deutschen aus dem Gebiet der DDR zu vertreten. Sich nicht nur „auf Heimatkunst, Heimatkunde, Heimatpflege" zu besinnen, sondern auch auf die „unlösbare Bindung" aller Deutschen hinzuweisen. Vor allem wandten sie sich an die Jugend aus der Sorge, dass der zunehmende Verlust verwandtschaftlicher, freundschaftlicher und beruflicher Kontakte das Bewusstsein von der deutschen Zusammengehörigkeit schwächen könnte. Sie traten mit Einzelveröffentlichungen und Vorträgen über die kulturellen Leistungen und die Geschichte Mitteldeutschlands an die Öffentlichkeit. Ab 1961 gaben sie die Reihen „Mitteldeutsche Hochschulen" und „Aus der Geschichte bedeutender Schulen Mitteldeutschlands" mit 6 bzw. 3 Bänden heraus. 81 öffentliche Vorträge konnten sie in 17 broschürten Bänden der Reihe „Mitteldeutsche Vorträge" publizieren.

Als der Verein im Jahre 1976 in eine rechtsfähige Stiftung des privaten Rechts umgewandelt wurde – wie sie heute noch besteht – betrachtete diese es weiterhin als ihre Aufgabe, auf die unauflöslichen Bindungen aller Deutschen, auf das sie Verbindende in Vergangenheit, Gegenwart und Zukunft und auf die länderübergreifende Pflege der mitteldeutschen Beiträge zur deutschen Kultur hinzuweisen. Ziel war es, „Vorarbeit für das Deutschland der überwundenen Spaltung" zu leisten. Wie andere Kultur-Stiftungen auch, erhielt die Stiftung ein Kapital, dessen Zinsen endlich eine kontinuierliche und vorausplanbare Tätigkeit ermöglichten. Sie gab – teils in mehreren Auflagen – die Buchreihe „Historische Landeskunde Mitteldeutschlands" mit den Bänden Sachsen, Sachsen-Anhalt, Thüringen, Brandenburg und Mecklenburg-Vorpommern heraus.

Die Wiedervereinigung Deutschlands ermöglichte kulturelle Aktivitäten auch in den „neuen" Ländern. Aus diesen stießen zu den bisherigen Mitgliedern des Beirates weitere Wissenschaftler hinzu, um die Verbundenheit zu vertiefen. Wir werden weiterhin gemeinsam an den Beitrag Mitteldeutschlands zur deutschen Kultur erinnern. Unsere eigentliche Aufgabe aber in der Gegenwart sehen – nicht zuletzt in der endgültigen Wiederherstellung der „inneren" Einheit. Sie ist traditionell und auch heute noch Mitteldeutschlands wichtige geistige Funktion.

Die Stiftung Mitteldeutscher Kulturrat führte seit der Wiedervereinigung öffentliche Veranstaltungen zu historischen und aktuellen Fragen in Halle, Chemnitz, Frankfurt/Oder, Gotha, Potsdam, Bonn, Leipzig, Dresden, Eisenach, Aachen, Wörlitz und zuletzt Quedlinburg durch. Weiterhin wird sie ihre Ziele außer mit Vorträgen und Symposien auch mit Ausstellungen, Druckkostenzuschüssen und der eigenen Buchreihe „Aus Deutschlands Mitte", dem „Mitteldeutschen Jahrbuch für Kultur und Geschichte" und der Vierteljahresschrift „Kultur-Report" verfolgen. Die Publikationstätigkeit wuchs auf das beachtliche Volumen von 18 Einzelveröffentlichungen, 9 Reihen Periodika mit etwa 150 Titeln bzw. Jahrgängen – insgesamt mit weit über tausend Einzelbeiträgen.

Seit 1991 trägt die Stiftung darüber hinaus mit Wettbewerben zur wissenschaftlichen Aufarbeitung der Kultur in der DDR bei. Das erste Thema waren ganz allgemein die Kultur und Kulturträger in der DDR, dann 1993 die Bildende Kunst und 1996 die Hinterfragung von Musik, Theater und Film. In vier „Analysen"-Bänden konnten die besten Ergebnisse veröffentlicht werden. Der vorliegende Sammelband enthält nun die Anfang des Jahres 2003 preisgekrönten und angekauften Arbeiten des vierten Wissenschaftswettbewerbs zur Aufarbeitung der Kultur in der DDR.

Wir danken allen Teilnehmern und ermutigen sie zu weiteren Forschungen. Auch allen, die an der Vorbereitung des Wettbewerbs beteiligt waren und den Preisrichtern gebührt Dank für ihr Engagement.

Professor Dr. Dr. Hermann Heckmann
Präsident der Stiftung Mitteldeutscher Kulturrat

EINLEITUNG

Die fünf für diesen Band ausgewählten Beiträge zum Wettbewerb der Stiftung Mitteldeutscher Kulturrat geben nicht nur einen Überblick über „Autobiografisches Schreiben nach 1989", sondern auch einen Einblick in verschiedene Weisen der wissenschaftlichen Annäherung an das Thema. Gerade weil sich alle Beiträge konsequent auf ihren Gegenstand beziehen, nämlich die mittlerweile kaum noch übersehbare Zahl von Veröffentlichungen von Ostdeutschen über ihr Leben in der DDR, die seit 1990 erschienen sind, wird die Spannweite nicht nur des autobiografischen Schreibens, sondern auch seiner Erforschung erkennbar. Sie reicht von der literaturtheoretisch angeleiteten Untersuchung des Zusammenhangs zwischen der Erinnerung an die Vergangenheit und der Konstruktion von Identität in der Gegenwart über literaturgeschichtliche Studien zur Entwicklung der Gattungen des Schreibens über das eigene Leben wie zur Veränderung der Thematisierung des eigenen Lebens im Schreiben eines einzelnen Autors bis zur einläßlichen Interpretation von Werken.

Schon diese Vielfalt der wissenschaftlichen Zugänge – über die Theorie, die Geschichte der Gattung, die Biografie des Autors und die Struktur des Einzelwerks – zum Thema des autobiografischen Schreibens nach 1989 verhindert, was in den bisher vorliegenden literaturwissenschaftlichen Darstellungen der ‚Wende' – ob es sich um Monographien oder Sammelbände handelt – vielfach zu beobachten ist: die Beschränkung auf einige wenige, vielleicht allzu schnell ‚kanonisierte' Texte von ‚prominenten' Autorinnen und Autoren. Während in Büchern wie Volker Wehdekings „Die deutsche Einheit und die Schriftsteller" (1995) und Mentalitäswandel in der deutschen Literatur zur Einheit (1990-2000)" (2000), Robert Weningers und Brigitte Rossbachers „Wendezeiten Zeitenwenden" (1997) oder Stephen Brockmanns „Literature and German Unification" (1999), Matthias Harders „Bestandsaufnahmen. Deutschsprachige Literatur der neunziger Jahre aus interkultureller Sicht" (2001) oder Gerhard Fischers und David Roberts' „Schreiben nach der Wende" (2001) immer wieder und ausschließlich Christa Wolf, Günter de Bruyn und Monika Maron behandelt worden sind, haben sich die Beiträgerinnen und Beiträger zum Wettbewerb des Mitteldeutschen Kulturrats gerade auch mit Autorinnen und Autoren auseinandergesetzt, deren Schreiben über das eigene Leben noch nie zum Gegenstand literaturwissenschaftlicher Aufmerksamkeit geworden ist. Mit deutlichem Engagement haben sich die eingereichten Wettbewerbsbeiträge – also auch die, die nicht ausgezeichnet wurden – den Veröffentlichungen von Angela Krauß oder Rita Kuczynski, von Johannes Jansen oder Gert Neumann zugewandt; die Gründe für dieses Interesses am Nicht-Kanonisierten liegen nicht auf der Hand, z.B. schlicht im Alter oder der regionalen Herkunft: Unter den Beiträgern dieses Bandes sind mehr West- als Ostdeutsche, sie sind alle zwischen 1970 und 1976 geboren, haben sich aber gerade auf die autobiografischen Bücher ihrer Altersgenossen im engeren Sinne beschränkt.

Der Gesichtspunkt, von dem sich **Frank Thomas Grub** in seiner zwar auswählenden, aber doch auf Überwindung von Enge zielenden Überblicksdarstellung leiten ließ, wird in dem Zitat von Kerstin Hensel ausgesprochen, mit dem er seinen Beitrag emphatisch schließt: „die Sturheit der eigenen Erinnerungen siegt immer über die scheinbar kollektive Wahrnehmung". Grub ist an denjenigen Tagebüchern aus der ‚Wende'-Zeit und denjenigen Bilanzen des Lebens in der DDR besonders interessiert, die nicht in den mittlerweile etablierten ‚kollektiven' Deutungsmustern aufgehen. Deshalb berücksichtigt er auch ältere DDR-Autorinnen wie Elfriede Brüning und Steffie Spira-Ruschin, konfrontiert kontroverse Sichtweisen wie die Hermann Kants und Rainer Eppelmanns und bezieht als Kontrastfolie westdeutsche Tagebuchschreiber ein. Noch die Auswahl recht langer Zitate aus den Texten ist wohl diesem Werben um Offenheit für die Vielfalt autobiografischen Schreibens verpflichtet. Grubs Beitrag hätte an den Anfang unseres Bandes gestellt werden können, gerade weil einige seiner Voraussetzungen in den folgenden Beiträgen differenziert werden.

Charlotte Misselwitz setzt an der von Grub ausgeklammerten Problematik von autobiografischem Schreiben und Fiktion an. Ihre Textanalysen gehen von der – einleitend literatur- und kulturtheoretisch diskutierten – Verbindung von Fiktion, Identität und Autobiografie aus; gerade indem sie Identität als strukturell an den Gestus des Fingierens gebunden sieht, kann sie die Romane „Das Provisorium" von Wolfgang Hilbig und „Der Anschlag" von Gert Neumann als Auseinandersetzung mit Identitätskonflikten auf eine Weise interpretieren, die die subtile Arbeit an den Texten mit der präzisen Verordnung der Identitätskonstruktionen in politisch-gesellschaftlichen Kontexten verbindet. Dabei erweist sich die Wahl von zwei Texten, die in einem relativ großen zeitlichen Abstand zur ‚Wende' entstanden und deren Verfasser eine gewisse biografische Nähe zeigen, als äußerst produktiv: Wie thematisieren Autoren, die „sich weder der reformengagierten Schriftstellergeneration der DDR, noch den jungen Autoren des ‚Prenzlauer Berg' zuordnen", sich selbst ‚schreibend-arbeitend' unter ‚gewendeten' Verhältnissen'?

Auch für **Martina Ölke** bildet die Fiktionalität einer im Text konstruierten Identität den Ausgangspunkt einer exemplarischen Untersuchung. Aber am Beispiel von Monika Maron und Erich Loest geht es ihr bei dem Vergleich von zu verschiedenen Zeiten publizierten autobiografischen Konstruktionen von Identität weniger um die Selbstthematisierung im Text als um die Abhängigkeit des Konstruierens von den zeithistorischen Bedingungen. Indem sie von dem ‚Fall' Stephan Hermlin ausgeht, der in der Medienöffentlichkeit als Skandal präsentiert wurde, gelingt es ihr, von der scheinbaren Ausnahme die Aufmerksamkeit auf die Regel zu lenken, daß öffentliche Deutungsmuster der Vergangenheit das Schreiben über das eigene Leben beeinflussen. Sie zeigt, wie die ‚Wende' auch die Erinnerungen von Schriftstellern an das eigene Leben veränderte, die vor 1989 aus der DDR in die Bundesrepublik übergesiedelt waren.

Der Vergleich zwischen Texten, die vor 1989, und solchen, die nach der ‚Wende‘ geschrieben wurden, steht auch im Zentrum der Studie von **Jan Böttcher**. Er läßt sich auf einen sehr textnahen Nachwollzug des Schreibens von Johannes Jansen ein, sehr bewußt, wie etwa die folgende Formulierung zu den in der ersten Person Singular geschriebenen Texten der Jahre 1991-93 zeigt: „Dem Kraftfeld dieses Ich kann sich diese Arbeit nicht entziehen." Trotz solcher emphatischen Nähe des Interpreten zu seinem Gegenstand, den Texten eines Autors, den er zu Unrecht im Schatten von Autoren des Prenzlauer Bergs, vor allem Lyrikern, sieht, geht es dem Verfasser dieses Jansen-Porträts, das zur Monografie tendiert, auch um einen distanzierenden literaturgeschichtlichen Blick. Dieser zeigt sich nicht zuletzt in der Periodisierung von Jansens Schreiben über das eigene Leben. Die Zäsur, die Böttcher nachzuweisen sucht, fällt zeitlich nicht mit den politischen Veränderungen zusammen: Seit 1992 sieht er eine „Splitter-Ästhetik", der Biografie synonym mit Bewegung und Fragment war und die die Grenzen von Lyrik und Prosa auflöste, abgelöst von einem – sich dem philosophischen Reden öffnenden – Versuch, sich der Schnelligkeit und Schnellebigkeit der Gesellschaft zu widersetzten. Bezogen auf die veränderten Öffentlichkeiten kann in der Veränderung des Schreibens die im Titel des Beitrags formulierte Kontinuität im Projekt des Autors gesehen werden: „Ausschreitung des (auto-)biografischen Raumes".

Josette Ommer akzentuiert in der literaturtheoretischen Reflexion autobiografischen Schreibens anders als die übrigen Beiträger des Bandes; sie geht nicht von einer prinzipiell gegebenen Fiktionalität von Identität aus, sondern von Philippe Lejeunes Konzept des autobiografischen Pakts. Dabei kommt es ihr jedoch auf die Anwendbarkeit des Begriffes auf Texte an, die von ihren Verfassern und Verfasserinnen als Romane bezeichnet werden. Denn sie untersucht als Kindheitserinnerung – neben Nadja Klingers „Ich ziehe einen Kreis" und Jana Simons „Denn wir sind anders. Die Geschichte des Felix S." – den autobiografischen Roman von Jana Hensel „Zonenkinder". Mit der Wahl von drei Autorinnen, die erst nach der ‚Wende‘ literarisch debütiert haben, ist der Beitrag bemüht, eine ‚Generation‘ zu konstruieren, der sich die Verfasserin zurechnet, die – auch das unterscheidet den Beitrag von den übrigen – ausdrücklich „aus westdeutscher Sicht" schreibt.

Professor Dr. Helmut Peitsch

Charlotte Misselwitz

DIE OSTDEUTSCHE IDENTITÄT
TREIBT UM

Ostdeutsches Schreiben nach 1989 zwischen
Fiktion und Autobiographie am Beispiel der Romane
Anschlag von Gert Neumann und
Das Provisorium von Wolfgang Hilbig

INHALTSVERZEICHNIS

EINLEITUNG

In dem Film *Beautiful People* von Jasmin Dizdar (1999) gibt es eine Szene, in der sich ein Kroate und ein Serbe im selben Londoner Krankenzimmer von ihren Verletzungen erholen. Beide hatten sich kurz zuvor bis aufs Messer bekämpft. Die sie behandelnde Krankenschwester ist voller Unverständnis gegenüber den unverhohlenen Antipathien zwischen ihren beiden Patienten bis sie deren jugoslawische Herkunft herausbekommt. Endlich begreifend meint sie zu dem Einen: „Ach! Dann bist du also Serbe!" und auf den Anderen weisend: „Und du Kroate!". Die Sekunden der Stille und das langsame Kopfschütteln der Benannten spiegeln Schock, Unverständnis und Empörung. Dann heben beide in sehr bestimmtem Ton an: „Nee, er ist Kroate!" und „Nee, der ist Serbe!"

Die Szene besteht aus einfachsten Slapstickmustern und deckt doch Untiefen einer Identitätsproblematik auf. So unschuldig, wie diese Identitäten verwechselt wurden, so verheerend war ihre Wirkung. Von einem Moment auf den nächsten per Wahrnehmung der eigenen Vergangenheit und Gegenwart beraubt zu werden, ist niederschmetternd. Schlimmer noch scheint die Relativität der persönlichen Dramatik vor Außenstehenden. Auch wenn die Krankenschwester in ihrer Unschuld ein löbliches Beispiel an Humanität verkörpert und an die letztendliche Gleichheit aller Menschen erinnert, hat doch gerade die entschiedene gegenseitige Abgrenzung der beiden die längere und spannendere Geschichte.

Vielleicht wären die Ausmaße der Verzweiflung seitens der Betroffenen nicht so unendlich gewesen, hätte es sich dabei um einen ‚Ossi' und einen ‚Wessi' gehandelt, aber das Befremden wäre ähnlich. Wenn ein Ostdeutscher plötzlich als Westdeutscher wahrgenommen würde, wäre sein gesamter Erfahrungsschatz, des Kennenlernen zweier gegensätzlicher Systeme und die persönliche Anstrengung einer totalen Umorientierung, dahin. Wie aber hält er diese Differenz, diesen besonderen Erfahrungsschatz aufrecht?

Die Literatur ist nur ein Medium neben Film, Kunst und Malerei oder auch der Journalismus, das ostdeutsche Erfahrungen ausdrückt. Aber angesichts der Tatsache, dass gerade die journalistischen, „großen Medien die Probleme der Ostdeutschen selten und dann fast ausschließlich aus westdeutscher Perspektive"[1] behandeln, wird das literarische Medium umso wichtiger. Das Bedürfnis, das eigene Dasein in anderen Medien wiedergespiegelt zu sehen, ist wohl ein uraltes. So kann auch fiktionale Literatur Realität spiegeln. Hierfür ist das Ineinandergreifen von Identität, Autobiografie und Fiktion wichtig, so dass die ostdeutsche Identität als reale Konstante auch auf fiktiver Ebene erkennbar wird[2].

Innerhalb der Literaturkritik werden solche Tendenzen als „Ungleichzeitigkeiten"[3] zwischen ost- und westdeutschem Schreiben wahrgenommen, oder auch als „Ostalgie"[4], die das ostdeutsche Schreiben als sentimentales Festhalten an ostdeutschen Strukturen bezeichnen. Von ostdeutscher Seite kommt der Begriff „Post-

---

[1] Dietrich Mühlberg: Kulturelle Differenz als Vorraussetzung innerer Stabilität der deutschen Gesellschaft? In: 1989: Später Aufbruch – Frühes Ende? Eine Bilanz der Zeitenwende. Hrsg. Hans Misselwitz, Katrin Werlich. Potsdam 2000, S. 262. – Dieses Phänomen wird ausführlicher in Teil 3 beschrieben.
[2] Hiermit beschäftigt sich ausführlich Teil 1.
[3] Volker Wehdeking: Mentalitätswandel im deutschen Roman zur Einheit (1990-2000). In: Mentalitätswandel in der deutschen Literatur zur Einheit (1990-2000). Hrsg. Volker Wehdeking. Berlin. 2000.
[4] Wolfgang Emmerich: Kleine Literaturgeschichte der DDR. Erweiterte Neuausgabe. Leipzig. 1996, S. 478.

DDR-Literatur"[5]. Auf unterschiedliche Weise wird also ein und dasselbe Phänomen beschrieben, das ein Schreiben ostdeutscher Schriftsteller zur ostdeutschen Thematik beinhaltet.

Wie sieht dieses ostdeutsche Schreiben also aus? In einer sozialwissenschaftlichen Studie heißt es, zu DDR-Zeiten habe die Kunst, ausgehend von einer „essentialistischen Identität"[6], einen recht politischen Gestus gehabt.

> „‚Kultur' [erhielt] eine spezifische Funktion, die Bewahrung einer inneren Integrität, trotz aller Zugeständnisse, die der Politik und dem Staat gemacht werden müssen. [...] eine Art widerständiger Überlebensform [...]."[7]

Außerdem wurde bei „Identitätsproblemen in der DDR-Literatur der siebziger und achtziger Jahre" eine Entindividualisierung des Subjekts festgestellt. Angesichts der damaligen Verhältnisse wird von einer „erarbeiteten Identität" gesprochen:

> „Die subversive Qualität der Erzählungen und Romane lag darüber hinaus auf einer performativen Ebene, d.h. die Texte provozierten Identität. Der Akt des Lesens, die ästhetische Erfahrung (des DDR-Lesers) wurde im Idealfall zum produktiven Akt der eigenen Identitätsbildung."[8]

Das Nebeneinanderhergehen literarischer Subversion und einer spezifischen Form der ostdeutschen Identität lässt sich also schon für die DDR-Zeiten festmachen. Gilt dies auch für das ostdeutsche Schreiben nach 1989?

Mehr als ein Jahrzehnt ist es her seit 1989 die Mauer gefallen und 1990 die Trennung Deutschlands aufgehoben wurde. Und auch wenn allgemein menschlich gesehen die Unterschiede zwischen Ost- und Westdeutschen belanglos sind, können deren Hintergründe viel erzählen. Schließlich bezieht – ähnlich streitlüstern wie die eingangs erwähnten Jugoslawen – einer der wenigen ostdeutschen Journalisten Position:

> „Der Ostler ist des Herrgotts unerforschlichstes Geschöpf. Verborgener schlägt sein Herz, trunkener träumt seine unpraktische Seele, als die Kinder des Mammons zu ahnen vermöchten. Der Westler lässt sich lesen wie ein Kontoauszug, und so schreibt er auch."[9]

Zur Fragestellung

Ein Thema wie „Ostdeutsche Identitätskonflikte in der fiktionalen Literatur nach 1989" eröffnet ein eher weites Feld. Auch wenn Lyrik- und Essaybände oder Erzählungen in dieser Arbeit ausgeschlossen wurden, gibt es doch verschiedenste Romane, die ostdeutsche Autoren nach der Wende veröffentlichten. Allerdings zielt

---

[5] Walter Schmitz: Ost-West-Passagen in der Erzählprosa Wolfgang Hilbigs. In: Mentalitätswandel... a.a.O. S. 113 zitiert Thomas Geiger im Gespräch mit Ingo Schulze: Wie eine Geschichte im Kopf entsteht. In: Sprache im technischen Zeitalter 37/1999, S. 108-123.

[6] Albrecht Göschel: Kontrast und Parallele: kulturelle und politische Identitätsbildung ostdeutscher Generationen. Stuttgart, Berlin u.a.. 1999.

[7] Ebd. S. 21.

[8] Karsten Dümmel: Identitätsprobleme in der DDR-Literatur der siebziger und achtziger Jahre. Frankfurt am Main. 1997, S. 228.

[9] Christoph Dieckmann: Der Autor der Einheit. „Es gibt ein Leben nach der DDR„. Was ein Westler über den Osten schreibt. Reportagen von Helmut Böttiger. In: Die Zeit. Nr. 13. 24.3. 1995.

die Fragestellung auf eine ostdeutsche Befindlichkeit im neuen gesamtdeutschen System. Die Auswahl wurde daher auf diejenigen Romane beschränkt, die auch thematisch ein Umfeld nach 1989 beschrieben. So werden die Veröffentlichungen aufzählbar: angefangen mit Brigitte Burmeisters *Unter dem Namen Norma* von 1994, Reinhard Jirgls *Hundsnächte* von 1997 oder sogar – mit Einschränkungen – Christa Wolfs *Medea* von 1996, scheinen nur noch Romane wie Ingo Schulzes *Simple Storys* (1998) oder eben Wolfgang Hilbigs *Das Provisorium* (2000) und Gert Neumanns *Anschlag* (1999) denkbar[10]. All diese Romane behandeln vordergründig eine ost-westdeutsche Thematik.

Wenn in dieser Arbeit nur die beiden letztgenannten Romane, *Anschlag* und *Das Provisorium*, untersucht werden sollen, so spielen dabei zwei weitere Kriterien eine Rolle. Zum einen wurden beide mit einem Abstand von einem ganzen Jahrzehnt nach der Wende geschrieben. Es gab also genug Zeit, um die anfänglichen Verwirrungen, die Anstrengungen um Neuorientierung[11] sich allmählich legen zu lassen. Zum anderen besitzen die beiden Romane die vergleichsweise markantesten autobiografischen Bezüge. Und um eine ostdeutsche Identität in Romanen aufzuspüren, ist ein solch offensichtliches Verhältnis zwischen Fiktion und Realität sehr hilfreich[12]. Hierein fällt auch die Tatsache, dass Gert Neumann und Wolfgang Hilbig nicht nur derselben Generation, Anfang '40 geboren, angehören, sondern auch unter ähnlich schwierigen Umständen zu DDR-Zeiten allmählich ihr Schriftstellerdasein behauptet haben. Die Gemeinsamkeiten der beiden Schriftsteller ermöglichen einen ausgiebigen Textvergleich, da eine ähnliche Thematik auch noch zur selben Zeit beschrieben wurde: Die ostdeutsche Identität treibt um, so scheint es. Ausschlaggebend für diese Arbeit war das Thema der Texte. Ein Dasein als Ostdeutscher auf nun westdeutschem oder gesamtdeutschem Boden wird plötzlich zum Hauptkonflikt dieser fiktionalen Literatur, die ein realgesellschaftliches, zeitgenössisches Phänomen aufgreift.

Im Folgenden sollen die verschiedenen Komponenten, die die Fragestellung dieser Arbeit beinhaltet, genauer erläutert werden. Die ost-westdeutsche Thematik wurde schon kurz nach der Wende im sogenannten „Wenderoman" gefordert. Hieraus lässt sich auch die Frage nach der ostdeutschen Identität herauskristallisieren. Außerdem ist der Zusammenhang zwischen den beiden gewählten Autoren und ihren Romanen wichtig.

Der Wenderoman, ein von Anfang an hoffnungsloses Unterfangen

Die Forderung nach dem Wenderoman muss irgendwann Anfang der neunziger Jahre innerhalb des Feuilletons oder der Literaturkritik entstanden sein. So genau lässt sich nun, zehn Jahre später, nicht mehr verorten, wer zuerst das Thema aufbrachte. Kormann zitiert als Beispiel die Berliner Zeitung mit dem Artikel „Sechs

---

[10] Die wenigen anderen Veröffentlichungen, die unter diese Kategorie fallen, wie z.B. Christoph Heins *Willenbrock* von 2000, werden nicht weiter aufgeführt, da es hier nicht um die genaue Auflistung und Diskussion der möglichen Romane gehen soll, sondern um ein Verständnis der Perspektive dieser Arbeit.

[11] Genaueres dazu in Teil 3.

[12] Dieser Zusammenhang wird in Teil 1 erläutert.

Jahre Wende und kein Roman"[13] von 1995. Frühere Feuilletontexte sind selbst in ostdeutschen Themen zugewandten Zeitungen, wie „Die Zeit" oder „Freitag", schwer zu finden[14]. Ab Mitte der neunziger Jahre wird dennoch vom viel beschworenen Wenderoman geredet, wobei lediglich auf eine ominöse Literaturkritik verwiesen wird. Wollte es am Ende keiner mehr gewesen sein?

Grambow scheint sich zumindest zu erinnern, wie auf einer Tagung im Mai 1990 in Hamburg er, Helga Königsdorf, Walter Petri, Konrad Weiss und Uwe Wittstock über den „kommenden Wenderoman"[15] sprachen.[16] Mit der Wende wurde also über den dazu passenden Roman gesprochen. Wenn Adolf Endler jedoch 1993 in den Jenaer Poetik-Vorlesungen das Unterfangen, einen Wenderoman zu schreiben, in seiner Erzählung buchstäblich ins Wasser fallen lässt[17], so wurde schon mit dem Auflodern dieser Debatte ihr Untergang beschworen. Und indem Uwe Kolbe auf den Unterschied zwischen literarischem und journalistischem Schreiben hinweist, wird wohl ein Kernaspekt der Wenderomanproblematik sichtbar:

> „Ich habe erst nach dem Ende der DDR begriffen, wie langsam ich bin, wieviel Zeit ich eigentlich brauche, um ein Sediment sich ablagern zu lassen, eine Form von Erinnerung überhaupt auszubilden bzw. nicht zur Verfügung zu haben, um es dann aufzubrechen und wieder rangehen zu können. Diese Überlegungen sind im Zusammenhang mit dem Wenderoman, den viele gefordert haben, gar nicht aufgetaucht, als wären wir Journalisten, die schnell zurückschlagen, wenn die Wirklichkeit geschlagen hat."[18]

Mit den Jahren taucht dieser Begriff immer wieder auf. Ein Buch wie „Helden wie wir"[19] schien dann den von Anfang an dem Untergang geweihten Begriff mit Material nur anzufüttern. Und auch die Romane *Das Provisorium* und *Anschlag* wurden als Wenderomane bezeichnet. Iris Radisch schien in ihrer Rezension von *Anschlag* mit dem Titel „Endlich! Der Wenderoman."[20] der Suche nach dem Wenderoman sogar ein Ende zu setzen.

Diese Suche nach dem Wenderoman birgt schon Schwierigkeiten in der Definition dessen, was ihn eigentlich ausmacht. Er kann autobiografische Geschichten erzählen, ein Epos über 40 Jahre DDR darstellen oder einzig die Zeit um 1989 thematisieren und mit oder ohne diese bedeutungsschwangeren Daten das Leben zwischen Ost und West seitdem bis heute beschreiben. Aber das angebliche Genre ist nicht nur weit gefächert, sondern ist auch kein wirkliches Genre. Schließlich entstand der Begriff nicht aus einer bestimmten Praxis des Schreibens nach der Wende heraus. Das literaturkritische Feuilleton führte den Begriff vor dem literarischen

---

13 Stephan Reinhardt: Sechs Jahre Wende und kein Roman. In: Berliner Zeitung. 28.10.1995.

14 Auf meine Anfrage in den Archiven der beiden Zeitungen wurden mir am Ende auch nur Artikel, ausschließlich Buchbesprechungen, ab 1995 zugesandt.

15 Jürgen Grambow: Das Trotzdem und der Zufall. Wendeliteratur von Autor/innen aus Mecklenburg-Vorpommern. In: Zeiten-Wende, Wendeliteratur. Hrsg. Wolfgang Gabler u.a.. Weimar. 2000, S. 121.

16 Auch Jens Wenkel sprach Anfang der neunziger Jahre vom „Wenderoman", so wie wohl noch einige Andere, die trotzdem keine öffentlichen Vertreter dieser Thematik waren.

17 Adolf Endler: Ede Nordfalls, 'Wende-Roman'. In: Dem Erinnern eine Chance. Jenaer Poetik-Vorlesungen „Zur Beförderung der Humanität" 1993/94. Hrsg. Edwin Kratschmer. Köln. 1995, S. 178 ff..

18 Uwe Kolbe im Gespräch mit Daniel Lenz und Eric Pütz: Arbeit am Spurenelement. In: Freitag, 21. Januar 2000.

19 Thomas Brussig: Helden wie wir. 1995.

20 Iris Radisch: Endlich! Der Wenderoman. Aber wer ist eigentlich Gert Neumann? In: Die Zeit. Nr. 13. 25.03.1999.

Phänomen ein oder mit Gabler gesagt: „es erfand den Wenderoman. Warum? Es gibt ein breites Bedürfnis nach dem Wenderoman."[21]

Dieses Bedürfnis ist wohl der eigentliche Grund dieses völlig unliterarisch entstandenen Literaturbegriffes. Ausgehend von der Erwartung eines schöngeistigen Dokuments über jenen welthistorischen Vorgang heißt es:

> „Man braucht, um zu verstehen, was war, ein Bild, das der kollektiven Verständigung über die nahe Vergangenheit und dem sozialen Gedächtnis dienlich ist."[22]

Der Wunsch nach einer Stabilisierung von Identität indem er die „Situation der Identitätsdiffusion"[23] artikuliert, ist ein Bedürfnis, das besonders den ostdeutschen Bundesländern entspricht. Auch der Wiedererkennungseffekt, Bilder vergangener Zeiten in der Erinnerung wieder aufleben zu lassen, spielte eine Rolle.

Brussig konnte letzteres Bedürfnis möglicherweise erfüllen. Aber Schühmann stellt fest, dass bei dem Versuch, die „Wende als Witz" darzustellen, selbst bei Brussig ein ungewollt „tragisches Element" mitschwingt[24]. *Helden wie wir* imitiert zudem die westliche Spaßkultur, die Popliteratur, übernimmt deren Perspektive auf die ostdeutsche Vergangenheit und verpackt sie so für die fremde Kultur. Wenn damit der Wenderoman gefeiert wurde, so zeigt der Begriff ein Verständnis, das die westlichen Wahrnehmungen über die ostdeutsche Identität bestätigt sehen will. Westdeutsche Erzählmuster sind nicht ostdeutsche Erzählmuster. Der Verdacht, dass es bei dem Wenderoman wenig um die eigentliche ostdeutsche Geschichte geht, wird daher stärker. So zitiert Krause auch Dieckmann, der 1995 angesichts des ‚Wenderomans' „Ein weites Feld" von Günter Grass sich für das ostdeutsche Publikum freut, „das immer so dankbar ist, wenn es mal vorkommt"[25].

Trotz der Schwierigkeit des Genres trifft jedoch Grambow allein unter den mecklenburgischen Autoren auf ‚Wendeliteratur'. Erzählungen und Gedichte verarbeiten die persönlichen Umbrucherfahrungen und entspringen dabei weder der feuilletonistischen Forderung, noch einem „trotzdem", oder einem „Zufall"[26]. Das Sujet scheint allmählich kulturelle Einschränkungen zu erfahren: Im Osten Deutschlands ist nicht nur die „Situation der Identitätsdiffusion" ausgeprägter, sondern auch das Bedürfnis nach einer Verständigung über die nahe Vergangenheit. Wenn Identität stabilisiert werden soll, dann ist das vor allem die ostdeutsche. Und wenn es um eine Verständigung über die Vergangenheit gehen soll, so haben für die Ostdeutschen eingreifendere Prozesse stattgefunden.

Letztendlich geht es also nicht um den Wenderoman. Die ostdeutsche Thematik scheint das Bedürfnis nach Erzählmustern voranzutreiben. Z.B. ließe sich mit Burmeisters *Unter dem Namen Norma* auch von einem ‚Geteiltes-Deutschland-

---

21 Wolfgang Gabler: Der Wenderoman als neues literarisches Genre. Thesen. In: Zeiten-Wende, Wendeliteratur. Umrisse. Schriften zur Mecklenburgischen Landesgeschichte. Bd. 4. Weimar. 2000, S. 70.

22 Ebd. S. 90.

23 Ebd.

24 Matthias Schühmann: Die Wende als Witz. Geteilte Perspektiven auf ein politisches Großereignis. In: Zeiten-Wende, Wendeliteratur. a.a.O.. S. 116.

25 Tilman Krause: So tragisch sind die gar nicht. Ketzerische Gedanken über Ost-Schriftsteller als neue gute Wilde und von der Überwindung dieses Klischees durch Verwestlichung. In: moosbrand. neue texte 6. Berlin. 1998, S. 79.

26 Jürgen Grambow: Das Trotzdem und der Zufall. Wendeliteratur von Autor/innen aus Mecklenburg-Vorpommern. In: Zeiten-Wende, Wendeliteratur. Hrsg. Wolfgang Gabler u.a.. Weimar. 2000, S. 118.

Roman' sprechen. Dass ein Paar durch die Teilung Deutschlands getrennt wird, erinnert an Christa Wolfs *Der geteilte Himmel* von 1963. Wenn Gabler dabei „mit der literaturgeschichtlichen Zitierung [...] die Wiederkehr einer vermeintlichen Ausgangssituation nach dem Bau des ‚Schutzwalls‘" entdeckt, so scheint die Tradition einer mentalen Trennung zwischen Ost und West nun weitergeführt. Einer solchen Sichtweise[27] ließen sich auch die Romane *Anschlag* und *Das Provisorium* unterordnen. Und die Wurzeln einer solchen Romantypologie, „Geteiltes-Deutschland-Literatur", lägen nun viel tiefer und reichten weit über die Geburt des Wenderomans hinaus.

Aber auch unter diesem Gesichtspunkt spielt die ostdeutsche Thematik, die Erfahrung vergleichsweise stärkerer Brüche, eine besondere Rolle. Dass gerade die ostdeutsche Identität narrativer Strukturen bedarf, spiegelt sich auch in der Literatur der letzten zehn Jahre wieder. Es hat wohl kaum ein ostdeutscher Autor die ostdeutsche Thematik ausgelassen. Mit dem zunehmenden Abstand zur Wende wird eine solche Tendenz nicht nur mit den beiden hier behandelten Romanen, sondern auch mit Christa Wolfs *Leibhaftig* (2002), Christoph Heins *Willenbrock* (2000) oder auch Annett Gröschners *Moskauer Eis* (2001) sogar immer konkreter. Schmitz verwendet dafür den Begriff „Post-DDR-Literatur"[28]. Nicht nur, dass hiermit ein Begriff von einem realen Phänomen abgeleitet wurde. Gleichzeitig wurde der Unendlichkeit einer Definition des Wenderomans ein Ende gesetzt und mit einem viel eingegrenzteren und phänomenal echten Genre ersetzt[29].

Es geht also nicht um den Wenderoman. Nicht nur, weil es ihn ob seines künstlichen Begriffes nie geben kann, sondern weil das Bedürfnis danach ein ganz anderes ist und viel allgemeiner wirkt. Innerhalb der ostdeutschen Identitäts- und Vergangenheitsbewältigung ist z. B. das Ereignis selbst, die Wende, weniger wichtig als die Zeit davor und danach. Das, was zählt, ist ein narrativer Verständigungsrahmen, neue Erzähl- und Erklärungsmuster, derer es gerade angesichts ostdeutscher Erfahrungen mangelt. Der weitgefächerte Begriff ‚Wenderoman‘ ist dagegen auf jeden Roman, der das Wort „Wende" beinhaltet, unter irgendeinem Aspekt anwendbar. Daher wird er für fast jede Literatur nach 1989 gültig – auch für Texte, die dem Bedürfnis nach Identitätsverortung nicht entsprechen – und hebt sich angesichts dieser Allgemeingültigkeit als Kategorisierungskriterium auf.

Zur Auswahl der Texte von Wolfgang Hilbig und Gert Neumann

Dass Hilbig und Neumann ungefähr ein Jahrzehnt nach der Wende parallel Bücher veröffentlichten, die sich schwerpunktmäßig mit der Ost-West-Thematik beschäftigten, wurde schon erwähnt. Allein die zeitliche und thematische Nähe der Romane macht einen Vergleich eben unter diesen Gesichtspunkten interessant. Die beiden Autoren, Hilbig 1941 geboren und Neumann 1942, gehören dabei derselben Generation an. Während der Eine in Sachsen aufwuchs und der Andere in Ostpreußen, wurden wiederum beide auf ostdeutschem Boden sozialisiert. Zudem

---

[27] Wie sich in Teil 2 herausstellen wird.
[28] Walter Schmitz: Ost-West-Passagen in der Erzählprosa Wolfgang Hilbigs. In: Mentalitätswandel in der deutschen Literatur zur Einheit. Hrsg. Volker Wehdeking. Berlin. 2000, S. 113 zitiert Thomas Geiger im Gespräch mit Ingo Schulze: Wie eine Geschichte im Kopf entsteht. In: Sprache im technischen Zeitalter 37/1999.
[29] Die ausführliche Diskussion und Definition erfolgt dann in Teil 3 unter dem Abschnitt: Post-DDR-Literatur.

haben sie zu DDR-Zeiten ein Leben als Arbeiter geführt, die nur nebenher schrieben und erst sehr spät veröffentlichten. Bevor jedoch detailliertere Angaben zu den beiden Schriftstellern kommen, sei noch zusammenfassend vorweggenommen, dass beide Schriftsteller keine leichte Vergangenheit, vielmehr Schwierigkeiten im ehemaligen ostdeutschen System hatten. Eine regimekonforme DDR-Identität hat daher weder der Eine noch der Andere besessen[30].

Aus dem sächsisch-thüringischen Braunkohlegebiet kommend, hat Wolfgang Hilbig viele Jahre als Werktätiger im Tagebau u.ä. gearbeitet. Während dieser und anderer Tätigkeiten als Heizer oder Schlosser schrieb er unermüdlich, obwohl kein Verlag in der DDR seine Texte veröffentlichte. Als dann aber 1979 sein erster Gedichtband *Abwesenheit* beim Fischer-Verlag in Westdeutschland herauskam, begann Hilbigs Laufbahn als Schriftsteller. Durch Fürsprecher wie Franz Fühmann wurden auch in der DDR seine Texte allmählich staatlicherseits anerkannt. Das führte dazu, dass er, wie viele Schriftsteller der DDR, ab 1985 ein Visum für die Ein- und Ausreise nach Westdeutschland bekam. Bis Mitte der neunziger Jahre lebte er dann in Westdeutschland und ist heute in Berlin ansässig.

Gert Neumann ist heute ebenfalls in Berlin ansässig. In der DDR ist er als Sohn der Schriftstellerin Margarete Neumann aufgewachsen, was seinem Schreiben einen privilegierten Anfang ermöglichte. Nachdem er jedoch 1968 aus dem Leipziger „Literaturinstitut Johannes R. Becher" ausgeschlossen wurde, lebte er weiter als ‚arbeitender Schriftsteller‘, das heißt als Maurer, Schlosser u.ä.. Seine eigentliche Druckgeschichte beginnt daher erst mit der Veröffentlichung von *Die Schuld der Worte* – wie Wolfgang Hilbig – 1979 im westdeutschen Fischer-Verlag. Und ebenfalls ähnlich Hilbig, lässt er sich weder der reformengagierten Schriftstellergeneration der DDR, noch den jungen Autoren des „Prenzlauer Bergs" zuordnen, obwohl beide eine Form der literarischen Subversion praktizierten.

Hier aber enden die Gemeinsamkeiten. Als „Ergebnis unterschiedlicher Wege"[31] ließe sich nicht nur die Parallelbiografie eines Daseins als Arbeiter und Schriftsteller zugleich bezeichnen. Auch das dabei entwickelte poetische Konzept stellt eine definitiv unterschiedliche Form der literarischen Subversion dar. Während Hilbig nur so lange Arbeiter war, wie er Schriftsteller nicht sein konnte, gilt für Neumann diese Art der Doppelexistenz als Unabhängigkeitsprinzip bis heute. Hiermit ist die Verschiedenheit im literarischen Gestus schon zu erahnen: einerseits werden diese besonderen Formen des Daseins *schreibend thematisiert* und zu Fall gebracht, wogegen andererseits aus eben diesen besonderen Formen ein *Prinzip* entwickelt wird. Jedoch die Betonung liegt wieder im gemeinsamen Anliegen: einem schreibenden *Widerstand*.

Die biografische Nähe, neben der zeitlichen und thematischen Nähe der Texte, ist nicht wirklich wichtig aber hilfreich. Wenn es um eine ostdeutsche Identität in den Romanen gehen soll, so macht eine biografische Ähnlichkeit den Übergang zwi-

---

[30] Reinhard Jirgl mit seinem Roman *Hundsnächte* (1997) könnte auch fast mit dazugehören. Er ist ebenfalls ’arbeitender Schriftsteller‘ zu DDR-Zeiten gewesen, aber erst ein Jahrzehnt später geboren (1953) und damit einer anderen Generation zugehörig. Außerdem bin ich mir auch nicht sicher, inwieweit in dem genannten Roman eine Verortung ostdeutscher Identität in Form einer Selbstpositionierung des Erzählers im Roman möglich wäre.

[31] Uwe Schoor: Heraustreten aus selbstverschuldeter Müdigkeit. Zwei unaufgefordert schreibende Arbeiter. Wolfgang Hilbig und Gert Neumann. In: Zersammelt. Die inoffizielle Literaturszene der DDR nach 1990. Hrsg. Roland Berbig, Birgit Dahlke u.a.. Berlin. 2001, S. 56.

schen Fiktion, Identität und Autobiografie zumindest strukturell einfacher. Ausschlaggebend wird die biografische Nähe zudem unter einer sozialwissenschaftlichen Perspektive, die die verschiedenen ostdeutschen Generationen unterteilt.

Göschel veröffentlichte 1999 eine Studie, in der er die „kulturelle und politische Identitätsbildung ostdeutscher Generationen"[32] analysiert. In der 40er-Jahre-Generation sieht er einen Typus, den er den „idealistischen Homo Faber"[33] nennt. Als „Planer und Techniker" erscheinen dieser Generation Wende und Vereinigung „nicht nur als Bruch, sondern in hohem Maße als Kontinuität der Unvernunft, die in ihren Augen genauso dominiert wie in der DDR". Weiter heißt es:

> „Wegen ihres fortgeschrittenen Alters kann diese Generation weder kulturell-symbolische Konflikte mit Aussicht auf Erfolg und glaubhaft durchstehen, noch Anpassung durch Um- und Neuqualifizierung leisten. Es ist zu vermuten, daß diese Generation mehrheitlich im vereinten Deutschland nicht ankommen, daß sie sich in diesem Land nicht mehr zu Hause fühlen und überwiegend in die Nischen zurückziehen wird, die sie bereits vor der Wende in der DDR für sich entwickelt hatte."[34]

Göschel zeichnet ein recht trauriges Bild der ostdeutschen 40er-Jahre-Generation. Die Schwierigkeiten ob eines „fortgeschrittenen Alters" während der Wende leuchten allerdings ein. Und doch ist die Art der ‚Nischen', die Neumann und Hilbig für sich gefunden haben, wohl schwerlich als resignativ zu bezeichnen. Ein poetisches Konzept, das subversiv zu sein versucht, ist kaum ein Rückzugsgebiet vor der Welt. Hier werden alternative Wege beschritten. Angesichts solcher Kategorisierungen wird jedoch die Frage nach der heutigen ostdeutschen Identität, wie sie die in den 40er Jahren geborenen Autoren praktizieren, noch dringender. Hat ein Umdenken stattgefunden oder wurden alte ‚Nischen' neu aktiviert? Wenn ja, welche Nischen wurden reaktiviert?

Die Schriftsteller Wolfgang Hilbig und Gert Neumann gehören also derselben Generation an. Damit haben sie Anfang und Ende der DDR erlebt, und standen mit der Wende nach zwei Dritteln ihres Lebens einem neuen System gegenüber. Da sie vor 1989 wenig Popularität besaßen, waren sie nach der Wende auch kaum gezwungen, ihre neue Selbstsituierung öffentlich auszutragen. Und doch sind es gerade diese Autoren, die in den letzten Jahren in den Romanen *Das Provisorium* und *Anschlag* Ost-West-Konflikte schwerpunktmäßig beschreiben. Wichtig ist für mich hierbei, dass diese Auseinandersetzungen keinem Druck der Öffentlichkeit entsprungen sind – wie bei Christa Wolf oder Volker Braun teilweise -, sondern eigenen Bedürfnissen. Die zwei verschiedenen Schreibweisen reflektieren eine ostdeutsche Gesinnung, die die Erfahrung eines Bruchs in ähnlichen Lebenskontexten verarbeitet.

---

[32] Albrecht Göschel: Kontrast und Parallele: kulturelle und politische Identitätsbildung ostdeutscher Generationen. Stuttgart, Berlin u.a.. 1999.
[33] Ebd. S. 158.
[34] Ebd..

1 DIE PERSPEKTIVISCHE FIGUR

1.1 Die ostdeutsche Identität

Multidimensionales Phänomen mit Kern in der Vergangenheit

Einen Zusammenhang wie ‚ostdeutsche Identität' begrifflich zu erfassen, eröffnet eine Unmenge an Unbekannten, die eine Gleichung wohl nie vollständig werden lassen. Nichtsdestotrotz soll hier der Versuch unternommen werden, das, was eine ‚ostdeutsche Identität' darstellt, zumindest zu umreißen.

Vorab ist dabei ein klareres Verständnis von „ostdeutsch" notwendig. Dieser Begriff soll vor allem für die Gegenwart gelten, d.h. damit ist nicht in erster Linie alles gemeint, was die ehemalige DDR bis zu ihrem Ende 1989 beinhaltete. „Ostdeutsch" bezeichnet vielmehr von Thüringen bis Vorpommern auch eine Abweichung vom „Westdeutschen", das, bei aller Differenzierung untereinander, das unterscheidende Gemeinsame ist. Als gemeinsamer Nenner erscheint hier lediglich das, was das Gegenüber zu etwas Fremdem macht, das Westdeutsche abgrenzt. Möglicherweise muss es für die Gegenwart bei solch vagen Formulierungen bleiben, da z.B. eine rein geographische Definition das Spirituelle oder Politische dieses Begriffes nicht mit einschließen würde.

Wenn an dieser Stelle doch eine Theorie zitiert werden soll, die den Begriff ‚ostdeutsche Identität' beschreibt, so geht es dabei weniger um eine Art Schablone, mit der die Romane analysiert werden sollen. Vielmehr kann Detlef Pollacks Version der ‚ostdeutschen Identität' als „ein multidimensionales Phänomen"[35] Schwerpunkte für ein Verständnis des Begriffes liefern, das flexibel bleibt und sich doch unabhängig davon – soviel sei vorweg genommen – auch in den beiden zu behandelnden Texten, *Das Provisorium* und *Anschlag*, wiederfindet.

Ausgehend von dem Phänomen, dass „sich auf der kognitiven Ebene tiefe Risse zwischen der Mentalität der Ostdeutschen und derjenigen der Westdeutschen zeigen"[36] und der Tatsache, dass Ostdeutsche, anders als zum Zeitpunkt der Wiedervereinigung von 1990, „dem Rechtssystem der Bundesrepublik, ihren politischen Institutionen und Parteien eher distanziert gegenüber"[37] stehen, soll eine Spezifizierung dessen, was „ostdeutsch" ist, versucht werden. Dabei stellt sich für Pollack heraus, „wurde damals [kurz nach der Wende – C.M.] auch noch der Wert Freiheit über den Wert Gleichheit gestellt und der Sozialismus weitaus weniger häufiger bejaht"[38] als heutzutage. Tendenziell hätten sich die Wertdifferenzen zwischen Ost und West mit der Zeit eher verstärkt, was in einer Sozialisation durch und gegen das neue System gleichzeitig stattfand. Hinter diesen Bewegungen vermutet Pollack einen „Kulturbegriff", der als „Tradition, Gewohnheit, Habitus" seinen Vertretern oft kaum „bewusst"[39] ist. Die neuerdings stärker werdende Selbstidentifikation als Ostdeutsche versteht er als eine „Abgrenzungsidentität", „einen Akt der Selbst-

---

[35] Detlef Pollack: Ostdeutsche Identität – ein multidimensionales Phänomen. In: Werte und nationale Identität im vereinten Deutschland. Hrsg. Heiner Meulemann. Opladen. 1998.
[36] Ebd. S. 301.
[37] Ebd. S. 302.
[38] Ebd. S. 307.
[39] Ebd. S. 310.

behauptung gegenüber dem Westen"[40]. Ursachen dafür scheinen mehrere Dinge gleichzeitig zu sein: „die strukturelle Übermacht des Westens", „daß durch die formelle Übertragung des westlichen Institutionensystems auf den Osten eine asymmetrische Kommunikationssituation entstand, in der die Ostdeutschen zu Fremden im eigenen Lande wurden" oder „daß die ökonomische Lage der Ostdeutschen nach wie vor schlechter ist als die der Westdeutschen"[41]. Kulturelle und ökonomische Gründe existieren nebeneinander und ergeben ein „multidimensionales" Phänomen.

Dieses versucht Pollack in drei Ebenen einzuteilen. Danach würden auf der Ebene der „Einstellungen und Verhaltensweisen" „sozialisatorisch bedingte Unterschiede" ein anderes Verhältnis zu „Marktwirtschaft und Demokratie, Freiheit und Gleichheit" begründen. Die schon erwähnte „Abgrenzungsidentität" ergäbe eine weitere Ebene und als „Resultat bestimmter Wahrnehmungsraster" entstünde die dritte Ebene, die die Unterschiede zwischen Ost und West zu einem Selbstläufer macht. „In jedem Falle aber wird man die ostdeutsche Identität und die sich an sie lagernde ostdeutsche Erinnerungskultur nicht als ein einheitliches Phänomen ansprechen dürfen, sondern als ein multidimensionales Gebilde behandeln müssen."[42]

Auf diese Weise wurde ein sehr abstrakter Begriff ostdeutscher Identität entwickelt, der lieber das Zusammenspiel verschiedener Faktoren integriert, als sich auf einen einzelnen zu reduzieren. Es mag beliebig wirken, auf Komplexität und Nichtdefinierbarkeit zu verweisen, allerdings gibt es neben der Interaktion der beschriebenen drei Ebenen eine weitere Gewichtung. Pollack endet mit den Hinweis, dass bei einer Definition der DDR-Vergangenheit „sich viele Ostdeutsche überraschend wenig flexibel und pragmatisch"[43] zeigen:

> „Um die Definition dieser Vergangenheit geht der Streit zwischen Ost und West. Und dies läßt sich leicht verstehen, denn die ostdeutsche Vergangenheit ist nicht disponibel. Sie ist unvermeidlich ein Bestandteil der ostdeutschen Biografien, und so man denn seine Selbstachtung nicht verlieren will, besteht ein unaufgebbares Interesse daran, sie vor ihrer Entwertung zu schützen. Darin könnte der Kern der sogenannten ostdeutschen Identität liegen."

Der Umgang mit der Vergangenheit im Zusammenspiel mit gegenwärtigen Wahrnehmungsmustern ließe sich also als „Kern" für ein Verständnis der ostdeutschen Identität verwenden. Und um noch einmal einer Schablonisierung der ostdeutschen Identität als Perspektive vorzubeugen, sei darauf hingewiesen, dass die zu untersuchenden Texte, Anschlag und Das Provisorium, selbst einen Begriff ostdeutscher Identität herzustellen wissen. Der dort betonte Bezug zur ostdeutschen Vergangenheit soll die Wirkung eines spezifischen Erfahrungshorizontes im Unterschied zum nun neuen westdeutschen System lokalisieren. Das Bewusstsein um die eigene Andersartigkeit darf möglicherweise keiner statischen Definition anheim fallen. Denn solange innerhalb ostdeutsch zu nennender Hintergründe um einen Zusammenhang gerungen wird, bleibt wohl der Begriff ostdeutscher Identität nur lebendig. Wichtig für die folgenden Texte sind also nicht die Konstanten sondern die Dynamik, die dieser Begriff produziert.

---

[40] Ebd. S. 311.
[41] Ebd.
[42] Ebd. S. 315.
[43] Ebd. S. 316.

Die ostdeutsche Identität – ein Leidschatz

Pollacks Betonen der ostdeutschen Vergangenheit im Umgang mit der ostdeutschen Identität verweist auf die Problematik der Vergangenheitsbewältigung oder der Erinnerung. Den Prozess kollektiver Veränderungen beschreibt der französische Sozialwissenschaftler Maurice Halbwachs z.B. als eine Erneuerung des Kollektivs selbst:

> „…daß sich von der einen Periode zur anderen alles erneuert – treibende Interessen und Geisteshaltungen, Arten der Beurteilung von Menschen und Ereignissen […].Aber die Gesamtheiten von Menschen, die dieselbe Gruppe in zwei aufeinanderfolgenden Perioden bilden, sind zwei Bruchstücke, die einander allein an ihren beiden entgegengesetzten Endpunkten berühren…"[44]

Die Ausmaße, die strukturelle Veränderungen für bestimmte Gruppen oder Identitäten annehmen können, sind also mit Halbwachs angedeutet.Allerdings soll es hier nicht um das Beschreiben dieser Veränderungen gehen, als vielmehr um das Potential ihrer Wirkung auf die Ästhetik.

Aleida Assmann erklärt mit der Formel „Gedächtnis als Leidschatz"[45], wie traumatische Erfahrungen „vom betroffenen Kollektiv weder erinnert noch vergessen werden".Wenn sie ins kollektive Unbewusste eingehen, so „bilden sie das Substrat", das „in veränderten historischen Konstellationen wieder aktiviert werden kann"[46]. Ein solches Verständnis überträgt Assmann auf neue Formen der künstlerischen Auseinandersetzung mit der Vergangenheit, die historischen oder gesellschaftlichen „Abfall" für sich produktiv machen: „Das Archiv, das eine Sammel- und Konservierungsstelle für das Vergangene, aber nicht zu Verlierende ist, kann als ein umgekehrtes Spiegelbild zur Mülldeponie betrachtet werden, auf der das Vergangene eingesammelt und dem Zerfall überlassen wird."[47] Sie untersucht unter diesem Aspekt zeitgenössische Künstler wie Ilya Kabakow oder den Lyriker Durs Grünbein, die „Speicher wie das Buch"[48] als künstlerische Gestaltungsformen neu entdecken. Die Kunst begänne sich „in dem Augenblick verstärkt des Gedächtnisses anzunehmen […], da die Gesellschaft dieses zu verlieren droht oder abzustreifen wünscht". Dabei funktioniert diese Kunst nicht als Speicher selbst, sondern „simuliert Speicher, indem sie die Prozesse von Erinnern und Vergessen thematisiert". Vergangenheit und Erinnerungen werden also nicht gespeichert. Allerdings stellt deren „Leidschatz" einen „künstlerischen Fundus"[49] dar.

Besonders dann, wenn diese Erinnerungen emotionale Erfahrungen oder Veränderungen darstellen, wird Assmanns Perspektive wiederum für eine ästhetische Verwertung der ostdeutschen Identität produktiv. Eine Vergangenheit, ob sie nun dem Abfall oder dem Zerfall ausgesetzt ist, kann (auch in den folgenden Texten) zu verschiedenen Speicherversionen führen. Der „künstlerische Fundus" lässt sich

---

[44] Maurice Halbwachs: Das kollektive Gedächtnis. Frankfurt am Main. 1985, S. 68.

[45] Aleida Assmann bezieht sich dabei auf Aby Warburgs Vortrag in der Hamburger Handelskammer, 10. April 1928, London, The Warburg Institute, Archiv-Nr. 12.27, ein Kunsthistoriker, der sagte: „Der Leidschatz der Menschheit wird humaner Besitz."

[46] Alles:Aleida Assmann: Erinnerungsräume. Formen und Wandlungen des kulturellen Gedächtnisses. München. 1999, S. 372.

[47] Ebd. S. 382.

[48] Ebd. S. 22.

[49] Alles ebd. S. 22.

dabei als das inspirierende Potential der Erfahrung einer ostdeutschen Identität verstehen. So stellt die ostdeutsche Identität eine (dem Abfall überlassene) Vergangenheit dar, dazu ein, wenn auch nicht unbedingt traumatisches, Leid in der Erfahrung eines Bruchs[50]. Der Begriff „Leidschatz" eröffnet damit eine ästhetische Perspektive, die in den kommenden fiktionalen Texten als ostdeutsche Identität produktiv gemacht werden soll.

1.2 Der autothematische Gestus

Die Triade Fiktion, Identität, Autobiografie – eine perspektivische Figur

Um ostdeutsche Identitätskonflikte in fiktionalen Texten erkennen zu können, scheint die methodische Frage, wie authentisches Material aus den Texten zu extrahieren wäre, immer wieder um die Begriffe autobiografisches Schreiben, Identität und Fiktion zu kreisen. Für das Beschreiben einer ost-westdeutschen Thematik als realgesellschaftlichen Aspekt in der Literatur ist die Verbindung zwischen Fiktion und Wirklichkeit immerhin Vorrausetzung. Ausgehend von dieser Dynamik entsteht jedoch die Frage nach dem autobiografischen Gehalt dieser fiktionalen Texte, der ein weiteres Indiz für das reale bzw. fiktive Potential der Identitätskonflikte wäre. Wenn sich zudem noch ein Zusammenhang zwischen den Begriffen Identität und Fiktion, sowie Identität und Autobiografie erklären ließe, dann ergäbe dies eine perspektivische Figur für die vorliegenden Texte.

Fiktion und Identität

Schon der Begriff der Fiktion ist sehr umstritten. Das Problem einer wahrnehmbaren Grenze zwischen dem Realen und dem Nichtrealen ist ein uraltes, und es soll nur um eine der ersten Niederschriften gehen, wenn Aristoteles' Unterscheidung zitiert wird: Er schreibt, „...daß der Geschichtsschreiber darstellt, was wirklich geschehen ist, der Dichter dagegen, wie etwas geschehen *kann*."[51]

Mit dem Moment, in dem für die antike Dichtkunst die Gesetze der Wahrscheinlichkeit postuliert wurden, ergab sich für das Reich des Fiktiven ein Realitätsgehalt, der die Begriffe „wahr und falsch", „wirklich und unwirklich", einer Gleichzeitigkeit aussetzte. Wirklichkeit scheint ein unabdingbarer Bestandteil einer Definition der Fiktion zu sein. Wie allerdings lässt sich dieses Verhältnis beschreiben?

Realität käme um einen „gewissen Verfremdungsfaktor nicht herum", sie sei „durch ein Unsichtbares gedoppelt" und so als ein „gewissermaßen Abwesendes gegenwärtig", heißt es bei der Grundlegung einer Romansoziologie[52]. Die auf zweiter Ebene erfahrbare Wirklichkeit wird hier betont, um so auf ihre Präsenz verweisen zu können. An dieser Stelle geht es aber um die gesellschaftliche Relevanz von

---

[50] Vgl. Teile 2 und 3, worin der Bedeutungswandel und eine erschütterte Identität als Erfahrung eines Bruchs erklärt wird.

[51] Aristoteles: Über die Dichtkunst. S. 109.

[52] Rainer Zerbst: Die Fiktion der Realität – die Realität der Fiktion. Prolegomena zur Grundlegung einer künftigen Romansoziologie. Europäische Hochschulschriften. Frankfurt am Main. 1984, S. 88

Fiktion für eine soziologische Analyse, die schon deshalb auf einen gewissen Realitätsgehalt nicht verzichten kann.

Die Realitätsnähe eines fiktiven Textes gilt jedoch nicht ausschließlich. Anders gewichtet Gerard Genette, für den ein „Fiktionstext zu keiner außertextuellen Realität [führt], denn alle seine bei der Realität gemachten Anleihen verwandeln sich in Elemente der Fiktion...“[53]. Fiktion stünde „diesseits von Wahr und Falsch“ und hätte mit dem Rezipienten eine „gegenseitige Nichtverantwortlichkeit“ vereinbart, die einzig auf einem „interesselosen Wohlgefallen“[54] basiere. Das aristotelische „möglich“ wird hier als optimales Minimum an Aussagerelevanz verstanden, d.h. der Realitätsgehalt wird generell gleichgültig.

Noch losgelöster von realen Kontexten ist ein fiktiver Text bei Barthes, der selbst den Autor „als Institution“ für „tot“[55] erklärt. Der literarische Text ist ein sich selbst bearbeitendes „Gewebe“, „ohne Sinn“, gleich einem „ständige[n] Flechten“[56]. Auf diese Weise wird Fiktion zunehmend totaler, da die Gewichtung der Fiktivität von Texten die Fiktion in ihrer Autonomie bestärkt und von den Fesseln jeglicher (Wahrscheinlichkeits-)Gesetze befreit.

Dieser mit viel Emphase gezogene Schluss übersieht jedoch einen Aspekt, den Iser beleuchtet, wenn er von den „Akten des Fingierens“ spricht, die genau den Prozess des Übergangs von der Realität in die Fiktion beschreiben sollen. Hier heißt es:

„Bezieht sich also der fiktionale Text auf Wirklichkeit, ohne sich in deren Beziehung zu erschöpfen, so ist die Wiederholung ein Akt des Fingierens...“ [57]

Dabei steht das Fingieren nicht für die bloße Wiederholung von Wirklichkeit. Erst wenn die wiederholte Wirklichkeit nicht mehr ableitbar ist, lässt sich von dem Fiktiven reden, das nur durch ein Zusammenspiel mit dem Imaginären entsteht:

„Ist das Fingieren aus der wiederholten Wirklichkeit nicht ableitbar, dann bringt sich in ihm ein Imaginäres zur Geltung...“[58]

Dieses Imaginäre, „diffus, formlos, unfixiert“[59], der menschlichen Psyche entspringend[60], wird von dem Fiktiven durch verschiedene Akte des Fingierens, wie Selektion oder Kombination, geformt[61]. Der Bezug zur Wirklichkeit macht das Imaginäre lebendig und erhält damit Präsenz:

„Gewinnt das Imaginäre im Akt des Fingierens eine Bestimmtheit, die ihm als solchem nicht zukommt, so erhält es dadurch ein Realitätsprädikat; denn die Bestimmtheit ist eine Minimalbedingung des Realen.“[62]

---

[53] Gerard Genette: Fiktion und Diktion. München. 1992, S. 36.

[54] Ebd. S. 20.

[55] Roland Barthes: Die Lust am Text. Frankfurt am Main. 1974, S. 43.

[56] Ebd. S. 94.

[57] Wolfgang Iser: Das Fiktive und das Imaginäre. Perspektiven literarischer Anthropologie. Frankfurt am Main. 1991, S. 20.

[58] Ebd.

[59] Ebd. S. 21.

[60] Ebd. S. 377.

[61] Ebd. S. 393. Wenn auch das Fiktive dabei nicht mehr Wirklichkeit bleibt, so ist erst das Imaginäre ein wirklich Unwirkliches, was Iser jedoch durch permanente Grenzüberschreitungen miteinander in Verbindung setzt.

[62] Ebd. S. 22.

Dem Imaginären Bestimmtheit verleihen zu wollen, was wiederum als Charakteristik des Realen verstanden wird, erinnert an den aristotelischen Wahrscheinlichkeitsmaßstab, genauso wie die Isersche „wiederholte Wirklichkeit" an Aristoteles' Kunst als „nachahmende Darstellung"[63]. Der Realitätsgehalt scheint immer wieder eine Definition von Fiktion zu bedingen. Umgekehrt verhält es sich jedoch ähnlich: Die Wirklichkeit kann ohne Fiktion schwerlich auskommen. Genau dann, wenn die Wahrnehmung des Realen formuliert werden soll, erscheint das Fiktive als Lückenfüller oder Ergänzung des Gesamtbildes.

Iser spricht dem eine anthropologische Dimension[64] zu: „... so kann man sich im Fingieren auch immer zu dem machen, was man sein will."[65] Weiter heißt es:

> „Ist es ein tief verwurzeltes Begehren, gleichzeitig zu sein und sich in diesem Schein zu haben, um zu gewärtigen – wenn nicht gar zu wissen -, was das sei, wenn man ist, dann eröffnet literarisches Fingieren als Inszenierung einer solchen Unverfügbarkeit im Prinzip zwei Möglichkeiten: das Fingieren kann die Erfüllbarkeit dieses Wunsches vorstellen, es kann aber auch erfahrbar machen, was es heißt, dass sich der Mensch nicht gegenwärtig ist."[66]

Identitätssuche wird so zu einem Fiktionsmotiv. Immer dort, wo sich „Grenzen der Wissbarkeit"[67] abzeichnen, entsteht das Fingieren. Gerade im Falle von Selbstwahrnehmungen wird der Austausch zwischen der Außen- und Innenwelt zu einem stetigen Zusammenspiel, das fiktive und reale Momente abzugleichen sucht. Die Wahrnehmung und Konstitution der eigenen Identität ist aber nicht nur prototypisch, sondern ausschlaggebend für das Verhältnis von Realität und Fiktion. Erst das ‚Sein mit Schein' ermöglicht nach Iser eine abgerundete Existenz.

Identität scheint schon strukturell mit Fiktion verbunden. Lacan[68] beschreibt den Augenblick, in dem das Kind sich das erste Mal im Spiegel sieht und so die fragmentarische Wahrnehmung seines Selbst durch ein Medium als geschlossenes Ganzes erfährt. Schon das Medium des Spiegels bricht die direkte Wahrnehmung, und überschreitet damit die Grenzen zwischen Realität und Fiktion. Dieses Beispiel beschreibt, wie, konfrontiert mit einer fragmentarischen Wirklichkeit, immer wieder das Bedürfnis entsteht, das Reale zu vervollkommnen, in einen Rahmen zu fassen. Eine solche Formbildung jedoch entspricht nicht der fragmentarischen Wirklichkeit und ist daher wieder fiktiv.

Sei es das Bedürfnis nach einem geschlossenen Ganzen oder das Begehren nach der Gleichzeitigkeit von Schein und Sein; Roland Barthes nennt es „die Lust":

> „Vielleicht kehrt nun das Subjekt nicht als Illusion, sondern als Fiktion zurück. Eine gewisse Lust gewinnt man aus einer bestimmten Art, sich als Individuum

---

[63] Aristoteles: Über die Dichtkunst, S. 69.

[64] Anthropologisch argumentiert auch Susanne Lander in „Philosophie auf neuen Wegen": Ausgehend von symbolischer Formgebung als fundamentaler Prozess menschlicher Sinnesdatenverarbeitung, ist für sie jede Form künstlerischen Ausdrucks ein Symbol, etwas auf der Wahrnehmungsebene geistig Objektiviertes, das in menschlicher Erfahrung seinen Ursprung hat. Vgl. Susanne Katharina Langer: Philosophie auf neuem Wege; das Symbol im Denken, im Ritus und in der Kunst. Frankfurt a. M.. 1965.

[65] Wolfgang Iser: Fingieren als anthropologische Dimension der Literatur. Konstanz. 1990, S. 17.

[66] Ebd. S. 28.

[67] Ebd. S. 26.

[68] Vgl. Jaques Lacan: Das Spiegelstadium als Bildner der Ichfunktion, wie sie uns in der psychoanalytischen Erfahrung erscheint. In: Das Werk von Jacques Lacan. Hrsg. Jaques-Alain Miller. Übers. v. Norbert Haas u.a.. Berlin. 1991, S. 61-71.

vorzustellen, eine letzte Fiktion seltenster Art zu erfinden: das Fiktive der Identität."[69]

Hier soll Fiktion die Suche nach einer Verortung in der realen Welt aufheben. Und doch geht auch bei Barthes das Bedürfnis nach Fiktion einher mit dem Bedürfnis nach Identität.

Die Ähnlichkeit zwischen Identität und Fiktion hat wieder Iser auch auf begrifflicher Ebene betont. Beide würden einen „Zuschussbetrag zu den Systemen (sei es das der Realität oder der Gesellschaft/des Selbst – C.M.) [verkörpern], um deren Defizite zu balancieren."[70] Beide Begriffe füllen demnach intuitiv Lücken menschlicher Wahrnehmung, wobei Iser den Identitätsbegriff sogar zur Vorraussetzung einer Funktion der Fiktion machen würde. Dabei betont er für sich gesellschaftlich einstellende Sinngefüge die Gefahr, dass Fiktionen für Wirklichkeit gehalten werden und Identitätsvorstellungen einer Essentialisierung anheim fallen können.

Wahrscheinlichkeiten oder Realitätsgehalte finden sich also im Begriff der Fiktion. Wenn umgekehrt das Fiktive in der Wirklichkeitswahrnehmung mit dem menschlichen Bedürfnis, Lücken zu füllen erklärt wird, dann ähnelt dieses Verorten in der realen Welt sehr stark einer Identitätssuche. Darüber hinaus scheinen sich Identität und Fiktion nicht nur gegenseitig zu mobilisieren, sondern zudem aus einer besonderen Verbindung zwischen Wirklichem und Unwirklichem zu bestehen[71], die in ihrer Gewichtung unterschiedlich ausfallen kann.

Identität – Autobiografisches Schreiben

Ähnlich den grenzüberschreitenden Momenten, die Fiktion mit der Wirklichkeit verbinden, überschneidet sich der Begriff der Identität mit autobiografischem Denken oder Schreiben. Die Wahrnehmung des eigenen Selbst mit einem fiktiven Potential zu ergänzen, hängt mit einem konstruierenden und narrativen Gestus zusammen. „Erzählen bedeutet zu sagen, wer was getan hat, wie und warum…"[72] Eben diese Verbindung zwischen Identität und Autobiografie und der Narrativität als Bindeglied soll nun näher beleuchtet werden. Ausgehend von der aristotelischen Fabelkomposition stellt Ricoeur fest:

„Die Erzählung konstruiert die Identität einer Figur, die man ihre narrative Identität nennen darf, indem sie die Identität der erzählten Geschichte konstruiert. Es ist die Identität der Geschichte, die die Identität der Figur bewirkt."[73]

Genauso wie die Wahrnehmung einer geschlossenen Wirklichkeit bedarf, geht es hier um die „narrative[...] *Einheit* des Lebens"[74]:

---

[69] Roland Barthes: Die Lust am Text. Frankfurt am Main. 1974, S. 91.

[70] Wolfgang Iser: Ist der Identitätsbegriff ein Paradigma für die Funktion der Fiktion? In: Identität. Hrsg. Odo Marquard und Karlheinz Stierle. Poetik und Hermeneutik VIII. München. 1996, S. 727.

[71] Die Krise in Identität und Schreiben spiegelt sich auch umgekehrt in dem Versuch, begrifflich wiederzugeben, wie sich Identitätsstrukturen verhalten. Die Systematisierung oder „Verabsolutierung von Identitätskritik"[71] erwies sich als nicht haltbar, und ließ Stross wieder nur auf die Formel von „Identität zwischen Fiktion und Konstruktion" resümieren. – Annette M. Stross: Ich-Identität zwischen Fiktion und Konstruktion. Berlin. 1991.

[72] Paul Ricoeur: Das Selbst als ein Anderer. München. 1996, S. 181.

[73] Ebd.

[74] Ebd. S. 199.

„Gerade wegen des flüchtigen Charakters des wirklichen Lebens bedürfen wir der Hilfe der Fiktion, um letzteres rückblickend nachträglich zu organisieren..."[75]

Wenn Ricoeur von der narrativen Identität redet, dann tut sich schon an dieser Stelle autobiografisches Denken auf, ohne klaren Anfang oder Ende, da auch „die Erinnerung [...] sich in den frühen Nebeln der Kindheit [verliert]"[76].

Ebenso dekonstruiert sich damit die Vorstellung einer gleichbleibenden narrativen Identität, wie Kerby diesbezüglich betont:

„Just as we change week by week, year by year, so do our narrations of the past."[77]

Die Erinnerungen und Selbstdefinitionen unterliegen einer fortwährenden Veränderung. So entsteht eine „identity of difference" – „constituted by framing the flux of particular experiences by a broader story."[78] Einem autobiografischen Gestus entsprechend, werden Erfahrungen der Vergangenheit einem Sinn zugeordnet, der sich jedoch von Zeit zu Zeit ändern kann. Das, was dabei als Ergebnis herauskommt, kann so auch immer nur eine temporäre Identitätsdefinition ergeben.

Schon für die Antike wird in der Verteidigungsrede des Sokrates eine „Wurzel des Autobiografischen"[79] vermutet. Entspringt der Drang zur Narration also dem Drang zur Rechtfertigung? Odo Marquard beantwortet diese Frage mit einem sowohl als auch. Ebenso sollte Identität als „rechtfertigungsunbedürftig"[80] gelten, wie sie einem Rechtfertigungsdrang entspricht – allerdings je nach dem, wie die Zeichen der Zeitgeschichte stehen:

„Gegenüber der Antike wurde die Rechtfertigungssituation entscheidend verändert, als das Christentum die Menschen als erlöste – als durch Gott begnadigte Sünder verstand. Ankläger wird der absolute und zugleich gnädige Gott."[81]

Als dann die profanisierte „Wirklichkeit als Geschichte" das christliche Tribunal ablöste, wurde der „absolute und zugleich gnadenlose Mensch"[82] zum Ankläger. Marquard nennt es die „moderne Hypertrophie der Rechtfertigungszumutung", die „den Ausbruch in die Unbelangbarkeit", die Anonymität, provoziere. Rechtfertigungsunbedürftigkeit stünde also neben der Rechtfertigung und vermittele als „Treuhänderverantwortung für die je eigene Identität durch Urheberverantwortung für ihre Präsentation" zwischen beiden.

---

[75] Ebd.

[76] Ebd. S. 196.

[77] Anthony P. Kerby: Narrative and the Self. Indianapolis. 1991, S. 37.

[78] Ebd. S. 46.

[79] Das narrative Bindeglied zwischen Identität und Autobiografie betont Fuhrmann in seinem Artikel: „Rechtfertigung durch Identität – Über eine Wurzel des Autobiographischen"[79]. Am Beispiel der Apologie des Sokrates bei Platon beschreibt er, wie in der Antike eine Verteidigungsrede zum Anlass oder Mittel einer rechtfertigenden Selbstdarstellung wurde. Individualität -„ich bin etwas Besonderes"- und Identität -"ich bin stets derselbe gewesen" – waren dabei ausschlaggebend für die Rechtfertigung vor dem Tribunal, dem Sokrates ausgesetzt war. – ebd. S. 685.

[80] Vgl. H. Lübbe: Rechtfertigungsunfähigkeit und Rechtfertigungsunbedürftigkeit der Identität. In: Identität. a.a.O..

[81] Odo Marquard: Identität – Autobiographie – Verantwortung (ein Annäherungsversuch). In: Identität. a.a.O., S. 692.

[82] Ebd. S. 693.

„Die identitätspräsentierende Geschichte (speziell die Autobiographie) wäre dann das Make up der Identität."[83]

So gesehen wäre die Autobiografie eine narrative Form der momentanen Identität. Es gibt verschiedenste – sozialpsychologische bis hin zu kulturphilosophischen – Arten, das Entstehen von Identitätsstrukturen zu beschreiben, wichtig ist hier nur, dass eine jede Identität narrativ ist und damit autobiografische Züge besitzt.

Das Zusammenspiel von Identität und Autobiografie durch die Narration unterliegt dabei permanent den Tendenzen seiner Zeit. Dass in den letzten Jahrhunderten ein „Paradigmawechsel" in dem Sujet Autobiografie stattgefunden hat, stellt auch Neumann fest, der Goethe (1822), Thomas Mann (1910) und Bernhard Blume (1985) miteinander vergleicht[84]. Für das Ende des letzten Jahrhunderts postuliert Neumann statt der geschlossenen Form des auktorialen Romans eine „...offene Form der ‚Annäherungs-Autobiographie', bei der das Ich sich erst im Akt des Schreibens annäherungsweise konstituiert."[85] Identität sei „transitorisch" geworden, dementsprechend auch ihre Form der Darstellung.

Dufresne nennt mehrere Gründe für dieses Aufbrechen von Identität und ihrer Darstellung im letzten Jahrhundert. Sei es der „Wandel im Verhältnis von Ich und Welt", der den „Kampf um Selbstbehauptung in jedem einzelnen Bewußtsein"[86], ein Auf-sich-allein-gestellt-Sein[87] provozierte, oder „Isolation, Weltverneinung und Aufgabe der individuellen Perspektive", die den „Untergang des Ich" herbeiführe:

„[D]er vorbildliche Held existiert nicht mehr, aber die individuelle Persönlichkeit des Ich bleibt zumindest als Produkt der schöpferischen Freiheit des Erzählers und des Interpreten erhalten."[88]

Das schwer Greifbare dessen, was Identität und Autobiografie neuerdings ausmacht, versucht Hilmes auf die Formel eines „inventarischen", d.h. ästhetischen Ichs, statt des vorherigen „inventorischen"[89], der historischen Wahrheit getreuen Ichs, zu bringen. Indem das autobiografische Ich den individuellen Selbstwahrnehmungen unterliegt, mäandert es zwischen der fiktiven und realen Welt. So hat also ein „Paradigmawechsel" stattgefunden, wie Neumann meinte, der die Identitätsindung heutzutage durch das Erzählen betont, und dabei auf das fragmentarische, offene der Erzählformen verweist. Auch wenn die Darstellung von Identität nur repräsentativen Charakter hat, so findet sich hierfür eine „Urheberverantwortung"[90], die autobiografisches Schreiben immer wieder als Indikator einer spezifischen Identität einsetzbar macht. Wichtig bleibt, dass die Autobiografie Identität mit konstituiert, d.h. also auch hier ein fiktives Element wirksam wird.

---

[83] Ebd. S. 698.

[84] Bernd Neumann: Paradigmawechsel. Vom Erzählen über die Identitätsfindung zum Finden der Identität durch das Erzählen: Goethe (1822), Thomas Mann (1910) und Bernhard Blume (1985). In: Edda-Hefte. Nr. 2. 1991, S. 99. – Mit dem „Felix Krull" wurde der Gedanke „umfassender und organischer Identitätsausbildung – und mithin zentrales, klassisches (goethesches – C.M.) [...] Kulturgut – so radikal in Frage [gestellt]" und statt dessen ein Identitätkomplex dargeboten, der über den „Tausch von Rollen" kaum noch greifbar erschien.

[85] Ebd. S. 100.

[86] Eva Fauconneau Dufresne: Das Problem des Ich-Romans im 20. Jahrhundert. Europäische Hochschulschriften. Frankfurt am Main. 1985. S. 147.

[87] Vgl. Odo Marquard: „Ankläger wird der absolute und zugleich gnadenlose Mensch". In: Identität. a.a.O..

[88] Ebd. S. 151.

[89] Carola Hilmes: Das inventarische und das inventorische Ich. Grenzfälle des Autobiographischen. Universitätsverlag. Heidelberg. 2000. S. 388.

[90] Vgl. o.g. Zitat von Odo Marquard. In: Identität. a.a.O..

Autobiografisches Schreiben – Fiktion

Generell versteht man Autobiografie als die selbstverfasste Lebensdarstellung einer realexistierenden Person. Und doch variieren im Konkreten die Definitionen ob der Realitätsbezogenheit autobiografischer Texte, da das Literarische dieser Darstellungen ein gewisses fiktives Potential provoziert. Ist eine Autobiografie stets auch fiktiv? Kann Fiktion daher autobiografische Anteile haben?

> „Autobiographie setzt voraus, dass zwischen dem Autor, dem Erzähler und dem Protagonisten der Erzählung Namensidentität besteht."[91]

Lejeune zieht die Grenzen sehr strikt und versucht die Wirklichkeitsbezogenheit regelrecht zu garantieren, indem er von einem „Vertrag" redet, den der Autor mit dem Leser eingeht, sobald er seinen Namen einem Text voran stellt. Eine solche Sichtweise reduziert erheblich das autobiografische Potential von Romanen, da die genannte Namensidentität hier nicht zur Geltung kommt. Besteht trotzdem ein Grund zur Identität zwischen Autor und Protagonist bzw. Erzähler, so existiere im „autobiographischen Roman" lediglich ein „phantasmatischer Pakt"[92]. Von Autobiografie ließe sich dabei nicht mehr reden, allerdings von autobiografischen Anteilen im Text.

Schon in den 70er Jahren entstand der Begriff „Autofiktion"[93], um die zunehmende Fiktionalisierung der Gattung begrifflich zu markieren. Bis in die Gegenwart hinein wird eine Tendenz der „Hinwendung [der Autobiografie – C.M.] zum autobiographischen Roman" erkennbar. Dies entspricht dem Versuch, „trotz einer gewissen Homogenisierung des autobiographischen Materials, mit diesem experimentell verfahren zu können."[94]

Autobiografisches Material wird also zunehmend fiktionalisiert. Wenn Holdenried diese Form der Vermengung oder „Grenzüberschreitung"[95] auch für die Zukunft annimmt, so sei zumindest bemerkt, dass sie dabei auf die „Entstehung hybrider Identitäten"[96], dem Leben zwischen zwei Kulturen, verweist.

Der Reiz, den diese Form der Ich-Erzählung ausmacht, mag an der „Leiblichkeit"[97] liegen, die dem Erzähler in der Welt der Charaktere zufällt. Stanzel nennt es den „quasi-autobiographischen Roman"[98], in dem ein erzählendes und ein erlebendes Ich gleichzeitig zur Geltung kommen. Inwieweit hier autobiografische Realität eine Rolle spielt, sei dahingestellt, wichtig ist, dass dieser Erzählform durch die Körperlichkeit des Autors oder Erzählers in der Welt des Textes eine gewisse Authentizität zugesprochen wird. Wenn jedoch „Leiblichkeit" eine ästhetische Qualität ausmacht, dann steht das schon im Zusammenhang mit der ästhetischen Wahrheit, die dem „inventarischen Ich"[99] jüngerer Autobiografien zugeschrieben wird. Ästhetische Gewichtungen werden zu einem neuen Wahrheits- oder Authentizitätsprinzip.

---

[91] Philippe Lejeune: Der autobiographische Pakt. Hrsg. Karl Heinz Bohrer. Frankfurt am Main. 1994, S. 25.
[92] Ebd. S. 47.
[93] Michaela Holdenried: Autobiographie. Stuttgart. 2000, S. 20.
[94] Ebd. S. 258.
[95] Ebd. S. 268.
[96] Ebd.
[97] Franz K. Stanzel: Theorie des Erzählens. Göttingen. 1979. S. 124.
[98] Ebd. S. 125.
[99] Vgl. Carola Hilmes: Das inventarische und das inventorische Ich. Grenzfälle des Autobiographischen. Universitätsverlag. Heidelberg. 2000.

Robbe-Grillet sah in dem „nouveau roman" der 60er Jahre eine Form der Autobiografie, da es beim Lesen nicht um das objektiv Wahre, sondern um das Wirkliche, das „wogegen ich stoße"[100] ginge.

> „Das sadistische Element, das in diesem Buch, wenn auch negativ enthalten ist, stammt aus meinem Kopf. Das bin ich. Ganz einfach."[101]

Das Wirkliche als eine ästhetische Kategorie wird einem autobiografischen Gestus zugeschrieben. Der Ich-Erzähler sowie Lejeunes Namensidentität verlieren in diesem Modell ihre Relevanz für die autobiografische Form, da hier allein die spezifische Form des literarischen Schreibens zählt.

Autobiografisches Schreiben provoziert immer wieder neue Bedeutungsdefinitionen. Während der „phantasmatische Pakt"[102] noch lediglich das Fiktive eines autobiografischen Romans betonte, so wird umgekehrt der Erzählmodus des Ich-Erzählers im Roman zu einem Reiz des Authentischen. Eine solche Gegensatzgewichtung läßt das ästhetische Potential wie einen Kompromiss erscheinen, gerade weil die Gleichzeitigkeit von Fiktivem oder Ästhetischem mit dem Autobiografischen Grenzen überschreitet, ohne dabei neue zu ziehen.

Natürlich mag der Cohnsche Einwand stimmen, dass der „Diskurs des Erzählers [...] (nicht) als eindeutige Äußerung des Autors"[103] zu verstehen sei, und damit eine Vereinfachung der Problematik sowie die Verminderung ihres ästhetischen Wertes einherginge. Und doch ist dies nur die Gefahr einer Grenzenlosigkeit, die jedoch prinzipiell nicht das Eins-zu-eins-Übersetzen von Erzähler zu Autor bezweckt, sondern den ästhetischen Wert unter Einbezug aller Elemente beachtet: autobiografischer sowie ästhetischer. Es ist dieser „Bezug zur Wirklichkeit"[104], der in der Verbindung zwischen Autobiografischem und Fiktivem für die folgenden Romane eine Rolle spielt.

Die Debatten, die in der französischen Literaturtheorie in den 70er Jahren entfacht wurden, in denen Barthes oder Foucault vom „Tod des Autors"[105] sprachen, den Autorennamen zu einer Fiktion erklärten, wurden mittlerweile von neuen Debatten abgelöst. Die Wirklichkeitsrelevanz von Literatur wird nun mit der „Rückkehr des Autors"[106] begründet. Dass Texte mit der Autorabsicht zusammenhängen würden, begründet Jannidis wie folgt:

> „Selbst wenn man Foucaults unwahrscheinlicher Vorgabe folgt, dass es bloß dem Rezipienten überlassen sei, welche Merkmale des Textes für erheblich gehalten werden, so muss der Text zumindest das fragliche Merkmal *aufweisen*, damit es für erheblich gehalten werden kann."[107]

Das heißt, die vom Autor gegebenen Merkmale machen auch auf ihn selbst rekurrierbar und führen damit wieder einen Wirklichkeitsbezug ein.

---

[100] Alain Robbe-Grillet: Neuer Roman und Autobiographie. Konstanz. 1987, S. 26.
[101] Ebd. S. 15.
[102] Philippe Lejeune: Der autobiographische Pakt. a.a.O..
[103] Dorrit Cohn: Narratologische Kennzeichen der Fiktionalität. In: Sprachkunst. Beiträge zur Literaturwissenschaft. Nr. 26. 1995, S. 112.
[104] Vgl. auch Eva F. Dufresne: Das Problem des Ich-Romans im 20. Jahrhundert. a.a.O., S.11f..
[105] Vgl. Roland Barthes: Die Lust am Text. a.a.O. und Michel Foucault: Was ist ein Autor? In: Schriften zur Literatur. Frankfurt am Main. 1988.
[106] Rückkehr des Autors. Hrsg. Fotis Jannidis u.a.. Tübingen. 1999.
[107] Fotis Jannidis: Der nützliche Autor. Möglichkeiten eines Begriffs zwischen Text und historischem Kontext. In: Rückkehr des Autors. Frankfurt am Main. 1999, S. 356.

Sei es zum Thema Autobiografie oder allgemein zur Theorie fiktiver Literatur, das Stichwort der zunehmenden „Grenzüberschreitung"[108] fällt geradezu inflationär. Interessant sind die Formen, wie diese Grenzüberschreitungen systematisiert werden. In seiner Theorie des „New Historicism" entwickelte Stephen Greenblatt das Konzept der Zirkulation sozialer Energie, ausgehend von den „ways in which material is transferred from the discursive sphere to another and becomes asthetic property."[109]

Ein sozialer Diskurs besäße schon ästhetische Eigenschaften und würde auf diese Weise im Austausch mit seinen Kunstprodukten stehen. Dieser Ansatz versucht, literarische Texte auf ihr soziologisches, diskursives Potential zu untersuchen, was den Übergang von Fiktion und Wirklichkeit voraussetzen würde. Und so wären es mit Hall am Ende die Orte, „von denen aus wir schreiben"[110], die „Positionen der Artikulation", die fiktiven Texten immer auch autobiografischen Charakter verleihen.

Die perspektivische Figur: der autothematische Gestus

Nicht nur die Grenzen zwischen Fiktion und Wirklichkeit, sondern auch zwischen Identität und deren illusorischem Charakter erscheinen bei jeder genaueren Betrachtung fließend. Ebenso ist das, was autobiografisches Schreiben von nicht-autobiografischem Schreiben trennt, schwer greifbar. Dies sind Allgemeinplätze, die jedoch für die Form der Analyse und Interpretation der vorgestellten Romane eine wichtige Rolle spielen. Ostdeutsche Identitätskonflikte können nur dann in ihrer literarischen Verarbeitung betrachtet werden, wenn die Verbindung zwischen fiktiver und realer Ebene, zwischen Roman, Kunst und Leben, überhaupt denkbar wird. Schließlich entspringt die Frage nach ostdeutscher Identität einem realgesellschaftlichen Hintergrund.

Die Grenzüberschreitungen zwischen Fiktion, Identität und Autobiografie, die Elemente, die die Verbindung zwischen den drei Aspekten herstellen, sind also für die folgende Textanalyse wichtig. Dass die Fiktion Ergebnis des „Fingierens" von Wirklichkeit ist, wie es Iser beschreibt, verleiht der vordergründigen Ost-West-Thematik in den Romanen z.B. eine realgesellschaftliche Bedeutung. Wenn dann die Identität allein strukturell mit dem Gestus des „Fingierens" zusammenhängt, so kann auch ein fiktiver Text in dem, was er an Identitätskonflikten wiederspiegelt, in der Konstruktion und Fiktion als auch über das Fiktive hinaus von Relevanz sein. Und nicht zuletzt steckt auch ein autobiografischer Gehalt in den Texten, die explizit keine Autobiografien, sondern Romane sind. Dabei dient das Autobiografische, das immer auch eine Form der narrativen Identität darstellt und nie frei von Fiktion sein kann, mit seinen realen Eckdaten wieder als Bindeglied zur Realität. Unter diesem Aspekt gewinnen die folgenden Romane ein authentisches Potential[111].

---

108 U.a. machen Carola Hilmes a.a.O., Wolfgang Iser a.a.O. oder Eva Dufresne a.a.O. in den angeführten Texten diesen Begriff für ihre Theorien produktiv.
109 Stephen Greenblatt: Towards a Poetics of Culture. In: Learning to curse. Essays in Early Modern Culture. New York/London. 1990, S. 157.
110 Stuart Hall: Rassismus und kulturelle Identität. Hamburg. 1994, S. 26.
111 Die Kommunikation von Authentizität oder Authentizität des Textes selbst spielt in diesem Zusammenhang als Unterscheidung keine Rolle, da die authentischen Inhalte bewusst oder unbewusst, der vom Autoren losgelösten Verbindung zwischen Identität, Fiktion und Autobiografie entspringen können.

Eben diese Mischform zwischen authentischen und fiktiven Potentialen im Text ist für die kommende Untersuchung wichtig und verstärkt die Aussagekraft und den „Leidschatz" der ostdeutschen Thematik. Da diese Thematik jedoch dem realen Umfeld der Autoren sehr nah ist, die ebenfalls „ostdeutsch" sind, lässt sich die hier versuchte Perspektive mit einem von Schmitt eingeführten Begriff fassen: „auto-thematisch"[112]. „Eine in seiner Existenz fundierte Posie und Prosa" wird für den Autor Wolfgang Hilbig und seine Werke konstatiert. „Autobiographisch" wäre „sicherlich nicht alles [...] zu nehmen"[113] und doch wären die Grenzen zwischen dem Literarischen und Authentischen fließend. So schlägt Schmitz vor, *Das Provisorium* als „Experimentalroman" zu lesen, der „nicht autobiographisch, son-dern ‚autothematisch' die Folgen eines DDR-spezifischen Schreibprogramms"[114] erkunde. Autothematisch beschreibt, wenn Identität, Fiktion und Autobiografie inein-ander übergehen, wenn also autobiografische oder authentische Konflikte fiktio-nalisiert werden.

Eben dieser Begriff, „autothematisch", soll auch für die perspektivische Figur der ostdeutschen Identität in den fiktionalen Texten produktiv gemacht werden. „Ostdeutsche Identität" wird so zu einer ästhetischen Kategorie, die zwischen dem Fiktiven und dem Realgesellschaftlichen changiert.

---

[112] Vgl. Hans Jürgen Schmitt: Durchs Nadelöhr des Subjekts. Wolfgang Hilbigs neue Prosa „Eine Übertragung". In: Süddeutsche Zeitung, 10.10.1989. Zitiert von Walter Schmitz: Ost-West-Passagen in der Erzählprosa Wolfgang Hilbigs. In: Mentalitätswandel in der deutschen Literatur zur Einheit (1990-2000). Hrsg. Volker Wehdeking. Berlin. 2000, S. 128.
[113] Ebd. in: Süddeutsche Zeitung. a.a.O..
[114] Ebd. in: Mentalitätswandel. a.a.O..

2 DIE OSTDEUTSCHE IDENTITÄT ALS HERKUNFTSLOSIGKEIT IN HILBIGS ROMAN DAS PROVISORIUM

2.1 Der Autor und das Buch

Wolfgang Hilbigs Roman *Das Provisorium* wurde 2000 veröffentlicht und ist eines der neuesten seiner Werke, die allmählich ein immer größeres Publikum finden[115]. Nun, 10 Jahre nach der Wende hat Hilbig ein Buch geschrieben, in dem die Ost-West-Konflikte, das Leben eines Ostdeutschen in der westdeutschen Gesellschaft, zu einem thematischen Schwerpunkt werden. Auch seine früheren Bücher beschäftigen sich mit dieser Thematik. So hat sein Stasi-Roman „*Ich*" 1993 großen Anklang gefunden und auch Werke, wie *Alte Abdeckerei* 1991 oder *Die Kunde von den Bäumen* 1994, die im ostdeutschen Braunkohlegebiet situiert sind, behandeln eine ostdeutsche Thematik. In
Das Provisorium jedoch steht die ostdeutsche Thematik nicht mehr als System oder als Topografie im Vordergrund. Schon mit der Hintergrundszenerie, in der sich ein Ostdeutscher auf westdeutschem Boden befindet, wird die ostdeutsche Thematik diesmal in der ost-westdeutschen Konfrontation als Identitätsproblematik sichtbar.

Zusammenfassung des Buches: *Das Provisorium*

Trotz der 320 Seiten Länge hat Hilbigs Roman wenig aktive Handlung aufzuweisen. Vielmehr offenbart der Protagonist C. in einem durchgehend selbstreflexiven Schreibgestus Stück für Stück Momente und Fakten seiner Vergangenheit, die allmählich Aufschluss geben – obwohl nicht unbedingt geben *sollen* – über seine momentane, vor allem mentale Situation. Eben dieser Zustand, den er schon im Anfangskapitel als „provisorisch"[116] beschreibt, scheint dabei verschiedenen Zeitebenen einer Vergangenheit in der DDR und einer Gegenwart in der BRD zu verbinden und gleichzeitig untereinander zu verwischen. Das durchgängig charakteristische Adjektiv „provisorisch" stellt für die Vergangenheits- und Gegenwartsbezüge im Roman eine Art ‚roten Faden‘ dar. Dabei wirkt der Schreibgestus selbst assoziativ, unsystematisch, ja sogar willkürlich; je nach Stimmung werden Momente der Vergangenheit an die Oberfläche geholt und wieder fallengelassen, um sie dann später noch einmal aufzunehmen.

Und doch besitzt der Roman eine vage Struktur, die sich schon im Anfangskapitel in einer zusammenfassenden Andeutung der verschiedenen Vergangenheits- und Gegenwartsmomente findet. So wird das Abschlussbild des Romans auf dem Leipziger Hauptbahnhof im ersten Kapitel vom Protagonisten erträumt. Eingangs befindet sich jedoch der Protagonist C., ein Schriftsteller Ende Vierzig, „aus dem Osten" (P, 12), in Nürnberg, wo er das Treiben in einem Einkaufsviertel beobachtet. Plötzlich realisiert er, dass die Möglichkeit „vorbei" (P, 14) ist, in den „Osten" zurück-

---

[115] Im Herbst 2002 wird der Autor für sein Gesamtwerk mit dem Büchner-Preis ausgezeichnet.
[116] Wolfgang Hilbig: Das Provisorium. Frankfurt am Main. 2000, S. 20. Im Folgenden werden die Zitate in Klammern mit P und der Seitenzahl angegeben.

zukehren: Sein Visum, das ihm das Leben in beiden Welten, Ost- und Westdeutsch-
land ermöglichte, ist abgelaufen. Über das Thematisieren dieser räumlichen und zeit-
lichen Orientierungslosigkeit in den letzten Jahren wird dann seine gedankliche
Okkupation mit einer Frau, sein Hang zum Alkohol, sein „provisorisches [...] Dasein"
(P, 20),„*unaufgearbeitete*"(P, 21) Vergangenheit, ein Nicht-Angekommen-Sein in der
„Welt von München" (P, 23) oder Nürnberg angedeutet. Ebenso erscheint das vor-
herige Leben in der DDR als problematisch, sein Heimweh als „*Ankunft*" (P, 28) im
„Westen" und seine Existenz als Schriftsteller als ambivalent.

Die darauffolgenden Kapitel behandeln schwerpunktmäßig die letzten Jahre im
Westen (Kapitel 2), die Zeit davor in Leipzig (Kapitel 3), um dann in ein Sammel-
surium an sich zuspitzenden Details der eingangs benannten, mentalen Konflikte
überzugehen (Kapitel 4-6). Das siebente Kapitel ließe sich mit „totaler Zusammenbruch" überschreiben: Der Protagonist C. wird überfallen, er findet sich von der
Frau endgültig verlassen wieder, verfällt für längere Zeit in Lethargie und fragt sich,
„ob er überhaupt gelebt hatte" (P, 314). Der Roman endet mit dem wieder aufge-
griffenen Bild einer ‚Ankunft' am Leipziger Hauptbahnhof, in dessen Tor die Sonne
aufgeht, während gleichzeitig ein in ihrem Vordergrund befindliches westliches
Firmenlogo sichtbar wird.

Zur Analyse des Romans

Das Autothematische im Roman

Die vor allem innere Welt der fiktiven Hauptfigur des *Provisoriums* ist der ihres
Erfinders, des Autors, nicht unähnlich. Im Gegenteil, vergleicht man z.B. Hilbigs
„Selbstvorstellung" von 1991 anlässlich der Aufnahme in die Akademie für deutsche
Sprache und Dichtung, dann scheinen seine biographischen Eckdaten mit denen
des Protagonisten geradezu identisch zu sein. Sei es der Geburtsort in der Nähe von
Leipzig, Meuselwitz, seine langjährige Doppelexistenz als Arbeiter und Schreibender,
oder die Erteilung eines Visums für die BRD im Jahre 1985, selbst die von der
Hauptfigur erwähnten Personen scheinen dem gesellschaftlichen Umfeld des Autors
zu entsprechen.

Und doch soll es hier nicht um das Festhalten der autobiografischen Elemente
dieses Romans gehen, als vielmehr um seinen „autothematischen"[117] Gestus, die
besondere Form der Authentizität oder Wirklichkeit, die durch die Verwendung dieser realen Eckdaten auf fiktiver Ebene entsteht. Die eigentliche Historizität des
Textes rückt damit in den Hintergrund, und wichtig wird die erzählte Bewusst-
seinsgeschichte mit Wirklichkeitscharakter, die sich innerhalb dieser Authentizität
entwickelt.

Die erzählte Zeit im Roman ist die Mitte der 80er Jahre, der Schriftsteller C. erhält
1985 das Reisevisum in die BRD und lebt dort seitdem bis über das Ende der DDR
hinaus. Trotzdem sind die mentalen Prozesse des Protagonisten vor dem Ost-West-

[117] Vgl. Teil 1 dieser Arbeit und vgl. Hans Jürgen Schmitt: Durchs Nadelöhr des Subjekts. Wolfgang Hilbigs neue
Prosa „Eine Übertragung". In: Süddeutsche Zeitung, 10.10.1989. Zitiert von Walter Schmitz: Ost-West-Passagen
in der Erzählprosa Wolfgang Hilbigs. In: Mentalitätswandel in der deutschen Literatur zur Einheit (1990-2000).
Hrsg. Volker Wehdeking. Berlin. 2000, S. 128.

Hintergrund über die historische Szenerie dieses Textes hinaus auf ein ostdeutsches Dasein nach 1989 übertragbar. Die geistige, gesellschaftliche und topographische Herkunft aus dem ehemaligen Ostdeutschland kann zwar durch den Ablauf eines Visums oder den Verlauf geschichtlicher Ereignisse abgeschnitten sein. Für eine Betrachtung dessen jedoch, wie sich eine ostdeutsche Identität vor ,westlichem' Hintergrund abzeichnet, scheint ein solcher Unterschied kaum von Belang. Dazu kommt, dass dieser Roman zehn Jahre nach dem Ende der DDR geschrieben wurde, und die Betrachtungen des Autors selbst von einer zehnjährigen ,Westerfahrung auf wiedervereinigtem Boden' geprägt sind. Der Roman scheint eine Grenzziehung zwischen einer Zeit in den 80er Jahren oder den 90er Jahren selbst zu verwischen – so heißt es z.B. im Text: "...so deutlich und ausweglos hatte er seine DDR-Identität nie gespürt, auch dort in diesem Land nicht, das vielleicht schon zu existieren aufgehört hatte" (P, 150). Ob die DDR noch real existiert oder nicht, ist auch für den Erzähler kaum ausschlaggebend. Mir geht es um eine ostdeutsche Identität auf westlichem Hintergrund aus der Perspektive einer wiedervereinigten, gegenwärtigen Situation. Im Folgenden soll herausgefiltert werden, was der Text, *Das Provisorium*, dazu hergibt. Inwieweit die Darstellung ostdeutschen Identitätskonflikten gleicht, die einer generellen Situation entsprechen, soll im letzten Teil der Arbeit dargestellt werden.

Die reflexive Perspektive

„*Das Provisorium*" wird durch einen personalen Er-Erzähler erzählt, d.h. Handlung und Gedanken entspringen der Perspektive der Er-Person, die gleichzeitig Protagonist und Erzähler ist. Bei einem Ich-Erzähler kann noch von einer Identität zwischen dem Erzähler und dem Protagonisten gesprochen werden, die den Erzähler mit einer Art „Leiblichkeit" in der Welt der Charaktere ausstattet.[118] Wenn jedoch Innenperspektive und ein reflexiver Erzählmodus überwiegen, die ein Er-Erzähler wiedergibt, dann handelt es sich nach Stanzel um eine „Reflektorfigur". Dabei geht es um „eine Romanfigur, die denkt, fühlt, wahrnimmt, aber nicht wie ein Erzähler zum Leser spricht. Hier blickt der Leser mit den Augen dieser Reflektorfigur auf die anderen Charaktere der Erzählung, weil nicht erzählt wird, entsteht in diesem Fall der Eindruck der Unmittelbarkeit der Darstellung."[119] Auf diese Weise wird das „erlebende Ich" stark gemacht. Das Verhältnis Erzähler und Protagonist hat sich damit verschoben, kommt aber der Authentizität gleich, die der Ich-Erzähler mit seiner „Leiblichkeit" in der Welt der Charaktere zu suggerieren sucht. Bei beiden liegt die Betonung in der erlebenden, subjektiven Wahrnehmung. Aber unabhängig davon, inwieweit Er-Erzähler und Protagonist, die Er-Person, dem Autor ähnelt, bleibt der Schriftsteller C. doch auch eine „genuine existenzfähige Kunstfigur"[120] Diese Figur ist zugleich Mittel- und Ausgangspunkt sowie Thema des Romans, dessen Handlung (weniger chronologisch) eine „Bewusstseinskurve beschreibt"[121].

---

[118] Franz K. Stanzel: Theorie des Erzählens. Göttingen. 1995, S. 124.
[119] Ebd. S. 35.
[120] Ursula März: In der deutschen Vorhölle. In: Die Zeit. Nr. 9. 24.02.2000.
[121] Helmut Böttiger: Monströse Sinnlichkeiten, negative Utopie. Wolfgang Hilbigs DDR-Moderne. In: Text und Kritik. VII/94, S. 58.

2.2 Textanalyse

In der Analyse von *Das Provisorium* werden dessen Inhalt *und* literarische Ästhetik dargestellt, da der spezifisch widerständische Schreibgestus mit der im Text thematisierten ostdeutschen Identität zusammenhängt.

Das Provisorische als Ich-Krise des ‚Er‘

Hilbigs Roman erzählt die Geschichte eines Subjekts, das allmählich auf seinen mentalen und physischen Zusammenbruch zusteuert. Die verschiedenen Faktoren, die der Roman diesbezüglich aufdeckt, ergeben ein komplexes Netz, das möglicherweise gerade in seiner Komplexität den Grund für den Zerfall liefert. Die Krisensymptome werden in der reflexiven Denkweise des Protagonisten wiedergegeben, sie sind kaum chronologisch und tauchen je nach Assoziation auf und wieder unter. Dem Leser mag das oft verwirrend erscheinen, und doch unterstreicht gerade diese Form der Darstellung den Zustand, die Identitätskrise, in der sich der Protagonist befindet. Der „provisorische“ Zustand, soviel sei schon vorweggenommen, nimmt hier seinen Anfang. Zuerst sollen jedoch die nebeneinander hergehenden oder sich gegenseitig bedingenden Krisen benannt und kurz beschrieben werden. Dabei gehe ich thematisch vor, wobei ein jedes Symptom gleichzeitig mit den anderen existiert.

Die Krisensymptome

Der Reihe nach aufgezählt, besitzen die verschiedenen Krisensymptome geradezu klassischen Charakter. Beziehungsprobleme seien als erstes genannt. So verarbeitet der Protagonist nicht nur die Erfahrungen einer gescheiterten Beziehung, sondern erkennt in der neuen Beziehung genau dieselben Probleme der vorherigen: „...es war ihm absolut nicht gelungen, sie zu einer wirklichen Frau für sich werden zu lassen. Das war ihm bei noch keiner Frau gelungen." (P, 18) Die Unfähigkeit, auch nur einen Geburtstagsanruf für seine Freundin Hedda zur rechten Zeit zu tätigen (P, 189), ist ein Problem, das an die zurückgelassene Beziehung in Leipzig erinnert[122]. Mit dem Übergang in den Westen ergab sich für C. die Begegnung und daraus resultierende Beziehung mit Hedda, einer Schriftstellerin und Tochter von Exilrussen. Die Probleme zwischen den beiden sehr unterschiedlichen Individuen scheinen komplex und lassen sich doch auf die schon zitierte Unfähigkeit zu Nähe, die von dem Protagonisten selbst ausgeht, zusammenfassen.

Hinzu kommt, darin wie daraus resultierend, eine allgemeine Zeit- und Orientierungslosigkeit.

„...er hatte sich fast jeden Abend im Taxi zu seiner Wohnung bringen lassen..." (P, 16) und „...war orientierungslos in bezug auf die Zeit, die er schon hier war." (P, 17).

---

[122] Auch in Leipzig schien der Protagonist die natürliche Gemeinsamkeit in der Beziehung nicht leben zu können: In der gemeinsamen Wohnung konnte er nur noch nachts arbeiten.

Symptome dieser Art scheinen auch schon die Anfangszeit seines Aufenthaltes im Westen zu markieren. All diese essentiellen Strukturen lösen sich allmählich im Roman für den Protagonisten auf, der am Ende auch Tag und Nacht aus seinem Lebensrhythmus verloren hat (P, 312).

Gleichzeitig durchzieht der Alkohol, „der seinen Blick trübte" (P, 35), den Roman. Er befördert die Handlung, wenn er den körperlichen Zerfall C.'s bewirkt, seine Liebesfähigkeit „bis zu einer fremdartigen Beredsamkeit" (P, 19) künstlich stimuliert und schließlich die Einlieferung in die Suchtklinik bei Hanau (P, 40-55) zu einer ganzen Episode macht. Und erst mit dem Zusammenbruch im vorletzten Kapitel konstatiert der Protagonist sein eigenes Ausnüchtern anhand von Gefühllosigkeit:

> „Eine seltsame Gleichgültigkeit begann sich in ihm auszubreiten, scheinbar hing es damit zusammen, daß er immer häufiger nüchtern war." (P, 312)

Die mit den Krisensymptomen zusammenhängenden Kommunikationsprobleme münden in Schreibprobleme, die innerhalb des Textes noch einmal eine eigene Komplexität entwickeln. Der große Anteil an im Konjunktiv geschriebener Verben soll sprachlich eine geistige Unsicherheit reflektieren, die sich bis zu dem Moment steigert, an dem C. beschriebene Zettel zusammenknüllt, da seine Sätze stets mit „Ich" beginnen und die „Bezeichnung *Ich* [...] augenblicklich seine Impotenz" (P, 72) herbeiführt. Das Dasein als Schriftsteller wird zunehmend qualvoller. Die Lesungen, die ihn in ein absolutes Unwohlsein versetzen (P, 129), das „Nichtstun" (P, 30) mit dem er Geld verdiente, und Geld, das in der Figur C. „augenblicklich Wellen von Panik" (P, 30) aufschießen lässt, verdichten sich zu einem wachsenden Netz an Sinnlosigkeit, die sich irgendwann ausdrückt in den Worten: „Man sorge für meinen Lebensunterhalt und bezahle mich, denn ich kann nichts dafür, dass ich ein Schriftsteller bin!" (P, 119) Genauso erstickt allmählich sein Schreiben – „...warum musste er sein Schreiben rechtfertigen? Er hatte nie Argumente dafür gehabt..." (P, 38) Der Text scheint weniger Sprach- als vielmehr Schreibzweifel durch C. zu reflektieren. Die Frage, inwieweit die Dinge angemessen ausgedrückt werden können, steht kaum zur Debatte. Stattdessen scheint der Protagonist, umso grundsätzlicher, nicht mehr zu wissen, warum überhaupt etwas ausgedrückt und was überhaupt erzählt werden soll.

Immer häufiger auftretende Panikanfälle werden mit Zittern und Schweißausbrüchen beschrieben. Einsamkeitsängste durchziehen den Text, und die Sinnlosigkeit, die sich gleichzeitig in der inneren und der äußeren Welt des Protagonisten C. breit macht, führt endlich zur Stagnation. Durch einen Überfall und das Ende der Beziehung beginnt der Zerfall der sich gegenseitig hemmenden Identitätskonflikte in ihre Einzelteile, womit die Geschichte der Ich-Krise des ‚Er' ein Ende nimmt. Doch der eben beschriebene Teufelskreis, die Verkettung sich zuspitzender Probleme, ist nur ein unzureichender Anlass für den bitteren Ausgang des Romans.

Hinzu kommt das „Provisorische", das sich in der Krise des Schriftstellers C. ausdrückt.

Das Provisorische

Auffällig oft auftretende Bilder im Text sind Bahnhöfe und Züge. Der Münchener, der Berliner, der Leipziger oder der Nürnberger Hauptbahnhof werden immer wieder aufgesucht als Orte, die dem Gemütszustand C.s am ehesten entsprechen:

> „Seit einer ungewissen Zeit hatte er die Welt nur noch auf den Bahnhöfen wahrgenommen." (P, 117)

Von den Bahnhöfen aus besteht die Möglichkeit, einen der jeweils anderen Bahnhöfe zu erreichen, und so nicht am betreffenden Ort festzusitzen. In den Zügen selbst wird eine Bewegung gelebt, werden Grenzen überschritten und inspirierende Wahrnehmungen gemacht, die nach der Ankunft in der jeweiligen Stadt plötzlich abbrechen, wenn das dortige schwierige Umfeld erneut Oberhand über die Wahrnehmung gewinnt. Eben dieses Leben auf den Bahnhöfen und in den Zügen, den Orten des Übergangs, unterstreicht das Provisorische, „das *Vorläufige*" (P, 37).

Das Provisorische ist jedoch nicht in den beschriebenen Teufelskreis der sich gegenseitig bedingenden Identitätskonflikte verkettet, sondern existiert parallel zu all den Geschehnissen. Mit der Erteilung des Visums (P, 24) schien der Abstand zu „seinen Anfängen" (P, 25) und zu dem „Land, in dem er sich [...] nicht zum Schriftsteller" (P, 24) ‚eignete', eine praktikable Lösung. Jedoch entpuppt sich diese Lösung bald als vorläufig, und in C.'s Unfähigkeit, diese Vorläufigkeit zu beenden, wirkt sie sich zunehmend qualvoll und am Ende psychisch tödlich aus:

> „Und er konnte nur abwarten, er hatte seinen ganzen Verstand in das Hotelbecken dieses Hotelzimmers gekotzt, er war eine Zusammensetzung ohne Sinn und Charakter, er konnte nur noch unbeweglich sitzen bleiben, vor sich hinsterbend, und warten, dass diese provisorische Zeit zu Ende ging..." (P, 130)

Das Provisorische bildet den Rahmen der Ich-Krise, markiert ihren Anfang im Übergang in den Westen und ihr Ende im Zusammenbruch, dem Zerfall des Provisorischen in seine Einzelteile. Und das Bild der uneingerichteten Wohnung ist nur eines von vielen, das diesen Zustand beschreibt:

> „Er hatte nie die geringsten Anstalten gemacht, sich diese bewohnbar zu machen." (P, 20)

Das Provisorische bildet eine Art Hintergrund für die Trunksucht oder Beziehungsprobleme, eben die Identitätskonflikte, die sich vor dieser Szenerie ins Unerträgliche zuspitzen.

Die Kisten, die in C.'s uneingerichteter Wohnung stehen, sind mit „Holocaust & Gulag" betitelt:

> „...sie waren das *Unaufgearbeitete*. Sie waren zwar vorhanden, sie standen vor ihm, sie standen ihm dauernd im Weg, aber sie waren die Gegenwart eines Verlusts..." (P, 21)

Der Symbolgehalt dieser Kisten wird sogar explizit eingestanden[123], und ihr Inhalt stellt einen ungelesenen Stapel Bücher über die deutsche Vergangenheit, das

---

[123] Zitat S. 21: „Er reagierte allergisch, wenn er auf den Symbolgehalt dieser unausgepackten Kisten angesprochen wurde."

„Phänomen Auschwitz" (P, 154) dar. Auch wenn ein solcher Inhalt gleich eine zwei-te symbolische Ebene eröffnet, die auf den Zustand eines gesamten Volkes anspielt, das seine ,unaufgearbeitete Vergangenheit' sauber verpackt, und damit ein ebenso provisorisches Dasein fristet, ist hier der persönliche Zusammenhang wichtig, in dem der Er-Erzähler sie erwähnt[124]. Das Provisorische wurde vom Protagonisten in der Weigerung, sich weder im Westen noch im Osten richtig niederzulassen, selbst eingerichtet. Gerade diese Einrichtung macht jedoch auch eine abschließende Auseinandersetzung mit der Vergangenheit unmöglich.

Der durchgehend im Text thematisierte provisorische Zustand nimmt immer grö-ßere Ausmaße an und kulminiert kurz vor dem Zusammenbruch des Er-Erzählers. Ein Werbeplakat für seine Lesung erkennend, fragt er sich:

> „War es wahrhaftig sein Gesicht? [...] Das Bild auf dem Plakat war das Bild eines Toten... es war nicht möglich, daß das ehemalige Leben dieses Leichnams seine Geschichte gewesen war..." (P, 301)

Der Roman beschreibt, wie das Provisorium zu einer neuen Identität des Protagonisten geworden ist, die alles Vorherige überschattet. Und mit dem Moment, in dem das auch dem Er-Erzähler bewusst wird, heißt es plötzlich:

> „Und ich muß die Geschichte beenden, es hat mit ihr keinen Zweck mehr, dach-te er. Ich muss mit dieser Geschichte sofort aufhören." (P, 301)

Die provisorische Identität kann nicht mehr weiter bestehen. Im folgenden Kapitel löst sich dann durch den beschriebenen Zusammenbruch das Provisorium in seine Einzelteile auf.

Allumfassendes Provisorium

Die beschriebenen Krisensymptome drücken den provisorischen Zustand des Protagonisten aus. Darüber hinaus wird diese Form des Provisoriums, in der jegli-che Auseinandersetzung mit momentanen oder vergangenen Problemen aufge-schoben wird, immer allumfassender bis hin zur Vereinnahmung der Identität des Protagonisten. Wenn dann der Zusammenbruch erfolgt, wird auch das Provisorium aufgelöst. Das Provisorium ergibt damit eine Rahmenhandlung für den Roman. Gleichzeitig stellt es sowohl den Zustand des Protagonisten dar als auch den Zustand der vom Protagonisten beschriebenen Umgebung. Die vielschichtigen Dimensionen des Provisoriums scheinen auf jedes behandelte Problem im Text pro-jizierbar und sind der Perspektive des Protagonisten sozusagen *eingeschrieben*. Zudem beschreibt es die Ästhetik, den Schreibgestus des Textes: Wenn durch die ständige Thematisierung das Provisorium stetig an die Oberfläche geholt wird, rückt das Verdrängte, Unangenehme oder Abwesende ebenfalls in den Vordergrund und gewinnt so Anwesenheit. So tritt im siebten Kapitel der provisorische Zustand end-gültig ins Bewusstsein, da das Provisorische erst im ,Zusammenbruch' seine Unhaltbarkeit unter Beweis stellt. Auf diese Weise wird der Zerfall bewirkt, der eben *als* Provisorium *durch* das Provisorium sein Ende findet.

---

[124] Wenn es heißt, die Kisten mit der Aufschrift *Holocaust & Gulag* absorbierten „jeglichen Vorwurf an die Welt" (P, 154), so werden damit noch größere Zusammenhänge angedeutet.

Ostidentität des ‚Er' – Herkunftslosigkeit?

C. befindet sich am Anfang des Romans in einem Einkaufsviertel in Nürnberg und beobachtet, wie in einem Cafe die Blicke der Kellnerinnen ihn einordnen:

> „...dem Dialekt nach kam er nicht aus Nürnberg. Eher vielleicht aus dem Osten..." (P, 12).

Gleichzeitig durchfährt es ihn innerlich:

> „Es ist vorbei...[...] Es ist etwas abgebrochen, etwas hat sich verschoben. Vielleicht werde ich plötzlich die Augen aufmachen und sehen, was es gewesen ist." (P, 14)

Innen- und Außenwahrnehmung bestätigen im selben Moment die Spezifität des dort sitzenden Menschen, der fremd ist in der beschriebenen Welt und in die alte Welt, den „Osten", nicht mehr zurück kann.

Dasein ohne Herkunft

Beim Aufspüren der Momente, die auf eine Vergangenheit, auf eine topographische und geistige Herkunft anspielen, gewinnt das Problem des Provisoriums im Gegensatz zu den anderen plötzlich emotionale Konturen: Der Schriftsteller C. wird auf dem Münchener Hauptbahnhof Zeuge einer Szene, die ihn schreiben lässt:

> „Und Heimweh brauchte man, um seine *Ankunft* im Westen endlich zu begreifen." (P, 28).

Der Osten – er bedeutet für C. eine im Dunkeln gelegene Vergangenheit. „Es fiel ihm mit einem Mal auf, dass er eigentlich aus einem anderen Land kam..." (P, 24), seine Herkunft hatte er schon fast vergessen:

> „Er konnte es nicht genau begründen, zu vermuten war jedoch, daß er in dem ganzen zurückliegenden Jahr bloß ein Niemand gewesen war." (P, 24)

Sich an den Kisten „Holocaust & Gulag" ständig zu stoßen gleicht einem im Dunkeln gehaltenen Erinnern. Seiner Identität? Wenn er dann davon redet, ein „Niemand" gewesen zu sein, erscheint es wie ein Ergebnis einer solchen Verdrängung. Woanders angekommen zu sein lässt ihn erst das Verdrängte empfinden. Herkunftslosigkeit geht demnach im Roman mit der unaufgearbeiteten Vergangenheit, also auch einer ostdeutschen Art der Identität, einher.

Die „Bestie"

Diesen Eindruck verstärkt ein häufiges Motiv, die „Bestie", die dem Protagonisten als Wahnvorstellung oder ‚personifiziertes Übel' innewohnt, und sogar an eine Faustähnliche Verbindung mahnt:

> „...sie hat mir einige Seiten verstattet, einige Abbilder ihrer ästhetischen, bestialischen Majestät..." (P, 266)

Ein gewisses Kreativitätspotential scheint diesem inneren „Monstrum" (P, 265) zu entspringen, über das er mit der „Öffentlichkeit" kommuniziert, „vor der er sich verkroch, und die er gleichzeitig anbetete" (P, 133). Dafür wird er von der Bestie „bis in den Schlaf" (P, 265) verfolgt. Was war diese Bestie? „Sie war sein Dasein: sein Dasein ohne Herkunft, sein Leben ohne Geschichte..." (P, 266).

Man mag versucht sein, eine „DDR-Bestie"[125] in dieser mystischen Figur zu sehen, allerdings wird man so dem beschriebenen „Dasein ohne Herkunft" nicht ganz gerecht. Dass Gedanken an die Bestie von Gedanken an die Anfänge von C.s Schreiben gefolgt werden (vgl. P, 266), deutet auf größere Herkunftszusammenhänge hin. Wenn er die Zeiten vor der Veröffentlichung seiner Bücher mit den Zeiten danach vergleicht, stellt er für die veröffentlichten Bücher fest: „...sie waren das Opfer der Bestie, und diese tat sich mit ihnen schön..." (ebd.). Und doch befindet sich diese Vergangenheit, die ersten Umstände seines Schreibens, im ‚Osten', ist dies der Hintergrund, vor dem sich C.'s Balanceakte entwickelten. Diesen Hintergrund nun „abgeschnitten" (P, 25) zu haben, steigert die ‚Herkunftslosigkeit' ins Unermessliche. Auch wenn die „Bestie" nicht plakativ die DDR-Vergangenheit verkörpert, so wird diese abgeschnittene Herkunft doch zu einer weiteren Komponente ihres Wesens, was die Bestie stärker konturiert. Der Begriff symbolisiert und personifiziert die Unerträglichkeit eines Daseins ohne Herkunft und verweist ex negativo auf die ostdeutsche Identität.

DDR-Identität

Wahrhaftig fällt einmal im Text auch das Wort „DDR-Identität". Ein lang zurückliegender Aufenthalt in Paris bewirkt in C. „eine seltsame Rückverwandlung", die ihn „plötzlich wieder zu einem Individuum seiner Herkunft werden lässt" (P, 150). Ohne konkrete Ursache, schon „kurz nach seiner *Ankunft* (Hervorhebung – C.M.) auf dem Montparnasse", heißt es:

> „Zu einem DDR-Bürger, ganz ohne Abstriche, er war wieder, was er gewesen, und er war verloren ... so deutlich und ausweglos hatte er seine DDR-Identität nie gespürt, auch dort in diesem Land nicht, das vielleicht schon zu existieren aufgehört hatte. Und er konnte nicht anders, als diese Identität für minderwertig zu halten. Gegen jede empirische Vernunft, er trug dieses Gefühl in seinem alterwerdenden Körper herum, und er konnte nichts dagegen machen ..." (ebd.).

In dem Moment, wurde er noch einmal zu dem, „was er gewesen", „einem DDR-Bürger", „und er war verloren" (ebd.), heißt es. Nun, da die Bestie überwunden zu sein scheint, entsteht eine neue ‚Ausweglosigkeit' – die wohl damit zusammenhängt, dass C. nicht umhin kommt, „diese Identität für *minderwertig* zu halten". Die provisorische Selbsteinrichtung C.'s erhält so Gründe, da die Wahl zwischen Herkunft und einem „Dasein ohne Herkunft" ein beidseitig schweres Los darstellt. Das lang ersehnte Gefühl nach einer Herkunft geht auf einmal für den Er-Erzähler mit einem Minderwertigkeitsgefühl einher und scheint so vom Regen in die Traufe zu führen. „Verloren" und „ausweglos" sind die Gefühle, die mit der „DDR-Identität"

---

125 Marie Sylvie Bordaux: Literatur als Subversion. Eine Untersuchung des Prosawerkes von Wolfgang Hilbig. Göttingen. 2000, S. 300.

verbunden werden – kaum positive Konnotationen. Dabei scheint ihm diese Identität erst in der Fremde, im westlichen Paris, „deutlich" zu werden. Die DDR-Identität ist also zu Ostzeiten weniger „deutlich" gewesen und wirkt eher durch den Kontrast, durch die „Ankunft".

Das, was ostdeutsche Identität im Text ausmacht, ist keinesfalls festschreibbar. Es ist lediglich zu umkreisen, ähnlich wie es vom Text selbst auch umkreist wird. „...jene Gegend, jenes psychische Gelände lag abseits hinter einer Grenze" (P, 25), nicht Herkunft, aber jenes vorsichtigere Wort „Herkommen" (P, 25) wird auf diese „Gegend" angewandt. Die Erinnerungen daran werden vage und abstrakt artikuliert: „Es war die Zeit, in der sich das Land, in dem er lebte, zur *DDR* entwickelte..." (P, 275). Die eigene Wahrnehmung wird auch auf diese Herkunft projiziert:

> „Er war, sagte er sich, ein typisches Produkt der DDR, physisch und psychisch, bis in die Hirnzellen und Nervenstränge, bis in seine unbewußten Reaktionen hinein war er ein Ergebnis des Provisoriums, das sich DDR nannte..." (P, 269)

Die Betonung der ostdeutschen Herkunft, ob nun als „Gegend" oder „Provisorium", bleibt im Unkonkreten, Abstrakten.

Emotionell wird demgegenüber klarer konturiert. Der Protagonist erliegt einem Gefühl der Wut, wenn er schreibt:

> „...sie alle – [...] die diese Mauer gebaut [...] -, die alle hätte er am liebsten in eine Ecke getrieben und mit einem Maschinengewehr zusammengeschossen..." (P, 142)

Zwischen Trinkgelagen fallen Sätze wie:

> „Dieses Land da drüben hatte seine Zeit geschluckt! Dieser Vorhof der Realität." (P, 151).

Starke Emotionen, wie Minderwertigkeitsgefühle oder Wut, scheinen jenem Leben im ‚Osten' zu gelten.

Zwar wird das „Herkommen" nur vage beschrieben, die Emotionen gegenüber dieser „Gegend" erscheinen jedoch umso konkreter. Die ostdeutsche Identität wirkt wie etwas Unbewusstes, das sich der Ratio, klaren Erinnerungen und Formulierungen, entzieht und gleichzeitig starke Gefühlswelten provoziert. Bewusst wird sie höchstens im Kontrast zu westlichem Hintergrund.

Herkunftslosigkeit

Wenn der Text paradoxerweise gleichzeitig Herkunftslosigkeit und ein vages „Herkommen" (s.o.) aus dem Osten thematisiert, so macht dieses Paradox innerhalb der Andeutung einer ‚unaufgearbeiteten Vergangenheit' (siehe erster Abschnitt) wieder Sinn. Herkunft kann nur verschwommen existieren, wenn sie eigentlich verdrängt wird. Das Verdrängen dieser Identität konstituiert den beschriebenen provisorischen Zustand. So spielt das Bedürfnis nach Kontinuität in der Vergangenheit auch für die Identität des Schriftstellers C. eine Rolle, der sich auf westdeutschem Hintergrund als „Niemand" wahrnimmt.

Die ostdeutsche Identität wird innerhalb des Provisoriums als *abwesend* beschrieben. Aber eben durch diese Thematisierung ihrer Abwesenheit wird sie doch anwesend. Und, so ließe sich für den Verlauf des Romans schlussfolgern: Durch das allmähliche Bewusstwerden dieser ostdeutschen Identität und den Zerfall des Provisoriums wird am Ende das Verdrängte wieder konkret.

Konflikte durch ostdeutsche Prägungen im ‚Er‘

Das Gefühl der Fremdheit in der neuen Welt, dem ‚Westen‘, nimmt im Text verschiedenste Formen an. Die Reibungen angesichts der neuen Welt erinnern immer wieder an die eigene Andersartigkeit. So gibt es im Roman das „Heimweh" als ein Angekommensein, eine Form der Trauer, die die Bindung zu den östlichen Prägungen als auch den neuen westlichen Prägungen kanalisiert. Im folgenden Abschnitt sollen die im Text thematisierten Reibungspunkte aus östlicher Sicht im westlichen System thematisiert werden.

Kapitalismus- und Medienkritik

Schon im ersten Kapitel befremdet C. der Einkaufsrausch im Einkaufsviertel (P, 9), die Euphorie des Konsums, die mit den Ladenschlusszeiten abrupt endet: „Leer der Abend, endlos nun die folgende Nacht." (P, 11). „[S]chwitzend [...] im Schatten eines der Schirme" (P, 9) beobachtet er das Einkaufstreiben,

> „Und dort mischten sich die Zufriedenen mit den Unzufriedenen, und sie mischten sich umgekehrt; die Betrogenen vereinten sich mit den Unbetrogenen, und sie umarmten ihre Betrüger vor Glück, wenn sie in die Boutiquen eintraten, in die Shops und Drugstores und Galerien, und sie kauften und zahlten, und zahlten erneut und zeichneten ihre Schecks mit geflügelter Hand." (P, 9).

Das Unwohlsein, das Unverständnis gegenüber dem, was gerade an Vergnügungen passiert, wird in einem prophetischen Ton persifliert. Solche Lebensformen sind C. bisher unbekannt gewesen. Jedoch gerade die Unfähigkeit, diesen Konsumrausch nachzuerleben, bewirkt beim Er-Erzähler, dass ihm die eigene Distanz und Andersartigkeit ins Bewusstsein tritt.

Der distanzierte Blick zieht das beobachtete Geschehen ins Absurde. Im Halbschlaf nimmt der Protagonist wahr, wie Firmenlogos auf T-Shirts getragen werden:

> „Tatsächlich, sie laufen nur noch als wandelnde Werbung herum, und damit haben sie ihr Ziel erreicht. Sie haben endlich ihre Namen. Und damit hat der Kapitalismus sein Ziel erreicht, denkt C. – Und damit ihre Identität gewahrt bleibe, denkt C., tragen sie alle auch noch ihre Nummern mit sich herum." (P, 263)

Die Sprache, mit der Medien- und Konsumphrasen ironisiert werden, ist unverhohlen und damit kritisch: Aus der Außenseiterperspektive, die der Protagonist einnimmt, scheinen sich menschliche Individuen über Konsum zu definieren. Und wenn auch die Beobachtung aus privatester Ecke kommt, so schwingen doch plötzlich Schlagworte, wie „Kapitalismus" und „Marktwirtschaft" mit.

Darüber hinaus ist der Er-Erzähler vom „Überfluss an Zeichen" überfordert:

„Es herrschte eine Inflation von Anhaltspunkten, demzufolge war jeder Anhalt gleichzeitig richtig und falsch, das Schriftsystem hatte sich in ein Medium des Analphabetismus zurückverwandelt." (P, 16).

Quantität steigert die Vielseitigkeit der Bedeutungen, wodurch auch das Einzelne belanglos wird. Eben diese Zeichenvielfalt im neuen Reich, das keine Möglichkeiten mehr begrenzt, macht den Schriftsteller C. orientierungslos und letztendlich handlungsunfähig. Plötzlich wird die Welt unüberschaubar, für C. wird das Dasein bedeutungslos und „sämtliche Koordinaten der Identitätserhaltung brechen ein"[126].

Kapitalismuskritik geht hier einher mit Medienkritik. So hält C. Werte hoch, die dem ostdeutschen System alle Ehre machen würden. Materialismus, vorher kaum existent und genauso wenig hinterfragt, wird nun in seinen negativsten Wirkungen beschrieben. Und doch ist das nicht die einzige Ebene, auf der sich die Reibungen im Text entfalten. Der Konflikt nimmt zwar hier Konturen an, ist aber weitaus grundsätzlicher, da der Gestus dieser Kritik einen noch komplexeren Ursprung hat. In der Art, wie der Er-Erzähler schon das alte System als ebenso problematisch beschreibt, wird eine Position erkennbar, die von einer ganz eigenen Wirklichkeits- und Wahrheitssuche getrieben wird. Erst mit dem Wissen, dass die eine wie die andere Welt sich kaum gegenseitig aufwiegen können, werden auch die Probleme abstrakter, aber die Position vielleicht klarer: Es scheint im Text weder um die Hochhaltung des „Ostens" noch um die des „Westens" zu gehen, auch nicht um deren einseitige Kritik. Vielmehr ähnelt es einem Balanceakt, der versucht, sich den Nachteilen der verschiedenen Systeme durch ständiges Bewusstwerdenlassen zu entziehen, und gleichzeitig die trotzdem entstandenen Prägungen an der eigenen Identität zu akzeptieren.

Bedeutungswandel: Freiheit und Macht

Die Schwierigkeit, mit denselben Dingen oder Begriffen anders umgehen zu müssen, kristallisiert sich an dem Begriff der „Freiheit" heraus.

„Im Osten wurde die Pressefreiheit von den sogenannten Leuten auf der Straße mit dem Verweis auf die Lage im eigenen Land, und in allen sozialistischen Ländern, stets vehement verteidigt. C. machte da keine Ausnahme, er hielt die Meinungsfreiheit, die Informationsfreiheit, für unabdingbar notwendig, und auch im Westen hatte er diese Ansicht noch nicht geändert." (P, 68)

Während eines Daseins in der DDR scheinen Begriffe, wie „Freiheit" eine hohe Bedeutung erhalten zu haben. Wenn C. nun Erkenntnisse im ‚Westen' macht, so ist es die „schwere Enttäuschung" eines aus dem ‚Osten' gekommenen, der feststellt: „...und die Freiheit war in dieser Welt ein verdammt gutes Geschäft." (P, 238) Im Roman wird das Thema „Freiheit" immer wieder neu aufgegriffen. In dieser Gewichtung verweist es auf die Bedeutung, die Freiheit nur haben kann, wenn es daran einmal einen Mangel gab. Der Protagonist kritisiert die Beliebigkeit der Freiheit der „neuen Welt", in der die „Wahrheit" nur durch die „Art der Aufbereitung" erhalten bleibt und es dadurch eher dem „Zufall als den Grundsätzen der Demokratie"(P, 68)

---

126 Ursula März: In der deutschen Vorhölle. a.a.O. Die Zeit, 9/2000.

zu verdanken hätte. Der Begriff „Freiheit", ehemals als Mangel empfunden und idealisiert, hat nun in seiner realexistierenden Form nichts mehr mit dem zu tun, was er einmal bedeutet hatte. Die zu Ostzeiten ersehnte Redefreiheit erscheint C. auch im Westen eingeschränkt – diesmal durch den Markt. Freiheit ist so gesehen nicht abwesend, sondern in deformierter Form anwesend.

Auch für den Begriff „Macht" lässt sich eine Änderung verzeichnen. Für die DDR-Zeiten stellte er noch eine bestimmte Form der Zensur (vgl. „Pressefreiheit" s.o.) oder „Inszenierungen der Bürokratie" (P, 84) dar. Mit seiner Ausdehnung auf die gesamtdeutsche Vergangenheit heißt es nun:

> „...das Wort *Macht*, aus welchem Rachen es auch gekommen sei, von welcher theoretischen Schattierung es auch gefärbt gewesen sei, es habe allein die Macht der Lüge gemeint." (P, 255)

Wogegen früher noch für den Protagonisten und seinen Freund, den Schriftsteller H., eine Form des Widerstands definiert wurde durch Gedanken wie „sich [nicht] mit der Macht ins Benehmen" zu setzen (P, 84), werden die Strukturen nun abstrakter, genereller empfunden.

Durchmischung von Neuem und Altem durch Literarische Subversion

Subversion

Und dabei ist das, was in dem Text Bestand zu haben scheint, das Provisorium – das physische und psychische, das moralische und gesellschaftliche. Und nur Bilder und Strukturen dieser ‚unangenehmen' Art besitzen eine qualitative Greifbarkeit. Es ist, als ob eine ausgeblendete Seite der Wirklichkeit, schonungslos und stellenweise schon ermüdend, stetig an die Oberfläche getragen wird. Eine negative, von der regulären Wahrnehmung abgerückte, Wahrheit wird beschrieben, die sich jedoch nicht auf eine bloße Antihaltung reduzieren lässt, sondern oft das Kleine im Grossen meint:

> „... wenn er wieder zu Atem kam, nahm er eins der Bücher und wischte die Höllenbrühe, die aus seinem Leib geflossen war, in eine Plastiktüte; das Buch, Abteilung Holocaust & Gulag, versenkte er gleich mit der Tüte; und er kaufte es sich meist noch am selben Tag neu." (P, 294)

Das Leiden unter dem eigenen provisorischen Zustand verbindet sich hier mit einem weitaus größeren, provisorischen, gesamtdeutschen Zusammenhang. Das unaufgearbeitete Problemfeld dieser Gesellschaft dehnt sich nach hinten aus. „Alle Regierungen dieses Jahrhunderts haben mit Lügen regiert...." (P, 255)

Sätze wie dieser tauchen plötzlich auf und rütteln an einer Gesamtstruktur, die „Macht" und „Lügen" und „Vergangenheit" zu einer Art ‚Jahrhundertprovisorium' hochstilisiert. Die nationalsozialistische Vergangenheit wird also für den Ostdeutschen zu einer komplexeren Form im neuen westlichen System. Sie ist in ihrer Nichtbewältigung ein noch umfassenderes Provisorium.

Eine negative Wahrheit dieser Art zu beleuchten, bedeutet ein sich immer wieder von neuem selbst untergrabendes, die eigenen Schattenseiten hervorholendes Anstoßen an vorgefundenen und gegebenen Wirklichkeiten. Und eben diese Wirklich-

keiten stellen im Text festgeschriebene Strukturen dar. Sei es der Terminus „Schriftsteller", an dem sich der Protagonist wieder und wieder reibt, oder die Herkunft aus dem Osten, obwohl auch dieses System für C. eine schlechte Erinnerung bedeutet, oder die Regeln der westdeutschen Mediengesellschaft. Wenn dann das Provisorische, das Unangenehme, im Text als das einzig Greifbare bestehen bleibt, so besitzt der Er-Erzähler darin eine Art Instrument, das die feststehenden Begriffe und Identitäten immer wieder ins Schwanken bringt. Das Unangenehme steht dabei für das Unpassende, Ungeliebte, als auch das Verdrängte, das ständig thematisiert wird. So wird die äußere Schale der Wirklichkeit aufgeknackt und bewirkt, dass „Herkunftslosigkeit" auf eine verdrängte Herkunft verweist, das Abwesende anwesend gemacht wird. Diese Form der Subversion, ein oft auch überspitzter und parodierender Gestus, wird an der provisorischen Identität des Schriftstellers C. praktiziert, was diese dann letztendlich zum Aufbrechen bringt. So entsteht wieder ein Ort für Identität: Die besondere Form der ästhetischen Wahrnehmung oder Praxis wird auf das eigene Dilemma gerichtet, das durch „Herkunftslosigkeit" die ostdeutsche Identität thematisiert. Dabei unterliegt der Schreibgestus keiner rationalen Einstellung, sondern erscheint reflexiv, konstatierend und unwillkürlich, eine Ästhetik, die sich geradezu naiv aus der Wahrnehmung des Porösen, Provisorischen konstituiert.

Das Abschlussbild des Romans

Die Geschichte endet nicht mit dem „Zusammenbruch", sondern, mit einem weiteren Kapitel, auf dem von der Morgensonne durchleuchteten Hauptbahnhof (P, 320), der Wirklichkeit gewordenen Anfangsträumerei einer „Ankunft" (P, 32) in Leipzig. Erneut wird von Ankunft gesprochen, diesmal wieder im Osten. C. beschreibt ein Gefühl der „Trauer", die sich jedoch beruhigt in der Betrachtung der seit Ewigkeiten aus- und einfahrenden „Züge voller Schotter" (P, 319). An diesem Ort werden Erinnerungen aus seiner Vergangenheit wach (P, 317), es ist ein Ort seiner Vergangenheit und damit ein Ort einer seiner ‚Herkünfte', der sich nun einmal im ‚Osten' befindet. Zu einem letzten Eindruck wird dann das von der Morgensonne durchschienene Firmenlogo, „am Ende des Bahnhofs" (P, 320), ein neues unbekanntes Zeichen an dieser Stelle, das mit der westlichen Welt nun in diese Welt hinübergedrungen ist. Diese Ankunft ist also nicht mehr identisch mit der ehemaligen „Herkunft", die Welten haben sich vermischt. Und doch kann der Mensch an diesem Ort, der Neues aber auch Altes gleichzeitig birgt, in den „neun Strahlen" (P, 320) wieder das ‚Magische' wahrnehmen. Die Vielfalt der verschiedenen Ost- und Westprägungen spiegelt sich damit auch in der Außenwelt, und der Zusammenbruch ist somit nicht das Ende der Geschichte, sondern es folgt so etwas wie die Atmosphäre klarer Luft nach einem Unwetter.

Das Abschlussbild, die von einem Firmenlogo untertitelte aufgehende Sonne, wird so auch unter dem Aspekt identitätsprägender Strukturen lesbar. Ähnlich wie Firmenlogos auf Kleidungsstücken neue „Namen" verleihen und dabei Identitäten durch „Nummern gewahrt" (P, 263) bleiben, offenbart sich dem ironischen Betrachter nun auch die Umwelt durch solche Muster. Spätestens an dieser Stelle scheint dieses System zugleich neu und subversiv aktiviert: Es infiltriert den „Osten" und ist gleichzeitig in der Darstellung dieser zwei Komponenten, Firmenlogo und Sonne, paradoxer denn je. Die Absurdität dieses Bildes bleibt jedoch in ihren Konsequenzen offen, ob gefährlich oder harmlos, sie wurde durchschaut und benannt vom Er-Erzähler und steht damit wieder für die Perspektive einer abgerückten Wahrheit.

Eben dieses Anschreiben gegen das saubere Bild einer Sonne mit neun Strahlen scheint jedoch den Subversionsimpuls erneut zum Leben zu erwecken. Und ob nun positive oder negative Prägungen aus dem Osten oder auch Prägungen aus dem Westen, das Zulassen verschiedener Formen von Identität geht am Ende mit dem Wesen der sich formierenden ostdeutschen Identität einher, dessen Vergangenheit nicht „zementiert", also eingemauert zwischen den Fronten der Unwahrheit bleiben darf.

2.3 Literaturwissenschaftliche Verortung der ostdeutschen Identität im Roman

Die ostdeutsche Identität des Autors von *Das Provisorium*: Das Autothematische

Nun der Blick auf nichtfiktionale Äußerungen des Autors. 1991 beschließt Hilbig seine Selbstvorstellung mit der Erwähnung, er lebe nun mit Natascha Wodin zusammen, die, „als Tochter ehemaliger Asylanten, eine Außenseiterin in der deutschen Literatur ist..."[127]. Die Verbindung zwischen der im Roman beschriebenen Hedda und der eben erwähnten Person stellt sich automatisch her. Auf die autobiografische Nähe zwischen der fiktiven Person und dem Autor sei somit noch einmal hingewiesen. Das, was damit auch auf eine geistige Ähnlichkeit schließen lässt, soll nun in Bezug auf Wolfgang Hilbigs nicht fiktionale Äußerungen umrissen werden.

Hilbigs ostdeutsche Identität

Dass Hilbig zu Zeiten der ehemaligen DDR die Position innehatte, das staatliche System in seinen Schattenseiten und negativen Auswirkungen zu beschreiben und damit auch hinterfragte, geht mit den ersten Eindrücken seiner Literatur, z.B. dem Lyrikband „Abwesenheit" von 1979, einher[128]. Oft genug wird auf seine langjährige Existenz als Arbeiter in Bergwerken etc. hingewiesen, die seinen einzigen Broterhalt darstellte, da er bis in die 80er Jahre in der DDR nicht veröffentlicht wurde. Auch nach 1989 galt er weiterhin vorrangig als bedeutender Literat und Kritiker des DDR-Regimes. Diese Begriffe, Literat und DDR-Gegner, standen nebeneinander und ihre Widersprüchlichkeit zur Gegenwart wurde kaum erkannt. Dabei wirkt es nicht nur rückwärtsgewandt, einem Schriftsteller unter dem Aspekt seines vergangenen Daseins Bedeutung zuzusprechen, sondern lenkt auch ab von einer geistigen Haltung und Produktivität, die losgelöst von spezifischen Regimen existiert. Hilbigs Aussagen können kaum deutlicher sein, wenn er meint:

---

[127] Wolfgang Hilbig: Selbstvorstellung. Anlässlich der Aufnahme in die Deutsche Akademie für Sprache und Dichtung. In: Wolfgang Hilbig. Materialien zu Leben und Werk. s.o. 1994, S. 13.
[128] Vgl. dazu: M.-L. Collard: Die Fiktionen der Macht und die Macht der Fiktion, M.S. Bordaux: Literatur als Subversion., Paul Cooke: Speaking the taboo, u.v.a..

„...ich glaube, man muss die Hoffnung am Leben erhalten, dass sich die Bundesrepublik an der DDR gewaltig verschluckt hat, wie vielleicht überhaupt der Westen an dem Osten. Und eine solche Hoffnung, und der Umgang damit, wäre schließlich auch für den festgefahrenen Westen vernünftig."[129]

Die hiermit aufgemachten Fronten sind neu und doch sehr klar: Ungeachtet einer schwierigen und kritischen Vergangenheit im ehemaligen Ostdeutschland, existiert eine scheinbar ebenso intensive – im Zitat geradezu patriotische – Bindung zu dem heutigen Osten Deutschlands. Dies wirkt umso bemerkenswerter, als Hilbig „selbst in den hohen Zeiten der DDR-Opposition" nie irgendeiner Bürgerbewegung oder ähnlichem angehörte[130], sich also „kaum für die Zonen außerhalb des eigenen Schreibens"[131] interessierte. Heute dagegen scheinen gesellschaftliche Dimensionen eine größere Rolle zu spielen als in seinem Einzelkämpferdasein zu DDR-Zeiten, wenn er sagt:

„Ich kann als Literat nicht hinnehmen, dass ganze Generationen eines Volkes unreflektiert in einen anderen Weltzustand überführt werden; das hieße, sie mit vierzig Jahren Unwahrheit, die von zwei konträren Fronten des Kalten Krieges zementiert worden sind, im Stich zu lassen... es wäre fast eine Art Gedanken-Holocaust."[132]

Sätze wie diese spiegeln eine überaus starke Identifikation mit dem ostdeutschen Volk als auch einen vorsichtigen Umgang mit dessen Vergangenheit. Darüber hinaus wird jedoch ein Gestus des Engagements sichtbar, der Deutungen eines rein „apokalyptischen" Schreibens über Zerfall und Niedergang[133] relativiert. Wenn sich, wie im „Provisorium", auf erster Ebene der Verfall, der Zusammenbruch des Protagonisten, im Text vollzieht, so ist auf zweiter Ebene gerade das Beschreiben dieses Verfalls ein konstruktives Moment, das in Bezug auf das Anschreiben gegen externe, identitätsprägende Strukturen immer auch eine eigene Identität schafft. Das ostdeutsche Volk oder die ostdeutsche Vergangenheit dem „Vergessen"[134] ausgesetzt zu sehen, lässt Hilbig dagegen anschreiben und gleichzeitig einer Identifikation bewusst werden, die auch für ihn selbst zu DDR-Zeiten nie so existierte. Es wirkt wie eine Post-DDR-Identität, die an die Oberfläche geholt wird, wenn die äußeren Strukturen dafür nicht mehr existieren, aber nun einmal eine bestimmte Vergangenheit ausmachen:

„Es ist ein Thema, das ich auf Grund meiner Erfahrung behandeln kann, und es interessiert mich auch weiterhin. Vierzig Jahre DDR sind weitaus prägender als acht Jahre Bundesrepublik. Außerdem existiert mein Thema ja fort. Mit dem

---

129 Wolfgang Hilbig: Zeit ohne Wirklichkeit. Ein Gespräch mit Harro Zimmermann. In: Wolfgang Hilbig/123. Text und Kritik. VII/94, S. 18.
130 Vgl. Helmut Böttiger: Monströse Sinnlichkeiten, negative Utopie. Wolfgang Hilbigs DDR-Moderne. In: Text und Kritik. VII/94, S. 53.
131 Ebd.
132 Wolfgang Hilbig: Zeit ohne Wirklichkeit. s.o. S.18.
133 Vgl. auch die neuesten Bemerkungen zum Thema: Uwe Wittstock: Zwischen beiden deutschen Staaten. In: Die Welt. 3.5.2002, S. 27.
134 Karin Saab: „Die Literatur hatte völlig resigniert" Über Scheckfälscher und Flaschensammler. Ein Gespräch mit Wolfgang Hilbig. In: Wolfgang Hilbig. Materialien zu Leben und Werk. Hrsg. Uwe Wittstock. Frankfurt am Main. 1994, S. 227.

Verschwinden eines Staatssystems ist seine Realität noch nicht aus der Welt. Die Realität, die das Staatssystem geschaffen hat, existiert ja noch weiter."[135]

Welche Formen diese Post-DDR-Identität dabei annimmt, kann hier nur umrissen werden. Hilbig bezieht sich immer wieder auf größere gesellschaftshistorische Kontexte. Der Kalte Krieg gerät für ihn dann ins Blickfeld, wenn es darum geht, den Osten nicht der alleinigen „Unwahrheit" ausgesetzt sehen zu wollen. Es geht Hilbig anscheinend um eine Position, die auch unabhängig von der eigenen Herkunft die Dialektik einer fragwürdigen Geschichte aufdeckt, die ihre Ursprünge wohl im „Phänomen Auschwitz" (P, 186) zu suchen hat: So lässt sich auch der schon zitierte „Gedanken-Holocaust" angesichts der „konträren Fronten des Kalten Krieges" verstehen. Dass nun das eine dem entsprungene System das andere dominiert und übernimmt, könnte ein Auslöser dieser Post-DDR-Identität sein. Allerdings ist auch die eigene ostdeutsche Vergangenheit ein nicht unwichtiger Grund, der ihn reden lässt, aus dem Wissen heraus, durch ein zwar fragwürdiges System gegangen zu sein, aber dessen Auslöschung nicht akzeptieren zu können. Zudem ist Hilbigs Post-DDR-Identität eine Form der Identität, die über den ostdeutschen Zusammenhang hinaus, innerhalb der deutschen Geschichte, dem Holocaust, gedeutet wird, also in gesamtdeutscher Wirklichkeit entsteht.

Das autothematische Prinzip

Für Hilbig besitzt diese Position geradezu Programmcharakter. So sehr ihn Sprach- und Schreibzweifel beschäftigen, er kann sie immer wieder literarisch produktiv machen: „Oder soll man hineinwachsen in diese Tabu-Gesellschaft, in der jeder denunziert wird, wenn er im Osten einmal den jungen Pionieren angehört hat, wo man sich aber jeden Zweifel an der Autorität einer Genickschussgruppe Neun verbietet."[136] Gleich darauf heißt es:

„Ich kann es der Literatur immer weniger verzeihen, dass sie sich um die wirklichen Probleme nicht kümmert."[137]

Das persönliche Bedürfnis und Interesse an den gegenwärtigen Verhältnissen verallgemeinert Hilbig also auch auf den Literaturbetrieb. Auf diese Weise wird der Umgang mit „wirklichen" Problemen nicht nur zu einem Kreativitätskriterium, sondern auch zu einem Kriterium, das die Qualität von Texten betrifft. Dies hängt mit Hilbigs Wahrnehmung einer „Bewusstseinsindustrie"[138] zusammen, nach der die Massenmedien das individuelle Bewusstsein auf subtile Art steuern und so „[p]olitische Inhalte durch Konsuminhalte"[139] ersetzen. Die Identität des Individuums erstellt sich für Hilbig auch als ein durch marktwirtschaftliche Strukturen beeinflusstes Konstrukt, demgegenüber ein Schreiben oder Gegensteuern möglicherweise

135 Ebd.
136 Wolfgang Hilbig: Abriss der Kritik. Frankfurter Poetik Vorlesungen. Frankfurt am Main. 1995, S. 93.
137 Ebd. S. 94.
138 Ebd. S. 8, Hilbig zitiert damit Enzensbergers Begriff.
139 Interview mit Paul Cooke. In: Speaking the Taboo. A study of the work of Wolfgang Hilbig. Amsterdamer Publikationen zur Sprache und Literatur. Amsterdam. 2000, S. 33.

noch schwieriger ist als angesichts der vergleichsweise klareren negativen Strukturen in der ehemaligen DDR[140].

Gesellschaftliche und private Schwierigkeiten gehen ineinander über. Sich dabei selbst – sei es im Roman oder in der Realität – mit in dem Problemfeld zu verorten, die allgemein angesprochenen Unstimmigkeiten nicht vom Sockel einer individuellen Wahrheit aus zu verurteilen, spricht dabei für die Konsequenz in Hilbigs Ansatz. Es mag konstruktiv sein, sich den ureigensten Defekten, Provisorien, zu widmen, doch ist dieser Prozess langwieriger als erwartet. Ein Jahr nach dem Erscheinen seines Buches *Das Provisorium* meint Hilbig in einem Interview:

> „Jetzt wohn' ich hier in Berlin. Jetzt geht es mir besser, aber ich könnte nicht sagen, dass es vorbei ist mit dem Provisorium."[141]

Ob fiktiv oder autobiografisch gesprochen, die thematisierten Konflikte sind ihm zumindest wichtiger als die theoretische Grenzziehung zwischen dem einen oder anderen.

„Autothematisch" scheint also ein brauchbarer Begriff zu sein, um die Gleichzeitigkeit eines Bewusstseins um ostdeutsche Identität zwischen Hilbigs fiktiven und realen Äußerungen zu beschreiben. Dabei unterscheidet zumindest der doch sehr bewusste und ernsthafte Ton die reale von der fiktiven Welt. In letzterer ist das Problembewusstsein um die eigene ostdeutsche Identität – auch parodistisch – in Form einer naiven „Herkunftslosigkeit" zugespitzt.

Die Ästhetik des Unangenehmen – ostdeutsche Subversion?

Bezüglich Hilbigs Schreibweise, die einer schonungslos negativen Sicht der Welt huldigt, wurden innerhalb der Hilbig-Rezeption schon verschiedenste Begrifflichkeiten und Theorieansätze versucht. Die folgende Diskussion verweist auf eine Dynamik, die für den Raum, in dem sich Hilbigs Stil bewegt, relevant wird.

Ästhetik des Unangenehmen

Als „Literatur des bösen Blicks" wird sein Werk bezeichnet, das nach den Regeln einer „Tabula-rasa-Ästhetik" funktioniere, „bei der am Ende von der Welt, von der östlichen wie von der westlichen, nichts nennenswert Positives übrig bleibt"[142]. Durch Übertreibung würde Privatheit kaschiert und so eine Art Wahnsinn suggeriert[143], der, denkt man diesen Gedanken weiter, eine gnadenlose Destruktion ansteuert. *Das Provisorium* ließe sich so lesen, zumindest bis zu dem Punkt, an dem der Protagonist und seine Welt zusammenbrechen. Das letzte Kapitel würde jedoch unter diesem Gesichtspunkt lediglich eine Art nachgestellte Beruhigungsszenerie darstellen, alle weiteren ihm zugesprochenen Funktionen wären damit hinfällig. Und doch mag die „Übertreibungskunst" für die schonungslosen und

---

140 Vgl. Interview mit Paul Cooke, ebd; Abriss der Kritik ebd..
141 Wolfgang Hilbig gegenüber dem Hessischen Rundfunk. 31.08.01 um 21 Uhr.
142 Ursula März: In der deutschen Vorhölle. In: Die Zeit. Nr. 9. 24.2.2000.
143 Ebd.

manchmal kaum ertragbaren Bilder des Protagonisten, der beispielsweise in seinem eigenen Erbrochenen aufwacht, ein Erklärungsansatz sein. So gesehen wären die autobiografischen Konflikte literarisch zugespitzt und auf diese Weise im Reich des Fiktiven angesiedelt.

Den „gross angelegten Angriff auf das gewohnte Bild der Wirklichkeit"[144] versteht Wittstock als einen Aufenthalt an von der Wahrnehmung „exkommunizierten" Orten[145]. Das heißt, Hilbig mache „Bereiche des Seelenlebens" bewusst, die ein Individuum zugunsten seiner Umwelt und seines eigenen Selbst gewöhnlich ausblende. Dass eine solche Schreibweise an festgefahrenen Identitätsmustern nagt, die auch an andere Formen eines Daseins auf dieser Welt erinnern, macht das „Prinzip Exkommunikation" zu einem psychologisch sehr umfassenden Gestus in Hilbigs „Prosalandschaft"[146].

> „Unser Bild von Realität ist Vereinbarungssache, und Wolfgang Hilbig hat diese Vereinbarungen aufgekündigt."[147]

Wenn demnach im *Provisorium* das Unangenehme und Verdrängte ständig thematisiert wird, so, ließe sich ergänzen, ist die Aufkündigung dieser Vereinbarungen absolut, da auch die an die Oberfläche gebrachte Gegenwelt, der nach Wittstock „exkommunizierte Bereich", unhaltbar oder provisorisch ist und damit nie einer Gefahr der neuen Vereinbarung aufläuft.

Da die Handlung in Hilbigs Romanen keine Chronologie besitzt, sie „zwischen mehreren Zeitebenen [mäandert]"[148] – mal in der Anfangszeit im Westen, dann in der Endzeit im Osten und wieder in Kindheitserinnerungen – „beschreibt [sie] eine Bewusstseinskurve". Das Auslassen dieser Orientierungsfunktionen werde ersetzt durch „monströse Sinnlichkeiten"[149] und die verschiedenen Aufspaltungen des „Ich", hier „Er", in Heizer, Schriftsteller oder unfähigen Liebhaber ergäben eine „negative Utopie"[150].

Mit dem Begriff des „Realitätsverlust" beschreibt Cooke die Art, wie Hilbig seine Umwelt in seinem literarischen Werk wahrnimmt. In dem Zeitalter der „Bewusstseinsindustrie" sei der Sinn für das Wirkliche, die wirklichen Probleme, abhanden gekommen. Dabei das „Unsägliche" zu benennen, also Wahrnehmungsweisen, die sich eingefahrenen Perspektiven entziehen, neu zu verwenden, wird dann zu einem Versuch „to go beyond the limititations of his own biography and of language, in order to allow his text a true sense of realism"[151]. Individuelle und allgemeingesellschaftliche Impulse werden dabei zu einem ständigen Widerspruch, zwischen Anwesenheit und Abwesenheit.

> „He explores his protagonists' longing for an individual sense of *Anwesenheit*; that is, writing becomes a means of finding a ‚fixed' sense of identity which is

---

[144] Uwe Wittstock: Das Prinzip Exkommunikation. Wanderungen in Wolfgang Hilbigs Prosalandschaft. In: Wolfgang Hilbig. Materialien zu Leben und Werk. Hrsg. Uwe Wittstock. Frankfurt am Main. 1994, S. 229.
[145] Ebd. S. 242.
[146] Ebd. S. 229.
[147] Ebd. S. 234.
[148] Helmut Böttiger: Monströse Sinnlichkeiten, negative Utopie. Wolfgang Hilbigs DDR-Moderne. In: Text und Kritik. a.a.O.. 1994, S. 58.
[149] Ebd.
[150] Ebd. S. 55.
[151] Ebd. S. 42.

not limited by society [...] on the other, one feels the writer's own longing for *Abwesenheit*; that is, his wish to write a truly ‚objective‘ text, [...] which is not reducible to the writers own subjectivity."

Hier wird wieder der Spagat zwischen individuellen und allgemeingültigen Ansprüchen sichtbar, der auch im *Provisorium* eine ständige Reibung produziert. Die Sehnsucht nach Identität, so ließe sich hinzufügen, wird durch die Sehnsucht, Identitätseinflüsse zu durchbrechen oder Formen der Identität zu verweigern, zu einem stets paradoxen, aber – nach Hilbig – realistischen Zustand. Dadurch wird das „Unsägliche", „the taboo", zu einem Urquell, „a means of driving his writing"[152].

Das Negativ, das Hilbig gegenüber dem außerweltlichen Positiv produziert, hat auch die Funktion eines „hässlichen Gegenbild[es]"[153]. „Die Schönheit weiß nichts von sich, wenn nicht daneben das Siechtum seine ganze Erniedrigung entfaltet."[154], schreibt Hilbig. Dem „Bösen", „Exkommunizierten", „Monströsen" oder „Unsäglichen" zu huldigen, findet hier seine Bestätigung. Es wirkt wie eine Ästhetik des Unangenehmen oder Hässlichen, die das Schöne der realen Welt kontrastiert und gleichzeitig in seiner Makellosigkeit hinterfragt. Die Produktivität entfaltet sich dabei im Paradox des Schönen im Hässlichen, dem Unsäglichen, Exkommunizierten oder einer Identität in der Nichtidentität.

Ostdeutsche Subversion?

Die Frage, inwieweit diese Ästhetik des Hässlichen mit der gesellschaftlichen Herkunft, der DDR-Vergangenheit zusammenhängt, bleibt noch zu stellen. So zum Beispiel mit den Worten:

„Und was verdankt Hilbig dieser DDR, die literaturpolitisch so hart mit ihm verfuhr, literarisch nicht alles, ihrem labyrinthisch-enigmatischen Machtapparat, ihrer paranoiden Ein- und Ausgrenzung, vor allem aber der ständigen irrealen Verzerrung, die Hilbig genial als Antriebswelle seiner Visionen, Obsessionen und Halluzinationen zu nutzen verstand?"[155]

Das DDR-System mit seinen ideologisch vereinfachten Strukturen mag der Auslöser in Hilbigs Anschreiben gegen festgefahrene Realitäten gewesen sein, da die Einseitigkeit politischer und individueller Räume leicht durchschaubar war. Das Sich-nicht-einordnen-Wollen entsprach einem Sich-nicht-einordnen-Können. So hatte sich eine Konfliktbereitschaft etabliert, die in dem neuen, komplexeren Demokratiesystem weiter Bestand hat. Der „kulturpolitische Kontext [...].[..] bestimmt den Schreibanlass [...] seiner Texte"[156], heißt es bei Collard, da die Sprachdiktatur den Gegendiskurs in Hilbig provozierte.[157]

---

[152] Ebd. S. 221.
[153] Wolfgang Hilbig: Der Blick von unten. In: Wolfgang Hilbig. Materialien...s.o. 1994. S. 21.
[154] Ebd.
[155] Ursula März: In der deutschen Vorhölle. In: Die Zeit. 9/2000.
[156] Marie-Luce Collard: Die Fiktion der Macht und Macht der Fiktion. In: Peter Weiss Jahrbuch. Band 9. St.Ingbert. 2000, S. 164.
[157] Zu fragen bliebe dabei: Wenn der 'Verfall' im *Provisorium* einzig greifbar bleibt, spricht das dann für die Erfahrung eines strukturellen und mentalen Verfalls der ostdeutschen Vergangenheit?

Die Ästhetik des Hässlichen ist dabei eine Ästhetik des Widerstands oder der „Subversion"[158], wie Bordaux schreibt. Sie vergleicht Hilbig in seinem Gesamtwerk mit einem „DDR-Diogenes", der „Kritik der staatlichen Ordnung einerseits und Alltag und Niederungen andererseits"[159] miteinander vereint. Die Subversion ergibt dabei den Gestus, mit dem „Alltag und Niederungen" beschrieben werden: „das Ausbleiben jeglicher Identität in der dargestellten Welt der DDR; auch historisch und geschichtlich gesehen ist die Hilbigsche Welt eine Welt [...] der Lüge und der Leere, [...] des Zerfalls"[160]. Sie geht weiter: „der Westen und der Kapitalismus [bieten] keine Alternative" (ebd.).

Auch Bauer spricht bei Hilbigs Schreibweise über „Verfall"[161] von „Subversion", die weniger rebellisch, „heimlich, heimtückisch" vollzogen wird. Das „kritische Subjekt" würde „ohne Halt an irgendeiner sicheren Identität [...] wie betäubt und permanent überfordert"[162] seine „Verstandesoperationen" immer weitertreiben durch „Reflexionen [...] Umkehrungen von akzeptierten Sätzen, bis der methodische Gewinn stärker wird als jedes Denkresultat"[163]. Daher ist das Subversive bei Hilbig kein großer „und schon gar kein gelungener Akt", eher „eine Fülle von Versuchungen"[164]. Allerdings stellen der im Werk durchgängige Trotz, die „überspitzten Skrupel, die latente Komik vieler Wandlungen" etc. „ein tief gestaffeltes Szenario der sinnlich-intellektuellen Subversion"[165] dar.

Die Ästhetik des Hässlichen wurde als Subversionsprinzip schon für das DDR-System erkannt. Dasselbe Prinzip nun im neuen System wieder aktiviert zu sehen, gibt der Schreibweise eine besondere Färbung: ein ostdeutsches Prinzip funktioniert nun im westdeutschen System, wirkt subversiv und widmet sich dabei auch noch einer ostdeutschen Thematik. Hilbigs literarische Subversion lässt damit ein ostdeutsches Prinzip unter neuen Strukturen wieder aufleben und aktiviert so einen alten Ort der Identität auf neuem Hintergrund.

Das Provisorium: Post-DDR-Identität im Post-DDR-Roman

Literaturwissenschaftliche Erkundung der ostdeutschen Thematik im Text

Franz Fühmann hat für Hilbigs Schreibweise schon nach dem Erscheinen von Hilbigs Gedichtband *Abwesenheit* (1979) die Suche nach Identität erkannt:

„...Abweisung von Anwesenheit. – ...Dieses schroffe Gegeneinander ohne erkennbare Möglichkeit eines Berührens macht das Begehren nach Identität

---

[158] Sylvie Marie Bordaux: Literatur als Subversion. Eine Untersuchung des Prosawerkes von Wolfgang Hilbig. Göttingen. 1999.
[159] Ebd. S. 97.
[160] Ebd. S. 82.
[161] Gerhard Bauer: Was heißt hier Subversion? In: Das Subversive der Literatur, die Literatur als das Subversive. Torun. 1998, S. 110.
[162] Ebd. S. 114.
[163] Ebd. S. 116.
[164] Ebd. S. 118.
[165] Ebd.

kaum glaublich, allein es ist von Anfang an da (...), und es wird als Paradox ausgesprochen, das einen Widerspruch in Worte bannt."[166]

Der Begriff „Abwesenheit" besitzt dabei als räumlicher Terminus eine durchgehende Bedeutung, der eine Welt suggeriert, die dem Druck der repressiven Realität,
in der seine Charaktere existieren, nie widerstehen kann.[167] „Nevertheless, in their
failure there always remains a fragile sense of hope."[168]

Der Schriftsteller C. trinkt nachts, sei es in Leipzig oder in Nürnberg, schafft sich
eigene Räume und leidet gleichzeitig unter der damit einhergehenden Einsamkeit.
Auch sich nicht mehr im Osten Deutschlands zu befinden und einer noch größeren Orientierungslosigkeit oder Fremdheit ausgesetzt zu sehen, ist Ursache seiner
eigenen „Abwesenheit".

Und doch kann diese Sichtweise einer Bindung zur DDR-Vergangenheit auch
umgekehrt durchexerziert werden. Das würde bedeuten, Das Provisorium sei kein
DDR-Roman, sondern ein deutscher Roman und versuche „sich von Ostneurosen
und Ostidentität zu trennen."[169] Die sprachliche Distanz, die durch den Übergang
vom Ich- (gleichnamiger Roman, „Ich", von 1993) zum Er-Erzähler geschaffen wurde
geht dann einher mit der Erkenntnis, „dass die Neurose keine staatliche ist, sondern
seine eigene"[170] Die persönliche Konstitution wird hiermit vor eine gesellschaftliche geschoben und der Einfluss eines ost- oder westdeutschen Systems als irrele-
vant entlarvt:

> „...C. trinkt nicht, um sich zur Wehr zu setzen [...], sondern weil er sich nicht
> mehr aushalten kann."[171] [172]

Dass Das Provisorium eine privatere, allgemein menschliche Geschichte erzählt,
die das Individuum mit denselben Problemen innerhalb zweier entgegengesetzter
Systeme als losgelöst von strukturellen Einflüssen darstellt, mag stimmen. Allerdings
verlöre sich damit der Widerspruch, den Hilbigs Ansatz hergibt, nämlich, dass das
Betonen einer autonomen Figur immer auch einhergeht mit deren Abwesenheit
bzw. dem Begehren nach Anwesenheit in eben jenen äußeren Strukturen.

Wenn die Realität nach Hilbig auf Vereinbarungen beruht, dann ist die „Legitimie-
rung, die sich die Macht anmaßt,"[173] ebenfalls fiktiv. Demgegenüber produziert
Hilbig eine fiktive Gegenwelt des Ichs, um die „Selbstlegitimierung der Macht [zu]
durchschauen"[174], wobei die „Fiktionalität der Macht von der literarischen Fiktion
übertroffen"[175] wird. Hierin liegt auch der „Keim für seine Rettung vor [...]
Selbstentfremdung", er benutzt „die Macht der Sprache, um seine eigene Identität

---

166 Franz Fühmann: Praxis und Dialektik der Abwesenheit. Eine imaginäre Rede. In: Wolfgang Hilbig.
Materialien. s.o. 1994, S. 46.
166 Vgl. Paul Cooke: Speaking the Taboo. s.o. 2000, S. 223.
168 Ebd. .
169 Marie Sylvie Bordaux: Literatur als Subversion. Eine Untersuchung des Prosawerkes von Wolfgang Hilbig.
Göttingen. 2000, S. 300.
170 Ebd. S. 297.
171 Ebd.
172 Wenn auch durch den Er-Erzähler eine sprachliche Distanz geschaffen wurde, so ist der Roman autobiographischer als der vorherigen.
173 Marie-Luce Collard: Die Fiktion der Macht und die Macht der Fiktion. In: Peter Weiss Jahrbuch. Band 9. St.
Ingbert. 2000, S. 152.
174 Ebd. S. 155.
175 Ebd. S. 156.

schreibend und erzählend wiederzuerlangen"[176]. Und dabei betont auch Collard, dass es nicht primär um ein Schreiben gegen die „Macht" geht, sondern darum, „der poetisch notwendigen Abwesenheit, die jenseits von jeglichem dichotomischen Denken liegt, eine sprachliche Form zu geben."[177] ‚Macht' heißt ohnehin mittlerweile für Hilbig „Bewusstseinsindustrie" beziehungsweise in *Das Provisorium* „Lüge", besitzt also nicht mehr ontologischen, als vielmehr anonym strukturellen Charakter. So gesehen macht die Interpretation der Geschichte einer Figur, die sich gegen die ‚Macht' wendet, jedoch weiterhin Sinn: Im *Provisorium* wird z.B. die Infiltration äußerer Merkmale von Individuen durch Konsumnamen kritisiert. Das Benennen dieser ‚machtvollen' Einflüsse kann mit der Perspektive einer ostdeutschen Vergangenheit eben diese Identität wieder bewusst machen. Dabei gilt auch für Collards Sichtweise, dass durch eigene Konstruktionen repressive Konstruktionen unterminiert werden und damit gleichzeitig eine Identitätsfindung einsetzt.

Die ostdeutsche Thematik ist also am Text nicht nur in struktureller sondern auch in inhaltlicher Form festschreibbar. Sie wird als Bestandteil eines Schreibens rezipiert, das allerdings auch über diese Thematik hinaus greift.

Ostdeutsche Identität im Post-DDR-Roman

An dieser Stelle wird der von Schmitz angeführte Begriff der „Post-DDR-Literatur", wenn er die Formulierung „eine Art Regionalliteratur, die sich jetzt nicht am Staatssystem ausrichtet, aber an der Herkunft"[178], aufgreift, interessant. Hilbigs spöttische Distanz gegenüber seinen Figuren, die körperlichen Anomalitäten ausgesetzt sind und sich gegen vermeintliche Angriffe von Schaufensterpuppen mit Boxhieben wehren, spricht dabei für die „Narrenfreiheit", mit der „der Übergang in die Post-DDR-Literatur vollzogen"[179] wurde.

Das Provisorium ist dabei ein „Experimentalroman", der nicht ‚autobiographisch', sondern ‚autothematisch' „die Folgen eines DDR-spezifischen Schreibprogramms"[180] erkundet – „eines Paktierens mit der Sprache der ‚Macht' im einen Fall, mit der Zeichenproduktion des ‚Medienmarktes' im anderen."[181] Der zeitliche Abstand zur Wende ist dabei ausschlaggebend. Für Schmitz wird angesichts des *Provisoriums* eine Tendenz sichtbar, die nicht nur eine Kontinuität ostdeutscher Prägungen ausmacht, sondern durch das bewusste Betonen dieser Prägungen nun auch noch einen neuen Typus schafft. ‚Ostidentität' rekrutiert sich auch hier aus der Herkunft und einer Form des Widerstandes gegenüber nun westlichen Machtstrukturen. Dabei fehlt die „Gegnerschaft einer formierten Gesellschaft"[182], um „Gegendiskurse formulieren zu können"[183]. Deshalb bliebe Autoren, „deren Identität darauf beruht, die Fiktionen der Macht nicht anzuerkennen, noch immer die Subversion der herrschenden Redeweisen."[184] Die aus dieser Sicht entstande-

---

[176] Ebd. S. 162.
[177] Ebd. S. 165.
[178] Walter Schmitz: Gottes Abwesenheit? Ost-West-Passagen in der Erzählprosa Wolfgang Hilbigs in den 90er Jahren. In: Mentalitätswandel... s.o. 2000, S. 113.
[179] Ebd. S. 131.
[180] Ebd. S. 128.
[181] Ebd.
[182] Ebd. S. 126.
[183] Ebd. S. 115.
[184] Ebd.

ne Gegenwelt rekrutiert sich wiederum aus „schwarzem Humor"[185], apokalyptischen Verfallssymptomen oder einem Hoffnungsschimmer in jedem Zusammenbruch der dargestellten Figuren[186].

So, liesse sich zusammenfassen, beschreibt der Post-DDR-Roman eine Post-DDR-
Identität, die ,abwesend' ist. Der Widerspruch gibt hier Aufschluss. Gerade „Herkunftslosigkeit" stellt die Vorstellung einer Herkunft in den Raum, ebenso wie die
„unaufgearbeitete Vergangenheit" ein Provisorium produziert und ein „Niemand"
auf westdeutschem Boden wohl seinen ostdeutschen Referenzrahmen impliziert.[187]
Das dramatische Potential, das die ostdeutsche Identität innerhalb des zehn Jahre
nach der Wende geschriebenen Romans annimmt, macht eine Beschreibung wie
Post-DDR-Identität ebenfalls angemessen.

Zusammenfassung

Die ostdeutsche Identität kristallisiert sich im Text erst hintergründig heraus: in
Form einer Kontrastwirkung auf westdeutschem Boden, durch starke Emotionen
gegenüber dem ehemaligen ostdeutschen System oder anhand von sehr unklaren
Beschreibungen der ostdeutschen Herkunft. Thematisiert wird vielmehr ein Gefühl
der Herkunftslosigkeit, das in einem sich zuspitzenden provisorischen Zustand
immer stärker an die Oberfläche gerät. Die Erfahrung des Bruchs von Ost nach West
ist hier die Erfahrung eines Bedeutungswandels von Begriffen und Werten, wie
Macht oder Freiheit. Dabei sind die Kontrastwirkung, das Gefühl der Herkunftslosigkeit und die Reibungen mit den neuen westdeutschen Strukturen eine Referenz auf
ostdeutsche Hintergründe, die ihr Gewicht erst durch diese strukturellen Veränderungen erhalten. So entsteht eine Form der Post-DDR-Identität, die sich durch die
„unaufgearbeitete Vergangenheit" und die Erfahrung des Westens herausgebildet
hat. Die ostdeutsche Identität wird innerhalb der Ästhetik des Unangenehmen struk-
turiert, d.h. sie ist bodenlos, abwesend, verdrängt, also provisorisch. Dabei ist dem
Schreibgestus des Romans, der produktiv gewordenen Subversion, eine ostdeutsche
Perspektive beigemischt, die sich ihre Identität entgegen äußeren Strukturen
behauptet und gleichzeitig neu schafft. Diese fiktive Darstellung der ostdeutschen
Identität in ihrem intuitiven Gestus entspricht einer in der Wirklichkeit dagegen
sehr bewußt geführten Auseinandersetzung des Autors Wolfgang Hilbig.

---

[185] Ebd. S. 129.
[186] Vgl. Paul Cooke. Zitat Anfang des Kapitels.
[187] Schon 1989 schrieb Schmitt: „Ein weiteres Thema, das sich durch den Text zieht, ist das Abwesende, das,
was er verdrängt hat, seine Herkunft? Oder entsteht nicht gerade dadurch die Poesie?" – Schon hier wurde
die Verbindung zwischen Abwesenheit und Herkunft hergestellt: Hans Jürgen Schmitt: Durchs Nadelöhr des
Subjekts. Wolfgang Hilbigs neue Prosa „Eine Übertragung". In: Süddeutsche Zeitung, 10.10.1989.

3 DIE OSTDEUTSCHE IDENTITÄT ALS APPELL FÜR EINEN VORSICHTIGEN UMGANG MIT DER VERGANGENHEIT IN NEUMANNS ROMAN ANSCHLAG

3.1 Der Autor und das Buch

1989 wurde im Fischer-Verlag Neumanns letzter zu DDR-Zeiten erscheinender Roman, *Die Klandestinität der Kesselreiniger* gedruckt. Danach unterlag sein literarisches Schaffen – bis auf ein paar Veröffentlichungen älterer Texte oder Essays – einer zehnjährigen Pause. *Anschlag* ist Neumanns erster Roman seit 1989, eine Verzögerung, für die er folgende Begründung gibt:

> „Ich musste herausbekommen, ob das Thema, das ich für gesichert halte, nicht vielleicht doch aus dem Druck der Verhältnisse entstanden ist."[188]

Mit dem „Druck der Verhältnisse" sind die Strukturen zu DDR-Zeiten gemeint. Schon an dieser Stelle wird eine ostdeutsche Herkunft thematisiert. Die Frage, ob die damals entstandene Poetik sich im neuen System wieder aktivieren lässt, ist nicht nur aus dem Zitat herauszulesen, sondern scheint auch mit dem Titelwort des Romans, „Anschlag", in den Raum gestellt.

Zusammenfassung von Neumanns Roman *Anschlag*

Als Rahmenhandlung des Romans *Anschlag* fungiert die Erzählung eines Gesprächs zwischen einem ostdeutschen Ich-Erzähler und dessen westdeutschem Begleiter. Beide sind sich zufällig im brandenburgischen Bernau begegnet und spazieren gemeinsam Richtung Kloster Chorin. Der Roman beginnt mit dem Ausruf:

> „Was mag die Vorsehung wohl damit, wissen Sie, dass sie die Deutschen so grimmig durch den billigen Wochenendtarif der Deutschen Bahn AG, aus ihrer Ruhe aufgeschreckt hat -, bezweckt haben!"[189]

Die substantivierte und verschachtelte Form der Sätze wäre mit diesem Zitat bereits angedeutet, und doch lassen sich Inhalt und sprachlicher Stil des Autors kaum wirklich erfassen. Tatsächlich entfaltet der Ich-Erzähler vor dem Leser einen sich langsam entwickelnden Dialog, dessen verschiedene Ebenen Schicht um Schicht an die Oberfläche getragen werden. Das eigentlich Gesprochene tritt dabei quantitativ weit hinter reflexive und philosophische Beschreibungen zurück. Ganz allmählich geht der Roman von einer gedanklichen Kommunikation in den ersten Kapiteln, einem „Schweigen", zu einer gesprochenen über. Zudem sind die vergangenen oder gegenwärtigen Inhalte des Gesprächs immer die des Ich-Erzählers, der auf Anregung seines Begleiters oder der Umgebung von Kloster Chorin persönliche Erfahrungen und Beobachtungen thematisiert[190].

---

[188] Aus: Gert Neumann - Ein Portrait in Selbstaussagen. In: Flechtwerk. Berliner Literatur nach 1989. Berlin.1995, S. 86.
[189] Gert Neumann: Anschlag. Köln. 1999, S. 7. Im Folgenden werden die Romanangaben in Klammern, unter der Abkürzung „A" und der Seitenzahl gemacht.
[190] Über den Anderen erfährt der Leser dementsprechend wenig.

Inhaltlich wird auf diese Weise die Vergangenheit des Ich-Erzählers in der DDR und der Versuch seiner Verortung im gegenwärtigen System wiedergegeben. Eine gescheiterte Ehe ist das erste biographische Detail im dritten Kapitel, während ab dem sechsten Kapitel dann die Geschichte von der Verhaftung seines Sohnes aufgenommen wird, die sich bis zum siebzehnten der zwanzig Kapitel durchzieht. Des weiteren erfährt man, dass der Ich-Erzähler wegen der Herausgabe einer Literaturzeitschrift „Anschlag" Schwierigkeiten mit der „Stasi" bekam.

Letztendlich sind es der biographischen Eckdaten jedoch sehr wenige, wogegen das stete „Deuten" (A, 72) des Vergangenen und der Gegenwart anhand dieser Punkte die eigentliche Thematik des Romans ausmacht. Die Zusammenhänge zwischen „Macht" und „Diktatur", „Sprache" und „Widerstand" werden in die Erzählungen und das Gespräch mit eingeflochten, so dass der stets gegenwärtige Ost-West-Kontrast, sei es in Form der beiden Gesprächspartner oder genereller, den Hintergrund des 270 Seiten langen Romans bildet. Die damit einhergehenden Überlegungen, Ebenen und Schichten scheinen endlos und sind doch durch diesen Rahmen gebündelt. Das, was dabei den roten Faden bildet, wird am Ende des siebten Kapitels vom westdeutschen Begleiter ausgesprochen: „Erklär mir Widerstand!" (A, 84) Weitere 13 Seiten, genau ein Kapitel lang, wird diese Aufforderung noch dreimal wiederholt (A, 87, 89, 97) und in ihrer Gesprächsbedeutung analysiert:

> „Denn, daß etwas durch die Forderung meines Begleiters mit den Worten: ‚Erlär mir Widerstand!', unausweichlich geworden war, das war über das Gespräch mit meinem Begleiter hinaus, von nun an in meinem Leben nicht mehr zu übersehen." (A, 89)

Die aktive Handlung im Text ist dagegen relativ begrenzt: Vom Bahnhof Bernau gehen die Spaziergänger in Richtung Kloster Chorin und geraten dabei in ein Gespräch. Betrachtungen der umgebenden Landschaft werden immer wieder eingeflochten. Im vorletzten, neunzehnten Kapitel wird das Gespräch beendet, die Begleiter verabschieden sich voneinander, was den Ich-Erzähler im letzten Kapitel noch einmal über „Die Rechte des Erzählens" (A, 258) resümieren lässt. In der darauffolgenden Begegnung mit einer mystischen „Mittagsfrau" (A, 262) erzählt der Protagonist von der Herausgabe einer Zeitschrift „Anschlag", worin er noch einmal den Zusammenhang zwischen „Widerstand" und „Poesie" betont:

> „Die Poesie, Muhme, das wollte ich sagen, hat viele Feinde; obwohl die Poesie unsichtbar ist." (A, 265)

Alsdann macht er sich endlich zum Ziel seines Spaziergangs, dem Kloster Chorin, auf, „das nun unmittelbar in der Nähe liegen musste"(A, 270). Mehr geschieht nicht.

Den eigentlichen Textinhalt bieten also der Verlauf des Gesprächs, die Fragen, Antworten oder Missverständnisse, die theoretischen Ansichten des Ich-Erzählers über Widerstand und die Geschehen der Vergangenheit und die Erzählungen aus der Vergangenheit selbst: der Jungpioniernachmittag (A, 33-37) die allmähliche Erzählung von der Verhaftung des Sohnes (A, 49, 55, 56, 74-84, 187-212), seine Herkunft aus Kaliningrad und der russische Einfluss (89-96), ein Aufenthalt in Paris (115-123), die Arbeit in der Druckerei im Westen (168-174) oder die ironisch gebrochenen Ansichten über den Sozialismus und die „proletarische Revolution" (175-186).

Mögliche Schlüsse für das Ende gibt es wohl mehrere, allerdings kann der folgende auf die für diese Arbeit wichtige Thematik verweisen: Anhand der gedanklichen und dialogischen Auseinandersetzungen scheint der Erzähler einen persönlichen Prozess über das „Verstehen in der Gegenwart" durchgemacht zu haben, dass seine „Ansichten [...] inmitten [s]einer Erlebnisse des deutschen Realsozialismus wuchsen" (A, 261).

Zur Analyse des Romans

Das Autothematische

Der Roman *Anschlag*, 1999 veröffentlicht, scheint eine Gegenwart mit einigem zeitlichem Abstand zur Wende zu beschreiben, die wohl auch für die jetzige Zeit, drei Jahre später, übertragbar wird. Das Gespräch um die Länderfusion zwischen Berlin und Brandenburg von 1996 (A, 221) liegt im Text ebenfalls weit zurück, und den „billigen Wochenendtarif der deutschen Bahn AG" (A, 7) gibt es heute noch. Dabei geht es weniger um den aktuellen Charakter der beschriebenen Situation, als vielmehr um die Verhältnisse, die dem ostdeutschen Protagonisten im Roman nun im westlichen System eine spezifische Auseinandersetzung abverlangen. Eine Situation also, die wiederum eine Perspektive auf ostdeutsche Identität und ihre Konflikte zulässt.

Auch in Neumanns Text finden sich biographische Eckdaten des Ich-Erzählers, die mit denen des Autors identisch sind. Nicht nur die geschiedene Ehe oder die Verhaftung seines Sohnes 1983 besitzen autobiografischen Charakter, sondern auch die Herausgabe der Zeitschrift „Anschlag". Letztere hat Neumann seit Mitte der 80er Jahre mit Freunden in Leipzig herausgegeben.[191] Der Begriff „Autothematisch"[192] wird damit wieder zum Schlagwort für Rahmen und Schreibweise des Romans, der anhand der biographischen Eckdaten einen Bezug zur Wirklichkeit herstellt. Da also Inhalt, Erzählerperson und Autor ineinander übergehen, lässt sich für diesen Roman hoffen, dass die herauszufilternde ostdeutsche Identität über ihren literarisch fiktiven Charakter hinausreicht.

Quasi-autobiografische Erzählsituation

Dieser Roman ist im Unterschied zu Hilbigs *Provisorium* nicht als personale Erzählsituation, sondern von einem Ich-Erzähler in monologisierender Wiedergabe eines Gesprächs geschrieben worden. Die monologische ist in die dialogische Form eingeflochten, da die quantitativ überwiegenden Monologe immer einem Impuls aus dem Gespräch und der Konfrontation mit dem Anderen zu entspringen scheinen. Durch den Ich-Erzähler ist dabei die Identität zwischen den „Seinsbereichen von

---

[191] Vgl. Walter Schmitz: Über Gert Neumann. In: Verhaftet. Hrsg. W. Schmitz und L. Udolph.. Dresden. 1999, S. 101.
[192] Vgl. Hans Jürgen Schmitt: Durchs Nadelöhr des Subjekts. Wolfgang Hilbigs neue Prosa „Eine Übertragung". In: Süddeutsche Zeitung, 10.10.1989. Zitiert von Walter Schmitz: Ost-West-Passagen in der Erzählprosa Wolfgang Hilbigs. In: Mentalitätswandel in der deutschen Literatur zur Einheit (1990-2000). Hrsg. Volker Wehdeking. Berlin. 2000, S. 128.

Erzähler und Charakteren"[193] gegeben, was die Innenperspektive authentischer macht. Nach Stanzel wird nämlich in der Ich-Erzählung „die raum- zeitliche Orientierung so nachdrücklich determiniert, dass sich ein selbstständiges, autonomes Orientierungssystem um das Ich herum aufbaut, [...]."[194] „Erzählendes und erlebendes Ich" ergeben eine Spannung, die eine „quasi-autobiographische Erzählsituation"[195] provozieren. Das Zusammenspiel zwischen Fiktion und Authentischem betont auch Bauer:

> „Ein Ich-Erzähler dient zumeist der Authentifizierung des Erzählten, d.h. er erfüllt eine strategische Funktion im Rahmen der Rhetorik ‚of dissimulation' (Booth), die den simulatorischen Charakter der Fiktion verschleiern und als wahr oder wahrscheinlich ausgeben soll [...]."[196]

In diesem fiktionalen Text ist also der Abstand zwischen dem Autor und der fiktiven Welt durch den Ich-Erzähler verhältnismäßig klein. Erzähler und Protagonist sind im Roman dieselbe Person, der ostdeutsche Spaziergänger. Wenn daher in der Analyse vom ‚Erzähler' gesprochen wird, so sind eben die grenzüberschreitenden Momente zwischen Autor, Erzähler und Protagonist gemeint.

3.2 Textanalyse

In der Analyse werden das ästhetische Prinzip und der Inhalt dargestellt, da sich, so meine These, die ostdeutsche Identität im Text aus beiden Komponenten zusammenstellt.

Ein ästhetisches Prinzip: Identität durch Widerstand

Die Beschäftigung mit dem Begriff „Widerstand" durchzieht den Roman indirekt und direkt. Zum einen bestimmt er als ästhetisches Prinzip den Textkörper, in seiner Sprache als auch in seinem Rahmen, dem Gespräch. Zum Anderen wird der Begriff als Gesprächsthema der beiden Dialogpartner explizit. Im folgenden soll die Rolle des Widerstandes für den Text dargestellt werden. Gleichzeitig soll ersichtlich werden, wie die spezifische Form des Widerstandes unwillkürlich eine eigene Form der Identität produziert.

Sprache und Erzählen

> „Ich war gerade dabei, den noch ins Rätselhafte weisenden Vokalfluß meiner inneren Stimme vorsichtig mit der bloßen Zunge zu prüfen – deren stumme sinnliche Begabung bekanntlich rasch zwischen kommendem leeren Gerede oder dem Beginn eines nach Vollendung drängenden Satzes zu unterscheiden weiß – [...]" (A, 45)

---

[193] Franz K. Stanzel: Theorie des Erzählens. Göttingen. 1979, S. 80.
[194] Ebd. S. 126.
[195] Ebd. S. 272.
[196] Matthias Bauer: Romantheorie. Sammlung Metzler. Weimar. 1997, S. 86.

Der Text *Anschlag* stellt den permanenten Versuch dar, eine Sprache zu finden, die die Dinge, wie sie sich für den Erzähler ergeben, in ihrer Bedeutung wiedergibt. Beschreibungen ein und derselben Sache setzen immer wieder neu an und werden sogar in ihrer Mehrdeutigkeit thematisiert, wie die „...grausig vielen tongefärbten Auslegungen der Bedeutungen des Schweigens zwischen [dem Erzähler] und [s]einem Begleiter" (A, 24) etwa illustrieren. Ein bestimmter Gestus des Deutens verleiht der Sprache neue Nuancen: Schweigen kann „Reinheit" (A, 51) und „Aufrichtigkeit" (A, 49) bedeuten und gleichzeitig im Sinne eines „Schweigeduell[s]" oder „Schweigeduett[s]" (A, 27) stehen. Die komplexe Bedeutung der Dinge in eine Sprache zu fassen, die ohne „Mißverständnisse" (A, 76) kommuniziert, wird als Anliegen wiederum auf komplexe Weise geübt, ohne der Komplexität wirklich ein Ende setzen zu wollen.

Der sprachliche Gestus scheint um etwas hintergründig ‚Anderes' zu kreisen, etwas Außenstehendes, das im Text mit „Poesie" oder „Wahrheit" (A, 265) mögliche Namen erhält[197]. Dabei wird dieser Gestus als ein Bemühen erkenntlich, das um eine Identität durch die Sprache ringt:

> „Das Lesen, [...], soll in möglicher Einfachheit erfahren, daß ich von meinen Versuchen des Erzählens nichts anderes erhoffe, als diese Anwesenheit in Sprache ebenfalls zu finden." (A, 258)

Das „Erzählen" an sich (A, 258), eben dieser sprachliche Versuch einer Beschreibung der „Wahrheit", ermöglicht „Anwesenheit", verleiht also Existenz. Das Erzählen wird dabei als rein und absolut vorgestellt, es ist in seiner Idealform zur authentischen, vom Erzähler losgelösten Wahrheitsfindung fähig:

> „Das Geschehen baute mit seiner im wahrsten Sinn des Worts ins Leben gerufenen Einleitung und Exposition darauf, daß sich die Einbildungskraft eines mit solcher Eröffnung im Leben gesuchten Weitererzählers bestimmt dazu verführen lassen würde, seinem eigenen, im Geschehen verborgen ermutigten, Begehren nach logischer Vollendung der durch den Entwurf des Geschehens angedeuteten Möglichkeit einer Erzählung in Wirklichkeit nachzugehen." (A, 38)

Gerade das „Mißtrauen" „des Menschen [...] gegen sein eigenes Wahrnehmen" soll die Verantwortung um die Perspektive beim Erzählen betonen. So findet eine Verweigerung gegenüber dem Wort „Stasi"(A, 128) in der Anwendung statt und ein eigener Begriff wird gefunden, „die Erkenntnismüden" (A, 129), der die schon eingeschliffenen Konnotationen vermeidet und solche Zusammenhänge neu perspektiviert. Die Perspektive und der Kontext haben sich gewandelt von der „Stasi" als Spionageinstitution zu einer Versammlung an Leuten, „Erkenntnismüden", die sich nicht um Wahrheitsfindung mühten oder sie sich zumindest einfach machten. An dieser Stelle wird jedoch nicht nur eine dem erzählerischen Gestus in diesem Text konträre Position erkenntlich, sondern auch der Widerstand gegenüber Sprache und dem Erzählen an sich. Praktisch, sprachlich, als auch theoretisch, erzählerisch geht es, wie das abschließende Traktat über „Die Rechte des Erzählens" ergibt, stets um die Suche nach einer Form der Darstellung, „die die Erzählung für die Gegenwart seltsamerweise nur berühren darf, wenn sie erzählend beweisen will, daß die

---

[197] Das ganze Zitat: Soweit nämlich geht die Eifersucht auf die Poesie, die statt dessen wie Wahrheit zwischen den Menschen ist. A, 265.

Gestalt der Wahrheit bei der Vollendung jeder beliebigen Rede zur Verfügung habe stehen müssen." (A, 259). Das Erzählen soll also nicht absolut sein, die „Gegenwart [...] nur berühren", wenn es ‚wahr‘ sein will. Neue sprachliche Formen sollen eine neue Form der Wahrheitsfindung, des Erzählens, ermöglichen, die immer vom Widerstand gegenüber tradierten Darstellungsweisen ausgeht. Dabei bietet der Widerstand einen Ort für ein alternatives Verständnis des Erzählens. Die Betonung liegt nicht im Gestus des Widerstandes, sondern im Bemühen um alternative Wege.

Das Gespräch – der Handlungsrahmen

Eine Form von Identität ergibt sich auch aus der Konfrontation mit dem Begleiter, dem ‚Anderen‘, im Text. Mit Buber „Ich und Du" und dem darin entwickelten „dialogischen Prinzip" lässt sich auch über Neumanns Roman sagen: „Wenn Du gesprochen wird, ist das Ich des Wörterpaars Ich-Du mitgesprochen."[198] Die Auseinandersetzung des Erzählers scheint immer mit dem Anderen, sei es der Begleiter oder der Leser, stattzufinden, die Monologe im Anderen ihren Auslöser sowie ihren Adressaten zu haben. Der Versuch, sich selbst und die eigenen Gedanken dem Anderen zu erklären, wird im Text „Selbstoffenbarung" (A, 51) genannt und somit im Erzählen nicht nur das Gegenüber sondern auch das dabei gegenwärtige Ich erkannt.

Die Konfrontation und das Gespräch mit dem Anderen scheinen im Roman einen identitätsbildenden Effekt zu haben, der sich im Kontrast zum Gegenüber herauskristallisiert: So wird von einem „Handeln" geredet, das „in der Sprache des Geschehens als falsch gestellte Fragen zu unterlaufen" (A, 15) sei. Ein ‚Unterlaufen‘ oder Entziehen ergibt z.B. die Reaktion des Ich-Erzählers, wenn er genauestens (seitenlang) abwägt, was ihm an der Frage des Begleiters zur Verhaftung seines Sohnes nicht gefällt. Das Verständnis des Begleiters über die Frau „in der Asservatenkammer" übersetzt der Ich-Erzähler in: „wo durch mich auszusprechen war, [...] Verhältnisse würden Verhältnisse bestimmen" (A, 75). Das führt ihn dann, ein paar Seiten später, zu einer Formulierung seiner eigenen Perspektive: „Verhaften war eine Freiheit der Leere" (A, 82). Es geht dem Protagonisten um ein Verständnis der Sinnlosigkeit solcher Schritte und nicht um die Perspektive auf die ‚Verhältnisse‘. Im Gespräch scheint der Ich-Erzähler bemüht, sich nicht nur nicht der Sichtweise des Anderen auszuliefern, sondern auch, eine eigene auszubauen.

Der Ich-Erzähler entzieht sich angetroffenen Wahrnehmungsmustern, womit gleichzeitig eine eigene Identität behauptet wird. Und der dialogische Charakter des Gesprächs vermeidet dabei immer die Gefahr eines eigenen Dogmas.

Definition Widerstand

Widerstand findet sich jedoch nicht nur als Hintergrundbewegung und Reaktion, vielmehr durchzieht den Text gleichzeitig eine explizite Auseinandersetzung mit diesem Thema von Anfang bis Ende. Irgendwann kulminiert die Thematik in der wahrhaftigen und offensichtlichen Frage des Begleiters „Erklär mir Widerstand!" (A, 84).

---

[198] Martin Buber: Ich und Du. Stuttgart. 1995, S. 54. – Auf diesen Zusammenhang wird vielseitig hingewiesen u.a. so bei Barbara Schönig und Walter Schmitz in ihren unten angeführten Werken.

Die Formel, auf die es der Ich-Erzähler im Gespräch bringt, klingt dauerhaft:

„Widerstand war, das will ich Ihnen sagen, notwendig von seinen Verpflichtungen auf sein ‚Gegen' zu trennen…" (A, 103).

Eine bloße Anti-Haltung erweist sich unter dieser Perspektive für Widerstand als völlig unzureichend. Für die Vergangenheit des Erzählers lässt sich am Ende des Romans seine spezifische Form des Widerstands erkennen, die in der Herausgabe der Zeitschrift „Anschlag" durch die Suche nach „Poesie" und „Wahrheit" gegenüber den „Erkenntnismüden" konkret wird. Eine solche Vorstellung von Widerstand ist relativ anspruchsvoll. Daher klingt der Einwand des Gesprächspartners berechtigt, wenn er meint, es sei „unmenschlich" (A, 102), nicht auch Widerstand in seinem „Gegen" anzuerkennen, da die Menschheit allein auf diese Weise schon genug „Drama" erlitten habe und man ihr das nicht absprechen dürfe. Ein solches Argument wird vom Ich-Erzähler abgeschmettert:

„Der Fehler meines Begleiters war, dass er etwas zur Unmöglichkeit erklärt hatte, um dann in der umkippenden Frage das Recht auf Widerstand zurück ins Gesetz zu zwingen." (A, 108)

Zumindest birgt diese anspruchsvolle Widerstandsvorstellung eine doppelte Identitätsverortung: Einmal schafft sie einen individuellen, selbst erarbeiteten Zugang zu dem Begriff, zum anderen zwingt sie zur Kreativität, dem Schaffen von Gegenwelten, was auch eine eigene Identität provoziert.[199] Widerstand wird damit zu einem philosophischen und ästhetischen Ort, an dem der Text, durch Reibung und Umkreisen dieses Themas, Identität gleichzeitig beheimatet und produziert[200]. Inwieweit jedoch diese ideale Vorstellung von Widerstand real möglich wird, lässt der Text jedoch offen.

Ostdeutsche Identität – Resultat einer ostdeutschen Vergangenheit

Relativ bald wird im Text von einem „Gespräch zwischen West und Ost auf ostdeutschem Boden" gesprochen, und doch fällt die eindeutige Zuordnung der west-östlichen Attribute auf die Gesprächspartner erst nach 15 Seiten. Mit dem Moment, in dem dem Begleiter der „westliche[…] Blick"(A, 15) attestiert wird, ist die östliche Identität des Ich-Erzählers erst manifestiert. Wie schon erwähnt, wird das Gespräch vor allem von den Erklärungen und Erzählungen des Ostdeutschen gegenüber dem Westdeutschen getragen. Die sich daraus ergebenden Informationen sollen dem westdeutschen Begleiter vor allem das Vergangene in der Gegenwart darstellen. Dabei kann das, was für die ostdeutsche Vergangenheit herauszufiltern ist, auch für eine spezifische Form der Identität des Ich-Erzählers gelten.

---

[199] Das bloße ’Gegen' ergäbe dabei nur eine ’Scheinidentität', die an sich und gegenüber dem Anderen schnell an Substanz verliert und für den Ich-Erzähler somit banal wird.

[200] Es geht dabei auch um das „Thema", das Neumann „für gesichert" hielt, obwohl er in der Zeit nach 1989 herausfinden musste, ob es „nicht vielleicht doch aus dem Druck der Verhältnisse entstanden ist. " Vgl.: Gert Neumann – Ein Portrait in Selbstaussagen. In: Flechtwerk. Berliner Literatur nach 1989. Berlin.1995, S. 86.

Ostdeutsche Vergangenheit

„Mir schien eine solche Erzählung im Gespräch mit meinem Begleiter aber auch deshalb nötig, weil ich eine vage Vorstellung davon zu haben glaubte, wie peinigend es für meinen Begleiter sein mußte, ohne erzählende Führung die Entblößung seines standardgeprägten, westlichen, Blicks beim Gehen durch die mir natürlich auch als verschlagen bekannte Ruhe des ostdeutschen Verfalls, bloß tapfer stumm ertragen zu müssen. Ich meinte im Gespräch mit meinem Begleiter eine Erzählung geben zu müssen, die auf die vermutlich in jedem als trostlos erklärten Land verborgenen Herrlichkeiten und Qualen beim Ergänzen des Verstehens der Dinge zeigt; welche ohne Erzählung bis in die Erinnerung wie aufgegeben erscheinen müssen." (A, 15)

Zwei Gründe werden also für ein Erzählen über den Osten genannt: Um ein Verstehen im westdeutschen Blick zu bewirken und um die tieferen Schichten dieses Landes, seine „Herrlichkeiten und Qualen" aufzudecken und so nicht dem Vergessen preiszugeben.

„Ostdeutsche[...] Vergangenheit"(A, 16) verkörpert als Phrase die Wahrnehmung des Erzählers aus dem Osten, in der er persönliche Erinnerungen – immer durch gesellschaftliche Strukturen nuanciert – bis in kleinste Details konserviert hat. So leben Bilder von Jungpioniersitzungen in seinen Erzählungen auf, in denen sich die Begegnung mit einem Mädchen abspielt, das später zur Frau des Erzählers wird (A, 34-37). Russische Nachkriegsliteraten prägten seine ersten Eindrücke über Literatur, Gesellschaft und Schreiben – „die Frage nach dem Absatz im Text" (A, 97). Seine Sozialisation scheint demnach immer wieder an ostdeutsche Strukturen gebunden zu sein, so wie die Organisation der Jungen Pioniere, „denen ich damals, zu irgendeiner im Augenblick des Erinnerns fast vergessenen Selbstverständlichkeit, angehörte" (A, 35). Schon die Biografie des Erzählers scheint von strukturellen ostdeutschen Elementen stark beeinflusst, ebenso von einem neuen Umgang damit[201].

Und so selbstverständlich und detailklar wie die ostdeutsche Vergangenheit im Bewusstsein des Erzählers existiert, wirkt sich auch ihre Prägung auf seine Identität aus. Spezifisch wird diese Prägung in Bezug auf den ‚Osten' vor allem, wenn in der Vergangenheitsgeschichte über die Verhaftung des Sohnes zu DDR-Zeiten die Erfahrung und Auseinandersetzung mit den ostdeutschen Strukturen, der Macht und Diktatur, dem „Machttraum der Diktatur" (A, 73), geschildert werden. Die Begegnungen mit den „Erkenntnismüden" erzählen von verschiedenen Formen des Drucks, die diese im Sinne der „Macht" ausübten: von der Verweigerung des Drucks seiner Bücher (A, 266), der Kritik an seiner „Meinung zur Poesie" (A, 265) bis hin zur Verhaftung seines Sohnes (s.o.). Als „Alleinherrschaft in den Fragen des Sehens" (A, 68) angesichts der verschiedenen „Möglichkeiten des Sehens" (A, 59) beschreibt

---

[201] Allein sprachlich wird allmählich Position bezogen. „Vorsicht, Sie sprechen vom volkseigenen Land!, mein Herr..." (A, 158) heißt es, wenn sich der Begleiter über die „unberührte" (A, 157) Umgebung begeistert. Der Begriff „volkseigen" ist dabei der 'Machtsprache' der ehemaligen DDR-Regierung entnommen. Nun wurde sie ironisiert und in die Sprache des sich zu DDR-Zeiten noch solchen Worten verweigernden Erzählers übernommen. Worte wie diese, nun ihrer „Alleinherrschaft des Sehens" entschärft, erhalten so einen neuen Reiz und neue Anwendung. Sie können den Unterschied gegenüber dem Anderen unterstreichen, der eben dieser Sprache nie ausgesetzt war. Auch eine neue Form des Umgangs mit der eigenen Vergangenheit kann so signalisiert werden. Da die Anwendung solcher Begriffe durch die spezifische Form des ostdeutschen Kontextes und der Ironie im Nachhinein nie bei einem Westdeutschen auf gleiche Weise möglich ist, entsteht so eine Sprache, die einer exklusiven Herkunft huldigt.

der Erzähler die Strukturen, die sich einzig durch den „Glauben an die Macht" (A, 73) erhalten würden:

> „...aber gerade dieser Dünkel im Umgang mit den Dingen hatte mir plötzlich die Gewißheit gegeben, daß es möglich sei, den Machttraum der Diktatur als einen nicht vorhandenen anzusehen; der in der Hauptsache von meinem Glauben an die Macht lebt" (ebd.).

Das Leben in der DDR scheint für den Erzähler vor allem eine Auseinandersetzung mit Macht und Repressionen zu bedeuten. Eine solche Vergangenheit prägt die Identität als sehr konfliktbelastete und gibt damit dem Widerstand eine Ursache.

Der Wiederverfall ostdeutscher Vergangenheit

Die Präsenz der ostdeutschen Prägungen im Text geht einher mit einer Präsenz ostdeutscher Vergangenheit. Der Erzähler kann sich sehr detailliert der Zeiten vor der Wende erinnern, wogegen die Zeit danach bis zur Gegenwart mit keiner einzigen persönlichen Erzählung oder Erinnerung bedacht wird[202]. Die Vergangenheit, wie beispielsweise die Verhaftung seines Sohnes, scheint schmerzhaft präsent und durch das Erzählen gleichzeitig bewältigt zu werden.

In diesem Sinne ist wohl auch die traktatähnliche Niederschrift des Erzählers im letzten Kapitel über „Die Rechte des Erzählens" (A, 258) zu verstehen:

> „Etwa so, als sei beim Erzählen von den Geschehen in Vergangenheit unbedingt ein Geschehen zu ermutigen, das in der Flut des Kommenden der demokratisch sich erzählenden Gegenwart meint, nichts von der Kunst des Zerfließens in den Geschehen sichtbar gewordener Behauptungen, sprachlich rückwärts, in Erfahrung bringen zu müssen -"

Nicht, dass eine endgültige Deutung der Vergangenheit möglich wäre, auch nicht, dass die Zukunft automatisch klarer und strukturierter würde. Dem Erzähler geht es lediglich um die Nähe an den Prozessen an sich, den Versuch, sprachlich in Erfahrung zu bringen, was die „Geschehen in Vergangenheit" für die Gegenwart darstellen.

Eben dieses Anliegen macht die ostdeutsche Vergangenheit auch für die Gegenwart zu einem Thema. Schon in Bezug auf die Landschaft heißt es: „Der Schotter, indessen, war der beiseite geschobene Parkplatz der DDR." (A, 256). Ein Teil aus der Umgebung des Kloster Chorins wird so zu einem Wahrnehmungsbild, das die ostdeutsche Vergangenheit und ein gegenwärtiges Gefühl geradezu metaphorisiert. „Beiseitegeschoben" ist das, was in einem vergangenen System einmal funktionelle Bedeutung hatte, wobei der „Schotter" nun funktionslos als Haufen in der Gegenwart steht. Die Irritation beim Anblick solcher Bedeutungsveränderungen wird hier deutlich und spricht für die Wahrnehmungen eines Individuums, das (im Gegensatz zu seinem Gegenüber) die Erfahrung struktureller Veränderungen, besser: eines Bruchs gemacht hat.

---

[202] Der einzige Bezug zur Zeit nach 1989, außer der Erzählung des Spazierganges zum Kloster Chorin, findet in Form von Thematisierungen gewandelter Bedeutungen von Begriffen, wie z.B. die Freiheit, statt. Dazu aber im nächsten Abschnitt, den Identitätskonflikten.

„Ich glaubte mit wunderbar unvermeidbarer Einfalt im Gespräch mit meinem Begleiter, in der Umgebung peinlichst fassadenweiß oder backsteinrot im ahnungsvoll daneben aufkommenden Wiederverfall ostdeutscher Vergangenheit [...], über den in solcher Landschaft ruhenden Freiheitsbegriff sprechen zu müssen." (A, 15)

Der „ostdeutsche Verfall" ist dabei ein Faktum, an das sich der Erzähler schon gewöhnt zu haben scheint. Höchstens auf zweiter Ebene wird der „Wiederverfall ostdeutscher Vergangenheit" konstatiert. Durch das Erkennen dieser Umweltprozesse wird bewusst, dass viel Zeit seit der Wende vergangen ist. So heißt es, dass beide: „...tiefer und tiefer in eine häusergrau und wie menschenleer anzusehende Klage über die Vergangenheit des uns umgebenden Landes geraten waren..." (A, 15) Die Untiefen, die die ostdeutsche Vergangenheit auch noch in der Gegenwart besitzt, die sogar eine auf konkrete Umgebung abfärben kann, wirken endlos. Wenn dann ein Wort wie „global" im Text auftaucht, wird die sich verringernde Bedeutung ostdeutscher Vergangenheit nur umso stärker unterstrichen: die „global tatsächlich uns nach dem Verschwinden des Realsozialismus umgebende [...] Landschaft" (A, 32). So heißt es:

„...die Bestätigungsarbeit [...] die das Land bei Kloster Chorin und insbesondere das wie sinnlos bisher unberührte Tal zu einer geeigneten Domäne der hier immer noch ungeheuer fernen, jedoch zur Zeit meiner geschriebenen Erzählung unbedingt schon lange sich als global verstehenden, übrigen, Welt erklärte." (A, 31)

Die brandenburgische Umgebung wird unter diesem Blickwinkel zu einem Mikrokosmos in dem Makrokosmos, der „schon lange sich als global verstehenden, übrigen, Welt". Die sich so vergrößernden Abstände zwischen dem Kleinen und dem Grossen verleihen auch der Bedeutung des „deutschstumm geführten Gesprächs der neunziger Jahre des zwanzigsten Jahrhunderts (und so weiter)" (ebd.) eine beliebige Ausdehnbarkeit.

Wenn dann ein erneuter Verfall der ostdeutschen Vergangenheit konstatiert wird, so scheint dieses Phänomen des sich Verkleinernden im Grossen endlos potenziert. Je komplexer die Zusammenhänge mit der Erfahrung eines neuen Systems werden, desto mehr wächst der Abstand zur ostdeutschen Vergangenheit. So reflektiert der Text die Unmöglichkeit einer Kommunikation, die das Vergangene mit dem Gegenwärtigen verbinden kann. Und ebenso wie die Darstellung einer ostdeutschen Vergangenheit immer schwieriger wird, verliert auch die ostdeutsche Identität ihre Konturen.

Erzählen gegen den Verfall

Im Privaten sowie im Allgemeinen wird diese Vergangenheit zu einem Anliegen:

„Meine Verwunderung beim Erzählen für die in der Gegenwart bekanntlich immer unbekannte Wirklichkeit der Geschehen, fragt am Ende mich ganz allein: welchen Sinn es eigentlich machen soll, wenn vom Verstehen das Recht auf eine Erzählung in deutscher Sprache über die Notdurft, oder, bitte schön, Wollust des Menschen beim Berühren der Fragen seines Daseins in der Sprache der Geschehen nicht gefordert wird." (A, 260)

Das „Berühren der Fragen seines Daseins" ist dem Menschen „Wollust" und „Notdurft" – an dieser Stelle wird der Zusammenhang zwischen Identität und Vergangenheit, den „Geschehen", explizit. Soweit existiert der persönliche Hintergrund. Das Bedürfnis zu erzählen, aktiviert sich jedoch in diesem Text auch aus dem ostdeutschen Kontext heraus: „Dieses Urteil über den Geist der Geschehen in der Vergangenheit nach der, möglichen, Selbstvollendung einer Diktatur..." (A, 261) Die politische oder kulturelle Selbstwahrnehmung scheint dabei ebenso wichtig als eine, die nun *zwei* Systeme kennt.

Die ostdeutsche Identität rekrutiert sich also aus der ostdeutschen Vergangenheit, das Zusammenspiel von persönlichen und gesellschaftlichen Erlebnissen sowie der Erfahrung eines Verfalls dieser Vergangenheit. Dabei spielt das Erzählen dieser Erlebnisse eine wichtige Rolle. Einmal soll es dem „Verfall" dieser vergangenen Geschehen vorbeugen, und zum Anderen will es angesichts der verschiedenen „Möglichkeiten des Sehens" (A, 59) eine Darstellung versuchen, die die „unbekannte Wirklichkeit der Geschehen" (A, 260) wieder in die Gegenwart versetzt. Ganz zu Anfang heißt es schon:

„Das Abenteuer des Widerstands, von dem in meiner Erzählung, ohne das Zuhören natürlich kaum, die Rede sein wollte -, bestand darin, die denkbare Lage eines von einem Geschehen Betroffenen so zu verwandeln, dass einem traurig in seinen Zeichen gewöhnlich allein sich verwirklichenden Geschehen die Gerechtigkeit poetischer Ergänzung widerfahren kann." (A, 14)

Die Nähe an der Wahrheit der Geschehen bedeutet in diesem Sinne „poetische Ergänzung", womit die so spezifische Form des Widerstands in der Gegenwart auflebt. Weniger die neuen Verhältnisse[203] werden dabei zum Auslöser für Widerstand, als vielmehr der gerechte gegenwärtige Umgang mit den Geschehen in der ostdeutschen Vergangenheit. Der Text reflektiert eine sich aus der Vergangenheit konstituierende Identität, die sich in der Gegenwart noch einmal im Widerstand bildet. Allerdings handelt es sich mit dem Widerstand im Erzählen höchstens um die Bedingung einer Möglichkeit, die ostdeutsche Vergangenheit vor ihrem weiteren Verfall zu retten, oder die ostdeutsche Identität zu wahren.

Identitätskonflikte des ‚Ossis'

Der folgende Abschnitt soll die Punkte, die sich im Text als Probleme vor einem ostdeutschen Hintergrund verorten lassen, darstellen. Hierzu gehören zum Einen Begriffe aus dem Gedankengut des Ich-Erzählers, die einen Bedeutungswandel erfahren haben. Zur Veranschaulichung sollen dabei die Begriffe „Macht" und „Freiheit" genügen. Zum Anderen ergibt der Handlungsrahmen des Textes, das Gespräch, ebenfalls eine Form des Konflikts und der Kontrastwirkung.

---

[203] Einmal taucht der Begriff „Mediendiktatur"(A, 175) auf, allerdings wird dieser Hinweis nicht weiter ausgebaut. Es scheint, als ob es weniger darum geht, die neuen Strukturen zu beschreiben und erneut zu hinterfragen in dem Text.

Thematisieren der Erfahrung eines Bruchs:
der Bedeutungswandel von Begriffen

Macht

Der Begriff „Macht" ist auch in der ostdeutschen Vergangenheit verankert. Mit der Geschichte über die Verhaftung des Sohnes des Protagonisten werden die Überlegungen zum Thema „Macht" eingeleitet. Dabei erfolgt der Übergang indirekt anhand von durch Lennés Landschaftsgarten inspirierte Gedanken: „Meine Frage hatte mit Zweifeln an der Möglichkeit des Sehens zu tun, die in Vergangenheit genährt worden waren." (A, 59) Kurz darauf ist dann von „Alleinherrschaft in den Fragen des Sehens" die Rede, um so die Verbindung zwischen „Macht" und „Sehen" in den Worten „machtgewohnte[s] Sehen" (A, 69) endlich herzustellen. „Macht" wird jedoch nicht nur mit jenen früheren Erkenntnissen definiert, sondern auch mit einer neuen, gegenwärtigen Erkenntnis besetzt. Aus der Perspektive des Rückblicks wird die Macht paradoxerweise zu einer ambivalenteren Erfahrung, da sie greifbare Negativstrukturen, wie z.B. die „Zensur", lieferte. Nicht nur Repressionen gehen mit der Erfahrung von "Macht" einher. Denn eben der „Widerstand" gegenüber der „Macht" stellt für den Ich-Erzähler einen Ort der Identität dar, motiviert die eigene Produktivität auf der Suche nach „Wahrheit" und provoziert so eine lebendige andauernde Dynamik. Waren es einmal die „Erkenntnismüden", die die Macht innehatten, so lässt sie sich in der Gegenwart schwerer verorten. Eben durch die spezifische Form der Identität durch Widerstand, (siehe erster Abschnitt) wird die Abwesenheit der ostdeutschen Machtstrukturen auch zu einem Verlust, und unwillkürlich stellt sich die Frage nach einer neuen Form des Widerstands, das heißt auch nach einer neuen Verortung der „Macht" in der Gegenwart. Das Paradoxon einer solchen Erfahrung von Macht als repressiv und produktiv gleichzeitig lässt sich dabei kaum auflösen und wird am Ende lediglich als spezifisch ostdeutsche Prägung bezeichnet. „...[I]ch [...] bekenne: dass meine Ansichten über die Rechte des Erzählens, für mich zweifelsfrei endgültig, inmitten meiner Erlebnisse des deutschen Realsozialismus wuchsen..." (A, 261) So kann die Herkunft Ursprünge eines Konflikts mit der Macht und der daraus sich bildenden Identität zwar verorten, muss jedoch auch wieder als Antwort für die Widersprüche eines solchen Daseins funktionieren. Die Machtstrukturen haben sich verändert, wogegen die ambivalente Bedeutung der Macht erst mit den Veränderungen klar wurde.

Freiheit

Der schon zitierte Satz aus dem Anfang des Romans sei noch einmal zitiert:

> „Ich glaubte mit wunderbar unvermeidbarer Einfalt im Gespräch mit meinem Begleiter, [...], in taubstockend entstandener Verabredung auf den gesuchten Gegenstand des in Ostdeutschland vermuteten Freiheitsgedankens ..., über den in solcher Landschaft notwendig ruhenden Freiheitsbegriff sprechen zu müssen." (A, 16)

Der Zusammenhang zwischen „Ostdeutschland" und einem spezifischen Gedankengut zum Thema „Freiheit" wird hier artikuliert. Dabei wird auch die „Freiheit" abstrakt über das „Sehen" definiert und lässt aus der „Freiheit des Sehens" auf Wahrnehmungs- und Meinungsfreiheit schließen. So z.B. die Ansichten über Poesie:

„Ich wusste dem Mann zu entgegnen, daß meine Ansichten zur Poesie nicht in dem Land gedruckt würden, von dem der Mann gesagt hatte, dass es unser Land sei." (A, 266)

Eben diese ostdeutschen Strukturen bewirkten im Protagonisten Gedanken über „Freiheit", die im Nachhinein oft als idealistisch bezeichnet wurden. Dementsprechend wird der Erzähler geradezu emotional, wenn er in der Aussage seines westdeutschen Begleiters, es wäre ein „Verbrechen am ostdeutschen Volk" gewesen, „das Traumgebilde der westdeutschen Freiheit für krank zu erklären" (A, 171) eine „Schmähung" seiner Landsleute sieht[204]:

> „Mein Begleiter hatte gesagt, daß es ein fürchterliches Verbrechen am ostdeutschen Volk gewesen wäre, das Traumgebilde der westlichen Freiheit für krank zu erklären. Meiner Meinung nach kam das einer Schmähung, oder humorvoller gesagt, einer Verbalinjurie des taufrisch noch namenlosen gesamtdeutschen Volks nach dem zweiten Weltkrieg gleich; einer Wortbeleidigung jenes Volkes, das sich meiner Meinung nach in seiner Geschichte endlich mit einigem Humor der deutschdurchgeistigt sich verstehenden Bannkraft wörtlicher Eröffnungen seiner Zukunft zu widersetzen weiß." (A, 171)

Dabei geht es nicht um das Fehlen der im ,Osten' gewachsenen Freiheitsvorstellungen, sondern um das Dementi, das solche Freiheitsvorstellungen nun im neuen System erfahren, als ob sie *unrealistisch* wären. Eine generelle Kritik an den westdeutschen Strukturen wird bis auf das Wort „Mediendiktatur" (A, 175) nicht weiter vertieft. Der Erzähler besteht lediglich auf dem Gefühl der Enttäuschung, das er sich und dem „ostdeutschen Volk" weiterhin zugestehen will. In einem Interview mit Gert Neumann von 1995 heißt es:

> „Sie (die im Westen – C.M.) waren wirklich der Meinung, wir lebten jetzt in der gemeinsamen Freiheit. Aber was das alles bedeutet, die Erfahrungen, mit denen man ja aktiv in die Freiheit gekommen ist… Es ist schwer zu ertragen, daß ein Gespräch über die Art dieser Enttäuschung nicht existiert."[205]

Die proletarische Revolution

> „Da leider anzunehmen war, daß mein Ingenieur solch einen Blick in die Kartei des Ostens in der üblichen Währung westlich verstandener Zuwendung abgelten wollte, und im folgenden seine vor den geschlossenen Karteikästen noch offensichtlich gewesene Kontextstörung vor dem geöffneten Karteikasten als behoben ansehen würde -, begann ich […] nach einem Mittel zu suchen […] für […] eine Verhandlung […], die ihm das Kennenlernen der Karteikästen mit vorgefertigten Meinungen des Ostens schließlich erlaubt." (A, 165)

Streitlüstern beschreibt der Protagonist die gegenseitigen Projektionen und Vorurteile, die den Raum beherrschen, in dem sich er und sein westdeutscher

---

[204] Wie schon bei Hilbig erwähnt, kristallisiert sich auch am „Freiheitsbegriff" (A, 15) eine ostdeutsche Prägung heraus, die für die Beschäftigung mit insbesondere der 'Meinungsfreiheit' symptomatisch ist.
[205] Gert Neumann: Ein Portrait in Selbstaussagen. In: Flechtwerk. Berliner Literatur nach 1989. Berlin. 1995, S. 86.

Antagonist bewegen. Er stößt jedoch umso frontaler auf den „Mangel an Kommunikation zwischen Ost und West" (A, 164), und kann nur noch mit „selbstverfreilich" (A, 175) antworten, wenn ihm plötzlich von der anderen Seite der Kapitalismus als „nicht [zu] unterschätzen" (A, 175) präsentiert wird.

In dieser Konfrontation bekennt daraufhin der Ich-Erzähler Farbe indem er auf Ironie umwechselt:

„Ich nehme an, Sie sprechen vom Ende der Proletarischen Revolution, die den Zerfall des Kommunismus besiegelt hat?" (A, 178)

Die eigene politische Geschichte wird verlacht, um sie nicht mehr der westlichen Lächerlichkeit preiszugeben. Über den „realen Sozialismus" (A, 179) kann, westlich perspektiviert, die Arbeiterklasse nur noch sagen:

„Eh' Mann -, da kannste mal sehen, was wir armen Kerls und Weiber weltgeschichtlich gesehen, so alles am Hals gehabt haben...!" (A, 180)

Das detaillierte Wissen um die sozialistischen Gesellschaftsstrukturen, das dabei in aller Schärfe aufgedeckt wird (A, 178-185), verweist jedoch auf mehr als die bloße ironische Abstraktion des gesamten Geschehens:

„Vielleicht war die Proletarische Revolution ein Herzenswunsch des sogenannten Überbaus -, welchen die von ihm sogenannte Basis in seiner möglicherweise sehr liebenswert gemeinten Tragweite niemals ausreichend zu überschauen vermochte!, mein Herr." (A, 180)

Und dabei wird die Ironie zum Ende hin immer spitzer:

„Das Lebensgefühl des Ostens war im Gegensatz zu dem des Westens, mit einem herrlichen und im Grunde genommen unbezahlten Urlaub von der Weltgeschichte zu vergleichen. Das Leben im Osten war in weltmoralischen Dingen das reinste Lotterleben, wenn man den Daseinsernst der westlich daneben vergehenden Erdentage zu bedenken versuchte."

Schließlich wird der zu Wendezeiten allzu oft wiederholte Satz, „man habe vierzig Jahre umsonst gelebt" (A, 234) in die Bedeutung „gratis" (ebd.) umgeändert, um so das Erklärungsbedürfnis des „vierzigjährigen Erdendaseins" (A, 235) der Ostdeutschen festzustellen.

Mit der „proletarischen Revolution" wird auf ein geschichtliches Ereignis verwiesen, die Wende, das mit dem „Zerfall des Kommunismus" nicht nur ad absurdum geführt wird, sondern dem auch sein emanzipatorischer Mythos abgestritten wird. Innerhalb dieser Logik, „Wesenslogikersprache" (A, 185), formt der Ich-Erzähler auch ein dementsprechendes gesamtes ‚sozialistisches' Dasein und entlarvt in dieser Zuspitzung den westlichen Blick. Die zunehmende, am Ende fast sarkastische, Sprachvehemenz des ostdeutschen Erzählers angesichts westdeutscher Anmerkungen signalisiert dabei eine starke Bindung an die ostdeutsche Identität, nun, da sie nicht mehr strukturell existiert. Dabei ist gerade die Ironie auch Ausdruck einer Schwierigkeit, positive, ‚wahre' Bilder der Vergangenheit zu produzieren.

Der Konflikt mit dem Anderen

Die ostdeutsche Identität des Erzählers scheint durch so viel bewusste Auseinandersetzung mit der Vergangenheit kaum gebrochen, vielmehr stets präsent zu sein. Sie entsteht nicht unbedingt auf westdeutschem, im Roman „gesamtdeutschem" (A, 171) Hintergrund, sondern durch die Auseinandersetzung mit einem „westdeutschen" Anderen. Wenn dagegen die Kulisse der Handlung illustriert werden soll, wird von „ostdeutschem Boden" gesprochen, was unwillkürlich eine spezifische Färbung in der Wahrnehmung dieser Landschaft deutlich macht.

Das „stumm vertraulich benutzte Wortpaar Ossi-Wessi" (A, 12), gleich am Anfang des Textes, gibt einen Bedeutungsrahmen vor, der in dieser kolloquialen Art für angebliche Gegensätze zwischen Ostdeutschen und Westdeutschen nach der Wende wirksam wurde. Allein dieses Zitat beweist, wie in *Anschlag* Konflikte und Auseinandersetzungen zwischen dem nun „gesamtdeutschen Volk" (A, 171) eine vordergründige Rolle spielen. Der Gesprächsverlauf zwischen dem ostdeutschen und dem westdeutschen Spaziergänger, vor allem das abrupte offene Ende, verkörpern selbst schon eine Form des Konflikts.

Das Bild im Anderen

Der Kontrast zum Anderen kristallisiert im Ich-Erzähler immer neue Komponenten der eigenen Identität heraus. Verschiedene Formen des Widerstandes werden schon durch die dargestellte Kommunikation sichtbar:

> „...daß der eigentliche Gegenstand seiner Rede das Erlebnis der Leere war, der er im Osten Deutschlands begegnet war, und deren Wirklichkeit ich bestätigen sollte. [...] aber das war leicht zu übersehen...," (A, 45).

Vorgefertigten Projektionen entzieht sich der Erzähler schlichtweg, ohne eine solche Tatsache groß zu problematisieren. Und doch scheint sehr wohl klar zu sein, „...daß der andere sein Bild im anderen vermutet, und daß nicht gefragt wird, ob es vielleicht der eigene unerlaubte Umgang mit der noch lebendigen Zeit des Gesprächs gewesen sei, der das Bild vom anderen im anderen errichtet habe." (A, 137) Die Dynamik des Gesprächs mit unterschiedlichen Ausgangspunkten wird also auch als Gefahr durchschaut, in der sich das Selbst und der Andere gegenseitig konstituieren, ohne dass die eigene Wahrnehmung den Anderen wirklich erfasst. Allein die Tatsache eines Bilds „vom anderen im anderen" bringt den ostdeutschen Gesprächspartner immer wieder in die Position, zu erzählen und zu erklären. Das Gespräch spiegelt damit schon auf dynamischer Ebene eine Identität im Konflikt mit dem Anderen. Denn schon durch die Wahrnehmung des Anderen fühlt sich der Ich-Erzähler definiert.

Gesprächsstruktur – eine Identität im Konflikt mit dem Anderen

Aber auch strukturell gesehen lässt sich am Text der Verlauf einer Konfliktsituation festmachen. So wird die zufällige Begegnung zu einem gemeinsamen Spaziergang,

wobei sich die Begleiter von vornherein in ihrer Gegensätzlichkeit „Ossi-Wessi"
wahrnehmen.

Während sie sich zu Beginn des Gesprächs innerhalb der landschaftlichen Umgebung gleichzeitig auch in der geistig strukturellen Gegenwart orientieren, ist mit
dem Wort „global" (A, 31) noch ein gemeinsamer Ausgangspunkt gegeben. Diese
sich mit der Jahrhundertwende von der gesamtdeutschen über die europäische,
hin zur weltweiten, vergrößernde Wahrnehmung, impliziert mit dem Wort „global"
einen transzendenten Blick, der die unterschiedlichen Wahrnehmungen miteinander vereint.

Mit der Erkenntnis jedoch, dass die westdeutsche Erwartung „der Leere im Osten"
für den Ich-Erzähler eine „dunkel gebliebene Geschichte des Schweigens" (A, 47)
darstellt, meint er, seinem Begleiter von den damaligen Verhältnissen durch die
Geschichte der Verhaftung seines Sohnes erzählen zu müssen. Dabei entdeckt er
einen „Schwerhörigkeitswahn" seitens der „westlichen Welt" (A, 83), dem er zwar
„östlichen Verfolgungswahn" (ebd.) entgegensetzt, der aber schon an dieser Stelle
Kommunikationsschwierigkeiten andeutet. So wird über „Widerstand" geredet, und
doch bemächtigen sich bald die „Zesen" des Gesprächs, diejenigen, „die jedes klare
Empfinden unbedingt bis auf den Grund restlos zu zerfasern dachten." (A, 147).

Der Zusammenhang deutscher Jahrhundertgeschichte rückt in den Blickpunkt,
so dass von einer „großen Unterbrechung des Gesprächs der Deutschen im
Anschluss an den zweiten Weltkrieg" (A, 214) die Rede ist. An dieser Stelle wird klar,
dass in diesem Gespräch nicht nur unterschiedliche Wahrnehmungen, sondern auch
sich lange schon unterschiedlich entwickelnde Identitäten zusammengestoßen
sind.

Das Bedürfnis, die eigene Vergangenheit selbst erzählen zu wollen, mündet in den
Konflikt, dem Anderen nie wirklich darstellen zu können, was die ostdeutsche
Vergangenheit auch für die Gegenwart und die heutige Identität noch bedeutet:
Die Missverständnisse, die „Zesen", wie der Ich-Erzähler sie nennt, tauchen immer
wieder auf, und am Ende besteht höchstens ein Einvernehmen, über das, „was nicht
geschah" (A, 254), nicht reden zu wollen. Dabei werden die Missverständnisse auch
positiv bewertet:

> „Ich meinte sogar, daß die Erfahrung dieses Mißverständnisses durchaus Anlaß
> geben könnte, einen Ort des Gesprächs zu gründen, der mehr Verläßlichkeit
> beim gegenseitigen Verstehen bieten könnte." (A, 214)

Es ist genau dieses Bemühen um „Klarheit [...] in den Geschehen der Vergangenheit", das den Protagonisten „davor schützte, [s]eine Ansichten über die Rechte des
Erzählens zusammen mit dem für sie natürlich gefährlichen Untergang der DDR
preisgeben zu müssen." (A, 261) Die aus dem DDR-Kontext entstandenen Vorstellungen über Wahrheit, Kommunikation oder das Erzählen bleiben theoretisch
dauerhaft. Und doch gibt es Missverständnisse im Gespräch. Hat das Anliegen um
Wahrheit den Gesprächsverlauf erschwert? Inwiefern der Erzähler eine erschwer-
te Form der Kommunikation durch unterschiedliche Hintergründe darstellen wollte, oder das Realisieren, dass auch außerhalb der DDR keine absolute Wahrheit möglich ist – bleibt offen. Vielmehr gilt wohl beides, da sich die Möglichkeiten mit den
Unmöglichkeiten einer Kommunikation mit der Erfahrung eines neuen Systems
gleichzeitig vervielfältigt haben. Fest steht zumindest, dass der Kontrast zum Anderen die eigene ostdeutsche Identität nur unterstreicht.

Erst die abschließende Erzählung gegenüber der Mittagsfrau im letzten Kapitel gibt Auskunft über den Titel des Romans. Er trägt den selben Namen trägt wie die Literaturzeitschrift „Anschlag", die durch die Schwierigkeiten, die sie mit der vergangenen „Macht" hatte, zu einer Form des Widerstands wurde. Da der Roman sich jedoch kaum mit der Geschichte dieser Zeitschrift befasst, wird mit dem Wort „Anschlag" ein Potential lebendig, das zwischen dem aktuellen und dem vergangenen Titel zu kursieren scheint. Das, was einmal für den Widerstand zu DDR-Zeiten stand, wird nun in neuer Textform, als Titel eines Romans, wieder an die Oberfläche geholt wird. Das Ostdeutsche, Widerständische ist dem Text sozusagen *überschrieben*.

Das Wort „Anschlag" steht für provozierendes Handeln. Mit dem Titel wird auch im neuen, gesamtdeutschen System die Unmöglichkeit einer Darstellung der Vergangenheit, einer „Reinheit" im Gespräch und dementsprechend einer ostdeutschen Identität wortwörtlich *angeschlagen*. Denn auch das Bild des Widerstands, die Vorstellungen über das ‚wahre' Erzählen, konnten vom Text selbst nicht eingelöst werden. Die Darstellung der Komplexität der Konflikte kann höchstens einen Schritt in die Richtung des alternativen, widerständigen Erzählens bedeuten.

Dabei bleibt offen, inwieweit plötzlich aus dem Widerstand ein Identitätsprinzip wurde. Musste erst ein neues Feindbild gefunden werden, eine neue Form der Macht oder Denkdiktatur, die die Wahrheitssuche wieder mit dem Widerstandseffekt verbindet? Wenn Widerstand von seinem bloßen „Gegen" getrennt werden soll, kann dann die Suche nach Wahrheit oder Identität nicht auch ohne Widerstand auskommen? Gleichzeitig impliziert der „Anschlag" jedoch auch eine neu definierte Konfliktsituation, die die alte Identität in neuer Form heraufbeschwört. Es mutet fast wie eine bewusst fortgeführte Krisensituation an...

3.3 Literaturwissenschaftliche Verortung der ostdeutschen Identität im Roman

Die ostdeutsche Identität des Autors von *Anschlag*

Das Autothematische

Auf das Verhältnis zwischen den biographischen Eckdaten des Autors und des Erzählers wurde schon hingewiesen. Dabei ist es nicht nur die Ähnlichkeit, sondern auch der Mangel an Unterschieden zwischen beiden, der der Figur des Ich-Erzählers authentische Züge des Autors verleiht. Ob aber autobiografisch oder nicht, scheint auch für Neumann selbst kaum eine Rolle zu spielen, da es ihm um etwas Anderes geht:

> „Wenn man sich jetzt seiner Biographie identifiziert, dann schafft man es nicht mehr, davon zu sprechen, wovon man eigentlich sprechen sollte." Denn was die Biographie bedeutet „ist von Anfang an durch ein Selbst in Frage gestellt."[206]

---

[206] Gert Neumann – Ein Portrait in Selbstaussagen. In: Flechtwerk. Berliner Literatur nach 1989. Berlin. 1995. S. 77.

Nicht die biographischen Eckdaten ergeben ein „Selbst"[207], sondern die Themen, die man sich setzt. Eben dieser „autothematische" Gestus, der bei Neumann immer wieder die Frage nach dem Widerstand bestimmt, findet sich auch im Roman *Anschlag*.

Auch für Gert Neumann lässt sich eine DDR-kritische Haltung bescheinigen. Sein zu Ostzeiten entwickeltes Konzept des Widerstands stand der „Verwendung einer normierten kontrollierten Sprache innerhalb des Systems der DDR"[208] gegenüber. Und doch distanzierte er sich von den oppositionellen Strömungen in der DDR, bei denen er bemängelte:

> „Die Opposition war nicht im Geringsten dem Augenblick gegenüber verant-
> wortlich, sie haben nur von der Wirkung gelebt."[209]

Widerstand wurde, wie schon ausgeführt, für Neumann zu einem Ort der Identität, die mehr als nur das Negativ ihres Gegenbilds beinhalten muss.

> „Zu meinem Begriff von der Dimension des Widerstands in der DDR hatte
> gehört, daß ich nicht in den Westen gehen wollte. Abgesehen vom nicht zu leug-
> nenden Verliebtsein in einige aus dieser Haltung ganz mechanisch sich erge-
> bender Effekte in der deutschen Landschaft des Nachdenkens über den
> Widerstand...."[210]

Die Entscheidung für eine ostdeutsche Identität ist also durch ein „nicht in den Westen gehen woll[en]" schon früh gefallen. Wenn ihm daher das Nachdenken über Widerstand vor allem im System der DDR möglich war, so wurde dieses ostdeutsche Umfeld gleichzeitig zu einer wichtigen Vorraussetzung seines theoretischen Ansatzes.

Und doch scheint auch für Neumann eine Zeit des Zweifels eingetreten zu sein, als sich die zu widerstehenden Strukturen aufgelöst hatten. 1995 auf einer Konferenz in Madison/USA beendet er sein literarisches Essay über die momentane Situation in Deutschland mit: „Ah, where are you, the possible speech in Germany."[211] Noch war für ihn eine mögliche Rede, eine angemessene Sprache in den neuen Verhältnissen nicht ‚lokalisierbar'. Allerdings spricht er auch allmählich von einer Aufgabe, wenn er meint: „Es muss eine Antwort geben, die über die Demut hinausreicht."[212] Denn, im Westen angekommen, sieht sich Neumann mit einer Realität konfrontiert, die kaum in der Lage scheint, die ostdeutschen Hintergründe in sich aufzunehmen.

> „Es war schon ziemlich hart, wahrzunehmen, daß man im Westen keine Ahnung
> von der Tiefe der im Osten besprochenen Problematik hat. Sie waren wirklich
> der Meinung, wir lebten jetzt in der gemeinsamen Freiheit. Aber was das alles be-
> deutet, die Erfahrungen, mit denen man ja aktiv in die Freiheit gekommen ist..."[213]

---

[207] Ebd.

[208] Barbara Schönig: Das Zwischen als eine Chance. Erzählraum und erzählter Raum in der Prosa Gert Neumanns. Magisterarbeit. HU-Berlin. 2001, S. 28.

[209] Gert Neumann – Ein Portrait in Selbstaussagen. a.a.O., S. 82.

[210] Gert Neumann: Die Dimension Bitterfeld. In: Flechtwerk. Berliner Literatur nach 1989. a.a.O. S. 67.

[211] Gert Neumann: Blackout. In: Contentious Memories. Looking back at the GDR. Hrsg. Jost Hermand, Marc Silberman. New York. 1998, S. 11.

[212] Gert Neumann – Ein Portrait in Selbstaussagen. a.a.O. S. 85.

[213] Ebd. S. 86.

Die Freiheit übernommen zu haben, ohne die eigene Vorstellung mit einbringen zu können, schien der eigenen Herkunft nicht zu entsprechen, in der man sich so ausführlich mit dem Freiheitsbegriff auseinandergesetzt hatte. Die Freiheit der Anderen entsprach noch längst nicht einer generellen, oder vielleicht auch ost-deutschen, Vorstellung von Freiheit.

In diesem Sinne heißt es weiter:

> „Es ist schwer zu ertragen, daß ein Gespräch über die Art dieser Enttäuschung nicht existiert... Man hat gehofft, daß - auch durch den Widerstand, der hier ge-leistet wurde - die Freiheit endlich anfängt, sich über diese gesicherte Dimen-sion zu unterhalten. Es ist schon enttäuschend, mitzubekommen, daß es offen-sichtlich gar keine Dimension gibt, die das Element des Widerstands erbittet."[214]

Das spezifisch ostdeutsche Potential, das sich für Neumann in einer Form von Widerstand entwickelte, nicht in die neue westdeutsche Gesellschaft einbringen zu können, kommt einer Art Identitätsverlust gleich. Und wenn er erst herausbe-kommen musste, „ob das Thema, das [er] für gesichert" hielt, „nicht vielleicht doch aus dem Druck der Verhältnisse entstanden ist", so auch, ob sich diese Form der Identität in das neue System herüberretten ließe.

Die realen Ansätze Neumanns ähneln daher stark den fiktiven im Text *Anschlag*.

Post-DDR-Identität

Ebenso lässt sich, zumindest als Teil einer Antwort, das Plädoyer in *Anschlag* für einen vorsichtigeren Umgang mit Vergangenheit und Gegenwart verstehen. So heißt es in einem Text nach 1989:

> „Das Besondere wußte von der Besetzung der Zukunft durch die Katastrophe der Deutung der Dinge und des Menschen [...], und ich behaupte nun, daß wir in der so besetzten Zukunft leben."[215]

Auch der Umgang mit der ostdeutschen Vergangenheit geht mit einer Verwahr-losung - die „Besetzung der Zukunft durch die Katastrophe der Deutung der Dinge" - dessen, was ostdeutsche Identität bedeutet, einher. Und genau das wird für Neumann zu einem gegenwärtigen Problem. Die „so besetzte[-] Zukunft", „die Katas-trophe der Deutung der Dinge" ist eingetroffen und dem gilt es nun, zu widerste-hen.

Gert Neumann scheint nicht nur in der ostdeutschen Herkunft den Ursprung sei-nes Schreibens zu erkennen, sondern - einen Schritt weiter - sich aktiv um deren Aufrechterhaltung zu bemühen. In diesem Sinne verkörpert der Text *Anschlag* eine Probe aufs Exempel, wenn „gegen die Zweifel an seiner Existenz [...], ganz allein Ausflüge in die Wirklichkeit helfen können"[216]. Inwiefern die Form und Aussage des Romans in Bezug auf seine Thematik Substanz haben werden, beschreibt Neumann schon vor der eigentlichen Veröffentlichung durch ein Umstülpen des textlichen Gehalts:

---

[214] Ebd.
[215] Gert Neumann: Die Dimension Bitterfeld. In: Flechtwerk. a.a.O. S. 70.
[216] Ebd. S. 68.

„Ich meine, der Roman müsste sich selbst von diesen Ausflügen erzählen, um zu erfahren, wieviel er der Welt verschweigt; um mit dieser simplen Maßnahme Urteile zum Roman erheben zu können, an deren Zustandekommen er, soviel er weiss, beteiligt ist."[217]

Wenn nun *Anschlag* in seinem Widerstandspotential wirksam wird, dann ist für ihn auch die ostdeutsche Identität weiter lebendig. Die Entscheidung darüber überlässt er allerdings dem Text selbst.

Festzuhalten bleibt, dass so auch für Neumann eine Form der „Post-DDR-Identität"[218] geltend wird. Auch wenn sie schon zu DDR-Zeiten durch ein Nichtweggehen in den ‚Westen' eingestanden wurde, so war sie doch weit von einer regimekonformen Identität entfernt. In dem Moment jedoch, in dem Neumanns Element des Widerstandes im neuen System wieder Konturen bekam, gewann auch seine spezifisch ostdeutsche Prägung wieder Boden. Und ähnlich abstrakt wie über die reale ostdeutsche Identität gesprochen wird, hat sich der Text ihre Unbeschreibbarkeit vorbehalten.

Neumanns Ästhetik des Widerstands[219] – eine ostdeutsche Herkunft?

Gert Neumann suche „nach einer Form des Widerstands, die sich der Macht entzieht, indem sie sich auf die Formen der ‚Macht' weder positiv noch negativ bezieht"[220]. Diese Beschreibung seines Konzepts fügt sogleich hinzu:

„[S]ein literarisches Projekt lässt sich nicht auf den Versuch einer literarischen Widerstandskonzeption in der DDR reduzieren."[221]

Eine solche Auffassung scheint damit der Vorstellung einer besonderen Form der Produktivität unter den sozialistischen Verhältnissen entgegenzustehen. Beiden, Wolfgang Hilbig und Gert Neumann wurde jedoch auch eine Radikalität, „their refusal to bow to any verdict"[222] zu DDR-Zeiten bescheinigt, womit sie „individual forms of narration" erreichten. Es mag paradox klingen, und doch wäre ein zeitloses „literarisches Projekt", das einer spezifischen zeitlich und strukturell begrenzten Umgebung entsprang, vorstellbar.

Martin Walser spricht auch noch nach Neumanns letztem Werk *Anschlag* von dessen „litérature engagée"[223]. Gert Neumanns „Lebensstoff" bzw. „Lebensthema" hieße: „Geschichte. Deutsche Geschichte also. Also deutsche Teilung"[224]. So ver-

---

217 Ebd.

218 Vgl. Walter Schmitz: Gottes Abwesenheit? Ost-West-Passagen in der Erzählprosa Wolfgang Hilbigs in den 90er Jahren. In: Mentalitätswandel… a.a.O. 2000, S. 113.

219 Hier nicht mit dem Begriff von Peter Weiss zu verwechseln. Obwohl die beiden Begriffe nicht direkt miteinander zu tun haben, wäre ein Vergleich zumindest interessant, sprengt aber den Rahmen dieser Arbeit.

228 Barbara Schönig: Das Zwischen als eine Chance. a.a.O., S. 4.

221 Ebd.

222 Thomas Beckermann: 'Die Diktatur präsentiert das Abwesende nicht': Essay on Monika Maron, Wolfgang Hilbig und Gert Neumann. In: German Literature at a Time of Change 1989-1990. German Unity and German Identity in Literary Perspective. Hrsg. Arthur Williams, Stuart Parkes and Roland Smith. Bern. 1991, S. 114.

223 Martin Walser: Geist und Sinnlichkeit. Gert Neumanns deutsch-deutsches Gespräch. In: Verhaftet. Dresdner Poetikvorlesung. Dresden. 1999, S. 93.

224 Ebd.

standen brauche er „die Diktatur als aktuellen Widerpart nicht", obwohl es gleichzeitig zeige, „dass er davon nicht loskommt"[225]. Den Rahmen von dem Blick auf die ostdeutsche hin zur gesamtdeutschen Vergangenheit weiter zu spannen, gibt dabei die Möglichkeit eines abstrakteren Verständnisses von Neumanns literarischem Projekt. Sein ostdeutscher Ursprung ordnet sich somit wiederum geschichtlichen Strukturen unter, die die Vergänglichkeit eines Programms im Gesamtkontext aufheben. So heißt es im Roman während des Gesprächs einen gemeinsamen Ausgangspunkt suchend: nun, „in der Zeit der unbestreitbar gerade erfindungsreich sich irgendwie auflösenden Besetzung Deutschlands nach dem Ende des Zweiten Weltkriegs, zumutbar erzählen zu dürfen, auf welche Weise im Osten Deutschlands auf die für Deutschland schwierig zu beantwortende Frage der Freiheitswürde Antwort gesucht wurde" (A, 16) Die größeren Zusammenhänge scheinen also in Neumanns ‚literarischem Projekt' stets mitgedacht, was die ostdeutsche Herkunft gleichzeitig paradoxerweise betont und als zeitlich begrenztes Umfeld relativiert.

Strukturell bietet dabei das „Zwischen" innerhalb des literarischen Konzepts im „erzählten Raum" von Gert Neumanns Prosa eine „Chance"[226]. Barbara Schönig beschreibt auf diese Weise Neumanns Versuch, „die Existenz eines sprachtranszendenten ‚Außen' und die menschliche Entfremdung von diesem ins Bewusstsein zu bringen und zu überwinden."[227] Das ‚Zwischen' wird zu einer „Metapher eines Möglichkeitsraums"[228], einem Gesprächsraum, wie sich auch für das Schweigen im Gespräch festhalten lässt, das im *Anschlag* die Reflexionen des Erzählers provoziert. Hier lässt sich der Widerstand lokalisieren, der Versuch alternativen Erzählens und das Thematisieren der Bedingungen von Möglichkeiten einer ‚wahren' Kommunikation. Und eben das „Zustandekommen von Wahrheit im Gespräch" (A, 133) erfüllt dann die Funktion des „Zwischen". „Zwischen" den Gesprächspartnern wird die Vergangenheit erklärt, wird eine Identität definiert, wobei beide aber nie als Ganzes sondern selbst immer nur als „Zwischen", d.h. relativ, repräsentiert werden können. Der ideale Gesprächsraum im „Außen" ist immer nur bedingt wahrnehmbar.

Neumanns Widerstandsprinzip wirkt durch die Funktion des „Zwischen" zwar weniger radikal, aber doch umso realistischer. Zumindest vermeidet er, durch das „dialogische Prinzip" und das „Zwischen" ins Absolute oder Dogmatische zu verfallen. Allerdings fällt in Neumanns Texten auf, dass die Beschäftigung mit diesem Thema sehr viel Raum einnimmt. Auch der Roman *Anschlag* kommt nicht ohne Reflexionen über Widerstand, Macht oder das Deuten der Dinge, die oft theoretischen Abhandlungen gleichen, aus. Manchmal scheint es, als ob die Theorie gegenüber der Poesie, der „Suche nach Wahrheit" wie z.B. im Erzählen der Geschehnisse in der Vergangenheit, Überhand gewinnt. Und das eigentliche Bemerkbarmachen des „Außen" dient lediglich dazu, die Theorie zu veranschaulichen.

Neumann möchte jedoch den Widerstand nicht auf sein „Wider", das „Gegen", reduzieren. Das lässt sich auch am Text erkennen, da er weder den zu widerstehenden ‚Anderen' als Feindbild illustriert, noch auf der eigenen Opferrolle beharrt. Statt dessen werden die erinnerten Geschehen so detailliert wie möglich erzählt, womit das eigentlich konstruktive Moment des widerständischen Prinzips, das

---

[225] Ebd.

[226] Barbara Schönig: Das Zwischen als Chance. Erzählraum und erzählter Raum in der Prosa Gert Neumanns. Magisterarbeit. HU-Berlin. 2001.

[227] Ebd. S. 5.

[228] Ebd. S. 39.

Bemühen um Wahrheit, der Ort des „Zwischen" als Indiz für das „Außen", auf pragmatische Weise vordergründig existiert. So wird Widerstand zu einer Ästhetik, theoretisch und pragmatisch gleichzeitig, die ihren Inhalt sowie ihr Prinzip gleichzeitig spiegelt.

Die Vielschichtigkeit des widerständischen Prinzips wird in *Anschlag* immer von neuem ausgeleuchtet. Allein angesichts des einstmals von Lenné konstruierten Landschaftsparks um Kloster Chorin gerät der Ich-Erzähler über die verschiedenen Arten des „Sehens" ins Nachdenken. Nach 1989 hat der Ich-Erzähler nicht „in den Akten gelesen" (A, 251), „hat verzichtet, um sich die Perspektive der Akten nicht bei der Wahrnehmung der Wirklichkeit aufzwingen zu lassen"[229]. Die „Alleinherrschaft des Sehens" (A, 68) erneut zu untergraben, wird zu einem Antrieb. Und wenn der „Weg in eine Erinnerungs- und Kunstlandschaft des Deutschen" weitergeführt wird, dann bliebe die „Tradition des Widerstands für künftige Anschläge erst einmal gewahrt"[230]. Für Schmitz stellt der Roman *Anschlag* demnach eine fortgeführte Form des Widerstands dar, die sich nun gegen „die spielerische Entwertung des Realen, wie sie dem westlichen Kultur- und Kommunikationsbetrieb eignet"[231], richtet. Er sieht in der „Mittagsfrau" (A, 262) eine „west-östliche Chiffre, changierend zwischen postmodernem Medium und Real-Präsenz des Mythischen"[232], die für ihn zu einem „Paradigma des Widerstands" wird, indem sie vergangene und gegenwärtige Elemente in sich vereint. Am Ende sind es also die verschiedenen Arten des „Sehens", hier eine einseitig westliche oder östliche, denen es zu widerstehen gilt. Wenn also das Prinzip des Widerstands sich aus der Begegnung mit den ostdeutschen Machtstrukturen heraus entwickelte, so scheint es doch nicht ausschließlich an dieses spezifische Umfeld gebunden.

Dabei werden auch Anzeichen von Utopie offenbar, die Schmitz in der „Geltung des Anderen" festmacht. Priorität bekäme das „Offene", das Neumann für sich durch de Saussures „Arbitrarität des Zeichens" produktiv macht. „[D]aß die Worte nicht die Dinge trafen"[233] steht schon 1989 in *Die Reportagen* geschrieben. Mit einem solchen Eingeständnis der eigenen Formulierungsgrenzen, gewinnt die Außenwelt an Komplexität und Offenheit.

Verfolgt man Schmitz' Ansatz weiter, so beleuchtet die Erkenntnis von dem nicht zu determinierenden Sehen oder Bestimmen der Dinge auch den Hintergrund, aus dem sich für den Schriftsteller der ostdeutsche Widerstand gegenüber dem westdeutschen „Sehen" rekrutiert. Auch die ostdeutsche Identität ist in ihrer Bedeutung sehr komplex, wird jedoch innerhalb von Neumanns Ästhetik greifbar, indem sie kaum greifbar bleibt. Die ostdeutsche Herkunft kann dabei gleichzeitig Ursprung und Thema, in der Form eines „Zwischen" sein, ist aber keinesfalls ihrer Herkunft verhaftet. So schreibt Schmitz:

> „Die Sprache des Widerstands […], ist die Erfahrung, die der Schriftsteller Gert Neumann aus der DDR mitgebracht hat; er mutet seinen Lesern zu, sich auf diese Erfahrung einzulassen."[234]

---

229 Walter Schmitz: Über Gert Neumann. In: Verhaftet. Dresdner Poetikvorlesungen. Dresden. 1999, S. 109.
230 Ebd. S. 130.
231 Ebd.
232 Ebd.
233 Gert Neumann: Die Reportagen. In: Die Schuld der Worte. Rostock. 1989. S. 25.
234 Walter Schmitz: Über Gert Neumann. In: Verhaftet. Dresdner Poetikvorlesungen. Dresden. 1999, S. 131.

Die ostdeutsche Thematik in *Anschlag* – Wiederverfall aber offenes Ende

Die Rezeption des Romans, ob nun wissenschaftlich oder feuilletonistisch, setzt sich weniger mit der Form der ostdeutschen Identität im Text auseinander, als vielmehr mit der Art und Weise der Begegnung zwischen Ost und West. Ist die Begegnung nun gescheitert, war sie von Missverständnissen geprägt, oder stellte sie einen Kommunikationsprozess dar? Die unterschiedliche Einschätzung lässt dabei auch auf eine dem Text innewohnende Befindlichkeit schließen, die als Indiz für einen Identitätskonflikt gelten kann.

Kurz nach der Veröffentlichung von *Anschlag* heißt es:

> „Neumann ist in der Gegenwart einer seit ihrer ‚Wiedervereinigung' merkwürdig verstummten Republik angekommen. Ein wirkliches Gespräch hat für ihn bis heute in Deutschland nicht stattgefunden, eher ein wortreiches, kategorisierendes Nichtssagen des einen Teils über den anderen (fast immer in westöstlicher Richtung). Gerade im Westen macht er eine ‚Verlegenheit in den Angelegenheiten des Sprechens' aus…"[235]

Da das erste Viertel des Buches ein Schweigen zwischen den beiden Wegbegleitern beinhaltet, scheint es analog den Auftakt einer Wiederbegegnung zwischen dem Osten und dem Westen Deutschlands zu beschreiben. Im Nichtgesagten werden erste Vergangenheitsmomente rekapituliert, und erst mit dem offensichtlichsten aller Begegnungsmomente, der Frage nach dem Widerstand, setzt das eigentliche Gespräch ein. Wenn dann plötzlich „ohne Scheu vor griffigen Formulierungen"[236] geredet wird, so scheint die Wahrnehmung einer konfliktgeladenen Begegnung gerechtfertigt.

Und doch wird von einem „vorläufigen – und damit versöhnlichen – Abschied" gesprochen, mit dem Hinweis: „Das deutsche Gespräch ist nicht zu Ende."[237] Eine Perspektive, die auf die Hintergrundszenarien des Romans verweist, spitzt das Potential des Textes dramatisch zu:

> „Die abwartende Stille des Ostens täuscht. In Brandenburg sind geheime kulturelle Mächte am Werk. Hier spukt ein weibliches Gespenst, die Mittagsfrau…"[238]

Angefüllt mit ambivalenten Stimmungen und untergründigem Widerstand, wird doch die Tendenz des Offenen wahrgenommen, mit dem sich Neumann der Gegenwart stellt:

> „Die Zukunft wird über die Gegenwart des Gesprächs entscheiden. Hoffnung ist also wieder erlaubt, die Geschichte geht weiter."[239]

---

[235] Karin Hillgruber: Die Poesie, Muhme, hat viele Feinde. Gert Neumanns peripatetische Erkundung in östlicher Landschaft. In: Süddeutsche Zeitung. Nr. 69. 24. 3. 1999.

[236] Dorothea Dieckmann: Vom Schweigen in Deutschland. Gert Neumanns spannend-sperrige Bücher. In: Neue Zürcher Zeitung. Nr. 105. 8./9. 5. 1999.

[237] Ebd.

[238] Karin Hillgruber: Die Poesie, Muhme, hat viele Feinde. a.a.O.

[239] Dorothea Dieckmann: Vom Schweigen in Deutschland. a.a.O..

Schmitz nennt den Roman einen „therapeutischen Bewusstseinsdialog des Schriftstellers Gert Neumann, der seine östliche Welt verloren hat, ohne vorerst im ‚Westen' anzukommen."[240] Und dennoch verharren „im Gesprächsraum wie im Bewusstsein seines Romans [...] die beiden Stimmen nicht isoliert voneinander"[241]. „Östliche" Identität und eine Verortung in der neuen Situation gehen demnach miteinander einher. So wird diese Befindlichkeit als eine sehr sensible, eben noch nicht ‚angekommene' Identität, wahrgenommen.

Wenn Neumann schon Anfang der 90er Jahre plante, „dem angeblichen Scheitern dieser Begegnung im Roman tatsächlich vorzugreifen"[242], so dass es „nicht bis in die Wirklichkeit gerät", dann würde dies die verschiedenen Deutungen, des Offenen und Problematischen gleichzeitig, nur bestätigen. Es hat ein Gespräch stattgefunden, allerdings lässt sich nicht sagen, ob die Missverständnisse und Erklärungen eine Annäherung oder die Bestätigung von Verschiedenheit bedeutet. Der Gesprächsraum ist also wieder ein „Zwischen"[243], in dem das „Außen", das wahre Gespräch, möglicherweise zu erahnen ist. Vielleicht wäre das „Außen" ein Zustand, in dem es ein gegenseitiges Verständnis über die ostdeutsche Vergangenheit gibt.

Zumindest scheint es die „DDR" zu sein, „die zur Bedingung allen Erzählens wird"[244], wie auch Walser feststellt. Das Wort „Verfall" bestimmt dabei die Sicht der Gegenwart und taucht „als verschlagen bekannte Ruhe des ostdeutschen Verfalls" (A, 14) auf, um später mit dem „Wiederverfall ostdeutscher Vergangenheit"(A, 15) potenziert zu werden. Schon 1995 heißt es über Neumann:

„Das westliche ‚Schweigen um die Dinge', [...] übertönt immer mehr die offenkundige ‚Landschaft des Verfalls' als Osterfahrung..."[245].

Dass der ‚Verfall' in Neumanns Prosa so zu einer Erfahrung stilisiert wird, die einer spezifisch ostdeutschen entspringt, mag richtig sein. Fest steht, dass der Erzähler im Roman auch von einer „Anschauung des Ästhetischen zu erzählen versucht, wo gerade in der Begegnung mit dem Häßlichen der Lehre vom sinnlichen Wahrnehmen in, freilich erschütternder, Freiheit zu begegnen gewesen war." (A, 50) Die Wahrnehmung des Verfalls, die also auch als Ästhetik des Hässlichen verstanden werden darf, hat möglicherweise eine ostdeutsche Erfahrung zum Ausgangspunkt, die nicht nur zugegen war, als das System der DDR allmählich verfiel, sondern auch als im Nachhinein dessen Überreste und die Erinnerung daran ‚wiederverfielen'.

So lässt sich Neumann als ein „Post-DDR-Autor"[246] verstehen, dessen Literatur sich nicht am Staatssystem, jedoch an der Herkunft ausrichtet[247]. Auch wenn die Erzählungen im Roman die DDR-Zeit alles andere als positiv darstellen, ergibt sich doch im Nachhinein durch die Konfrontation mit der westdeutschen Wahrnehmung eine Identität, die sich auf das Ostdeutsche beruft. Gerade angesichts des „Wiederverfalls" der ostdeutschen Vergangenheit wird ein Widerstandspotential sichtbar,

---

240 Walter Schmitz: Über Gert Neumann. a.a.O., S. 128.
241 Ebd.
242 Gert Neumann: Die Dimension Bitterfeld. In: Flechtwerk. Berliner Literatur nach 1989. Berlin.1995.
243 Vgl. Barbara Schönig: Das Zwischen als eine Chance. a.a.O..
244 Martin Walser: Geist und Sinnlichkeit. Gert Neumanns deutsch-deutsches Gespräch. In: Verhaftet. Dresdner Poetikvorlesung. Dresden. 1999, S. 94.
245 Joscha Zmarzlik: Die Dimension Neumann. In: Flechtwerk. a.a.O., S. 75.
246 Vgl. Walter Schmitz: Gottes Abwesenheit? Ost-West-Passagen in der Erzählprosa Wolfgang Hilbigs in den 90er Jahren. In: Mentalitätswandel... a.a.O. 2000, S. 113.
247 Ebd.

das so, in seinem Ursprung und seiner Thematik, auf eine ostdeutsche Identität verweist. Und eben gerade der Schreibgestus, der die Unmöglichkeit einer ‚reinen‘ Darstellung dieser ostdeutschen Identität mit inbegriffen hat, verstärkt im Verweis auf ihren Verfall seine eigene Dramatik. Der Roman *Anschlag* lässt sich auf diese Weise als „Post-DDR-Roman" verstehen, der eine „Post-DDR-Identität" thematisiert.

Zusammenfassung

Die ostdeutsche Identität in dem Roman *Anschlag* lässt sich nur sehr komplex erfassen. Als erstes rekrutiert sie sich als ein Resultat ostdeutscher Sozialisation, persönlicher Erlebnisse innerhalb spezifisch ostdeutscher Strukturen, bspw. einem Jungpioniernachmittag. Das nächste Moment bildet eine Wahrnehmung, die den „Wiederverfall" ostdeutscher Vergangenheit konstatiert, dem durch bewusstes Erzählen entgegengewirkt werden soll. Seit das ostdeutsche vom westdeutschen System abgelöst wurde, geht damit die Erfahrung eines Bruchs oder Bedeutungswandels einher, der ehemalige Vorstellungen von Begriffen wie z.B. „Freiheit" plötzlich verschiebt. In der Kommunikation wird immer wieder Missverständnissen aufgelaufen, womit die Darstellung der eigenen Identität, des Zusammenhangs zwischen der ostdeutschen Vergangenheit und der Gegenwart, schwer wird. Besonders hier werden Reibungspunkte oder Identitätskonflikte sichtbar. Wenn im Text allerdings stets der vorsichtige Umgang mit der ostdeutschen Vergangenheit betont und durch eigenes Erzählen praktiziert wird, so ordnet sich dieses Phänomen in den schon zu DDR-Zeiten entwickelten Begriff von „Widerstand" ein. „Widerstand" als eine Ästhetik, die, auf der Suche nach Wahrheit, sich nicht auf ein „Gegen" beschränken soll, lässt sich durch den Umgang mit der ostdeutschen Vergangenheit wieder neu aktivieren. Da „Widerstand" in dieser Form gleichzeitig identitätsbildend wirkt, entsteht in diesem Zusammenhang auch eine neue Art der „DDR-Identität" oder „Post-DDR-Identität", die sich mit der Erfahrung des Bruchs entwickelt hat. Zudem reflektiert der Text die Unmöglichkeit oder zumindest Schwierigkeit ihrer Darstellung. Durch das Betonen eines besonderen Umgangs mit der ostdeutschen Vergangenheit wird jedoch eine Position umrissen, die *zwei* Systeme kennt.

Da theoretische Vorstellungen und ihre praktische Umsetzung im Text gleichzeitig existieren, lässt sich auch für die beschriebene Identität eine relativ bewusste, rationale Basis feststellen. Diese ostdeutsche Thematik korrespondiert darüberhinaus mit den realen Auffassungen des Autors Gert Neumann.

4 KONTEXTE DER LITERARISCHEN OSTDEUTSCHEN IDENTITÄT

4.1 Ostdeutsche Identität – Literaturwissenschaftliche Verortung nach 1989

Die Erfahrung des Bruchs – ein Leidschatz

Auch ein Jahrzehnt nach der deutsch-deutschen Literaturdebatte ist die Erinnerung an die Vehemenz, mit der von West nach Ost und daraufhin von Ost nach West literaturkritische Schmähungen verteilt wurden, immer noch von einem leichten Gruseln begleitet. Angebliche Stasi-Kontakte oder komplettes Unverständnis für die Situation wurden als Vorwürfe jeweils hin und her gesandt und hinterließen am Ende ein verzerrtes und zugespitztes Pathos in einer Debatte, die „eher aus Erschöpfung denn aus Einsicht beendet"[248] wurde. Letztendlich, so zitiert Radisch noch den ostdeutschen Lyriker Heinz Kahlau, sei es ein „allgemeiner Streit um die grundsätzliche Bewertung der west- und ostdeutschen Kultur"[249] gewesen. Symptomatisch für diese deutsch-deutsche Dichterfehde sind weniger die Inhalte als vielmehr der emotionale Gestus, mit dem der Verlust „einer nationalen und politischen Identität"[250] auf einer Ebene von „Moral und Stasi" ausgetragen wurde. Die Integrität ostdeutscher Autoren, wie Christa Wolf, Heiner Müller oder der Prenzlauer-Berg-Szene, wurde in Frage gestellt, womit ihr letzter Rest herübergeretteter Identität, die kritische Haltung gegenüber dem nun zusammengebrochenen System, destruiert wurde.

Dabei hatte der politische und strukturelle Systemwechsel schon genug interne Gründe für eine „erschütterte Identität"[251], wie Julia Kormann es nennt, geliefert. Zwei Hauptphänomene werden in diesem Kontext beschrieben: Einmal die Wahrnehmung einer „enteilenden Zeit"[252], die sich durch die „verändernde Realität" zu „beschleunigen" scheint und zu der sich das Individuum verhalten muss. Zum Anderen erfolgte ein „Wechsel der Zeichen und Symbole" und „ersetzte das untergegangene Zeichensystem durch eine ihm diametral entgegengesetzte Sinnstiftung, in der, was zuvor gut und richtig war, als schlecht erschien"[253]. In Hilbigs *Provisorium* ist z.B. die allgemeine Zeit- und Orientierungslosigkeit, der „Überfluss an Zeichen"[254], nur die Zuspitzung dessen, was der thematisierte Bedeutungswandel von Werten wie „Freiheit" darstellt. Solche Veränderungen der Zeit- und Raumwahrnehmung und des Zeichen- und Symbolsystems zu verarbeiten, bedeutet einen Verlust identifikatorischer Bindungen. Kormann bezieht sich auf Charles Taylor[255], wenn sie durch diese strukturellen Veränderungen eine „Identitätskrise", eine

---

248 Iris Radisch: Deutsche Literatur der neunziger Jahre in Ost und West. In: Text und Kritik. IX. 2000, S. 15.

249 Ebd. S. 17.

250 Ebd. S. 16.

251 Julia Kormann: Literatur und Wende. Ostdeutsche Autorinnen und Autoren nach 1989. Hrsg. Klaus Michael Bogdal, Erhardt Schütz, Jochen Vogt. Wiesbaden. 1999.

252 Ebd. S. 180.

253 Ebd. S. 186.

254 Vgl. zweiter Teil: Hilbig, die Krisensymptome aus: Das Provisorische als Ich-Krise eines Er.

255 Charles Taylor: Quellen des Selbst. Die Entstehung der neuzeitlichen Identität. Frankfurt/Main 1996.

„Erschütterung der personalen Identität" für die ostdeutschen Autoren feststellt –
„und zwar unabhängig davon, ob eine politische Identifikation mit der DDR vorhanden, nur ambivalent vorhanden, oder nicht existent war"[256]. Die Zeiten nach
1989 waren verwirrend und anstrengend. Emmerich meint hierzu: Gleichzeitig „Alt-
Erfahrungen" abarbeiten zu müssen und Neuorientierungen vorzunehmen hat in
„den besten Fällen" dazu geführt, „eine Sinnkrise [zu artikulieren] statt neuerlich
und vorschnell Sinn zu stiften"[257].

In Folge einer solchen Situation schließt Kormann dann auf eine Tendenz vom
anfänglichen euphorischen „Wir" der Wende zu einem sich singularisierenden
„Ich"[258], in der die Vielzahl an damit einhergehenden Fragen lediglich in dem Interesse besteht, „sich selbst die Vergangenheit zu erklären und anderen verständlich
zu machen"[259]. Eine „unheimliche Suche nach der deutschen Identität" beschreibt
auch Scholz, wenn sie eine „neue Unversöhnlichkeit" konstatiert, die viel damit zu
tun habe, „wie über das Leben in der DDR und in der Vergangenheit reflektiert
wird"[260].

Ambivalenzen in der Selbstwahrnehmung, die in Ostdeutschland nach 1989 zum
Schreibanlass werden, werden von westdeutscher Seite ebenfalls bemerkt. So konstatiert Wehdeking 1995 für Romane der mittleren DDR-Generation, wie Christoph
Hein, Monika Maron, Brigitte Burmeister und Wolfgang Hilbig, ein „‚schizophrenes‘
Lebensgefühl gestohlener Jahre und ein im besten Fall fortbestehendes Engagement
für Sartres ‚größtmögliche Freiheit aller‘ […], das man im neuen Rahmen bundes-
deutscher Gemeinsamkeit mit einbringen will"[261]. Das Bemühen, die eigene
Identität und Erkenntnisse aus der Vergangenheit wieder zu integrieren, wird mit
den damit einhergehenden Schwierigkeiten auch von außen registriert. Dass als
Effekt das Strukturieren von Vergangenheit und Gegenwart gleichzeitig stattfindet,
wird vielseitig als „Pathos der freiwilligen Geständnisse nach der Wende"[262] oder
„Schuld und Schuldbewältigung in der Wendeliteratur"[263] beschrieben.

Ob nun die Identität durch die Veränderungen strukturell „erschüttert" wurde,
im deutsch-deutschen Literaturstreit in Frage gestellt, oder letztendlich überfordert
war in dem schwierigen Versuch, Vergangenheit und Gegenwart miteinander zu
verbinden, sei dahingestellt. Vielseitig konstatiert wurde, dass eine erschütterte
Identität generell das Schreiben der ostdeutschen Autoren nach der Wende beeinflusste.

---

[256] Alles ebd. Kormann. S. 192.
[257] Wolfgang Emmerich: Kleine Literaturgeschichte der DDR. Erweiterte Neuausgabe. Leipzig. 1996, S. 478.
[258] Vgl. ebd. S. 213.
[259] Ebd. S. 392.
[260] Hannelore Scholz: Die unheimliche Suche nach der deutschen Identität. Reflexionen über die „Wende"
acht Jahre danach. In: Zeitstimmen. Betrachtungen zur Wende-Literatur. Hrsg. Hannelore Scholz u.a.. Berlin.
2000, S. 18.
[261] Volker Wehdeking: Die deutsche Einheit und die Schriftsteller. Literarische Verarbeitung der Wende seit
1989. Stuttgart, Berlin, Köln. 1995, S. 10.
[262] Hyonseon Lee: Geständniszwang und 'Wahrheit des Charakters' in der Literatur der DDR. Stuttgart/Weimar.
2000. S. 439.
[263] Angelika Walser: Schuld und Schuldbewältigung in der Wendeliteratur. Ein Dialogversuch zwischen
Theologie und Literatur. Mainz. 2000.

Melancholie oder Trauer?

Angesichts dieser vielseitig konstatierten Identitätskrise der ostdeutschen Autoren und Autorinnen scheiden sich die Geister vor allem hinsichtlich der Interpretation dieses Phänomens in Bezug auf die ostdeutsche Vergangenheit. Wolfgang Emmerich brachte bald Freuds Begriff der „Melancholie"[264] in die Diskussion. Andererseits wird von „Trauerarbeit"[265] gesprochen.

Emmerich argumentiert mit Freud wie folgt:

> „Von der Trauerarbeit unterscheidet die Melancholie als ‚krankhafte Disposition' [...], daß das verlorengegangene Liebesobjekt ‚durch eine halluzinatorische Wunschpsychose' festgehalten wird; anders gesagt: daß der Melancholiker den Verlust des Objekts seiner Begierde (in diesem Fall eines ideellen, des utopischen Sozialismus) nicht wahrhaben will. [...] Die Folge ist nach Freud, möglicherweise eine ‚außerordentliche Herabsetzung des Ichgefühls'; eine tiefe Kränkung, die sich im schlechtesten Fall in Ressentiment verwandelt. [...] Wie auf Dürers berühmtem Stich ‚Melancholia I' saßen sie inmitten eines Chaos von zerstreuten Dingen, deren Nutzen nicht mehr auszumachen war – enttäuscht, heillos, wissend und blicklos zugleich, nachdem sich die Welt nicht mehr mit den vertrauten Werkzeugen *more geometrico*, sprich: marxistisch, ausmessen ließ."[266]

Den DDR-Schriftstellern wurde damit ein krankhafter Ich-Verlust bescheinigt. Abgesehen davon, dass Freud die „halluzinatorische Wunschpsychose" eigentlich den Trauernden bescheinigte und nicht den Melancholikern[267], trifft auch die von ihm beschriebene Heilung kaum auf die ostdeutschen Schriftsteller zu. Demnach müsste das Ich nach der melancholischen Phase „sich als das Bessere, als dem Objekt überlegen" empfinden, was mit der fortdauernden Betonung der ostdeutschen Herkunft dieser Schriftsteller nicht einhergeht. Diese Fixierung auf das Pathologische hat schnell Widersprüche provoziert. So untersuchte Geisenhanslüke sogenannte Wenderomane, beispielsweise wie in *Unter dem Namen Norma* von Brigitte Burmeister der „Abschied von der DDR"[268] in Form eines Freundschaftsbundes vollzogen wurde, oder wie Monika Marons *Stille Zeile Sechs* mit den Gründervätern der DDR abrechnete. Die aus dieser Literatur herausgefilterten komplexen und unterschiedlichen Diskurse scheinen dabei wenig mit „Melancholie" zu tun zu haben. Und so schlussfolgert Geisenhanslüke etwas brüsk: „Die Melancholie, die Emmerich [...] hervorhebt, scheint vielmehr die des Kritikers zu sein, dem mit dem Verschwinden der DDR auch der eigene Gegenstand abhanden kommt."[269]

Gleichzeitig wird auch viel von „Trauerarbeit" geredet, Trauer, die Freud mit dem „Verlust am Objekt"[270] im Gegensatz zum melancholischen Ich-Verlust definiert. „Abschied und Anfang" bezeichnen nach Kormann die Oszillationspole der Literatur

---

264 Sigmund Freud: Trauer und Melancholie. Essays. Berlin. 1982.
265 Vgl. Julia Kormann: Literatur und Wende. a.a.O. S. 120.
266 Wolfgang Emmerich: Kleine Literaturgeschichte der DDR. Erweiterte Neuausgabe. Leipzig. 1996, S. 460.
267 Sigmund Freud: Trauer und Melancholie. a.a.O. S. 57.
268 Achim Geisenhanslüke: Abschied von der DDR. In: Text und Kritik. IX. 2000. S. 80.
269 Ebd. S. 90.
270 Sigmund Freud: Trauer und Melancholie. a.a.O. S. 36.

nach 1989, womit sie „Stadien im Prozeß der Trauerarbeit"[271] darstellen. Auch Gert Neumanns zehnjährige Schreibpause spräche für eine solche Begründung. Meyer-Gosau perspektiviert diese Form von Leiden dagegen als „Ost-West-Schmerz"[272]:

> „Das Leben unter westlichen Bedingungen fügt den alten Verletzungen nicht nur neue hinzu, es lässt vielmehr die früheren in den neuen wieder aufleben."[273]

Diese Beobachtung macht sie u.a. bei Wolfgang Hilbigs *Provisorium*, dessen „autobiographisch geprägte" Hauptfigur von der „Ost-Erfahrung [...] in ihrer gegenwärtigen Gestalt und Verfassung buchstäblich gezeichnet"[274] wurde.

Ob nun „Melancholie", „Trauer" oder „Ost-West-Schmerz", die verschiedenen Ansätze diagnostizieren alle eine Art Leiden, das neben einer „erschütterten Identität" das Schreiben nach 1989 beeinflusste. Die Veränderungen werden als ein schwieriger Prozess thematisiert, wobei immer wieder eine unterbrochene Kontinuität zwischen Vergangenheit und Gegenwart ausschlaggebend ist. Auch die schon benutzte Phrase einer ‚Erfahrung des Bruchs' beschreibt die internen Veränderungen, die die Autoren literarisch für sich produktiv machen. Und so ist es fast eine Art „Leidschatz"[275] wie ihn Aleida Assmann als Erinnerungsraum und kreatives Potential der zeitgenössischen Kunst beobachtet, der für das Schreiben nach 1989 produktiv gemacht wird.

Ost-West-Diskurse in der Literaturkritik

Polarisierungen innerhalb der Literaturkritik

Auch nach der Blütezeit der deutsch-deutschen Literaturdebatte werden Unterschiede und Gemeinsamkeiten aus ost- und westdeutscher Sicht weiterhin thematisiert. Dabei unterscheiden sich die Meinungen über ostdeutsche Literatur an sich als auch über die Art ihrer Bewertung.

So beobachtet Wehdeking „zehn Jahre nach der Maueröffnung" zwar zeitweilige „Ungleichzeitigkeiten" für die Literatur in Ost und West, stellt aber doch zunehmende „ästhetische Konvergenzen im literarischen Feld"[276] fest. Er verzeichnet eine Konjunktur für die ostdeutsche Literatur, wobei ihm die dreimal höhere Zahl an Verlagen „als vor der Wende"[277] oder der Erfolg der Leipziger Buchmesse als Indizien gelten. In einer Mischung aus anerkannter Eigenheit der ostdeutschen Literatur und einem „Wiederaufeinanderbezogensein der beiden Deutschland in einem literarischen Feld"[278] resümiert er:

---

[271] Julia Kormann: Literatur und Wende. a.a.O. S. 121.

[272] Frauke Meyer-Gosau: Ost-West-Schmerz. Beobachtungen zu einer sich wandelnden Gemütslage. In: Text und Kritik. IX. 2000. S. 5.

[273] Ebd. S. 11.

[274] Ebd. S. 10.

[275] Vgl. Teil 1: Aleida Assmann: Erinnerungsräume. Formen und Wandlungen des kulturellen Gedächtnisses. München. 1999.

[276] Volker Wehdeking: Mentalitätswandel im deutschen Roman zur Einheit (1990-2000). In: Mentalitätswandel in der deutschen Literatur zur Einheit (1990-2000). Hrsg. Volker Wehdeking. Berlin. 2000. S. 29.

[277] Ebd. S. 24.

[278] Ebd. S. 38.

„Die in den späten 90er Jahren als eigenständige ästhetische Tradition – aber noch längst nicht in ihren Themen – ins bundesdeutsche literarische Feld aufgegangene DDR-Literatur wird ihre weiterschreibenden Autor(inn)en als Hinterbliebene eines gescheiterten Systems samt seinem Nachhall an Spannungen und Ungleichzeitigkeiten noch lange beschäftigen."[279]

Radisch unterstreicht dabei die Vorstellung „getrennter Literaturgebiete"[280] in den neunziger Jahren in Ost und West. Angesichts von Autoren wie Hilbig, Neumann oder Reinhard Jirgl, die angeblich einer „negativen DDR-Heimat-Literatur"[281] huldigen, stellt sie fest:

„Im Osten gibt es eine poetische, tragische, im besten Sinn politische Literatur, die nicht Stellung bezieht, aber durch machtvolle Bergwerksarbeit ihrer originellen und expressiven Sprache deutsche Wirklichkeit decouvriert, dekonstruiert, destabilisiert – mit einem Wort: literarisch kommentiert. Diese Literatur ist in einem beinahe vergessenen Sinn gesellschaftskritisch."[282]

Während der eine die Gemeinsamkeiten, die andere die Unterschiede betont, so sind sich doch beide einig in Bezug auf die politische, gesellschaftskritische Tendenz im ostdeutschen Literaturgebiet. Die Verarbeitung der Vergangenheit wirkt dabei initiierend, gleichzeitig steht jedoch die Art und Weise der Auseinandersetzung zur Disposition.

Wie schon Kormann betont, sind „die in der 40jährigen Geschichte der Trennung von BRD und DDR entstandenen Besonderheiten, die etwa in der Semantik von Begriffen wie ‚Demokratie', ‚Sozialismus', ‚Freiheit', ‚Frieden' und anderen offensichtlich ist"[283], ausschlaggebend für die Schwierigkeiten in der Kommunikation. Daher macht es weder Sinn, wenn die eine Seite meint, „[s]ie sind nicht nur Besserwessis – sie wissen es tatsächlich meistens besser"[284] und die andere von einer „vereinnahmenden Westperspektive"[285] spricht.

Neukontextuierung der Geschichte als Kriterium für ostdeutsche Literatur

Angesichts solcher Differenzen entsteht das Bedürfnis, die literarischen Tendenzen als losgelöst von jeglicher Ost-West-Konstellation zu betrachten. Bogdal sieht daher den Schlüssel für die Gegenwartsliteratur nicht in den Ereignissen um 1989, „sondern in den 70er Jahren [...], als ‚Abschied von den Kriegsfilmen' [...], die ‚Neue Subjektivität' oder ‚Tendenzwende und Stagnation'"[286]. Bestimmt durch das Inte-

---

[279] Ebd. S. 41.
[280] Iris Radisch: Zwei getrennte Literaturgebiete. Deutsche Literatur der neunziger Jahre in Ost und West. In: Text und Kritik. IX. 2000. S. 13.
[281] Ebd. S. 23.
[282] Ebd. S. 26.
[283] Julia Kormann: Literatur und Wende. a.a.O. S. 45.
[284] Wolfgang Emmerich: Im Zeichen der Wiedervereinigung: die zweite Spaltung der deutschen Literatur. In: Die andere deutsche Literatur. Opladen. 1994. S. 220.
[285] Hans Peter Hermann: Der Platz auf der Seite des Siegers. Zur Auseinandersetzung westdeutscher Literaturwissenschaft mit der ostdeutschen Literatur. In: Baustelle Gegenwartsliteratur. Die neunziger Jahre. Hrsg. Andreas Erb. Wiesbaden. 1998. S. 33.
[286] Klaus Michael Bogdal: Klimawechsel. Eine kleine Meteorologie der Gegenwartsliteratur.

resse der Rezipienten würde die Gegenwartsliteratur immer pluralistischer und bediene lediglich die jeweiligen sozialen Milieus, wobei die engagierte Literatur längst nicht mehr so wahrgenommen werde.

Dass die Veränderungen der Wende nicht einzig ausschlaggebend für die Formen der Gegenwartsliteratur sind, sei unbestritten. Allein die Tatsache, dass Literatur und Literaturkritik die Verarbeitung der gesamtdeutschen Vergangenheit thematisieren, ergibt keinen neuen, spezifischen Nachwendediskurs. Und doch handelt es sich nun um einen neuen Kontext, der auf verschiedenste Weise diagnostiziert wird. So bezeichnet Kormann die deutsch-deutsche Literaturdebatte als „noch nicht abgeschlossene Trauerarbeit" auch der nationalsozialistischen Vergangenheit, „was die emotionale und moralische Emphase der Argumentation erklären könnte"[287]. Wehdeking geht sogar soweit, die Auffächerung der Traditionsstränge in Deutschland seit etwa 1985 mit den „Aporien der frühen Nachkriegsliteratur (1945-1952) in einer Kontrafaktur [zu] vergleichen: was damals getrennt wurde, wächst nun ungeachtet aller Rückschritte wieder zusammen."[288]. Aber gerade Bezüge wie die von Kormann oder Wehdeking funktionieren nicht ohne die historischen Eckdaten von Wende und Wiedervereinigung. Daher mag die Tradition der Vergangenheitsverarbeitung innerhalb der engagierten Literatur schon sehr alt sein, der Zusammenhang, in dem sie seit 1989 steht, ist ein neuer. Wenn also Hilbig im *Provisorium* mit den unausgepackten Kisten „Holocaust & Gulack" auf ein ‚Jahrhundertprovisorium' anspielt, so geschieht dies aus der Wahrnehmung eines Ostdeutschen, der in Westdeutschland eine neue Form der Vergangenheitsverarbeitung antrifft.

Die Perspektivierung der Ost- und Westliteraturkritik relativiert ihren Gegenstand, die ostdeutsche Literatur. Sie ist vergleichsweise „gesellschaftskritisch", sie ist „Ungleichzeitigkeiten seit 1989" ausgesetzt und besitzt eine ältere ästhetische Tradition, als das Jahr 1989 markieren könnte. Und doch impliziert ein schon traditionelles Thema wie die gesamtdeutsche Vergangenheit, dass der neue Kontext nach 1989 den literarischen Gestus ebenfalls neu färbt. Allein die Tatsache, dass bei Preisverleihungen innerhalb der letzten zehn Jahre an ostdeutsche AutorInnen die DDR „als Bezugsgröße präsent"[289] blieb, zeigt, dass das Bewusstsein um die ostdeutsche Vergangenheit auch auf gesamtdeutscher Ebene doch eine Rolle spielt.

Post-DDR-Literatur

Begriffsbeschreibung

Der Begriff ‚Post-DDR-Literatur' findet erst bei Walter Schmitz, der sich gezielt mit Hilbig, Neumann oder Ingo Schulze auseinandersetzt, seine wirklich kategorische Anwendung. Ohne eine konkrete Definition zu liefern, wird dieser Begriff aus Beschreibungen konstruiert wie eine „Erfahrungsgemeinschaft"[290], die mit ost-

---

[287] Julia Kormann: Literatur und Wende. a.a.O. S. 98.

[288] Volker Wehdeking: Mentalitätswandel im deutschen Roman zur Einheit. a.a.O. S. 29.

[289] Roland Berbig: Preisgekrönte DDR-Literatur nach 1989/90. In: Text und Kritik. IX/00, S. 205.

[290] Walter Schmitz: Der verschwundene Autor als Chronist der Provinz. Ingo Schulzes Erzählprosa in den 90er Jahren. In: Mentalitätswandel in der deutschen Literatur zur Einheit (1990-2000). Hrsg. Volker Wehdeking. Berlin. 2000. S. 133.

deutscher Herkunft „vom Ansatz her [...] irgendwie ähnlich"[291] schreibt. Schmitz selbst arbeitet mit Zitaten wie der Formulierung von Geiger: „eine Art Regionalliteratur, die sich jetzt nicht am Staatssystem ausrichtet, aber an der Herkunft"[292]. Schmitz selbst gibt dabei eine mögliche, jedoch nicht ausschließliche Charakterisierung an: Angesichts des Romans *Das Provisorium* redet er von der „Narrenfreiheit"[293], dem „,Eulenspiegel der Mediengesellschaft' [...]; denn Hilbig hält den östlichen wie den westlichen Redeordnungen einen entlarvenden ,Spiegel' vor"[294].

Dass in der Umschreibung des Begriffes ,Post-DDR-Literatur' nicht von „Heimat" sondern von „Herkunft" die Rede ist, macht auch innerhalb der von Kormann analysierten Unterscheidung Sinn. Gemeint sind „vielmehr Regionen, deren ,Wesen' und ,Historie' für die Identitätskonstruktion relevant sind, sowie sprachliche Gemeinschaften, die Assoziationen wecken oder die mit Kindheitserinnerungen verbunden sind"[295]. Dabei handelt es sich keineswegs um einen „Ort idyllischer Regression", da eher „Fremdheit in der ,Heimat' ästhetisch oder thematisch reflektiert"[296] werde.

Die von Wehdeking beobachteten „Ungleichzeitigkeiten" als „Nachhall der Hinterbliebenen eines gescheiterten Systems" (s.o.) mögen recht pathologisch formuliert sein, weisen aber ebenfalls in die Richtung eines spezifischen Herkunft- und Vergangenheitskontextes. Auch die schon erwähnte „negative DDR-Heimat-Literatur", mit Jirgl, Hilbig oder Neumann, steht für solche Wahrnehmungen. Allerdings ignoriert dieser Begriff die Ebene ihrer Auseinandersetzung mit der bundesdeutschen Wirklichkeit gänzlich.

Der zeitliche Abstand zum Leben in der DDR ist für die Post-DDR-Literatur wichtig. In Schmitz, Terminologie ist nicht nur ein Rückbezugsgestus enthalten, sondern eher eine mit Herkunft und Vergangenheit definierte Position, aus der heraus die Gegenwart beleuchtet wird. Dazu kommt der in dieser Arbeit analysierte autothematische Gestus. Auch wenn eine solche Kategorie wohl für jede Form der Literatur wirksam wird, ist doch die Verbindung zwischen Fiktion, Identität und Autobiografie, wie sie in den Romanen *Das Provisorium* und *Anschlag* zum Ausdruck kommt, unabweisbar. Die literarische *Verarbeitung* – im doppelten Sinne des Wortes – ostdeutscher Identität in Form autothematischen Schreibens kann als ein Kriterium für die Post-DDR-Literatur gelten.

Zumindest lässt sich nach Berbig für die letzten Jahre in den neuen Bundesländern ein Trend zu einer „eigenständige[n] Preislandschaft" verzeichnen:

> „...in der regionale Akzente dominieren und eine eigene damit korrespondierende DDR-Mentalität erkennbar wird, der der Wunsch, die eigene kulturelle Identität zu wahren, eingeschrieben ist"[297].

Die Post-DDR-Literatur korrespondiert also wiederum mit einem aktuellen Bedürfnis, das ihrer Thematik auch Nähe zur Gesellschaft verleiht.

---

[291] Taz-Zitat Thomas Brussig ebd.

[292] Walter Schmitz: Ost-West-Passagen in der Erzählprosa Wolfgang Hilbigs. In: Mentalitätswandel... a.a.O. S. 113 zitiert Thomas Geiger im Gespräch mit Ingo Schulze: Wie eine Geschichte im Kopf entsteht. In: Sprache im technischen Zeitalter 37/1999, S. 108-123.

[293] Ebd. S. 131.

[294] Ebd. S. 132.

[295] Julia Kormann: Literatur und Wende. a.a.O. S. 165.

[296] Ebd.

[297] Roland Berbig: Preisgekrönte DDR-Literatur nach 1989/90. In: Text und Kritik. IX/00, S. 205.

Letztendlich zählt wohl die ostdeutsche Perspektive als weiterer Begriffsbestand-teil. Erst wenn eine ostdeutsche Identität oder Post-DDR-Identität sich artikuliert, kann von einer Post-DDR-Literatur gesprochen werden. Ein Wenderoman dagegen kann auch aus einer westdeutschen Perspektive geschrieben werden. Dabei gilt Post-DDR-Literatur lediglich als Ausdruck eines Phänomens ostdeutschen Schrei-bens nach 1989. Die Erfahrung einer erschütterten Identität oder eines Bruchs sowie die Tatsache, dass die ostdeutsche Literatur eine neue Perspektive bietet, die den Blick auf die gesamtdeutsche Vergangenheit durch den ostdeutschen Blick ergänzt, ergeben schon rein strukturelle Kriterien für die Post-DDR-Literatur. Ob nun intern durch Begriffsbeschreibungen oder extern durch die literarischen Entwicklungen seit 1989, das, was am Ende Post-DDR-Literatur darstellt, entspringt keinem Programm und wirkt deshalb keineswegs programmatisch.

Post-DDR-Literatur – eine ästhetische Kategorie?

Gegen eine solche Einteilung der Post-DDR-Literatur spräche sich Walther aus, der Begriffen wie „,DDR-Literatur' nicht jenes Maß an semantischer Kraft" zugesteht, „um den Kern eines literaturhistorisch haltbaren Begriffs zu bilden." Sobald die „Eigengesetzlichkeit ästhetischer Entwicklungen in den Vordergrund" gestellt würde, „hat es – zum Leidwesen aller Institutionen, die sich professionell damit beschäftigen – eine ,DDR-Literatur' ohnehin nie gegeben." Auf diese süffisante Art beendet er seinen Artikel, der sich allerdings nicht mit ostdeutscher Literatur, son-dern eigentlich mit dem „vermeintlichen Fortleben ostdeutscher Literaturkritik"[298] befasst.

Die Eigengesetzlichkeit ästhetischer Entwicklungen hat auch schon Bogdal betont[299]. Sie wurde in diesem Zusammenhang durch neue Kontextuierungen nach 1989 als *relativ* wahr erkannt. Das, was die ,Post-DDR-Literatur' auszeichnet, ist die Perspektive und die Themenwahl, ästhetische Kategorien lassen sich bisher nur par-tiell festmachen. Schmitz' „Narrenfreiheit" oder „Karnevalisierung" lassen allerdings den Übergang zwischen Perspektive und ästhetischen Praktiken fließend werden. Radisch verwendet sogar eindeutig ästhetische Begriffe: „poetisch", „tragisch", „poli-tisch", „expressive Sprache".

Hilbig und Neumann

Und doch, betrachtet man die in dieser Arbeit behandelten Texte von Hilbig und Neumann, so scheinen deren ästhetische Prinzipien der Vorwendezeit zu entstam-men. Neumanns ästhetischer Widerstand gegenüber Sprache und Denkweisen und seine Suche nach Wahrheit in eigenen Formulierungen und Denkmustern, ist schon vor 1989 entstanden. Ebenso verhält es sich mit Hilbigs Ästhetik des Hässlichen, mit der er Wirklichkeit und Wahrnehmungsmuster ständig unterminiert.

---

[298] Peter Walther: Es gibt nur gute und schlechte Kritiken. Vom vermeintlichen Fortleben ostdeutscher Literaturkritik. In: Text und Kritik. IX. 2000, S. 215.
[299] Vgl. Klaus Michael Bogdal: Klimawechsel. Eine kleine Meteorologie der Gegenwartsliteratur.

Allerdings ließen sich diese Prinzipien auf eine bestimmte Ausgangssituation zurückführen. Möglicherweise wäre Hilbig nicht so lange Heizer gewesen in einem demokratischeren System als der DDR, das unliebsame Wahrnehmungen weniger systematisch unterdrücken konnte. Und vielleicht hätte Neumann in einer offeneren Politlandschaft keinen Ausschluss aus dem Literaturinstitut erfahren. Und ohne diese Begegnungen mit der Macht hätte sich vielleicht das widerständische, subversive Potential gegenüber Sprache und Wahrnehmungen nie so stark ausgeprägt. Die Herkunftsspezifik dieser Prinzipien mag also sein. Dass spezifische Milieus spezifische Rezipienten produzierten und umgekehrt, davon geht auch Bogdal aus[300].

Wie allerdings aus den Textanalysen ersichtlich wurde, haben *Das Provisorium* und *Anschlag* ihr poetisches Programm zum Titel. Auf der einen Seite intuitiv, auf der anderen Seite rational, widmen sich beide neuen, wiederum ‚gesellschaftskritischen‘ Themen. Mit den poetischen Verfahren der Subversion oder des Widerstandsprinzips von vor 1989, wird nun in den genannten Texten ostdeutsche Identität als *abwesend* beschrieben oder in ihrem „Verfall" *angeschlagen*.

Es erscheint selbstverständlich, die einmal entwickelte Ästhetik neu zu aktivieren. Gerade dann, wenn sie im neuen System auch funktioniert. Jedoch gewinnt dieser so selbstverständliche Rückgriff noch eine zusätzliche Nuance. Die Identität, die durch die Veränderungen und Brüche so derartig ‚erschüttert‘ wurde (s.o.), findet nun wieder einen Anschluss zu ehemals Etabliertem. Eine Kontinuität wird wieder hergestellt, und der Gestus erhält innerhalb der neuen Strukturen plötzlich ein besonderes Gewicht. In Form eines wiedergewonnenen Selbstbewusstseins, einer Art Wiederaufwertung des Eigenen, wird sich nun auch noch den eigenen Themen gewidmet. Beide Romane thematisieren die Ostidentität im westlichen System. So wird also doppelt der Post-DDR-Identität gehuldigt: Zum Einen, indem die vor 1989 entwickelte Ästhetik reaktiviert wird, zum Anderen, indem diese Ästhetik sich die eigene Ostererfahrung und die damit verbundene aktuelle Wahrnehmung wieder zum Thema macht.

Post-DDR-Literatur als ästhetische Kategorie konstituiert sich hier aus der Ästhetik des Vorherigen, zumindest bei Neumann und Hilbig. Diese Ästhetik aus dem Osten für die ostdeutsche Identität, hat zudem, wie schon erwähnt, einen widerständischen, subversiven Gestus.

4.2 Der politisch-gesellschaftliche Hintergrund der ostdeutschen Identität

Wie schon in Teil 1 dieser Arbeit erklärt, ist das, was eine ostdeutsche Identität ausmacht, kaum festzuschreiben. Und doch ist die ostdeutsche Identität ein Phänomen, das sich nicht nur in literarischen Texten findet. Eben darum soll es im folgenden Kapitel gehen. Dabei geht es um die Dynamik, die Hilbigs und Neumanns Texte produzieren: das Changieren zwischen einer „Literarisierung der Politik" und einer „Politisierung der Literatur"[301], also unter anderem der „Literarizität der Politik"[302].

---

300 Vgl. Klaus Michael Bogdal: Klimawechsel. Eine kleine Meteorologie der Gegenwartsliteratur.
301 Jörg Lau: Der politische Roman. Literatur und Politik – Über das Unbehagen an einer Fragestellung. In: moosbrand. neue texte. Heft 5. Berlin. 1997, S. 64.
302 Ebd.

Die ostdeutsche Identität zwischen Text und Gesellschaft

Hilbig und Neumann problematisieren ihre ostdeutsche Vergangenheit im heutigen, westdeutschen Rahmen und betonen dabei leicht unterschiedliche Aspekte: Neumann den *Umgang mit dieser Vergangenheit*, Hilbig den Bruch mit ihr und die so entstandene *Herkunftslosigkeit*. Beides findet seine aktuellen Resonanzen auf gesellschaftlicher Ebene und beleuchtet sie sogar spezifisch.

Umgang mit der ostdeutschen Vergangenheit

> „Dieses Urteil über den Geist der Geschehen in Vergangenheit nach der, möglichen, Selbstvollendung einer Diktatur, dem in meiner Erfahrung verbaldemokratisch empfindenden Verstehen in der Gegenwart wirklich nahezubringen..."
> – aus dem abschließenden Traktat über „Die Rechte des Erzählens" in *Anschlag* (A, 261)

Wenn es in Neumanns Roman *Anschlag* um die Suche nach Wahrheit geht, dann ist damit vorrangig die erzählerische Darstellung der vergangenen Geschehen im neuen System, dem „verbaldemokratisch empfindenden System in der Gegenwart", gemeint. Dabei wird die Wahrnehmung der anderen, westdeutschen Seite, weniger ausgeführt[303]. Dagegen wird, wie schon in Teil 2 der Arbeit dargestellt, von einem „Wiederverfall der ostdeutschen Vergangenheit" (A, 16) gesprochen. Angesichts dieser Diagnose soll ein Verstehen in der neuen Welt oder beim Anderen bewirken, dass die tieferen Schichten dieser Vergangenheit an die Oberfläche kommen. Daraufhin werden soziale Prägungen vor dem Anderen (und dem Leser) ausgebreitet und die spezifische Situation des Erzählers in Bezug auf die ostdeutschen Machtstrukturen bis ins Detail analysiert. Der „Wiederverfall" steht daher für die Missverständnisse im gegenwärtigen Austausch, dem Erzählen und dem Deuten.

Daniela Dahn betont ein ähnliches Problem im Umgang mit der ostdeutschen Vergangenheit, wenn sie bemängelt, dass in den Schulen nur westdeutsche Geschichte gelehrt werde. Mit Neumanns Worten werden demnach die ‚Angelegenheiten des Sehens' von westdeutscher Seite dominiert. Ironisch schlussfolgert sie:

> „So hat das Ganze auch sein Gutes: Die nützliche Tradition des Mißtrauens gegenüber staatlich verordneten Bildern wird weiter gepflegt."[304]

Wenn auch damit für die Ostdeutschen die ehemalige Tradition des Widerstands gegenüber staatlichen Institutionen reaktiviert würde, so bliebe doch der Erkenntnisstand für Gesamtdeutschland defizitär. Es fehle an einer ehrlichen ostdeutschen Geschichtsschreibung, was Dahn resümieren lässt:

> „Ich wünsche mir ein ‚Nationales Institut für vergleichende deutsche Nachkriegsgeschichte'. [...] Ängstlichkeit ist hier nicht am Platze. Die Geschichte hat

---

[303] Es sei denn, der Ich-Erzähler spitzt die Auffassungen des Anderen ironisch zu: „Das Leben im Osten war in weltmoralischen Dingen das reinste Lotterleben, wenn man den Daseinsernst der westlich daneben vergehenden Erdentage zu bedenken versuchte." (A, 232)

[304] Daniela Dahn: Vereintes Land – geteilte Freude. Für eine ehrliche Geschichtsschreibung auf beiden Seiten. In: Zur Lage der Nation. Leitgedanken für eine Politik der Berliner Republik. Berlin. 2001. S. 14.

sich entschieden. Nun muss sich nur noch die Geschichtsschreibung entscheiden."[305]

„Die Rechte des Erzählens" aus Neumanns *Anschlag* finden im Plädoyer für angemessene Geschichtsschreibung ihren Widerhall. Auch für den Erzähler sind die verschiedenen „Möglichkeiten des Sehens" der Ausgangspunkt, die eigene Geschichte zu erzählen.

Dass die Ostdeutschen ihre Geschichte noch nicht selbst erzählen können, wird auch mit der fehlenden Gleichstellung des Ostens auf gesamtdeutsch politischer Ebene begründet. Verschobene Wahrnehmungen würden die „Legende" etablieren, nach der die „Ostdeutschen" nach dem Mauerfall „die Einwilligung in die bedingungslose Kapitulation"[306] gegeben hätten. Die „Beobachtung, Deutung oder Analyse durch Fremde, in unserem Fall westdeutsche Medien" bewirke eine „Blockade der Ost-West-Kommunikation" und „das Fehlen von Selbstkontrolle"[307]. Die „Deutungshoheit" über die ostdeutsche Identität sei immer noch nicht in den Händen der Ostdeutschen. Und so heisst es:

> „Politische Anerkennungsfragen sind vermutlich der Schlüssel zur Überwindung der Einigungskrise."[308]

Mühlberg generalisiert eine solche Sichtweise, indem er schreibt:

> „Im Falle der Ostdeutschen ist das überindividuelle Instrument und Medium der kulturellen Annäherung ihre eigene Kultur – als System von Repräsentationen und Praktiken, mit dem Bedeutung produziert, Identität konstituiert und Sinn verliehen wird – erst rudimentär ausgebildet. Ihr Funktionieren würde die Ostdeutschen wirklich gleichstellen und sie zu Agenten eines Akkulturationszusammenhangs machen, in dem sie kulturell ‚verhandlungsfähig' sind."[309]

Wenn Neumann die „Alleinherrschaft in den Fragen des Sehens" als Macht beschreibt, so lässt sich darunter auch die Deutungshoheit über die ostdeutsche Vergangenheit verstehen.

Die Notwendigkeit zu erzählen entspringt aber nicht nur einem Widerstand gegenüber festgefahrenen Deutungsmustern, sondern auch einem persönlichen Bedürfnis. In dem „Versuch, mir und anderen die ostdeutsche Moral zu erklären" betont Simon:

> „Eigentlich erzähle ich mir nochmal mein Leben – um den Boden, auf dem ich stehe, abzuklopfen."[310]

Wenn also von der Verhaftung des Sohnes des Ich-Erzählers in *Anschlag* erzählt wird, so geht es dabei nicht nur um die eigene Wahrnehmung der damaligen Macht, sondern auch um die Analyse des persönlichen Involviertseins in der Auseinander-

---

[305] Ebd. S. 31.
[306] Hans Misselwitz: Die unvollendete Berliner Republik: Warum der Osten zur Sprache kommen muss. In: Zur Lage der Nation. Leitgedanken für eine Politik der Berliner Republik. Berlin. 2001. S. 37.
[307] Ébd. S. 48.
[308] Ebd. S. 35.
[309] Dietrich Mühlberg: Kulturelle Differenz als Vorraussetzung innerer Stabilität der deutschen Gesellschaft? In: 1989: Später Aufbruch – Frühes Ende? Eine Bilanz der Zeitenwende. Hrsg. Hans Misselwitz/Katrin Werlich. Potsdam. 2000. S. 256.
[310] Annette Simon: Versuch, mir und anderen die ostdeutsche Moral zu erklären. Gießen. 1995, S. 7.

setzung mit diesen Strukturen. Persönliche und strukturelle Motive stehen gleichzeitig hinter einem Plädoyer für einen angemessenen Umgang mit der ostdeutschen Vergangenheit. Eine solche Mischung drückt Christoph Dieckmann folgendermaßen aus:

> „Ich schreibe aus Verbundenheit mit meinem Gegenstand, dem Osten Deutschlands. Mich bindet Herkunft. Mich treibt Erinnerung. Ich bin nicht befangen, ich bin gefangen. Nur vom Irrtum der Interessenlosigkeit weiß ich mich frei: ich will, daß meine Welt geschrieben stehe."[311]

Der Appell für einen ‚sauberen‘ Umgang mit der ostdeutschen Vergangenheit drückt sich in *Anschlag* ebenfalls als eine Verbundenheit mit dem Osten Deutschlands aus. Der „Wiederverfall" metaphorisiert dabei ein Empfinden, dem auch die reale ostdeutsche Identität ausgesetzt ist. Und dem übergeordnet scheint das ästhetische Widerstandsprinzip des Romans zu stehen, das die Möglichkeit einer Darstellung ostdeutscher Identität theoretisch in den „Rechten des Erzählens" absteckt. So scheint es, als ob der Text die Komplexität der realgesellschaftlichen Probleme auf abstrakter (oder fiktiver) Ebene vereint und ihren Kern zu beleuchten versucht.

Herkunftslosigkeit

Im *Provisorium* von Wolfgang Hilbig scheint der Hauptkonflikt im Bruch mit der ostdeutschen Vergangenheit zu bestehen. Sich in der neuen Welt zu befinden ohne jegliche Verbindung zur alten beschreibt der autobiografisch geprägte Protagonist mit einem „Dasein ohne Herkunft" (vgl. Teil 2). Und doch werden Erinnerungen an die eigene Herkunft und eine DDR-Identität erst in den Momenten wach, in denen, wie in Paris, der Westen absoluter nicht mehr sein kann. Eben an dieser Stelle wird statt der „Leere" ein Gefühl der Minderwertigkeit beschrieben.

C's Orientierungslosigkeit spiegelt sich in Wagners Modell des „Kulturschocks"[312] wieder. Im Zusammenprall mit einer fremden Kultur werden verschiedene Stationen durchlaufen: von der „Euphorie" über die „Entfremdung" bis hin zu „Mißverständnissen", in denen Konflikte als Ergebnis kultureller Unterschiede wahrgenommen werden. Zu solchen Missverständnissen zählt er die Praxis einer negativen Orientierung an der Wahrheit zu Ostzeiten. Der eigentliche Kulturschock für die Ostdeutschen sei daher: „der Sturz in eine Welt, die Orientierung verweigert"[313]. Diese Orientierungslosigkeit wird noch verstärkt durch Beobachtungen wie die von Peter Bender, der mit der Übernahme der westdeutschen Perspektive und Geschichtsschreibung sich jedweden Rahmen ostdeutscher Wahrnehmung auflösen sieht.

> „Sogar die eigene Erinnerung geriet in Gefahr, sich im Lichte der Gegenwart zu korrigieren: War nicht schon damals alles klar oder doch zu ahnen, wie es kommen mußte?"[314]

---

[311] Christoph Dieckmann: Kindheitsmuster oder das wahre Leben im falschen. In: Das wahre Leben im falschen. Geschichten von ostdeutscher Identität. Berlin. 1998. S. 15.
[312] Wolf Wagner: Kulturschock Deutschland. Bonn. 1996. S. 30.
[313] Ebd. S. 108.
[314] Peter Bender: Die Gleichheit aller Deutschen vor der Geschichte. In: Zur Lage der Nation. Leitgedanken für eine Politik der Berliner Republik. Berlin. 2001. S. 62.

Verlorene Fixpunkte verstärken das Gefühl der Herkunftslosigkeit. Sei es in der Literatur oder der Wirtschaft, Dieckmann spricht von einer „Tabula-rasa-Privatisierung", einer „Top-down-Transplantation" im Blick auf das „im östlichen Deutschland verübte Verfahren, das sich machtpolitisch vor jedem wirksamen Einspruch und jeder eingreifenden Korrektur sicherstellte"[315]. Und dass der Verlust von Referenzrahmen ein Individuum in seiner Identität erschüttern kann, wurde schon weiter oben unter 1.2., Erfahrung eines Bruchs, erläutert.

Dieser Wandel oder Referenzrahmenentzug hinterlässt teilweise „ein Vakuum, das Gefühl, in einer Art ‚Niemandsland' oder ‚Niemandszeit' zu leben, verbunden mit diffusen Versuchen der Orientierung."[316] Die mit jedem Übergang in eine andere Kultur verbundene Entdeckung der „Bindung und Bedeutung der eigenen Herkunft"[317] ist im Falle der Ostdeutschen von jenem Bezugsrahmen abgeschnitten, den Emigranten im Rückblick auf die Heimat behalten. Insofern also selbst der Wandel unterworfen ist, erscheint der Rückbezug „grundlos" und „alternativlos"[318] und jenes Vakuum tritt hervor, in dem sich Zeit und Ort scheinbar auflösen.

Eine Herkunft, die in der gegenwärtigen öffentlichen Wahrnehmung nicht gedeckt ist, untergräbt auch die eigene Identität und das Selbstbewusstsein. Die „Entwertung vieler Biographien, weil in der DDR erworbene und in der DDR wichtige Kenntnisse und Fertigkeiten nicht mehr gebraucht wurden"[319], wird psychologisch nur als einer der Gründe genannt, die das Gefühl der Minderwertigkeit einer Gefahr „sich selbst erfüllender Prophezeiungen" ausgesetzt sehen. Brunner und Walz untersuchten die „Selbstidentifikation der Ostdeutschen 1990-1997", wobei sie der Selbstwahrnehmung als „Bürger 2. Klasse"[320] nachgingen. Verschiedene Gründe, wie „daß man sich in der Gesellschaft aufgrund mangelnder Erfahrungen nicht so gut auskennt wie andere Mitbürger" wurden gegen die „Wahrnehmung einer wirtschaftlichen Ungleichheit"[321] aufgewogen, um dann aber letzteren phänomenal schwerer zu gewichten. Und auch wenn Pollack nachweist, dass eine solche Sichtweise sehr eindimensional ist und der kulturelle Aspekt nicht ausgeklammert werden darf, so scheint doch das Minderwertigkeitsgefühl selbst weiterhin als Phänomen kultureller, ökonomischer oder anderer Gründe zu bestehen.

Auch in *Das Provisorium* wird das Mäandern zwischen Herkunftlosigkeit und Minderwertigkeit auf westdeutschem Terrain thematisiert. Mit Hilbig ließe sich sagen, dass sich das Abwesende oder Verdrängte durch Minderwertigkeitsgefühle anwesend macht. Dabei versinnbildlicht der Roman ein Provisorium ostdeutscher Identität, das die Dauerhaftigkeit eines solchen Zustandes in Frage stellt.

---

315 Friedrich Dieckmann: Top down oder bottom up? Zum Prozess der deutschen Vereinigung. In: Zur Lage der deutschen Nation. Leitgedanken für eine Politik der Berliner Republik. Berlin. 2001. S. 96.
316 Hans Misselwitz: Die unvollendete Berliner Republik: Warum der Osten zur Sprache kommen muss. a.a.O. S. 45.
317 Ebd. S. 47.
318 Ebd.
319 Irene Misselwitz: Die Wiedervereinigung. Frühjahrstagung der Deutschen Psychoanalytischen Vereinigung (DPV) 2002, vom 8. – 11. 5. 2002 in Leipzig.
320 Wolfram Brunner und Dieter Walz: Selbstidentifikation der Ostdeutschen 1990-1997. Warum sich die Ostdeutschen zwar als „Bürger 2. Klasse" fühlen, wir aber nicht auf die „innere Mauer" treffen. In: Werte und nationale Identität im vereinten Deutschland. Erklärungsansätze der Umfrageforschung. Opladen. 1998.
321 Ebd. S. 233.

Konfliktpunkte der Texte: Bedeutungswandel, Systemwechsel, Kontrastwirkungen

Die aus den Texten extrahierten Konflikte ostdeutscher Identität im gesamtdeutschen System sind vielseitig. Ein gemeinsamer Nenner findet sich jedoch im Wertewandel eines Begriffs wie „Freiheit", in der Systemkritik oder in der Kontrastwirkung zwischen Fremdem und Eigenem. Eben gerade wegen der Vielseitigkeit der Konflikte sollten die einzelnen Punkte nicht überstrapaziert werden, da sie letztendlich von unterschiedlichen Zusammenhängen zwischen Vergangenheit und Gegenwart herrühren. Ähnlich einem Immunsystem wird das Fremde dem Eigenen eingearbeitet, um den Organismus weiter zu differenzieren und zu stabilisieren[322]. Indem der Wandel von Werten thematisiert wird, kann auch das Fremde erkannt werden für einen komplexeren Mechanismus. Dabei reflektiert die ostdeutsche Identität nicht nur die Erfahrung eines Bruchs, sondern auch die Erfahrung verschiedener Wahrnehmungsmuster.

Bedeutungswandel: Freiheit

Hilbig und Neumann vertreten beide einen sehr ähnlichen, aber idealistischen Freiheitsbegriff, den sie als hohen Wert in ihrer ostdeutschen Vergangenheit angesichts von Zensur und „Alleinherrschaft in den Fragen des Sehens" (A, 68) erfahren haben. Dabei definiert weder Hilbig noch Neumann die Freiheit als solche. Auffällig ist vielmehr, dass Freiheit bei beiden der zentrale Maßstab der Kritik der realen Lebenswelt ist. Die Enttäuschung, die in den Romanen der beiden Autoren im Hinblick auf die neuen Strukturen zum Ausdruck kommt, entstammt einer sehr spezifischen Vorstellung von Freiheit.

Das ist ein Vorgang, den Pollack verallgemeinert:

> „Eher wird umgekehrt damit zu rechnen sein, daß die undemokratischen Zustände in der DDR die Sehnsucht nach Freiheit und Demokratie befördert haben [...]."[323]

Wenn Simon von dem „Eigenen" redet, „was begonnen hatte, sich gerade zu bilden"[324], dann meinst sie die substantiell gewordene Nähe an der Freiheitsidee während der Wendezeit. Eine immer größer werdende Opposition, die sich im Konsens der „Meinungsfreiheit" fand, prägt nicht nur ihre Erinnerung. Die Enttäuschung, eine solche Erfahrung nicht weiter ausbauen zu können, wiegt schwer:

---

[322] Diese Beobachtung machte Jens Wenkel, Mediziner, der den Prozess der Ostdeutschen mit einer Immunsystemstörung vergleicht, in der Wissenschaft „SCID„ genannt – „Severe Combined Immune Deficiency„. In einer neuen Umgebung entsteht dieses Phänomen durch das Fremde in scheinbar bekannten Viren. Erst wenn der Organismus die Fremdkörper erkennen kann, werden die dazu nötigen Antikörper aktiviert. So hat sich der Organismus weiter ausdifferenziert und stabilisiert.
[323] Detlef Pollack: Ostdeutsche Identität – ein multidimensionales Phänomen. In: Werte und nationale Identität im vereinten Deutschland. Erklärungsansätze der Umfrageforschung. Hrsg. Heiner Meulemann. Opladen. 1998. S. 308.
[324] Annette Simon: Fremd im eigenen Land? Ostdeutsche zwischen Trauer, Ressentiment und Ankommen. In: Fremd im eigenen Land? Gießen. 2000. S. 80.

„Ich schäme mich, Ostdeutschen anzugehören, die anscheinend nichts lieber wollten, als ihre mühsam erworbene Eigenständigkeit sofort wieder aufzugeben."[325]

Angesichts des Mauerfalls wird auch gefragt:

„Warum konnte ein so seltenes folgenreiches Ereignis weder eine eigene ostdeutsche Erinnerungskultur hervorbringen, noch Bezugspunkt und Stiftungsakt für eine Freiheitstradition werden, auf die sich die ganze Nation beziehen könnte?"[326]

Ob nun ein Ereignis wie die Wende oder allgemeiner die Zeit, während der sich angesichts erfahrener Repressionen mit Gedanken über Freiheit auseinandergesetzt wurde; es wird immer wieder bedauert, dass eine solche Gewichtung im Nachhinein weder real noch aktuell wurde.

Das „Streben nach Freiheit und Frieden" sei für die Menschen in der DDR „getragen von einer Tradition der Wahrheitsgewissheit"[327], die wiederum mit „Ekel auf die Streitereien, den Wettkampf und die Uneindeutigkeiten der pluralistischen Interessendemokratie"[328] blickt. Die hohen Vorstellungen und die Wertigkeit von ‚Freiheit' für den Osten scheinen unbestritten. Und genau hierin liegt auch die Begründung für die Enttäuschung der nun im demokratischen System angekommenen: die Vorstellungen werden von der Realität nicht nur nicht eingelöst, sondern dementiert, als kindliche, idealistische oder illusorische Erwartung. Das Problem ist eben nicht nur eine erneut defizitäre Wirklichkeit, sondern deren Immunität gegenüber Vorstellungen, die ihr aus dem Erfahrungshaushalt und Freiheitsstreben der Ostdeutschen gegenübertreten.

Mit dem Bild eines gestörten Immunsystems im Falle der Ostdeutschen[329] ließe sich sagen: Indem dieselben Begriffe anders angetroffen werden, ist eine Störung der bisherigen Eigen-Fremderkennung aufgetreten. Und erst indem dieser Bedeutungswandel thematisiert wird, kann das Fremde erkannt werden. Dabei ist die vorherige Prägung nicht weniger wichtig oder richtig als die spätere.

Systemwechsel: Medien- und Kapitalismuskritik

Auch wenn in *Anschlag* einmal das Wort „Mediendiktatur" (A, 152) fällt, bleibt weitere Kritik an den westdeutschen Strukturen ausgespart. Dafür thematisiert Hilbig im *Provisorium* ausführlich, was ihn angesichts von Kapitalismus und Medien stört. Das Konsumtreiben im Einkaufszentrum ist ihm ein nicht nachvollziehbares Vergnügen; dass Marken, also Firmennamen, besondere Identitäten verleihen, befremdet den Protagonisten. Vor allem jedoch der Überfluss an Zeichen, die nicht im Dienst der Wahrheit, sondern des Verkaufs stehen nun im Kapitalismus, wird zu einer direkten Kritik. Neumann ironisiert die sozialistische Vergangenheit mit Wor-

325 Annette Simon: Versuch, mir und anderen die ostdeutsche Moral zu erklären. Gießen. 1995. S. 28.
326 Hans Misselwitz: Die unvollendete Berliner Republik: Warum der Osten zur Sprache kommen muss. s. o. S. 35.
327 Wolf Wagner: Kulturschock Deutschland. Bonn. 1996, S. 189.
328 Ebd.
329 Vgl. Jens Wenkel: „SCID„

ten wie „das reinste Lotterleben" und führt damit eine westdeutsche Perspektive ad absurdum. Die in den Romanen angetroffenen Kritikpunkte ergeben keine umfassende Gesellschaftskritik, sollen aber doch durch ein paar Hintergründe beleuchtet werden.

Es geht um Wahrnehmungen, die dem Neuen mit völlig entgegengesetzten Erfahrungen begegnen. Das Fremde ist zunächst einmal anders und wird dann einer ostdeutschen Perspektive untergeordnet. Dass die Medienvielfalt plötzlich Verkaufsprinzipien untergeordnet ist, macht die Toleranz für ein solches System dann nicht leicht. Zudem geht damit jedoch die Dominanz westdeutscher Perspektiven in den Medien einher. Wenn Mühlberg meint, das repräsentative System sei für die ostdeutschen Themen „erst rudimentär ausgebildet"[330], dann übertrifft Hilbig diese Aussage, indem er bezweifelt, „daß sie sich zum Verkauf eignete[n]" (P, 68). Der „Ekel" vor der „pluralistischen Interessendemokratie"[331], den Wagner konstatiert, korrespondiert mit der ‚Orientierungslosigkeit' im Roman angesichts eines Überflusses an Zeichen.

Im *Anschlag* wird von der „proletarischen Revolution" geredet und damit ein kommunistischer Sprachgebrauch sowohl ironisch gebrochen als auch reaktiviert. Verschiedenste sozialwissenschaftliche Umfragen konstatieren in diesem Kontext immer wieder ein Festhalten an sozialistischen Werten im Osten. „Reste eines ‚ideellen' Sozialismus mit nur geringer realpolitischer Relevanz haben sich in Ostdeutschland erhalten, ebenso wie eine hohe Wertschätzung sozialer Gerechtigkeit."[332], so eine Studie Mitte der neunziger Jahre. So werden die neuen Strukturen punktuell hinterfragt, wobei sie nicht nur wegen ihrer Fremdheit, sondern ihrer Dominanz innerhalb der Texte zu einer neuen Form von Macht werden. Diese Systemkritik ist nun paradoxerweise durch Werte des ehemals kritisierten Systems gefärbt. Dabei ist das Kennen der beiden Systeme nicht nur für Ostdeutsche wertvoll: Dahn betont, dass schließlich das SPD-Programm den Abbau der Klassenrechte beinhalte, was in erster Linie die Ostdeutschen beträfe:

> „Diese nun mal gemachten Erfahrungen nicht auszuwerten, wäre Ignoranz vor der Geschichte."[333]

---

330 Dietrich Mühlberg: Kulturelle Differenz als Vorraussetzung innerer Stabilität der deutschen Gesellschaft? a.a.O. S. 256.

331 Wolf Wagner: Kulturschock Deutschland. Bonn. 1996, S.189.

332 Zusammenwachsen und Auseinanderdriften? Eine empirische Analyse der Werthaltungen, der politischen Prioritäten und der nationalen Identifikation der Ost- und Westdeutschen. Hrsg. Hans-Joachim Veen, Carsten Zelle. Sankt Augustin. 1996, S. 6.
Zum Thema Festhalten an sozialistischen Werten vgl. auch: Brunner und Walz u.a. in: Werte und nationale Identität im vereinten Deutschland. Erklärungsansätze der Umfrageforschung. Hrsg. Heiner Meulemann. Opladen. 1998.

333 Daniela Dahn: Vereintes Land – geteilte Freude. Für eine ehrliche Geschichtsschreibung auf beiden Seiten. In: Zur Lage der Nation. Leitgedanken für eine Politik der Berliner Republik. Berlin. 2001, S. 24.

Kontrastwirkung: das Selbst und der Andere

Der Konflikt mit dem Anderen wird im *Provisorium* gar nicht[334], im *Anschlag* dafür ausführlich in dem Gespräch des Ostdeutschen mit dem Westdeutschen dargestellt. Die Vielseitigkeit an Missverständnissen und Erklärungsansätzen seitens des Ostdeutschen wurde schon erwähnt (vgl. Teil 2). Westdeutsche Vorurteile, wie das einer „Leere" im Osten, kommen ebenfalls im Text vor.

Die Spezifität dieser Missverständnisse oder Vorurteile lässt sich dabei nicht fokussieren oder verallgemeinern. Vielmehr wird immer wieder von „verzerrten Konstruktionen des Anderen" gesprochen, die sich innerhalb einer Dynamik von „Fremd- und Selbstbild"[335] bildeten. Dabei ist es nicht leicht, sich solchen Wahrnehmungen als Prägungen des Selbst zu entziehen. Wagner erklärt die gesellschaftliche Konstruktion des Ossi mit dem Begriff „Deduktion"[336] wie folgt:

> „Die Menschen aus der DDR haben vierzig Jahre im Unrechtsstaat gelebt, also haben sie keinen Sinn für Recht und Unrecht entwickeln können." D.h. „Alle möglichen Vermutungen und tatsächliches Wissen über die DDR als Diktatur und Unrechtssystem werden als Prämisse gesetzt."[337]

Der Effekt, den solche Wahrnehmungsprozesse haben können, findet sich in Neumanns *Anschlag*, wenn z.B. sich der Ostdeutsche gegenüber dem Westdeutschen nicht mehr zu helfen weiss, da letzterer dem ostdeutschen Volk wie einem Kleinkind die weniger idealistische aber demokratische Variante des Freiheitsbegriffes vorführt[338] und ihn angeblicher Naivität überführt.

In die Dynamik von Missverständnissen und Vorurteilen fließen umgekehrt Trotzreaktionen angesichts der Projektions- und Deutungshoheit des Anderen ein. Statt sich selbst zu erklären, so Dieckmann, „schweigt der Osten. Sich selbst ist er bekannt. Mitteilung ins andere Deutschland unterbleibt, denn die nationalen Medien, die Deutungshoheit, hat der Westen. Manchmal schickt der Westen einen Auslandskorrespondenten herüber, zur vertiefenden Verallgemeinerung des Bekannten: Arbeitslosigkeit, Stasi, Ausländerhaß. Mehr und mehr wird auch mein Osten ein mir westlich vermitteltes Szenarium altbundesdeutscher Medien."[339] Auch hier wird erkenntlich, wie zwar Projektionen der anderen Seite durchschaut werden, allerdings in ihrer Dominanz auch die eigene Wahrnehmung beeinflussen können.

Hinzu kommt das Phänomen einer „Abgrenzungsidentität"[340]. Missverständnisse bewirken Konfrontationen, andererseits aber auch eine Kontrastwirkung. So wer-

---

[334] In der Tat ist in dem gesamten Text von keiner einzigen persönlichen Begegnung mit einem Westdeutschen die Rede, es sei denn die Gespräche mit der Freundin, die jedoch Kind von Exilrussen ist, oder wenn Freunde dieser Freundin Hedda im Text vorkommen, die aber in keinem spezifischen Austausch mit ihm stehen. Am Anfang des Romans wird dafür mit seinem Münchener Aufenthalt seine „Unfähigkeit, Kontakte zu knüpfen, seine Kontaktlosigkeit" (P, 35) kurz erwähnt.

[335] Dietrich Mühlberg: Kulturelle Differenz als Vorraussetzung innerer Stabilität der deutschen Gesellschaft? a.a.O. S. 258.

[336] Wolf Wagner: Kulturschock Deutschland. Bonn. 1996, S. 89.

[337] Ebd.

[338] Vgl. Anschlag, S. 171, der vollständige Textnachweis befindet sich in Teil 2 und soll daher nicht noch einmal zitiert werden.

[339] Christoph Dieckmann: Das wahre Leben im falschen. Geschichten von ostdeutscher Identität. Berlin. 1998, S. 15.

[340] Detlef Pollack: Ostdeutsche Identität – ein multidimensionales Phänomen. In: Werte und nationale Identität im vereinten Deutschland. Hrsg. Heiner Meulemann. Opladen. 1998, S. 314.

den Projektionen gegenüber dem Anderen zu einem Selbstläufer und ostdeutsche Identität ist dann das „Resultat bestimmter Wahrnehmungsraster". Eine Ebene einer solchen Abgrenzungsidentität verkörpert auch die im *Provisorium* thematisierte „Herkunftslosigkeit", die allein im Kontrast zur westdeutschen Gesellschaft entsteht. Die „Selbstidentifikation als Ostdeutsche[r]"[341] – zumindest ex negativo – entsteht vor den anderen, fremden Strukturen. Hilbigs und Neumanns Texte verweisen aus unterschiedlichen Ecken auf denselben Kontext, die Kontrastwirkung. Mit ihnen ließe sich schlussfolgern: „Herkunftslosigkeit" als Ausdruck des Befindens auf fremdem Boden bedeutet Nicht-Einnahme, Verweigerung der westdeutschen Deutungsperspektive, der einzige Weg zu einem vorsichtigen „Umgang mit der ostdeutschen Vergangenheit".

Die ostdeutsche Identität – ein Prozess

Noch einmal sei Dieckmann zitiert:

> „Es geht nicht um Ost-Identität. Identität hat man oder nicht; stehlen kann sie keiner. Es geht um soziale Prägungen, die nicht schon deshalb wertlos sind, weil sie in der Diktatur gemünzt wurden. Dort haben wir riechen gelernt, wie eine Moral verfault."[342]

Die sozialen Prägungen also, die auch die beiden Texte *Anschlag* und *Das Provisorium* auf verschiedene Weise an die Oberfläche holen, sind also ausschlaggebend für die ostdeutsche Identität. An dieser Stelle muss noch einmal der Versuch gemacht werden, die Kriterien für ostdeutsche Identität zu überprüfen.

Der Prozess

Noch 1994 ergab eine sozialwissenschaftliche Auswertung über das „Zusammenwachsen"[343] der beiden Deutschland folgendes Resultat:

> „In unserer Einschätzung gibt es für die Ausbildung zweier politischer Identitäten in Deutschland, namentlich einer spezifisch ostdeutschen, beim gegenwärtigen Stand der politischen Annäherung keine ernstlichen Anzeichen."[344]

Vielmehr wurde die Differenzierung der Interessenlagen der einzelnen Bundesländer antizipiert[345]. Dass Jahre später Theorien über die ostdeutsche Identität immer häufiger werden, war Anfang der 90er Jahre schwer vorstellbar.

Wenn Mitte der Neunziger überhaupt das Phänomen einer ostdeutschen Identität wissenschaftlich wahrgenommen wurde, dann als vorübergehende Erscheinung,

---

[341] Ebd. S. 313.
[342] Christoph Dieckmann: Das wahre Leben im falschen. Geschichten von ostdeutscher Identität. Berlin. 1998, S. 100.
[343] Zusammenwachsen und Auseinanderdriften? Eine empirische Analyse der Werthaltungen, der politischen Prioritäten und der nationalen Identifikation der Ost- und Westdeutschen. Hrsg. Hans-Joachim Veen, Carsten Zelle. Sankt Augustin. 1994.
[344] Ebd. S. 45.
[345] Ebd. S. 6.

als zeitweilige Reaktion auf den Vereinigungsprozess. Erst allmählich galt es nicht mehr als nebensächliches Symptom noch nicht beruhigter Zeiten. Wagner beobachtet 1996 zwar die Differenzen und Missverständnisse zwischen West und Ost, sieht aber nach dem Stadium der „Missverständnisse" von einer abschließenden Phase der „Verständigung" voraus: „Die unterschiedlichen kulturellen Spielregeln werden verstanden, geduldet, erlernt und geschätzt."[346] Das Produktive, die „Chance" eines solchen Schocks wird dabei betont und das gute Ende schon vorweggenommen.

Inwieweit sich die darauffolgenden Erklärungsansätze in ein solches Modell eingliedern lassen, sei dahin gestellt. Zumindest öffneten sich Zugänge für die Beobachtung kollektiver Identitätsprozesse. So wird von einer Form der „ethnischen Identität"[347] geredet. Die Metapher eines „ethnischen Zelt[s]", die der amerikanische Psychologe Volkan für Großgruppenidentitäten gebraucht, wird auch für die ost- und westdeutschen Differenzen aktiv gemacht. Demnach „scheint es so zu sein, dass wir lieber unter das ost- oder westdeutsche „ethnische Unterzelt„ schlüpfen und uns gegenseitig beurteilen und bekämpfen, als uns unter dem größeren gemeinsamen ethnischen Zelt zu versammeln. Wir wehren auf diese Weise Schuld- und Schamgefühle, also das gemeinsame Trauma [die gesamtdeutsche, nationalsozialistische Vergangenheit – C.M.], ab."[348] Eine solche Sichtweise beschreibt die herausgebildeten Unterschiede in 40 Jahren Teilung, wobei das eigentliche Problem in der gemeinsamen deutschen Identität und Vergangenheit liegt. So wie Hilbig ein gesamtes Jahrhundert durch das *Phänomen Auschwitz* als provisorisch beschreibt, wird auch an dieser Stelle ein Empfinden deutlich, das sich womöglich auch mit sich gegenseitig hemmenden Gruppendynamiken erklären lässt.

Allmählich wird jedenfalls die Wahrnehmung einer ostdeutschen Identität als kulturelle Realität anerkannt und neuen Gesellschaftskonzepten zugeordnet. Mühlberg konstatiert 2000 eine „kulturelle Differenz" innerhalb der deutschen Gesellschaft, eine ostdeutsche Identität, deren Entwicklung sich erst abzeichnet.

> „,Ostkultur' dürfte noch nicht viel mehr sein als ein unstrukturierter gemeinsamer Vorrat an Bildern, Melodien, Emotionsauslösern, Denkfiguren, Vorurteilen, Weltvorstellungen, Sehnsüchten, Abneigungen usw."[349]

Grundtenor ist dabei, die ostdeutsche Perspektive anzuerkennen und auf gesamtdeutscher Ebene produktiv zu machen. Ostdeutsche Identität wird in diesem Kontext als etwas kulturell Besonderes verstanden, das sowohl fehlende Perspektiven in den bundesdeutschen Medien darstellt, als auch „Erinnerungskultur" zu Zeiten, „in denen ein tiefgreifender kultureller Wandel stattfindet"[350].

Ob nun im Prozess eines „Kulturschocks" oder einer „Großgruppenidentität" oder als „kulturelle Differenz", die verschiedenen Modelle betonen jeweils unterschiedliche Komponenten ein und desselben Phänomens. Definitionen, die auf eine Gewichtung des Anderen, Spezifischen der ostdeutschen Identität drängen, werden

[346] Alles in Wolf Wagner: Kulturschock Deutschland. Bonn. 1996, S. 30.
[347] Irene Misselwitz: Die Wiedervereinigung. Frühjahrstagung der Deutschen Psychoanalytischen Vereinigung (DPV) 2002, vom 8. – 11. 5. 2002 in Leipzig.
[348] Ebd.
[349] Dietrich Mühlberg: Kulturelle Differenz als Vorraussetzung innerer Stabilität der deutschen Gesellschaft? a.a.O. S. 257.
[350] Ebd. S. 262.

dabei häufiger. Wenn noch kurz nach 1989 ostdeutsche Wahrnehmungen als Neben-
effekt eines großen Wandels gehandhabt werden konnten, so wird mit der Zeit eine
immer stärkere Immanenz dieses Phänomens deutlich. Allmählich werden wissenschaftliche Erklärungsmodelle bemüht, die dem fortbestehenden Bewusstsein um
ostdeutsche Identität einen rationaleren Aspekt verleihen.

Ostdeutsche Identität – heute

Die von Pollack unternommene Beschreibung der ostdeutschen Identität als ein
„multidimensionales Phänomen"[351] erscheint mir am brauchbarsten. Wie schon im
ersten Teil dargestellt, ist das neue Selbstbewusstsein der Ostdeutschen Folge eines
Minderwertigkeitsgefühls, und die Werteorientierungen schwanken zwischen
demokratischen, sozialistischen oder nationalistischen Haltungen, die eher „situa-
tionsabhängig sind"[352]. Der Bezug zur DDR-Vergangenheit bedeutet dabei nicht
„Nostalgie, sondern eine klare Orientierung auf die Gegenwart"[353]. Eben diese Vergangenheit als unvermeidlicher „Bestandteil ostdeutscher Biographien" soll „vor
ihrer Entwertung" geschützt werden, und so heißt es abschließend: „Darin könnte
der Kern der sogenannten ostdeutschen Identität liegen."[354]
  Multidimensional scheinen auch die verschiedenen Konflikt- oder Reibungspunkte, die in den Texten *Anschlag* und *Das Provisorium* thematisiert werden. Sei
es die Erfahrung des Bruchs, der Bedeutungswandel von Werten wie Freiheit, oder
die Systemkritik, die Hilbig übt. Dabei ist auch der Bezug zur ostdeutschen Vergangenheit, in Form eines angemessenen Umgangs oder in Form einer konstatierten
Herkunftslosigkeit, eine zentrale Kategorie. Hinzufügen liesse sich mit den Texten
die *Kontrastwirkung* in der Wahrnehmung eines Ostdeutschen auf westdeutschem
Boden oder in der Begegnung des Ostdeutschen mit einem Westdeutschen.
  Beide Autoren, wie wohl ein Grossteil der damaligen DDR-Bevölkerung, besaßen
keine positive DDR-Identität. Dass nun mit dem Abstand eines gesamten Jahrzehnts
innerhalb völlig anderer Strukturen das Bewusstsein um das verschwundene System
immer klarere Konturen gewinnt, ist selbst schon ‚phänomenal'. Die Anstrengung,
dem eigenen Leben Sinn zu verleihen, eine westlicherseits unbekannte Vergangenheit mit der Gegenwart zu verknüpfen und dabei sich selbst zu verorten, ist gross.
So wird die Erfahrung eines Bruchs und das Kennenlernen zweier Systeme zu einer
spezifisch neuen Perspektive. Aus ihr entsteht ein kritisches Potential, das Hilbig
selbst sagen lässt:

> „Vielleicht wird uns eines Tages die Erkenntnis kommen, daß erst jener Beitritt
> zur Bundesrepublik uns zu den DDR-Bürgern hat werden lassen, die wir nie
> gewesen sind, jedenfalls nicht, solange wir dazu gezwungen waren. Das hieße
> praktisch, daß wir uns auf unser kritisches Bewußtsein besinnen, auf das jah-
> relang geübte unabhängige Denken, zu dem wir gezwungen waren, auf unsere
> Eigenheiten, auf unser Eigentum, und auf unsere Fähigkeiten zum Wider-
> stand."[355]

---

[351] Detlef Pollack: Ostdeutsche Identität – ein multidimensionales Phänomen. a.a.O. S. 308.
[352] Ebd. S. 309.
[353] Ebd. S. 315.
[354] Alles ebd. S. 316.
[355] Wolfgang Hilbig: Wie wir zu DDR-Bürgern wurden. In: Freitag. Nr. 13. 21.03.1997.

Bewusstwerden der gesamtdeutschen Vergangenheit

Sätze wie „Das Leben einer Romanfigur, ihre Verwirrungen und Leiden, ihr Umgetriebensein, ihr Unglück oder Glück, war nichtswürdig, dumm und banal im Vergleich zu denen, die in den Lagern gewesen waren; [...]." (P, 256) aus dem *Provisorium*, oder wie „In dieser Überlegung war die ostdeutsche Landschaft, wie die westdeutsche, ein halbes Jahrhundert lang in der bislang vollkommen unbesprochenen Gnade gewesen, sich durch die Anwesenheit fremder Militärtruppen mit den zu deren Ländern gehörenden Ansichten zur Verwirklichung der Idee der Freiheit beschäftigen zu müssen." (A, 16) aus *Anschlag*, verweisen auf ein Bewusstsein um den großen Kontext deutscher Geschichte, das sich im Zuge einer ostdeutschen Identität auf westdeutschem Hintergrund bildet. Wenn hier auch dieses Phänomen nicht in seiner gesamten Bedeutung ausgeleuchtet werden kann, so sei mit den folgenden Erklärungsmustern zumindest auf mögliche Zusammenhänge und Prozesse verwiesen, die die nationalsozialistische Vergangenheit unter dem Aspekt ostdeutscher Identität neu thematisieren.

> „Es leuchtet ein, dass das gemeinsame Trauma nach der Vereinigung wieder stärker ins Bewusstsein rücken musste, damit auch unsere beschädigte ethnische Identität. Auch die jeweiligen einseitigen Gründungsmythen konnten so nicht mehr aufrecht erhalten werden."[356]

Gerade im Prozess der Wiedervereinigung können die Gründe für die ursprüngliche Teilung nicht mehr ignoriert werden. Beide Seiten erkennen an sich unterschiedliche Arrangements mit der Geschichte und es wird ersichtlich:

> „Die historische Prägung der beiden Großgruppen ist nach wie vor virulent, da sie zur Abwehr des gemeinsamen Traumas dient."[357] [358]

Innerhalb ihres Erklärungsmodells spannt auch Rauschenbach einen gesamtdeutschen Bogen. „In allen Anfang verwoben sind die offenen Enden vergangener Verhältnisse und Geschichten. Sie haben der deutschen Historie im Unterschied zu anderen Nationen, so meine These, in diesem Jahrhundert ihr Gepräge gegeben. [...] Deutsche Geschichte ist vom kollektiven Syndrom verfehlter Abschiede gekennzeichnet, die wie Akte eines Trauerspiels fortgesetzt werden. Die Unfähigkeit zu trauern erscheint als dessen dramatischer Kern."[359] So redet Rauschenbach bezüglich einer Aufarbeitung der DDR-Geschichte von einer „Unwilligkeit zu trauern"[360].

---

[356] Irene Misselwitz: Die Wiedervereinigung. Frühjahrstagung der Deutschen Psychoanalytischen Vereinigung (DPV) 2002, vom 8. – 11. 5. 2002 in Leipzig.
[357] Ebd.
[358] Simon spitzt die These einer Abwehr von Schuld in Bezug auf die ostdeutsche Situation weiter zu. In einem Gleichnis, das Deutschland als „Mutter" zeichnet, die ihre Kinder, Zwilling Ost und Zwilling West, getrennt hat aufwachsen lassen, heißt es: „Zwilling Ost ist mit Existenzbewältigung voll ausgelastet, manchmal überfordert. Er wohnt in einem anderen Land. [...] Und Zwilling Ost wird das untergründige Gefühl nicht los: Irgendetwas wird auf meinem Rücken ausgetragen, an dem Zwilling West mehr beteiligt ist, als es jetzt aussieht."[358] Hier wird mit Verweis auf die ostdeutsche schwierigere Lage ein Verdacht in die westdeutsche Richtung deutlich. Inwieweit eine solche Schuldzuweisung berechtigt ist oder nicht, soll hier nicht debattiert werden, allerdings bleibt doch bemerkenswert, wie ein Bewusstwerden der nationalsozialistischen Vergangenheit konfrontative Züge annimmt. Vgl. Annette Simon: Zwei Seiten einer Medaille – Über den deutschen Umgang mit Schuld. In: Versuch, mir und anderen die ostdeutsche Moral zu erklären. Gießen. 1995, S. 18.
[359] Brigitte Rauschenbach: Deutsche Zusammenhänge. Zeitdiagnose als politische Psychologie. Osnabrück. 1995, S.164.
[360] Ebd. S. 174.

Das ostdeutsche Missverhältnis scheint infiltriert vom gesamtdeutschen Missverhältnis oder zumindest sehr ähnlich zu verlaufen. So, wie schon in Mitscherlichs in den 60er Jahren konstatierter „Unfähigkeit zu trauern"[361] für eine Konfrontation mit der nationalsozialistischen Vergangenheit plädiert wird, wird nun durch Rauschenbach der erneute Appell als auch das anhaltende Defizit wieder aufgenommen.

Wenn auch weniger bei Neumann[362], so wird doch um so mehr bei Hilbig ein Bewusstsein um die nationalsozialistische Vergangenheit sichtbar. Ähnlich einer Fortsetzung des „Trauerspiels" oder dem Erkennen einer „beschädigten ethnischen Identität" lässt sich im *Provisorium* der Bezug zur gesamtdeutschen Vergangenheit als eine Art ‚Jahrhundertprovisorium‘ verstehen. Ein unterdrücktes Schuldbewusstsein und die Unfähigkeit, sich dieser Problematik zu stellen, symbolisieren die mehrmals im Text auftauchenden unausgepackten Kisten „Holocaust&Gulag". Dabei erscheint die Perspektive in diesem Zusammenhang als weniger spezifisch ostdeutsch, dafür aber ‚neuerdings gesamtdeutsch‘: Im *Provisorium* wird das Problem immer dann thematisiert, wenn eine Begegnung mit der westdeutschen Vergangenheitsbewältigung stattgefunden hat, sei es in Form von „Phänomen Auschwitz" (P.154) in der westdeutschen Presse, den Gedanken über die „Unschuld des Erzählens" (P.257), oder in Form der Bücher selbst (P.294), die der Protagonist erst in Westdeutschland gekauft hat. Die neue Form der ostdeutschen Identität vereint sich somit doch in einem Punkt mit der westdeutschen Identität, nämlich dort, wo sich das Urproblem für die Herausbildung beider Identitäten lokalisieren lässt: Im Zweiten Weltkrieg und in der Teilung Deutschlands.

4.3 Ostdeutsche Identität – Zwischen Differenz und Projektion

Auf philosophischer Ebene gewinnt die in den Texten produzierte ostdeutsche Identität eine weitere Form. Im Folgenden soll der Zusammenhang mit philosophischen Erklärungsmustern hergestellt werden, der nicht nur thematisch, sondern auch strukturell existiert. Hierzu werden zwei zeitgenössische philosophische Erklärungsmodelle angeführt, die sich speziell mit Identitätsmustern vor fremden Kulturen beschäftigen. Während der Eine, Bhabha, an dem Begehren, wahrgenommen zu werden, Identität festmacht, macht der Andere, Hall, die Produktivität kultureller Unterschiede, das Leben mit mehreren Identitäten, stark. Die Betonung liegt nun auf dem Oszillieren zwischen fiktionaler und philosophischer Identität.

---

361 Alexander und Margarete Mitscherlich: Die Unfähigkeit zu trauern. Leipzig. 1990.
362 Wie schon in Teil 2 erwähnt, thematisiert Neumann nicht die nationalsozialistischen Verbrechen. Neumann: Erwähnungen: Blick auf zwanzigstes Jahrhundert S. 16, Teilung Deutschlands S. 90, Europas S. 102, keine Holocaust-Referenz. Die geteilte deutsche Vergangenheit wird dagegen bei Hilbig zu einem Problem, das an die Tragödie einer gesamtdeutschen Vergangenheit erinnert. Gesamtdt. Vergangenheit: Phänomen Auschwitz S. 153-154, 255-257, erbricht sich über den Büchern 294, man musste im 20. Jh. Auschwitz erlebt haben, um noch klagen zu dürfen, in Suchtklinik Himmler und Obersturmführer – explizitere Verarbeitungen

„Identität" – offen, narrativ, rückbezogen

Fast eine jede Philosophie, ob nun strukturalistisch, ontologisch oder epistemologisch, hat sich mit dem Begriff der „Identität" auseinandergesetzt. Hier soll es nicht um einen generellen Überblick gehen, sondern darum, die Offenheit dieses Begriffes darzustellen und seine Nähe zur Fiktion noch einmal zu betonen. Innerhalb dieses Verhältnisses von Identität und Fiktion wird sich auch die für die ostdeutsche Identität wichtige Richtung herauskristallisieren. Dabei sind all diese vorgestellten philosophischen Überlegungen als Denkmuster auf die behandelten literarischen Texte übertragbar.

Der Begriff „Identität" eröffnet ein weites Feld:

> „Er fragt nicht nur nach dem Verhältnis von Statik und Veränderung, von Bruch und Kontinuität, sondern auch nach Sprache und Namen, die wir den Menschen und den Dingen geben, er fragt nach den Möglichkeiten der Erkenntnis und den Sicherheiten der wissenschaftlichen Identifizierungen im Begriff."[363]

Friese betont, dass schon in der Namensgebung oder Terminologisierung eine „Gründung der Identität" stattfindet, „das Subjekt als (transzendentale) Einheit, das sich im Akt der Repräsentation der Welt öffnet"[364]. Aber gerade ein Name hat in seiner Bedeutung auch immer etwas Zukünftiges:

> „Als Entwurf verweist ‚Identität' also beständig auf das, was erst noch kommen soll, was nicht heißt, das diese gewiß kommen wird, sondern dass sie der Dimension des Künftigen zugehört."[365]

Es ginge nicht darum, das „Seiende" zu meistern, sondern sich in der „Öffnung" zu bewegen:

> „‚Ich' als Sprechen einer Sprache [...], die nicht versucht, die Differenzen in einem Begriff und in einem definitiven Sinn zu meistern."[366]

Die Offenheit, die ein solcher Begriff besitzt und die es immer zu erinnern gilt, birgt allerdings auch eine Gefahr. Wenn Identität per definitionem ‚Gleichheit mit sich selbst', einen „sozialen Determinismus" bewirkt, der heutzutage „von niemandem mehr vertreten" wird, dann bleibt nur noch die Vorstellung von Identität, die mit einem „Moment von Konstruktion"[367] verbunden ist. Das Umschreiben, geschweige denn Festschreiben eines solchen Begriffes, sowie seiner Bedeutung, wird damit schwer. Iser spitzt in der Verbindung, die er zwischen Fiktion und Identität sieht, die Unmöglichkeit einer Festschreibung dieses Begriffes weiter zu. Identität ist „Resultat einer Interpretation" und wird von „Bezugsrahmen reguliert"[368]. Je nach „dem historischen Situationserfordernis" lässt sich demnach Identität „anders begreifen"[369].

---

363 Heidrun Friese: Identität: Begehren, Name und Differenz. In: Identitäten. Erinnerung, Geschichte, Identität. Hrsg. Aleida Assmann, Heidrun Friese. Frankfurt/Main. 1998, S. 31.
364 Ebd. S. 37.
365 bd. S. 42.
366 Ebd.
367 Peter Wagner: Fest-Stellungen. In: Identitäten. Erinnerung, Geschichte, Identität. a.a.O. S. 63
368 Wolfgang Iser: Ist der Identitätsbegriff ein Paradigma für die Funktion der Fiktion? In: Identität. Hrsg Odo Marquard. a.a.O. S. 726.
369 Ebd.

Wenn Ricoeur an dieser Stelle genannt werden soll, dann lediglich, weil seine Art der Akzentuierung des Identitätsbegriffs dem Phänomen der ostdeutschen Literatur und den hier behandelten Texten relativ nah ist. Seine Vorstellung der „narrativen Identität" beschreibt das Bedürfnis, dem eigenen Dasein erzählerisch eine Form zu verleihen.

> „Indem ich die Erzählung meines Lebens verfasse, dessen Urheber - was die Existenz angeht - ich nicht bin, mache ich mich - was seine Bedeutung anbelangt - zu seinem Co-Autor."[370]

Lebensbrüche, wie die Veränderungen seit 1989, verlangen, je nach Intensität, eine Beschäftigung um ihre Bedeutung für das Individuum zu erklären:

> „Gerade wegen des flüchtigen Charakters des wirklichen Lebens bedürfen wir der Hilfe der Fiktion, um letzteres rückblickend nachträglich zu organisieren."[371]

Obwohl Hilbig im *Provisorium* mit der „Herkunftslosigkeit" nur einen momentanen Zustand konstatiert, wird damit gleichzeitig eben auf eine Unordnung zwischen der Person, seiner Vergangenheit und der Gegenwart verwiesen. In Neumanns *Anschlag* wird dagegen das Bedürfnis zu erzählen allein im Traktat über die „Rechte des Erzählens" (A, 258) bezüglich der „Geschehen in Vergangenheit" (A, 261) offensichtlich. Auch wenn der Erzähler ein von sich persönlich losgelöstes, vielleicht politisches, Interesse, die „unbekannte Wirklichkeit" (A, 260) darstellen zu wollen, artikuliert, werden auch individuelle Gründe bemerkbar. So lässt sich auch die Verhaftung seines Sohnes als persönliche Aufarbeitung dieser Erlebnisse lesen - ein Einordnen und Narrativieren, um eine momentane Identität zu verorten. Ähnlich wie Ricoeur beschreibt, wird hierfür die „Hilfe der Fiktion" gebraucht, die in der Narration klarere Erzählstrukturen bietet. Eine „narrative Identität" scheint demnach Ursprung der Romane *Anschlag* und *Das Provisorium* - für letzteres in negativer Form - zu sein, indem aus der Gegenwart heraus die Vergangenheit erörtert werden muss - um, mit Friese gesagt, eine „Dimension des Künftigen" zu eröffnen.

Erinnerungsformen

Da in dieser Arbeit bezüglich der ostdeutschen Identität ein eher rückwärtsgewandter Gestus, der Fokus auf die Vergangenheit, betont wird, sollen auch Erklärungen durch mögliche Gedächtnisformen mit einbezogen werden. Das „kollektive" und das „kulturelle" Gedächtnis ergeben in diesem Kontext interessante Ansätze.

Halbwachs redet von einem „kollektiven Gedächtnis"[372], wonach Erinnerungen durch soziale Milieus geprägt sind. Sie werden „von anderen Menschen ins Gedächtnis gerufen, selbst dann, wenn es sich um Ereignisse handelt, die allein wir durchlebt und um Gegenstände, die allein wir gesehen haben"[373]. Die Gruppen,

---

370 Paul Ricoeur: Das Selbst als ein Anderer. München. 1996, S. 198.
371 Ebd. S. 199.
372 Maurice Halbwachs: Das kollektive Gedächtnis. Frankfurt/Main. 1985.
373 Ebd. S. 7.

von denen man umgeben ist, provozieren bestimmte Erinnerungen im Menschen, wogegen andere, die einem anderen sozialen Milieu angehören, verblassen:

> „Das Gedächtnis einer Gesellschaft erstreckt sich, soweit es kann, d.h. bis dort-
> hin, wohin das Gedächtnis der Gruppen reicht, aus denen sie sich zusammen-
> setzt. Es vergißt eine so große Menge früherer Ereignisse und Gestalten kei-
> neswegs aus bösem Willen. Vielmehr sind diejenigen Gruppen verschwunden,
> die sie in ihrer Erinnerung bewahrten."[374]

Wenn also das ostdeutsche Volk seine Erinnerungen weiter behält, so wohl auch, weil es als Gruppe weiter besteht. Dass sich jedoch eben diese Gruppe allmählich im Auflösen befindet, ob nun durch externe oder interne Gründe, bedeutet auch eine Umstrukturierung der Erinnerungen. Und so hat, auf rein westdeutschem Hintergrund, der Protagonist *Das Provisorium* das Gefühl einer „Herkunfts-losigkeit", da die neue ‚Gruppe‘ keine seiner Erinnerungen teilt. Ebenso funktio-niert dieses Modell für den Text *Anschlag*. In dem ehemals ostdeutschen Umfeld, dem Land Brandenburg, bestehen Erinnerungen weiter, werden aber vor der neuen ‚Gruppe‘, in Person des westdeutschen Begleiters, verteidigt. Der „Umgang mit der Vergangenheit" wird auf diese Weise im kollektiven Gedächtnis gewahrt.

Das, was Assmann als „kulturelles Gedächtnis"[375] bezeichnet, ist nicht besonders weit von dem „kollektiven Gedächtnis" entfernt. Allerdings würde eine Interpreta-tion auf der Basis von institutionalisierten „Wiederholungen" eines „kulturellen Sinnes", sprich: Riten,[376] für die ostdeutsche Identität, insbesondere in der Form, wie sie sich in den beiden behandelten Texten darstellt, schwierig. Selbst wenn die besondere Vorstellung von Freiheit in Hilbigs oder Neumanns Texten ins Gedächtnis gerufen wird, um sie mit der gegenwärtigen zu vergleichen, wäre so etwas noch weit entfernt von einem „Ritus"[377]. Möglicherweise ließen sich auf ostdeutschem Terrain Bestände wie „Jugendweihe" oder das Rauchen von „F6-Zigaretten" als Riten bezeichnen, aber davon scheinen die beiden behandelten Texte kaum beeinflusst. Allerdings scheint das, was Aleida Assmann über den „Leidschatz"[378] schreibt, schon eher in den hier behandelten Kontext zu passen. Traumatische Erfahrungen wer-den von der Kunst aufgegriffen, die „Prozesse von Erinnern und Vergessen" werden thematisiert[379]. Indem die Kunst z.B. „Abfall" verwendet, geht es dabei um „Gegen-stände, denen die Gesellschaft Interesse und Aufmerksamkeit entzogen hat"[380]. Die ostdeutsche Vergangenheit demnach literarisch zu thematisieren, mag also von der emotionalen Erfahrung eines Bruches und dem fehlenden Interesse der Gegenwart an den Ambivalenzen einer Herkunft aus der ehemaligen DDR rühren. Der Abfall wird also vor dem Verfall bewahrt, da die ostdeutsche Identität auch eine Erinnerungsform verkörpert.

---

[374] Ebd. S. 71.
[375] Jan Assmann: Das kulturelle Gedächtnis. München. 1997.
[376] Ebd. S. 21.
[377] Ebd.
[378] Aleida Assmann: Erinnerungsräume. Formen und Wandlungen des kulturellen Gedächtnisses. München. 1999, S. 22.
[379] Ebd.
[380] Ebd. S. 384.

Zwischen Differenz und Projektion

Wenn an dieser Stelle zwei Theorien über Identität insbesondere dargestellt und eingeordnet werden, dann, weil die folgenden philosophischen Begriffe mehrere der in dem Zusammenhang ostdeutscher Identität auftretenden Merkmale ebenfalls verarbeiten. Bhabha und Hall thematisieren Identitäten vor fremden Hintergründen und Kontrastwirkungen verschiedener Kulturen. Beide Theorien behandeln die Frage der Identität kultureller Minderheiten und versuchen jeweils, die Prozesse anhand von zwischenmenschlichen Wahrnehmungen zu durchleuchten sowie die Existenz von strukturellen Unterschieden produktiv zu machen.

Das Selbst und der Andere – ein Ort für Identität und Subversion

Anfang der 90er Jahre hat Homi Bhabha, Philosoph aus Großbritannien, der mittlerweile in den USA lehrt, eine Identitätstheorie entwickelt, die sich vordergründig von der Beobachtung der Beziehungen zwischen Minderheiten und Mehrheiten ableitet. Zwar geht Bhabha speziell von postkolonialistischen Strukturen wie in seinem Herkunftsland Indien aus, beschreibt jedoch in seiner Analyse zwischenmenschlicher Beziehungen allgemeingültige Phänomene. Wechselseitige Projektionen in den verschiedenen menschlichen Beziehungen auf zwischenmenschlicher oder gesellschaftlicher Ebene spielen dabei eine große Rolle. Genau darauf baut Bhabhas Theorie über Identität: das Selbst und der Andere konstituieren sich gegenseitig. Aus seinem Buch, „Location of Culture" von 1994[381] soll hier skizziert werden, wie sich seine Vorstellung einer (politischen) Identität verstehen lässt.

Ausgehend von der Lacanschen Idee des Begehrens als das Begehren des Anderen, wird der bestimmende Charakter von Wahrnehmungsmustern, deren Erfüllung oder Nichterfüllung betont: „[T]o exist is to be called into being in relation to an otherness" – die eigene Existenz gibt es erst in Bezug auf eine andere Existenz. (LoC, 44). Und dort, wo sich das Begehren von Selbst und Anderem trifft, in dessen „Doppelung" sowie „Spaltung" wie Bhabha sagen würde, entsteht Identität. „It is not the [...] Self or the [...] Other, but the disturbing difference in-between that constitutes the figure of colonial otherness [...]." (LoC, 45) Wichtig ist, dass für Bhabha Identifikation weder eine vorherbestimmte, „pre-given" Identität bestätigt, noch eine Form der „self-fulfilling prophecy" darstellt. Es ist lediglich „the return of an image of identity that bears the mark of splitting in the Other place from which it comes" (LoC, 46). Das Wiederkehren von ‚Bildern' einer Identität, das Zusammenspiel mit dem Anderen, das „Zwischen", stellt den Ort dar, an dem sich Identität bildet.

Hier ist Identität nicht mehr als etwas Konstantes zu verstehen, sondern als Ergebnis verschiedenster Überlagerungen, Wahrnehmungen und Projektionen, die vom Anderen ausgehen. Identität ist damit dynamisch und situationsbedingt. Bhabha geht von der prinzipiellen Gleichheit der Individuen aus, die erst in der Konfrontation von Selbst und Anderem Differenzen bilden. Dabei besitzt ein jedes Subjekt

---

381 Homi K. Bhabha: Location of Culture. London, New York. 1994 – Die folgenden Zitate werden mit „LoC" angegeben.

eine „zweifache Eingangsmatrix"[382], nach der, entsprechend der Arbitrarität von Zeichen[383], von der Form nicht unmittelbar auf den Inhalt geschlossen werden kann. An diesem Punkt wird auch Bhabhas Konzept der „Hybridität" (LoC, 36) klar, wonach sich an einem Individuum verschiedenste Wahrnehmungen und Identitätszuschreibungen überlagern.

Wahrnehmungsmuster können auch Identitätsprozesse initiieren, die „künstliche Identitäten" festschreiben. So z.B. kann der Andere seiner Komplexität beraubt werden, indem er auf oberflächliche Phänomene wie „schwarz und sportlich" reduziert wird. Hier setzt Bhabha an, um allgemeine Ungleichheiten in Gesellschaften, eben Ländern mit unterdrückten Minderheiten, zu begründen.

In dominanten zwischenmenschlichen Beziehungen dieser Art beschreibt Bhabha die negative Umkehr des Begehrens. Reduzierte Projektionen werden vom Anderen unterwandert durch oft auch unbewusste Reaktionen, wie dem „bösen Blick" oder „Unsichtbarkeit"[384] oder schlichtweg dem Wunsch nach Rollentausch (LoC, 46-52). Das heißt, wenn Bhabha von „Subversion" spricht, dann weniger in einem revolutionären Sinn, als vielmehr in strukturgegebenen, psychologischen Prozessen, die sich in der Überlagerung der verschiedenen Prägungen eines Subjekts aktivieren. Ob offensiv oder unbewusst, Bhabha geht von einem ‚widerständischen Potential' in zwischenmenschlichen Beziehungen aus, das sich stets gründet in „the subject‚s desire for a pure origin" (LoC, 75). Das Verlangen nach einer echten Herkunft wird von Bhabha gleichgesetzt mit dem Verlangen, die eigene echte Herkunft im Anderen anerkannt zu wissen.

Anschlag – *Identität im „Zwischen"*

Die Gesprächsdynamik zwischen dem ostdeutschen Erzähler und dem westdeutschen Begleiter in Neumanns Roman ist auch mit Bhabha lesbar. So wird gerade in der Konfrontation, dem Austausch zwischen den beiden, die jeweilige Identität „Ossi-Wessi" (A, 12) festgelegt. Schönigs Interpretation des „Zwischen" (s.o. Teil 2) als eines Ortes für einen Gesprächsraum ist dabei der Bhabhaschen Idee des „inbetween" nicht unähnlich. Es geht um den Ort des Gesprächs, an dem „die Würde der miteinander Sprechenden und die wahrhaftige Suche nach der niemals sich einstellenden Wahrheit stattfinden kann"[385]. Das interaktive Moment des Dialogs wurde schon in der Textanalyse von *Anschlag* dargestellt. An dieser Stelle wird es zudem als konstituierendes Moment für gegenseitige Wahrnehmungen innerhalb intersubjektiver Beziehungen produktiv. So bildet sich nicht nur im Gesprächsort des „Zwischen" die Möglichkeit einer Wahrnehmung des „Außen", sondern auch ein Ort der Identifikation des Einen und der Identifizierung des Anderen. Je näher dabei das „Außen" rückt, desto echter repräsentiert sich auch Identität oder Herkunft des Selbst.

---

382 Der Begriff, doppelte Eingangsmatrix, stammt wiederum von Lacan. Wird von Bhabha sogar mit Derridas Konzept der „Supplementarität" in den selben Kontext gebracht.
383 Vgl. Ferdinand de Saussure.
384 Gemeint ist ein Sich-der-Wahrnehmung-Entziehen, eine Form der Abwesenheit.
385 Vgl. Barbara Schönig: Das Zwischen als eine Chance. Erzählraum und erzählter Raum in der Prosa Gert Neumanns. Magisterarbeit. HU-Berlin. 2001.

Ungleiche Beziehungen zwischen dem Selbst und dem Anderen werden bei Bhabha vielseitig beschrieben. So gibt es z. B. „Fetischismus" als eine Wahrnehmung, die den Anderen auch in positiven Attributen eindimensional festschreibt. In dem Moment, in dem in *Anschlag* der Westdeutsche meint, „es wäre ein Verbrechen am ostdeutschen Volk gewesen [...], das Traumgebilde der westlichen Freiheit für krank zu erklären" (A, 171), wird auf der anderen Seite mit dem Gefühl der „Schmähung" (ebd.) reagiert, das sich gegen ein solche Fixierung der naiven Ostdeutschen in diesem gut gemeinten Satze wehrt. Die Empörung an dieser Stelle oder die immer neuen Ansätze, von der ostdeutschen Vergangenheit zu erzählen, münden immer wieder in den Bhabhaschen Grundsatz, das Begehren zu haben, vom Anderen (als gleichwertig) wahrgenommen zu werden.

Neumanns Widerstandsprinzip, die Dinge angemessen darzustellen oder auszudrücken, wird auch für die Projektionen gegenüber der ostdeutschen Identität wirksam. Bhabhas logische Folge ungleicher Identitäten, die Subversion, stellt sich hier durch bewusste Konfrontation und mühevolles Erzählen dar. Die ostdeutsche Vergangenheit vor dem „Wiederverfall" (A, 16) zu retten und das „Bild im anderen" (A, 137) zurechtzurücken gleicht dabei nahezu einem Kampf um die eigene ostdeutsche Identität als *echte* Herkunft.

Subversion im Provisorium

Der Protagonist im *Provisorium* ist einsam, bis auf die nicht funktionierende Beziehung zu Hedda befindet er sich kaum in Gegenwart anderer Menschen. Und eben gerade der Zusammenbruch oder Zerfall wird aus Bhabhas Sicht erklärlich durch den Mangel an intersubjektiven Konstellationen, der Wahrnehmung des Anderen, die das eigene Dasein erst zu einer Existenz macht. Auf westdeutschem Boden keine Resonanz für die eigene Herkunft zu bekommen, verstärkt dann die Wahrnehmung des Er-Erzählers als „Niemand" (P, 24). So gesehen, wäre das Provisorium eine Geschichte über eine Identität, die sich auflöst durch die fehlende Wahrnehmung des Anderen, sowie dessen Dominanz als westdeutscher Hintergrund. Die vom Protagonisten thematisierte „Minderwertigkeit" wäre die einzige Wahrnehmung, die der Protagonist erfährt.

Wenn Bhabha von unbewusstem Widerstand oder „Subversion" spricht, die sich in Form von „Unsichtbarkeit" oder eines „bösen Blicks" ausdrücken kann, so findet sich auch dieses Element im *Provisorium*. Hilbigs „Ästhetik des Hässlichen" thematisiert das von der Wahrnehmung Ausgeblendete, und die „Abwesenheit", die Anwesenheit impliziert, funktioniert ebenso wie Bhabhas Vorstellung von „Unsichtbarkeit": „The eyes that remain – the eyes as a kind of remainder, producing an iterative process [...]. They are the signs of a structure of writing history, a history of the poetics of postcolonial diaspora [..]." (LoC, 53). Der Protagonist nimmt sich als ein „Niemand„ wahr, was ihn für seine Umgebung *abwesend* macht. Und indem diese Abwesenheit auch eine Form der Anwesenheit ist, werden diese äußeren Strukturen unterwandert und unterminiert.

112

Produktivität von Differenz

Stuart Hall veröffentlichte 1994 sein Buch über „Rassismus und kulturelle Identität"[386], worin er als ein in England lebender Jamaikaner die Bedeutung der eigenen
Herkunft in einer fremden Welt oder angesichts einer dominanten Fremdkultur im
eigenen Land thematisiert.

Ausgehend davon, dass jeglicher Form der Artikulation eine Positionierung
zugrunde liegt, „Positionen der Artikulation" (RkI, 26) also, umreißt Hall zwei Arten
der kulturellen Identität. Die erste Position wäre die einer kollektiven, die eine
„gemeinsame Geschichte und Abstammung" darstellt, die im Falle Halls „das Wesen
des ‚Karibischseins‘ bzw. der schwarzen Erfahrung" (RkI, 27) erfasst.

Die andere Position vertieft diese erste, indem der Begriff *„Differenz"* (RkI, 29)
in der umfassendsten seiner Bedeutungen für die kulturelle Identität eingeführt
wird. Wenn Hall Derridas Begriff der „differance" mit dem regelwidrigen ‚a‘ in seiner binären Bedeutung zwischen „Verschiedensein und Aufschieben" als „nie endgültig und vollständig" (RkI, 34) versteht, so ist für ihn Identität ebenso endlos und
prozesshaft, zwischen „Werden und Sein" (RkI, 29) immer wieder ‚anders‘ zu verstehen. Identitäten sind „die Namen, die wir den unterschiedlichen Verhältnissen
geben, durch die wir positioniert sind, und durch die wir uns selbst anhand von
Erzählungen über die Vergangenheit positionieren" (RkI, 29). Auf diese Weise unterscheidet er verschiedene Formen von Identität für sich selbst, eine afrikanische,
eine europäische und eine amerikanische. Die Präsenz der verschiedenen Kulturen
in Jamaika, wurde für die Identität als gleichzeitig prägend erkannt. Trotzdem unterscheidet er verdrängte Identitäten, wie die der afrikanischen, die den Kontext des
„‚Schwarzseins‘" eröffnete und eine Selbstwahrnehmung „als Söhne und Töchter
der ‚Sklaverei‘" (RkI, 36) provozierte. Die europäische dominante Präsenz dagegen
würde als erstes mit „Ausgrenzung, Zwang und Enteignung" assoziiert. Allerdings
bedeuten diese verschiedenen Identitäten immer einen „Dialog" des Individuums
mit den unterschiedlichen Formen von Vergangenheit und Gegenwart. Die „Differenz" im Sinne von Prozesshaft und verschiedener Bedeutungen gleichzeitig steht
für die „Anerkennung notwendiger Heterogenität und Verschiedenheit" (RkI, 41).
Hall geht es um ein „Konzept von ‚Identität‘, das mit und von - nicht trotz - der
Differenz lebt, das durch Hybridbildung lebendig ist" (ebd.).

Hall thematisiert dabei auch die hohe Anforderung, mehrere Identitäten gleichzeitig leben zu müssen. Angesichts der fortschreitenden Globalisierung, die das
Ineinandergreifen verschiedener Kulturen beschleunigt, heißt es:

> „Wenn es auch nicht so aussehen mag, daß die Globalisierung nationale Identi-
> täten einfach zerstören wird, so schafft sie doch gleichzeitig neue globale und
> lokale Identifikationen." (RkI, 213)

Die von den nationalen Identitäten losgelösten Identifikationen bewirken also
eine differenziertere Suche nach Rückbezügen und Einordnungen.

Eine solche Sichtweise geht einher mit einer auf verschiedenen Wegen wahrgenommenen „De-Zentrierung des Subjekts" (RkI, 193). Sei es durch Marxismus, die

---

[386] Stuart Hall: Rassismus und kulturelle Identität. Ausgewählte Schriften 2. Göttingen. 2000 – Die folgenden
Angaben werden mit „RkI" in Klammern gemacht.

Entdeckung des Unbewussten durch Freud, die Arbitrarität der Zeichen durch de Saussure oder Foucaults Strukturalismus o.a., all diese Denkansätze hätten die Vorstellung eines einheitlichen autonomen Selbst allmählich dekonstruiert und durch die Vielseitigkeit und Unbenennbarkeit seiner Bedeutungen ersetzt.

Kulturelle Identität in den Texten Anschlag *und* Das Provisorium

Auch Mühlberg hat Halls Begriff der Differenz schon für ein gesamtdeutsches Konzept angesichts der ostdeutschen Identität für sich produktiv gemacht[387]. Eine gesamtgesellschaftliche Identität, die sich auf interne Unterschiede einlässt, geht einher mit einer Identität, die sich auf verschiedene kulturelle Teilidentitäten bezieht. Die ostdeutsche Identität ist wiederum der *„differance"* untergeordnet. Sie ist also anders, verschieden von anderen Identitäten, befindet sich in einem steten Zustand der Veränderung und besteht gleichzeitig aus einer Form der Vergangenheit, durch die man sich durch Erzählungen positioniert.

Das Erzählen der Vergangenheit, die Positionierung, erinnert unmittelbar an den Gestus, der den Roman *Anschlag* durchzieht. Auch der Protagonist befindet sich in einem ständigen „Dialog" mit der ostdeutschen Vergangenheit und Gegenwart. Gleichzeitig existiert der „Dialog" mit dem westdeutschen Begleiter und damit auch ein Dialog mit der eigenen westdeutschen Identität. Gegenüber den Veränderungen, denen die neue westdeutsche Identität und die ostdeutsche Identität unterliegen, wird sich durch das „Erzählen der Geschehen der Vergangenheit" neu positioniert. Möglicherweise ist das einer der Gründe, weshalb die Figur des westdeutschen Begleiters nicht weiter ausgeleuchtet wird. Im Text soll eine Positionierung gegenüber Vergangenheit und Gegenwart stattfinden, die verdrängte Identität soll gegenüber der dominanten Identität neu gewichtet werden. Daher verkörpert der Begleiter im Text vielmehr eine andere Identität und weniger ein individuelles, subjektives Gegenüber.

Gleichzeitig scheint der Ich-Erzähler die Relativität und Evidenz der eigenen kulturellen Identität erkannt zu haben, wenn auch er das Wort „global" für die umliegende Landschaft verwendet. Das Nebeneinander verschiedener Kulturen und die lokale angesichts einer globalen Identifikation scheinen sich im literarischen Text wiederzuspiegeln. Neumanns Roman und Halls Theorie betonen beiderseits die Unmöglichkeit einer Festschreibung von Identität. Die Erkenntnis permanenter interner Veränderungen und die Schwierigkeit eines wahren Erzählens vergangener Geschehen ergänzen sich scheinbar. Beide bieten nur ein theoretisches Verständnis ohne ein eigentliches Bild an.

Im *Provisorium* lässt sich die ostdeutsche Identität mit Halls ebenfalls als eine verdrängte Identität herauslesen. Aber auch andere Formen von Identität scheinen im Text kaum zu bestehen. Die westdeutsche, gesamtdeutsche oder auch Schriftstelleridentität sind im Zerfall begriffen. Sämtliche Fixpunkte wie Beziehung, Zeit und Raum lösen sich auf und es bleiben nur noch konfuse Reste eines ehe-

---

[387] Dietrich Mühlberg: Kulturelle Differenz als Vorraussetzung innerer Stabilität der deutschen Gesellschaft? In: 1989: Später Aufbruch – Frühes Ende? Eine Bilanz der Zeitenwende. Hrsg. Hans Misselwitz/Katrin Werlich. Potsdam. 2000.

maligen Daseins. Wenn diese Reste den Namen „DDR-Identität" oder „Bestie" erhalten, so verweisen sie auf eine verkappte Herkunft. Möglicherweise ist es das Befremden in der neuen Umgebung und die von dieser Umgebung *verschiedene* Herkunft, welche der Protagonist nicht gleichzeitig leben kann. So wird zur Herkunftslosigkeit, was sich eigentlich als kulturelle Identität in immer verändernder, neu positionierender Form angesichts äußerer und innerer Differenzen hätte herausbilden müssen, nach Hall. Die ostdeutsche Identität wird als „minderwertig" ebenso wenig zugelassen wie eine westdeutsche Identität, die die freien Marktprinzipien tolerieren müsste. Und doch reflektiert Hilbigs Roman gerade die kulturelle Differenz, ein andauerndes, sich veränderndes Bewusstsein auf westdeutschem Boden um die eigene Herkunft.

Ein Dasein in kultureller Differenz spiegelt also auch die literarische Verarbeitung der ostdeutschen Identität in den Texten *Anschlag* und *Das Provisorium*. Dabei scheinen Theorie und Literatur losgelöst von Vorstellungen festgeschriebener Identitäten. Allein die unterschiedliche Art der Verarbeitung einer ostdeutschen Vergangenheit bei Hilbig oder Neumann spricht für eine endlos sich ändernde Form der ostdeutschen Identität. Sie wird nicht nur unterschiedlich gehandhabt, sondern ist auch nicht mehr dieselbe, die sie noch zu Lebzeiten der DDR war. So ist eine Post-DDR-Identität weit entfernt von einer DDR-Identität und verkörpert wiederum eine größere Nähe zur einer gesamtdeutschen Identität, als es auf den ersten Blick scheint. Denn beide Texte befinden sich in einem Dialog mit der neuen, westdeutschen oder gesamtdeutschen Identität und verarbeiten damit die Erfahrung zweier Systeme und das Wissen um eine „hybride" Identität.

Zusammenfassung

Die fiktive ostdeutsche Identität

Die ostdeutsche Identität treibt um, so scheint es nicht nur[388]. Sie durchzieht Wolfgang Hilbigs und Gert Neumanns hier behandelte Romane, ein Jahrzehnt nach der Wende. Indem einerseits *Herkunftslosigkeit* thematisiert wird und andererseits ein vorsichtiger *Umgang mit der ostdeutschen Vergangenheit*, entsteht ein Gesamtbild, das die Autoren geradezu dialektisch ergänzen. Die unterschiedliche Art der Herangehensweise, scheinbar diametral entgegengesetzt, verkörpert rein strukturell zwei Seiten einer Medaille. Hilbig geht intuitiv vor, thematisiert die ostdeutsche Identität als eine von der allgemeinen Wahrnehmung abgerückte Realität und legt sie so in ihrer provisorischen und verdrängten Form bloß. Neumann dagegen schreibt in einem viel bestimmteren, rationaleren Gestus. Die Erinnerungen an die ostdeutsche Vergangenheit sind nicht nur deutlich und präsent, sondern gleichzeitig einer Position eingebaut, die das Erinnern zur Bedingung der gegenwärtigen Identität macht. Während der Eine also bezüglich der ostdeutschen Identität an sich selbst und seiner Umwelt diagnostizierend ein „Dasein ohne Herkunft" feststellt, geht der Andere schon therapeutisch vor. Bei Neumann liegt der Fokus auf der

---

[388] Vgl. Einleitung: Die ostdeutsche Identität treibt um, so scheint es.

Möglichkeit ihrer Darstellung durch das Erzählen, um dem Verfall der ostdeutschen Vergangenheit vorzubeugen.

Mit den Möglichkeiten der Darstellung finden sich allerdings die Gemeinsamkeiten. Beide Autoren unterlassen eine Festschreibung dessen, was ostdeutsche Identität darstellt. Innerhalb der ästhetischen Dialektik Hilbigs, einer Anwesenheit durch Abwesenheit, wird eine genaue Beschreibung des Abwesenden über seine Existenz und mögliche Bedeutungen hinaus schwierig. Der Text *Das Provisorium* geht von dem zeitlichen, räumlichen und strukturellen Abstand zur ostdeutschen Vergangenheit aus, er beschreibt sie als eine im Dunkeln gelegene Erinnerung. Wenn sie daher der Grund für den provisorischen Zustand des Protagonisten ist, so wird sie nur ex negativo beschrieben. Ähnlich thematisiert der Ich-Erzähler in *Anschlag* die Unmöglichkeit einer Darstellung der ostdeutschen Identität. Die unterschiedlichen Arten des Deutens und die Schwierigkeit, die Dinge wie sie wirklich sind oder waren durch sprachliche und narrative Strukturen zu vermitteln, stellen permanente Hindernisse dar.

Beide Texte betonen den Bezug zur Vergangenheit, die Notwendigkeit einer Kontinuität zwischen Vergangenheit und Gegenwart. Einerseits wird der „Wiederverfall„ der ostdeutschen Vergangenheit thematisiert, andererseits der Zerfall des Provisoriums angesichts einer unaufgearbeiteten Vergangenheit. So wird mit den Worten Verfall oder Zerfall eine ostdeutsche Erfahrung beschrieben, die ihren Referenzpunkt in der Vergangenheit hat.

Innerhalb der Ästhetik sowie in der inhaltlichen Thematisierung der ostdeutschen Identität zeichnet sich ein widerständisches, kritisches Potential ab. Hilbig fokussiert den provisorischen Zustand solange die ostdeutsche Identität aus der Wahrnehmung ausgeblendet bleibt. Und Neumann beschreibt die Schwierigkeiten ihrer Darstellung vor dem westdeutschen Auge. Wenn dann Reibungspunkte und Bedeutungswandel als Erfahrung eines Bruchs bei beiden thematisiert werden, geht mit der Verortung der ostdeutschen Identität ein hohes Kritikpotential einher.

Die nicht-fiktive ostdeutsche Identität

Zehn Jahre nach der Wende wird von einer Post-DDR-Literatur gesprochen. Die Texte von Neumann und Hilbig gliedern sich hier ein. Allein dieses Phänomen lässt auf eine ostdeutsche Identität, eine Post-DDR-Identität, schließen. So lässt sich also textintern, anhand der Textanalyse von *Anschlag* und *Das Provisorium*, und textextern, aus der Literaturkritik, die wachsende Bedeutung dieser Thematik festmachen.

Inhaltlich produktiv wird die fiktionale Verarbeitung der ostdeutschen Identität jedoch erst, wenn ihr realgesellschaftliches Pendant als Phänomen umrissen wird. Mit wenigen Worten wie der „Herkunftslosigkeit" oder dem „Wiederverfall der ostdeutschen Vergangenheit" bringt die fiktionale Literatur auf den Punkt, was auf realer Ebene vielseitig und vielschichtig artikuliert wird. Allerdings bleibt der Fokus auf die Schwierigkeiten einer ostdeutschen Identität nun im westdeutschen System gerichtet, sei es die Deutungshoheit des Westens oder vom Markt abhängigen Werte. Es scheint, als ob der gesellschaftliche Diskurs auf fiktiver Ebene fortgeschrieben wird.

Woraus allerdings der endgültige Antrieb zu einem Schreiben über oder aus einer ostdeutschen Identität heraus besteht, ist in seiner Priorität kaum festzumachen. Die literarische Verständigung über die ostdeutsche Herkunft eröffnet Ebenen über die gesellschaftlichen Debatten hinaus. Die Erfahrung eines Bruchs und eines Neuanfangs in einem anderen System kann dabei als Leidschatz funktionieren und in der Selbstverständigung das eigene Immunsystem ausdifferenzieren. Zudem sind andere Medien zur Verständigung über eine ostdeutsche Vergangenheit erst „rudimentär" ausgebildet.

Strukturell oder philosophisch gesehen, besitzt sie eine Bedeutung als kulturelle Differenz innerhalb der gesamtdeutschen Gesellschaft. Als kulturelle Identität steht die ostdeutsche Identität neben westdeutschen oder gesamtdeutschen Formen der Identität. Und da sie intersubjektiven Wahrnehmungen unterworfen ist, sich dadurch konstituiert, und gleichzeitig in ihrer Differenz ein in sich selbst veränderndes Potential birgt, entsteht eine Dynamik, die auch auf literarischer Ebene produktiv wird: An den Texten *Anschlag* und *Das Provisorium* war das zu erkennen. So gesehen wird fraglich, inwieweit die ostdeutsche Identität von den ostdeutschen Autoren überhaupt bewusst produktiv gemacht wurde, da die Beschäftigung mit diesem Thema schon strukturell vorprogrammiert erscheint. Hier würde das Phänomen einer Post-DDR-Literatur den Gedankenkreis schließen.

Wichtig bleibt für meine Perspektive jedoch, dass die literarischen Formen der ostdeutschen Identität in den Texten *Anschlag* und *Das Provisorium* mit deren nicht-fiktiven Pendants korrespondieren. Demnach *oszilliert* die ostdeutsche Identität zwischen Fiktion und Realität. Innerhalb ihrer literarischen Verarbeitung provoziert sie einen politischen Schreibgestus, der ungleiche Gewichtungen in der Wahrnehmung und Konflikte in ihrer Verortung bloß legt. Indem Hilbig und Neumann also die ostdeutsche Identität in ihren Texten produktiv machen beziehen sie eine widerständische Position, die von gesellschaftlicher Relevanz ist. Sie ist Leseantrieb und Schreibantrieb zugleich. Ein realgesellschaftliches Erfahrungspotential wird in seinen Untiefen literarisch ausgelotet und erneut zur Debatte gestellt.

Autothematisch und doch politisch

Die These einer ostdeutschen Identität in den Romanen von Hilbig und Neumann wird umso stärker, geht man von einem Zusammenhang zwischen Identität, Autobiografie und Fiktion aus. Wenn schon das Fingieren eine anthropologische Dimension ist und die Identität narrativen Mustern unterliegt, scheint ein Schreiben angesichts einer ostdeutschen Identität auch diesem Zusammenhang zu entspringen. Dazu kommt, dass die Texte *Anschlag* und *Das Provisorium* starke autobiografische Züge besitzen. Da aber auch Autobiografien nie ohne Fiktion auskommen und immer einer bestimmten Vorstellung von Identität unterliegen, wird durch den Begriff ‚autothematischer Gestus' das Besondere der hier untersuchten Texte unterstrichen.

Hilbig und Neumann brauchten diese Form des Schreibens um die eigene Identität bezüglich ihrer ostdeutschen Herkunft verorten zu können. Die Literarizität ihrer Texte geht daher mit ihrer Realität einher. Die Romane der beiden Autoren sind weder vorrangig autobiografisch noch fiktiv, sie besitzen weder einen spezifisch historischen noch einen ahistorischen Charakter. Allerdings fällt die Gewichtung des Politischen gegenüber dem Apolitischen ungleicher aus. Indem die Position der Artikulation bei beiden Texten von einer ostdeutschen gegenüber einer westdeutschen ausgeht und aus dieser Perspektive Probleme angesprochen werden, geht die Literarizität mit einer spezifischen, problematischen Realität einher.

So gesehen wirkt der Begriff des Autothematischen sehr eng. Die Texte von Hilbig und Neumann gehen aber weit über deren persönlichen Horizont hinaus. Sie erfüllen das am Anfang angesprochene eigentliche Bedürfnis nach einem Wenderoman. Die ostdeutsche Thematik auf literarischer Ebene wiedergespiegelt zu sehen, entspricht einem allgemeinen Versuch, die ostdeutsche Herkunft zu verorten und mit der Gegenwart zu verbinden. Gerade dann, wenn andere öffentliche Medien einer ernsthaften Auseinandersetzung kaum Platz bieten, wird die literarische Verarbeitung der ostdeutschen Identität über ihr inspiratorisches Potential hinaus dringend. Hilbig und Neumann greifen mit ihren Texten also Themen auf, die vom gesellschaftlichen Diskurs bisher ausgeklammert blieben. Dass sie damit auch keinen Wenderoman schrieben, hat schon mit dem von westdeutscher Seite – oder von einer durch die Wiedervereinigungseuphorie verklärten ostdeutschen Sicht – definierten Begriff zu tun. Anstatt der Forderung nach einer narrativen Vereinheitlichung von Wende und Wiedervereinigung, der Stabilisierung von Identität, nachzugeben, wurden Ungleichheiten und die Probleme einer ostdeutschen Identität im gesamtdeutschen System literarisch produktiv gemacht. Es wurde eine eigene Form der Identität narrativiert.

Schoor nennt es „starrköpfig bleiben"[389]: Hilbig und Neumann hätten auch nach der Wende ihre Vorstellungen von Freiheit beibehalten. Damit wird das Modell einer Verlierer-Generation der vierziger Jahre von dem Sozialwissenschaftler Göschel[390] erst vervollständigt. Die beiden Autoren haben zwei Drittel ihres Lebens in der DDR verbracht und sind daher in ausgiebiger Kenntnis der ostdeutschen Vergangenheit und Identität. Wenn sie nun dieses Wissen und diesen Hintergrund im neuen System literarisch produktiv machen und problematisieren, kann von einem „Rückzug in die Nischen" keineswegs die Rede sein. Das kritische Bewusstsein der Ostdeutschen Hilbig und Neumann lebt fort.

Darüber hinaus stehen die beiden Autoren und ihre hier behandelten Romane für einen Prozess. Mit der Wiedervereinigung wurde das eigene ‚Immunsystem' durch das Fremde im scheinbar Gleichen wie im Begriff der Freiheit gestört. Indem dann der eigene Organismus durch das Thematisieren des Bedeutungswandels – autothematisch – reaktiviert wurde, ließ sich das Fremde im Eigenen oder Gleichen neu erkennen. Daher gilt für ostdeutsche Autoren wie Hilbig oder Neumann: Sie haben nicht nur Altes reaktiviert, sondern das Alte im neuen System ausdifferenziert und *resistenter* gemacht.

---

[389] Uwe Schoor: Heraustreten aus selbstverschuldeter Müdigkeit. Zwei unaufgefordert schreibende Arbeiter. Wolfgang Hilbig und Gert Neumann. In: Zersammelt. Die inoffizielle Literaturszene der DDR nach 1990. Hrsg. Roland Berbig, Birgit Dahlke u.a.. Berlin. 2001, S. 66.
[390] Siehe Einleitung!

Ausblick

Dass die ostdeutsche Identität umtreibt, gilt nicht nur für Hilbig und Neumann. Wie schon erwähnt[391], wird diese Kategorie auch für andere Schriftsteller und ihre Werke produktiv. Möglicherweise vervollkommnen andere Ansätze das Gesamtbild ostdeutscher Identität weiter.

Mitte der neunziger Jahre standen noch die Konflikte einer ostdeutschen Identität mit der westdeutschen im Vordergrund. So beschreibt Burmeister 1994 in *Unter dem Namen Norma* die unterschiedlichen Projektionen zwischen West und Ost, innerhalb derer es möglich ist, erfundene Stasi-Vergangenheiten aus westlicher Sicht für wahr erklärt zu bekommen. Und Christa Wolfs *Medea* thematisiert 1996 die Vielseitigkeit der Missverständnisse, denen die Protagonistin in der fremden Kultur ausgesetzt ist.

Wenn dann 1997 Ingo Schulze mit *Simple Storys* über die ostdeutsche Provinz nach der Wende schreibt, so wurde der Fokus von den Konflikten allmählich auf den Versuch einer Verbindung zwischen Vergangenheit und Gegenwart verlagert. Und auch wenn Andreas Koziol im *Lebenslauf* 1998 die DDR nicht als Prägung seiner individuellen Herkunft oder Identität verstanden haben will, so ist auch das eine Form der Auseinandersetzung mit der ostdeutschen Vergangenheit.

Die Schwierigkeiten, diese Kontinuität zwischen Vergangenheit und Gegenwart im neuen System herzustellen, reflektieren die beiden Texte von Hilbig und Neumann. Weitere Romane ostdeutscher Autoren ergänzen das Mosaik ostdeutscher Identität in der fiktionalen Literatur. Wichtig bleibt für mich, dass diese zwischen Fiktion und Realität oszillierende Kategorie für ein Verständnis der ostdeutschen Literatur nach 1989 notwendig ist. Gerade dann, wenn deren sich ausdifferenzierende Strukturen immer resistenter werden.

---

[391] In der Einleitung und in Teil 3 wird auf die zunehmende Tendenz ostdeutscher Themen für ostdeutsche Schriftsteller verwiesen.

5 LITERATURVERZEICHNIS

5.1 Primärliteratur

Hilbig, Wolfgang: Das Provisorium. Frankfurt am Main. 2000
Neumann, Gert: Anschlag. Köln. 1999.

5.2 Sekundärliteratur. Beiträge zu den besprochenen Romanen

Wolfgang Hilbig, *Das Provisorium*:
Bauer, Gerhard: Was heißt hier Subversion? In: Das Subversive der Literatur, die Literatur als das Subversive. Hrsg. Karol Sauerland. Torun. 1997. S. 112-123.
Bordaux, Marie Sylvie: Literatur als Subversion. Eine Untersuchung des Prosawerkes von Wolfgang Hilbig. Göttingen. 2000.
Böttiger, Helmut: Monströse Sinnlichkeiten, negative Utopie. Wolfgang Hilbigs DDR-Moderne. In: Text und Kritik. VII/94. S. 83-95.
Collard, Marie-Luce: Die Fiktion der Macht und Macht der Fiktion. In: Peter Weiss Jahrbuch. Band 9. St. Ingbert. 2000. S. 123-147.
Cooke, Paul: Speaking the Taboo. A study of the work of Wolfgang Hilbig. Amsterdamer Publikationen zur Sprache und Literatur. Amsterdam. 2000.
Fühmann, Franz: Praxis und Dialektik der Abwesenheit. Eine imaginäre Rede. In: Wolfgang Hilbig. Materialien zu Leben und Werk. Hrsg. Uwe Wittstock. Frankfurt am Main. 1994. S. 45-50.
Harig, Ludwig: Figurenentrümpelung. Auf der Suche nach Wolfgang Hilbigs Erzähler. In: Text und Kritik. VII/94, S. 3-9.
Saab, Karin: „Die Literatur hatte völlig resigniert". Über Scheckfälscher und Flaschensammler. Ein Gespräch mit Wolfgang Hilbig. In: Wolfgang Hilbig. Materialien zu Leben und Werk. Hrsg. Uwe Wittstock. Frankfurt am Main. 1994. S. 222-228.
Schmitz, Walter: Ost-West-Passagen in der Erzählprosa Wolfgang Hilbigs. In: Mentalitätswandel in der deutschen Literatur zur Einheit (1990-2000). Hrsg. Volker Wehdeking. Berlin. 2000. S. 133-140.
Stanzel, Franz K.: Theorie des Erzählens. Göttingen. 1995.
Wittstock, Uwe: Das Prinzip Exkommunikation. Wanderungen in Wolfgang Hilbigs Prosalandschaft. In: Wolfgang Hilbig. Materialien zu Leben und Werk. Hrsg. Uwe Wittstock. Frankfurt am Main. 1994. S. 145-161

Rezensionen
März, Ursula: In der deutschen Vorhölle. In: Die Zeit. Nr. 9. 24.02.2000.
Wittstock, Uwe: Zwischen beiden deutschen Staaten. In: Die Welt. 3.5.2002
Schmitt, Hans Jürgen: Durchs Nadelöhr des Subjekts. Wolfgang Hilbigs neue Prosa „Eine Übertragung". In: Süddeutsche Zeitung. 10.10.1989.

Materialien vom Autor

Hilbig, Wolfgang: Abriss der Kritik. Frankfurter Poetik Vorlesungen. Frankfurt am Main. 1995.

Hilbig, Wolfgang: Selbstvorstellung. Anlässlich der Aufnahme in die Deutsche Akademie für Sprache und Dichtung. In: Wolfgang Hilbig. Materialien zu Leben und Werk. s.o. 1994. S. 11-13.

Hilbig, Wolfgang: Zeit ohne Wirklichkeit. Ein Gespräch mit Harro Zimmermann. In: Wolfgang Hilbig/123. Text und Kritik. VII/94. S. 18-24.

Hilbig, Wolfgang gegenüber dem Hessischen Rundfunk. 31.08.01 um 21Uhr.

Hilbig, Wolfgang: Verschleiß. Dankrede für den Literaturpreis der Deutschen Schillerstiftung. In: NdL. Nr. 45. 1997. S. 180-186.

Hilbig, Wolfgang: Wie wir zu DDR-Bürgern wurden. In: Freitag. Nr. 13. 21.03. 1997.

Hilbig, Wolfgang: Der Blick von unten. In: Wolfgang Hilbig. Materialen zu Leben und Werk. Hrsg. Uwe Wittstock. Frankfurt am Main. 1994. S. 18-21.

Gert Neumann, *Anschlag*:

Beckermann, Thomas: ‚Die Diktatur präsentiert das Abwesende nicht': Essay on Monika Maron, Wolfgang Hilbig und Gert Neumann. In: German Literature at a Time of Change 1989-1990. German Unity and German Identity in Literary Perspective. Hrsg. Arthur Williams, Stuart Parkes and Roland Smith. Bern. 1991. S. 97-116.

Buber, Martin: Ich und Du. Stuttgart. 1995.

Dieckmann, Dorothea: Vom Schweigen in Deutschland. Gert Neumanns spannend-sperrige Bücher. In: Neue Zürcher Zeitung. Nr. 105. 8./9. 5. 1999.

Hillgruber, Karin: Die Poesie, Muhme, hat viele Feinde. Gert Neumanns peripatetische Erkundung in östlicher Landschaft. In: Süddeutsche Zeitung. Nr. 69. 24. 3. 1999.

Schmitz, Walter: Über Gert Neumann. In: Verhaftet. Dresdner Poetikvorlesung. Hrsg. W. Schmitz und L. Udolph.. Dresden. 1999. S. 95-134.

Schönig, Barbara: Das Zwischen als eine Chance. Erzählraum und erzählter Raum in der Prosa Gert Neumanns. Magisterarbeit. HU-Berlin. 2001.

Walser, Martin: Geist und Sinnlichkeit. Gert Neumanns deutsch-deutsches Gespräch. In: Verhaftet. Dresdner Poetikvorlesung. Hrsg. W. Schmitz und L. Udolph.. Dresden. 1999. S. 93-95.

Zmarzlik, Joscha: Die Dimension Neumann. In: Flechtwerk. Berliner Literatur nach 1989. Hrsg. Frank Hörnigk. Berlin. 1995. S. 75f.

Materialien vom Autor

Neumann, Gert: Blackout. In: Contentious Memories. Looking back at the GDR. Hrsg. Jost Hermand, Marc Silberman. New York. 1998. S. 10-15.

Neumann, Gert: Die Dimension Bitterfeld. In: Flechtwerk. Berliner Literatur nach 1989. Hrsg. Frank Hörnigk. Berlin. 1995. S. 66-72.

Neumann, Gert: Die Reportagen. In: Die Schuld der Worte. Rostock. 1989. S. 20-35.

Neumann, Gert: Ein Portrait in Selbstaussagen. In: Flechtwerk. Berliner Literatur nach 1989. Hrsg. Frank Hörnigk. Berlin. 1995. S. 83-87.

5.3 Sonstige verwendete und angeführte Sekundärliteratur, Aufsätze und Beiträge

Aristoteles: Über die Dichtkunst. Leipzig. 1865.

Assmann, Aleida: Erinnerungsräume. Formen und Wandlungen des kulturellen Gedächtnisses. München. 1999.

Assmann, Jan: Das kulturelle Gedächtnis. München. 1997.

Barthes, Roland: Die Lust am Text. Frankfurt am Main. 1974.

Bauer, Matthias: Romantheorie. Weimar. 1997.

Bender, Peter: Die Gleichheit aller Deutschen vor der Geschichte. In: Zur Lage der Nation. Leitgedanken für eine Politik der Berliner Republik. Berlin. 2001. S. 51-66.

Berbig, Roland: Preisgekrönte DDR-Literatur nach 1989/90. In: Text und Kritik. IX/00. S. 198-208.

Bhabha, Homi K.: Location of Culture. London, New York. 1994.

Bogdal, Klaus Michael: Klimawechsel. Eine kleine Meteorologie der Gegenwartsliteratur. In: Baustelle Gegenwartsliteratur. Hrsg. Andreas Erb u. a. Wiesbaden. 1998. S. 10-25.

Brunner, Wolfram und Walz, Dieter: Selbstidentifikation der Ostdeutschen 1990-1997. Warum sich die Ostdeutschen zwar als „Bürger 2. Klasse" fühlen, wir aber nicht auf die „innere Mauer" treffen. In: Werte und nationale Identität im vereinten Deutschland. Erklärungsansätze der Umfrageforschung. Hrsg. Heiner Meulemann. Opladen. 1998. S. 115-138.

Cohn, Dorrit: Narratologische Kennzeichen der Fiktionalität. In: Sprachkunst. Beiträge zur Literaturwissenschaft. Nr. 26. 1995. S. 75-81.

Dahn, Daniela: Vereintes Land – geteilte Freude. Für eine ehrliche Geschichtsschreibung auf beiden Seiten. In: Zur Lage der Nation. Leitgedanken für eine Politik der Berliner Republik. Hrsg. Hans Misselwitz und Katrin Werlich. Berlin. 2001. S. 12-31.

Dieckmann, Christoph: Kindheitsmuster oder das wahre Leben im falschen. In: Das wahre Leben im falschen. Geschichten von ostdeutscher Identität. Berlin. 1998. S. 15-26.

Dieckmann, Christoph: Der Autor der Einheit. „Es gibt ein Leben nach der DDR„. Was ein Westler über den Osten schreibt. Reportagen von Helmut Böttiger. In: Die Zeit. Nr. 13. 24.3. 1995.

Dieckmann, Friedrich: Top down oder bottom up? Zum Prozess der deutschen Vereinigung. In: Zur Lage der deutschen Nation. Leitgedanken für eine Politik der Berliner Republik. Hrsg. Hans Misselwitz und Katrin Werlich. Berlin. 2001. S. 79-101.

Dufresne, Eva F.: Das Problem des Ich-Romans im 20. Jahrhundert. Europäische Hochschulschriften. Frankfurt am Main. 1985.

Dümmel, Karsten: Identitätsprobleme in der DDR-Literatur der siebziger und achtziger Jahre. Frankfurt am Main. 1997.

Emmerich, Wolfgang: Im Zeichen der Wiedervereinigung: die zweite Spaltung der deutschen Literatur. In: Die andere deutsche Literatur. Hrsg. Wolfgang Emmerich. Opladen. 1994. S. 213-256.

Emmerich, Wolfgang: Kleine Literaturgeschichte der DDR. Erweiterte Neuausgabe. Leipzig. 1996.

Endler, Adolf: Ede Nordfalls, ‚Wende-Roman‘. In: Dem Erinnern eine Chance. Jenaer Poetik-Vorlesungen „Zur Beförderung der Humanität" 1993/94. Hrsg. Edwin Kratschmer. Köln. 1995. S. 178ff.

Foucault, Michel: Was ist ein Autor? In: Schriften zur Literatur. Frankfurt am Main. 1988.

Freud, Sigmund: Trauer und Melancholie. Essays. Berlin. 1982.

Friese, Heidrun: Identität: Begehren, Name und Differenz. In: Identitäten. Erinnerung, Geschichte, Identität. Hrsg. Aleida Assmann, Heidrun Friese. Frankfurt/Main. 1998. S. 7-32.

Gabler, Wolfgang: Der Wenderoman als neues literarisches Genre. Thesen. In: Zeiten-Wende, Wendeliteratur. Umrisse. Schriften zur Mecklenburgischen Landesgeschichte. Bd. 4. Weimar. 2000. S. 70-92.

Geisenhanslüke, Achim: Abschied von der DDR. In: Text und Kritik. IX. 2000. S. 80-91.

Genette, Gerard: Fiktion und Diktion. München. 1992.

Göschel, Albrecht: Kontrast und Parallele: kulturelle und politische Identitätsbildung ostdeutscher Generationen. Stuttgart, Berlin u.a.. 1999.

Grambow, Jürgen: Das Trotzdem und der Zufall. Wendeliteratur von Autor/innen aus Mecklenburg-Vorpommern. In: Zeiten-Wende, Wendeliteratur. Hrsg. Wolfgang Gabler u.a.. Weimar. 2000. S. 117-119.

Greenblatt, Stephen: Towards a Poetics of Culture. In: Learning to curse. Essays in Early Modern Culture. New York/London. 1990. S. 118-134.

Halbwachs, Maurice: Das kollektive Gedächtnis. Frankfurt/Main. 1985.

Hall, Stuart: Rassismus und kulturelle Identität. Ausgewählte Schriften 2. Göttingen. 2000 (1994).

Hermann, Hans Peter: Der Platz auf der Seite des Siegers. Zur Auseinandersetzung westdeutscher Literaturwissenschaft mit der ostdeutschen Literatur. In: Baustelle Gegenwartsliteratur. Die neunziger Jahre. Hrsg. Andreas Erb. Wiesbaden. 1998. S. 33-45.

Hilmes, Carola: Das inventarische und das inventorische Ich. Grenzfälle des Autobiographischen. Universitätsverlag. Heidelberg. 2000.

Holdenried, Michaela: Autobiographie. Stuttgart. 2000.

Iser, Wolfgang: Das Fiktive und das Imaginäre. Perspektiven literarischer Anthropologie. Frankfurt am Main. 1991.

Iser, Wolfgang: Fingieren als anthropologische Dimension der Literatur. Konstanz. 1990.

Iser, Wolfgang: Ist der Identitätsbegriff ein Paradigma für die Funktion der Fiktion? In: Identität. Hrsg. Odo Marquard und Karlheinz Stierle. Poetik und Hermeneutik VIII. München. 1996. S. 725-728

Jannidis, Fotis u.a. (Hrsg.): Rückkehr des Autors. Tübingen. 1999.

Jannidis, Fotis: Der nützliche Autor. Möglichkeiten eines Begriffs zwischen Text und historischem Kontext. In: Rückkehr des Autors. Frankfurt am Main. 1999. S. 355-385

Kerby, Anthony P.: Narrative and the Self. Indianapolis. 1991.

Kolbe, Uwe im Gespräch mit Daniel Lenz und Eric Pritz: Arbeit am Spurenelement. In: Freitag, 21. Januar 2000.

Kormann, Julia: Literatur und Wende. Ostdeutsche Autorinnen und Autoren nach 1989. Hrsg. Klaus Michael Bogdal, Erhardt Schütz, Jochen Vogt. Wiesbaden. 1999.

Krause, Tilman: So tragisch sind die gar nicht. Ketzerische Gedanken über Ost-Schriftsteller als neue gute Wilde und von der Überwindung dieses Klischees durch Verwestlichung. In: moosbrand. neue texte 6. Berlin. S. 78-81.

Lacan, Jaques: Das Spiegelstadium als Bildner der Ichfunktion, wie sie uns in der psychoanalytischen Erfahrung erscheint. In: Das Werk von Jacques Lacan. Hrsg. Jaques-Alain Miller. Übers. v. Norbert Haas u.a.. Berlin. 1991. S.77-91.

Langer, Susanne Katharina: Philosophie auf neuem Wege; das Symbol im Denken, im Ritus und in der Kunst. Frankfurt am Main. 1965.

Lau, Jörg: Der politische Roman. Literatur und Politik – Über das Unbehagen an einer Fragestellung. In: moosbrand. neue texte. Heft 5. Berlin. 1997. S. 63-65.

Lee, Hyonseon: Geständniszwang und ‚Wahrheit des Charakters‘ in der Literatur der DDR. Stuttgart/Weimar. 2000.

Lejeune, Philippe: Der autobiographische Pakt. Hrsg. Karl Heinz Bohrer. Frankfurt am Main. 1994.

Lübbe, H.: Rechtfertigungsunfähigkeit und Rechtfertigungsunbedürftigkeit der Identität. In: Identität. Hrsg. Odo Marquard. Poetik und Hermeneutik. Bd. 8. München 1979. S. 643-646.

Marquard, Odo: Identität – Autobiographie – Verantwortung (ein Annäherungsversuch). In: Identität. Hrsg. Odo Marquard. Poetik und Hermeneutik. Bd. 8. München 1979. S. 693-698.

Meyer-Gosau, Frauke: Ost-West-Schmerz. Beobachtungen zu einer sich wandelnden Gemütslage. In: Text und Kritik. IX. 2000. S. 5-13.

Misselwitz, Hans: Die unvollendete Berliner Republik: Warum der Osten zur Sprache kommen muss. In: Zur Lage der Nation. Leitgedanken für eine Politik der Berliner Republik. Berlin. 2001. S. 32-50.

Misselwitz, Irene: Die Wiedervereinigung. Frühjahrstagung der Deutschen Psychoanalytischen Vereinigung (DPV) 2002, vom 8. – 11. 5. 2002 in Leipzig.

Mitscherlich, Alexander und Margarete: Die Unfähigkeit zu trauern. Leipzig. 1990.

Mühlberg, Dietrich: Kulturelle Differenz als Vorraussetzung innerer Stabilität der deutschen Gesellschaft? In: 1989: Später Aufbruch – Frühes Ende? Eine Bilanz der Zeitenwende. Hrsg. Hans Misselwitz, Katrin Werlich. Potsdam 2000. S. 248-265.

Neumann, Bernd: Paradigmawechsel. Vom Erzählen über die Identitätsfindung zum Finden der Identität durch das Erzählen: Goethe (1822), Thomas Mann (1910) und Bernhard Blume (1985). In: Edda-Hefte. Nr. 2. 1991.

Pollack, Detlef: Ostdeutsche Identität – ein multidimensionales Phänomen. In: Werte und nationale Identität im vereinten Deutschland. Hrsg. Heiner Meulemann. Opladen. 1998. S. 301-317.

Radisch, Iris: Endlich! Der Wenderoman. Aber wer ist eigentlich Gert Neumann? In: Die Zeit. Nr. 13. 25.03.1999.

Radisch, Iris: Zwei getrennte Literaturgebiete. Deutsche Literatur der neunziger Jahre in Ost und West. In: Text und Kritik. IX. 2000. S. 13-26.

Rauschenbach, Brigitte: Deutsche Zusammenhänge. Zeitdiagnose als politische Psychologie. Osnabrück. 1995.

Reinhardt, Stephan: Sechs Jahre Wende und kein Roman. In: Berliner Zeitung. 28.10.1995.

Ricoeur, Paul: Das Selbst als ein Anderer. München. 1996.

Robbe-Grillet, Alain: Neuer Roman und Autobiographie. Konstanz. 1987.

Schmitt, Hans Jürgen: Durchs Nadelöhr des Subjekts. Wolfgang Hilbigs neue Prosa „Eine Übertragung". In: Süddeutsche Zeitung, 10.10.1989.

Schmitz, Walter: Der verschwundene Autor als Chronist der Provinz. Ingo Schulzes Erzählprosa in den 90er Jahren. In: Mentalitätswandel in der deutschen Literatur zur Einheit (1990-2000). Hrsg. Volker Wehdeking. Berlin. 2000. S. 133-140.

Schmitz, Walter: Ost-West-Passagen in der Erzählprosa Wolfgang Hilbigs. In: Mentalitätswandel in der deutschen Literatur zur Einheit (1990-2000). Hrsg. Volker Wehdeking. Berlin. 2000. S. 111-133.

Scholz, Hannelore: Die unheimliche Suche nach der deutschen Identität. Reflexionen über die „Wende" acht Jahre danach. In: Zeitstimmen. Betrachtungen zur Wende-Literatur. Hrsg. Hannelore Scholz u.a.. Berlin. 2000. S. 13-19.

Schoor, Uwe: Heraustreten aus selbstverschuldeter Müdigkeit. Zwei unaufgefordert schreibende Arbeiter. Wolfgang Hilbig und Gert Neumann. In: Zersammelt. Die inoffizielle Literaturszene der DDR nach 1990. Hrsg. Roland Berbig, Birgit Dahlke u.a.. Berlin. 2001. S. 56-70.

Schühmann, Matthias: Die Wende als Witz. Geteilte Perspektiven auf ein politisches Grossereignis. In: Zeiten-Wende, Wendeliteratur. Umrisse. Schriften zur Mecklenburgischen Landesgeschichte. Bd. 4. Weimar. 2000. S. 93-116.

Simon, Annette: Fremd im eigenen Land? Ostdeutsche zwischen Trauer, Ressentiment und Ankommen. In: Fremd im eigenen Land? Gießen. 2000. S. 73-84.

Simon, Annette: Versuch, mir und anderen die ostdeutsche Moral zu erklären. Gießen. 1995.

Stanzel, Franz K.: Theorie des Erzählens. Göttingen. 1979.

Stross, Annette M.: Ich-Identität zwischen Fiktion und Konstruktion. Berlin. 1991.

Veen, Hans-Joachim und Zelle, Carsten (Hrsg.): Zusammenwachsen und Auseinanderdriften? Eine empirische Analyse der Werthaltungen, der politischen Prioritäten und der nationalen Identifikation der Ost- und Westdeutschen. Sankt Augustin. 1996.

Wagner, Peter: Fest-Stellungen. In: Identitäten. Erinnerung, Geschichte, Identität. Hrsg. Aleida Assmann, Heidrun Friese. Frankfurt/Main. 1998. S. 85-118.

Wagner, Wolf: Kulturschock Deutschland. Bonn. 1996.

Walser, Angelika: Schuld und Schuldbewältigung in der Wendeliteratur. Ein Dialogversuch zwischen Theologie und Literatur. Mainz. 2000.

Walther, Peter: Es gibt nur gute und schlechte Kritiken. Vom vermeintlichen Fortleben ostdeutscher Literaturkritik. In: Text und Kritik. IX. 2000. S. 208-215.

Wehdeking, Volker: Die deutsche Einheit und die Schriftsteller. Literarische Verarbeitung der Wende seit 1989. Stuttgart, Berlin, Köln. 1995.

Wehdeking, Volker: Mentalitätswandel im deutschen Roman zur Einheit (1990-2000). In: Mentalitätswandel in der deutschen Literatur zur Einheit (1990-2000). Hrsg. Volker Wehdeking. Berlin. 2000. S. 29-42.

Zerbst, Rainer: Die Fiktion der Realität – die Realität der Fiktion. Prolegomena zur Grundlegung einer künftigen Romansoziologie. Europäische Hochschulschriften. Frankfurt am Main. 1984, S. 88

Martina Ölke

Die Vergangenheit, eine Baustelle: Autobiographie/-fiktion in der Literatur der DDR vor und nach der Wende
(Stephan Hermlin, Monika Maron, Erich Loest)

.

INHALTSVERZEICHNIS

I. EINLEITUNG

Autobiographische Texte stellen wie kaum eine andere Gattung ein Spiel mit dem (vermeintlich) Authentischen dar, ein Spiel mit der Identität des Autors, ein, wie Paul de Man es prägnant benannte, „Maskenspiel"[1]. Denn obwohl im autobiographischen Text scheinbar der Autor selbst auftritt, und zwar sowohl als Erzähler als auch als Protagonist, so ist doch keineswegs eine einfache Übersetzbarkeit des Geschriebenen in die ‚Realität' möglich.[2] Daß auch und gerade autobiographische Texte Teil einer dichterischen Imagination sind, daß sie Sinnstiftung, gewissermaßen ‚Ich-Klitterung'[3], betreiben, das alles ist spätestens seit Goethes epochemachender Autobiographie *Wahrheit und Dichtung/Dichtung und Wahrheit* ins allgemeine Bewußtsein getreten. Daß Goethe hier nicht lediglich das faktisch Geschehene beschreibt, wurde verschiedentlich in der Goethe-Forschung – kritisch bis schlicht konstatierend – angemerkt. So impliziert zum Beispiel die Tatsache, daß bereits seine Ankunft auf dieser Erde unter einem besonderen, natürlich besonders guten, glück-verheißenden Stern gestanden habe, eine Art persönlichen Gründungsmythos, die Sinnstiftung nach rückwärts. Und man lese einmal Autobiographien unter diesem Vorzeichen: fast immer kommt der Art der Schilderung des Geburtsvorgangs eine gewisse Bedeutung zu.[4]

Goethes *Dichtung und Wahrheit* wurde inzwischen nicht nur zum epochemachenden Vorbild eines Genres, sondern der Titel avancierte auch zum geflügelten Wortspiel, allenthalben werden nach wie vor Reflexionen über das Wesen des Autobiographischen unter diesen Titel gefaßt (1995 beispielsweise Gunter de Bruyn: *Das erzählte Ich. Über Wahrheit und Dichtung in der Autobiographie*). Goethe hat also in der Schilderung seines Lebens von vornherein und programmatisch darauf hingewiesen, daß dem geschilderten Leben nur ein sehr eingeschränkter Wahrheitsanspruch zugrunde liegt, oder aber, anders gesagt, ein sehr erhöhter, denn ‚wahr' sind nicht die ‚nackten Tatsachen', sondern die ihnen zugrunde liegenden sinnhaften Regelmäßigkeiten, gewissermaßen die gereinigte Essenz des tatsächlich Ge-/Erlebten.

Wenn Autoren des 20. Jahrhunderts an das Goethe-Diktum von ‚Wahrheit und Dichtung' anschließen, so geschieht das meist, wenn auch vielleicht nicht immer bewußt, noch auf einer anderen Ebene. Die Nach-Goethezeit, erst recht dann das 20. und das 21. Jahrhundert, konnte wohl kaum mehr in gleichem Maße von einer so abgerundeten Subjektvorstellung ausgehen. Wenn also von ‚Wahrheit und Dichtung' in der Autobiographie die Rede ist, dann muß mindestens seit der Wende vom 19. zum 20. Jahrhundert davon ausgegangen werden, daß eine ‚Wahrheit' als solche weder existiert noch dargestellt werden kann und daß das Ich immer nur bruchstückhaft vorhanden oder überhaupt ‚ein Anderer' ist.

---

[1] Paul de Man: Autobiographie und Maskenspiel. In: Ders.: *Die Ideologie des Ästhetischen*. Hg. von Christoph Menke. Frankfurt a.M. 1993, S. 131-146.
[2] Dennoch ‚täuschen' natürlich gerade autobiographische Texte mit ihrer (in aller Regel) Übereinstimmung zwischen Autor, Erzähler und Protagonist ‚Wirklichkeit', ‚Wahrheit' und ‚Wahrhaftigkeit' vor. Vgl. dazu Martina Wagner-Egelhaaf: *Autobiographie*. Stuttgart 2000, S. 2ff.
[3] Vgl. dazu den Begriff ‚Geschichtsklitterung' in: Marlis Gerhardt: Geschichtsklitterung als weibliches Prinzip. In: Dies. (Hg.): *Irmtraud Morgner. Texte, Daten, Bilder*. Frankfurt a.M. 1990, S. 93-99.
[4] So auch in fiktiven Lebensbeschreibungen: Man denke etwa an Christian Reuters *Schelmuffsky* (1696/1697), an Günter Grass' *Blechtrommel* (1959) oder jüngst an Thomas Brussigs *Helden wie wir* (1995).

Vor diesem Hintergrund scheint es notwendig, nicht mehr auf der fest zu umrei-ßenden Gattung ‚Autobiographie' zu bestehen, sondern Texte verschiedenen Grades von ‚autobiographischer Authentizität' zu akzeptieren und zu untersuchen: Romane, autobiographische Erzählungen und Essays stehen neben ‚Familiengeschichten'.[5] Nicht immer wird für den Leser eindeutig der ‚autobiographische Pakt'[6] abge-schlossen, zum Beispiel dadurch, daß der Autor seinem Protagonisten eben *nicht* seinen eigenen Namen gibt – eine Möglichkeit der Distanzierung, der Reflexion über das Erinnern, wobei oft dennoch aufgrund anderer Signale recht deutlich bleibt, daß autobiographische Bezüge vorhanden sind. Viele Autoren im 20. und 21. Jahrhundert wollen oder können jedoch nicht mehr ‚geschlossene' Lebensbeschrei-bungen, Autobiographien, abliefern. So hat zum Beispiel Heiner Müller seiner eige-nen Autobiographie *Krieg ohne Schlacht. Leben in zwei Diktaturen*, 1992 erschie-nen, den Kunstwert, die literarische Qualität, abgesprochen. Sehr bewußt wurde die ursprüngliche Gesprächsform, das Provisorisch-Flüchtige also entgegen der sinn-stiftenden autobiographischen Ganzheit, beibehalten.[7]

Im folgenden möchte ich mich auf einen kleinen Teilaspekt des autobiographi-schen Schreibens konzentrieren: DDR-Autoren, im Verhältnis zur DDR und vor allem im Verhältnis zum antifaschistischen „Gründungsmythos" (Münkler) der DDR. Es handelt sich um (Rück-) Blicke auf die eigene Kindheit und Jugend im National-sozialismus, oder, wie im Fall Marons, auf die eigene Familiengeschichte, wobei sich, zum Teil in programmatischer Weise, zum Teil mehr en passant, erinnern und erfin-den mischen: „Nachträglich schaffe ich mir nun die Bilder", so heißt es in *Pawels Briefe*, „an die ich mich, wären meine Großeltern nicht ums Leben gekommen, erin-nern könnte, statt sie zu erfinden."[8]

Vorab soll in einem kleinen Exkurs das Phänomen ‚Stephan Hermlin' eingeführt werden, da dieses sich an der Grenze zwischen Biographie, Autobiographie und Fiktion bewegt. Am Beispiel des Autors Hermlin kann, ohne an Verrisse seitens der Medien in den letzten Jahren anknüpfen zu wollen, besonders deutlich gezeigt wer-den, welchen (autobiographischen) Zwängen Autoren in der ehemaligen DDR mit-unter ausgesetzt waren. Der idealtypische (Helden-) Lebenslauf eines DDR-Bürgers von öffentlichem Interesse bestand – kurz zusammengefaßt – aus KPD-Mitglied-schaft (oder Mitgliedschaft in einer kommunistischen Jugendorganisation), Emigra-tion, antifaschistischem Widerstandskampf, spanischem Bürgerkrieg, Konzentra-tions- oder Internierungslager. Dieses Bild wurde im offiziellen Diskurs so stark reproduziert, daß es schon beinahe zur festen Folie erstarrte. Daß Hermlin sich sei-nen Helden-Lebenslauf erfand oder erfinden ließ, kann nur vor dem Hintergrund des antifaschistischen Gründungsmythos der DDR richtig eingeordnet werden, der der offiziellen DDR zur zentralen Legitimierungsstrategie wurde.[9]

---

5 Die Grenzen der Gattung/des Genres ‚Autobiographie' lassen sich nur sehr schwer bestimmen. Eine solche Gattungsbestimmung kommt schnell an Grenzen, da sie im Versuch, klare Definitionskriterien zu finden, immer etliche vorhandene Texte ausschließen muß. Einen Überblick dazu bietet Wagner-Egelhaaf: *Autobiographie*. A.a.O., S. 5ff.

6 Den Begriff prägte Philippe Lejeune: *Der autobiographische Pakt*. Aus dem Französischen von Wolfram Bayer und Dieter Horning. Frankfurt a.M. 1994 [frz. *Le pacte autobiographique*, 1975].

7 Heiner Müller: *Krieg ohne Schlacht. Leben in zwei Diktaturen*. Köln 1992, S. 366f.

8 Monika Maron: *Pawels Briefe. Eine Familiengeschichte*. Frankfurt a.M. 1999, S. 51. Seitenzahlen in eckigen Klammern mit dem Kürzel „P" beziehen sich im folgenden auf diese Ausgabe.

9 Vgl. Herfried Münkler: Antifaschismus und antifaschistischer Widerstand als politischer Gründungsmythos der DDR. In: *Aus Politik und Zeitgeschichte* 45 (1998), S. 16-29.

Dies bot dem sich etablierenden jungen Staat zum einen die Möglichkeit, sich *zeitlich nach hinten* gegen die nationalsozialistische Vergangenheit wirkungsvoll abzugrenzen, indem man sich, anknüpfend an den (vor allem kommunistischen) Widerstand, zu den „Siegern der Geschichte"[10] erklärte. Zugleich bot diese ‚Gründungserzählung' auch die Chance, sich *räumlich-politisch zum Nachbarn*, nämlich zur nicht-sozialistischen Bundesrepublik abzugrenzen. In der offiziellen Definition Walter Ulbrichts wurde der Nationalsozialismus weniger als speziell deutsches Phänomen gedeutet, das unter anderem durch Antisemitismus und Obrigkeitshörigkeit der Bevölkerung begünstigt worden war, sondern als Extremform des Kapitalismus begriffen, weshalb auch in der DDR-Terminologie fast ausschließlich von ‚Faschismus' die Rede ist.[11]

Unter dieser Voraussetzung konnten alle Maßnahmen der DDR, die sich gegen die kapitalistische Tradition richteten, also etwa auch Enteignungen oder landwirtschaftliche Kollektivierungen, als im engeren Sinne ‚antifaschistisch' gelten, wohingegen in der Bundesrepublik unter diesen Vorzeichen niemals ein wirklicher Paradigmenwechsel stattgefunden haben konnte. Hitler, so Bernd Faulenbach treffend, wurde aus der DDR-Perspektive gleichsam zum Westdeutschen[12], und die ehemaligen Nazis, so konnte suggeriert werden, befanden sich inzwischen alle auf dem Boden der Bundesrepublik Deutschland.

Der DDR-spezifische Rückblick auf die NS-Vergangenheit und die damit verbundene Selbstverortung des jungen Staates hatte noch weiterreichende Folgen: Die Opfer des Nationalsozialismus (OdF = ‚Opfer des Faschismus' in der Terminologie der DDR) waren zwar grundsätzlich eine bevorzugte Bevölkerungsgruppe, der gewisse Privilegien zugestanden wurde. Dennoch wurde auch hier intern hierarchisiert. Juden stellten einerseits, wie Bodemann zuspitzt, ein wichtiges „Element im antifaschistischen Katechismus"[13] der DDR dar, blieben andererseits allerdings im Vergleich zu Kommunisten immer ‚Opfer zweiter Klasse'. Überhaupt wurde die Gegenüberstellung von (aktiven) ‚Kämpfern' und (passiven) ‚Opfern' auf die Spitze getrieben.

Annette Simon, die Tochter Christa Wolfs, beschreibt diese Situation folgendermaßen: „Die Geschichten von den gemordeten Antifaschisten waren die Heldensagen der DDR (die Ermordung von Millionen Juden war dabei meist nur ein Nebenthema), und die Überlebenden erfüllten deren Vermächtnis – schon deshalb mußten sie im Recht sein."[14] Diesen Prozeß der Legitimation („deshalb mußten sie im Recht sein") faßt Simon im Begriff „Loyalitätsfalle Antifaschismus" präzise zusammen.[15]

---

[10] Ebd., S. 23.

[11] Vgl. ebd., S. 16.

[12] Bernd Faulenbach: Zur Funktion des Antifaschismus in der SBZ/DDR. In: Ingrun Drechsler u.a. (Hg.): *Getrennte Vergangenheit, gemeinsame Zukunft. Ausgewählte Dokumente, Zeitzeugenberichte und Diskussionen der Enquete-Kommission „Aufarbeitung von Geschichte und Folgen der SED-Diktatur in Deutschland" des Deutschen Bundestags 1992-1994.* 4 Bde. München 1997. Bd. 1, S. 149.

[13] Y. Michal Bodemann: *Gedächtnistheater. Die jüdische Gemeinschaft und ihre deutsche Erfindung.* Hamburg 1996, S. 102.

[14] Annette Simon: Antifaschismus als Loyalitätsfalle. In: *Frankfurter Allgemeine Zeitung* (1.2.1993). Zit. nach Münkler: Antifaschismus und antifaschistischer Widerstand als politischer Gründungsmythos der DDR. A.a.O., S. 25.

[15] Ebd.

Auf der Folie dieser antifaschistischen ‚Gründungserzählung‘, so läßt sich vermuten, kommt biographischen und autobiographischen Texten eine große Rolle zu. Verbürgen sie doch (scheinbar) Authentizität, vermitteln ‚Wahrhaftigkeit‘, bieten vielleicht sogar Identifikationsmöglichkeiten. So wurden immer wieder (auto-)biographische Texte über den Nationalsozialismus veröffentlicht, die vor allem Kindern und Jugendlichen, aber auch der erwachsenen Leserschaft Anreiz bieten sollten, sich mit der DDR und ihrem Gründungsmythos zu identifizieren, man denke etwa an Stephan Hermlins *Die erste Reihe* (1951). Wie groß das Bedürfnis nach Authentizität gerade bei diesem Thema war, läßt sich gut anhand von Bruno Apitz‘ Roman *Nackt unter Wölfen* (1958) zeigen: Der Roman des ehemaligen Buchenwald-Häftlings Apitz ging zwar von tatsächlichen Begebenheiten aus, die aber weit über alles Belegbare hinaus zur Fiktion einer heldenhaften Selbstbefreiung und Kindesrettung verdichtet wurden. Dennoch wurde Apitz‘ Text in der Regel als authentisches Zeugnis über Buchenwald verstanden, was von Verlag und Medien noch unterstützt wurde. Immer wieder wurde in Verlagsbroschüren, auf Klappentexten oder in Zeitungsberichten und Interviews auf den tatsächlich erlebten Kern hingewiesen, und vor allem das Auffinden des authentischen ‚Buchenwald-Kindes‘ Stefan Jerzy Zweig und dessen Zusammentreffen mit ‚seinem‘ Autor Apitz wurde in den Medien groß aufbereitet.

Der Titel ‚Vergangenheit, eine Baustelle‘ impliziert also für die folgende Untersuchung zweierlei: Einmal wird die individuelle Vergangenheit eines schreibenden Ich, das zum Teil deckungsgleich ist mit dem autobiographischen Subjekt, als veränderbar, als variabel und im Aufbau bzw. Umbau befindlich gezeigt. ‚Ich‘, das Subjekt, bleibt eine offene Baustelle. Dabei ist aber auch der Rekurs auf die mit der DDR-Identität eng verknüpfte NS-Geschichte eine solche offene Baustelle: Nicht nur wurde diese von Seiten der offiziellen DDR als Ort der eigenen Erfindung, des sozialistischen Neubaus gewissermaßen, entdeckt und genutzt, sondern sie wird, mit gänzlich anderen Prämissen, nun auch zum Baumaterial der hier vorgestellten Autoren. Für Maron, das ist besonders prägnant, dient die zu festen Formeln versteinerte Bausubstanz ‚Antifaschismus‘ als Material für eine verspielte, widerständige autobiographische Konstruktion – der ‚Erfindung‘ des Großvaters Pawel. Anhand der Texte Loests dagegen soll weniger der spielerische Aspekt der (auto-) biographischen) Vergangenheitskonstruktion gezeigt werden, als der Prozeß der eigenen Selbstschreibung, der nicht unabhängig vom jeweiligen historischen/gesellschaftlichen Kontext des Autors zu denken ist. Bei beiden Autoren, so unterschiedlich sie auch sind (und so wenig sie sich vermutlich persönlich auch schätzen[16]), wird also deutlich, daß gerade die Selbstimagination mit Bezug auf die NS-Geschichte bzw. den ‚antifaschistischen Gründungsmythos‘ der DDR von eminenter Bedeutung ist. Vor und nach der Wende, so soll gezeigt werden, kommen bestimmten literarischen Mustern, Figuren und Gesten in der autobiographischen ‚Ich-Klitterung‘ höchst unterschiedliche Bedeutungen zu.

---

[16] Zumindest Erich Loest hat sich bereits des öfteren vernichtend über seine Schriftstellerkollegin geäußert, so etwa in seiner Rede *„Adler“ und ich* (In: *Reden über das eigene Land. 1995. Taslima Nasrin, George Tabori, Fritz Beer, Erich Loest.* Veranstalter: Kulturreferat der Landeshauptstadt München. München 1996, S. 69-79, hier S. 78): „[...] Christa Wolf, Heiner Müller und Monika Maron. Weiche Naturen, und wenn sie sich noch so ruppig gebärden, wollen immer auf der richtigen Seite sein. Das Einvernehmen mit der Macht tut wohl, schmeichelt. Dann kippt das Boot, eifrig paddeln sie zum neuen Ufer." In diesem Grundton geht es weiter. Daß man ausgerechnet diesen drei Autoren, und wohl am wenigsten Maron, vorwerfen kann, sie hätten sich allzu bequem mit ‚der Macht‘ arrangiert, scheint Loest nicht zu stören.

II. DER IDEALTYPISCHE (HELDEN-)LEBENSLAUF IN DER DDR: DIE (SELBST-) ERFINDUNG DER FIGUR ‚STEPHAN HERMLIN'

Vor einigen Jahren schlug eine Dokumentation über Stephan Hermlin große Wellen: Karl Corinos Monographie *Außen Marmor, innen Gips. Die Legenden des Stephan Hermlin*[17] macht schon im Titel ihr Anliegen deutlich. Gezeigt werden soll, in der Art einer detektivischen Spürarbeit, daß die Biographie des Autors Hermlin, wie sie sowohl in ost- als auch in westdeutschen Texten oder biographischen Informations-Diensten für Journalisten verbreitet wurde, weitgehend auf Fiktion basiert. Stephan Hermlin, der Kommunist aus großbürgerlichem Hause, der antifaschistische Widerstandskämpfer und Teilnehmer am spanischen Bürgerkrieg, soll seine eigene Vita aus, man könnte zugespitzt sagen, Publicity-Gründen gefälscht haben. Diese Ergebnisse Corinos, der Aktenmaterial und Dokumente aus aller Welt zusammengetragen hat, wurden in Auszügen schon vor der eigentlichen Buchveröffentlichung publiziert und erregten (vor allem in Ostdeutschland) vehementen Widerspruch. Dies hängt sicherlich nicht nur damit zusammen, daß, nach Literaturstreit und allgemeiner Verunglimpfung der DDR-Kultur, schon wieder eine der identitätsstiftenden Gestalten vom Sockel gestoßen werden sollte, sondern auch damit, daß Corino seine weitgehend hieb- und stichfesten Ergebnisse mit einer etwas zu forciert kämpferischen, rechthaberischen Geste einführt. Ein unerschöpflicher Quell west-östlicher Mißverständnisse hatte sich aufgetan.

Fest scheint zu stehen, daß sich Hermlin, die bürgerlich-kommunistische Autoritätsfigur der ehemaligen DDR, seinen idealtypischen Lebenslauf ‚erfand'. Folgende fünf Aspekte sind dabei zentral:

Hermlins großbürgerliche Herkunft, die stets als äußerst wohlhabend geschildert wird und für die Kinder etwa mit Hauslehrern und Eliteschulen in der Schweiz verbunden gewesen sein soll, scheint stark übertrieben worden zu sein, vermutlich, um die ‚Fallhöhe' zu vergrößern: der Sohn des reichen Bildungsbürgers, der zum überzeugten Kommunisten wird.

Hermlins Mutter, eine aus Galizien stammende Jüdin, wird in der (Auto-)Biographiefiktion zur (christlichen) Engländerin gemacht.

Die jüdischen Anteile des biographischen Hintergrundes wurden, wenn nicht getilgt, so doch stark abgeschwächt: Nicht nur die Mutter wird zur Nicht-Jüdin, sondern es wird auch sowohl die Schwester Ruth Frenkel, die in Israel lebt, aus der Biographie gestrichen, als auch die eigene Exilphase in Palästina marginalisiert. Nicht zuletzt wird Hermlins Rettung aus einem französischen Internierungslager durch den Judenrat verschwiegen, vielmehr wird diese Befreiung zu einer mutigen Tat Hermlins selbst umgedeutet.

Stephan Hermlins Vater sei, so wird überliefert, im KZ gestorben, tatsächlich war dieser aber nur wenige Wochen in einem KZ, im Anschluß daran emigrierten er und seine Frau nach England, wo er 1947 starb. Noch brisanter sind Hermlins Angaben zu seiner eigenen KZ-Haft in Sachsenhausen: Im von ihm angegebenen Zeitraum existierte dieses KZ noch nicht, und auch später oder in einem anderen KZ konnte sich kein Häftling namens Rudolf Leder, Hermlins bürgerlicher Name, nachweisen lassen.

---

[17] Karl Corino: *Außen Marmor, innen Gips. Die Legenden des Stephan Hermlin*. Köln 1996.

Stephan Hermlin hat sich selbst sowohl als Aktivist im antifaschistischen Widerstandskampf als auch als Teilnehmer am spanischen Bürgerkrieg – in einigen Versionen sogar als Offizier in den Interbrigaden – deklariert. Beides läßt sich jedoch anscheinend im von ihm behaupteten – und von den Biographien reproduzierten – Maße nicht belegen. Die Teilnahme am spanischen Bürgerkrieg beschränkte sich vermutlich darauf, daß Hermlin von Paris aus Beiträge für den republikanischen spanischen Rundfunk schrieb.

Die Korrekturen, die hier festzustellen sind, sind symptomatisch, schreiben sie doch den idealtypischen Helden-Lebenslauf der DDR fort. Uwe Johnson hat in seinem Roman *Das dritte Buch über Achim* (1961) kritisch darauf hingewiesen, daß es mitunter unmöglich werden konnte, einer Persönlichkeit von öffentlichem Interesse einen *anderen* als genau diesen folienhaften Lebenslauf zuzuschreiben. *Das dritte Buch über den Radfahrer Achim*, für den der DDR-Volksheld Täve Schur Pate gestanden hat, scheitert an der offiziellen Erwartungshaltung und an dem Unvermögen, andere Lebensläufe, weniger ‚heldenhafte‘ oder widerständige, zuzulassen.

Hermlins „Legenden“, wie Corino diese (auto-)biographischen Korrekturen nennt, sind wohl auch nur vor diesem Hintergrund angemessen einzuordnen, soll es doch nicht darum gehen, Stephan Hermlin oder stellvertretend seine DDR-Biographen, allen voran Silvia Schlenstedt, moralisch zu verurteilen, sondern es kann nur darum gehen, die Hintergründe und Mechanismen zu verstehen, die genau diese Art der persönlichen ‚Geschichts- und Ich-Klitterung‘ begünstigten.

Dazu kommt, was Corino mitunter nicht ausreichend berücksichtigt, daß das Phänomen ‚Hermlin‘ schon auf der Grenze zwischen Biographie und Autobiographie anzusiedeln ist. Denn Hermlins Texte, sowohl seine Erzählungen als auch der spätere Text *Abendlicht* – von Wolfgang Emmerich als „kleine poetische Autobiographie“ bezeichnet[18] –, sind *nicht* explizit als autobiographisch markiert. Es handelt sich in der Regel zwar um Ich-Erzählungen, zudem sind die Bezüge zur (vermuteten) Biographie des Autors leicht identifizierbar gestreut, jedoch, das muß man Hermlin zugute halten, handelt es sich zunächst nicht um einen bewußt gesteuerten Täuschungsversuch, wie Corino unterstellt. Vielmehr liegt das Problem darin, daß hier gleichsam eine Kreisbewegung des Deutens und der Bestätigung in Gang gekommen war: Hermlins Texte wurden autobiographisch verstanden, in Anlehnung an seine Texte wurde seine ‚offizielle‘ Biographie geschrieben, und, das ist entscheidend, diese Lesart wurde von Hermlin nie explizit dementiert.

Man kann sagen, daß Hermlin bewußt mit dieser Legende, mit seiner Biographie gespielt hat, bis zu dem Punkt, an dem eben ‚Wahrheit und Dichtung‘ sich kaum mehr unterscheiden lassen. Hinzu kommt noch erschwerend, daß es verhältnismäßig wenig authentische Selbstäußerungen des Autors gab, so daß um so bereitwilliger auf die schein-autobiographischen Texte zurückgegriffen wurde. Und die wenigen authentischen Dokumente, die es gibt, das hat Corino überzeugend recherchiert, sind so widersprüchlich in ihren Aussagen, daß sie zur Aufklärung des ‚Tatsächlichen‘ nichts oder nur wenig beitragen.[19]

---

[18] Wolfgang Emmerich: *Kleine Literaturgeschichte der DDR*. Erweiterte Neuausgabe. Leipzig 1996, S. 334.
[19] Im wesentlichen der Fragebogen, der bei der Einwanderung in die Schweiz ausgefüllt werden mußte, sowie dann der Fragebogen der Alliierten nach 1945.

Corinos Argumentation wird jedoch – abgesehen vom West-Ost-Konflikt, dem sie neue Nahrung verschaffte – dadurch sehr angreifbar, daß sie die literarischen Texte Hermlins in einer beinahe dilettantisch erscheinenden Weise auf belegbare Fakten hin befragt. Dieses Unternehmen ruft nämlich nicht nur die Kritik jedes ernsthaften Literaturwissenschaftlers hervor – schließlich ist es das Recht und das angestammte Betätigungsfeld eines Autors, buchstäblich *alles* zu (be-) schreiben, was er will -, sondern ist zudem völlig unnötig. Viel sinnvoller wäre es gewesen, die zweite Vermittlungsstufe dieser Legendenbildung, nämlich die Menge an Biographien und biographischen Darstellungen, einer genaueren Analyse zu unterziehen.

Und bemerkenswert ist doch, jenseits jeder Be- oder Verurteilung, ein Aspekt: Der offizielle Erwartungsdruck in der ehemaligen DDR ging offensichtlich in genau diese Richtung, in der sich dann Hermlin stilisierte bzw. stilisieren ließ. Man könnte fast sagen, die Öffentlichkeit wollte getäuscht werden, so leicht wurde es ihm gemacht. Mit jedem neu erschienenen Text war der ‚autobiographische Pakt' schon im voraus abgeschlossen. Und Hermlin, der so zur großbürgerlich-kommunistischen Glanz- und Ausnahmeerscheinung werden konnte, gebärdete sich als (auto-)biographischer Spieler, der sich im schillernden Niemandsland zwischen Dichtung und Wahrheit, Lügen und Legenden gut einrichten konnte.

III. „KLOPFZEICHEN AUS DEM UNTERGRUND“: SELBSTERFINDUNG UND WIDERSTÄNDIGKEIT IN TEXTEN MONIKA MARONS

III.1. Der jüdische Großvater Pawel als Muse der Verweigerung: *Flugasche* (1981)

Flugasche (1981)[20], Monika Marons Debütroman, konnte nur im Westen erscheinen. Die Geschichte – eine junge Journalistin erhält den Auftrag, eine Reportage über Bitterfeld zu schreiben, sie ist von den lebensfeindlichen Verhältnissen in der Industriestadt erschüttert und versucht, jenseits der vorgeformten Sprachversatzstücke ‚ehrlich‘, d.h. kritisch, zu berichten – brach für die DDR-(Kultur-)Politik zu viele Tabus. In Westdeutschland war dem Roman dagegen große Resonanz beschieden. Das hatte sicherlich auch damit zu tun, daß er als Dissidentenroman quasi aus dem Machtzentrum der DDR verstanden wurde: Daß Maron als privilegierte Stieftochter des ehemaligen DDR-Innenministers Karl Maron[21] die Auflehnung wagte, mußte im angespannten deutsch-deutschen Verhältnis fast zwangsläufig nachhaltiges Interesse auslösen.

Über die politische Nabelschau hinaus stellt der Roman eine allgemeingültige Schilderung der Emanzipationsgeschichte einer jungen Frau dar, die sich aus der Umklammerung des sorgenden und begrenzenden ‚Vater Staat‘ befreit und aufbricht, gewissermaßen noch ins Ungewisse. Der Roman endet zunächst mit Rückzug, mit dem Ausstieg aus dem Alltag. An diesem Punkt setzt der spätere Roman *Die Überläuferin* wieder ein. Widerstand bedeutet in Marons Romanen (in *Flugasche*, aber auch in *Die Überläuferin* und in *Stille Zeile Sechs*) zunächst einmal Widerstand gegen den Zwang zum Funktionieren und zum gesellschaftlichen Nützlichsein.

Zentrale Bedeutung kommt bei diesem Ausstieg der Figur des Großvaters Pawel zu. Er wird gleich eingangs folgendermaßen charakterisiert: „Der Großvater war verträumt, nervös, spontan [...] und soll überhaupt ein bißchen verrückt gewesen sein.“ [F 9] Er verkörpert das Gegenteil alles „Preußische[n]“ [F 10]. Daß die Pawel-Figur in der Forschung[22] bislang überhaupt nicht berücksichtigt wurde, ist um so

---

[20] Im folgenden wird mit dem Kürzel „F“ aus der Ausgabe Monika Maron: *Flugasche*. Roman. Frankfurt a.M. 1991 zitiert.

[21] Karl Maron: Exil in der Sowjetunion, 1950-55 Generalinspekteur der Volkspolizei, 1955-1963 Innenminister. Seit 1954 Mitglied des ZK der SED, 1958-1967 Abgeordneter der Volkskammer. Gestorben 1975. Das stiefväterliche Erbteil ermöglichte Maron den Absprung in das freie Schriftstellerleben.

[22] Es gibt inzwischen einige Forschungsbeiträge zu Marons Romanen, die Fragen von ‚Identitätsbildung‘ oder ‚Identitätskrisen‘, vor allem im Zusammenhang mit weiblicher Identität, thematisieren. In keinem dieser Beiträge wird auf die Rolle der Pawel-Figur im Roman *Flugasche* eingegangen. Die einzige Ausnahme bildet, soeben erschienen: Uta Klaedtke, Martina Ölke: Erinnern und erfinden: DDR-Autorinnen und ‚jüdische Identität‘ (Hedda Zinner, Monika Maron, Barbara Honigmann). In: Ariane Huml, Monika Rappenecker (Hg.): *Jüdische Intellektuelle im 20. Jahrhundert. Literatur- und kulturgeschichtliche Studien*. Würzburg 2003, S. 249-274. Auch die verbreitete These, bei Maron werde (weiblicher) Ich-Verlust geschildert, ist zumindest für *Flugasche* nicht aufrechtzuerhalten, vielmehr wird in ziemlich offensiver Weise ein Versuch der Ich-Erfindung betrieben. Vgl. an weiterer Forschung Elizabeth Boa: Schwierigkeiten mit der ersten Person: Ingeborg Bachmanns *Malina* und Monika Marons *Flugasche, Die Überläuferin* und *Stille Zeile Sechs*. In: Robert Pichl (Hg.): *Kritische Wege der Landnahme. Ingeborg Bachmann im Blickfeld der neunziger Jahre. Londoner Symposion 1993*. Wien 1994, S. 125-145; Sylvia Kloetzer: Perspektivenwechsel: Ich-Verlust bei Monika Maron. In: Ute Brandes (Hg.): *Zwischen gestern und morgen. Schriftstellerinnen der DDR aus amerikanischer Sicht*. Berlin u.a. 1992, S. 226-249; Brigitte Rossbacher: The status of state and subject: reading Monika Maron from *Flugasche* to *Animal*

erstaunlicher, als der Roman an prominenter Stelle im ‚Zeichen der Großeltern' einsetzt, das gesamte erste Kapitel ist ihnen, in erster Linie dem Großvater Pawel, gewidmet. Auch an späterer Stelle wird immer wieder auf die Pawel-Figur rekurriert, wenn es darum geht, träumend aus den Zwängen des sozialistischen Alltags zu entkommen.

Die Romanfigur Pawel bezieht sich auf die Folie des authentischen Großvater Marons, Pawel Iglarz, was spätestens seit der Veröffentlichung des Essays *Ich war ein antifaschistisches Kind* (1989) sowie der Familiengeschichte *Pawels Briefe* (1999) allgemein bekannt ist.[23] Die authentische Großmutter ist im Text ebenfalls präsent, wenn auch weniger offensichtlich: Der Name der Protagonistin, Josefa Nadler, verweist in der Übersetzung auf den polnischen Namen der Großmutter Marons, Josefa Iglarz. Das sind gewissermaßen die ‚Geheimbotschaften'[24], die es den Lesern ermöglichen, mit *Flugasche* trotz der Gattungszuordnung Roman und trotz der scheinbaren Namensungleichheit zwischen Protagonistin und Autorin den ‚autobiographischem Pakt' abzuschließen.

Trotz der autobiographischen Anleihen ist aber der Pawel des Romans *Flugasche* nicht der authentische Großvater Marons, der als Jude von den Nazis in sein Herkunftsland Polen ausgewiesen und dort umgebracht wurde, sondern eine literarische Figur, in der sich Fakten und Fiktionen verbinden. Die auffälligste und folgenreichste Veränderung ist folgende: Der historische Pawel wurde zwar als Jude in Polen geboren, überwarf sich aber mit seiner Familie, als er zu den Baptisten übertrat und wagte schließlich in Berlin noch einen zweiten einschneidenden Schritt, indem er in die kommunistische Partei eintrat. Im Roman *Flugasche* dagegen wird Pawels Bruch mit seiner jüdischen Herkunft verschwiegen, die Konversion zu den Baptisten wird anfangs einmal erwähnt, jedoch auf die Person der Großmutter beschränkt.[25] Pawel wird gleich zu Beginn als Jude identifiziert[26], auch an späterer Stelle wird als Pawels ‚Eigentliches' immer wieder das Judentum genannt.[27] Unerwähnt bleibt vor allem die Tatsache, daß der authentische Pawel Kommunist geworden ist. Marons erfundener Großvater wird kein Mitglied der kommunistischen Partei, eine Umbeschriftung, die für die Indienstnahme Pawels als fiktiver ‚Ahnherr' von nicht zu unterschätzender Bedeutung ist.[28] Heiner Müllers Defini-

---

triste. In: Robert Weininger (Hg.): *Wendezeiten, Zeitenwenden. Positionsbestimmungen zur deutschsprachigen Literatur 1945-1995.* Tübingen 1997, S. 193-214; Ricarda Schmidt: Erlaubte und unerlaubte Schreibweisen in Honeckers DDR: Christoph Hein und Monika Maron. In: Robert Atkins (Hg.): *Retrospect and review: Aspects of literature of the GDR 1976-1990.* Amsterdam 1997, S. 176-196.

[23] Monika Maron: *Ich war ein antifaschistisches Kind* [1989] (In: Dies.: *Nach Maßgabe meiner Begreifungskraft. Artikel und Essays.* Frankfurt a.M. 1995, S. 9-63); Dies.: *Pawels Briefe.* A.a.O.

[24] Vor dem Erscheinen des Essays *Ich war ein antifaschistisches Kind* 1989 läßt sich hier sicher von einer nur wenigen Eingeweihten (vor allem den unmittelbaren Familienangehörigen) verständlichen ‚Geheimbotschaft' sprechen, nach dem Erscheinen der genannten explizit autobiographischen Texte ist dieser Zusammenhang für prinzipiell jeden Maron-Leser offengelegt. Die Zeit für solche ‚Kassiber', so scheint es, ist mit der Wende vorbei. Vgl. dazu unten die Ausführungen zu *Endmoränen.*

[25] „Der Großvater Jude, die Großmutter getaufte Katholikin, später einer Baptistensekte beigetreten, die Kinder Baptisten." [F 8]

[26] So heißt es am Romananfang: „Großvater und die anderen Juden" [F 7].

[27] „Sie [d.i. Josefa, d. Verf.] kannte nicht viele Menschen, von denen sie sicher annahm, daß sie mit ihrem Eigentlichen identisch waren. Der Großvater Pawel gehörte dazu [...]. Der Großvater bekannte sich zu seinem Judentum [...]." [F 99]

[28] In *Pawels Briefe* reflektiert Maron später selbst: „Ich weiß nicht, wann ich erfahren habe, daß er Mitglied der Partei war. Entweder habe ich diese Mitteilung damals ignoriert, oder sie enthielt, als sie mir zukam, eine andere Bedeutung für mich als heute." [P 61]

tion seines (be-) schreibenden Verhältnisses zur DDR, „die Beschreibung ist auch eine Übermalung"[29], trifft also ziemlich genau auf die Be-Schreibung des Großvaters Pawel zu, heißt doch ‚etwas beschreiben' auch, etwas buchstäblich als Folie zum Beschriften zu benutzen.

Ausgehend von diesem unpreußisch-jüdischen Großvater versucht die Protagonistin nun, sich selbst eine jüdische Herkunft zu erfinden, wiewohl ihr alles Religiöse fern ist. Ziemlich provokant – in terminologischer Nähe zur nationalsozialistischen Klassifizierung in ‚Voll-, Halb- und Vierteljuden' – postuliert sie sich als „Alleinerbin" Pawels, die Herkunft von den Eltern wird also übersprungen:

> Ohne zu wissen, was das Preußische an den Preußen eigentlich war, entwickelte ich eine ausgesprochene Verachtung für das Preußische, als dessen Gegenteil ich den Großvater Pawel ansah. Preußen waren nicht verrückt, das stand fest. [...] Preuße sein gefiel mir nicht. Da ich mich als genetische Alleinerbin des Großvaters fühlte, verdoppelte ich den Anteil jüdischen Blutes in mir und behauptete, eine Halbjüdin zu sein. Vierteljüdin klang nicht überzeugend. [F 10]

‚Jüdische Identität' ist weder religiös definiert, noch ererbtes oder einsozialisiertes Faktum, sondern ein Produkt der (künstlerischen) Selbstschöpfung. Die Verwandtschaft zu Pawel (und die daraus sich begründende ‚jüdische Identität' Josefas) wird aufgerufen, so läßt sich daran anschließend deuten, als Medium des Widerstands und der Verweigerung gegen die zentralen Legitimationsinstanzen des (als autoritär, also ‚preußisch', empfundenen) Staates DDR. Die DDR trat, darauf wurde oben bereits hingewiesen, in ihrem offiziellen Selbstverständnis das historische Erbe von Antifaschismus und Widerstand an, wohingegen der Völkermord an den Juden tendenziell in den Hintergrund geriet. Vorbild waren die aktiven Kämpfer, die eher ‚passiven' Opfer wurden dagegen mit dem Beigeschmack des Scheiterns versehen.[30] Josefa ersetzt nun die von offizieller Seite, etwa im Schulunterricht, vermittelte sozialistische „Ahnenreihe", bestehend aus „Antifaschisten" und „alle[n] Kämpfer der Weltgeschichte" [F 100] durch die individuelle Verwandtschaft mit Pawel. Dem offiziell als vorbildhaft vermittelten „Mut der Widerstandskämpfer" [F 12] wird der ‚Mut zur Ängstlichkeit' entgegengesetzt. Mit Hilfe von Pawel können nun die ‚unsozialistischen' Eigenschaften wie Ängstlichkeit, Ziellosigkeit, Unentschlossenheit, Sehnsucht nach dem Unerfüllbaren, Verträumtheit eingestanden werden, und das sogar mit einem gewissen Stolz.[31]

Der gewaltsame Tod des Großvaters wird dabei nicht unterschlagen, im Gegenteil, daß er Jude und ein Opfer der Nazis war, erhöht die Eignung als fiktiver Ahnherr erst recht. Das klingt zwar pietätlos, wird aber ähnlich, und nicht ohne Grund, auch in *Flugasche* so kommentiert: „Der Großvater Pawel war tot, verbrannt in einem Kornfeld. Er gehörte mir." [F 11] Gerade die Tatsache, daß die Fiktion Pawel nicht durch die tatsächliche Existenz eines realen Großvaters begrenzt wird, macht ihn

---

[29] Heiner Müller: *Krieg ohne Schlacht*. A.a.O., S. 363.

[30] Maron weist in einem Interview selbst darauf hin, „dass [sic] in der DDR über die ermordeten Juden kaum gesprochen wurde, sondern vor allem über die ermordeten Kommunisten." Monika Maron: „Die Pervertierung der privaten Beziehungen durch Ideologien ist die eigentliche, auch nachträglich schwer verständliche Erfahrung." Ein Gespräch mit Monika Maron über ihren ermordeten Großvater, über Erinnern und Vergessen. In: *Fischer Lesezeichen* 1 (2001), S. 4-7, hier S. 6.

[31] Die Wahlverwandtschaft zum Großvater Pawel eröffnet also, so resümiert die Protagonistin selbst, eine „Fülle charakterlicher Möglichkeiten" [F 8].

als ,Beistand' für Josefa so geeignet.[32] Die anderen im Roman genannten (älteren) Figuren, die, verfolgt als Juden oder Kommunisten, die NS-Zeit überlebten, tragen aufgrund ihrer Erfahrungen eher zur Stabilisierung der DDR bei und können der Protagonistin Josefa daher kaum in ihren Abgrenzungsversuchen helfen.[33] Indem stets, wie es im Text heißt, „die Vorteile des Sozialismus [...] an der Vergangenheit [ge]messen" werden [F 80], wird jede Kritik von vornherein erschwert, wenn nicht unmöglich gemacht.[34] In aller Deutlichkeit benennt Maron hier den von Annette Simon mit dem Begriff „Loyalitätsfalle Antifaschismus"[35] bezeichneten Mechanismus, der jede Kritik am Staat DDR unterdrückte, im 1991 erschienenen Roman *Stille Zeile Sechs*:

> Sie [die Mächtigen der DDR, d. Verf.] haben immer recht, [...] was ich auch sage, alles Unglück gehört schon ihnen [...]. Kaum mach ich das Maul auf, [...] stoßen sie mir einen Brocken wie Ravensbrück oder Buchenwald zwischen die Zähne.[36]

Der schmale Grat, der zwischen grundsätzlicher Ablehnung des gängelnden Staates DDR und der Achtung vor den NS-Opfern und -Widerstandskämpfern bleibt, läßt sich durch die ,Erfindung' des Großvaters Pawel, und vielleicht nur dadurch, ausfüllen. Indem er zu den NS-Opfern gehört, gehört er automatisch zu den ,Guten', indem er aber als Jude umgekommen ist, gehört er zugleich nicht zu denen, die sich durch die neue kommunistische Macht haben selbst korrumpieren lassen. So ist es auch erklärlich, daß Pawel, wie oben bereits dargelegt, im Roman *Flugasche* Jude bleiben muß und daß sein Eintritt in die kommunistische Partei verschwiegen wird. Er darf nicht im gleichen ,Verein' sein wie die (Eltern-) Generation, gegen die man sich gerade abgrenzen will. Am Rande möchte ich nur noch darauf hinweisen, daß auch eine weitere im Text präsente Vorbildfigur, Professor Grellmann, der der Protagonistin ein Gefühl von gebildeter Liberalität vermittelt – kaum zufällig stößt auch Grellmann mit der Partei zusammen und wird vorübergehend ,zwangsversetzt' –, zuerst mit einem Chanukkaleuchter, also einem jüdischen Attribut, in Verbindung gebracht wird.[37] Die in der Gedenkpraxis der DDR marginalisierte Opfergruppe eignet sich offensichtlich besonders gut als Paradigma der Verweigerung.

Die Identifizierung Josefas mit dem Großvater Pawel und die sich daraus ergebende beinahe kindlich anmutende Freude, die eigenen (kommunistischen) Eltern aus der Ahnenreihe verbannt zu haben, wird im ersten Kapitel des Romans rückblickend berichtet. Daraus könnte sich der Eindruck ergeben, die Funktion Pawels

---

[32] Eine parallele Konstruktion, wenn auch ohne Bezug auf ,jüdische Identität', bietet die Erfindung der mittelalterlichen Trobadora in Irmtraud Morgners Roman *Leben und Abenteuer der Trobadora Beatriz* (1974). Ebenso, wie die mittelalterliche Sängerin im Roman der DDR-Autorin Morgner zum historischen ,Beistand' der Protagonistin geformt wird, so erfüllt auch Pawel die Funktion eines Beistands, der um so wirkungsvoller ist, je weniger tatsächliches Wissen seine ,Erfindung' behindert. Daher das beinahe aggressive „Er gehörte mir." Ein Ton, der jeglichen üblichen Sprechweisen über die NS-Zeit, nicht nur in der DDR, zuwiderläuft.

[33] Beispielhaft ist hier das ambivalente Verhältnis Josefas zu ihrer Vorgesetzten Luise.

[34] Annette Simon: Antifaschismus als Loyalitätsfalle. In: *Frankfurter Allgemeine Zeitung* (1.2.1993). Zit. nach Münkler: Antifaschismus und antifaschistischer Widerstand als politischer Gründungsmythos der DDR. A.a.O., S. 25.

[35] Simon: „Loyalitätsfalle Antifaschismus". A.a.O.

[36] Monika Maron: *Stille Zeile Sechs*. Roman. [1991] Frankfurt a.M. 1993, S. 141.

[37] Grellmanns Frau Ruth wird als Jüdin identifiziert. Daß Judentum im Roman an keiner Stelle religiös aufgefaßt wird, deutet auch die völlig unproblematische Verbindung des (christlichen) Weihnachtsfestes mit dem (jüdischen) Lichterfest an: „Es war ein naßkalter Tag kurz vor Weihnachten, das einzige Licht im Zimmer verbreitete ein Chanukkaleuchter [...]." [F 39]

als identitätsstiftender Beistand sei einer früheren Entwicklungsstufe zugehörig, die nun von der erwachsenen Erzählerin Josefa überwunden sein könnte. Daß dies nicht der Fall ist und Pawel eine ungebrochene Funktion auch für die erwachsene Josefa erfüllt, wird an einer Stelle im Roman deutlich, an der sich Josefa mittels der Figur Pawel von der sozialistischen „Formelsprache" [F 64] abgrenzen kann. Der Großvater gerät zur jungenhaften Muse, die Josefa bei dem Versuch unterstützt, ihren ‚eigenen Text' zu verfassen. Die Figur Pawel und ihre Funktion – Repräsentation der ‚verrückten', non-konformistischen Sehnsüchte der Protagonistin – läßt sich also nicht abtrennen von der oben genannten Fabel des Romans: Die Journalistin hat nach einem Besuch in Bitterfeld in den Konflikt, eigentlich zwei Fassungen über das Gesehene und Erfahrene schreiben zu müssen. Einmal die aus den vorgegebenen Versatzstücken bestehende sozialistisch-zuversichtliche Version, und einmal die ehrliche, schonungslose Variante.

Unterstützung in ihrer Entscheidung für die zweite Variante, die dann Josefas ‚Ausweisung' aus ihrem Arbeitsalltag nach sich zieht, erhält die Protagonistin im fiktiven Zwiegespräch mit Pawel: In einer geradezu surreal anmutenden Szene trifft die über Berlin völlig frei fliegende Josefa auf einen ebenfalls „wunderschön" [F 71] fliegenden Jungen, den sie als Pawel identifiziert: „Und du heißt Pawel." – „Wenn du willst, heiße ich Pawel". [F 72] Pawel wird also vorübergehend sogar aus seinem Großvater-Status befreit, er gerät zur buchstäblich beflügelnden Muse, die der schreibenden Protagonistin hilft, sich den Vorgaben zu verweigern. Gegen die „Formelsprache" [F 64] wird der Versuch gesetzt, mittels Sprache „mit der Welt zu spielen" [F 79]: „Sag mir noch mehr von den *schönen Sätzen.*" [Ebd., Herv. v. d. Verf.]

III.2. Neubeschriftung der Folie ‚Pawel' nach 1989: *Pawels Briefe* (1999)

Pawels Briefe führt als Gattungszuordnung nun den Terminus „Familiengeschichte", zudem findet sich in diesem Text eine explizite Namensgleichheit von Autorin und Protagonistin. Das alles läßt den Leser nicht nur mit diesem Text eindeutig den ‚autobiographischen Pakt' abschließen, sondern bestätigt zugleich – über die verbindende Chiffre ‚Pawel' – den ‚autobiographischen Pakt' in Bezug auf *Flugasche* noch einmal ex post .

In *Pawels Briefe* (1999) widmet sich Maron fast zwanzig Jahre später noch einmal in aller Ausführlichkeit dem toten Großvater. Die Spurensuche, in der sich erklärtermaßen ‚erinnern' und ‚erfinden' vermischen, gerät zugleich zur Auseinandersetzung der DDR-Kritikerin mit der linientreuen Mutter. Den Ausgangspunkt dieser Beschäftigung mit dem (authentischen) Großvater bildete die Tatsache, daß Marons Mutter etliche Briefe wiedergefunden hatte, die Pawel aus dem Ghetto an seine in Berlin gebliebenen Kinder geschrieben hatte. Die Mutter hatte diese Briefe nach eigenen Angaben vollständig vergessen, was Maron selbst als Symptom eines unbedingten ‚Vergessen-Wollens' und ‚Nach-vorne-Lebens' deutet. Im Gegensatz zum kindlich-aggressiven Aufbegehren in *Flugasche* versucht Maron nun, die speziellen Erinnerungs- und Vergessensformen der Mutter aus deren Geschichte heraus zu verstehen. Im Vordergrund steht also nicht mehr nur der Vorwurf, daß die Juden in der Gedenkpraxis der DDR ‚vergessen' wurden, sondern daneben findet sich ein Eingeständnis der unterschiedlichen biographischen Voraussetzungen:

Aber da ich das Leben meiner Mutter so genau kannte, wusste [sic] ich ja, wie es [das Vergessen, d. Verf.] eben doch passiert war und woher ihr entschlossenes Nach-vorne-Leben rührte.[38]

In dem Maße, wie Maron sich an die Mutter annähert, verliert der erfundene Pawel, wie er noch in *Flugasche* eine zentrale Funktion hatte, an Bedeutung:

Ich mußte aufgehört haben, meine Eltern zu bekämpfen, um mich über das Maß der eigenen Legitimation hinaus für meine Großeltern und ihre Geschichte wirklich zu interessieren. [P 13]

Dem ‚Immer-so-nach-vorne-Leben‘, wie es Marons Mutter Hella eingestandenermaßen praktizierte, wird in *Flugasche* und in *Pawels Briefe* der Versuch gegenübergestellt, sich an die Geschichte zu erinnern. Voraussetzung für diesen Erinnerungsversuch ist aber, das wird auch an dem obigen Zitat deutlich, der politische Umbruch 1989/90, der der Autorin nach und nach die alten Feindbilder genommen hat. Die Mutter, die überzeugte Kommunistin, ist nach dem Zusammenbruch der sozialistischen Utopie desillusioniert, der Stiefvater Karl Maron ohnehin bereits gestorben, die Mauer, äußerlich sichtbare Differenzlinie, ist verschwunden, und so darf sich die dissidentische Autorin, Ironie des Schicksals, in diesem Fall fast selbst als ‚Siegerin der Geschichte‘ fühlen. Immerhin hat das Wegfallen der alten Feindbilder offensichtlich den Weg frei gemacht, sich anders an die Geschichte der Großeltern zu erinnern, das heißt, auch Aspekte mit zu bedenken, die noch in *Flugasche* unterdrückt werden mußten, besonders prägnant: die Zugehörigkeit Pawels zur kommunistischen Partei.

Der Aufbau und die Schreibweise von *Pawels Briefe* scheint, so läßt sich deuten, spiegelbildlich von Christa Wolfs autobiographisch geprägtem Roman *Kindheitsmuster* (1976) abgeleitet zu sein. Gerade Christa Wolf als – mitunter moralisierende – Autorin, die zwischen Anerkennung und Opposition gegenüber der DDR schwankte, zugleich jedoch eine Autorität darstellte, sowohl in Ost- als auch in Westdeutschland, scheint sich für (ehemalige) DDR-Autoren bevorzugt als Folie der Abgrenzung anzubieten. Offensichtlich wird sie, die immer an den ‚humanen Sozialismus‘ glaubte, besonders stark mit dem (gescheiterten) Projekt des real existierenden Sozialismus in Zusammenhang gebracht: So dient sie etwa Erich Loest als Gestalt, an der er sich abzuarbeiten hat[39], ebenso ist sie in Brussigs *Helden wie wir* die zentrale Abgrenzungsfolie.

Was hat nun *Pawels Briefe* mit *Kindheitsmuster* gemeinsam? Zwei Dinge, die den Ausgangspunkt bilden, sind in erstaunlicher Weise sowohl gleich als auch unterschiedlich gestaltet: Zunächst ist dies der äußere Handlungsrahmen, eine Reise der jeweiligen Erzählerin in das heutige Polen, die einstige Heimat bzw. die Heimat der Vorfahren. Doch während diese Reise bei Wolf als bewußtes und mitunter schmerzhaftes Aufsuchen auch der eigenen Vergangenheit, der Kindheit und Jugend im Nationalsozialismus gleichkommt, ist diese Reise bei Maron weitaus beiläufiger, mit weniger Erwartungen belastet, angetreten worden. In lapidarer Weise wird wiedergegeben, wie sich ihre Reise nach Polen (mit Sohn und Mutter im Fall Marons, bei Wolf mit Ehemann, Tochter und Bruder) geradezu zufällig ergeben hat, war Maron

---

38 Monika Maron: „Die Pervertierung der privaten Beziehungen durch Ideologien ist die eigentliche, auch nachträglich schwer verständliche Erfahrung." Ein Gespräch mit Monika Maron über ihren ermordeten Großvater, über Erinnern und Vergessen. In: *Fischer Lesezeichen* 1 (2001), S. 4-7, hier S. 6.

39 Vgl. dazu Kapitel IV. dieser Untersuchung.

doch von einer Zeitschrift aufgefordert worden, an irgendeinen Ort zu fahren und darüber zu schreiben. Dieser ‚irgendeine Ort‘ ist nun der polnische Herkunftsort der Großeltern, das heißt, sowohl diese Reise als auch der durchaus schwerwiegende Hintergrund, das Auffinden der ‚vergessenen‘ Briefe durch Marons Mutter, werden durch die Art des Erzählens fast bagatellisiert. Offensichtlich soll der Eindruck, hier werde mühsame Innenschau betrieben und Erinnerungsprosa verfaßt, vermieden werden.

An dieser Stelle findet sich der zweite Verweis auf Wolfs *Kindheitsmuster*, ein Verweis, der zugleich eine deutliche Abgrenzung beinhaltet: Hatte Wolfs Romananfang ganz im Zeichen der Reflexion über Möglichkeiten und Grenzen der Memoria gestanden, so beginnt auch Marons Text mit einer kritischen Bestandsaufnahme über das Erinnern im allgemeinen. Selbstkritisch fragt sich die Autorin/Erzählerin, warum sie die Geschichte der Großeltern ‚jetzt erst‘ oder ‚jetzt noch‘ zu schreiben gedenke. Wie oben bereits zitiert, wird unter anderem auf die Abgrenzungsfunktion eingegangen, die die Geschichte der Großeltern ihr gegenüber den (kommunistischen) Eltern geboten habe, eine Funktion, die nun überflüssig geworden sei, weshalb eben auch der Weg zu einer Hinwendung zu den authentischen Großeltern geöffnet sei. In Abgrenzung zu Christa Wolfs mühseligem Unternehmen, der eigenen Geschichte auf die Spur zu kommen, was sich prägnant im Begriff „Krebsgang, [...] mühsame rückwärtsgerichtete Bewegung“[40] konkretisiert, verneint Maron explizit, daß ihr Wissen über die Großeltern bzw. den Großvater in irgendeiner Form ‚verschüttet‘ gewesen sei. Diese überraschend rigorose Verneinung des ‚unbewußten Wissens‘ wird um so erstaunlicher, wenn man bedenkt, daß es solches ‚vergessenes Wissen‘ durchaus gegeben hat: Zum Zeitpunkt des Entstehens von *Flugasche* hatte sie offensichtlich ‚vergessen‘, daß Pawel Kommunist geworden war (noch die Formulierung „Mitglied der Partei“ [P 9, 61], dieser auffällig undistanzierte Ostjargon im sonst so reflektierten *Pawels Briefe*, verrät die Widerwilligkeit dieses Eingeständnisses). Die Frage ist, ob sie diese (durchaus wichtige) Tatsache wirklich vergessen oder bewußt zurückgedrängt hatte zugunsten der Erfindung der identitätsstiftenden Außenseiterfigur Pawel. In jedem Fall führt Maron ihre Leser und Interpreten in Bezug auf die Figur Pawel doppelt auf die falsche Fährte: Einmal mit ihrem rigorosen ‚ich hatte keine Erinnerungslücken‘, sodann aber auch mit ihrer Behauptung, die ‚Wahlverwandtschaft‘ mit Pawel, wie sie in *Flugasche* hergestellt wird, habe mit dessen jüdischer Herkunft nichts zu tun [P 9]. Richtig ist daran sicher lediglich, daß es nicht darum geht, mittels Pawel an eine *religiöse* jüdische Identität anzuknüpfen. Aufgerufen wird in *Flugasche* vielmehr das, wofür ‚Jüdischsein‘ in der DDR vielleicht stand: Eine Leerstelle, die im antifaschistischen Diskurs nicht vollständig ausgefüllt worden war und insofern noch Freiraum für Imaginationen bot. Und genau das ist vermutlich nach 1989, nach Mauerfall und Aussöhnung mit der Mutter, nicht mehr von so starker Bedeutung. ‚Pawel‘, so ließe sich deuten, hat nach der Wende seine einstige Funktion, Codewort der Verweigerung und des Widerständigen zu sein, eingebüßt, so daß nun auch ganz vorsichtig die Erinnerung an die zuvor eher unliebsamen Facetten dieser Figur zugelassen werden kann.

---

[40] Christa Wolf: *Kindheitsmuster*. Roman. München 2000, S. 11. Wolf thematisiert hier die Anstrengung, die das Erinnern an die Kindheit im Nationalsozialismus bedeutet: „Versuch, die Arbeit des Gedächtnisses zu beschreiben, als Krebsgang, als mühsame rückwärtsgerichtete Bewegung, als Fallen in einen Zeitschacht, auf dessen Grund das Kind in aller Unschuld auf einer Steinstufe sitzt und zum erstenmal in seinem Leben in Gedanken zu sich selbst ICH sagt.“

III.3. Das Verschwinden Pawels oder ‚Johannas Briefe‘: *Endmoränen* (2002)

Marons jüngster Roman, 2002 unter dem Titel *Endmoränen* veröffentlicht, hat auf den ersten Blick wenig Gemeinsamkeiten mit den bisher behandelten Texten aufzuweisen.[41] Erzählt wird die Geschichte der Protagonistin Johanna, einer Frau, die, an der Grenze zum Alter, ihr bisheriges Leben überdenkt, das noch vor ihr liegende Leben gedanklich auslotet. Den äußeren Handlungsrahmen bildet der Ausflug der Protagonistin in ihr Sommerhaus auf dem Land, dort möchte sie, die Autorin von Biographien, das Leben der Wilhelmine Enke beschreiben. Die Geschichte spielt zwar in einem Sommerhaus, jedoch, das ist natürlich sinnträchtig, nicht im Sommer, sondern im Herbst, also auf der Schwelle zum Winter, alles verheißt also Ende und Abschied, nicht zuletzt die Situierung in der *End*moränenlandschaft.

Der Roman ist von einer sanften Melancholie des Abschieds und der Trauer durchzogen: Abschied von der Jugend, Abschied von der erwachsen gewordenen Tochter, die zum Studium nach Amerika aufbrechen möchte, Abschied von der einstigen Verschworenheit mit dem Ehemann Achim, Abschied von einst wichtigen, bedeutsamen Dingen im Leben, dem Schreiben von Biographien, die die Protagonistin unter den Bedingungen des ‚real existierenden Sozialismus‘ als Medium für Geheimbotschaften nutzte. Die Hoffnung auf Veränderung, auf das erst zu beginnende ‚eigentliche Leben‘, das Gefühl von Bedeutung, von Wichtigkeit und Sinnhaftigkeit, all das ist, so scheint es, mit der Wende vorbei. Und somit ist es auch dieser Abschied, der strukturierend hinter allem steht: der Abschied von der DDR, die in all ihrer Verhaßtheit doch einen ‚verläßlichen‘ Orientierungsrahmen geboten hatte. Sinn/Bedeutung entsteht durch Differenz, so läßt sich knapp zusammenfassen, und mit dem Wegfall der Grenze und dem Wegfall der Opposition hat sich auch viel an alten Bedeutungen verflüchtigt.

In der Ich-Erzählung sowie in Briefen an einen früheren Freund (aus Westdeutschland) wird diese Situation entfaltet.

Zunächst also: wenig Gemeinsames mit den bisherigen Texten, zunächst auch, so scheint es, kein autobiographischer Text. *Endmoränen* ist auf dem Klappentext als Roman ausgewiesen, eine Monika oder gar Monika Maron als Titelheldin tritt nicht auf, auch keine Josefa Nadler. Der Leser/die Leserin wird also vermutlich (zunächst) keinen ‚autobiographischen Pakt‘ schließen mit diesem Text.

Erstaunlich ist jedoch, zumindest für den kundigen Maron-Leser, daß trotz dieser scheinbaren Nicht-Bezogenheit sich etliche kleine Verweise sowohl auf die früheren Texte als auch auf die biographische Situation Marons finden lassen. Ein solches Codewort, eine ‚Geheimbotschaft‘, wie sie Johanna zu DDR-Zeiten in ihren Biographien hätte verstecken können, wäre zunächst die Namensnennung „Tante Ida“ [E 7 und öfter]. Wir erinnern uns: Ida hieß auch die Tante der Josefa Nadler in *Flugasche*. Diese Namensüberschneidung läßt sich lesen als (unauffälliges) „Klopfzeichen“ [E 38], als Anstoß, die Texte in einer Verweisreihe zu lesen. Und allein schon die alliterierenden Vornamen der beiden Protagonistionnen (*Josefa/Johanna*) verweisen auf Gemeinsames. Mittels solcher Signale verbinden sich *Flugasche* und

---

41 Monika Maron: *Endmoränen*. Roman. Frankfurt a.M. 2002. Seitenangaben in eckigen Klammern mit dem Kürzel „E“ beziehen sich im folgenden auf diese Ausgabe.

Endmoränen, wohingegen *Flugasche* und *Pawels Briefe*, das wurde oben schon gezeigt, durch die Figur des Großvaters Pawel verbunden sind.

Die recht krasse Schilderung des alternden Vaters, die mit Ekel durchmischt ist („Ich ekelte mich vor der Lebensgier des alten Mannes [...]."[E 130]), verweist sowohl auf die haßvollen Vater-Bilder in *Stille Zeile sechs* (1991) als auch auf die autobiographische Situation Marons, auf ihr mehr als kompliziertes Verhältnis zum Stiefvater Karl Maron.

Wichtige autobiographische Facetten sind zudem auf die Figur der Elli projiziert, einer Freundin Johannas: Elli muß sich deutlich von ihrer Mutter abgrenzen, einer überzeugten Kommunistin mit „Sowjetfimmel" [E 118]. Die ihr von der Mutter zugewiesenen Vornamen Elisaweta Soja, die gleichsam für das Programm der ‚deutsch-sowjetischen Freundschaft' stehen, legt Elli demonstrativ ab, sie bedient sich, so heißt es im Text, der „deutscheste[n] und derbste[n] Variante, die ihr Name hergab" [E 118], eben Elli. Dies verweist auf das angespannte Verhältnis Marons zu ihrer eigenen ‚linientreuen' Mutter, zumal auch Elli in den Westen ausreist und sich den Absprung aus der DDR ausgerechnet mit finanziellen Mitteln ermöglichen kann, die ihr aus dem Erbe der Mutter zugefallen sind. So heißt es lapidar: „Geld ihrer Mutter, das diese von ihrem Gehalt als hauptamtliche Funktionärin der Gesellschaft für deutsch-sowjetische Freundschaft gespart hatte" [E 120]. Auch dies eine pikante Parallele zu Marons Biographie. Ihr gelang nämlich der Absprung in das freie Schriftstellerleben (was dann mit der Produktion von *Flugasche* als erstem Roman zugleich zum ‚Absprung' aus der DDR wurde) auch in erster Linie aufgrund des ihr zugefallenen stiefväterlichen Erbes – ausgerechnet der verhaßte Stiefvater Maron, Inbegriff des autoritären Staates DDR, finanzierte der Tochter also ihr dissidentisches Schreiben.

Zuletzt sei die beiläufige Bemerkung erwähnt, daß Johanna, die Protagonistin aus *Endmoränen*, die Freiheit nach der Wende zum Schreiben über einst unliebsame Autoren nutzte [E 44], genannt wird unter anderem Uwe Johnson, was auf Marons eigenen Essayband *Quer über die Gleise* (2000) verweist, der sich nicht nur bereits mit dem Titel auf Johnsons *Mutmaßungen über Jakob* (1959) bezieht, sondern auch einen Essay über diesen Autor enthält, in dem das Problem der verspäteten Rezeption behandelt wird.

Es ist also eine Vielzahl von kleinen ‚Kassibern' gestreut, die Parallelen zu früheren Texten und zum biographischen Hintergrund eröffnen. Fast könnte man meinen, *Endmoränen* sei in dieser Hinsicht nach dem Programm gearbeitet, das innerhalb des Romans selbst entworfen wird: Johanna benennt als wesentlichen Antrieb zum Schreiben von Biographien die Möglichkeit, „heimliche[n] Botschaften" [E 38] mitzuteilen, „Klopfzeichen aus dem Untergrund" [E 39] – wenn etwa die Möglichkeit erwogen wird, daß bereits ein Hinweis auf das nicht zugängliche Grab der Wilhelmine Enke (es lag auf dem Grenzstreifen der DDR) in einer solchen Biographie den ‚Eingeweihten' ein Politikum sein mußte, als unerlaubte (ablehnende) Stellungnahme zu ‚Mauer'/‚antifaschistischem Schutzwall'. Das heißt, daß in der ehemaligen DDR die vorgegebene ‚Formelsprache' (wie auch in *Flugasche* thematisiert) so begrenzend wirkte, daß die schmale Grenze zur ‚Protestschrift' extrem schnell überschritten war. Fast alles konnte so unter bestimmten Bedingungen eine subversive Bedeutung bekommen, und nicht zufällig reflektiert Johanna betrübt über die verlorene „Verschworenheit" [E 91] mit dem Ehemann Achim, dessen

Kleist-Studien sie ebenfalls stets als stille Verweigerung, im Grunde auch als „Akt des Widerstands" [E 86] verstanden hatte. Nach der Wende, so zeigt sich nun, ist dieser Geheimcode nicht mehr gültig: Der Selbstmörder Kleist ist nicht länger der von der DDR-Germanistik ausgegrenzte Autor, der, ebenso wie die ‚kranken‘ Romantiker, lange Zeit nicht zum ‚Erbe‘ dazu gerechnet wurde, sondern er ist ein gewöhnlicher Forschungsgegenstand geworden. Aus dem Code wurde, so heißt es wehmütig, ein „Projekt" [E 86].

Der mit Verlustempfinden gekoppelte (Rück-)Blick auf die ehemalige DDR bzw. auf die Wende und die damit verbundenen Veränderungen konkretisiert sich in einem bemerkenswerten sprachlichen Detail: die ‚Wende‘ wird niemals mit diesem inzwischen konventionalisierten Terminus bezeichnet, sondern sie ist stets nur das „Wunder" [E 40 und öfter]. Ist das zunächst noch der Tatsache geschuldet, daß das Ende der DDR völlig unerwartet, gleichsam als ‚Wunder‘ daherkam und daß diese Veränderung zunächst auch als ‚wunderbar‘, nämlich als Ende von doktrinärer Begrenzung und als Beginn des ganz anderen, des sogenannten ‚eigentlichen Lebens‘ empfunden wurde, so befremdet die konsequente Verwendung des Terminus „Wunder" doch zusehends. Schließlich wird er eben nicht lediglich in positiv-zustimmender Absicht benutzt, sondern bleibt als Terminus auch dann in Gebrauch, wenn die kritischen, verlusthaften Seiten des politischen Wechsels thematisiert werden.

Stellt man nun die beiden in Frage kommenden Termini nebeneinander – ‚Wunder‘ und ‚Wende‘ – so fällt eins auf: mit minimalen Veränderungen, die klanglich leicht zu erreichen sind, handelt es sich hier um folgendes Minimalpaar: Wunde[r] versus Wende. Die ‚Wende‘ als ‚Wunde‘ zu lesen, das scheint insofern gerechtfertigt, als ja, wie bereits angesprochen, in verschiedener Hinsicht die Verlusterfahrungen im Zusammenhang mit der politischen Veränderung thematisiert werden.

Das scheinbar Paradoxe – daß nämlich ausgerechnet eine dissidentenhaft angelegt Figur wie Johanna am Verschwinden der DDR leidet –, läßt sich sicherlich mit dem bereits angesprochenen Verlust der Sinn/Bedeutung konstituierenden Differenz erklären. Und es ist ja auch im Kontext der Nach-Wende-Literatur zwar erstaunlich, aber nicht ungewöhnlich, daß ausgerechnet die zu DDR-Zeiten kritischen Autoren den Fall der Mauer buchstäblich als Verlust von Sinn stiftender Differenz verstehen. Man denke an Volker Brauns Gedicht *Das Eigentum*, Marion Tietzes Roman *Unbekannter Verlust* oder auch an Heiner Müllers wiederholte Stellungnahmen zur DDR als idealem Schreibort - etwa in *Krieg ohne Schlacht. Leben in zwei Diktaturen* -, wohingegen im wiedervereinigten Deutschland der Anreiz zum Auflehnen, der Anreiz – könnte man mit Marons Johanna sagen – „Geheimbotschaften" zu verstecken, verloren gegangen sei. Und vielleicht, so läßt sich zuspitzen, besteht die Dynamik der schriftstellerischen Produktion gerade darin, daß der Autor/die Autorin unter äußerem Druck solche „Geheimbotschaften" verfaßt, die dem Schreiben und der eigenen Existenz einen Sinn und ein Geheimnis verleihen.

Kurt Drawert hat dies in einem Brief zum Thema Zensur in der DDR treffend und provokant zusammengefaßt:

Das heißt: vor allem die Literatur (nicht unbedingt der Literaturproduzent) ist in einem totalitären Herrschaftssystem doppelt privilegiert. Zum einen, da sie [...] *frei* ist, die Welt der durch die Macht ausgegrenzten Realität zu beschreiben und schon mit vergleichsweise simplen Methoden grenzüberschreitend,

also subversiv zu sein. Zum anderen, da sie auf dem Hintergrund einer para-
noischen Unterstellungsgesellschaft funktioniert und durch eben jene Inter-
pretationskrankheit, die die Furcht der Macht davor ist, entblößt zu werden,
sich ihren Wert einhandelt. Wo Sprechverbot herrscht, haben die Worte ein
höheres Eigengewicht als in einer Demokratie, in der kaum jemand zuhört. [...]
Nun [...] fallen naturgemäß die in ihr [der DDR, d. Verf.] entstandenen Produkte
auf ihre eigentliche Koordination zurück. Den Texten ist die Freiheit, mehr zu
bedeuten, als sie sagen, dadurch genommen, daß der *irre, äußere Blick* auf sie
wegfällt, der die Texte interpretiert und überinterpretiert, sie also mit einem
Mehrwert an Sinn belädt und mitschreibt.[42]

Damit noch mal zurück zur Denkfigur Pawel: In *Endmoränen*, diesem Text des
Abschieds und der Melancholie, hat Pawel, so scheint es, keinen Ort mehr. Pawel
war in *Flugasche* buchstäblich ein solche „Geheimbotschaft", die nun, nach der
Wende, entzaubert ist, dementsprechend besteht sodann auch die Möglichkeit, alles
Faktische über den Großvater zusammenzutragen, was zugleich Höhepunkt und
Abschluß des Projekts ‚Pawel' bildet und den Abschied vom erfundenen Großvater
einleitet.

Darauf scheint auch eine Passage in *Endmoränen* noch einmal explizit hinzuweisen, wenn auch, wie schon öfter, nur als andeutender Code: Beschrieben wird in
einer Passage des Romans [E 111f.], wie Johanna in ihrer Einsamkeit und ihrer Suche
nach neuer Sinnhaftigkeit von Geistern der Vergangenheit umschwebt wird; sie
„umflattern und umschweben" Geister, die „Zeichen" geben, die sie allerdings nicht
recht zu deuten weiß. In *Endmoränen* verweist der ‚Geisterspuk' auf den Bereich
der Vergänglichkeit und des Todes, es sind die Geister Verstorbener, zudem sind die
Zeichen, die sie geben, kaum verständlich. Ganz anders dagegen in *Flugasche*, wo
in einer zentralen Szene die über Berlin fliegende Josefa völlig frei schwebend ihren
zum Knaben verjüngten Großvater Pawel trifft, der ihr wiederum die „schönen
Sätze" sagt, mit denen sie sich von der Formelsprache der DDR abgrenzen kann.
Der alte Großvater tritt verjüngt und überhaupt lebendig wieder auf, und er trägt
auch zur Verjüngung der Protagonistin bei. Nicht nur das, er wird zur Ikarus-Gestalt,
inspiriert zum Schreiben, verzichtet wird allerdings auf den traurigen Absturz des
Ikarus: Josefa und Pawel landen offensichtlich unversehrt wieder auf dem Boden
der Tatsachen.

Die Gegenüberstellung der beiden Szenen verdeutlicht eins: Konnte in *Flugasche*
noch eine Verlebendigung, auch Produktivität im Rückbezug auf Pawel erreicht
werden, so ist in *Endmoränen* diese produktive Genealogie unterbrochen. Nur traurige, graue Geister umschweben Johanna, und die Zeichen, die diese geben, weiß
sie nicht zu deuten. Pawel ist gewissermaßen entschwebt, und auch seine Briefe,
die ihn in *Pawels Briefe* noch zum Sprechen bringen konnten, sind verloren, sind
ersetzt durch Johannas Briefe, so läßt sich zuspitzen, diese traurigen und desillu-
sionierten/-enden Briefe, die sie an den früheren Freund schreibt und die Ausdruck
des Abschieds und des Verlusts sind.

Das Unerhörte dieser Darstellung liegt nun darin, daß die dissidentische Protagonistin (und mit ihr ihre Autorin Maron) so erstaunlich offensichtlich am ‚unbe-

---

42 Kurt Drawert: Der Text und die Freiheit des Textes. Brief vom 12. Januar 1993. In: Richard Zipser (Hg.):
Fragebogen: Zensur. Zur Literatur vor und nach dem Ende der DDR. Leipzig 1995, S. 102-107. Kursive
Hervorhebungen im Original.

kannten Verlust' (Marion Tietze), an der Wende und den Folgen, leidet. Das wäre somit vielleicht die ,grenzüberschreitende' Geheimbotschaft, die dieser Text verbirgt. Denn nicht umsonst wird immer wieder darauf Bezug genommen, daß Johanna sich ursprünglich für die Biographie der Wilhelmine Enke interessiert hatte, weil sie dort seltsame, ihr nun rätselhafte Überschneidungen mit ihrer eigenen Biographie wahrgenommen hatte. Was diese Überschneidungen sein könnten, wird weder der Protagonistin noch den Lesern offenbart, und vielleicht handelt es sich um die parallele ,Grenzbeschreitung': Im Fall der Enke-Biographie lag die Grenzbeschreitung buchstäblich darin, daß indirekt auf die DDR-Staatsgrenze Bezug genommen wurde, im Fall der Protagonistin Johanna liegt die Grenzbeschreitung vielleicht im Eingestehen dieses unklaren Verlustempfindens nach dem Wegfall der äußeren Grenzlinie.

IV. DREIMAL ‚DER KLEINE LOEST‘: ERICH LOESTS ERZÄHLUNGS-VERSIONEN *PISTOLE MIT SECHZEHN* (1977/1979/1990/1991)

Erich Loests autobiographische Erzählung *Pistole mit sechzehn*, in der ersten Fassung 1977 in der DDR-Zeitschrift *Sinn und Form* erschienen[43], gehört offensichtlich zu den Texten, die der Autor selbst als besonders wichtig empfunden hat, denn es existieren mehrere Fassungen dieses kleinen Textes, die über zum Teil größere zeitliche Abstände hinweg immer wieder veröffentlicht, mitunter auch in verschiedene Kontexte gestellt wurden. Gleich blieb dabei nur, abgesehen natürlich von einer Grundform des Textes, die die Folie für alle Veränderungen bietet, nur der Titel.

Der Text reflektiert in der Er-Form wichtige Begebenheiten aus der Kindheit und Jugend eines sächsischen Jungen während des Nationalsozialismus. Sowohl die biographischen Anleihen als auch der Name dieses Jungen – er ist mal „L.“, „E.L.“, mal konkret „der kleine Loest“ oder sogar „Erich Loest“ – stellen, trotzdem nicht in der Ich-Form geschrieben wird, rasch größtmögliche autobiographische Eindeutigkeit her. Der Autor schreibt von sich als Kind, und um seine kritische, erinnernde Distanz zu diesem Kind zu verdeutlichen, wird dieses in der Er-Form durchgeführt.[44]

Das wäre dann aber auch schon das Ende der Eindeutigkeiten. Denn so scheinbar unauffällig dieser Text daherkommt, bei genauerer Betrachtung stellt sich recht bald heraus, daß er rund zwanzig Jahre lang ein ‚schillerndes Eigenleben‘ geführt hat. Loest hat diesen Text in verschiedener Weise und in verschiedenem Rahmen mehrfach wieder aufgegriffen, modifiziert, umgeschrieben, kleine Absätze hinzugefügt oder weggelassen. All diese verschiedenen Fassungen wurden aber unter dem gleichbleibenden Titel *Pistole mit sechzehn* geführt.

Ich möchte im folgenden die abweichenden Fassungen kurz vorstellen und daran anschließend deuten, welche mögliche Funktion die jeweiligen Änderungen haben können. Die verschiedenen Fassungen des Textes zeigen, so meine These, in beispielhafter Weise, in wie hohem Maße der Umgang mit der NS-Vergangenheit (und mit der eigenen Biographie zwischen 1933 und 1945) eine Aussage macht über die Haltung des Autors zur (jeweiligen) deutsch-deutschen Gegenwart und zur DDR.

Pistole mit sechzehn ist also, so soll gezeigt werden, ein exemplarischer Fall einer textuellen ‚Baustelle‘: Der Autor nimmt immer wieder Veränderungen vor, ohne diese jedoch selbst (an) zu deuten oder offen zu reflektieren. So ist der Umgang mit der eigenen Kindheit im NS immer neu interpretierbar, genauso wie damit auch die autobiographische Vorgeschichte mal des SED-Mitglieds Loest, dann des ‚Dissidenten‘ Loest immer neu deutbar ist, die – je nach Kontext und Intention – sinnstiftend wirken kann.

---

[43] Erich Loest: Pistole mit sechzehn. In: *Sinn und Form* 29 (1977), Heft 1, S. 64-94. Aus dieser Fassung wird im folgenden mit Seitenangaben in eckigen Klammern und dem Kürzel „LP1“ zitiert.

[44] Eindrucksvoll hat dies 1976 Christa Wolf mit ihrem autobiographischen Roman *Kindheitsmuster* vorgeführt, in dem sie, konsequenter noch als Loest, diesem fremd gewordenen Kind auf die Spur zu kommen versucht. Dieses Kind wird als „Nelly Jordan“ von der Autorin abgerückt.

IV.1. *Pistole mit sechzehn* als Separatveröffentlichung in *Sinn und Form* (1977)

Ausgehend von dem eher unbeteiligt-lapidaren Einstiegssatz („Der zehnjährige Erich Loest füllte im April 1936 den Aufnahmeantrag für das deutsche Jungvolk aus." [LP1 64]) wird retrospektiv die Kindheit und Jugend im Nationalsozialismus, der familiäre Hintergrund, die schulische Ausbildung sowie die Aktivität in der Hitlerjugend und die Begeisterung für die nationalsozialistische Ideologie geschildert. Eingearbeitet sind kleinere Episoden, die trotz aller ‚Linientreue' des ‚kleinen Loest' verdeutlichen, daß er, sei es aus Zufall, sei aus Instinkt, sich dem Drill mitunter zu entziehen versteht. So wird besonders der Moment der Vereidigung des frischgebackenen Pimpfen zu so einer Ausreißerepisode stilisiert:

> [...] im Saal traute er sich erst recht nicht, einen Schnurträger um Erlaubnis zum Austreten zu bitten, Fahnen wurden hereinzelebriert, Reden gehalten, und im Pimpfenanwärter E.L. wuchs die Scham, im heiligsten Augenblick [...] davonlaufen zu müssen zur teergestrichenen Wand neben der Bühne, und es wuchs die Angst, er pißte sich in die Hose. Als die Not am höchsten war, quälte er sich doch aus der Reihe [...]. Draußen im Saal schworen einige hundert Jungen ihrem Führer die Treue [...], im Abort für Männer stand der kleine Loest, das Pimmelchen durchs Bein der Kordhose gezwängt, und alles wurde gut. [LP1 65]

Diese Szene, die unverändert in alle Fassungen der Erzählung *Pistole mit sechzehn* übernommen wurde, offenbart den Kern des Selbstverständnisses Loests: Der Protagonist, so zeigt sich an verschiedenen Stellen, ist zwar durchweg anfällig für die nationalsozialistische Ideologie, jedoch wird er mitunter durch äußere Zufälle daran gehindert, zu allzu schwerwiegenden Taten zu kommen.[45] Und so scheinbar authentisch diese Szene auch erzählt wird, so ist doch der literarische Stilisierungscharakter nicht zu übersehen, schließlich finden sich in der Schilderung des kleinen Jungen, der sich unter der Tribüne beim Pinkeln befindet, während oben nationalsozialistische Zeremonien stattfinden, deutliche Verweise auf Günter Grass' Oskar Matzerath, der, ebenso wie der ‚kleine Loest', im entscheidenden Augenblick *unter* der Tribüne sitzt, und von dort, das allerdings im Unterschied zu Loests Figur, die Veranstaltung ganz erheblich stört. Daß in der autobiographischen Schilderung Loests *Die Blechtrommel* als Verweistext (affirmativ) mitgeführt wird, wird an anderen Stellen sogar explizit deutlich gemacht: „Der Chronist besitzt kein Gedächtnisvehikel wie Oskar Matzerath in der ‚Blechtrommel' des Günter Grass, mit der er sich die Vergangenheit aus weiter Ferne heran-, aus dem Brunnen der Vergangenheit herauftrommeln könnte." [LP1 67]

Der Erzähler stellt erhebliche Distanz, zum Teil ironisch konnotiert, zu seinem Protagonisten her, der ihm stets nur der ‚kleine Loest' ist, der der kleinste und schmächtigste Junge seines Jahrgangs bleibt, keine besonderen sportlichen Leistungen zeigt, sich jedoch in der NS-Hierarchie durchaus einen Platz zu verschaffen weiß. Dennoch, für Loest ist er verharmlosend nur das „Werwölfchen" [LP1 93].

---

[45] Ähnlich auch zum Beispiel die Schilderung, wie in der Nähe von Mittweida auf den durchfahrenden ‚Führer' gewartet wurde, dieser dann aber genau in dem Moment vorbeifuhr, als ‚der kleine Loest' gerade mit Versteckspielen beschäftigt war, weshalb er die Gelegenheit verpaßte, ‚seinem Führer' zuzujubeln [LP1 69].

Ist allein schon das Thema dieses autobiographischen Rückblicks wenig linien-
treu gewählt – bekanntlich waren HJ, BdM und andere Erscheinungsformen eines
alltäglichen Nationalsozialismus in der DDR nicht gerade geförderte literarische
Themen – so steigerte Loest die Wirkung sicherlich noch, indem er über die
beschränkenden Stoffvorgaben im Schriftstellerverband innerhalb der Erzählung
noch offen reflektierte [LP1 75f.]. Unter anderem aus diesem Grund habe denn
auch das Manuskript rund zwei Jahre beim Herausgeber der Zeitschrift *Sinn und
Form* gelegen, ehe es überhaupt veröffentlicht worden sei, berichtet Loest 1990 in
seiner Autobiographie *Durch die Erde ein Riß*.[46]

Dennoch sind aber auch in diese Fassung etliche kleine Verweise eingebaut, die
die Erzählung in einen im großen und ganzen linientreuen Kontext stellen, und das
ist natürlich vor dem Hintergrund der Biographie des ‚Dissidenten‘ Loest um so
erstaunlicher. Zunächst sind dies kleine Hinweise auf Klassenunterschiede zwischen
Arbeiterkindern und den Kindern der (klein-) bürgerlichen Familien (zu denen auch
Loests eigene gehörte), wobei den Arbeiterjungen, wenn auch in verhaltener Form,
stets eine ideologische Vorreiterrolle zugestanden wird. Sie gehören, so wird immer
wieder betont, am ehesten zu denen, die sich dem starren Dogmatismus zu entziehen versuchen, und ganz im Grundton der offiziellen DDR-Terminologie stellt Loest
die rhetorische Frage: „Klasseninstinkt?" [LP1 72, 81][47]

Noch gravierender ist aber eine andere Tatsache: Am Schluß der frühen *Sinn und
Form*-Variante steht noch ein längerer Schlußabsatz, in dem die Wandlung des Autors
vom Hitlerjungen zum SED-Genossen reflektiert wird [LP1 93f.]. Dieser Absatz
wurde lediglich noch in die erste Ausgabe des Erzählungsbandes *Pistole mit sechzehn* übernommen (1979), in der 1991er Neuauflage dieses Bandes jedoch still-
schweigend getilgt. Die Erzählung endet also in diesen beiden Fällen (1977, 1979)
nicht, wie in den späteren Fassungen, gewissermaßen offen, sondern sie versucht,
den Bogen zur DDR-Gegenwart zu schlagen, ganz im Sinne der in der DDR (offiziell) sehr beliebten (sozialistischen) Wandlungs- und Erweckungsbücher.

Dieser später herausgeschnittene Absatz beginnt mit der rhetorischen Frage „Wie
weiter?" [LP1 93]. Suggeriert wird, daß ein langwieriger Änderungsprozeß stattgefunden hat, der über SED-Mitgliedschaft, Redakteurstätigkeit, dem Besuch des
Literaturinstituts ‚Johannes R. Becher‘ verläuft, und in dessen Zusammenhang der
Autor/Protagonist sich mit der Tradition des Antifaschismus befaßt, sich kritisch mit
seiner Kindheit und Jugend auseinandersetzt:

> Er starrte zurück und erfuhr und wollte nicht wahrhaben, er schauderte und
> stritt und lernte [...]. Fünf Jahre nach dem Krieg war er Genosse der SED[48] und
> Redakteur einer Parteizeitung, er war aufgetaucht in ein zweites Leben [...]. Er
> las Bücher über die Besten des antifaschistischen Kampfes und neidete ihnen
> ihre Taten, aber dadurch konnte er seine eigene Jugend nicht umpolen. [LP1 93]

---

[46] Erich Loest: *Durch die Erde ein Riß. Ein Lebenslauf.* München 1990, S. 56. Diese bei dtv erschienene
Ausgabe wird im folgenden mit dem Kürzel „LP4" in eckigen Klammern und Seitenzahlen zitiert.

[47] In wie hohem Maße die Rede vom ‚Klasseninstinkt‘ zum Herrschaftsinstrument werden konnte, zeigt Maron
in ihrem Roman *Stille Zeile Sechs* (1991). Maron: *Stille Zeile Sechs.* A.a.O., S. 58.

[48] Der authentische Loest war übrigens schon 1947, also nur zwei Jahre nach dem Krieg, Mitglied der SED
geworden. Vgl. die Angaben dazu in *Reden über das eigene Land. 1995. Taslima Nasrin, George Tabori, Fritz
Beer, Erich Loest.* Veranstalter: Kulturreferat der Landeshauptstadt München. München 1996, S. 83.

Besondere Brisanz bekommt der später herausgeschnittene Absatz durch Bezüge zu anderen Autoren: Zum einen bezieht sich Loest abgrenzend auf Christa Wolf („es war gewißlich nicht damit getan, daß er, wie Christa Wolf es ausdrückte, ‚zwei Jahre später sagte: Donnerwetter, der Marx hat aber recht!'" [LP1 93]), zum anderen bezieht er sich affirmativ auf Faulkner („Faulkner wußte: ‚Das Vergangene ist nie tot, es ist nicht einmal vergangen.'" [LP1 94]). Diese beiden scheinbar getrennten Bezüge überkreuzen sich heimlich noch in einem literarischen Verweis, der aber von Loest hier, und sicherlich nicht zufällig, nicht genannt wird: Ein Jahr vor der ersten Veröffentlichung von *Pistole mit sechzehn*, nämlich 1976, war Christa Wolfs Roman *Kindheitsmuster* in der DDR erschienen und hatte heftige, zum Teil sehr unsachliche Debatten eröffnet. *Kindheitsmuster* formuliert, beginnend mit einem Bezug auf die bekannten Faulkner-Sätze („Das Vergangene ist nicht tot; es ist nicht einmal vergangen. Wir trennen es von uns ab und stellen uns fremd."[49]) einen kritischen Kommentar zum antifaschistischen Diskurs der DDR. Eingeklagt wird die Notwendigkeit einer behutsamen, ehrlichen Erinnerung, die auch das Erinnern an bis dahin tabuisierte Bereiche wie etwa HJ und BdM mit einschließt. Wolfs Roman schildert eine Kindheit während der NS-Zeit, die – ebenso wie Loests Erzählung – nicht von den gängigen Heldenbildern der DDR lebt (Antifaschismus, Widerstand), sondern die im ‚gewöhnlichen Mitläufertum' verharrt und genau nach den möglichen Ursachen für die Faszinationskraft der nationalsozialistischen Ideologie fragt. Neben der Abkehr vom sozialistischen ‚Helden-Lebenslauf' bricht *Kindheitsmuster* (mindestens) noch ein weiteres Tabu: Mit dem exponierten Faulkner-Zitat zu Beginn des Romans wird das Problem der Gegenwart angesprochen, das Verhältnis der DDR zur NS-Vergangenheit, die aus Abgrenzung und Verweisen nach Westdeutschland („wir trennen es von uns ab und stellen uns fremd") bestand. Offizielles Diktum war, daß der Faschismus mit der Wurzel ‚ausgerottet' sei (und das, wie sich mit Blick auf Viktor Klemperers *LTI*[50] leicht nachweisen läßt, ganz in der NS-Terminologie formuliert).

Wie ideologisch umkämpft diese Fragen noch Mitte/Ende der 70er Jahre in der DDR waren, läßt sich an den heftigen Reaktionen ablesen, die das Erscheinen von *Kindheitsmuster* auslöste. Eröffnet wurde diese Diskussion mit Annemarie Auers Rezension, die unter dem programmatischen Titel *Gegenerinnerung* 1977 in *Sinn und Form* erschien. Als Zentrum des Konflikts läßt sich der Versuch ausmachen, eine Art ‚Deutungs- und Darstellungshoheit' im Umgang mit der NS-Vergangenheit durchzusetzen bzw. zu verteidigen. Darstellenswert sei nur der antifaschistische Widerstandskampf, Erscheinungsformen eines alltäglichen Nationalsozialismus sollten dagegen als ‚marginal' ausgespart bleiben. Christa Wolf hatte mit ihrem Text, der im Bereich der NS-Verarbeitung, man könnte sagen, die ‚Entdeckung der Langsamkeit' erprobt, in ein Wespennest gestochen. In jedem Fall hatte die Autorin nach der Veröffentlichung von *Kindheitsmuster*, parteipolitisch gesehen, eine schwache Position, und keineswegs gehörte sie zu den Schönrednern der antifaschistischen Erneuerung der DDR. Warum also nun Loests kritischer, man könnte fast sagen denunziatorischer Bezug auf seine Kollegin?

Loest verlieh damit zum einen seinem zutiefst ambivalenten Verhältnis zu Christa Wolf Ausdruck. Indem er eine bestimmte Deutung ihres Werkes vermittelte (linien-

---

[49] Wolf: *Kindheitsmuster*. A.a.O., S. 9.
[50] Viktor Klemperer: *LTI. Notizbuch eines Philologen*. Leipzig 161996.

treu, etwas naiv: „Donnerwetter, der Marx hat aber recht!" [LP1 93]) sprach er quasi en passant Christa Wolf ab, sich inzwischen (selbst)kritisch entwickelt zu haben. Er konnte die Autorin offensichtlich immer nur als die etwas dogmatische Parteiautorin sehen, als die er sie in den fünfziger Jahren kennengelernt hatte.[51] Und nach der Wende gehörte dann Loest auch zu den ersten, die sich im sogenannten ‚Literaturstreit' gegenüber Christa Wolf als gnadenlose Kritiker profilierten: 1993 beispielsweise schrieb er eine Abrechnung mit ihr unter dem Titel „Wer zu spät kommt, den bestraft das Misstrauen [sic]" (Die Welt, 22.1.1993). Er wirft ihr in diesem Artikel, ausgehend vom Jahr 1968, alle doktrinären Verfehlungen vor, würdigt dagegen mit keiner Silbe ihre immer wieder geschwächte eigene Position, ihr kritisches Auftreten oder ihr Engagement nach der Ausbürgerung Biermanns. In den neunziger Jahren gehörte Loest dann zu den ganz wenigen, die sich der Meinung eines CSU-Mannes anschlossen, Christa Wolf müsse der Geschwister-Scholl-Preis wieder aberkannt werden, da sie mit ihrem eigenen Verhalten zu totalitären politischen Strukturen beigetragen habe.[52] Diese Tendenz, Christa Wolf nicht in ihrem kritischen Schreiben und gesellschaftlichen Engagement anerkennen zu wollen, bestimmt in Ansätzen auch schon die abgrenzende Nennung in der besprochenen frühen Erzählungsvariante von Pistole mit sechzehn.

Daraus ergibt sich zum anderen eine weitere Frage: Wie erklärt sich diese beinahe demütige Verbeugung Loests vor ‚der Partei', denn als solche kann man ja diese etwas aufgesetzte Episode der positiven Entwicklungsgeschichte nur deuten. Zunächst einmal ist zu bedenken, daß Loest vermutlich entweder die explizite Auflage hatte, einen positiven Ausblick in Bezug auf die Gegenwart der DDR wenigstens anzudeuten, oder er hielt einen solchen Ausblick von sich aus für sinnvoll, um den ansonsten eher problematischen Text zur Veröffentlichung zu bringen. Diese Überkreuzung von Zensur und Selbstzensur ist für die Literatur der DDR des öfteren zu beobachten. Daß er sich nun für diesen Zweck jedoch ausgerechnet abgrenzend auf die Person Christa Wolfs bezieht, hat sicherlich eine besondere Raffinesse, schließlich war doch Wolf mit ihrem Roman Kindheitsmuster gerade im Bereich der NS-Darstellung heftig in die Kritik geraten, sich also gegen Wolf zu stellen, konnte in diesem Kontext auch einer anbiedernden Geste nach oben hin gleichkommen. Kein Wunder, daß Loest diese Passagen später umstandslos wieder strich, waren sie doch schlecht vereinbar mit dem Bild des Dissidenten Loest, der sieben Jahre Haft in Bautzen hinter sich hatte und dann 1981 schließlich endgültig in den Westen übersiedelte. Nur fällt diese kleine Veröffentlichung in Sinn und Form, so läßt sich deuten, genau in eine Phase, in der Loest noch einmal den Versuch machte, sich in die DDR-Gesellschaft unauffällig einzufügen („unauffällig [...] [zu] leben, sich aus politischen Querelen herauszuhalten"[53]). Dieser Vorsatz wird erst 1979/80 endgültig hinfällig, als es um den Ausschluß einiger Autoren aus dem Schriftstellerverband geht und Loest sich wieder gezwungen fühlt, Stellung zu beziehen. Aber 1977, so kann man vermuten, steht noch im Zeichen dieses versuchten Sich-Einfügens.

---

[51] Siehe dazu die Schilderungen in Jörg Magenau: Christa Wolf. Eine Biographie. Berlin 2002, S. 65 und S. 455.
[52] Belegt bei Magenau: Christa Wolf. A.a.O., S. 429.
[53] Zit. nach Hans-Rüdiger Schwab: Art. Erich Loest. In: Metzler-Autoren-Lexikon, hg. von Bernd Lutz. Stuttgart 1986, S. 426f., hier S. 427.

IV.2. *Pistole mit sechzehn* als Titelerzählung eines Erzählungsbandes (1979, 1991)

1979 erschien im westdeutschen Verlag Hoffmann und Campe ein kleiner Band mit Erzählungen Erich Loests, wobei *Pistole mit sechzehn* die titelgebende Erzählung wurde.[54] Es erstaunt mitunter schon, wieso gerade dieser Titel immer wieder tradiert und an prominenter Stelle genannt wird, schließlich handelt es sich kaum um einen besonders eingängigen Titel, und zudem ist die damit beschriebene Episode – daß nämlich der Junge Erich Loest zum 16. Geburtstag eine Pistole bekam, die dann, nach dem Einmarsch der Roten Armee, vom Vater in Einzelteile zerlegt und in einem See versenkt worden war – nicht unbedingt die eindringlichste des gesamten Textes. Aber in jedem Fall bestätigt der Titel des Erzählungsbandes noch einmal den durch die Lektüre der verschiedenen Fassungen gewonnenen Eindruck, dieser Text habe für den Autor eine besondere Bedeutung gehabt. Bei der im 1979 erschienenen Erzählungsband veröffentlichten Version von *Pistole mit sechzehn* handelt es sich um die identische *Sinn und Form*-Variante. Nach dem Erscheinen dieses westdeutschen Bandes, so berichtet das Nachwort der Neuauflage 1991, stand Erich Loest der Ausschluß aus dem Schriftsteller-Verband bevor (Verstoß gegen die „Zensurgesetze" der DDR), woraufhin er sich zum freiwilligen Austritt entschloß.[55] 1981 fand dann schließlich seine endgültige Übersiedlung nach Westdeutschland statt.

Zwei Jahre nach der Wende, also 1991, wurde Loests Erzählungsband *Pistole mit sechzehn* neu aufgelegt, und zwar zum einen im familieneigenen Leipziger Linden-Verlag und zum anderen im Deutschen Taschenbuch-Verlag. Diese 1991er Ausgabe hat entscheidende Veränderungen erfahren, die, so meine These, in jedem Fall als ‚wendebedingte' Anpassung zu verstehen sind: Der Schlußabsatz, in dem Loest seine Wandlung vom HJ-Jungen zum SED-Mitglied referiert und in dem er sich so unschön von Christa Wolf abzusetzen versuchte, ist spurlos getilgt worden.[56] Es wurde auch nicht, was immerhin zu erwarten gewesen wäre, der Versuch unternommen, diese Umbeschriftung offenzulegen und zu erklären, etwa als Streichen einer zensurebedingten Passage oder ähnliches. Aufgrund der verschwiegenen Streichung wird natürlich dieser Absatz doppelt auffällig und bekommt erst Gewicht. Man kann also davon ausgehen, daß Loest diese Passage damals wohl doch weniger auf äußeren Druck in die Erzählung aufgenommen hatte, sondern aus persönlichen Motiven, wie oben beschrieben, und daß er sich vor allem von Christa Wolf abgrenzen wollte. Deren Text *Kindheitsmuster* mußte ihm, der immer wieder klagte, „[e]s gibt keinen Roman über die Hitlerjugend" [LP3 47], ja eigentlich sehr willkommen sein, doch nichts dergleichen. Und noch die Jahresangabe „1972" als Entstehungsdatum von *Pistole mit sechzehn*, die in beiden Ausgaben des Erzählungsbandes enthalten

---

[54] Erich Loest: *Pistole mit sechzehn. Erzählungen*. Hamburg 1979. Seitenangaben in eckigen Klammern mit dem Kürzel „LP2" beziehen sich im folgenden auf diese Fassung.

[55] Erich Loest: *Pistole mit sechzehn. Erzählungen*. Vom Autor überarbeitete und ergänzte Ausgabe. München 1991, S. 235. Seitenangaben in eckigen Klammern mit dem Kürzel „LP3" beziehen sich im folgenden auf diese Ausgabe.

[56] Der Hinweis im Untertitel (Erich Loest: *Pistole mit sechzehn. Erzählungen*. Vom Autor überarbeitete und ergänzte Ausgabe. München 1991) kündigt zwar Veränderungen der Texte an, jedoch wird nicht deutlich gemacht, welcher Art diese Veränderungen sind. Dem Leser, dem nicht alle Varianten zur Verfügung stehen (und das wird ja wohl der Normalfall sein), wird also auf jeden Fall die Bedeutung der Veränderungen entgehen, zumal eben nicht nur „Ergänzungen" sondern auch sinnträchtige Streichungen zu verzeichnen sind.

ist (obwohl die erste Veröffentlichung 1977 stattfand), läßt sich als solcher Versuch der Abgrenzung von der Kollegin verstehen. Denn da nun einmal Wolfs Roman bereits 1976 erschienen war, konnte natürlich immer der ‚Verdacht‘ aufkommen, Loest habe hier nur epigonenhaft nachgearbeitet.

IV.3. *Pistole mit sechzehn* als Kapitel der Autobiographie *Durch die Erde ein Riß* (1981, 1990)

Die Fassung *Pistole mit sechzehn* als Kapitel der Autobiographie *Durch die Erde ein Riß* beschriftet nun, so läßt sich deuten, die vorhandene Folie noch einmal völlig um, und zwar vor dem Hintergrund der inzwischen erfolgten Übersiedlung Loests in den Westen (1981). Insofern ist auch *Durch die Erde ein Riß* trotz des frühen Veröffentlichungsdatums schon ein Stück Wendeliteratur, markiert es doch Loests persönliche Wende, sein Abschließen mit der DDR. Schließlich, sicherlich kein Zufall, wird sein autobiographischer Text 1990, pünktlich zur nun ‚offiziellen Wende‘, noch einmal neu aufgelegt.

In dieser Erzählungs-Fassung, so läßt sich etwas überspitzt formulieren, schreibt sich Loest *seine* ideale Helden-Biographie, nämlich die des DDR-Oppositionellen. Und dementsprechend bekommt natürlich auch die Vorgeschichte eine etwas veränderte Form, es wird nicht mehr über die Wandlung des einstmals begeisterten HJ-Jungen zum überzeugten SED-Mitglied reflektiert, sondern im Gegenteil, das kritische Moment steht im Vordergrund.

Der Stoff der früheren Erzählung wurde in der Autobiographie auf zwei Kapitel verteilt, und zwar auf *Dieses Jahr sechsunddreißig* [LP4 13-31] und *Pistole mit sechzehn* [LP4 32-60]. Dem Erzählen wurde also insgesamt mehr Raum gegeben, läßt sich zusammenfassen, das heißt, Kindheits- und Jugendepisoden werden mitunter etwas breiter und detaillierter erzählt, als dies in der knapperen Erzählung zuvor der Fall war.

Die wesentlichen Abweichungen der Autobiographie-Kapitel von der 1977er Vorlage *Pistole mit sechzehn* sind folgende:

Eingefügt wurde eine kleine reflektierende Passage, in der berichtet wird, daß diese Erzählung bereits 1977 in *Sinn und Form* erschienen war, vor allem wird über die Widrigkeiten der Veröffentlichung, die Verhinderungspraxis in der DDR, berichtet:

> Dieses Kapitel wurde schon einmal gedruckt, 1977 in der DDR-Literaturzeitschrift ‚Sinn und Form‘. Vorher hatte es zwei Jahre lang in einem Schubfach des Herausgebers Wilhelm Girnus geschmort. Damals war der gewöhnliche Hitlerjugendalltag noch kein literarisches Thema, Christa Wolfs ‚Kindheitsmuster‘ war noch nicht erschienen. [LP4 56f.]

Diese kleine Episode, zusammen mit der Tatsache, daß die ursprüngliche Schlußpassage mit dem verunglimpfenden Bezug auf Christa Wolf gestrichen worden war, verdeutlicht eine Strategie der Selbsterfindung Loests: Loest tritt hier als gemäßigter Autor hervor, der im Verhältnis zur DDR-Obrigkeit stets seine Haltung bewahren konnte, der der moralisch Überlegene blieb, der sich nicht als vorbildlicher SED-Genosse präsentieren möchte und der sich vor allem auch nicht zu ‚Ausfällen‘ gegenüber seiner inzwischen auch im Westen zu Ansehen gelangten Kollegin Christa

Wolf hinreißen läßt.57 Daß dieser Text wenige Jahre zuvor noch völlig anders ausgesehen hatte, wird mit keiner Zeile reflektiert, was sich als Versuch lesen läßt, die alte Folie nicht nur neu zu beschriften, sondern sogar ganz zu löschen.

Und noch eine größere Passage wurde erst in die Version der Autobiographie *Durch die Erde ein Riß* aufgenommen: Als 2. Unterkapitel des Kapitels *Pistole mit sechzehn* bekommen wir die Geschichte des Mittweidaer Kommunisten Vogelsang erzählt [LP4 45ff.]. Diese Passagen sind in den früheren Erzählungsversionen nicht vorhanden gewesen, es handelt sich also um eine völlige Erweiterung, dazu eine, die eine gewisse Bedeutung in Bezug auf den Gesamteindruck hat. Die Geschichte des Kommunisten Vogelsang, der kurzzeitig ins KZ kam und sich danach nicht mehr aktiv zu verhalten getraute, wird vor der Folie der DDR-Literatur und -Beschreibungskonventionen berichtet. Immer wieder wird die Erzählung unterbrochen mit Rückblicken in die DDR der fünfziger Jahre:

> In den fünfziger Jahren wurde in Romanen und Erzählungen [der DDR, d. Verf.] gern diese Szene abgewandelt: Ein verführter Jugendlicher lernt einen älteren Arbeiter kennen, der pfiffelt verstohlen nie gehörte Töne, später stellt sich heraus: Es ist die Internationale. Dieser Mann erwirbt das Vertrauen des Jugendlichen, endlich fördert er aus einem versteckt eine zerlesene Schrift: das kommunistische Manifest. Dem Jungen gehen die Augen auf, gemeinsam schreiten sie in einer hellere Zukunft. [LP4 45]
> In Texten dieser Art fehlt nie die Erörterung, was und wieviel der Autor von KZ-Greueln gewußt hat, es gilt als moralisches Kriterium erster Ordnung. [LP4 46]

Natürlich soll nicht bestritten werden, daß Loest hier völlig richtig das in der Literatur der DDR, namentlich in den fünfziger Jahren aber auch noch später, verbreitete sehr standardisierte Schreiben über NS und Widerstand benennt. Aber es mutet doch seltsam an, eine so gleichsam souveräne, distanzierte Stellungnahme hier so zu lesen, als habe der Autor genau diese Meinung auch bereits 1977 nicht nur gehabt, sondern auch schriftlich vertreten, denn genau das suggeriert ja die Erläuterung, *„[d]ieses Kapitel"* sei „schon einmal gedruckt" worden [LP4 56, Herv. von d. Verf.]. Es ist eben nicht genau *dieses* Kapitel, sondern die namensgleiche Vorgängerfolie, die in der DDR bereits veröffentlicht wurde, und dies offenzulegen, wäre sinnvoll gewesen und hätte auch dieses Kapitel der Autobiographie ‚authentischer' gestalten können. So aber bleibt doch der Eindruck zurück, hier werde ‚Ich-Klitterung' betrieben, mit dem Ziel, der eigenen Persönlichkeit eine ideale Vorgeschichte zu erschreiben. Wohl kaum zufällig, so noch ein abschließendes Detail, ist in der Autobiographie *Durch die Erde ein Riß* zusätzlich der einzelne kleine Satz „Er war ein lenkbarer Junge." [LP2 39] ersatzlos gestrichen worden [vgl. LP4 16]. Obwohl sich das an der genannten Stelle lediglich auf den ‚kleinen Loest' bezieht, also auf den zehnjährigen Jungen des Jahres 1936, erschien es vielleicht dennoch als Ausgangspunkt für die zu schreibende Geschichte eines DDR-Widerständigen zu anrüchig.

---

57 Die oben zitierte (vgl. Anmerkung 16) Einschätzung Loests, Christa Wolf sei neben Monika Maron und Heiner Müller diejenige Autorin, die am meisten mit der totalitären Macht in der DDR kokettiert habe, ist schon wieder vor einem anderen Hintergrund zu verstehen: Christa Wolf hatte mittlerweile ihre informelle Mitarbeit bei der Staatssicherheit öffentlich bekannt gemacht und war dafür in den Medien heftig kritisiert worden. Auch Loest hatte sich in den 90er Jahren in diesem Konflikt als vehementer Kritiker profiliert.

V. SCHLUSSBEMERKUNGEN/AUSBLICKE

‚Vergangenheit, eine Baustelle‘, dies konnte in den behandelten Texten, wenn auch mit je unterschiedlicher Schwerpunktsetzung, immer wieder beobachtet werden. Die eigene Biographie des schreibenden Ich präsentiert sich keineswegs als feststehende Geschichte, und es ließe sich für alle hier besprochenen Autoren der Faulkner-Satz aus *Requiem für eine Nonne* anführen: ‚Die Vergangenheit ist nicht tot, sie ist nicht einmal vergangen.‘

Gerade in Bezug auf die autobiographischen Texte von DDR-Autoren läßt sich nicht von den gesellschaftlichen Prämissen des sozialistischen Staates absehen: Der in der DDR propagierte antifaschistische ‚Gründungsmythos‘ wird, in verschiedener Weise, für die hier besprochenen Autoren und deren autobiographische Selbstinszenierung wichtig: Hermlins von Corino verurteilte ‚Legendenbildung‘ läßt sich nur vor dem Hintergrund des idealen antifaschistischen Lebenslaufs verstehen. Und auch Marons verspielter Entwurf des Großvaters Pawel und die Erfindung der eigenen ‚jüdischen Identität‘ lassen sich nur auf der Folie dieses ‚Gründungsmythos‘ als Geste der Verweigerung dem offiziellen Staat gegenüber deuten.

In den Texten Marons wurde ein spielerischer, aktiver Umgang mit der eigenen Biographie sichtbar, der einem Dreischritt hin zu zunehmender Abnabelung von der erfundenen Herkunft und einer Form von Desillusionierung gleichkommt: 1. In *Flugasche* wurde in einer Mischung aus Fakten und Fiktionen die Figur des jüdischen Großvaters Pawel eingeführt, der der Protagonistin, zumal vor dem Hintergrund der rigiden Gedenkpraxis der DDR, zur Muse der Verweigerung werden konnte. 2. Nachdem Maron sich nach der Wende zunächst mit der Aufarbeitung der traumatisierenden Erfahrungen in der DDR beschäftigt hatte (so vor allem in *Stille Zeile Sechs*, 1991 erschienen), konnte sie sich nach dem Fall der Mauer und dem Wegfallen des familiären Drucks dem Blick auf den ‚authentischen‘ Großvater Pawel mehr und mehr stellen. Deutlichstes Zeichen dafür ist die Tatsache, daß die zuvor verschwiegene Mitgliedschaft Pawels in der kommunistischen Partei nun, quasi en passant, eingestanden werden kann. All das ist aber offensichtlich nur möglich, weil sich nach der politischen Wende nun auch innerfamiliär ein Wandel abzeichnete, indem sich Mutter und Tochter wieder einander annähern konnten. 3. Rund zwölf Jahre nach der Wende, nachdem vielleicht die erste Euphorie abgeklungen ist, verschwindet Pawel in *Endmoränen* aus dem Schreibrepertoire der Autorin, er hat offensichtlich seine Funktion als „Klopfzeichen“, als ‚Geheimcode‘ eingebüßt. An die Stelle der (sinnhaften) Verweigerungshaltung aus DDR-Zeiten ist nun das Leiden an der Desillusionierung und die Sehnsucht nach neuem Sinn getreten. Das alles ist zwar noch lange keine ‚Ostalgie‘, aber dennoch aus der Feder einer der bekanntesten ‚Dissidentinnen‘ der ehemaligen DDR erstaunlich genug.

Am Beispiel von Loests Erzählungsversionen *Pistole mit sechzehn* konnte eine weitere Facette dieses autobiographischen Spiels, der ‚Ich-Klitterung‘ verdeutlicht werden. Loests frühe Erzählung von 1977 wurde bis 1991 über verschiedene Stufen hinweg fortgeschrieben, wobei sich tendenziell ein Wegschreiben vom sozialistischen Kontext und ein Hineinschreiben in die eigene Dissidenten-Biographie beobachten läßt. Dieser Vorgang wird von Loest aber nicht offengelegt oder reflektiert, sondern er findet gewissermaßen heimlich statt, als Versuch der nachträglichen Umbeschriftung der früheren Folie. Diese Beobachtungen sollen keinesfalls zum

Anlaß genommen werden, Loests Verfahren zu kritisieren oder gar (moralisch) abzuwerten. Es geht lediglich darum zu zeigen, in wie hohem Maße der Rückblick auf die eigene Vergangenheit, und zwar sowohl auf die im Nationalsozialismus als auch auf die in der DDR, abhängig ist von der jeweilig aktuellen Gegenwartsposition.

Ergänzend sei an dieser Stelle noch einmal auf Heiner Müllers Autobiographie *Krieg ohne Schlacht. Leben in zwei Diktaturen* (1992) hingewiesen. Müllers Text suggeriert schon im Titel eine Art Doppelstruktur, ein ‚Doppelleben‘.[58] Dementsprechend unterzieht Müller einige seiner früheren autobiographischen Texte, vor allem die über seinen Vater und seinen Großvater, beide in den fünfziger Jahren entstanden, einer kritischen Relektüre. Diese Überprüfung wird aber von Müller im Schreiben der neuen Autobiographie offengelegt, wodurch ein gewisses Maß an Transparenz erreicht wird und zudem Einblick gegeben wird in ebendiese zeithistorische Bedingtheit des Blicks auf das eigene Leben.

In jedem Fall ist eines deutlich geworden: Das Jahr 1989 stellt eine einschneidende ‚Sinn-Stiftungs-Wende‘ für die Autoren dar, die deutliche Auswirkungen auch und gerade auf das autobiographische Schreiben hat.

---

[58] Carola Stern betitelte ihre kürzlich erschienene Autobiographie explizit *Doppelleben. Eine Autobiographie* (Köln 2001).

VI. LITERATURVERZEICHNIS

Siegfried Th. Arndt, Helmut Eschwege, Peter Honigmann, Lothar Mertens: *Juden in der DDR. Geschichte, Probleme, Perspektiven.* O.O. 1988.

Simone Barck: Widerstands-Geschichten und Helden-Berichte. Momentaufnahmen antifaschistischer Diskurse in den fünfziger Jahren. In: Martin Sabrow (Hg.): *Geschichte als Herrschaftsdiskurs. Der Umgang mit der Vergangenheit in der DDR.* Köln u.a. 2000, S. 119-173.

Christel Berger: *Gewissensfrage Antifaschismus. Traditionen der DDR-Literatur.* Berlin 1990.

Elizabeth Boa: Schwierigkeiten mit der ersten Person: Ingeborg Bachmanns *Malina* und Monika Marons *Flugasche, Die Überläuferin* und *Stille Zeile Sechs.* In: Robert Pichl (Hg.): *Kritische Wege der Landnahme. Ingeborg Bachmann im Blickfeld der neunziger Jahre. Londoner Symposion 1993.* Wien 1994, S. 125-145.

Y. Michal Bodemann: *Gedächtnistheater. Die jüdische Gemeinschaft und ihre deutsche Erfindung.* Hamburg 1996.

Petra Boden: Ornamente und Tabus. Antifaschismus als Herrschaftsdiskurs. In: *Weimarer Beiträge* 41 (1995), H. 1, S. 104-119.

Erica Burgauer: *Zwischen Erinnerung und Verdrängung. Juden in Deutschland nach 1945.* Reinbek bei Hamburg 1993, S. 137-264.

Karl Corino: *Außen Marmor, innen Gips. Die Legenden des Stephan Hermlin.* Köln 1996.

Jürgen Danyel (Hg.): *Die geteilte Vergangenheit. Zum Umgang mit Nationalsozialismus und Widerstand in beiden deutschen Staaten.* Berlin 1995.

Kurt Drawert: Der Text und die Freiheit des Textes. Brief vom 12. Januar 1993. In: Richard Zipser (Hg.): *Fragebogen: Zensur. Zur Literatur vor und nach dem Ende der DDR.* Leipzig 1995, S. 102-107.

Ingrun Drechsler u.a. (Hg.): *Getrennte Vergangenheit, gemeinsame Zukunft. Ausgewählte Dokumente, Zeitzeugenberichte und Diskussionen der Enquete-Kommission „Aufarbeitung von Geschichte und Folgen der SED-Diktatur in Deutschland" des Deutschen Bundestags 1992-1994.* Bd. 1. München 1997.

Wolfgang Emmerich: *Kleine Literaturgeschichte der DDR.* Erweiterte Neuausgabe. Leipzig 1996.

Marlis Gerhardt: Geschichtsklitterung als weibliches Prinzip. In: Dies.: (Hg.): *Irmtraud Morgner. Texte, Daten, Bilder.* Frankfurt a.M. 1990, S. 93-99.

Patricia Herminghouse: Vergangenheit als Problem der Gegenwart: Zur Darstellung des Faschismus in der neueren DDR-Literatur. In: Dies.; P. U. Hohendahl (Hg.): *Literatur der DDR in den siebziger Jahren.* Frankfurt a.M. 1983, S. 259-294.

Mario Keßler: *Die SED und die Juden - zwischen Repression und Toleranz. Politische Entwicklungen bis 1967.* Berlin 1995.

Uta Klaedtke, Martina Ölke: Erinnern und erfinden: DDR-Autorinnen und ‚jüdische Identität' (Hedda Zinner, Monika Maron, Barbara Honigmann). In: Ariane Huml, Monika Rappenecker (Hg.): *Jüdische Intellektuelle im 20. Jahrhundert. Literatur- und kulturgeschichtliche Studien.* Würzburg 2003, S. 249-274.

Viktor Klemperer: *LTI. Notizbuch eines Philologen.* Leipzig 161996.

Sylvia Kloetzer: Perspektivenwechsel: Ich-Verlust bei Monika Maron. In: Ute Brandes (Hg.): *Zwischen gestern und morgen. Schriftstellerinnen der DDR aus amerikanischer Sicht.* Berlin u.a. 1992, S. 226-249.

Philippe Lejeune: *Der autobiographische Pakt.* Aus dem Französischen von Wolfram Bayer und Dieter Horning. Frankfurt a.M. 1994.

Annette Leo: Geschichtsbewußtsein ‚herstellen‘ – ein Rückblick auf Gedenkstättenarbeit in der DDR. In: Heide Behrens-Cobet (Hg.): *Bilden und Gedenken. Erwachsenenbildung in Gedenkstätten und an Gedächtnisorten.* Essen 1998, S. 35ff.

Jörg Magenau: *Christa Wolf. Eine Biographie.* Berlin 2002.

Paul de Man: Autobiographie und Maskenspiel. In: Ders.: *Die Ideologie des Ästhetischen.* Hg. von Christoph Menke. Frankfurt a.M. 1993, S. 131-146.

Monika Maron: „Die Pervertierung der privaten Beziehungen durch Ideologien ist die eigentliche, auch nachträglich schwer verständliche Erfahrung.“ Ein Gespräch mit Monika Maron über ihren ermordeten Großvater, über Erinnern und Vergessen. In: *Fischer Lesezeichen* 1 (2001), S. 4-7.

Heiner Müller: *Krieg ohne Schlacht. Leben in zwei Diktaturen.* Köln 1992.

Herfried Münkler: Antifaschismus und antifaschistischer Widerstand als politischer Gründungsmythos der DDR. In: *Aus Politik und Zeitgeschichte* 45 (1998), S. 16-29.

Lutz Niethammer (Hg.): *Der ‚gesäuberte‘ Antifaschismus. Die SED und die roten Kapos von Buchenwald.* Berlin 1994.

Ulrike Offenberg: *„Seid vorsichtig gegen die Machthaber.“ Die jüdischen Gemeinden in der SBZ und der DDR 1945 bis 1990.* Berlin 1998.

Reden über das eigene Land. 1995. Taslima Nasrin, George Tabori, Fritz Beer, Erich Loest. Veranstalter: Kulturreferat der Landeshauptstadt München. München 1996.

Brigitte Rossbacher: The status of state and subject: reading Monika Maron from *Flugasche* to *Animal triste.* In: Robert Weininger (Hg.): *Wendezeiten, Zeitenwenden. Positionsbestimmungen zur deutschsprachigen Literatur 1945-1995.* Tübingen 1997, S. 193-214.

Martin Sabrow (Hg.): *Verwaltete Vergangenheit. Geschichtskultur und Herrschaftslegitimation in der DDR.* Leipzig 1997.

Ricarda Schmidt: Erlaubte und unerlaubte Schreibweisen in Honeckers DDR: Christoph Hein und Monika Maron. In: Robert Atkins (Hg.): *Retrospect and review: Aspects of literature of the GDR 1976-1990.* Amsterdam 1997, S. 176-196.

Carola Stern: *Doppelleben. Eine Autobiographie.* Köln 2001.

Martina Wagner-Egelhaaf: *Autobiographie.* Stuttgart 2000.

Jan Böttcher

AUSSCHREITUNG DES (AUTO-)BIOGRAPHISCHEN RAUMES

Zur Prosa Johannes Jansens aus den Jahren 1988-2001

INHALTSVERZEICHNIS

EDITORISCHE NOTIZ

Diese Arbeit richtet sich in den Zitaten nach der Klein- und Großschreibung des Autoren Johannes Jansen, da die Orthographie die literarische Biographie des Autors mitbestimmt. Alle Buch- und Texttitel des Autors sind sowohl im Text, als auch in den Fußnoten, kursiv gesetzt, um sie von anderen Titeln zu unterscheiden.

Innerhalb des Textes erscheinen ansonsten kursiv: 1. Primärliteratur; 2. Die Titel anderer Veröffentlichungen, sofern sie ganze Bände eines Autors bzw. einer Autorin darstellen; 3. Zeitungs- und Zeitschriftentitel.

In der Bibliographie (Kap. 5) weise ich in eckigen Klammern auf die für diese Arbeit interessantesten Texte Johannes Jansens hin.

Die Arbeit ist in der alten Rechtschreibung verfaßt.

TEIL I

EINLEITUNG

1

Mit dem Staat DDR schien nach 1989 auch die dort produzierte Kunst nach und nach zu vergehen. In einer feuilletonistischen Debatte, die an allen Enden ihre Verkürzung und Polemik bewies, wurde noch im Jahr der Vereinigung der Vorwurf der „Gesinnungsästhetik" gegen die etablierte Generation der DDR-Schriftsteller um Christa Wolf laut. Was von der DDR-Literatur überleben wolle, so urteilte man, hätte eine andere Einstellung zum Staat einnehmen müssen.

In Schutz genommen wurde zunächst die Literatur einer autonomen Künstler-szene, an deren Mythisierung aus Westdeutschland im Verlauf der achtziger Jahre kräftig mitgestrickt worden war. Doch den „Ariadnefaden"[1] wickelten die Künstler schließlich selbst auf: Ausgerechnet im Ostberliner Stadtteil Prenzlauer Berg, in der vermeintlichen Künstlerenklave, hatten zwei bekannte Poeten jahrelang für die Staatssicherheit des Landes gearbeitet. Im Herbst 1991 wurden Sascha Anderson und Rainer Schedlinski als Spitzel entlarvt. Eine zweite Welle des Literaturstreits hob an und begrub auch die Werke der Künstler, die am Rande der DDR existiert und gearbeitet hatten, unter sich.

Mitte der neunziger Jahre hat aber eine Rezeption der nicht-offiziellen Literatur der DDR eingesetzt, die sich wieder am Gegenstand, also an den Texten der Autoren, orientiert. Mit dieser Arbeit will ich jene Forschungshaltung unterstützen, die den Autoren des zum Mythos gewordenen ‚Prenzlauer Berges' ein ästhetisches Interesse entgegenbringt. Gerrit-Jan Berendse schreibt:

> Wenn man Adolf Endlers provokativ benutzten Terminus „Prenzlauer-Berg-Connection" einmal ernst nehmen wollte, setzt dieser gerade die Verknüpfung verschiedenartiger Identitäten voraus – auch jener, die es wagten, die Grenzen des angeblich kohärenten Gebildes zu überschreiten. Prenzlauer Berg als Kultur-phänomen existierte wie sonstige Teilsysteme in der DDR im kommunikativen Austausch. Seine subkulturelle Identität verdankt er gerade den Differenzen.[2]

Ihre Existenzberechtigung gegenüber dem Feuilleton kann sich Literaturwissen-schaft nur durch Differenzierung sichern. Dabei dient der literarische Ort ‚Prenz-lauer Berg' unbestritten als Soziotop einer bestimmten Lebenspraxis in der DDR. Es gab dort untergrund-spezifische Produktions- und Rezeptionsbedingungen, die Frank Eckart in seiner Dissertation *Zwischen Verweigerung und Etablierung*[3] untersucht und typisiert hat. Der soziologische Hintergrund wird für eine Bewer-tung der achtziger Jahre unersetzlich bleiben, ebenso wie der Umstand, daß einige Theoretiker das Jahrzehnt in unmittelbarer Nähe zu den Künstlern verbracht haben. Vor allem Peter Böthigs Arbeiten gelingt dadurch die Beobachtung sowohl der all-

---

[1] *Ariadnefabrik* hieß eine der nicht-offiziellen Zeitschriften aus Ost-Berlin. Sie wurde von Rainer Schedlinski zusammen mit Andreas Koziol von 1986-1990 herausgegeben.
[2] Gerrit-Jan Berendse: Grenz-Fallstudien. Essays zum Topos Prenzlauer Berg in der DDR-Literatur. Berlin 1999, S. 33.
[3] Frank Eckart: Zwischen Verweigerung und Etablierung. Mit einem Quellenverzeichnis zu den Dokumenten der Eigenverlage und offiziellen Kulturinstitutionen in der DDR (1980-1990). 2 Bände. Bremen 1995.

gemeinen ‚Revolte‘, als auch der ästhetischen ‚Differenzen‘ einzelner Autoren. Böthigs erster Text zur Prenzlauer-Berg-Kunst geht auf das Jahr 1985 zurück, 1997 hat er seine ausführliche Beschäftigung als *Grammatik einer Landschaft* veröffentlicht. Er entwickelt darin nachträglich ein Diskurssystem für die Öffentlichkeit der achtziger Jahre in der DDR, dessen Zentrum leer lief und an dessen Rändern es „um Kritik, Ausformung, Weiterentwicklung und/oder Verwerfung und Überschreitung“[4] ging. Das Machtzentrum zeigte für politische und kulturelle Reformversuche erst zu spät Interesse. Die den hier gemeinten Autoren Ende der achtziger Jahre noch bewilligte Öffentlichkeit – in den ‚außer der reihe‘- Publikationen des Aufbau-Verlags – konnte nicht gutmachen, was vorher an Kommunikation verpasst worden war.

Karen Leeder hat in ihrer englischsprachigen Studie *Breaking Boundaries*[5] hervorgehoben, was Böthig mit Überschreitung bezeichnet. Weil die staatlichen Grenzen nicht zu überwinden waren, begannen die Lyriker am Prenzlauer Berg, die sprachlichen Grenzen der DDR zu durchlöchern. Man verschriftlichte die Zersplitterung des Subjekts und kündigte damit das teleologische Geschichtsbild des Sozialismus auf. Asozialität wurde gelebt und in Gedichten dokumentiert. Leeder problematisiert in ihrem einleitenden Kapitel endlich auch den Generations-Begriff, der in der DDR-Literaturgeschichte schon je für mehr Verwirrung als für Ordnung sorgte. Dazu beigetragen hat sicherlich der Titel *Hineingeboren* von Uwe Kolbes 1980 erschienenem Gedichtband: Einer kam damals für alle zu Wort. Dabei kann von einer die geistige oder poetologische Haltung einheitlich bestimmenden ‚Szene‘ in den achtziger Jahren der DDR keine Rede sein. Die Überstrapazierung des Gedichttitels in der Sekundärliteratur spiegelt rückblickend ein mangelhaftes Interesse an einzelnen, ästhetischen Profilen auch unbekannterer Autoren.

2

Diese Arbeit hat sich vorgenommen, ein Porträt des Autors Johannes Jansen zu zeichnen. Jansen ist 1966 in Berlin-Pankow geboren, er hat mit achtzehn Jahren erste Texte in den nicht-offiziellen Zeitschriften der DDR veröffentlicht, eine davon – den *Schaden* – hat er zeitweilig mit herausgegeben. Jansen hat aber zur gleichen Zeit an einigen Schweriner Poetenseminaren der FDJ teilgenommen, sein literarischer Weg war also auch für eine Eingliederung in den offiziellen Betrieb zeitweilig offen. Ich will deshalb in Teil I meiner Arbeit zeigen, wie sich Jansen ein literarisches Selbstverständnis erarbeitete. Früh wurde der Weg bestimmt von Freundschaften mit anderen jungen Autoren. Mit Thomas Böhme eignete er sich die Beat-Literatur an; Leonhard Lorek und Frank Lanzendörfer haben seinen sprachkritischen Blick mitgeschärft; in einer kurzen Zusammenarbeit mit Peter Wawerzinek hat Jansen den öffentlichen Vortrag schätzen gelernt.

Zu anderen Autoren hingegen war Jansens Kontakt immer auch schon eine Rezeption, er ist dreizehn Jahre nach Anderson geboren, zehn Jahre nach Papenfuß, neun nach Kolbe. Die grundverschiedenen lyrischen Ichs dieser Autoren vom ‚Prenzlauer Berg‘ gehörten für Jansen schon zum Erbe, aus dem er schöpfen konnte. Sie hatten ein experimentelles Gelände bereits begehbar gemacht.

---

4 Peter Böthig: Grammatik einer Landschaft. Literatur aus der DDR in den 80er Jahren. Berlin 1997, S. 11.
5 Karen Leeder: Breaking Boundaries. A New Generation of Poets in the GDR, 1979-1989. New York 1996.

Johannes Jansen findet nach 1989 in zahlreichen Anthologien und Forschungs-
arbeiten zur nicht-offiziellen DDR-Literatur Erwähnung. Das wäre noch keine
Besonderheit, könnte man nicht davon ausgehen, daß Jansen fast ausschließlich als
jüngster Vertreter der ‚anderen Literatur‘ einbezogen wird. Das ist so in drei
Nachwende-Anthologien, die ganz unterschiedliche Ausrichtungen haben. Zwei
davon sind erste Präsentationen einer „neue[n] Literatur“ bzw. „neue[n] Prosa“ der
DDR auf dem Westmarkt.[6] In der dritten Anthologie, die Jansen als Jüngsten beinhaltet, trägt Peter Geist für den Leipziger Reclam-Verlag „Lyrik der siebziger/acht-
ziger Jahre von Dichtern aus der DDR“[7] zusammen. Geist selbst war als ostdeutscher Literaturwissenschaftler bestens mit vielen Autoren bekannt, er wußte um
die nicht-offiziellen Publikationsorgane. Seine Auswahl der jungen Lyrik kann durchaus als (qualitative) Lese aller Autoren der nicht-offiziellen Zeitschriften angesehen
werden.

Wenn Jansens Jahrgang 1966 sogar in Vorworten[8] als Altersbegrenzung nach unten
betont wird, läßt das erkennen: Er wird als letzte eigenständige Stimme einer
bestimmten Literatur wahrgenommen. Ein Blick auf meine Bibliographie (Teil III),
die eine vollständige Übersicht über Jansens Veröffentlichungen bieten will, macht
seine Präsenz in den wichtigen Anthologien zur DDR-Literatur der achtziger Jahre
erkennbar. Um so erstaunlicher, daß seine Texte bisher als Forschungsgegenstand
unterbelichtet sind. Ein erschlagender Schatten der Rezeption geht noch immer
von der frühen, westdeutschen Begeisterung für Sascha Andersons Gedichte und
der konkret-poetisch orientierten Beschäftigung mit Bert Papenfuß-Gorek aus. Durs
Grünbein trat mit dem Büchner-Preis 1995 ins Rampenlicht der Literaturwissenschaft. Johannes Jansen, wie gesagt, hat oft Erwähnung gefunden; längere analyti-
sche Passagen finden sich bisher nur bei Peter Böthig und Alexander von Bormann.

3

Teil I dieser Arbeit nimmt Zugriff auf die Jahre 1987-1992, in denen Jansen äußerst
produktiv war und viel veröffentlichte. Neben literarischen Texten entstanden
immer wieder auch poetologische Auskünfte. In den Mittelpunkt stelle ich Jansens
‚erste Person Singular‘, in der er bis heute fast ausschließlich schreibt. Der Autor
thematisiert den (eigenen) Lebensweg und spiegelt Veränderungen oft in den
Formen von Bewegung, was mich zum Titel meiner Arbeit führt: „Ausschreitungen
des (auto)biographischen Raumes“, das will Bewegung und Biographie zusammen
denken. Jansens bisheriges Schreiben ist bestimmt von einer – ständig neu erarbeiteten – Beziehung zwischen den Ich-Erzählern und ihrer Umwelt, von der die
Bedingungen der Fortbewegung ausgehen.

In einem aktuellen Interview hat sich Johannes Jansen zu der an ihn herange-
tragenen Beobachtung geäußert, seine Texte hätten sich in den neunziger Jahren
beruhigt:

---

6 Christian Döring, Hajo Steinert (Hrsg.): Schöne Aussichten. Neue Prosa aus der DDR, Frankfurt a.M. 1990. –
Heinz Ludwig Arnold (Hrsg.): Die andere Sprache. Neue DDR-Literatur der 80er Jahre. Sonderband edition
text + kritik, München 1990.
7 Peter Geist (Hrsg.): Ein Molotow-Cocktail auf fremder Bettkante. Lyrik der siebziger/achtziger Jahre von
Dichtern aus der DDR, Leipzig 1991.
8 Karen Leeder: Breaking Boundaries, S. 11. – Christian Döring, Hajo Steinert (Hrsg.): Schöne Aussichten. Neue
Prosa aus der DDR, S. 8.

Man sieht das in der gängigen Underground-Ästhetik, die ein Menschenbild vorführt, das abschreckend sein soll. So sind wir nicht, heißt es, und trotzdem gefällt man sich in der Ästhetik dessen. Ich habe irgendwann gemerkt: Mit diesen Abgründigkeiten und Abartigkeiten kannst Du wunderbar jonglieren, aber das Bild stimmt dann nicht mehr. Wie willst du dann leben. Daraus hat sich eine Veränderung entwickelt.[9]

Die These lautet hier, daß Jansen in der DDR den beengten Raum durch *bewegliche* Texte zu kompensieren suchte. Lyrik und Prosa fielen dort ineinander, sprachliche Experimente entstanden. In der BRD sah und sieht sich Jansen schließlich mit einer Umwelt konfrontiert, die selbst höchste Beweglichkeit zeigt. Und da gerade in Jansens Schreiben der Impuls hoch zu bewerten ist, sich *gegen* gängige Moden zu stellen, haben sich seine Texte in den neunziger Jahren der Schnelligkeit und Schnellebigkeit der Gesellschaft zu widersetzen gesucht. Das Spannungsverhältnis zwischen Leben und Text hat sich dabei nicht aufgelöst, da das Ich der bestimmende Erzähler bleibt. Dieses Ich wird aber zunehmend als Figur genutzt; es tritt aus seiner zuvor stark autobiographisch aufgeladenen Konstruktion heraus.

Johannes Jansen ist auch Grafiker; in seinen Text-Bild-Kombinationen trägt er in den Jahren 1989-1992 die Auseinandersetzung mit der Medialisierung seiner ‚neuen Welt‘ aus. In den Wendejahren hatte Jansen mit anderen Autoren gleich zwei Medienwechsel zu verkraften: Den von der mündlichen Lesekultur des DDR-Untergrunds zum gedruckten Buch, wenig später den zur Dominanz der elektronischen Medien. Die beiden Taschenbuchbände im Suhrkamp-Verlag tragen den Untertitel *Aufzeichnungen*: Ein Begriff, der nach einer langen Reise durch die Literaturgeschichte bei Jansen nur noch als Spielzeug funktioniert, mit dem die Gattungen aufgelöst werden. Aufgelöst hat sich aber im *Reisswolf* und im *Splittergraben* auch die Stimme des Ichs: Die mit vielen gestalterischen Mitteln (Handschrift, Selbstporträts, Notizen, Vorworte) heraufbeschworene Identität zwischen Autor und Erzähler stellt Jansen selbst in Frage, wenn er seinen Büchern Listen von *Zitatresten* nachstellt. Im Text werden die Zitate kaum gekennzeichnet, der Lesefluß wird nicht gestört. Unmöglich zu entscheiden, wo Jansens Erzähler-Ich selbst spricht und wo es fremde Stimmen zitiert. Dieses ‚Projekt der Zersplitterung‘ möchte ich in Teil I dieser Arbeit nachvollziehen.

Die Arbeit führt den noch recht übersichtlichen Forschungsstand zum ‚Prenzlauer Berg‘ mit sich und rekurriert an geeigneter Stelle auf einzelne Studien und Aufsätze. Vorderstes Anliegen war von Beginn an, Jansens Ästhetik der achtziger Jahre zu untersuchen und im zeitgeschichtlichen Kontext auch der neunziger Jahre zu überprüfen. Deshalb sind in Teil I soziologische und literaturwissenschaftliche Exkurse wichtig. Daß ich Jansens literarischen Werdegang bis 1992 so ausführlich beleuchte, hat seine Gründe: Eine Reihe von poetologischen Aussagen lassen sich in **Teil II** aufgreifen, wo ich drei Texte Johannes Jansens aus den neunziger Jahren besprechen will. Insofern ist das erste Kapitel dieser Arbeit auch als ausführliche Einleitung zu lesen.

---

[9] Tim Ingold / Tim Schomacker: Vermutung, daß sich alles zum Schluß in ein großes Gelächter auflösen wird. Gespräch mit Johannes Jansen. In: stint. Zeitschrift für Literatur, Bremen 1999. No. 21, März 1999. S. 123-134, S. 128.

KAPITEL 1: DAS PROJEKT DER ZERSPLITTERUNG
Johannes Jansens Weg vom Siebdruck zum Reisswolf (1984-1992)

1.1 Kunstwerk und Leben: *prost neuland*

Man experimentierte mit ungewöhnlichen Stoffen wie Pflanzenöl, Mehl, Gips, Spänen, Holz und Industriestahl. Der in der DDR nie überwundene Mangel drohte auch ästhetische Möglichkeiten zu standardisieren. Videotechnik, Kopierer oder Computer fanden z.B. Mitte der achtziger Jahre nur sehr langsam Eingang in den Alltag der DDR, und die Preise waren zu dieser Zeit enorm. Folgerichtig führte dies zur Nutzung von, vom Standpunkt Westeuropas aus gesehen, antiquarisch anmutenden Techniken wie dem 8mm-Schwarz-Weiß-Film, dem Siebdruck, der Schreibmaschine. Deren Gebrauch erforderte Zeit, Konzentration und handwerkliche Fähigkeiten. Die Wiederaufnahme handwerklicher Traditionen nahm einen hohen Stellenwert im Schaffensprozeß der Künstler ein.[10]

Frank Eckarts Rückblick erzählt von den Arbeitsbedingungen der nicht-offiziellen Künstler in der siebziger und achtziger Jahre in der DDR. Für die Schriftsteller[11] unter ihnen galt: Wer nicht gedruckt wurde, machte aus der Not eine Tugend. Man lernte, einen Text nach dem Verfassen selbst zu produzieren. Autorenbücher und Grafik-Editionen entstanden, „da die ansonsten streng gehandhabte Druck- und Vervielfältigungsordnung bei Unikatproduktionen eine Ausnahme vorsah"[12]. Sich als ausgegrenzter Literat dennoch zu Wort zu melden, hieß, die eigenen Möglichkeiten möglichst optimal auszuloten.

Eckarts Ausführungen sind insofern als Einleitung aufschlußreich, als sie hinter der kulturellen Entwicklung eine Mentalitätsgeschichte der DDR durchblicken lassen. Demnach war die Arbeit geprägt von einer Langsamkeit und Sorgfalt, die der Alltag des Landes zur Verfügung stellte. Die Künstler nahmen sich die Zeit, „wodurch der Vorgang der Produktion selbst schon ›ästhetisch‹ wirkte." So „führte die Entscheidung für die Selbstdarstellung durch ästhetische Produktion zu einer existentiellen Verklammerung von Kunstwerk und Leben."[13]

Die Verklammerung betraf auch die Kunstgattungen. Alexander von Bormann hat zur nicht-offiziellen Literatur der DDR in den achtziger Jahren die vorsichtige Frage gestellt, ob „der Zusammenhang mit anderen Kunstübungen [...] vielleicht ein Grund auch für ein anderes Textverständnis"[14] zu sein habe. Tatsächlich erfährt in jeder Untergrund-Kultur das Live-Haftige eine Aufwertung. Wo das Buch fehlte, mußten Lesungen und Rock-Konzerte mit lyrischem Sprechgesang Ersatz schaffen. Bildende Künstler traten mit ‚Performance Art‘ in den Vordergrund, die Christoph Tannert als „Verschmelzung des Künstlers mit der von ihm selbst geschaffenen Totalität von Text, Ton und Bild"[15] beschrieb.

---

[10] Frank Eckart: Nie überwundener Mangel an Farben In: Eigenart & Eigensinn. Alternative Kulturszenen in der DDR (1980-90). Hrsg. von der Forschungsstelle Osteuropa, Bremen 1993. S. 12.

[11] Ich benutze hier und in Folge aus rein schreibökonomischen Gründen nur die männlichen Bezeichnungen für Berufsgruppen. Künstlerinnen und vor allem Autorinnen sind inbegriffen.

[12] Klaus Michael: Papierboote. In: Gabriele Muschter, Rüdiger Thomas (Hrsg.): Jenseits der Staatskultur. München / Wien 1992, S. 62-82, S. 70.

[13] Beide Zitate: Frank Eckart: Nie überwundener Mangel an Farben, S. 12.

[14] Alexander von Bormann: Wege aus der Ordnung. In: Muschter/Thomas (Hrsg.): Jenseits der Staatskultur, S. 83-107, S. 102.

[15] Christoph Tannert: „Allez! Arrest!" Körper. Orte. Abläufe. In: Liane 6, November 1989. S. 1-8, S. 6.

Was für Punkmusik und Performance in der Aufführung *per se* gilt, fand auch Einzug in die Schriftlichkeit der nicht-offiziellen Zeitschriften: Man versuchte, die Spuren des Arbeitsprozesses im Kunstwerk festzuhalten. Ein im „Zeitalter der Reproduzierbarkeit" verloren geglaubter Begriff des Originals lebt in Eckarts Beschreibung der Hand-Arbeiten noch einmal auf. „Im fünften Jahrhundert nach Gutenberg wurde zum literarischen Unikat zurückgekehrt"[16], schrieben die Herausgeber von *Mikado*, einer der ersten regelmäßig erscheinenden Zeitschriften im Rückblick. Unikate, die als Eingriffe in Lebenswirklichkeiten ihre Kraft entfalteten. In ihrer unersetzlichen, haptischen Qualität wurden die nicht-offiziellen Zeitschriften der achtziger Jahre schon weit vor der Wende zu begehrten Sammlerobjekten. Ihre geringen Auflagen machten sie exquisit.

Johannes Jansen hat eine Lehre als Graveur absolviert, sich also an der Oberflächenbearbeitung von Metall geschult. Ein erster Schritt in den Selbstverlag, dem weitere behutsame Schritte folgten, eine Suche nach Ausdrucksmöglichkeiten der eigenen Doppelbegabung. Erste Grafiken und Texte entstanden parallel. Jansen gab sich in seinen frühen Texten und Bildern gar nicht erst die Mühe, den Arbeitsprozeß nachträglich zu eliminieren, die Sprach- und Bildwerkstatt nach Arbeitsende sozusagen aufzuräumen. In einer Text-Bild-Kombination Jansens heißt es: „ein fortlaufender text durch den zu leben ich mir erschreibe"[17]. Kapitel 1.3 wird zeigen, daß Jansen seine Poetik so eng wie kein anderer Autor am Prenzlauer Berg von den Lebens- und Arbeitsbedingungen abhängig gemacht hat.

Johannes Jansen hat ab 1984 in nicht weniger als zehn der autonom arbeitenden Zeitschriftenreihen veröffentlicht. In der hilfreichen Bibliographie „D1980D1989R"[18] sind Jansens Beiträge zusammengestellt, es ergibt sich eine eindrucksvolle Liste aus Gattungs- und Produktionsbezeichnungen: Mit Einbandserigrafie, bemaltem Umschlagkarton und Verpackung hat er an der Aufmachung einzelner Hefte teilgehabt, darin finden sich von ihm Collage, Foto von Collage, Radierung, Zeichnung, xerokopiertes Arbeitsblatt, Text und Gedicht mit und ohne Zeichnung. Die Erfahrung der Zeitschriftenherstellung führte Jansen zu dem Schritt, seine Texte ab 1987 mit einzelnen bildenden Künstlern wie Bernd Janowski oder Rainer Görß zunächst in Heftform oder als Leporello zu publizieren.

So war *prost neuland* 1988 zunächst ein Text, wurde dann zum Titel der Broschüre, die Jansen zur gleichnamigen Ausstellung in der Galerie „Eigen + Art" 1989 in Leipzig vertrieb. Den Raum der Galerie hat Jansen mit dem Text *prost neuland* überzogen, in riesigen handschriftlichen Buchstaben.

Im „Eigen+Art" herrschte für die ausstellenden Künstler Anwesenheitspflicht, da man die Räume bei einem Besuch der Volkspolizei als Arbeitswerkstatt ausgeben mußte. Jansens selbstentworfenes Plakat zur Ausstellung spiegelt diesen Werkstattcharakter, auf ihm ist handschriftlich der Untertitel „textkram/zettelzeug" untergebracht.[19] Außerdem ist Jansens Kopf auf dem Plakat zu sehen, in Ansicht von

---

[16] Uwe Kolbe, Lothar Trolle, Bernd Wagner: Mikado oder Der Kaiser ist nackt. Selbstverlegte Literatur in der DDR. Darmstadt 1988, S. 7.

[17] *Reisswolf*, S. 32.

[18] Jens Henkel, Sabine Russ (Hrsg.): D1980D1989R. Künstlerbücher und Originalgraphische Zeitschriften im Eigenverlag. Bibliographie. Gifkendorf 1991.

[19] In Maschinenschrift ist als weitere Erläuterung auch die Wortfolge „bebildertes geschreib" zu lesen. Plakat in: Boheme und Diktatur in der DDR. Gruppen, Konflikte, Quartiere. 1970-1989. Katalog zur Ausstellung des Deutschen Historischen Museums Berlin. Hrsg. von Paul Kaiser und Claudia Petzold. Berlin 1997, S. 127. Eine Kopie findet sich im Anhang dieser Arbeit (Teil III).

unten, die weißen Augäpfel machen das Porträt zum Standbild eines surrealistischen Films. Über dem Mund sieht man ein dickes schwarzes Kreuz, das zugleich Pflaster und Fadenkreuz darstellt.

Der Text *prost neuland* wurde zum Auftakt einer Rubrik, in der Jansen fünf Texte zusammenfaßte: *die spottklagen eines abseitigen.* Erst die letzte Stufe der Editionsgeschichte von *prost neuland* ist der Schritt, den Titel auf die Publikation im Aufbau-Verlag (1990) zu übertragen. Jansen hat die Vorsatzgestaltung darin selbst übernommen. Das Buch hebt sich dadurch in seinem typographischen Aufwand von den früheren „außer der reihe"-Veröffentlichungen ab, denen es rein äußerlich von Größe und Einbandmaterial nachempfunden ist.[20]

Das Buch greift auf seine Vorgeschichte zurück. Auf den schmalen Innenflächen des Schutzumschlages zum *prost neuland*-Band finden sich wiederum handschriftliche Leporellos aus der Leipziger Ausstellung. Der Buchrücken zeigt ein Foto Jansens vor einer der Ausstellungswände. Der Inneneinband schließlich ist eine wilde Text-Bild-Collage des Künstlers, die sich aus Handschrift, Maschinenschrift, Grafiken, Emblemen, Selbstporträts zusammensetzt. Grenzen gelten kaum, Schrift wird übermalt, Bild wird überschrieben. Die übertrieben trashige, äußere Gestaltung kann als Konzessionsentscheidung des Verlags an den Text-Bild-Autor dieser Tage begriffen werden, im Inneren wird schließlich ein reines Textbuch präsentiert.

In *prost neuland* sind eine ganze Reihe von Texten zusammengetragen, die Johannes Jansen zuvor in den nicht-offiziellen Zeitschriften oder als Siebdruck-Künstlerbücher veröffentlicht hatte. Das Buch kann als einziger umfassender Überblick über das Schreiben des Autors in den achtziger Jahren gelten.

Eine Rubrik namens „anderer haltung wegen" (1988/89) versammelt in *prost neuland* Jansens direkte Auseinandersetzung mit der Kunst seines Umfelds. Aufführungen und Ausstellungen von Künstlerkollegen werden betrachtet und reflektiert. Jansen nimmt Kunst als Gesprächsangebot wahr, er schreibt das Gesehene weiter. Widmungen fallen dabei unterschiedlich aus: es gibt „versuche zu elf photographischen selbstporträts von ute zscharnt", einen Text „unter verwendung des textes ACHKRACH KUCKUCK[21] von frank lanzendörfer", „textreste für und wegen carsten nicolai".[22] Die Arbeiten „anderer haltung wegen" bezeugen, für wen sich Jansen 1988/89 wirklich interessiert hat. Es sind dies ausschließlich Künstler anderer Sparten, außer Lanzendörfer wird kein Mitautor vom Prenzlauer Berg genannt. In den Jahren zuvor hatte Jansen auch an literarischen Gemeinschaftsproduktionen mitgeschrieben, im *Schaden* erschienen Texte mit Leonhard Lorek[23], in *Temperamente* kooperierte er mit dem Leipziger Lyriker Thomas Böhme[24]. So wirft die Auswahl der Reflexionen in *prost neuland* auch ein Licht auf Jansens schriftstellerische Individuation bis 1989.

---

20 Allein im achtseitigen *problemtext o.T.* (S.79-86) werden sechs Schriftarten eingesetzt. Der Text bewegt sich auf zwei Ebenen, die klar durch Schriftgröße unterscheidbar sind (1;2). Vorangestellt ist ein Vers im Kursivdruck (3), über dessen Mottohaftigkeit zu verhandeln wäre, später dann Versalien auf beiden Größenebenen (4;5), auf Seite 84 die weitere Verkleinerung der Schrift auf 6 pt (6).

21 Nach dem von Klaus Michael und Peter Böthig herausgegebenen Band heißt der Text allerdings „achkrach kuchbuck". In: flanzendörfer: unmöglich es leben. Berlin 1992.

22 In der letzten Formulierung klingt schon an, wovon diese Widmungen nach der Wende substituiert werden: von den *Zitatresten/Berührungen*, die Jansen seinen Büchern als Listen nachstellt. Siehe hierzu Kapitel 1.4.4 dieser Arbeit.

23 In: Schaden 4/April 1985. Ein Typoskript ist dort in zwei Spalten geteilt, rechts schreibt Lorek, links Jansen.

24 MONTIERTES aus Tisch- und Straßengesprächen zwischen Johannes Jansen und Thomas Böhme. In: Temperamente 4/ 1984, S. 64 f.

Aus diesem Buch habe ich den ersten Text für eine Besprechung entnommen. Die Wahl fiel aus zwei textimmanenten Gründen auf *mär* (1989). Einerseits verhandelt Jansen darin ein Leitthema seines Schreibens, das auch für die neunziger Jahre interessant bleibt: die Beziehung zwischen dem Einzelnen und seiner Umwelt. Ein Verhältnis, in das die Umwelt hier noch alle nur denkbaren äußeren Einflüsse auf das Textsubjekt investiert, (in späteren Texten wird es stärker um die Menschenmenge/Masse in Bezug auf den Einzelnen gehen.) *mär* trägt sein Wechselspiel zwischen Außenwelt und Innenwelt ganz offen aus, *Landschaft* und *Läufer* treffen aufeinander und führen einen Dialog.

Zweitens lese ich *mär* auch als repräsentativen Text für die nicht-offizielle Literatur der DDR, denn der Dialog bedient sich eines Motivs, das in Text, Graphik und bildender Kunst jener Zeit bestimmend ist: dem Motiv der *Bewegung*.

1.1.1 Landschaft und Läufer

1989 veröffentlichte Johannes Jansen das Künstlerbuch *mär*[25] zunächst als Siebdruck in kleiner Auflage. Aus einem vorhergehenden Manuskript, *die reste der abfangjäger*[26], hatte er Teile hinübergerettet, sie „unter verwendung einer spielidee von rainer görß"[27] ergänzt. Jansen hat den Text „miss s." gewidmet, womit seine damalige Frau Sabine Jansen gemeint ist.

mär ist in vier Kapitel unterteilt, die von 0 bis 3 numeriert sind. Kapitel 0 heißt „vor schlag (weiß schreiben)" und ist daher als ein Prolog zu lesen, in dem eine Spielaufstellung für die folgenden Bewegungen eingenommen wird. Dabei wird keine plane Landschaft ohne Widerstände entworfen: „unter dem schlackstoff unter dem aschacker grasen die kader grau vergären die gäule", gleichzeitig „ist der untergrund abgegessen der überbau angeschossen". Die bekannten Nomen geben als Spielplan das Staatsgebiet der DDR zu erkennen. Eine Regel des Spiels von Jansen und Görß wird schon überdeutlich: Zuordnungen durch vertikale Konjunktionen (unter/über) werden nicht mehr anerkannt.

[...] ist mir ein rundgang beschieden von den lebendigen zu den toten zu kriechen und zurück nun zu dir mühsame schleimspur der bewegung verheerend entleert sich der weg in den textteil der jeweils sprechenden seite:

„schlackstoff...vergären...kriechen...schleimspur"[28] – die Welt der Kader und die Welt des Ichs sind auf engstem Raum zu einer einzigen Welt verschmiert. Der Text hängt seinem Untertitel einer „spielidee" an, wenn von einem „rundgang" die Rede ist. Das Wort weckt die Assoziation zur Überwachungsmaschinerie des Landes. Da aber der Kriechende selbst zum Wachposten wird, sich auf Rundgang befindet,

---

[25] *mär*. Im folgenden mit Seitenzahlen im Text zitiert nach: *prost neuland*. S. 87-98.

[26] Dieser Titel taucht nur noch als Überschrift der Arbeitsnotizen in *Schlackstoff* auf (S. 9-12). Der dortige Schlußabschnitt auf Seite 11/12 stellt den Textanfang von *mär* dar.

[27] So der Untertitel von *mär*. Mit Rainer Görß ist ein Arbeitspartner Jansens benannt. Görß war in Dresden Bühnenbildner, er arbeitete als Maler und Bildhauer, bekannt wurde er als Mitglied eines Quartetts von „Autoperforationsartisten", zu dem weiterhin Micha Brendel, Else Gabriel und Volker „Via" Lewandowsky gehörten. Zu ihren Aufführungen hat neben Jansen (*garzeitende*, in: *prost neuland*, S. 104-108) u.a. auch Durs Grünbein reflektiert: *Alibi für Via*. In: ariadnefabrik Nr. 6/1989, S. 19-25.

[28] Vorhergehend bis hier: *mär*, Kapitel 0: *vor schlag*. In: *prost neuland*, S. 87.

schreibt Jansen dem Land hier schon die bis ins Schizophrene gehende Selbstspiege-
lung ein.

> in den augen des läufers provozierte die landschaft eine bewegung ihrem ende
> entgegen. in der landschaft provozierte die figur des läufers ein schabendes
> geräusch mit den füßen. die landschaft war das umfeld des läufers. er glaubte
> sie zu kennen. sie glaubte ihn zu verstehen. beide meinten voneinander getrennt
> zu verlaufen. in der landschaft war sein ziel ihr entschwinden. ihre hoffnung
> war seine rast. (88)

Die beiden Protagonisten des bald folgenden Dialogs werden vorgestellt: Läufer
und personifizierte Landschaft.[29] Daß ein Verständnis zwischen ihnen gestört ist,
macht bereits der Auftakt mit seinen „Provokationen" klar. Wo der Läufer dem visuel-
len Eindruck unterliegt, nimmt die Landschaft ihn akustisch auf. Er will „ihrem ende
entgegen", „sein ziel [war] ihr entschwinden", – der Läufer will die Landschaft, deren
femininer Genus hier schon betont wird, hinter sich lassen. Wenig später heißt es:

> je länger sie seinem weg in ihr folgen konnte bemerkte sie die strafe die sie für
> ihn war mit einer heimlichen freude. (88)

Die Beziehung wird durch das sexuelle Bild („in ihr") intimisiert, die Doppel-
konnotation Landschaft/Frau ist nicht mehr zu überlesen. In der „heimlichen"
Freude, zu strafen, steckt auch eine heimatliche Beengung. Im direkten Anschluß
wird des Läufers Hoffnung, durch Bewegung neue Landschaften zu erreichen, endgültig enttäuscht:

> die durch seine schritte aufgebrochene erde lagerte sich hinter ihm ab bildete
> eine andere gegend die er betrat sobald er das bekannte hinter sich gelassen
> hatte und eine neue gegend zu betreten glaubte. in wahrheit jedoch umspannte
> sein weg immer die gleiche erde in sich durch den vorgang des laufens ständig
> verändernder gestalt. die unbekannten landstriche die er zu durchmessen mein-
> te bestanden allein als bild das er von ihnen machte waren im grunde nur ver-
> schiedenartige kombinationen die das alte material miteinander einging. (88)

Der Erzähler beginnt, mit der Naivität des Läufers zu spielen, der nur „zu betre-
ten glaubte" und „zu durchmessen meinte". Ob er dabei hin und her läuft[30] oder
sich im Kreis bewegt, ist egal, da nun die Landschaft seinen Lauf beherrscht. Sie
macht sich zum geschlossenen System, „unbekannte landstriche...bestanden allein
als bild."
Das Druckbild macht kenntlich, daß Läufer und Landschaft auf den folgenden
sechs Seiten nun in Dialog treten („wegzehrauszüge", Kapitel 2).

> ...part- oder gegner führn ein fluchtgespräch am bahn- am gehsteig gleichgül-
> tig gegenseitig gut gegangen den überdruß erquickend komm ich zurück von
> hinten vorwärts... (89)

So beginnt der Läufer und bezeichnet nicht die Bewegung selbst, aber doch die
laufende Kommunikation erstmals als „fluchtgespräch". In der Dialogsprache läßt

---

29 Jansen greift die Dialogfiguren Landschaft und Läufer später nochmals auf: *Schlackstoff (Teilstücke)*, in:
Schlackstoff, S. 52.
30 Vgl. hierzu Jansens Text *auf der flucht*. In: *Heimat. Abgang. Mehr geht nicht...*, S. 31.

der Autor den finiten Satzbau hinter sich, jetzt beginnt das Spiel der „verschieden-artigen kombinationen".[31] An wenigen Worten wird erkennbar, wie der Autor nun den Lesefluß zu brechen beginnt. Beinahe zwischen allen Worten werden jetzt jene Wände porös, die sonst Satzeinheiten voneinander trennen. Mehrdeutigkeiten entstehen, die Prosa wird lyrisch.

So kann die „Gleichgültigkeit" den Ort des Geschehens meinen, sofort wird sie auf die Figuren ausgeweitet. „gegenseitig gut gegangen" macht in der Bewegung auch eine Partnerschaft auf, stellt sie aber gleichzeitig in Frage. Der Läufer nimmt diese widersprüchliche Harmonie auf, und überführt sie „den überdruß erquickend" ins eigene Ich. Die Passage endet mit seiner Rückkehr, die, erneut auch sexuell konnotiert, den neuen Aufbruch möglich macht. Schließlich wird aber auch der Appell an den „part- oder gegner" (weiterhin Landschaft/Frau) durch die sozialistisch geprägte Vokabel „vorwärts" gebrochen. Die Landschaft spricht:

> unendliche ähnlichkeit der gegenden die du betrittst in grund und boden mich genehmigt zu versenken befugt nach innerer befindlichkeit zu fragen jedoch gemeines behagen zu bezeichnen unbefugt wissentlich unwissend um die vergeblichkeit behagender befunde macht doch der weg dich und nicht du den weg der meine haut ist heizt die entzündung deiner sohlen meine wohnung ich laufgitter in deinen füßen der schlamm mein ausfluß deine lähmung vorwärts voran... (90/91)

So gehen die Textabschnitte gegeneinander an, ein Streit um die Führungsposition im Spiel entsteht. Längst ist der Läufer zum Ich geworden, das Selbstverständnis und Individualität einbringt und verteidigt, während es von der Landschaft gelöchert wird. Auch die Landschaft formuliert ihre Vorwürfe gegen den Läufer über dessen Naivität, sie nähert sich dadurch dem Gestus des Erzählers in Abschnitt 1 an. Als gäbe es da einen Pakt zwischen dem „dauernd gegeben(en)"[32] Zustand und der Landschaft. Dem Läufer wird die Grenze aufgezeigt, seine subjektive Beschränktheit, er sei „gemeines behagen zu bezeichnen unbefugt". Wird er aber sogar aufgefordert, „die vergeblichkeit behagender befunde" einzusehen, so wirft sich der Text von der dialogischen Ebene hinüber in eine innere Verzweiflung, und das Land DDR ist plötzlich wieder anwesend: „macht doch der weg dich und nicht du den weg". Dieser Satz liest sich nicht nur als Grundthese von *mär*, er könnte dem Buch *prost neuland* als Leitsatz vorangestellt sein, den es in Texten zu hinterfragen gilt. Allein daß Jansen mit diesem Problem nicht soziologisch umgeht, sondern eben literarisch, begründet den Spielbegriff ein weiteres Mal. Die Determinierung des Ich, wie sie die Landschaft über den Läufer verhängt, wird in anderen Texten durchaus relativiert. Es seien an dieser Stelle verschiedene Landschaftsbetrachtungen aus *prost neuland* zitiert, von verschiedenen Ichs zu unterschiedlichen Zeiten:

> landschaft sehen und wissen daß dazwischen ein gerüst ist aus licht und schatten das die vereinsamten gewächse in zusammenhang bringt gefühlvoll gestimmt und gestellt[33]

---

[31] Die vorangehenden Textteile (0 und 1) werden so noch einmal nachdrücklich zur Spielanleitung. Wo das Spiel einsetzt, werden Syntax und Semantik komplexer.
[32] Zitiert die Überschrift von Abschnitt 1.
[33] Aus: *nachlaß* (1988), S. 57-60, S. 58.

DIE MÖGLICHKEIT EINER NEUEN LANDSCHAFT IST UNÜBERSEHBAR VER-
BORGEN! DIE MÖGLICHKEIT EINER FAHRKARTE IST EIN FAHRSCHEIN! mit
machbaren worten wird man dem traum kaum gerecht ist der text der ständig
scheiternde versuch einer reise...[34]

das innere trat aus das eingetretene äußere aus der sohle zu entfernen und zeigte es der entsetzten menge: SEHT DAS IST MEIN EIGENSINN DER FÜR EUCH
HINGEGEBEN WIRD...[35]

So abgestuft kann Selbstbehauptung sein: Vom „wissenden" Sinnieren über die
Größe des Umfeldes bis hin zur prophetischen Behauptung von „EIGENSINN". Im
letzten Zitat aus *problemtext o.T.* gibt es eine „sohle", die einen mit Leben gefüll-
ten Schuhabdruck hinterläßt. In der *mär* hingegen der Negativabzug dieses Bildes:
Die Landschaft sagt zum Läufer, daß „die entzündung deiner sohlen meine wohnung [heizt]" (91).

Landschaft meint bei Jansen immer gesellschaftliches Umfeld. Einen kaum wahrnehmbaren Hinweis für das Landschaftsverständnis gibt eine Formulierung Klaus
Michaels. In der Einleitung eines wichtigen Essays zur Literatur der achtziger Jahre
hat er die offizielle Sprache der DDR beschrieben:

Die Technik dieser Sprachgebung ist eine Technik der Simulation [...] Diese
Mechanik gleicht einem Automaten, der selbst das Neue immer wieder auf das
Vorhandene zurückführt und nichts als das schon Bekannte zu erkennen ver-
mag: Ein Apparat, der Wirklichkeit simuliert, wo keine Wirklichkeit ist. Es ist dies
eine Technik, die als Botschaft eine Simulationsstruktur hat: eine Sprache ohne
Botschaft, Land ohne Landschaft, Signifikant ohne Signifikat (...)

„Land ohne Landschaft" – weil die Selbstbestätigung der DDR-Herrschaft immer
sprachlich war, rückte die außersprachliche Welt zusehends in den Hintergrund.
So wurde ‚Natur' zum vorsätzlich ausgeblendeten Diskurs, was sich nach 1989 auch
am mangelhaften Umweltbewußtsein in der DDR ablesen ließ. In Michaels Formulierung steckt natürlich mehr: Der Staat nahm nicht mehr wahr, was ihn eigentlich
ausmachte; das Zentrum der Macht sah nicht, wovon es umgeben war. In diesem
Sinne wird Jansens Verstimmlichung der Landschaft auch zu einem emanzipativen
Akt. Bis heute ist ‚Landschaft' eines der meistgenutzten Wortes Jansens, er hat ihr
aber keine Stimme wie in *mär* gegeben. Er nutzt sie als Ausdruck einer optisch und
kulturell vorgeprägten Welt, als Spiegel der Perspektive seiner Erzähler oder anderer Figuren.

Zurück in den Text: Zu machtbeladen wird im folgenden die Stimme der Landschaft, als daß sie dem Leser nur als Frauenstimme entgegenkäme. Sie hatte dem
Läufer „einen lehrpfad markiert", den dieser „eifrig verfehlt" (90)[36] haben muß, weil
er ihn „als lebenspfad durch kummergesträupp und lustgestöhn" (91) nahm. Sich
selbst zu bestimmen, weitet das Läufer-Ich seinen assoziativen Kosmos aus. Aus mili-
tärischer Erfahrung heraus wird Opportunismus für den weiteren Weg verworfen:
„als wäre ein leben so zu nehmen...wenn wieder wer vorgeht und fällt" (91).

---

[34] Aus: *streugut* (1987), S. 37-44, S. 44.

[35] Aus: *problemtext o.t.* (1988), S. 79-86, S. 80.

[36] Der „lehrpfad" wird auch aufgerufen in: *ungehalten walten – vor ort verstockt* (1988/89), S. 125. Das ener-
giereiche Ich der *spottklage* spricht davon, „einzukehren in eine andere bildung eine andere waldreiche /
gegend mit flußbett und lehrpfad denn dem was außen vor unten durch ist gilt / mein lob meine preisung..."

Das Land ist wieder Politikum, wo die Analogie zum „vorland", zum faschistischen Deutschland, ausgerufen wird: „weiter vorn hatten sie einige opfer in aussicht gestellt sowie gescheiter angehäuft als damals im vorland..." (91). Das „gescheiter angehäuft" nimmt Bezug auf die Massengräber des Holocausts. Als Nachfolgeopfer werden hier öffentlich verurteilte Staatsfeinde erkennbar, von deren langen Haftstrafen man in der DDR wußte. Durchaus mitzudenken ist aber auch, daß Jansen mit den Opfern die Grenzschützen an der Mauer aufruft, die dann bei Zusammenbruch des DDR-Staates ja tatsächlich als Opfer-Täter fungierten, nicht ohne von der Verantwortung der Regierung abzulenken.

Aufgestachelt von einem nahezu mephistophelischen Überlegenheitsgestus der Landschaft, die den Läufer als „ungenügend abgehoben von der welt der farne und fäkalien" (92) verhöhnt, gibt sich im Textfluß plötzlich wütend der Autor zu erkennen:

solange sich noch trauer mit verfassung trägt bin ich in dreiundzwanzig jahren bis oben zugehackt steck ich bis über beide ohren in der kackse kommt doch FREIHEIT in meinem komfort nicht vor kommt GEILHEIT auf den hund und mit den tunten um und kommt BEWEGLICHKEIT im mutterland am mann erst gar nicht an... (92)

Noch weitere dreiundzwanzig Jahre (Jansens Alter beim Verfassen des Textes) mutet sich das Ich in diesem Umfeld nicht zu. Daß die Textpassagen des Läufers vor allem Auseinandersetzungen eines *männlichen* Ichs sind, ist hier noch nicht genügend betont. Projektionen finden statt auf ein „land als frau mit dutt" (90), „sie...machte meinen auslauf stramm zu einem steifen dauerlauf" (90). Mit dem „mutterland" (92) korreliert für den Mann eine Unbeweglichkeit, an der er die Fassung verliert. Das Land wird nun naturalisiert (lies auch: Mutter Natur, Mutter Erde) und analog zur weiblichen Empfängnis als passiv verspottet. Die „tunten" unterstützen den Eindruck, daß der Läufer einer Verweichlichung der Landschaft auf der Spur zu sein glaubt. Von hier aus wird die Auflösung eingeleitet, die der Läufer im letzten Absatz umfassend betreibt. Weil die Verflüssigung einem Ende zugeht, ist das Hirn eine Frucht, und die Hirnmasse wird als Fruchtsaft zur Tinte:

...unsagbar spritzig mein hirn hinlänglich bekannt sitz ich die hirnschale quetschend tropfen auf tropfen ins schlagwerk der monologe (93)

Der Läufer ist lang hingeschlagen und läuft aus. Er ergibt sich zuletzt dem begrenzten Terrain. Mit der Bewegung „schlafft" die Sexualität, „glitscht gleitmittel aus" (93). Der farbblasse Alltag, nach den Anzügen der Partei als „graue geschwader" benannt, greift auf das Ich über: „(...) ich ergraut inmitten gemauerter repräsentanz" (93). So unbefriedigt wird der Schlußsatz zur Einsicht, die andere (bessere) „hälfte" nicht finden zu können. Das Bild siamesischer Zwillinge wird aufgerufen, um das Moment der Trennung, „ein skalpell die gesäßbacken teilend" (94), festzuhalten. Die Körperlichkeit wird verdoppelt, um wieder auseinander zu fallen. Im Ausklang wird eine Sehnsucht des Läufers vernehmbar, die um den eigenen Verlust an Weiblichkeit trauert. Das Schlußwort des Abschnitts 2 gehört der Landschaft, mit einem guten Rat für die Zukunft wird der Läufer verabschiedet: „einsicht in die funktion der umgebung setzt die eigne funktion als umfeld für andre voraus" (94).

Kapitel 3 wird eingeleitet, es „folgt den bankrotten gesprächen die verzweifelte schönheit der frau in erwartung der männlichen täuschung..." (94). Die vier Seiten des nun folgenden Schlußteils, betitelt als „frau mit landschaft", verlassen also die

Ebene des direkten Dialogs. Der momentane Schlagabtausch zum Thema Bewegung wird abgelöst von einem Erzähler, der über einen beträchtlichen Zeitraum der Biographie einer Frau verfügt. Souverän geht er ihre Stationen ab, sieht sie in einem Zimmer, mit lückenhaften Erinnerungen an Frauen und Männer, dann als alleinerziehende Mutter eines halbblinden Jungen. Sie verwirft den Selbstmord als selbstsüchtig, sucht sich Liebhaber beiden Geschlechts, auch gegen Bezahlung, um sich und das Kind zu unterhalten. Sie trifft Vorbereitungen, das Land zu verlassen, aber:

> die hoffnung war eine täuschung in anderer gegend das bisherige bild zu vergessen und neu mit dem rest zu beginnen. die umfelder waren nur scheinbar verschieden vorhanden die eigene landschaft die einzige regung. (97)

Die Frau bleibt also im Land. Der Erzähler baut im folgenden zwei innere Monologe ein, die durch Versalien abgesetzt sind und stark an Ophelia-Passagen aus Müllers *Hamletmaschine* erinnern.[37] Auch, weil hier auf den Selbstmord angespielt wird, den die Frau nicht über sich bringt. Danach schaltet sich der Erzähler in die Geschichte ein, als „schreiber der sie kannte seit einer gewissen zeit und mit ihr besprochen hatte den text herzustellen"[38], und zwar

> nicht als konkrete geschichte sondern als zeichen von ihm aus gegen das lustspiel mit dem eigenen leid das gängige vorbild scheitern zu verkaufen um scheitern zu kaschieren die kurzsicht im weltbild vorherrschender opfer. kein tonbandgerät auf dem tisch kein notizbuch.

Eine Auskunft, die den Textteil von den anderen Kapitel der *mär* abhebt. Der Frau und ihrer Erzählung wird eine besondere Authentizität zugesprochen, ihr tatsächlich erfahrenes Scheitern wird dem verarbeiteten und dann „verkauften scheitern"[39] von Autoren gegenübergestellt. Der Erzähler begreift an der ihm mitgeteilten Lebensgeschichte, daß der Landschaft kein Name gegeben werden kann, weil „alles austauschbar blieb außer wie die frau mit sich und dem landstrich lebte". Sie selbst verschmilzt mit der Landschaft zu einem „stück geografie".

Biographie und Geographie sind hier eins.[40] Dem Erzähler geht auf, daß erst der Rückbezug aller Geschehnisse auf sich selbst und ein Sammeln von Erfahrung jene Frau schließlich zweimal den egoistischen Schritt – in den Tod wie in den Westen – verhindern ließen. So stellt sich dar, was dem Läufer in Kapitel 2 nur geraten wurde, aber nicht gelang: „einsicht in die funktion der umgebung setzt die eigne funktion als umfeld für andre voraus" (94). Der Text klingt aus:

> ...so und durch seinen beweggrund wurde sie zu jener sich ständig verändernden gegend und war doch zugleich auch das in ihr verlaufende wesen das abtrug und auflud und ein gespräch sagte mit sich – eine welt.

---

[37] Zu den beiden Versatzstücken gibt Jansen in den Anmerkungen die Zitaterben an, es sind zwei seine Lektüre der Zeit bestimmende Frauen, die Terroristin Gudrun Ensslin und die Punk-Sängerin Patti Smith. In: *prost neuland*, S. 143.
[38] Ab hier und im folgenden: *mär*, S. 98.
[39] Der Teilsatz „scheitern zu verkaufen um scheitern zu kaschieren" weist auf eine Lesart des autobiographischen Schreibens hin, die auch Manfred Schneider erkennt: „Es ist die *Leidenschaft des Inauthentischen*. Man könnte die modernen autobiographischen Texte eben nach einer solchen Strategie des Ausweichens analysieren, als Manöver, um den Strukturierungen der Lebensgeschichte, die die Psychoanalyse formuliert, zu entgehen." In: Manfred Schneider: Die erkaltete Herzensschrift. München / Wien 1986, S. 253.
[40] Siehe dazu Kapitel 3.4.3. dieser Arbeit zu *Dickicht Anpassung*.

Das klingt versöhnlich, und ist es doch nur bedingt. Denn hinter dem Schlußglück der Balance zwischen Mensch und Umwelt läßt sich der eigentliche Lebenslauf der Frau kaum vergessen. Was ihr Leben in der Darstellung des Erzählers ausmacht, sind vor allem Tiefschläge. Immerhin, dem Scheitern und Vergehen des Läufers setzt Kapitel 3 eine Frau entgegen, die wichtige Entscheidungen ihres Lebens plant, trifft und von sich aus verwirft. Der Erzähler betont diese Entscheidungsfreiheit mit dem durchgängigen Gebrauch aktiver Verben.

Bewegung kann in *mär* also nicht durch einen Läufer allein stattfinden, sondern sie meint immer Fuß und Boden, Läufer und Landschaft, Mann und Frau, Frau und Kind. Bewegung ist für Jansen etwas Interaktives zwischen zwei Subjekten. Vorwärtskommen wird nur möglich, wenn der Sich-Bewegende wahrnimmt, wer ihn antreibt und zurückhält. Identität durch ,Interdependenz' bleibt ein zentraler Punkt für Jansen, und deshalb auch in den späteren Textbesprechungen dieser Arbeit. Vor allem für den ganz aktuellen Text *Verfeinerung der Einzelheiten* (1999) ist diese gegenseitige Abhängigkeit bestimmend.

Wenn ein zweites Subjekt ins Spiel kommt, ist Bewegung folglich noch in den kleinsten Räumen denkbar. Doch wir befinden uns in einem Teufelskreis: Die Bestimmung eines Bewegungsbegriffs kann – wie die Poetik des Autors belegen wird[41] – selbst nur auf das eigene Umfeld zurückgreifen. Dieses Umfeld, als Subjekt DDR genommen, muß Jansens Raumvorstellung ganz automatisch begrenzen. Der Autor hat bis zur Entstehung der Texte in *prost neuland* seine Heimat nur ummauert wahrgenommen. Die beklemmende Sozialisation macht hier literarische Bewegung zu einem Substitut für tatsächliche freie Bewegung, die verweigert wurde. Für die Texte bis 1989, also auch für *mär*, hat Jansen später einmal gesagt: „Damals [...] hatte die Wut eine klare Richtung. Die Mauer – das war konkret. Dagegen konnte man angehen."[42]

Sich trotz der Mauer in so großem Maße der Bewegung zu verschreiben, heißt dann: die Beklemmung produktiv machen, nicht verstummen, Verfeinerung der Einzelheiten zeigen. Der Text *mär* ist insofern auch zu lesen als einer von vielen (Text)-Schritten, die ein Vorurteil der Literaturrezeption zu den Dichtern des Prenzlauer Berges unterlaufen. Denn keinesfalls ist aus dem dortigen Desinteresse für staatliche Politik eine einheitliche Poetik abzuleiten, nach der die Texte keinen dialogischen Charakter entwickelten. Wenn Gerrit-Jan Berendse die Literatur des Prenzlauer Berges in zumindest zwei Gruppen unterteilt sehen will, begeht er implizit denselben Fehler wieder. Seine Aufteilung in eine lyrische Ästhetik der linguistischen Tiefe und eine prosaische Ästhetik der Oberfläche mit dem zentralen Topos ,Alltag'[43] reicht nicht aus, um die Texte der inoffiziellen Zeitschriften jener achtziger Jahre zu fassen. Jansens Text *mär* trägt jede Menge alltägliches Material mit sich, ohne die sprachliche Dichte von Lyrik zu verlieren.

Abzulesen ist an der im Dialog erarbeiteten Bewegung auch, daß Jansen an einen von innen hermetisierten Raum ,Prenzlauer Berg' vor der Wende nicht mehr glaubte. Die Zerfaserung und Auflösung einer Szene läßt sich nicht nur an der West-Ausreise vieler Beteiligter ablesen, sondern auch in den Texten der Bleibenden.

---

[41] Siehe dazu Kapitel 1.3 dieser Arbeit.
[42] Aus: Bettina Steiner: wir waren nie ein land und wir waren nie ein wir. In: Die Presse, Wien, 14.3.1992.
[43] Gerrit-Jan Berendse: Grenz-Fallstudien. Berlin 1999, S. 39 f. – Die Aufteilung geschieht im Dienste eines Stadtnomadentums einzelner Autoren, die Berendse poetologisch extrahiert, gemeint sind vor allem Frank Wolf-Matthies und Adolf Endler.

Der Arbeit am Motiv der Bewegung ist es geschuldet, daß Jansen im Wendejahr 1989 einen wichtigen literarischen Schritt macht: Er führt sein lyrisches Ich in die Prosa hinüber und schreibt fortan keine Gedichte mehr. Die Dialogsprache in Kapitel 2 der *mär* ist ein Zeugnis dieser Entscheidung. Sie verlangt eine genauere Betrachtung, die mit einem Rückgriff auf das Jahr 1985 beginnen soll.

1.1.2 Das lyrische Ich in der Prosa

Anneli Hartmann hat ihren wichtigen Aufsatz 1985 mit der Frage überschrieben, ob der Generationswechsel auch ein ästhetischer Wechsel in der DDR-Lyrik sein würde.[44] Sie geht darin auf zwei diametral entgegengesetzte Arten von Lyrik ein, die sich auch am Prenzlauer Berg ausbildeten. Uwe Kolbe steht demnach in der „Tradition der Erlebnislyrik", die er allerdings nutzt, um seine Verweigerung der existierenden DDR-Gesellschaft zu erschreiben. Das Projekt wird über ein „radikales Ich" (so Kolbe 1982) ausgetragen, das nahezu „autonom und absolut gesetzt" wird. Kommunikation beherrscht Poesie, und es wird deutlich, „daß zwischen Autor und ›lyrischem Ich‹ praktisch keinerlei Distanz liegt"[45]: „Das Sich-Aussprechen erfolgt im erlebnisbetonten Bericht, durch parlandoartige Schilderungen des Alltags oder in Form von Reflexionen über die eigene Befindlichkeit". Diesem Pol setzt Hartmann eine Lyrik gegenüber, die „mit den Konventionen des herkömmlichen Erlebnisgedichts" radikal gebrochen hat: „Für diesen Gedichttyp ist gerade die ›Entpersönlichung‹, die völlige Rücknahme des empirischen Ichs konstitutiv. Damit bekennt er sich zu jener Lyrik der Moderne, der die Strukturkrise des Ichs eingeschrieben und damit lyrische Subjektivität obsolet geworden ist". Als Vertreter dieser „fortschreitende[n] Hermetisierung" und „komplizierte[n] Metaphorik"[46] macht die Autorin Sascha Anderson aus.

Bereits 1966 hat Helmut Heißenbüttel überzeugend von der Auflösung des Subjekts gesprochen:

> Mit der Relaisstation der Imagination versinkt die des selbständigen und autonomen Subjekts. Es reduziert sich, überspitzt gesagt, zu einem Bündel Redegewohnheiten. Das aus der christlichen Gotteskindschaft begrifflich abstrahierte, seiner selbst bewußte punktuelle Ich erweist sich als fiktiv und löst sich auf in ein Feld von Bezugspunkten. Wenn der Begriff des Subjekts über die Grenze hinweg bewahrt werden soll, muß er als etwas Multiplizierbares gedacht werden. Ich bin nicht ich, sondern eine Mehrzahl von Ich... Es ist dieses multiple Subjekt, das in der kombinatorisch verfahrenden Rekapitulationsmethode der Literatur aufzutauchen beginnt...[47]

---

[44] Anneli Hartmann: Der Generationswechsel – ein ästhetischer Wechsel? In: Literatur und bildende Kunst. Jahrbuch zur Literatur in der DDR, No.4. Hrsg. von Paul G. Klussmann und Heinrich Mohr. Bonn 1985, S. 109-135.

[45] Bis hierher: Hartmann: Generationswechsel, S. 120.

[46] Hartmann: Generationswechsel. Alle Zitate zuvor von S. 121 f.

[47] Helmut Heißenbüttel: Über Literatur. Olten 1966, S. 213 f. Zitiert nach: Michael Braun: Poesie in Bewegung. In: manuskripte. Zeitschrift für Literatur. Nr. 108/ Juni 1990. Graz 1990, S. 69-72, S. 70. Das multiple Subjekt steht auch noch im Mittelpunkt meiner Textbesprechung in Kapitel 2 dieser Arbeit, zu Jansens *Ausflocken. ein abwasch* (1992).

Die Einengung des Autors Kolbe auf eine ungebrochene Beziehung zum eigenen, lyrischen Ich greift zu kurz, sechs Jahre nach der Interview-Aussage zum „radikalen Ich" hört er sich anders an: „Das Ich ist ein Vehikel, überhaupt mit dem Sprechen beginnen zu können [...] in jedem Text ist es ein anderes; jeder Text erfordert sein eigenes Ich, stellt es sich her"[48].

Von Heißenbüttels Radikalität ist das weit entfernt, aber ersichtlich wird doch: Das Konzept zweier Sprachbehandlungsschulen nach Hartmann geht aus heutiger Sicht nicht mehr auf. Hartmanns Opposition bekommt hier aber dadurch ihren nachträglichen Sinn, daß der Autor Johannes Jansen beide Möglichkeiten rezipieren konnte. Er fand den Generationswechsel bereits vor, und mußte bestrebt sein, seine eigene Generation, die unter den Schriftstellern kaum zu finden war, ästhetisch zu verteidigen. Sobald man sich fragt, welcher ‚Ich-Schule' Jansen sich denn zugehörig fühlte, wird man straucheln. Umgehört hat er sich am Prenzlauer Berg unter vielen eigenständigen Ichs.

Gerade um eine Vielfalt der Perspektiven zu bestätigen, hatte Margarete Susman 1910 ‚das lyrische Ich' entworfen; es sollte „kein Ich im real empirischen Sinne"[49] sein. Doch hat es in der Begriffsgeschichte des lyrischen Ichs immer wieder Konflikte gegeben, wie die Gegenüberstellungen von Kolbe und Anderson illustrieren. Der Dichter kann wohl versuchen, das lyrische Ich ‚im Erlebnis' an sich zu binden, aber jede Authentizität bleibt vermittelt und somit konstruiert. Einigkeit besteht lange schon darin, daß das lyrische Ich als erste Person keiner Rückbindung an die Biographie des Autors bedarf.

Das lyrische Ich ist ungleich größer als der Autor. Es will nicht erstrangig erzählen und bestimmt sich eher durch den Bezug zu den verhandelten Gegenständen als zu anderen handelnden Figuren. Weil sich um den Gegenstand und das einzelne Wort in der Lyrik aber ein symbolisches und metaphorisches Kraftfeld ansiedelt, wird auch das Ich gleichfalls davon aufgeladen. Zeilenbrüche, Absätze und Strophen verstärken den Einfluß der weißen Stellen, der Zwischenräume, auf das lyrische Ich und vom Ich auf den Leser. Die moderne Lyrik hat daher statt *gebundener* Formen (Reim, Strophe) gerade die *Ungebundenheit* ihrer Bestandteile betont. In den achtziger Jahren hat diese Ungebundenheit auch ihr Spiel mit dem lyrischen Ich getrieben, es in Sprachexperimenten aus dem Gedicht verbannt oder doch zumindest „transformiert [...] zu einer Bewegungsgröße für die zersplitternden, einander überlagernden Außenreize, die imaginierten Bilder."[50] Peter Geist betont in seinem Essay immer wieder das „Bewegungsmoment der Sprachmaterie", das ein bewegliches Ich „in wechselnden Masken und irrlichternd anwesend in den Differenzen und Rissen zwischen Wort und Bild"[51] geradezu herausfordert.

Karen Leeder hat ein Kapitel ihrer englischsprachigen Monographie zur Prenzlauer-Berg-Literatur mit „Breaking the Bounds of the Subject"[52] betitelt. Sie stellt

---

[48] *Etwas anderes* als ein Gespräch mit Uwe Kolbe. In: Sprache & Antwort. Hrsg. von Egmont Hesse. Frankfurt a.M. 1988, S. 116-120, S. 120.

[49] Margarete Susman: Das Wesen der modernen deutschen Lyrik (1910). Zitiert nach: Dieter Burdorf: Einführung in die Gedichtanalyse. Stuttgart 1997, S. 188 f.

[50] Peter Geist: Nachwort. In: ders. (Hrsg.): Ein Molotow-Cocktail auf fremder Bettkante. Leipzig 1991, S. 370-407, S. 384. Das Bewegungsmoment macht auch Michael Braun im oben genannten Aufsatz für die jüngste Lyriker-Generation stark (siehe Fußnote 47).

[51] ebd., S. 387.

[52] Karen Leeder: Breaking The Bounds of the Subject. In: Breaking Boundaries. A New Generation of Poets in the GDR, 1979-1989. New York 1996. Chapter 3, S. 77-107.

darin die bisher differenzierteste Übersicht zum lyrischen Ich in der jüngeren DDR-Lyrik dar, indem zumindest vier Arten des Selbstverständnisses unterschieden werden. Schon die beiden von Hartmann übernommenen Extrem-Ichs werden auf mehrere Autoren ausgeweitet und modifiziert. Zwischen die aufrechte Selbstbehauptung (hier: „the integral self") und das dezentrierte, aufgelöste Ich (hier: „the disintegrated self") treten zwei Typen des Übergangs: das gespaltene und das pathologische Ich. Leeders breit angelegte Rezeption sichert eine nötige Vielfalt von Ich-Behauptungen und bezeugt so die Komplexität der jungen DDR-Literatur. Unverständlich ist manchmal, daß einzelne Autoren durch Textbesprechungen in einem Bereich verankert werden sollen.[53] In ihrem Fazit des dritten Kapitels macht Leeder nochmals klar, daß die Textsubjekte der jungen Autoren nicht völlig von Geschichte, Politik und Kohärenz verlassen sind, daß sie nicht im postmodernen Spiel dahintreiben. Viele der Autoren böten eine Ästhetik an, die eine direkte Reflektion ihrer biographischen Wirklichkeit sei. Sie verweist dabei auf den Autor Frank Lanzendörfer, einen langjährigen Freund Johannes Jansens, der bereits durch seine Arbeitstitel „unmöglich es leben" oder „leib eigen & fremd" eine „schreibhaltung, die mich einschließt" entwarf.[54]

Johannes Jansen sah natürlich, daß die linguistisch orientierten Szene-Autoren des Prenzlauer Berges (Anderson, Papenfuß, Döring) dem Gedicht eine weitaus höhere Akzeptanz entgegenbrachten als der Prosa. Die Erzähler Detlef Opitz und Peter Wawerzinek blieben deshalb noch an der Peripherie Randfiguren, auch in den inoffiziellen Zeitschriften erschienen kaum einmal mehrseitige Erzählungen. Jansens Hinwendung zur Prosa muß deshalb als eine Verselbständigung gelesen werden, sie geht mit seinem langsamen Ausstieg aus der Szene einher. Die Auflösung der Lyrik in Prosa wirft ihren Schatten zurück auf eine Schreibphase, in der das Gedicht sowohl die exklusivere Sprachkritik ermöglichte, als auch einfach die bequemere Kurzform bot.

Jansen hat von Anbeginn Lyrik und Prosa verfaßt, und schon der frühe Text *Gästebuch* (1984)[55] liest sich als eine Mischform der Genres. Man erkennt, daß viele Texte zunächst handschriftlich zum graphischen Bild entstanden; so nahm die vorgegebene Höhe und Breite eines Arbeitspapiers Einfluß auf die Textgestalt. Eine Durchsicht vor allem von *prost neuland* veranschaulicht Jansens Prozeß, die Gattungen ineinander aufzulösen. In die Sammlungen des großen ersten Teils von *prost neuland*, – liebling mach lack (1983-86) und *gehsteig* (1987) – ist schon Prosa eingefügt, die Lyrik dominiert aber. Andererseits finden sich in Texten, die das Erzählen favorisieren, nur allzu oft abgesetzte Gedichte. Während der – auch deshalb so genannte – *problemtext* o.t. von 1988 am deutlichsten eine Reihung noch unterscheidbarer Gattungen zeigt, endet das Buch *prost neuland* mit Texten, in denen die Fusion von Prosa und Lyrik erreicht ist.

Ich habe deshalb diese *spottklagen des abseitigen*[56] aus *prost neuland* herausgegriffen, weil sie an einem ästhetischen Scheideweg entstanden: Jansen überführt hier sein lyrisches Ich in die Prosa. Ein Erzähler entsteht.

---

[53] So wäre zu hinterfragen, warum Barbara Köhlers Ich rigoros in die Reihe der Spaltungen statt in die Auflösungen aufgenommen wird.

[54] Siehe hierzu Peter Böthigs Artikel „leib eigen & fremd", in: Die Zeit, 20.3.1992, S. 81.

[55] In: *Poesiealbum*, S. 4. Zuerst erschienen in: Schaden, 2/ 1984. Eine Kopie des Originalmanuskripts ist abgedruckt in: Vogel oder Käfig sein. Hrsg. von Klaus Michael und Thomas Wohlfahrt. Berlin 1992, S. 29.

[56] die spottklagen des abseitigen. In: *prost neuland*, S. 125-131.

1.1.3 Spottklagen

Unter diesem Titel sind fünf vollkommen satzzeichenlose Texte zusammengefaßt. Das subjektive Modell einer Wirklichkeit steckt schon im Titel: Das/der *abseitige* betont die vereinzelte Perspektive. Der Blick wird dabei in ein imaginiertes Zentrum hineingerichtet, in dem sich aufhält, wer zu verspotten ist. Der Erzähler kann sich zwar abwenden, er blickt am Meer stehend vom Rand über den Rand hinaus, doch gelingt ihm nicht die Auflösung seines Gegenüber. Noch in den größten Wunsch nach Einsamkeit bricht in den *spottklagen* das Umfeld des Ichs ein.[57]

Nicht umsonst sind die Texte mit einer ursprünglich *mündlichen* Gattungszuweisung überschrieben, denn Mündlichkeit unterstützt immer den Eindruck des Authentischen[58]. Spott und Klage setzen Kommunikation fort, reagieren auf einen vorangehenden Anlaß. Der Ton ist ein rhetorischer und mithin künstlicher, der den Leser immer schon fragen läßt: Wie lange kann das Textsubjekt diesen Redefluß beibehalten? Der Ich-Erzähler hält aus, solange seine Gemütsstimmung hält. Die erste Spottklage endet mit den Zeilen, die auch in der schmalen Innenseite des Schutzumschlags stehen, mit einer Art Motto der vorgestellten Textsorte:

> doch ich kann nur dienen mit dem was in mich hineinschrie nämlich schallender schimpf und schwer bekömmliche schande und dem rest den die verleider vor allem behaupten gilt mein hohn mein verlachen ihr verlängertes sterben zu beschauen stell ich mich über sie als köter von gottes klagen voll und meines spottes kundig[59]

Der prosaische Blocksatz bestimmt, die Langzeile wird in den Fassungen in *prost neuland* durch eine kleine Schrifttype noch betont. Eine Zeile hat über achtzig Zeichen. So wird graphisch die Imitation eines Redeflusses erreicht, Jansen verstärkt den mündlichen Charakter. Aber macht die Lyrik hier wirklich der Prosa Platz?

Es werden durchaus Stilmerkmale moderner Lyrik genutzt: die Möglichkeit zur freieren Satzstellung, die Eliminierung jeglicher Orthographie. Die *spottklagen* werden zu Wortgeflechten; Verdrehungen und neuartige Komposita reihen sich aneinander. Wenn das Lesen nicht von Satzzeichen gelenkt wird, ergeben sich zwischen beinahe allen Wörtern Bedeutungsschnittstellen. Lyrik würde unzählige dieser Orte mit Zeilenbrüchen kennzeichnen, der Leser denkt diese Zeilenbrüche auch unwillkürlich mit. Am Ende der Lektüre hat man so oft innerhalb des Textes innegehalten, daß sich behaupten läßt, man habe ein Gedicht gelesen. Ich sage deshalb ganz bewußt, Jansen hat sein lyrisches Ich in die Prosa hinüber geführt. Er hat es nicht aufgelöst.[60]

---

[57] Siehe hierzu Jansens Nachbemerkung und Leseanweisung zu den Texten, in: *prost neuland*, S. 143: „die landschaft ist das umfeld des mönchs am meer und der gescheiterten hoffnung auf den bildern des malers c.d.friedrich (...)". Landschaft wird hier wie in *mär* personal gebunden und vermittelt, sie ist darüber hinaus Teil der durch die Romantik überlieferten (gesamtdeutschen) Tradition, Ausdruck einer „gescheiterten Hoffnung".

[58] Siehe hierzu Kap. 1.4 dieser Arbeit.

[59] *ungehalten walten – vor ort verstockt*. In: *prost neuland*, S. 125.

[60] Die Gattung des Prosagedichts ist hier sicher passend. Vgl. dazu: Ulrich Fülleborn (Hrsg.): Deutsche Prosagedichte des 20. Jahrhunderts. Eine Textsammlung. München 1976. In einer ausführlichen Einleitung führt Fülleborn das Fehlen des Verses als einziges echtes Kriterium der Abgrenzung zum Versgedicht an. Ebenda, S. 18. Ich werde zu *Verfeinerung der Einzelheiten* im Kapitel 4 dieser Arbeit noch einmal auf den Begriff Prosagedicht zu sprechen kommen.

Hier kündigt sich an, was im *Reisswolf* (1992) dann radikal weitergeführt wird: Jansen gibt den Zeilenbruch vollständig auf, die lyrischen Passagen gehen in das Prinzip der *Aufzeichnungen* ein. Mitunter erscheinen im Textbild der erzählerischen Kurzprosa noch Querstriche, oder Jansen doppelt in typographischen Bildunterschriften seine Handschrift, als müsse er sie übersetzen. Wenn er sich selbst dabei des Querstriches (/)[61] bedient, macht er den Fließtext nachträglich wieder zu Gedichten. Die Gattungsverwirrung ist in diesen Momenten noch einmal total.[62]

Doch die Spiele mit der Grenze zur Lyrik nehmen ab und hören schließlich auf. Es hat eine tiefgehende Durchdringung von lyrischen und prosaischen Stilmitteln stattgefunden, aus der schließlich *eine* Sprache entwachsen ist. Die Textbesprechungen der neunziger Jahre werden zeigen, daß diese Sprache noch stark poetisch aufgeladen ist, ohne sich jedoch vor dem Leser zu verriegeln.

Zwei Formen haben somit eine Form vorbereitet. Das äußere Erscheinungsbild der *spottklagen* und der folgenden Texte ist weniger eine Entscheidung des Autors *gegen* die Lyrik, sondern eher eine *für* den prosaischen Textfluß, für die Bewegung. Noch einmal anders: Das Aufgeben der Gattung ist nicht das Aufgeben dessen, was das lyrische Ich absorbierte und an die Leser ausgestrahlt hat. Die lyrische Sprache dringt mit ihrer symbolischen und metaphorischen Dimension in die Prosa ein. Diese lyrische Sprache ist es auch, die es verbietet, Jansens zweifellos intime Prosaformen einfach als autobiographisch hinzunehmen.

Ich habe Jansens Weg in die Prosa bisher nur dokumentiert. Seine Mitteilungen haben diese Form gesucht. Hinter dem eigenen literarischen Interesse liegt natürlich auch ein literarisches Erbe. Viele Dichter am Prenzlauer Berg suchten nicht ohne Sehnsucht im Ausland nach sprachlichen Anleihen und Vorbildern. Die französischen Strukturalisten und Dekonstruktivisten wurden in der *ariadnefabrik* rezipiert. Die Herausgeber ließen ihrer Zeitschrift 1990 die historisierende Buchanthologie *Abriss der Ariadnefabrik* folgen. Peter Böthig hat darin ein Nachwort geschrieben, das den Begriff der Bewegung für die achtziger Jahre in der DDR stark macht:

Zu den Faktoren, die zu solcher Parallelität führen, gehört ein politischer und sozialer Hintergrund: die verkrusteten resignativen Strukturen einer geschichts- und veränderungsfeindlichen Gesellschaft, denen die Autoren einen aufbrechenden Blickwinkel entgegenstellen. Doch vor allem die immer engere Bezugnahme zwischen Sprache und den Ursprüngen des Kreativen, seit Rimbaud und den Surrealisten in der Poesie in verschiedenen Schüben vorangetrieben, lenkte die Aufmerksamkeit einer Reihe jüngerer Dichter auf das Problem, Bewegung/Bewegtheit/Veränderung/Wandlung in fließenden, ,rhizomatischen' Strukturen denken und poetisch fassen zu können. Insofern werden hier ganz selbstverständlich und aus einem authentischen Bedingungskomplex heraus Fragestellungen angegangen, die weltweit unter dem Siegel Moderne/ Postmoderne ver- und gehandelt werden.[63]

---

61 Im *problemtext o.t.* gibt es als übertriebene Steigerung dessen sogar den eingeklammerten Querstrich (/), in: *prost neuland*, S. 82 f.

62 Vgl. hierzu die Text-Bild-Kombinationen im *Reisswolf*, S. 19 und S. 24.

63 Peter Böthig: Von der Selbstverständlichkeit zu schreiben. In: Abriß der Ariadnefabrik, S. 329-332, S. 330.

Nicht nur eine „frankophile Theoriebezogenheit"[64] will Böthig in diesen Zeilen bezeichnen. Das Erbe der jungen Dichter reicht weiter zurück.

Johannes Jansen stützte sich in den literarischen Techniken seiner frühen Prosa auf die Sprache der Expressionisten und Surrealisten: beschleunigte Bilderfolgen und körperhafte Kollagen. Ein Erbe, in dessen zweitem Glied die amerikanischen Beatniks standen, die für Jansen ebenso Vorbilder waren.

Ein literaturgeschichtlicher Exkurs soll auf Jansens Buchveröffentlichungen nach *prost neuland* hinführen.

1.2 Exkurs 1: Gleichzeitigkeit. Der Beat der Straße.

> „nicht arbeitswut als werkbegriff: bewegungszwang schlechthin"
>
> (*Reisswolf*, S. 23)

> Die fragmentarische Form, die ich verschiedentlich benutzt habe, ist für mich eine Möglichkeit gewesen, dem Zwang, jede Einzelheit, jedes Wort, jeden Satz hintereinander zu lesen, und damit auch logische Abfolgen zu machen, wenigstens für einen Moment nicht zu folgen. (Rolf Dieter Brinkmann)[65]

In Rolf Dieter Brinkmanns Zitat leuchten die zwei Seiten des Fragments auf. Es scheint einerseits die einzig mögliche Form, dem Wahrnehmungsprozeß unmittelbar auf der Spur zu bleiben, mimetisch zu arbeiten. Da es sich aber an der täglichen Wahrnehmung des späten 20. Jahrhundert zu messen hat, wird das Fragment sich nicht gerecht, wenn es lineare Bewegungen darstellt. Die grundlegende Ästhetik besteht darin, gerade die Gleichzeitigkeit von Erscheinungen einzufangen.

Brinkmann begeht damit einen Weg, den wissenschaftliche wie künstlerische Einsichten der klassischen Moderne bereitet hatten. Am Anfang stand unter anderem der Futurismus:

> Seine [des Futurismus] These ist, daß das Bewußtsein den Augenblick nicht wie eine Kamera erfährt, die im Schnappschuß einen bestimmten Zeitpunkt isoliert, sondern daß es auch ihn als durch Bewegung definiert weiß und erlebt, als Ineinander mehrerer Zeitpunkte, die sich aufgrund der ›Trägheit des Auges‹ überlagern und vereinigen.[66]

Der Hang zur Geschwindigkeit ging bei den Futuristen bald einher mit einer Verherrlichung technischer Mittel, die unbestritten den Weg in den ersten Weltkrieg forcierte. Expressionistische Lyriker nahmen den neuen Blick auf und entwickelten in ihren Texten den sogenannten ‚Reihungsstil'. Durch möglichst kurze Parataxen wurde einerseits das Gewicht von unterschiedlichsten Sprachbildern einander angeglichen, andererseits der Bildfluß so beschleunigt, daß sich die dissonanten

---

[64] Ebenda.
[65] Rolf Dieter Brinkmann: Ein unkontrolliertes Nachwort zu meinen Gedichten. In: Literaturmagazin 5. Das Vergehen von Hören und Sehen. Hrsg. von Hermann Peter Piwitt und Peter Rühmkorf. Reinbek 1976. S. 234.
[66] Gottfried Willems: Anschaulichkeit. Zu Theorie und Geschichte der Wort-Bild-Beziehungen und des literarischen Darstellungsstils. Tübingen 1989. S. 176.

Teile im Leseakt übereinander zu legen schienen. Diese „Gleichzeitigkeit des Ungleichartigen"[67] ist eines der lyrischen Kennzeichen der klassischen Moderne.

Schon 1908 schufen die kubistischen Künstler Picasso und Braque erste Bild-collagen, ihre *papiers collés*. Dadaisten nahmen die Anregung auf: Was die industrielle Gesellschaft an Material abwarf, montierten sie in Bilder und rückten so die menschliche Entfremdung in den Mittelpunkt des Bewußtseins. Der New Yorker Dadaist Marcel Duchamp stellte bereits 1914 handelsübliche Gegenstände als Kunst aus, die sogenannten ‚ready mades'. Es klingen hier – in unterschiedlichsten Künstlerschulen – avantgardistische Verfahren an, die Bewegung gegen wahrgenommene Erstarrung setzten. Aus dem oft dreidimensionalen Material der Kollagen kam dem Zuschauer förmlich die Hand des Künstlers entgegen. Das Produkt trat gegenüber dem Einblick-Geben in Produktionsprozesse in den Hintergrund.[68]

Erst in den frühen sechziger Jahren wurde dieses Erbe nochmals für die Literatur relevant, das Material der Straße gewann wieder an Bedeutung. Die amerikanische Beat-Generation stellte den technischen Entwicklungen eine Kunst nicht entgegen, sondern zur Seite. In der Ausgangssituation spiegelt sich allerdings die Avantgarde: Parallel zu den industriellen Arbeitsprozessen sollte – ein halbes Jahrhundert später – der erneut aufgekommene, geschlossene Werkbegriff ein weiteres Mal fragmentarisiert werden.[69] Einer sich fortsetzenden Anonymisierung des Arbeiters entsprach bei den Beatniks die Gewichtverlagerung vom Autor auf die (oft gemeinschaftliche) Produktion.

Im Juni 1968 hielt der Amerikaner Leslie A. Fiedler seinen berühmten Vortrag *Close the Gap and Cross the Boarder – The Case for Post-Modernism* an der Freiburger Universität. Er sagte darin der ‚hohen Literatur' den Kampf an, indem er für Neo-Western, Pornographie, Comic und Mythos eintrat. Die im Untertitel des Vortrages verwendete „Postmoderne" findet in Fiedlers Programm der Öffnung und Ausdehnung des Kulturerbes und der Gegenwartskunst ihre eigentliche Bestimmung. Die genannten Gattungsbegriffe – zuvor als trivial geschmäht – zu etablieren, war wohl provokantes Spiel genug. Fiedler wurde in Westdeutschland eingehend debattiert, doch eine Postmoderne-Diskussion ließ die etablierte Literaturkritik erst fünfzehn Jahre später zu.

Bewegung war, was die junge amerikanische Literatur zum Ausdruck brachte, und längst war es keine vom Künstler animierte Bewegung mehr, sondern die des Automobils.[70] Nicht Abfahrt und Ankunft standen im Mittelpunkt der Beat-Literatur, sondern die Passage der Reise selbst: Unterwegs sein. Die Straße war in den sechziger Jahren der vereinbarende Ort für Reise und politische Demonstration, für Fahrtenbücher und Agitprop. Rolf Dieter Brinkmann hat die literarischen Techniken – „das Plagiat, das Zitat und die Oberflächenübersetzung"[71] – in der BRD zur

---

67 Willems: Anschaulichkeit. S. 191. – Zum Reihungsstil kann Jakob van Hoddis' Gedicht *Weltende* als exemplarische Lektüre gelten.

68 Vgl. hierzu die Beobachtungen aus 1.1 zur Produktion der Künstlerbücher in der DDR.

69 Vgl. hierzu auch Johannes Jansens ernüchternden Umschlag-Text in *Splittergraben*: „(...) mit der hoffnung ein geschlossenes werk zu verzapfen bin ich also herumgegangen in freudenhäusern geschlossenen anstalten und auf kriegsschauplätzen mit offenem ausgang...". Auf diesen Ausschnitt komme ich in Abschnitt 3.1 dieses Kapitels zurück.

70 Vgl. Jack Kerouac: On the road (1957). „We were all delighted, we all realized we were leaving confusion and nonsense behind and performing our one and noble function of the time: *move*. And we moved!" S. 133 f. – Zitiert nach einer englischen Ausgabe, Middlesex 1976.

71 Sibylle Späth: Die Entmythologisierung des Alltags. In: Text und Kritik, No. 71: Rolf Dieter Brinkmann. Hrsg. von Heinz Ludwig Arnold. München 1981, S. 37-50, S. 41.

Anwendung gebracht. Zur Öffnung der Texte verlautete es aus seinem Kreis, „[...] daß Schreiben auch Gedichteschreiben zu den möglichen Fähigkeiten aller Menschen gehört wie Schwimmen, Nachdenken und Tanzen, und nur in einer Gesellschaft, die die Spontaneität der meisten zugrunde richtet, die Fähigkeit sich auszudrücken etwas Seltenes ist."[72]

In der DDR war ein solcher Aufruf zur Kreativität bereits zehn Jahre zuvor erklungen, hatte aber in den Schreibversuchen der „Zirkel Schreibender Arbeiter" nur ein eindrucksvolles Zeugnis für die Ideologisierung des Landes hinterlassen. Dennoch stellte gerade der „Bitterfelder Weg" das Grau, aus dem sich eine neue Lyrikergeneration in der DDR abheben konnte. Die sechziger Jahre wurden so in beiden Teilen Deutschlands zum Dezennium der Bewegung, wenn auch unter ganz verschiedenen Erblasten, Einflüssen und Erfahrungen.

Johannes Jansen war von der Beat-Literatur in seiner Jugend fasziniert. 1983 – mit siebzehn Jahren – hat er ein Gedicht als *Hommage an Frank O'Hara* benannt. Es beginnt mit der Setzung des Alltags: „Die einfachen Dinge an diesem Tag zu beschreiben geh ich hinaus:"[73]. Dem Tag draußen auf der Straße seine Bewegungen und Stillstände abzulesen – das ist genau, was auch Rolf Dieter Brinkmann an den Texten der Beat-Generation erlernte.

In Jansens frühen Texten fallen die Titel *schrittfolgen*[74] und *gangarten*[75] besonders auf. *gangart 1+2* in *prost neuland* sind Spaziergänge durch innere Landschaften. Wie ein dumpfer Aufprall hört es sich an, wenn dem Ich das Ostberliner Kolorit in die Gedankenströme geschoben wird: „schönhauser allee", oder „endstelle bornholmer straße". Die Hoffnung, sich beim Gehen nicht nur in Gedanken zu verlaufen, wird desillusioniert. Dabei wird die Sprache mit der Bewegung des Körpers auf eine Probe gestellt, der sie für Jansen nicht gewachsen ist: „kein wörterbuch hält wort/mit dem schritt", heißt es da. Das Festhalten aller Eindrücke ist unmöglich, muß fragmentarisch sein, ein „im gehen stottern"[76].

„Statt eines Interviews. MONTIERTES aus Tisch- und Straßengesprächen zwischen Johannes Jansen und Thomas Böhme"[77], so ist ein anderer Text dieser Zeit betitelt. Ein Absatz des Gesprächs der beiden werdenden Schriftsteller wird dort mit „Traditionen und Mythen" eingeleitet und zählt auf, woran sich die beiden literarisch und kulturell orientierten. „On the Road im Gepäck", heißt es dort. Die amerikanischen Einflüsse werden stark gemacht (Whitman, Ginsberg, O'Hara), und zur Entlastung wird ein gängiges DDR-Urteil ironisch einmontiert: „Und all diese weißbärtigen Beatniks, was solln wir mit denen!". Der Text ist nicht einmal zwei Seiten lang, Jansen und Böhme kollagieren Aussagesätze und Textbrocken. Schon 1984 schien es den beiden die passende Form, auf die Anfrage eines Literaturmagazins wenn authentisch, dann fragmentarisch zu antworten.

---

[72] Dieter Wellershoff: Sind das überhaupt noch Gedichte. In: Gummibaum 1. Hauszeitschrift für neue Dichtung. 1969. Die hektografierten Hefte wurden außerhalb des offiziellen Literaturbetriebes vertrieben, es erschienen jedoch nur drei Ausgaben. Neben Wellershoff und Brinkmann veröffentlichten hier Born, Handke, Jandl, Rygulla u.a. Zitiert nach: Späth: Entmythologisierung, S. 40.

[73] In: Poesiealbum. Sonderheft 1970-1984. Ausgewählt von Hannes Würtz. Verlag Neues Leben, Berlin 1985, S. 30.

[74] In: *prost neuland,* S. 8-9.

[75] In: *prost neuland,* S. 10-14. Den ersten Teil des Bandes hat Jansen betitelt mit: *liebling mach lack – gangart und durchfall.* S. 5.

[76] Ebenda, S. 13 und S. 12.

[77] MONTIERTES aus Tisch- und Straßengesprächen zwischen Johannes Jansen und Thomas Böhme. In: Temperamente 4/ 1984, S. 64 f.

1.3 Biographie ist Bewegung ist Fragment – eine Poetologie

...denn zu sagen gebe es schließlich nur eines; dieses aber immer wieder, und auf immer neue weise.

Der Exkurs schien mir nötig, um auf den Zusammenhang von Fragment und Bewegung hinzuführen. Nach Oliver Sill „bemühen sich moderne Autobiographen darum, den Eindruck von notwendig und gesetzmäßig sich ergebenden ,Ketten' lebensgeschichtlicher Ereignisse zu destruieren."[78] Diskontinuität, Zufall, Entfabelung sind mit den einschneidenden Erlebnissen des ersten Weltkrieges in alle literarischen Genres eingebrochen. Walter Benjamin hat aus den Gesichtern der heimkommenden Soldaten die Zerstückelung und den Verlust von Erfahrung gelesen.[79] Aus einem Heer, das den größtmöglichen Ausdruck des Ichs im Wir geben sollte, kehrten einzelne traumatisierte Männer zurück, die um nichts als ihr Überleben gekämpft hatten. Sie hatten die Herrschaft der militärischen Maschinen über menschliches Leben gesehen. Das Kollektiv wurde überall gesprengt, der Kampf hatte sich nicht in erster Linie *gegen* eine andere Streitmacht gerichtet, sondern war zum Kampf *um* den eigenen Körper geworden.

Die fragmentarische Kunst des 20. Jahrhunderts verpflichtet sich diesem Einbruch der Diskontinuitäten. Sie kollagiert und begibt sich dabei auf die Spur von Gleichzeitigkeiten. Damit einher geht oft das Verdikt einer Unmittelbarkeit, mit der die Dinge für den Moment des Schreibens in Bewegung gebracht werden sollen. Diese ausschnitthafte Bewegung wurde zu Beginn dieses Jahrhunderts stilbildend. In der surrealistischen Automatik galt nur als glaubwürdig, was das Unterbewußte im Augenblick der Eingebung hervorbrachte. Schnelles Notieren sollte garantieren, daß sich keine über-dachte, über-arbeitete Version dessen ergab, was der (Unter-) Bewußtseinsstrom auswarf.

Ein Zitat von Heiner Müller belegt zudem, daß Fragmentarismus – im übrigen seit der Romantik – immer Lebenseinstellung und Stilmittel zugleich gewesen ist:

Lebenslänglich schreibt man sich sein Gefängnis aus Worten und den Rest seines Lebens ist man damit beschäftigt, dieses Gefängnis zu befestigen. In meiner Sehnsucht nach dem Fragmentarischen erkenne ich eine Möglichkeit, das Gefängnis aufzubrechen.[80]

Ein literarisches Äquivalent zu diesen Fragment-Experimenten sind ,Traumtexte', die unter den jungen DDR-Autoren immer eine starke Präsenz hatten.[81] Auch Franz Fühmann hat in seiner bekannten Schrift zu Georg Trakl den Traum als „das wirkliche Prinzip der Poesie" herausgestellt, weil dort disparate Bilder in Bewegung

---

[78] Oliver Sill: Zerbrochenen Spiegel. Studien zur Theorie und Praxis modernen autobiographischen Erzählens. Berlin 1991, S. 149.

[79] Walter Benjamin: Der Erzähler (1936). In: ders.: Illuminationen. Ausgewählte Schriften 1. Frankfurt a.M. 1977, S. 385-410, S. 386.

[80] Heiner Müller im Gespräch mit Vlado Obad, Mai 1985. Zitiert nach: Vlado Obad: *Zu Müllers Poetik des Fragmentarischen.* In: Heiner Müller. Material. Hrsg. von Frank Hörnigk. Leipzig 1989. S. 164. Auch Jansen benutzt schon früh in *Gästebuch* (1984) das juristisch besetzte „lebenslänglich" statt „lebenslang".

[81] Zu nennen wären neben Heiner Müller vor allem Andreas Koziol, Sascha Anderson, auch Ulrich Zieger. Vgl. hierzu Antonia Grunenberg: ,Deuten wir alles um und für uns'. Zur jungen Lyrik in der DDR. In: Niemandsland Nr. 5. Berlin/West 1988, S. 76-88, S. 84 ff.

zusammengefügt würden.[82] Auch Johannes Jansen ist sich bewußt, daß die surrealistische Idee nie deckungsgleich sein kann mit den Produktionsformen von Literatur. Übrig geblieben sind bei ihm die drei Pünktchen, mit denen er selbst kürzeste Prosatexte oft einleitet und ausklingen läßt. Jansen macht sie zu Fragmenten, aber Träume wie Denkprozesse sofort und rückstandslos in Sprache zu binden, ist ihm – wie auch Müller schreibt – eine Sehnsucht geblieben. Jansen hat in der DDR die Übersetzung des Traums in den Text vor allem deshalb ausgeschlossen, weil der Traum die Herrschaft über die Realität übernommen hatte:

> mit machbaren worten wird man dem traum kaum gerecht in einem land wo jeder eine traumlandschaft verinnerlicht hat um das land nicht als ausrede benutzen zu müssen.[83]

Eine Nummer der von Jansen in der DDR mit herausgegebenen Zeitschrift *Schaden* hatte sich im Editorial das Wortspiel ‚Materialschaden‘ zum Aufhänger genommen, ein themenorientiertes Heft zusammen zu stellen. Ganz nach dem eben beschriebenen Exkurs zu Dadaismus und Beat wurde im Mai 1987 im *Schaden* konstatiert: „die bearbeitung des vorgefundenen, des trivialen, des mißachteten, verachteten, geringgeschätzten rückt in den mittelpunkt der betrachtung.“[84] An der Aufzählung wird deutlich, daß künstlerischer Materialismus durchaus mit politischem Impetus daherkam. Das Fragment wurde noch einmal zur Gattung erhoben.

Vier Jahre später lautet der Untertitel zu *Schlackstoff*, Jansens erster eigenständiger Veröffentlichung in der BRD, *Materialversionen*.[85] In dem Wort klingt an, daß ein einzelnes Thema auf verschiedene Arten und in mehreren Fassungen bearbeitet werden kann. Daß eine Version ihre Einzigartigkeit behauptet, um sich eben darin bereits zu relativieren, ist Teil eines umfangreichen, postmodernen Programms.

Dabei entschuldigt Jansen die Notwendigkeit, Sprache ein für allemal zu fixieren (und in einem Buch fixiert zu haben). Der Begriff entspricht so dem Bedürfnis des Autors, Sprache und damit Bedeutung lieber in Bewegung zu sehen. In der *Materialversion* spiegelt sich so das für diesen Schriftsteller wohl größtmögliche Dilemma.

Auf den unterschiedlichsten Ebenen versucht Jansen in den achtziger Jahren, seine Texte beweglich zu halten, ihnen das Dilemma einzuschreiben. Peter Böthig schreibt: „Es sind ‚gemachte Texte‘, die sich selbst als Prozeß darstellen.“[86]

Jansen *macht* auch die Bewegung. Liest man seine Auskünfte dazu, dann scheint Schreiben ein ständiges Über-Schreiben zu sein. In einer oft zitierten poetologischen Kernformel[87] von 1987 spricht sich der Autor für die Unmittelbarkeit der Produktion ebenso wie für die Arbeit am Text aus:

---

[82] Zitiert nach: Franz Fühmann: Der Sturz des Engels. Hamburg 1982, S. 103. Eigentlicher Titel der Schrift in der DDR-Ausgabe ist: Vor Feuerschlünden. Erfahrung mit Georg Trakls Gedicht. Rostock 1981.

[83] *streugut* (1987), in: *prost neuland*, S. 37-44, S. 44.

[84] Schaden 15, Mai 1987. Editorial.

[85] Das Wort hält Kontakt zu den Materialschlachten des Ersten Weltkrieges, ein späterer Buchtitel Jansens lautet auch *Splittergraben*. Wie kurz an Benjamin gezeigt, hat der militärische Diskurs großen Anteil an der Fragmentarisierung der Wahrnehmung seit den zehner Jahren dieses Jahrhunderts.

[86] Peter Böthig im Umschlagtext zu *Schlackstoff*.

[87] Aufgenommen wurde dieser Text in alle relevanten Besprechungen zu Jansens Arbeiten. Vgl. Peter Böthig: Grammatik einer Landschaft, S. 123; Karen Leeder: Breaking Boundaries, S. 163; Alexander von Bormann: Wege aus der Ordnung, in: Jenseits der Staatskultur, S. 101; er taucht sogar auf in: Die andere Sprache, edition text+kritik, S. 149. Der Redaktion jener Anthologie scheint die poetologische Auskunft Jansens 1990 wichtiger zu sein als seine literarischen Texte.

die struktur eines textes entsteht während der herstellung desselben ist also gewachsen nicht konstruiert wie etwa die eines manifests. sie entsteht aus dem leben das den text erzeugt und aus der arbeit am text die das leben ist. [...] der text ist nicht ausdruck einer scheinbar konkreten idee sondern die dokumentation eines lebensabschnitts in dem er entstand. er ist es in der wahl der worte ihrer reihung und der daraus entstehenden struktur die in jeder beziehung ein bild ist das weitertreibt durch die täuschungsmanöver der mit ihm verbundenen erinnerung.[88]

Jansen bestätigt damit das eingangs angeführte Zitat Frank Eckarts: Die Engführung zwischen Autor und Erzähler ist eine zwischen Leben und Text.[89] Allein durch Jansens Unterscheidung von Text und Manifest tritt eine neue Schwierigkeit zutage. Als was soll der Leser die hier vorgelegten Zeilen nehmen? Ist ihr Schreibprozeß mit dem der Texte vergleichbar, weil die Satzzeichen fehlen? Oder wären sie auf die Liste der konstruierten Manifeste zu setzen, die der Autor absichtlich nicht genauer bestimmt? Jansen betreibt vielfach ein Spiel mit der Grenze, an der Poetologie in Erzählen umschlägt und andersherum. Am Ende hat der Leser zu entscheiden, wo ein Text beginnt und ein Manifest aufhört.

Als die Mauer fiel, begab sich auch Johannes Jansen auf Reisen. Ein Stipendium führte ihn ins Holsteinische Wewelsfleth, er fuhr nach Amsterdam, nach Cambridge und London, verbrachte zwei Wochen in San Francisco und konnte die Stasi-Enthüllungen um den Prenzlauer Berg nur aus der Wiener Distanz ertragen[90]. In dieser Zeit der eigenen Bewegung (bis 1992) entstehen zahlreiche schriftliche Reflexionen zur eigenen Arbeit.

Mit der Währung war auch die Langsamkeit der DDR, gegen die er seine Fließtexte der *prost neuland*-Zeit angeschrieben hatte, eingetauscht worden. Ein Verständnis seiner Texte und der Text-Bild-Kollagen war unter den neuen Vorzeichen nicht gegeben, es blieb Jansen nur der Versuch, sich selbst verständlich zu machen. So entstanden Erklärungen, die nicht mehr und nicht weniger als Ausdruck ihrer Zeit sind: keine ratifizierten Verträge zwischen dem Künstler und seinen Formen, schon gar nicht zwischen Künstler und Publikum. Als Urtext kann das oben zitierte *die reste der abfangjäger* von 1987 gelten. Für den von Erhart Gillen in der Eile des Vereinigungsjahres zusammengestellten Band „Kunst in der DDR" hat Jansen sein Arbeitsverfahren zwischen äußeren Zufällen und innerem Arrangieren ausgebaut. „Zur Arbeit mit Text-Bild-Kombinationen" heißt es da:

ich zeichne auf/ eine abfolge. die authentische abfolge von kombinationen aus textresten, bildebenen gesehenen, gefundenen, bearbeiteten gebilden – wahnsinn, macht und magie – kombinationen, die entstehen bei einem spaziergang zum beispiel und die vage genug bleiben, die einbildungskraft stets erneut spielen zu lassen. so bin ich kampf mit dem, was die schwachstellen meines körpers reflektieren in der bewegung – eine verletzbare lebensweise, die präzis ist

---

88 *...die reste der abfangjäger (notizen zur arbeit)*. In: *Schlackstoff*, S. 10.

89 Vgl. Bert Papenfuß im Lyriker-Gespräch „Umbau in der Ästhetik" mit Silvia Schlenstedt, in: Zeitschrift für Germanistik 1/1988, S. 593: „Beim Schreiben, was eigentlich mein Leben ist, oder geschriebener Niederschlag meines Lebens, ist mir eigentlich jedes Mittel recht, und alle Worte sind gleichwertig und auch verfügbar."

90 Die Reisen nach Amsterdam, London und Wien gehen zurück auf ein dreimonatiges Reisestipendium, das Jansen 1991 von der Akademie am Schloß Solitude bei Stuttgart zugesprochen bekam.

und die ausgelösten bilder nicht trennt, sondern sie in ihrer assoziativen gedrängtheit wiederzugeben versucht – der zauber, in dem die zeichen stehen, in dem die signien etwas zu sagen haben über die momentane wahrnehmung, die zeigt, daß du ein fragment bist über den heiter freundlichen charakter der eigenen destruktion im verlauf der arbeit. also stelle ich mir das leben vor als einen weg, den zu begehen meine arbeit ist. die dinge, die dabei entstehen, fallen ab, bilden in ihrer folge den zusammenhang der strecke – den nachläufigen eine möglichkeit. [...] jede textbildvariante ist veränderbar, je nach gebrauch und verwendung. der ausgangspunkt wird überlagert von dem wegrand säumendem fundzeug. das ziel ist, mit vorstellung und rücksicht den weg zu verfolgen. das entstehende ist ein wegstück, das weggegeben sich weiter verändert, dem benutz des finders (leser/betrachter) entsprechend – ein chamäleon, das die farbe wechselt, den umständen nicht zu genügen und jeder umstand sieht das gleiche und ein anderes wesen in ein und demselben tier. die wachsende struktur einer sich ständig verändernden, wandernden ausstellung, nicht als ausdruck einer scheinbar konkreten idee, sondern als dokumentation der lebensabschnitte, in denen die einzelnen teile entstanden – eine struktur der werke, die in jeder beziehung ein bild ist, das weitertreibt durch die täuschungsmanöver der mit ihm verbundenen erinnerung. [91]

Bewegung ist hier alles. „Also stelle ich mir das Leben vor als einen Weg, den zu begehen meine Arbeit ist" (Z.9). Diese Zusammenfassung liest sich – wegen der ihr vorangehenden Komplexitäten zu Wirklichkeit und Wahrnehmung – nicht ganz ohne sprachspielerische Selbstironie. Doch aus dem direkten Bezug der drei großen Worte „Leben, Weg, Arbeit" spricht auch eine ernsthafte Geste: Jansen sperrt sich hier guten Grundes gegen die Vereinnahmung durch ein Wortfeld: das Wortfeld des *Experimentes*.

„›experiment‹ ist nur die zivilere kennung für das gemetzel... wo der test draufgeht setzt ein (was mich ausmacht) erfahrung"[92], schreibt Jansen an unversöhnlicherer Stelle, auf einem späteren poetischen Podium.

Er weiß natürlich, daß genau die Begrifflichkeit des Experimentes nach dem Mauerfall offener ausliegt als zuvor. Die Literatur des Prenzlauer Berges wird im Fokus von Sprachkritik bis Sprachzertrümmerung gelesen. Dem hängt unmittelbar das Bild einer ‚Szene‘ von Kollagisten an, die zwanghaft über hingeschütteter Sprache hockt, sie zerteilt, verdreht, neu verklebt. Dagegen geht Jansen in sachlicher Sprache an. Gerade indem er in den Poetologien und Selbstverständigungen den historischen Horizont DDR vollständig ausblendet, zeigt sich sein Anliegen als eine Voraussetzung: Jeder hat sich sein eigenes Leben zu erschreiben. Dem meist verschwommenen Blick der westdeutschen Presse auf eine experimentierende Szene will Jansen keinen Vorschub leisten.[93] Schlagworte wie „inoffiziell" und „subversiv" können einen Autor für seine kommenden Arbeiten nur einengen.

---

[91] *Zur Arbeit mit Text-Bild-Kombinationen.* In: Erhart Gillen: Kunst in der DDR. Köln 1990. S. 203 f.
[92] In: Konzepte. Heft 12, 8. Jahrgang (1992). Podium zu Literatur und Experiment, S. 43. Die Unterstreichung ist von Jansen.
[93] In einem Gespräch mit dem westdeutschen Autoren Marcel Beyer von 1992 sagt Jansen, daß er „nichts weiter habe als die Sachen, die ich erlebt habe". Etwas später fügt er zum Thema ‚Experiment‘ hinzu: „Ich habe immer Probleme mit diesem Begriff, weil das, was ich gemacht, geschrieben habe, nie ‚Experiment‘ war, es passierte." In: Der andere Blick auf die Landschaft. Gespräch moderiert von Stefan Sprang. In: Konzepte 12, 8. Jahrgang, 1992, S. 17-28, S. 27 und S. 28.

Schon der Hinweis, die „Abfolge von Kombinationen" sei „authentisch" (Z.1), entreißt die Schreibpoetik sowohl der reinen Komposition als auch dem Zufall. Authentizität entsteht hier in der Begegnung zwischen dem Autor in Bewegung und den dabei wahrgenommenen Objekten. Was ihm in den Blick gerät, wird *per se* verwendungsfähig. Der Text berührt mit beinahe jeder Formulierung die Grenzen zwischen Außenwelt und Innenwelt, aber er hebt die Grenzen nicht auf, sondern entwickelt daran seine Sensibilität. Schon die eigene „verletzbare Lebensweise" gibt dem Autor vor, unter den Bildjägern lieber geduldiger Sammler zu bleiben. Weil der Weg *zum* Schreiben, Zeichnen, Arbeiten eben der Lebensweg selbst ist, kann auch die eigene Vergänglichkeit nicht verschwiegen werden. Nur der kleinste Perspektivwechsel, schon erscheint ein Du, das aber sofort als bewußt hilflose Erfindung des Ichs erkennbar wird. Zwischen die Bilder geschoben. Ein Fragment nur.

Das Autor-Ich hat imgrunde zwei Tonfälle: Lyrische Subjektivität ist herauszuhören (und vor allem zu lesen), sie wird jedoch hinter eine sachliche Erzählinstanz gestellt. Kommt Aggressivität auf, ist sie auch schon zurückgenommen: „So bin ich Kampf mit dem, was die Schwachstellen meines Körpers reflektieren in der Bewegung".

Jansens Aussagen haben ein Ziel: „mit vorstellung und rücksicht den weg zu verfolgen." Wie bereits an der Prosa *mär* ist auch hier die Verknüpfung der drei Zeitebenen Vergangenheit, Gegenwart und Zukunft zu beobachten.

Es sei noch einmal betont: Die Kollagisten der Avantgarde waren mitnichten nur als provokante Künstler angetreten: „Die Collage entsteht aus dem Bestreben, nach der Verflüchtigung der Dinge in der kubistischen Formalanalyse wieder näher an die Realität heranzukommen."[94] Zur Entwicklung von Text-Bild-Kombinationen gehörte demnach nie nur die Bewegung des Sammlers, sondern auch die Ruhephase, die notgedrungen zwischen zwei Wachstumsphasen einer Kollage geschoben ist. Es wird vor diesem Hintergrund zunehmend erkennbar, daß Jansens Poetik der Kombinationen durchaus auf das Verfassen von Literatur anwendbar ist. Jansen sagt, „jede textbildvariante ist veränderbar". Aber auch die zitierten Poetik-Texte selbst zeigen sich als eingefrorene Bewegungen.

Der Autor verweigert die Garantie, sein Kunstwerk an anderen Tagen in gleichem Zustand zu präsentieren. Gleichzeitig will er, daß der (Vor-)Finder, Leser und Betrachter den Gegenstand weiter bearbeitet, mit eigenem Leben auffüllt. In diesem Sinne hat schon Novalis seinen romantischen Leser als erweiterten Autor gesehen. Und Rolf-Dieter Brinkmann schreibt: „Was ist da und fordert sie heraus? Fügen Sie das den Gedichten, die Sie mögen, hinzu. In dem Augenblick werden es Ihre Gedichte."[95]

Es gibt weitere Anmerkungen des Autors Johannes Jansen , die eigene Bewegung und Beweglichkeit umzusetzen. Auch in der Broschüre „textwegbildspiel" – der Titel spricht für sich – findet sich ein kurzer Text, der die bereits benannte Poetik zur Text-Bild-Kombination aufgreift. Obwohl mit dem gleichen Impetus geschrieben, wird auch diese erörternde Beilage leicht moduliert. Nach und nach unterwirft sich so neben den literarischen Texten auch die Poetik dem Begriff der *Materialversionen*. Neu kommt hinzu:

---

94 Willems: Anschaulichkeit, S. 174.
95 Rolf Dieter Brinkmann: Notizen 1969 zu amerikanischen Gedichten und zu dieser Anthologie. Vorwort zu: Silverscreen. Neue amerikanische Lyrik. Hrsg. von R.D. Brinkmann. Köln 1969, S. 10.

das ziel ist mit vorstellung und rücksicht den weg zu verfolgen. das vorhandene ist uns ausgeliefert unsere halbhaftigkeit zu bezeugen. das vorliegende ist
ein wegstück das weggegeben sich weiter verändert dem benutz des besitzers
entsprechend.[96]

Hier wird das „vorhandene" zum gleichrangigen Subjekt und tritt mit dem frag-
mentierten „uns" in eine beidseitige, existentielle Abhängigkeit. In der Poetik spiegelt sich das Verhältnis zwischen Landschaft und Läufer, das ich bereits am Text *mär*
abgelesen habe.

Wie oben erwähnt, werden die kurzen Poetikausschnitte von einem sachlichen
Ton beherrscht. Ein Ich will ja über seine Arbeit informieren. Gerade deshalb lesen
sich die kleinsten Veränderungen in den Poetiken als bewußte Ausschreitungen.
Der kurze Ausschnitt führt in „ausgeliefert" und „halbhaftigkeit" (s. o.) zwei Wörter
ein, mit denen der Autor seine Stimmung wertet. Es lohnt sich von hier ein kurzer
Rückblick auf den Urtext von 1987. Dort macht Jansen diese Stimmung als „sinneszustand" des Fabrikationsmoments stark. Bisher ausgeklammert habe ich den
Mittelteil jener Notiz *die reste der abfangjäger*, in dem Jansen die *struktur eines*
textes mit einem Vorbild belegt:

jackson pollocks malerei ist ein beispiel für das was ich meine. die struktur der
bilder entsteht aus den bewegungsabläufen die der maler vollführt deren
rhythmus seinem jeweiligen sinneszustand entspricht (trauer/ wut/ freude). das
bild ist das dokument der bewegung und der betrachter hat die möglichkeit
die bewegung nachzuvollziehen nicht auf den künstler sondern auf sich selbst
gerichtet. wenn ich ein bild von pollock betrachte sehe ich hinter dessen struktur das bild eines wachsenden textes das meins ist.[97]

Interessanterweise greift Jansen auf einen Maler zurück, um seinen Textbegriff zu
belegen. Der US-Amerikaner Jackson Pollock gilt nicht nur als Vorreiter des abstrakten Expressionismus, wie er in den fünfziger und sechziger Jahren bestimmend
wurde. Die Arbeitsweise an seinen bekanntesten Werken ist der Öffentlichkeit 1950
durch Fotos zugänglich gemacht worden und hat einen amerikanischen Kritiker
zur heute weltberühmten Vokabel des *action painting* inspiriert. Pollock legte den
Boden seines Ateliers vollständig mit Leinbahn aus. Er ging über dieses Feld, in der
einen Hand einen kleinen Farbeimer, in der anderen eine Bürste, mit der er die Farbe
ruckartig aus dem Eimer schob. Auf dem Stoff unter ihm ergab sich durch seine
Arbeit ein Netz aus Linien, Flecken und Verästelungen. Schicht für Schicht trug der
Künstler Farben auf, dabei selbst in ständiger Bewegung, bis das Weiß unter dem
Gewebe verschwand. Auf diese Tropfbilder („drippings") spielt Jansen in seinem
Zitat an, Bilder, die die traditionellen Kompositionsvorstellung vom Teil und dem
Ganzen unterlaufen. Der Weg zwischen den Farberscheinungen wird wichtig, weil
der Künstler sein großflächiges Werk gar nicht mehr vollständig betrachten und
überschauen kann: „The experience of a continuum going in all directions simul-
taneously". Pollock unterwirft sich keiner Klimax von Anfang, Mitte und Ende einer

---

[96] „textwegbildspiel". galerie andreas weiss. 1991. (300 Exemplare). – Wohlgemerkt ist dieser Text in einem
Katalog zur Ausstellung zu finden, daher ausnahmsweise mit „johannes jansen" unterschrieben. Eine
Erzählerinstanz wird also absichtlich ausgespart.
[97] *Schlackstoff*, S. 10. – Jansen verstärkt den Bezug zum Schreibakt, wenn er angibt, diesen Text „aus den wachs-
tuchheften 1986-1989" entnommen zu haben, so in: Die andere Sprache. Text+Kritik-Sonderband, hrsg. von
Heinz Ludwig Arnold. München 1990, S. 148.

Arbeit. Was schon früh als *automatisches Malen* bezeichnet wurde, hat Robert Goodnough in einem wichtigen Artikel zu Pollock relativiert:

> He feels that his methods may be automatic at the start but that they quickly step beyond that, becoming concerned with deeper and more involved emotions which carry the painting to completion according to their degree of strength and purity... Starting automatically, almost as a ritual dance might begin, the graceful rhythms of his movements seem to determine to a large extent the way the paint is applied, but... he is working toward something objective, something which in the end may exist independently of himself.[98]

Etwas von sich selbst unabhängiges zu produzieren: Der kleine Exkurs in die Malerei soll enden, wo er beginnt, die Objektivität von Kunst ins Spiel zu bringen. Der letzte Teilsatz Goodnoughs kann für Jansen geltend gemacht werden, weil auch er den Betrachter in seine Poetik einbezieht. Der Leser wird anwesend gemacht, wird sogar zum „besitzer" des vom Autor „weggegeben[en]"[99]: Jansens Textpoetik ist in ständiger Bewegung und will auch die Rezeption offen halten.

In den poetologischen Texten bringt der Schreibende uns sein Leben nah; doch die gesamte Buchgestaltung hat bei Jansen teil an dieser Nähe.

1.4 Die Publikationen 1991-1993

1.4.1 Das Ich und seine außerliterarische Inszenierung

Johannes Jansen hat die Texte in seinen drei Buchpublikationen von 1991-1993 fast ausschließlich in der ersten Person Singular verfaßt. Dem Kraftfeld dieses Ichs kann sich diese Arbeit nicht entziehen. Jansen hat es mit zahlreichen auch außerliterarischen Gestaltungsmitteln konstruiert. Ich will im folgenden beschreiben, wie das Verhältnis zum Leser intimisiert wird.

Erst mit *Schlackstoff: Materialversionen* entsteht 1991 der Band, der Jansens Begabungen wie auch seiner Arbeitsmethode am meisten gerecht wird. Vom *Literarischen Colloquium Berlin* herausgegeben, erscheint der Band ohnehin in einer Reihe, die sich ,Text und Porträt' der Autoren zur Aufgabe gemacht hat. Ein ausführlicher Porträtfototeil beschließt daher das Buch. Die Einbandfotografie zeigt zudem Jansens Schreibtisch im Arbeitszimmer.

Innerhalb des Bandes werden Texte durch die Handschrift selbst zu grafischen Elementen. Vereinzelte Rechtschreibfehler oder wie Korrekturen eingefügte Buchstaben verstärken den Bezug zum Schreibakt. Zumindest in den handschriftlichen Texten dieses Bandes gilt noch einmal verstärkt das lyrische „Prinzip des Impulses", wie es Frank Eckart benennt: „Der Neueinsatz des Lesenden bei Beginn einer neuen Textzeile führt zu einer Erhöhung der Aufmerksamkeit."[100]

---

[98] Hier und vorher: Robert Goodnough: Pollock paints a picture. In: Artnews 50 no. 3, New York, May 1951.
[99] Siehe *Zur Arbeit mit Text-Bild-Kombinationen.* Fußnote 91.
[100] Frank Eckart: Zwischen Verweigerung und Etablierung. Bremen 1995, S. 57 f. – Ein Prinzip allerdings, das Johannes Jansen in querformatigen Künstlerbüchern – wie Eckart ebenfalls beschreibt – zusehends zugunsten einer Überdehnung von Zeilen aufgegeben hat. Zum Lyrik-Prosa-Wechsel, der auch eine Betonung des Horizontalen anstelle des Vertikalen ist, siehe Kapitel 1.1.2.

Oft ist das Schreiben in dem Moment festgehalten, da die Tinte das Bild hinunter zu laufen droht, beinahe zu tropfen beginnt. Auf anderen Buchseiten in *Schlackstoff* wird die Analogie zu Blut und Exkrementen des Autors aufgestellt.[101] Man könnte sagen, daß Jansen die „dripping"-Technik Jackson Pollocks auf die Schrift angewendet hat.

Frank Eckart hat auch beobachtet, daß die Visualisierung von Figuren sich in den Arbeiten verschiedener bildender Künstler der achtziger Jahre in der DDR ähnelt:

> Innerhalb überproportionierter, zumeist kahler Köpfe, riesiger Gliedmaßen und damit weitreichender Gesten *fehlt* die Leiblichkeit der dargestellten Figuren, die Mitte, das Zentrum. Sie erscheinen als zusammengebaute Fragmente: Kopf (das Denken, die Ratio, das vermeintlich Hohe) steht den Gliedmaßen (dem Weg, der Geste) gegenüber [...] Die Figuren visualisieren Drang, Bewegung, Zeugung.[102]

In den vier Bänden der frühen neunziger Jahre nach *prost neuland* (also in *Schlackstoff, Reisswolf, Splittergraben, Lost in London*) finden sich jeweils einmontierte Fotoportraits des Autorkopfes. Im *Splittergraben* nutzt Jansen die Mittel visueller Poesie, indem er aus der Handschrift Kopfformen entstehen läßt und sie mit Text ausfüllt[103].

Körper hingegen wird bei Jansen nur in deformierter Form wahrgenommen. Unter Verdauungsstörungen kann er den Text mitunter okkupieren, selbst dann scheint der Körper aber eine Ableitung bzw. eine Spiegelung des handlungsverantwortlichen Kopfes zu sein. Sprachliche ‚Kreislaufstörungen' verlieren nie ihre Kopflastigkeit, werden höchstens auf den Leib ausgedehnt.[104]

Auch die von Eckart beschriebene Art, Kopf und Gliedmaße unmittelbar zu verbinden, findet sich in *Schlackstoff* dreimal explizit (S. 21/37/53), in vollkommen unterschiedlichen Kontexten. Auf Seite 21 entwächst einem notdürftig gezeichneten Lenin-Kopf in der Waagerechten ein dicker sehniger Arm, der sich in einen beinah vollständig aufgerichteten, anderen Unterarm krallt. Die Einschnittstelle liegt knapp unter der Pulsschlagader, für die fremde Hand verbietet sich so das Ballen zur Faust. In der linken oberen Ecke des gerahmten Bildes ist typenschriftlich das Wort *leiblos* zu lesen. Es übernimmt den Stellenwert eines Bildtitels, da der übrige Text in Handschrift verfaßt ist: „leiblos ach lenin.../kopfig/ dein aderlasz/ war/ meine/ idee/ sagt er"[105].

Die Übertragung von der buchstäblich unvollkommenen Textgestalt zur Metapher eines verwundeten Körpers findet sich bereits in experimentellen Texte der siebziger Jahre in der BRD. Diese Linie zwischen Körper und Text ziehen auch viele Kollagen der hier betonten DDR-Kunst der siebziger und achtziger Jahre. Ralf Kerbachs und Cornelia Schleimes Gemeinschaftsarbeiten mit Sascha Anderson sind zu nennen. Es entstehen dort Lücken und Brüche, zeichenhaft für die Verweigerung,

---

[101] Siehe bspw. Seite 22, dort sind unter einem wie beschrieben zerlaufenden Text ein Messer und ein proportional großer Nagel gezeichnet, darunter die Collage *wackerstein*, die einen nach unten geknickten Kopf zeigt, dessen Hirnmasse (auf die gleiche Art wie oben der Text) durch die Stirn läuft und entweicht.

[102] Frank Eckart: Das „Archiv der Gesten" – über originalgraphische Bücher. In: „im widerstand / im mißverstand"? New York 1995, S. 169-190, S. 183.

[103] *Splittergraben*, S. 76-77.

[104] In *Ausflocken* kommt der Körperlichkeit allerdings besondere Bedeutung zu. Siehe dazu Kapitel 2 dieser Arbeit.

[105] Die Graphik findet sich im Anhang dieser Arbeit (Teil III).

mit der die Autoren und Maler der vorherrschenden Wort- und Bildsprache ihrer Heimat entgegentreten.

Eckarts Beobachtung der fehlenden Leiblichkeit gilt insbesondere für Johannes Jansens Selbstporträts und graphische Darstellungen. Auch das Bild kann bei Jansen nur Fragment sein. Nie entsteht der Eindruck, die Bewegung des Textes könnte auf einen ganzheitlichen Körper übertragen werden. Wie sich zeigen läßt, ist das Projekt der Intimisierung dementsprechend brüchig.

Zusammengetragen habe ich bis hier Stil- und Kompositionsmittel, die in den Büchern Johannes Jansens eine autobiographische Kraft erzeugen. Die angeführten Mittel entstammen sehr unterschiedlichen Bereichen, die auch Stufen der bewußten Bearbeitung sind: Die Eigenproduktion von Grafikbüchern bildet die Basis zur Selbstvermittlung, die darin verwendete Handschrift kann den Gestus der Eigenheit und Unmittelbarkeit verstärken. Erst auf einer dritten Stufe kommen die Selbstporträts hinzu. Sie entstehen nicht mehr im Arbeitsprozeß selbst, sondern sind mit zeitlichem Abstand bewußt eingesetzt, andere Arbeitsprozesse müssen ihnen vorausgehen (zumeist Fotografie und deren Entwicklung). Jansen bringt sich so als Autor dem Leser näher. Doch es bedürfte nicht der Erwähnung von Eigenproduktion, Handschrift und Selbstporträt, würden diese verschiedenen Bearbeitungsstufen nicht von etwas zusammengehalten. Dieses Etwas ist das von Jansen radikal zum Einsatz gebrachte Erzähler-Ich.[106]

Wo der Text Fragment ist, dabei aber die Bewegung des Schreibaktes in sich einschließen soll, wird das Ich bei Jansen zur notwendigen Instanz, die dem Leser diese Bewegung übermitteln muß. Auf dieser vierten Ebene erst wird der formal-kompositorische Horizont abgeblendet, nun geht es um den Text. Bereits mehrfach zitiert habe ich *die reste der abfangjäger*, eine *notiz zur arbeit*, die einen Sonderfall der Verständigung zwischen Autor und Leser darstellt. Dort spricht der Produzent, den wir mit dem Autornamen auf der Titelseite des Buches identifizieren. Nur einen kleinen Schritt von der *notiz* entfernt scheinen die Texte, die Jansen seinen Büchern voranstellt.

„Identität setzt sich aus einer Reihe von Anfängen zusammen"[107], schreibt Helmut Winter, und genau dies spricht aus Jansens Buchveröffentlichungen, aus den *Materialversionen* wie aus den *Aufzeichnungen*: Der Autor läßt seine Ich-Erzähler in einer Vielzahl von Bildern und Texten neu ansetzen und sich positionieren.

Der nächste Abschnitt beschäftigt sich mit den innerliterarischen Gestaltungsmitteln. Auf dieser Ebene forciert Jansen das Spiel mit der Intimität. So sehr der Leser das Text-Ich als Gesamterzähler eines Buches annehmen möchte, dieses Ich bekämpft sich mit seinen Neuansätzen in der Sprache beständig selbst.

Einstimmigkeit wird als Konstruktion entlarvt. Von der Bilder- und Wortflut der westdeutschen Gesellschaft getrieben, werden Jansens *Aufzeichnungsbände* 1992/1993 zu Projekten bzw. Dokumenten der Zersplitterung des Erzählens.

---

[106] Am extremsten wird der autobiographische Gestus Jansens natürlich dort, wo die Aussagen des Text-Ichs von Abbildungen ergänzt werden, auf denen real existierende Personen zu sehen sind. So sind in den Text *frau luna dein mädchen bin ich* durchgängig die beiden Frauen einmontiert, von denen der Erzähler vorgibt, sie zu lieben. Eine ist Sabine Jansen, die andere wird als „marianne" bezeichnet. In: *Schlackstoff*, S. 42-48.
[107] Helmut Winter: Der Aussagewert von Selbstbiographien. Heidelberg 1985, S. 1.

1.4.2 Der Pakt und die Paratexte: Vorwort und Ausklang

Philippe Lejeune hat als *autobiographischen Pakt* benannt, was dem Leser zwischen Autor, Erzähler und Protagonist eine dreifache Identität vermittelt. Indem ich hier ausschließlich von Ich-Erzählungen spreche, sind Erzähler und Protagonist die Identität eingegangen. Die Spannung besteht aber vor allem zwischen Jansens Namen auf dem Buchtitel und dem Ich seiner Texte. Auch moderne Prosa-Literatur – wie Lyrik durch das lyrische Ich (siehe Kapitel 1.1.2) – lebt von der Verabredung, hier keine zu enge biographische Verbindung zu ziehen. Und doch: Bei Jansen ist der Blick auf das Textgeschehen verengt, personalisiert, intimisiert.

Es steht außer Frage, daß Jansen mit dem Pakt in den Jahren 1987-1989 arbeitete, als er seine Künstlerbücher unter Freunden vertrieb. Die Veröffentlichung wechselte direkt aus der Hand des Autors in die Hand des Lesers. Hinzu kam die handschriftliche Inszenierung im starken Schwarz des Siebdrucks, die den Veröffentlichungen eine besondere Intimität gab. Ich habe zu Beginn von Kapitel 1 dieser Arbeit darauf hingewiesen, daß jede Textstrategie in der DDR für Jansen auch Lebensstrategie war. Die Herstellung der Kunstbücher war selbst eine Erfahrung, sie war das Leben. Um einen *autobiographischen Pakt* zu begründen, reicht es aber nicht aus, soziologische Bedingungen der nicht-offiziellen Kunst in der DDR aufzuzeigen. Die so geschaffene Aura des Authentischen hat noch nichts mit der Identität von Autor und Erzähler zu tun. Auch für die Veröffentlichungen nach der Wende gilt: Johannes Jansen spricht den Pakt selbst nie aus. Er legt allerdings Spuren aus, denen mit Hilfe der Ausführungen Lejeunes zu folgen ist.

Den autobiographischen Pakt zwischen Autor und Erzähler geltend zu machen, gibt Lejeune zwei Möglichkeiten:

a) die Verwendung von *Titeln* läßt keinen Zweifel darüber, daß die erste Person auf den Namen des Autors verweist (*Geschichte meines Lebens, Autobiographie* usw.); b) der Erzähler tritt in einem *einleitenden Abschnitt* des Textes, in dem er dem Leser gegenüber Verpflichtungen eingeht, dergestalt als Autor auf, daß der Leser auch dann keinen Zweifel darüber hegt, daß das ›ich‹ auf den Namen auf dem Umschlag verweist, wenn dieser Name im Text selbst nicht wiederholt wird.[108]

Bereits der von Lejeune unter a) angesprochenen Betitelung kommt Jansen gewissermaßen einen Schritt entgegen, indem er seine Texte 1992/1993 im Untertitel *Aufzeichnungen* nennt. Ein Wort, das an die intimen Gattungen Brief, Tagebuch und Autobiographie anknüpft, ohne dabei auszuschließen, daß auch verschiedene Erzähler-Ichs beteiligt sein könnten. Ich komme auf den Untertitel zurück.

Punkt b) muß hier nähere Betrachtung finden. Die besondere Bedeutung des Vorwortes nutzend, setzt Jansen in den *Aufzeichnungen* jeweils einen Text noch *vor* das Umschlagblatt, auf dem der Titel für die folgende Textsammlung zu lesen ist. Genauer gesagt nimmt dieser Vorwort-Text bei Jansen auf Seite 5 genau den Ort ein, an dem in anderen Taschenbüchern der Titel des Buchumschlags wiederholt wird. Dieser rückt nun eine weitere Seite auf und erscheint auf Seite 7.

---

108 Philippe Lejeune: Der autobiographische Pakt (1975). Hier und im folgenden zitiert nach der deutschen Ausgabe. Frankfurt 1994, S. 28.

Vor diesem Vorwort-Text befindet sich bezeichnenderweise nur Material, das ausschließlich den Bezug zum Autor sucht, nicht etwa zum Erzähler. Im *Reisswolf* sind dies der Titel auf dem Buch selbst mit Autornamen, der obligatorische Text des Verlages in Kleindruck über Autor und vorliegendes Buch, auf Seite 3 ein Foto von Johannes Jansen. Für *Splittergraben* gilt das gleiche, nur zeigt das Foto von Ulv Jakobsen kein konventionelles Porträt des Autors, sondern einen gestellten Ausschnitt: zwei Halbgesichter, links Johannes Jansen, der mit weit geöffnetem Mund seiner Frau Sabine Jansen ins Ohr schreit. Ihr Ohr liegt im Dunkel, erst die rechte Gesichtshälfte und ihr belichtetes Auge scheinen den Schrei aufzunehmen.[109] So gelingt dem Foto eine eindrucksvolle Verbindung zwischen Akustik und Optik, die eine neue Ebene des autobiographischen Gesprächs bedient. Jansens Schreibimpetus sind die Gefühle und Affekte – hier umgesetzt durch den lauten (Wut)-Ausbruch –, doch ist er sich bewußt, daß das Buch diesen Sinneszustand[110] nur auf einer optischen Oberfläche vermitteln kann.

Lejeune führt den Terminus der *Verpflichtungen* ein (später als *Lektürenvertrag*), den auch Gérard Genette in seinem umfangreichen Werk zu den „Paratexten"[111] der Literatur aufnimmt. Das Vorwort nimmt demnach eine Position zum Leser ein, es spricht zu ihm über den folgenden Text, sein Zustandekommen, seine Unzulänglichkeiten. Für Jansens Vorwort-Text in *Splittergraben* gilt all dies offensichtlich. Auf Seite 5 liest sich das so:

> (...) mit der hoffnung ein geschlossenes werk zu verzapfen bin ich also herumgegangen in freudenhäusern geschlossenen anstalten und auf kriegsschauplätzen mit offenem ausgang [...]: da stand ich nun unter entscheidungszwang von einem vorgang zu berichten als einem gebilde mit anfang und ende krampfte herum in klassischen formen eine zumindest formale vollendung zu basteln und immer wieder fast gegen end (wie ich meinte) kamen geschosse aus der tatsächlichen gegend mit rücksichtslosem trost in meinem mühsam gebauten herumzusplittern es klein zu kriegen: unzählige geräte die in einem see (der zeit ähnlich) nebeneinander umherschwammen (...)[112]

Mit einem Ich, das verzapft und bastelt, sucht Jansen erneut den Bezug zur kollagierenden Avantgarde. Auch der Begriff des „bricolateurs" klingt hier an, den Claude Lévi-Strauss später geprägt hat. Er sprach dabei vom ethnologischen Bastler und setzte diesen gegen den Beruf des Konstrukteurs bzw. Ingenieurs[113]. Mit dem „bricolateur" macht Lévi-Strauss ein neues Konstruktionsprinzip stark: Demnach haben bei einer Revision immer Teile der Ruine in die neue Bastelei einzugehen. Aufbau und Einsturz bedingen einander, da sie im gleichen System vonstatten gehen.

---

109 Vgl. hierzu Jansens frühen Prosatext *Wochenendmorgen*, der endet: „Ich betrachte ein frühes Selbstbildnis von Max Beckmann, der schreiende Kopf eines Mannes, ein weitgeöffneter Mund für taube Ohren." In: *Poesiealbum*, S. 18.

110 Vgl. noch einmal: *die reste der abfangjäger*. Fußnote 91.

111 Gérard Genette: Paratexte. Das Buch vom Beiwerk des Buches. (Orig. Paris 1987), Frankfurt/New York 1992. Bereits in einem früheren Werk hat Genette als Paratexte benannt: „Titel, Untertitel, Zwischentitel; Vorworte, Nachworte, Hinweise an den Leser, Einleitungen usw.; Marginalien, Fußnoten, Anmerkungen; Motti; Illustrationen; Waschzettel; Schleifen, Umschlag und viele andere Arten zusätzlicher, auto- und allographer Signale (...)". In: Génette: Palimpseste. Die Literatur auf zweiter Stufe. (Orig. Paris 1982), Frankfurt 1993, S. 11.

112 *Splittergraben*, S. 5, ohne Titel.

113 Claude Lévi-Strauss: Das wilde Denken. Frankfurt 1968. – Vgl. bereits: Walter Benjamin: Erfahrung und Armut. In: W.B., Illuminationen. Ausgewählte Schriften I.- Frankfurt 1977. S. 292 f.

Weil das Werkzeug auch für den Ethnologen immer die Sprache ist, hat Gérard Genette die Figur des „bricolateurs" auf den Literaturkritiker übertragen[114], Jacques Derrida schließlich machte das Feld der Bastelei zu einem Netz der differenten Zeichen, in dem sich fortan der Poststrukturalismus bewegte.[115] So entstand noch einmal der in den zehner und zwanziger Jahren längst geschlossene Kreis, in dem sich auch der Autor wieder als Bastler ausgeben konnte. [116]

Wie oben erwähnt, substituiert Jansens Vorwort auf Seite 5 den Buchtitel *Splittergraben*. Ein Ort, an dem Aufbau und Einsturz auf der Tagesordnung steht. Dadurch aber, daß Jansen seinem Ich bereits einschreibt, wo es *herumgegangen* ist, wird eine direkte Beziehung zwischen Autor und Erzähler(n) des Buches aufgemacht. Die Text-Leben-Analogie wird dabei aufgebrochen, denn die Orte sind nicht Jansens unmittelbar biographischem Feld entnommen. Mehr als Orte sind es Worte, die von der *imago*, dem imaginativen Teil des Ichs, bestimmt werden. Denn „freudenhäuser" und „kriegsschauplätze mit offenem ausgang" sind unmöglich als eindeutige Signifikate zu nehmen, sondern fungieren als metaphorisches Gelände, wie der *Splittergraben* selbst. Wir bekommen es mit einer Lyrisierung der Sprache zu tun, die den autobiographischen Pakt angreift. So führt schon dieser Auftaktsatz des Buches vor, wie unlösbar Vorstellungskraft und Schreibarbeit im Ich fusioniert sind.

Der Text wird als Typoskript auf einem vermeintlichen Notizzettel vorgelegt, dem noch ein zweiter per aufgemalter Büroklammer angeheftet ist. Allein diese Zeichnung einer Büroklammer entschärft zusätzlich den autobiographischen Gehalt des Vorwortes, weil sie dem Text die Unmittelbarkeit des Entwurfs nimmt, und dafür allem den Charakter einer Abbildung (zurück-)gibt. Schon geht das autobiographische Spiel gegen sich selbst vor.

Sowohl in *Splittergraben* als auch in *Reisswolf* bastelt Jansen auch einen Rahmen zwischen Anfangstexten und Abschluß, der sich selbst thematisiert. Es geht darin um die auch andernorts oft aufgenommene Thematik von Anfang, Ende und offenem Ausgang. „wie immer also einen anfang hinmachen dachte ich"[117], beginnt der erste Text innerhalb der Textsammlung *Reisswolf*. Auf Seite 68 klingen die *Aufzeichnungen I* mit einer Handschrift auf Notizzettel folgendermaßen aus:

> unzählige anfänge waren hingemacht hatten sich ausgewachsen zu einem einzigen fortlaufenden text dem ich nachhing bis das augenlicht abließ von meinen hölen [sic] und doch würde es sicher wohl oder übel weitergehen dies eine mal noch und später mehr wie wir sehen konnten im folgenden:[118]

Die Ähnlichkeit zum Vorwort-Text in *Splittergraben* ist ersichtlich: Hier wie dort geht es darum, „von einem vorgang zu berichten als einem gebilde mit anfang und schluß"[119]. Jansen ironisiert mit Rahmenbildung bzw. Rahmenhandlung ein Stilmittel, das sich vor allem die Novellenerzähler des 19. Jahrhunderts zunutze machten, um die ‚Rechtschaffenheit' ihrer Geschichte zu sichern. Hier wird der Rahmen

---

[114] Zuerst in: Gérard Genette: Structuralisme et critique littéraire. In: L'arc, Nr. 26, S. 37-49.
[115] Jacques Derrida: Die Schrift und die Differenz. (Orig. Paris 1967). Frankfurt 1994. Darin vor allem: Die Struktur, das Zeichen und das Spiel im Diskurs der Wissenschaften vom Menschen, S. 422-442.
[116] Der Begriff der „bricolage" hat nun sogar in die Pop- und Technomusikwelt Einzug erhalten. Siehe hierzu: Jugendkultur. Stile, Szenen und Identitäten vor der Jahrtausendwende. Hrsg. von SPOKK, Arbeitsgruppe für Symbolische Politik, Kultur und Kommunikation. Mannheim 1997.
[117] *unverwandt abseitig*. In: *Reisswolf*, S. 9.
[118] *Reisswolf*, S. 68, ohne Titel.
[119] *Splittergraben*, S. 5, ohne Titel.

absurderweise verwendet, um Unabgeschlossenheit zu betonen. Die Relevanz des Mediums Buch für solcherart *Aufzeichnungen*, wie sie Jansen schreiben will, wird vom Autor selbst in Frage gestellt. Das Vorgelegte will um jeden Preis als Fragmentsammlung gelesen werden. Dahinter steht nicht etwa, daß die *Aufzeichnungen* von Verlag und Autor als Trilogie ausgelegt und geplant waren. Jansen hatte die *Aufzeichnungen II und III* bereits in *Splittergraben* zusammengezogen. Er schrieb also hier nicht in dem Bewußtsein, daß es unter dieser Gattung an einer ähnlichen Stelle weitergehen würde. Der offene Schluß spiegelt eher Jansens Bewußtsein für die Offenheit der eigenen Biographie. Das Leben geht weiter, es ist seiner Verschriftlichung immer einen Schritt voraus.

Natürlich könnte jedes beliebige Erzähler-Ich im Buch ein Schriftsteller sein und sich selbst thematisieren, doch sprechen die Positionen der Texte an Anfang und Ende der Bücher für sich.[120] Im *Reisswolf* wird den Texten ein Ich nachgestellt und somit übergeordnet, das für „unzählige anfänge" zu sprechen imstande ist. Der Leser erfährt paratextuell, daß die Texte im Namen dieses Ichs gesammelt wurden. Und das Ich kommt in Jansens Handschrift daher.

Auch Jansens Lebensstationen werden im *Reisswolf* benannt. Wien, Amsterdam, London tauchen sogar in Überschriften auf – Orte, die der Autor zweifellos besucht hat. Nur werden die *Aufzeichnungen* auch deshalb nicht zu Tagebüchern, weil den Orten nicht die genaue Zeit der Besuche zugeordnet ist. Da die Orte zeitlos bleiben, wird der Eindruck verstärkt, bei den einzelnen *Aufzeichnungen* könnte es sich um synchron stattfindende Ereignisse handeln. Ob sie im Präsens oder Präteritum erscheinen, spielt dann keine Rolle. Mit anderen Worten: Verschiedene Ich-Erzähler werden vorstellbar. Die Ereignis-Abfolge eines Lebens, – für die Gattung der Autobiographie seit ihren Anfängen wichtigstes Kriterium –, löst sich im Streifenwust des *Reisswolfs* auf.

1.4.3 Aufzeichnungen – ein Begriff

Die Personalpronomen (ich/du) besitzen nur innerhalb der Rede, im Äußerungsakt selbst Verweiskraft. Benveniste weist darauf hin, daß es keinen ‚Ich'-Begriff gibt. Das ‚ich' verweist jedesmal auf den Sprecher, den wir eben aufgrund seines Sprechens identifizieren.[121]

Geht es um Referenz und Identität, so offenbart auch Lejeune immer wieder, daß letztendlich der Leser über den Fall entscheiden muß. Die Identität von Autor und Ich-Erzähler, auch *Signatur* genannt, geht Lejeune interessanterweise linguistisch an, über die Situation der mündlichen Rede. Nur im Sprechakt ist für ihn Identität absolut gewährleistet.[122] Er vergleicht in einem folgenden Schritt die schriftliche Kommunikation mit der mündlichen Rede aus der Distanz:

---

[120] Bereits im Buchumschlag zu *prost neuland*, den Johannes Jansen selbst gestalten konnte, spielt der Autor durch mehrfache Verwendung des Ichs den autobiographischen Pakt aus. Besonders auffällig ist dort die einzelne Zeilenkette „die mitte ich das grab ein stammbaum".

[121] Lejeune: Der autobiographische Pakt, S. 20. Der Bezug geht auf den französischen Sprachwissenschaftler Emile Benveniste und sein Buch *Problèmes de linguistique générale*, Paris 1966.

[122] Das Spannungsfeld zwischen Mündlichkeit und Schriftlichkeit hat Jansen in seinem Monolog *Dickicht Anpassung* weiter bearbeitet. Siehe hierzu Kapitel 3. 3.4/5 dieser Arbeit.

jedes beliebige Gespräch durch eine Tür hindurch, im Dunkel oder per Telephon: Hier läßt sich die Person nur mehr durch die Aspekte der Stimme identifizieren: Wer ist da? – ich – wer ich? Der zur Identifizierung führende Dialog ist hier noch möglich. Falls jedoch die Stimme zeitlich verschoben ist (Aufzeichnung) oder das Gespräch zwar zeitgleich, aber nur einseitig verläuft (Rundfunk), fehlt diese Möglichkeit. Man gelangt wieder zur Situation der schriftlichen Kommunikation.[123]

Hier wird der Zeitraum hervorgehoben, der zwischen dem Schreibakt des Autors und dem Leseakt liegt. Das Ich ist ein anderes geworden, es hat sich bereits selbständig gemacht. Man merkt, daß Lejeunes Text zum autobiographischen Pakt strukturalistisch geprägt ist. Die letztgenannte Passage zeigt seinen Versuch, die Grenze zwischen Mündlichkeit und Schriftlichkeit aufrecht zu erhalten. Was der Strukturalismus indessen übersieht, schreibt Terry Eagleton

später, ist die Tatsache, daß die ‚lebendige Stimme' in Wirklichkeit genauso materiell ist wie das gedruckte Wort; und daß, da gesprochene Zeichen ebenso wie geschriebene nur aufgrund eines Prozesses der Differenz und der Teilung funktionieren, Sprechen ebenso als eine Form des Schreibens bezeichnet werden könnte, wie Schreiben als eine Form des Schreibens aus zweiter Hand bezeichnet wird.[124]

Die Stelle ist Eagletons Einführung in den Poststrukturalismus entnommen. Erst mit dieser Offenheit ist Jansens bewußt gewählter Gattungsbegriff der *Aufzeichnungen* zu fassen. Das Wort läßt sich – es klingt im o.g. Zitat Lejeunes bereits an – auf einem zweiten Weg ins Feld führen.

Im Sinne elektronischer Medien handelt es sich bei Aufzeichnungen lediglich um die Wiedergabe einer vergangenen Wirklichkeit. Heute wird nicht nur ins Buch, sondern ebenso mit der Kamera, mit dem Tonband und auf Audiokassetten *aufgezeichnet*. So wie der Begriff immer schon Text und Bild ineinander zog, hat er heute auch die Tonspur für sich entdeckt. Damit fällt die Grenze zwischen Stift und Mikrophon, die eine Grenze zwischen Schrift und Stimme war. Neben dem (auto-biographischen) Präsens steht bei Jansen oft ein episches Präteritum: *Aufzeichnungen*, das ist demnach sowohl ein Begriff der intimen Literatur als auch dessen mediale Umsetzung und Verkehrung.[125]

An einem einzigen Begriff wie *Aufzeichnungen* läßt sich heute die Brüchigkeit des autobiographischen Paktes zeigen. *Aufzeichnungen*, das hat bereits in der Welt eines E.T.A. Hoffmann funktioniert, um die Autobiographie zu ironisieren; Dostojewski, Bulgakow und Rilke haben sich den unbestimmbaren (und deshalb fiktionalen) Gehalt des Begriffes in Buchtiteln zunutze gemacht. Einigkeit herrschte allein darin, der Welt mit einer solchen Ankündigung intime Schriften eines Ichs zugänglich zu machen.

Ihre Wurzeln hat die Aufladung der (Gattungs)-Bezeichnung aber bereits in der mittelalterlichen Emblematik, als sich der Text noch an das Ohr richtete, die begleitende Malerei schon das Auge ansprach. Das mittelalterliche Epos wollte das doch

---

[123] Lejeune: Der autobiographische Pakt, S. 21.
[124] Terry Eagleton: Einführung in die Literaturtheorie (1983). Stuttgart 1997, S. 114.
[125] Nur deshalb konnte der Autorkollege Norbert Hummelt Jansen in einer Rezension einmal den „Gestus der permanenten Live-Übertragung aus einem Kopf des späten 20. Jahrhunderts" zuschreiben. Norbert Hummelt: Reisswolf. In: Stadt Revue Köln, 25.4.1992.

eigentlich Unsichtbare vor dem inneren Auge des Lesers entstehen lassen, Bildhaftigkeit und Beschreibungen bestimmten das Erzählen. Im Begriff *Aufzeichnungen* liegt daher auch Ende des 20. Jahrhunderts noch ein Rest an Sehnsucht, verschiedene Sinne anzusprechen. Hubert Winkels hat Jansens eingesprengte Bildzeichen deshalb einmal als „postemblematische Bomben"[126] bezeichnet.

Für die nicht-offizielle Literatur der DDR gilt ein besonderer Zustand, der hier noch einmal zu bedenken ist: Sie stieß – Jahrhunderte später – noch einmal auf jene kommunikative Leerstelle, die das auditive Element der Unmittelbarkeit mit Beginn des Buchdrucks hinterlassen hatte. Am Ende der achtziger Jahre ist den subversiv arbeitenden Künstlern vor allem eine Kultur der Mündlichkeit verloren gegangen; die Texte in den originalgrafischen Bücher waren von enormer Performanz, sie hatten als Sprechwerkzeuge gedient (siehe Kap. 1.1.1). Peter Böthig hat bereits 1989 historisierend beschrieben, daß die nicht-offizielle Literatur der DDR mit Mitteln der mündlichen Sprache an ihrer Unmittelbarkeit arbeitete. Er sah mit dem Mauerfall einen unabwendbaren Wechsel von der „dominanz des gesprochenen zu der des geschriebenen wortes"[127]. In seinem Essay „Die verlassene Sprache" mutmaßte Böthig deshalb:

vielleicht ist es ein gesetz des schreibens, daß in dem maße, wie die zunächst am gesprochenen wort orientierte dichtung sich selbst als dichtung erfährt, sie sich dem geschriebenen medium wieder nähert.[128]

Mit diesen Worten nahm Böthig bereits die Kritik vorweg, die er später an Jansens *Reisswolf* äußerte.[129] Doch mit der Erkenntnis, nun ins Lager der gedruckten Schriftsteller überzuwechseln, war es ja für die ostdeutschen Autoren nicht getan. Jansens *Aufzeichnungen* müssen vielmehr als Dokumente eines doppelten Medienwechsels gesehen werden, die den Autor in kürzester Zeit trafen: den zum Buchdruck und den zu den elektronischen Medien. Letzterer kam so schnell über ihn, daß an Verinnerlichung über Jahre nicht zu denken war. „Die visuelle Wahrnehmung beginnt die Vorherrschaft des Lesens abzulösen", schreibt Klaus Michael und ist schon einen Schritt weiter als Böthig:

Eine Literatur, die eigentlich keine Literatur sein möchte und ihren Gegenständen so lange zu Leibe rückt, bis sie sich verflüchtigt haben, hat es da schwer. Selbst Texte, die ihre sprachliche Kontur kritisch reflektieren, werden im coolen Blick der Endachtziger umcodiert zu medialen Zitaten, zu poetisch-metaphorischen Versatzstücken, die sich immer weniger auf ihren Auslöser und ihr kulturelles Umfeld zurückführen lassen. Die Texte sprechen wie Bilder, aber in einer Sprache, deren Text unter den Augen des postmodern abgeklärten Entertainers zunehmend zu verstummen beginnt.[130]

Dieser fast visionäre Essay erschien im September 1989 in der Zeitschrift *Sprache im technischen Zeitalter* des LCB. Die Redaktion erkannte damals eine „Literatur

---

126 Winkels, Hubert: Alpträume, leicht gemacht. Zu *unser eins*. In: Die Zeit. 15.4.1994, S. 57.
127 Peter Böthig: Die verlassene Sprache. Zuerst in: Die andere Sprache, edition text & kritik, München 1990, S. 47.
128 Ebenda, S. 44.
129 Siehe dazu Kapitel 1.6 dieser Arbeit.
130 Michael Thulin (=Klaus Michael): Die verschwundenen Gegenstände. In: Sprache im technischen Zeitalter, Nr. 111, September 1989, S. 222-228, S. 226 f.

der Mauerrisse" und veröffentlichte in dieser Rubrik im gleichen Heft Stefan Döring, Bert Papenfuß-Gorek und Sascha Anderson. Noch vor dem nächsten Heft war die Mauer gefallen.

Klaus Michael fängt die veränderten Produktionsbedingungen und Rezeptionsästhetiken ein, die an Jansens späteren Bänden in Westdeutschland – *Schlackstoff, Reisswolf* und *Splittergraben* – bis 1993 präzise abzulesen sind. Denn diese Bücher sind geprägt von einer in den Medienwechseln zerrissenen Wahrnehmung. Da gibt es den (vielleicht naiven) Gestus, durch ein unverfälschtes Ich zum Käufer *sprechen* zu wollen. Da betreibt der Autor gleichzeitig in starkem Maße die „Integration des Medienbildes in die traditionelle Bildkunst"[131]. In der „künstliche[n] flutwelle"[132] wird es unmöglich, Jansens Originalgrafiken vom Fremdmaterial zu unterscheiden, das er zur Kollage und Kombination nutzt. Seine Poetik der Bewegung treibt er in Texten voran, doch das Umfeld des Ichs spiegelt vor allem den Stillstand, in Gestalt von militärischem und ideologischem Restmüll[133]:

ich bewege mich in einer landschaft deren eindruck den trümmern der zivilen kontinente entspricht. das inferno ist meiner bewegung vorausgegangen. splittergräben seitab der kaum noch zu ahnenden wege gefüllt mit den resten veralteter weisheit. das in der bewegung zu betrachtende gebilde ist geprägt von einem zehrenden weiß das die gegenden löchert ähnlich einem längst vermißten schnee.[134]

Hinzu kommen die graphischen Bilder, die auf jeder nächsten Seite lauern und den Lesefluß abrupt unterbrechen. Nimmt man das von Michael entworfene Gesellschaftsbild hinzu, nach dem der Betrachter den Leser Ende der achtziger Jahre überholt, so könnte man Jansens Suhrkamp-Bänden sogar unterstellen, sie seien modisch. Aber nur die Form des Buches spräche dafür, Form und Inhalt der Texte und Bilder hingegen gehen gegen ihre Vermarktung an.

Durch den Einfall der elektronischen Medien hat sich der Begriff *Aufzeichnungen* noch einmal extrem aufgeladen: seine doppelte Zeitlichkeit, sein präsentischer wie vergangener Charakter, dazu die Fülle von Konnotationen in Text, Bild, Ton und Video – darin spiegelt sich gleichsam die gesamte Welt des 20. Jahrhunderts. Daß Jansen den Begriff – so aufgeladen – dennoch verwendete, blieb nicht ohne Kritik. *Aufzeichnungen* war im Grunde eine Anti-Textsorte, alles konnte so genannt werden. Mündlichkeit, Schriftlichkeit und mediale Kommunikationsformen kommen sich gefährlich nah.

Festzuhalten bleibt hier zunächst, daß Jansen diese Verwirrung der Ebenen eigenhändig forciert hat. So wie er mit den Titeln *Reisswolf* und *Splittergraben* die geschlossene Identität eines Ichs verabschiedete, so kündigte er mit dem Untertitel *Aufzeichnungen* jede gattungstheoretische Zuweisung auf.

---

[131] Birgit Mersmann: Bilderstreit und Büchersturm. Medienkritische Überlegungen zu Übermalung und Überschreibung im 20. Jahrhundert. Würzburg 1999, S. 32.
[132] *(klappentext)*, in: *Reisswolf*, S. 5.
[133] Siehe hierzu vor allem die Textbesprechung zu *Ausflocken*, Kapitel 2 dieser Arbeit.
[134] *kollaps*, in: *Splittergraben*, S. 59.

1.4.4 Das Zitat – das zitierte Ich

Bereits Jansens Lyrik der achtziger Jahre zitiert herbei und nutzt vorgegebene Zusammenhänge in neuen Mustern. Thomas Wieke schrieb in einer Kritik über Jansen: „er hat zu viele vorbilder, als daß man behaupten könne, er ahme sie nach."[135]

Das Gedicht *heimatlich*, offensichtlich aus Jansens Armeezeit, vermischt das Vaterunser und die Zehn Gebote: „die täglichen männer/ werden wir töten/ in schuldiger landschaft/..."[136]. In *entscheidungs freude* klingt ein Schlager („schwarz weiß ist ein hasen fuß/ schwarz weiß bin auch ich"[137]) an. Das Schlußgedicht in *prost neuland* erspielt sich aus dem Auszug der Bremer Stadtmusikanten einen Bezug für den Oktober 1989: „sollte ich fallen find ich was beßres im tod allemal".[138] Eine Liste des produktiven Umgangs mit Intertexten ließe sich beliebig verlängern. Das traditionelle Volkslied „Es waren zwei Königskinder" hat Jansen gleich mehrfach aufgenommen. Ein frühes Gedicht widmet er dem Autor Leonhard Lorek, der Refrain verschlimmert die unglückliche Trennung der historischen Figuren in ein „königskinder/ kommen um"[139]. Im *Schlackstoff* dann „gehn die kinder der könige baden"[140], auf den reißenden Fluß zwischen ihnen ist Jansen zurückgekommen, als er mit Ute Zscharnt das Verlorensein in London beschrieb.[141]

Kollage und Montage machen vor Wortmaterial also nicht halt. Das zugängliche Erbe umfaßt bei Jansen neben den obligatorischen literarischen Bezügen der eigenen Lektüre dann alles bis hinunter zur Zeitungszeile und zum Cafégespräch. Relevant ist, was der Autorkopf dem Text-Ich übereignet. Im Anhang zu *prost neuland* hat Jansen seinen Intertextualitäten noch einige originalzitierte Sätze zugeordnet. Die genauen Quellen gab er schon dort nicht an.

Den drei Bänden nach der Wende, – *Reisswolf, Schlackstoff* und *Splittergraben* –, wird nun ein Baustein angefügt, der ein neues Licht auf die Autorpoetik wirft. Hier findet sich am Ende des Buches eine Liste, die den Titel *Zitatreste / Berührungen* trägt. Optisch ersetzen die Listen zwar die Funktion von Sekundärliteraturverzeichnissen, doch fehlt dafür die Präzision: Es handelt sich um reine Aufzählungen von Namen. Käme wenigstens eine Werkangabe hinzu, der Leser könnte anhand ihres Volumens die Einflüsse auf den Autor abwägen. Die Listen können kein Nachwort sein, dennoch haben sie eine paratextuelle Bedeutung, wie ich sie bereits für die einleitenden Passagen in Jansens Büchern beschrieben habe.

Reisswolf versammelt 54 zitierte Instanzen[142], hauptsächlich berühmte Persönlichkeiten aus Literatur, Politik, Kunst und Film. Fast die Hälfte der hier Versammelten sind im Hauptberuf Autoren. Kollektive wie die Musikbands „the clash" und „the sex pistols" werden angegeben. Es tauchen aber ebenso Menschen aus dem nahen biographischen Umfeld des Autors auf, so „sabine jansen" und der damalige Lektor

135 Thomas Wieke: die spottklag johanni. Zu *prost neuland.* In: Freitag, 4.11.1990, S.6.
136 In: *prost neuland*, S.21.
137 In: *prost neuland*, S.47.
138 In: *prost neuland*, S.140. In den ‚Kinder- und Hausmärchen' der Brüder Grimm heißt es vom Esel zum Hahn: „...zieh lieber mit uns fort, wir gehen nach Bremen, etwas Besseres als den Tod findest du überall." Zitiert nach: Deutsche Volksmärchen, hrsg. von Waltraud Woeller, Leipzig 1987, S.140.
139 In: *prost neuland,* S.34.
140 In: *Schlackstoff,* S.61.
141 In: *Lost in London,* S.10 f.
142 *Zitatreste / Berührungen*, in: *Reisswolf,* S.69.

„christian döring". Als Autoren des Prenzlauer-Berg-Umfeldes finden sich: „matthias baader holst", „detlef opitz", „frank lanzendörfer", in *Schlackstoff* auch bereits „leonhard lorek".[143]

In *Splittergraben* ist die Liste auf 82 Berührungen angewachsen[144], jetzt sind auch eine fiktive Figur wie „sherlock holmes" und ein Spielzeughersteller wie „nintendo" darunter. Die Namen sind weder in alphabetischer Reihenfolge aufgeführt, noch stellt sich ein Zusammenhang zur Chronologie des Buches her. So entstehen mittendrin, unter anderen, bizarre Abfolgen wie das Trio „margoth honnecker / heinrich himmler / friedrich schiller"[145]. Jansen hat die Listen lediglich mit dem Zeitraum unterschrieben, den er vermutlich auf die Verfertigung des jeweiligen Bandes verwendet hat.

Jansen steht mit dem Anliegen, die in der medialisierten Postmoderne empfangenen Stimmen auch wieder auszuschütten, nicht alleine da. Seit den siebziger Jahren verweisen deutsche Gegenwartsautoren offener als zuvor auf ihre Fundstücke. Der Kollagist Paul Wühr schreibt in den Buchumschlag seines Bandes *Gegenmünchen* (1970):

> Gegenmünchen wurde gebaut: aus vorliegenden Texten, aus hinter uns liegender Geschichte, aus Sprache, die umgeht, aus Lokalitäten, aus lokalen Eigenarten, [...] Vorliegendem wurde jeweils eine Spielart abgewonnen. Rücksicht auf Qualitätsunterschiede in der Machart konnte keine genommen werden. Vorsätze gab es nicht.[146]

Auf den Seiten 7-9 dieses Buches, das sich die Topographie Münchens zunutze macht und daran seine Utopie entwirft, findet sich ein Verzeichnis, das Jansens Zitatresten ähnelt. Es ist überschrieben mit „Personen in Gegenmünchen / Personen im Bewusstsein"[147]. Für die neueste deutschsprachige Literatur sind ähnliche Auskünfte bei Elfriede Jelinek oder Rainald Goetz zu nennen.[148] Intertextualität ist zur bestimmenden Erscheinung geworden. So sahen sich denn auch die Erben Bertolt Brechts, eines ausgewiesenen Plagiators, bei ihrem Feldzug gegen Verwendung und Interpretationen des Werkes einer verständnislosen Öffentlichkeit gegenübergestellt und wurden von Heiner Müller in dessen letztem Theaterstück („Gespenster am toten Mann") konsequenterweise selbst persifliert.

Auffällig ist bei Jansen die schon erwähnte Ausweitung der *Zitatreste*, die Liste der Namen wächst von *Schlackstoff* (18 Namen) über *Reisswolf* (54) bis *Splittergraben* (82) ständig an. Ihre hilfreiche Funktion, den Autor intertextuell zu verankern, geht mit der Überfülle an Namen verloren.[149] Es erscheint paradox: Die Bezüge wachsen an, der Leser lernt den Autor *noch* besser kennen und sollte froh darüber sein.

---

[143] *Zitatreste*, in: *Schlackstoff*, S. 63.

[144] *Zitatreste / Berührungen*, in: *Splittergraben*, S. 115 f.

[145] Ebenda, S. 115.

[146] Paul Wühr: Gegenmünchen. München 1970.

[147] Zum Vergleich mit Jansen seien hier zwei Auftaktketten aus Namen zitiert, die Wühr einbezieht und die sein Zeitkolorit ausmachen: „Marx Ovid Guevara King" und „Marcuse Mao Hiob Christus Hegel Adam". In: Gegenmünchen, S. 7.

[148] Vgl. Elfriede Jelineks Anmerkung zu ihrem Text *Wolken.Heim* (1990), und Rainald Goetz' Gesamtwerk, insbesondere den Material-Band *1989* seiner Nachwendetrilogie.

[149] Jansen hat das im Verlauf der neunziger Jahre erkannt und die Entwicklung rückgängig gemacht: Gerade erschienen ist *Kleines Dickicht* mit nur noch 17 Bezugsnamen, ebenso viele Namen werden der in Vorbereitung befindlichen Textsammlung *Verfeinerung der Einzelheiten* hintangestellt sein.

Doch gleichzeitig geht die Liste bewußt gegen sich selbst vor. Statt der Intertexte selbst tritt der Eindruck einer Zersplitterung des Autorkopfes in den Vordergrund.

Die gleiche Tendenz zeigt sich auch bei der Betrachtung der Entstehungsdaten der Texte. Noch in *Schlackstoff* hatte es ein Verzeichnis gegeben, wann welcher Text geschrieben wurde. In *Reisswolf* und *Splittergraben* wandern die Daten unter die *Zitatreste / Berührungen* und verankern so die Texte nur noch notdürftig. Jansen zeigt noch in diesen kleinen Gesten die große Unruhe, die in seine Biographie eingedrungen ist. Liest man die beiden Erscheinungen nebeneinander, ergibt sich ein Bild: Mit der Häufung der Stimmen geht die Differenzierung der einzelnen Arbeitsprozesse verloren. Johannes Jansen macht sich und uns „das haltlose ausmaß der eigenen konstruktion"[150] bewußt.

Die Namenslisten greifen damit direkt auf das autobiographische Schreiben zu. Denn so klar sich hier der Autor zeigt, die Bekanntschaft der Namen und ihre gleichzeitig fehlende Verortung hat für das Text-Ich eine entscheidende Konsequenz. Wo die Intertextualität im Schriftbild nicht gekennzeichnet ist, kann jeder Satz ein Einbruch aus der Fremde sein, jedes Subjekt ein herbeigeholtes. Auch Lejeune hat das „Zitat" unter den mündlichen Situationen als Problemfall für Identität herausgehoben. Denn im Zitat wird ersichtlich, daß die erste Person nicht mehr ist als eine angeeignete Rolle, und „daß nicht die Person das ›ich‹ definiert, sondern das ›ich‹ die Person."[151]

Jansen hat in den *Zitatresten* eine Textsorte aufgemacht. Die Zersplitterung des Subjekts liegt offensichtlich auf der Oberfläche, das Projekt geht aber tiefer. Es geht um die existentielle Abhängigkeit des Einzelnen von seinen Mitmenschen, deren Sprache in zahlreichen medialen Speichern aufbewahrt wird. Diese Abhängigkeit wird im postmodernen Schreiben oft im Text ausgetragen, mit Hinweisen auf seine Referentialität. Dieses Spiel macht Jansen nicht: Er gliedert die *Zitatreste* aus und verhindert so eine Hemmung seines Schreibflusses in den Texten. Immer noch steht bei ihm die Wiedergabe unserer Wahrnehmung in einer sich veränderten und sich stets verändernden Außenwelt im Vordergrund. Die Wahrnehmungsprozesse aber gehen eben über die Urheber von Zitaten zumeist hinweg, sie lassen sich in ihrer Beweglichkeit nicht aufhalten. Die Textsorte *Zitatreste / Berührungen* spiegelt so einerseits Jansens literarische Entscheidung *gegen* die reine Zitatcollage, andererseits ist die Rubrik ein Kronzeuge im – so der Titel dieses Kapitels – Projekt der Zersplitterung.

Auch in den *Zitatresten* steckt also nicht weniger als Jansens Verständnis von Identität des Einzelnen. Wie bereits am Text *mär* erläutert, darf er die Bedingungen seiner Existenz nicht verleugnen. In allen drei Textbesprechungen (Kap. 2-4) wird auf diese für Jansen existentielle Dialektik zurückzukommen sein.

1.5 Exkurs 2: Politische Bewegung als Authentizität

An den Zitatresten und einigen spärlichen Nachweisen wird ablesbar, wer oder was dem Autor in den Jahren 1988-1992 das bereits beschriebene Erbe des Expressionismus und der Beat-Literatur ergänzt hat. Jansen richtet seinen Blick immer wie-

---

150 Aus: *Kollaps*, in: *Splittergraben*, S. 59.
151 Lejeune, Der autobiographische Pakt, S. 21.

der auf die sechziger und siebziger Jahre der BRD, in denen Literatur und Politik eine besondere Fusion eingingen.

In diesen Jahrzehnten entstand mit der Emanzipation der jungen Generation in Westdeutschland eine widerständische Kultur auf breiter Ebene. Dem Gelingen einer studentischen Öffentlichkeit folgte allerdings die Enttäuschung der außerparlamentarischen Opposition. Mit Notstandsgesetzen wurde die Versammlungsfreiheit eingeschränkt. Wer die Weltrevolution vor Augen hatte, sah sich einer Regierung gegenüber, die nicht einmal reformwillig war. Für einige Studenten schien es unmöglich, den Rechtsstaat noch mit dessen eigenen Mitteln zu bekämpfen. Sie gingen nach den Erlebnissen 1968 mit einer radikal anti-imperialistischen Einstellung in den Untergrund.

Daß die Organisation der RAF und der Autor Bernward Vesper für Johannes Jansen besondere Bezugsgrößen wurden, ist in seiner eigenen Sozialisation eines *abseitigen*[152] angelegt. In der Reibung an den Stimmen der ‚jungen Wilden‘ aus der BRD trägt Jansen in den Wendejahren nachdrücklich sein autobiographisches Projekt aus. Vor allem von den RAF-Dokumenten aus der Stammheimer Isolationshaft geht für ihn eine besondere Authentizität aus. Die Gefangenen haben in ihrer terroristischen Konsequenz eben jene Symbiose von Kopf und Körper vollführt, die jedes Erzähler-Ich nur ersehnen kann. Politische Handlungen, das weiß Jansen, wird er selbst seinen Texten nicht folgen lassen. Deshalb bleiben die Bände *Schlackstoff* und *Reisswolf* beinahe körperlos, während Gudrun Ensslin im RAF-Hungerstreik schreibt: „der *körper*, der die waffe ist, ist das kollektiv, einheit.“[153]

Ensslin und Ulrike Meinhof tauchen mehrfach in Jansens *Zitatresten* auf. Zitatreste von Ulrike Meinhof verarbeitet Jansen bis heute; so findet sich im aktuellen Text *Verfeinerung der Einzelheiten* ein Satz, den sie aus dem Gefängnis an Horst Mahler schrieb: „entweder du bist teil des problems oder du bist teil der lösung...“.[154] Ein bekanntes Porträtfoto von Ulrike Meinhof wird gleich zweimal in den *Schlackstoff* montiert.[155] Auf der Titel-Kollage des *Reisswolfs* ist das RAF-Emblem, Sowjetstern mit Maschinenpistole, zu sehen. Es liegt groß im Bildmittelpunkt, jedoch als Hintergrund eines Doppelkopfes: Ein Menschenkopf, dem unter schmerzhafter Mimik eine Totenmaske aus der Stirn entwächst.[156] Der Explosivität dieser ersten Kollage stehen andere zur Seite, die Auftakttexte taten ihr übriges, um Matthias Bischoff in der FAZ schreiben zu lassen: „Ein anarchisches, allein in seiner Konzessionslosigkeit gelungenes Buch.“[157]

Im *Reisswolf*-Teilstück *(nachtwache)* hat Jansen explizit „die sehnsucht nach einer greifbaren gefangenschaft“ ausgesprochen, und er fährt fort:

als alles noch dicht war und deutlich: wer wird das je wieder los: den tunnelblick den kreisverkehr die winterschlacht und unsre beute rheuma – genosse stammheim meine heimstatt gliedert sich in deine gelassne gegend ein wo die haltungsgrenzen keine wände sind sondern die unbezwingbarkeit der fläche.

---

[152] Vgl. Jansens Textkorpus *die spottklagen des abseitigen*.
[153] Gudrun Ensslin am 13.9.1974. Zitiert nach: das info. briefe von gefangenen der raf. aus der diskussion 1973-1977. Hrsg. von Pieter Bakker Schut. Hamburg 1987. S. 169.
[154] Ulrike Meinhof am 20.5.1973. In: das info, S. 25. Bei Jansen in: *Verfeinerung der Einzelheiten,* S. 58.
[155] *Schlackstoff,* S. 15 und S. 41.
[156] *Reisswolf,* S. 6.
[157] Matthias Bischoff: Fragmentmaschine. Johannes Jansens Unwille zur Kunst. In: Frankfurter Allgemeine Zeitung, 6. Mai 1992.

im multitrakt von einsamkeit eiskalt verlassen die nerven blank steht rum *was fraglich ist wofür...*[158]

Wie vielen anderen Bildern des *Reisswolfs* ist auch diesem die Öffnung der Mauer eingeschrieben. Damit öffnet sich der Raum für die zynische Frage: Sind Gefängniswände letztlich die besseren ‚Haltungs‘-Grenzen, ist 1992 gerade die Konzentrierung von Bewußtsein und Haltung unmöglich geworden? Das Erzähler-Ich spricht hier aus einer „unbezwingbaren Gegend“, die ich als Geschichtslandschaft begreife. Nicht nur hinter, auch *vor* ihm liegen die Brocken der fatalen Ideologien des Jahrhunderts. Sie sind nicht mehr so zu ordnen, daß ein neues Menschenbild daraus entstehen könnte. Ähnlich wie Heiner Müller schaltet Jansen dafür Stationen des Unheils deutscher Geschichte hintereinander. Die Winterschlacht – bewußt nicht in Stalingrad lokalisiert – bekommt die Kraft eines wiederkehrenden Motivs, und auch Stammheim verliert, indem das Augenmerk auf die urdeutsche Silbenlautung gelenkt wird, seine Einzigartigkeit.

Auch andere Texte des *Reisswolfs* adaptieren Frontverläufe und Stellungskriege, sie erinnern an die deutsche Tradition verschiedener Freund-Feind-Schemata, und sie tun es, um diese Dichotomien auf eine gegenwärtige Stasidebatte prallen zu lassen, die erneut als Grabenkampf zwischen Tätern und Opfern geführt wird.[159]

Noch einmal zurück: Von der politischen Radikalität wurde in den späten sechziger Jahren auch die Literatur erfaßt. Bernward Vesper, Sohn eines prominenten NS-Schriftstellers und zeitweilig Lebensgefährte von Gudrun Ensslin, hat in seinem Romanessay *Die Reise*[160] die vollkommene Authentizität gesucht. Das Scheitern seines Lebensweges und das kollektive Scheitern des radikalen Teils seiner Generation will das Buch beschreiben, aber es vollzieht sie auch: Vesper beging im Mai 1971 in einer Hamburger Klinik Selbstmord. *Die Reise* blieb ohne Ankunft, ein Fragment. Die beinahe 600 Seiten starken Buchnotizen, im Haß an den Vater gerichtet, hat Reinhard Baumgart „Kamikaze-Literatur“ und eine „selbstbewußte Selbstvernichtung“[161] genannt. Erst im Tod waren Leben und Schreiben endgültig in Einklang gebracht.

Von Vespers Märtyrertum geht unzweifelbar eine Faszination aus, nicht nur für Johannes Jansen.[162] Ähnlich wirkt der bis heute bezweifelte Freitod der RAF-Gefangenen im Hochsicherheitstrakt von Stammheim nach. *Die Reise* findet für Vesper auf mehreren Ebenen statt, es gibt eine reale Erzählung, die Rückerinnerung, schließlich immer wieder Einschübe seiner halluzinativen Reisen, den Drogen-Trips. Schon eine der vielen Widmungen des Buches, die an Allen Ginsberg, beruft sich auf die anzusteuernde Einheit von täglicher Erfahrung und deren Niederschrift. Später heißt es:

---

158 *nach und nach. (nachtwache).* In: *Reisswolf,* S. 34.

159 Auf dieses Geschichtsverständnis komme ich in Kapitel 2 zurück, wenn es um den Text *Ausflocken* geht.

160 Bernward Vesper: Die Reise. Romanessay. Im folgenden zitiert nach der Ausgabe letzter Hand. Reinbek 1983.

161 Reinhard Baumgart: Das Leben – kein Traum? In: ders.: Glücksgeist und Jammerseele. München/Wien 1986, S. 209. Siehe auch Karl-Heinz Bohrers bekanntes Buch: Die gefährdete Phantasie, oder Surrealismus und Terror. München / Wien 1970. Im Buchumschlagstext schreibt Bohrer, daß die „als prästabilisierende Harmonie zu denkende Distanz zwischen Leben und Literatur [...] zerbrochen“ sei.

162 Mit Vespers Buchtitel im Kopf, klingt auch Jansens Schlußsatz in *Streugut* (1987) wie ein Verweis: „mit machbaren worten wird man dem traum kaum gerecht ist der text der ständig scheiternde versuch einer reise“. In: *prost neuland,* S. 44. – Vgl. auch: *Zwischenstop,* in: *Reisswolf,* S. 63.

Das Tagebuch ist gegenüber dem Roman ein ungeheurer Fortschritt, weil der Mensch sich weigert, seine Bedürfnisse zugunsten einer ›Form‹ hintenanzustellen. Es ist die materialistische Auflösung der Kunst, die Aufhebung des Dualismus von Form und Inhalt. Die Form erscheint in ihm, überhaupt im kreativen Schreiben, nurmehr als ›Grenze der momentanen Wahrnehmung‹.[163]

Diesen Zeilen ist natürlich mit Mißtrauen zu begegnen. Kann das erzählende Ich wirklich mit dem erlebenden Ich zur Deckungsgleichheit gebracht werden? Vespers gescheiterte Reise war für Jansen in der Wendezeit eine wichtige Lektüre, das zeigt die bloße Tatsache, daß er dessen Zitat im Nachweisteil zu *Schlackstoff* ausschreibt und vor anderen hervorhebt. Folgende Sätze setzt Jansen auf der Doppelseite 62/63 direkt seiner Namensliste, den *Zitatresten*, gegenüber:

SCHREIB WAS DU WILLST, bitte. Momentane Wahrnehmung addiert sich zu jener Totalität, die zeigt, daß du ein Fragment bist.[164]

Vespers Einsatz für die „momentane Wahrnehmung" wird ab 1989, in der Zeit des gesellschaftlichen Umbruchs, für Jansen zum Motto, zur Schreibvoraussetzung. Es geht Vesper und Jansen – ganz nach der Beat-Poetik – darum, im Alltag besonders aufmerksam zu sein. Die auf alles gerichtete Intensität des Blickes setzt jedoch voraus, die eigene Perspektive als kleinen Ausschnitt der Welt anzuerkennen, als Fragment. Es ließe sich von einer Intensität des Fragments sprechen. Insofern formuliert das Zitat zwei Seiten, so wie dieser Exkurs zwei Seiten in Jansens Schreiben dokumentieren soll:
Noch einmal den Prozeß der Zersplitterung in *Zitatreste* und *Berührungen*. Die RAF-Anklänge und der Text Vespers sind nur einige der vielen Stimmen im Autorkopf; Jansens Poetologie spricht geradezu dagegen, sie privilegiert zu betrachten. Ich habe sie dennoch ausgewählt, weil diese Stimmen
Jansens Reibung an Authentizität dokumentieren. Vespers Leben und Schreiben bis in den Tod und der Hungerstreik der RAF-Mitglieder in Isolationshaft lesen sich nicht nur als Erfahrungen, sondern als Lebenshaltungen unter extremen Bedingungen.

1.6 Zusammenfassung und Ausblick

Diese Gegenüberstellung teilt bereits die zwei zentralen Punkte mit, die im Verlauf der Kapitel 2-4 an Texten zu besprechen sind.
Ich will in **Teil II** zeigen, wie die Zersplitterung bei Jansen in den neunziger Jahren zu multiperspektivischer Prosa führt. Der innere Dialog ist nicht anzuhalten, auch wenn die Zahl der *Zitatreste* eingeschränkt wird. Gleichzeitig findet aber – gerade in den längeren, erzählerischen Texten – ein zweites Projekt statt, das mit den hier gefallenen Worten umrissen ist: Authentizität, Schreibhaltung, Vereinzelung, Isolation. Jansens Erzähler begeben sich in keine kommunikative Abhängigkeit, die Texte werden in den neunziger Jahren zunehmend reflexiv und monologisch. Dem Autor ist

---

[163] Vesper: Die Reise, S. 47.
[164] Vesper: Die Reise. S. 92. Durch den Anhang nachweisbar als Textstelle vom 21.9.1969. Bei Jansen in: *Schlackstoff*, S. 62. Außerdem ist der Satz eingeflochten in Jansens Poetik *Zur Arbeit mit Text-Bild-Kombinationen*. Siehe Fußnote 91.

nicht daran gelegen, seinen Erzählern neben dem inneren Dialog auch noch einen textimmanenten Ansprechpartner aufzubürden. Diese Vereinzelung kann, wie sich an *Dickicht Anpassung* (Kap. 3) zeigen läßt, als körperlicher Rückzug stattfinden. In jedem Fall hat das Vereinzeln den Impetus, daß die Erzähler zu sich selbst kommen. Erst aus dieser Selbstvergewisserung kann eine Schreibhaltung hervorgehen, die über das dekonstruktivistische Modell ‚Zersplitterung‘ hinausgeht.

Jansens Literatur in den neunziger Jahren entwickelt eine doppelte Ästhetik aus Zersplittern und Vereinzeln.

Von 1989 bis 1992, das habe ich versucht zu zeigen, war die Zersplitterung das alleinige, zentrale Moment. Johannes Jansen überführte seine lyrischen Techniken in die Prosa, er arbeitete am Wort und an dessen Mehrdeutigkeiten, er verdrehte die Wörter, schöpfte neue.

Er schrieb den Texten außerdem die Spannung des autobiographischen Paktes ein, indem er ein Text-Ich konstruierte und auf eine intime Aufmachung seiner Buchveröffentlichungen Wert legte. Und er sabotierte den Pakt, weil die Intimisierung im *Splittergraben* stattfand, wo kein autonomes Ich mehr zu finden war. Jansen investierte viel Arbeit in das Verhältnis *zwischen* Autor und Erzähler, aber er vernachlässigte dabei eines vollkommen: Die Arbeit *am Erzähler selbst.* Jansen wollte sich nie in andere Köpfe begeben, nie in der dritten Person erzählen. Dadurch wurde sein zerrissener Ich-Erzähler so selbstverständlich, daß er keiner näheren Bestimmung bedurfte, und er lag mitunter zwischen den Worten herum wie ein beliebiger Gegenstand. Wo Wahrnehmung rein assoziativ und ohne Satzstrukturen hervortrat, wurde der Text zur „künstliche[n] flutwelle"[165] von Eindrücken, Bildern, Worten. Der Text fand auf der Oberfläche statt. Jansens Resümee drei Jahre nach der Wende fiel dementsprechend bitter aus: „Der Schriftsteller weiß nichts mehr... Ein Standpunkt ist ausgeschlossen. Er bietet ihnen den Inhalt seines Kopfes."[166]

Ein Zustand, der glücklicherweise nicht das Ende der poetologischen Aussagen Johannes Jansens markierte. Zwei Rezensionen haben mit Jansen den *Reisswolf* als Scheidepunkt erfaßt, an dem der Autor sein Schreiben zu überdenken habe. Peter Böthig schrieb:

Die Texte müssen im gedruckten Buch, da sie sich nicht mehr in ihrer gestalterischen Exklusivität präsentieren können, zunehmend als Literatur ihre Wirkung entfalten, sie müssen sich behaupten im unendlichen Strom der Literatur. Unter diesem Kriterium muß man „Reisswolf" als gescheitert ansehen. Ein interessantes, vielleicht sogar für den nötigen Übergang exemplarisches Scheitern ist es aber allemal.[167]

Ich gebe hier zu bedenken, ob der Suhrkamp-Verlag ab 1990[168] nicht gerade an diesem Scheitern, an Jansens postmoderner Krise interessiert war. Text-Bild-Kombinationen sind eher ein Publikationsfeld des Rowohlt-Verlags (vor allem durch Rolf Dieter Brinkmann), doch knüpften sie auch bei Suhrkamp an eine lange ver-

---

165 *(klappentext)*, in: *Reisswolf,* S. 5.
166 Ebenda.
167 Peter Böthig: Johannes Jansens Maschinen der Gewalt. In: ders.: Grammatik einer Landschaft. S. 122-127, S. 127.
168 Ich nehme die Veröffentlichung Jansens in der Anthologie *Schöne Aussichten* (1990) als Ausgangspunkt des Kontaktes. Der damalige Herausgeber Christian Döring war später sein Lektor.

nachlässigte Tradition der Taschenbuch-Edition an[169]. Die besondere Gestaltung war dabei noch aus zwei anderen Gründen willkommen: Sie gab einerseits – als zugespitzte, autobiographische Konstruktion – das höchst eigene ästhetische Profil eines damals 24-jährigen Autoren ab. Andererseits hielten Jansens Kollagen auch her, um den DDR-Underground mit seinen ,Produktionsverhältnissen' bereits 1992 zu historisieren. Das läßt sich an einer zweiten Rezension ablesen. Matthias Bischoff hat in der *Frankfurter Allgemeinen Zeitung* die vorhergegangenen Veröffentlichungen Jansens schlichtweg ignoriert, um das Feld vom Autor schnell auf die Dichter des Prenzlauer Bergs auszuweiten. Während Böthig aus der Siebdruck-Kultur der DDR heraus argumentiert, ist Bischoffs Perspektive eine westliche. Er sieht im *Reisswolf* eine „im Westen längst zur Routine heruntergekommene Sprachskepsis". Mit dem Fazit sind sich die beiden Kritiker aber einig, wie Böthig sagt auch Bischoff: „Weitere ,aufzeichnungen' dieser Machart sind, wollen sie denn glaubwürdig erscheinen, kaum mehr möglich."[170] *Reisswolf, Schlackstoff* und *Splittergraben* sind Materialbücher, mit ihren sperrigen Textbildern und den Metaphern der Gewalt haben die Bücher etwas zugeschüttet, was Jansen noch in *mär* 1989 beeindruckend umgesetzt hatte: Die *Bedingung* des Menschen von seiner Umwelt. Dieses Wechselspiel zwischen Ich und Umwelt habe ich deshalb bewußt an den Anfang dieses Kapitels gestellt, es läßt auf Jansens spätere, reflexive Prosa vorausblicken.

In der gesamtdeutschen Sammlung *Tendenz Freisprache* wurde die Poetik der achtziger Jahre als „Neue Intersubjektivität" aufgefaßt:

> Sie ergibt sich aus einem markanten Umstand: aus der Verdopplung, die beim intuitiven Denken eine Interaktion meint, zum Andern oder zu dessen Spiegelbild im eigenen Selbst. Intuitives Denken ist intersubjektives Denken, ein Ping-Pong-Spiel zwischen mindestens zweien.[171]

Wolfgang Raths allzu harmonische Überlegungen zu den Produktions- wie Kommunikationsbedingungen von Literatur gelten auch für die Zeit bis 1989 nur eingeschränkt. Schon vor der politischen Wende – das läßt sich vereinfacht sagen – hat sich das „Ping-Pong-Spiel zwischen mindestens zweien" bei jüngeren Autoren der DDR zu einem Mannschaftsspiel ausgeweitet, in das der Autor unter vielen eingebunden ist. Dem *einzelnen* Ansprechpartner wird mißtraut. Wo die Ideologien zerbrechen, setzt die Zersplitterung ein. Jansen schreibt später: „Ein zerbrochener Horizont türmt sich auf den anderen."[172]

In den medial geprägten *Aufzeichnungen* der frühen Neunziger traten die Ansprechpartner für Jansen nur noch weiter zurück. Die Leerstelle besetzte nach der Wende die westdeutsche Maßgabe, alleine durchkommen zu müssen. Durch den Individuali-sierungsdruck wurde die Subjektkrise nur noch verstärkt. Vollkommen unklar mußte Jansen und den nicht-offiziellen Autoren der DDR 1990 sein, welchen Platz sie in der zukünftigen Gesellschaft einnehmen sollten. Bald hatte sich bei Durs Grünbein die Zersplitterung als Grundbedingung der Ich-Behauptung durchgesetzt: „Ich bin nicht hier, sagt es. / Ich bin nicht dort. / Und sein Versteckspiel zeigt: Ich

---

[169] Zu nennen wären aus den letzten Jahren Bände von Oswald Egger, Barbara Köhler, Rainald Goetz.
[170] Matthias Bischoff: Fragmentmaschine. Johannes Jansens Unwille zur Kunst. FAZ, 6. Mai 1992.
[171] Wolfgang Rath: Entgrenzung ins Intersubjektive. Zu den literarischen achtziger Jahren. Nachwort in: Tendenz Freisprache. Texte zu einer Poetik der achtziger Jahre. Hrsg. von Ulrich Janetzki und W. Rath. S. 258-276. S. 258 f.
[172] In: *Dickicht Anpassung*, siehe Kapitel 3 dieser Arbeit.

ist kein andrer / Als dieser Grenzhund, der sich selbst bewacht."[173] Grünbein wurde zum öffentlich wirksamen Vertreter des hier besprochenen Projektes der Zersplitterung, vielleicht weil die Erforschung von Wahrnehmungsstrukturen eine Sache der Lyrik bleiben sollte.

Nicht nur Jansen bediente sich Techniken, die einem Fragmentbaukasten[174] entnommen waren. Die Marxsche Dialektik hatte ihn gelehrt, das Ich in den Dienst des Wir zu stellen. Bei aller Verweigerung des DDR-Staatswesens blieb Jansen die Einordnung des Einzelnen in ein Ganzes auch nach der Wende sympathisch. Ein Zitat aus Jansens *Kleinem Dickicht* belegt, welche Spuren die Sozialisation im Sozialismus hinterlassen hat:

> Diese Skrupelhaftigkeit, dieses schlechte Gewissen hinsichtlich dieser, letztendlich eben etwas Nützliches, weil Selbsterhaltendes Tuenden, diese lähmende Einsicht in die eigene Unnützlichkeit, diese sei eine schwere Altlast, die er aus jener alten Welt mitgebracht hätte, denn obwohl ihm klar wäre, daß hier natürlich jeder in erster Linie an sich selber denken würde, so sei er doch aufgewachsen in dem Bewußtsein, daß An-Sich-selbst-Denken in erster Linie An-die-anderen-Denken bedeuten müßte, und obwohl ihm natürlich klar wäre, daß hier keiner so denken würde, so würde er doch so denken und er könnte sich davon nicht befreien, denn zur Selbstaufgabe sei er nicht geboren...[175]

Der Konflikt zwischen dem Einzelnen und der Masse wird ein zentraler Gesichtspunkt der Textbesprechungen in Kapitel 2 bis 4 sein. Bis hier wollte ich Jansens poetologisches Fundament erarbeiten, mit dem er aus den achtziger Jahren der DDR in die neunziger Jahre der BRD getreten ist. Den Text beweglich und fragmentarisch zu halten, war Jansens vorrangiges Anliegen. Wahrnehmung setzte sich für ihn aus einer Unmenge von Reizen zusammen, der mit einer kausal schlüssigen Sprache nicht ent-sprochen werden konnte.

Für Jansens Biographie der Bewegung spricht sein eigener Ausflug in die Rowohlt-Anthologie zum „Poetry! *Slam!*"[176] 1996. Die Beiträge des Buches dienten Jansen sicherlich dazu, die eigene Einstellung zum fragmentarischen Schreiben zu überdenken. Für ihn stand nun immer mehr im Vordergrund, die eigenen Ausschnitte von Wirklichkeit haltbarer zu machen. Deshalb kam es nicht in Frage, dauerhaft ins Lager der „Pop-Fraktion" überzusiedeln. Ein Jahr später empfand Heiner Link für die von ihm versammelten *Trash-Piloten* noch einmal „die Verschränkung von Kunst und Leben"[177]. Ein Ausruf, der vielleicht verdeutlicht, daß Johannes Jansen in der – allerdings zählebigen[178] – Welle einer Live-Literatur eher ein Revival seiner achtziger Jahre in der DDR gesehen haben muß. Er selbst gab im Verlauf der neunziger Jahre jede grafische Gestaltung seiner Texte auf und konzentrierte sich ganz auf die Möglichkeiten der Schriftsprache.

---

173 Durs Grünbein: Porträt des Künstlers als junger Grenzhund, Teil 8. In: *Schädelbasislektion,* S. 102.

174 *Schlackstoff*, in: *Schlackstoff,* S. 60

175 Johannes Jansen: *Kleines Dickicht*. Klagenfurt 2000, S. 88. Geschrieben sind die Texte dieses Bandes bereits 1995.

176 Andreas Neumeister, Marcel Hartges (Hrsg.): Poetry! *Slam!*. Texte der Pop-Fraktion. Reinbek bei Hamburg 1996.

177 Heiner Link: Vorwort Trash! In: Trash-Piloten. Texte für die 90er Jahre. Hrsg von Heiner Link. Leipzig 1997, S. 17. In dieser Anthologie ist Jansen nicht mehr zu finden.

178 Siehe hierzu Hubert Winkels aktuellen, ausführlichen Aufsatz: Grenzgänger. Neue deutsche Pop-Literatur. In: Sinn und Form 4/1999, S. 581-610. Zu Thomas Meinecke, Andreas Neumeister und Rainald Goetz.

Anders gesagt: Johannes Jansen hat dem hier geschilderten *Projekt der Zersplitterung* in den neunziger Jahren einen Widerstand entgegenzusetzen. Die langsame Ankunft eines jungen Schriftstellers in der BRD läßt sich ablesen an einer Beruhigung der sprachlichen Formen, in denen er sich ausdrückt. Die Prosatexte *Ausflocken. ein abwasch* (1992, **Kap. 2**) und *Dickicht Anpassung* (1995, **Kap. 3**) sind nicht zu umfangreichen Erzählungen angewachsen, sie bezeugen vielmehr Jansens durchgehende Orientierung an lyrischer Verdichtung. Wenn man Pop als bewußt oberflächliche Wahrnehmung von Alltagsrealität begreift, so hat sich Jansens Prosa von überflüssigem Material so weit freigemacht, daß sie durchaus als Gegenentwurf zur Pop-Literatur zu lesen ist. Im Textkonvolut *Verfeinerung der Einzelheiten* (2001, **Kap. 4**) kulminiert diese Haltung. Den Text durchzieht ein Ich, das denkt und nicht handelt, reflektiert und nicht erzählt. Raum, Zeit und Handlung – und damit unser aller Begriff von Literatur – werden neu bestimmt.

TEIL II

EINLEITUNG

Teil II dieser Arbeit widmet sich der neuen Prosa Johannes Jansens und will über Textbesprechungen die ästhetische Biographie des Autors in den neunziger Jahren aufzeigen. Ich habe dafür die umfangreicheren Texte ausgesucht, weil an ihnen das Hinwenden zu bzw. das Abwenden von gängigen Erzählmustern herausgearbeitet werden kann. Jansen führt nun eine Interpunktion ein, er gibt seinen Sätzen bewußt mehr Halt. Die Entstehungsdaten der Texte *AUSFLOCKEN. ein abwasch* (1992), *Dickicht Anpassung* (1995) und des Kurzprosa-Konvoluts *Verfeinerung der Einzelheiten* (2001) zeigen dabei unterschiedliche Schreibphasen an, die sich gegenüberstellen lassen. Während der erste Text sich in die Vergangenheit der Wendezeit hineinschreibt, suchen die anderen beiden Texte ihre Standpunkte vor allem in der Schreibgegenwart. Rückbezüge in die achtziger Jahre werden spärlich.

Der autobiographische Ansatz, ergänzt durch das Motiv der Bewegung, hatte sein Fundament in der gesellschaftlichen und literarischen Situation der DDR. Gerade in den vielschichtigen, handwerklichen Arbeitsprozessen an Künstlerbüchern wurde Erfahrung gegenständlich. Leben und Schreiben kamen sich nah. Aber Erfahrung ist an Wahrnehmungsprozesse gekoppelt, und als die mediale Bild-Wort-Flut der Wende über den Osten Deutschlands kam, wurden neben Berufsständen auch Biographien nachhaltig in Frage gestellt. Eben durch den allseitigen Anspruch auf ein eigenes Schicksal, durch das Verhandeln von – und den Handel mit – Biographie, wurde der Biographiebegriff übersteigert und musste sich schließlich entleeren. Eine grenzenlose Sehnsucht nach Aussprache führte in Geschichten hinein, nicht in die Geschichte zurück. Darunter konnte Literatur zunächst nur zu leiden haben. Johannes Jansens Aufzeichnungen des *Reisswolfs* und des *Splittergrabens* stehen ganz im Zeichen der Auflösung des Raumes und der Heimat DDR.

Hiermit soll nur der Hintergrund für Jansens erste längere Prosa *AUSFLOCKEN. ein abwasch* (geschrieben 1992) und das **Kapitel 2** angedeutet sein. Auch wenn der Text im Druck weiterhin unvollständig interpunktiert ist (die Kommata fehlen), so kann er doch in Form und Inhalt als Einschnitt in Jansens Literatur gelten. Der Autor führt seine lyrischen Prosaketten einem Erzählmuster zu, Beweglichkeit wird hier anders modifiziert als in den Texten der achtziger Jahre. In *Ausflocken* hat die Erzählperspektive erstmals einen hohen Stellenwert. Jansen entwirft einen kollektiven Erzähler, ein Wir, das den Autor, die Wendezeit-Protagonisten, auch die Prenzlauer-Berg-Szene wechselseitig bespiegelt. Entstanden ist kein rein autobiographischer Text, sondern ein Text *über* Biographie.

Die Einführung des Wirs, das Jansen seitdem moduliert, bedarf einer genaueren Untersuchung. Der Autor hat seinen Erzähler aus der Mentalität einer Zeit modelliert: Der kollektive Erzähler ist hier eine zynische Antwort auf das in Pathos getränkte Wir der Novembertage 1989. Es stellt sich dabei heraus, daß das Wir von einem dahinterstehenden Ich-Erzähler parodiert und ironisiert wird. In einer zweiten Lesart von *Ausflocken* nehme ich das Wir als Deckelung eines in einzelnen Sprachdiskursen und Situationen zersplitterten Ichs.

Meine Betrachtungen zu *Ausflocken* haben einen soziologischen Fokus, geht es doch um die Vergänglichkeit der DDR und deren Biographien. Wenn ich einleitend den gesellschaftlichen Hintergrund der Wendejahre skizziere, so kann das nur als Überblick geschehen, der eher feuilletonistischen Stil hat. Diese Einleitung ist notwendig, denn *Ausflocken* ist ein Zeittext, ist Selbstvergewisserung bzw. Gesprächsbeitrag des Autors während eines gesellschaftlichen Umbruchs.

Die Zersplitterung in einen mehrstimmigen Erzähler findet in **Kapitel 3** ihre radikale Fortführung. Ich wende mich dort dem Text *Dickicht Anpassung* zu, für den Jansen 1996 beim Ingeborg-Bachmann-Wettbewerb in Klagenfurt mit dem „Preis des Landes Kärnten" ausgezeichnet wurde.

Das Ich ist in *Dickicht Anpassung* ans Bett gefesselt, sein Körper ist nur noch ein Rumpf. Körper und Geist stehen dabei in einem erhellenden Verhältnis zueinander. Wenn der Erzähler die dritte Zeitebene, ein konjunktivisches Futur, nutzt, wird er zum Propheten. Er bricht aus seiner Vereinzelung aus und sieht sich in die Menge eingehen: Das Ich wird zum Wir. „Sich vom Individualismus verabschieden", lautet denn auch ein kurzer Grundsatz des Textes. Das Wir in dieser Prosa hat mit dem des *Ausflocken*-Textes nicht mehr allzu viel gemein. Es stellt eher den Ausgangspunkt für die neueste Prosa Jansens – vor allem für *Verfeinerung der Einzelheiten* – dar. Der Kontakt des singulären Subjekts mit der Masse, wie er bereits in der Landschaft-Läufer-Prosa (Kap. 1.1.1) von 1988 anklang, wird auf eine neue Stufe gehoben. In einem Interview aus der Entstehungszeit von *Dickicht Anpassung* hat Jansen gesagt:

> In Zukunft wird spürbarer werden, daß Innerlichkeit nur ein Rückzug ist, der letztendlich nicht funktioniert. Ich muß mich in Beziehung zu anderen setzen. Wenn ich Geschichten erlebe, dann sehe ich meine persönliche Wahrnehmung, spüre aber auch, daß diese Geschichte eine Bedeutung hat in einem größeren Zusammenhang. Sie sagt etwas aus über dieses ganze. Wenn mir ein Leid zugefügt wird, das mit der Landschaft zusammenhängt, dann sagt das rückwirkend auch etwas über diese Landschaft aus. Insofern bin ich ein Autor mit einer bestimmten Wahrnehmungsart, die mich dazu berechtigt, zu sagen: Was mir zustößt hat, wenn ich es beschreibe, auch einen Wert für die anderen.[179]

Die Biographie des Autors, seine Arbeit in verschiedenen sozialen Einrichtungen, bleibt eine Grundvoraussetzung des Textes, aber sie spielt nicht mehr *in* das *Dickicht* hinein. Wo das Erzählen beginnt, wird auch die poetologische Auseinandersetzung subtiler, Aussagen ›über das Schreiben an sich‹ haben ausgedient. In *Ausflocken*, und nun noch stärker in *Dickicht Anpassung*, spielt sich Jansens Selbstbefragung vor weitaus größeren fiktiven Hintergründen ab als in älteren Texten.

Auf verschiedenen Ebenen läßt sich zeigen, daß *eine* sinnstiftende Aussage in *Dickicht Anpassung* vermieden wird. Ich untersuche deshalb verschiedene „Zwischenreiche" – ein Begriff des Autors –, in denen Widersprüche gegeneinander ausgetragen werden. Ob temporal, sprachdiskursiv, erzähltheoretisch – die Prosa ist auf allen Ebenen dekonstruktivistisch gebaut. Zwei Tendenzen müssen zusammen gedacht werden: Nur der Körper des Ichs ist vereinzelt, sein Kopf trägt noch immer das ‚Projekt der Zersplitterung‘ aus. In dem wollen so viele Stimmen herrschen, daß kein einheitlicher Erzählgestus möglich wird.

---

[179] Auf einer Podiumsdiskussion vom 26. Februar 1994. In: Literatur am Ende der Politik? Eine Tagung der Friedrich-Ebert-Stiftung und des Berufsverbandes junger Autorinnen und Autoren. Bonn 1994, S. 50-66, S. 64.

„Sieh zu, daß du nicht zurecht kommst", ist Jansens Anweisung an den Leser. Der Leseakt wird demnach produktiv, wenn man eine der zahlreichen Möglichkeiten ergreift, um in die Reflexionen des *Dickichts* einzutauchen. Keine Einzelpassage wird allerdings vom Autor favorisiert oder gar zur Kernaussage der Erzählung berufen. Hinter diesem Vorgehen – und hier lese ich parallel zu Samuel Becketts Nachkriegs-Monolog *Malone stirbt* – steht die große Vorsicht vor einer neuen Ideologisierung der Sprache. Insofern dokumentiert *Dickicht Anpassung*, wie Jansen aus der DDR herauswächst, sie aber als Hintergrund (noch) nicht ablegen kann oder will.

Jansen hat nach der Wende sehr viele Prosaminiaturen veröffentlicht, die Bände *unsereins* (1994) und *Heimat. Abgang. Mehr geht nicht* (1995) sind Sammlungen von Texten, die meist nicht über zwei Seiten hinausgehen. Die neuesten Veröffentlichungen schließen an diesen Weg an, so entstand bereits 1995 im Umfeld von *Dickicht Anpassung* die Sammlung *Kleines Dickicht*, die erst im Frühjahr 2000 beim Ritter-Verlag in Klagenfurt erschien.

Besprechen möchte ich in **Kapitel 4** das Kurzprosa-Konvolut *Verfeinerung der Einzelheiten* (2001). Jansen hat diese insgesamt 50 kurzen Prosatexte in der Camphill-Schulgemeinschaft Föhrenbühl am Bodensee geschrieben, während er dort eine Ausbildung zum anthroposophischen Pfleger machte. Jansens tägliche Arbeit mit gesellschaftlich ausgegrenzten Jugendlichen hat den Text wesentlich beeinflußt.

In *Verfeinerung der Einzelheiten* wird weitergeführt, was sich im *Dickicht*-Text bereits gelichtet und angekündigt hat: Das Ich baut sich – wohlgemerkt: in Gedanken – eine harmonische Menschengemeinschaft und tritt in dieses Wir ein.

Verfeinerung der Einzelheiten ist als Reflexion zu bezeichnen. Eine ja eigentlich philosophische Zuweisung, der Jansen vielfach entspricht. In dem Maße, wie Handlung und Körperlichkeit zurückgefahren werden, widmet sich *Verfeinerung der Einzelheiten* den Denkstrukturen seines Erzählers. Zeit und Ort verlieren an Relevanz, den Wortschatz des Ichs bestimmen Abstrakta. Literarische Sprache durchbricht die Grenze zur Philosophie.

Die von Jansen im obigen Interview angesprochene Bindung der Gesellschaft im Einzelnen wird variantenhaft durchgespielt. Dabei brechen fremde, beobachtete Welten in das *Verfeinerung der Einzelheiten* des Ichs ein. Schließlich muß es sich eingestehen, daß die Hinwendung zu seinem Lebenskonzept auch die Abgrenzung von anderen Entwürfen bedeutet. Am Ende zieht sich das Subjekt aus der eigens konstruierten Menge wieder zurück.

Verfeinerung der Einzelheiten negiert damit philosophische Denkfiguren, die meine Lesart geleitet haben und die ich im Kapitel vorstelle. Das Ich arbeitet sich an Meister Eckarts mystischer Erhöhung genau so ab wie an Rudolf Steiners Pfad zur Erkenntnis. Der Text gibt schließlich Auskunft darüber, was der Mensch nach Jansens Ansicht nicht aufzugeben in der Lage ist, was er nicht ‚lassen'[180] kann: seine biographische Erfahrung.

Der letztliche Rückzug des Ichs aus dem Wir spiegelt somit sein doppeltes Scheitern: Weder kann das Ich eine Menge erschaffen, für die es zu handeln imstande wäre, noch kann es seinem *Verfeinerung der Einzelheiten* die Struktur des reinen

---

[180] Der Zustand der ‚Gelassenheit', von Meister Eckart herkommend, ist eine wichtige Bezugsgröße in meinem Kapitel.

Denkens geben. Bevor die Utopie einer Gemeinschaft das Ich zu ‚Handlungen‘ zwingt, steigt es wieder aus der Menge aus. Vereinzelung ohne Ruhe, dieser Zwiespalt ist nicht aufzulösen: Die poetische Erkenntnis des Textes ist, daß auch das Reflektieren letztlich den Gesetzen des Erzählens unterworfen ist. Nicht nur den täglichen Handlungen, auch dem Denken ist für Jansen nur in Bewegung, im Weitertreiben von Erfahrung, auf die Spur zu kommen.

KAPITEL 2: DIE UNMÖGLICHKEIT DES KOLLEKTIVEN ERZÄHLERS
Zu *AUSFLOCKEN. ein abwasch*

2.1 Zwischen Umbruch und Abwasch (1989-1992)

Am 9. Oktober 1989 liefen mindestens 70 000 Bürger der DDR durch die Leipziger Innenstadt und skandierten: „Wir sind das Volk!" Das staatliche Militär schritt nicht ein. Am 10. Oktober 1989 trat Frank Schirrmacher in der Frankfurter Allgemeinen Zeitung den westdeutschen Literaturstreit los. Es trug eine gewisse Ironie der Geschichte, daß er in seinem Artikel eine Landschaft in den Metaphern von Wüste und Leere zeichnete. „Einsiedler, die in einem kargen und unfruchtbaren Idyll leben – das ist das Bild unserer Gegenwartsliteratur."[181] Daß genau dieses Terrain mit dem Mauerfall erst auf die deutschen Literaten zukam, daß der geschichtliche Bruch öde Grenzstreifen[182] hinterlassen würde, konnte Schirrmacher noch nicht wissen. Geschichte und Literaturgeschichte fielen in der folgenden Zeit ineinander.

Am 16. Oktober 1989 schrieb Johannes Jansen einen Aufruf an die Demonstranten in Leipzig:

> also bleibt auf der straße bis er erkennt was feststand von je her – DER STAAT SIND WIR ODER WAS. die straße ist die stärke der ohnmacht. jeder eingriff in den friedlichen umzug ob mit gewalt oder vorgeschobener diplomatie ist ein eingeständnis der schwäche. also ein anfang.[183]

Weitere Daten sind bekannt. Jansen war dreiundzwanzig Jahre alt, als ihm der Staat unter den Füßen weggezogen wurde. Er stand ganz vorne, geht es um die „Generation, die nicht zu sich kommen durfte"[184], denn Jansen wurde als Schriftsteller verlangt. Das war auch der damaligen Produktivität des Autors geschuldet. Jansen veröffentlichte 1988/89 nicht weniger als zehn Künstlerbücher, dazu erschienen seine Texte und Zeichnungen in sechs inoffiziellen Zeitschriften der DDR. Der gesellschaftliche Wechsel ist für ihn nicht einfach als plötzlicher Einbruch begreifbar zu machen. Seine literarischen Techniken waren in Entwicklung, er arbeitete daran, lyrische Verfahren in die Prosa zu überführen (siehe Kap. 1.1.2), die entstehenden Prosaketten hatten bereits Festigkeit angenommen.

Die Wende bedeutete für Jansen demnach eher, daß seine literarische Betriebsamkeit sich plötzlich einem Literaturbetrieb auszusetzen hatte. Im Wendejahr überschnitten sich für den Autor Projekte aus DDR und BRD. Nicht nur, daß mit *prost neuland* noch 1990 sein erstes gebundenes Buch im Aufbau-Verlag erschien, im Dezember 1989 bereits las Jansen im „Literarischen Colloquium" am Wannsee (LCB)[185], bekam von dort ein Stipendium im Rahmen des Künstlerprogramms des

---

[181] Frank Schirrmacher: Idyllen in der Wüste oder Das Versagen vor der Metropole. FAZ vom 10.10. 1989.
[182] Im Fotoanhang des Text-und Porträtbandes *Schlackstoff* hat sich Johannes Jansen in „Berlin-Pankow, »Niemandsland«, März 1990" fotografieren lassen. – Vgl. auch die westberliner Zeitschrift *Niemandsland*. Zeitschrift zwischen den Kulturen. Hier wurde in den achtziger Jahren über beide deutsche Literaturen diskutiert, viele ostdeutsche Autoren meldeten sich zu Wort.
[183] In:Temperamente, 1/1990, S. 130.
[184] Ulf Christian Hasenfelder: „Kwehrdeutsch". In: Neue deutsche Literatur, 1/1991, S. 82-93, S. 93.
[185] Zudem wurden damals zwei Texte in die Zeitschrift des LCB aufgenommen. In: Sprache im technischen Zeitalter Nr. 112, Dezember 1989, S. 272/273.

DAAD zugeteilt, im April 1990 stellte er Bild und Text in der „Akademie der Künste" in Berlin-Mitte aus, im Juni schließlich zeigte er eine Video-Installation im LCB, und zwar bezeichnenderweise zur „Zersammlung '90". Der Titel der Veranstaltung war übernommen von der legendären „Zersammlung" im Frühjahr 1984, einem mehrtägigen Treffen in der Lychener Straße/Prenzlauer Berg, das Hajo Steinert „etwas wie den ersten inoffiziellen Schriftstellerkongreß der DDR"[186] nannte. An der sofortigen Vereinnahmung des Titels läßt sich ablesen, wovon die Marktwirtschaft sich ernährte: Ohne eine gewisse Beklemmung kann die „Zersammlungs"-Reminiszenz auf vollkommen verändertem (Unter)-Grund wohl nicht vonstatten gegangen sein.

Zwei der noch im Künstlerbuch vertriebenen, längeren Prosa-Lyrik-Kollagen von 1987/88 wurden 1990 in einer Anthologie[187] gedruckt, mit der sich Jansen dem Suhrkamp-Verlag näherte. Beide Herausgeber dürfen im Staatenumbruch wohl als Mentoren Jansens angesehen werden, Christian Döring wurde sein Lektor, Hajo Steinert schrieb unter anderem den Eintrag zu Jansen in Killys Literatur-Lexikon[188]. Jansens erster Suhrkamp-Band *Reißwolf* (1992) vereinigte dann Werke von April bis Dezember 1990. Ich will damit festhalten, daß Entstehungsdaten (und Druckverzögerung) in geschichtlichen Krisenjahren genau beachtet werden müssen.

Die schon angedeutete Literaturdebatte weitete sich aus, von Schirrmachers Bestandsaufnahme auf den Streit um Christa Wolfs Erzählung „Was bleibt" im Juni 1990. Ulrich Greiner nahm die Autorin als Repräsentantin einer deutschen „Gesinnungsästhetik"[189] wahr, das setzte eine generelle Debatte über Moral und Ästhetik in Gang. Moderne deutsche Literatur aus beiden Staaten wurde hinterfragt, dahinter las sich ein wachsendes Interesse nach einem Generations- und Kanonwechsel. Verhandelt wurde nun „über linksintellektuelle Positionen der Gegenwart und Vergangenheit, über das Versagen und über die Verdienste der Intellektuellen [...] angesichts totalitärer und verbrecherischer Regime"[190]. In der Literatur wurde ein neuer deutscher Realismus vermißt, für die nachwachsenden Schriftsteller hatte Schirrmacher bereits vermutet, daß sich hinter ihrer Tarnung durch Authentizität nur Talentschwäche verberge.

Die Literatur des Prenzlauer Bergs kam gerade richtig, um darin die eigene ‚Gesinnung' zu reflektieren. Die Feuilletons malten schwarz oder weiß, spendeten existentielles Lob oder bedachten die Literaten mit abgründigem Hohn. In den Hinterköpfen saßen immer noch zwei gänzlich verschiedene Avantgarde-Konzepte, die nun hervorgeholt wurden. Wer lobte, meinte vorrangig die Autonomie der Sprache, die eine Kooperation mit dem SED-Regime gänzlich verweigerte. Wer höhnte, maß den sprachlichen Widerstand an seiner geringen gesellschaftlichen Relevanz für den Umbruch.

---

[186] Hajo Steinert: Die neuen Nix-Künstler. Die DDR-Literatur ist tot, es lebe die DDR-Literatur. In: Die Zeit, 7. Dezember 1990, S. L5.

[187] *problemtext o.T* und *wegzeug*, in: Schöne Aussichten. Neue Prosa aus der DDR. Hrsg. von Christian Döring und Hajo Steinert. Frankfurt a.M. 1990. Beide Texte finden sich bereits in *prost neuland*, dort läuft *wegzeug* noch unter dem Titel *streugut*.

[188] Hajo Steinert: Johannes Jansen. Beitrag in: Literatur Lexikon. Autoren und Werke deutscher Sprache. Hrsg. von Walther Killy. Gütersloh / München 1990, Band 6, S. 84.

[189] Ulrich Greiner: Die deutsche Gesinnungsästhetik. In: Die Zeit, 2. November 1990.

[190] Thomas Anz: Einleitung. In: ders. (Hrsg.): Es geht nicht um Christa Wolf. Der Literaturstreit im vereinten Deutschland. Frankfurt 1995, S. 7-28, S. 16.

Ekkehard Mann hat versucht, Funktion und Leistung des ›Untergrundes‹ für die Wende zu benennen. In seiner Studie gilt für die nun allerorten als „andere Literatur" bezeichnete, „den kulturellen Umbau der stratifizierten zu einer polyzentrischen modernen Gesellschaft vorbereitend mitbetrieben zu haben."[191] Ein so vorsichtiger, systemorientierter Tonfall war vielleicht erst mit einigem Abstand zur Wende möglich. Allein durch seine Existenz habe das autonome Literatursystem dem Staat dort, wo es sich einnistete, Kommunikationsmacht entzogen. Man ließ sich nicht funktionalisieren. Und daß diese Verweigerung zu einer Waffe werden kann, ja 1989 zur einzig wirksamen werden mußte, spricht noch aus Jansens Demonstrationszeilen. In Richtung Biermann, Drawert und Rathenow, die der Prenzlauer-Berg-Literatur entweder ihre Nischenexistenz vorwarfen oder ihren künstlerischen Wert von vornherein aberkannten, schrieb Mann: „Wer von Literatur in der Moderne politische Opposition erwartet, mißversteht ihre soziale Funktion."[192] Dies gelte um so mehr, als die Autoren diese Aufgabe in zahlreichen Selbstreferenzen seit Anfang der achtziger Jahre aufgekündigt hatten. Hier würde auch der Szene-Begriff sich ein weiteres Mal auflösen müssen, denn was Mann ‚autonomes System' nennt, war nur selten eine gemeinsam handelnde Gruppe.

Unter den jungen DDR-Schriftstellern selbst hat der Versuch, den Umtausch der Wirklichkeiten zu begreifen, im Nachwendejahrzehnt eine vielstimmige Rückschau hervorgebracht. Zunächst wurde am Prenzlauer Berg ausnahmslos das Desinteresse gegenüber dem Staatssystem DDR betont, und damit der spielerische Umgang mit der Wirklichkeit begründet: „Das kreative Potential der Szene schöpfte seine Energie kaum noch aus der Dauerfrustration"[193], schrieb Leonhard Lorek im Juli 1992 für die beginnenden achtziger Jahre. Im Gegensatz zu den Generationen zuvor war den Autoren damals bewußt geworden, daß der Staat sich nur noch selbst reformieren konnte, und eben dies schien unmöglich.

Jan Faktors sechzehnter und letzter Punkt zur Prenzlauer-Berg-Szene hingegen las aus der eigenen Ablehnung des Staates die Ablehnung jeglicher Eigenverantwortung. Loben wollte er nur noch die politischen Aktivisten der Umweltbibliothek, und im Hinblick auf die aufschäumende Westpresse gab sich Faktor geradezu masochistisch: „Die Rache für die furchtbare Überheblichkeit vieler aus dieser Szene (auch für meine jahrelang), die Rache für die in dieser Szene vorhandene Verachtung aller derjenigen, die sich trauten, sich auch mal emotional und direkt auszudrücken, oder die in der Hackordnung in der Szene tiefer standen, die Rache für die Dauer-Lederpose und Hochnäsigkeit und falschen Zelebrationen, die Rache für die Unreife und den infantilen Trotz, diese Rache mußte sowieso mal kommen."[194]

Solcherart (auch moralischer) Selbstmaßnahme ließ Bert Papenfuß kaum gelten. Auf Lutz Rathenows Vorwurf eines „hinreichend verkümmerten Wahrnehmungsvermögen[s] gegenüber politischen Realitäten" am Prenzlauer Berg angesprochen,

191 Ekkehard Mann: Untergrund, autonome Literatur und das Ende der DDR. Eine systemtheoretische Analyse. Frankfurt a.M. 1996, S. 287.
192 Ebd.- Wolf Biermanns Polemik gegen die Prenzlauer-Berg-Autoren fand ihren Höhepunkt in seiner Rede zum Eduard-Mörike-Preis: „Laß, o Welt, o laß mich sein". In: Die Zeit, 15. November 1991, S. 73 f.
193 Leonhard Lorek: Ciao! Von der Anspruchslosigkeit der Kapitulation. In: MachtSpiele. Literatur und Staatssicherheit im Fokus Prenzlauer Berg. Hrsg. von Peter Böthig und Klaus Michael. Leipzig 1993, S. 112-125, S. 115.
194 Jan Faktor: Sechzehn Punkte zur Prenzlauer-Berg-Szene. Geschrieben im September 1992. In: Böthig/Michael: MachtSpiele, S. 91-111, S. 110 f.

antwortete Papenfuß lakonisch nach Brecht: „Ja, das ist richtig. Seit fünfzehn Jahren muß ich mir Gedanken machen, wie ich meine Miete bezahle. [...] Das ist allein schon ein materiell motiviertes Wahrnehmungsvermögen."[195] Die Aussage war natürlich auch eine Retourkutsche an Rathenow, der als Dissident bekanntlich von Westverlagsgeldern leben konnte.

Dies alles ist nach der Wende gesprochen, aber von Stimmen, die „Randerscheinungen"[196] im feuilletonistischen Meinungsdiskurs blieben. Zum öffentlichen Tribunal wurde die Literaturdebatte, als im Herbst 1991 Sascha Anderson und Rainer Schedlinski als informelle Mitarbeiter der Staatssicherheit entlarvt wurden. Nun waren Leben und Schreiben endgültig zusammen gefallen, die Täterschaft der beiden mußte deshalb den Moraldiskurs weiter anfachen. Und die Kritik hatte notwendigerweise zu spiegeln, was sie an Moral und Ästhetik für die Literatur beanspruchte oder verwarf. Während manch Beteiligter noch kaum verstanden hatte, daß der Mythos der Autonomität am Prenzlauer Berg aufgedeckt war und zerstört wurde, wurden andernorts bereits Gedichte und Stasi-Akten gegeneinander aufgewogen.

2.2 Die erste Lesart

2.2.1 Das Völkische: „wir waren nie ein wir"

Johannes Jansen schaut 1992 aus dem Gesamtdeutschland zurück auf seine ostdeutsche Vergangenheit, auf die Zeit des politischen und immer auch eigenen Umbruchs. Er spricht damit auch in einer Zeit, die nicht ohne Pathos auskommt; ganz bewußt wählt Jansen in AUSFLOCKEN. ein abwasch einen Wir-Erzähler und experimentiert mit den Grenzen dieses kollektiven Subjekts. Er steht damit nach 1989 nicht alleine dar.[197] Nach zwei Jahren hat sich der zitierte Appell für die Leipziger Demo endgültig in das zurückgewandelt, was er grammatikalisch immer war: eine Frage. „DER STAAT SIND WIR ODER WAS?"

Mit der DDR ist ein totalitärer Staat zusammengebrochen, der für sich bis zuletzt die Bindung des Einzelnen an die Masse propagierte. Aber FDJ-Aufmärsche, Tagungsreden und ideologische Tagespresse hatten das marxistische Wir pervertiert. Schließlich antwortete die Bevölkerung mit dem Ausruf „Wir sind das Volk" genau auf diese jahrzehntelange Bevormundung.[198]

Was fordert nun das vereinigte Deutschland? Ein Wir, dem demokratische Mitbestimmung durch Wahlen gewährleistet und eine öffentliche Transparenz der Politik versprochen wird? Oder doch ein Ich, das sich in Eigenverantwortung selbst durchschlagen muß? „wir waren nie ein land und wir waren nie ein wir"[199], so schreibt

---

195 Bert Papenfuß-Gorek: Man liebt immer die Katze im Sack. Gespräch mit Ute Scheub und Bascha Mika. In: Böthig/Michael: MachtSpiele, S. 182-188, S. 185.

196 Zitiert den Titel der ersten westdeutschen Anthologie, in der Prenzlauer-Berg-Autoren vorgestellt wurden: Berührung ist nur eine Randerscheinung. Hrsg. von Sascha Anderson und Elke Erb. Köln 1985.

197 Elfriede Jelinek hat den kurzen Prosamonolog Wolken.Heim (1990) in Wir-Form verfaßt. Auch Reinhard Jirgls Stimme des Volksmundes in Abschied von den Feinden (1995) wäre zu nennen.

198 Vgl. hierzu auch Ivan Nagels Meldung im deutschen Literaturstreit: Die Volksfeinde. In: Süddeutsche Zeitung, 22./23. Dezember 1990.

199 Johannes Jansen: AUSFLOCKEN. ein abwasch. In: Splittergraben. S. 9-35, S. 10. – Im folgenden mit Seitenangabe im Text zitiert.

es Jansen seinem Text schon früh ein. Ein Satz, der von doppeltem Bezug ist, denn er nimmt einerseits die ostdeutsche Demonstrationsstimmung zurück, und entlarvt dabei andererseits das Wort ‚Wiedervereinigung‘: Eine Einheit sind die erst nach dem Weltkrieg entworfenen Staaten ja nie zuvor gewesen.[200]

Hinter Jansens Wahl des Wir öffnet sich ein unmöglich auszuschreitender Raum, aufgeladen von philosophischen Diskussionen zu Individualität und Kollektiv von Plato bis in die Neuzeit. Jansen ist sich bewußt, daß dieses Wir – mehr als die gängigen Singular-Textsubjekte – Diskurse transportiert, die außerhalb von Literarizität liegen. Es sind dies vor allem die gesellschaftlichen Diskurse von Herrschaft und Macht. Eine kleine Operation, und schon läse sich der oben zitierte Demo-Slogan „Wir sind das Volk" als ein „völkisches Wir". Womit auch Jansens Erzählperspektive ihre Vergangenheit aufdeckt: Sein Wir sucht die Auseinandersetzung mit der völkischen Propaganda sowohl des SED-Staates als auch der NS-Zeit.

Der deutsche Nationalismus und seine frühen Denker sind hier nicht wegzudenken: Oswald Spengler hatte bereits 1920 seinen Satz ans Volk geschrieben: „Wir wollen keine Sätze mehr, wir wollen uns selbst"[201]. Hans Freyer sah einen „Subjektwechsel der Revolution"[202] auf das Volk, „in den tiefsten Schichten der Person organisch vorhanden" sei ein „Übereinstimmungswille"[203] mit der repräsentativen Staatsherrschaft. Martin Heideggers Blick auf diese Volksgemeinschaft von 1933 ist bezeichnend: „Jetzt ist die ›Wirzeit‹ statt der Ichzeit."[204]

Dieses nationalistische Erbe geht Jansens Entscheidung für den Wir-Erzähler unabdingbar voraus. Der Abwasch ist also ein Projekt mit größerem zeitlichen Rahmen als zunächst angenommen, und das gilt auch auf ästhetischer Ebene. Denn die Literaturgeschichte des 20. Jahrhunderts läßt sich, parallel zu Herrschaftsstrukturen, durchaus als ein Wechselspiel zwischen Ich und Wir lesen. So wie Subjektivität des Ich-Sagens sehr leicht in eine fragwürdige Schrift von Vereinzelungen kippte (z.B. in der biographischen Welle der Erlebnisliteratur in den 70er-Jahren der BRD), so konnte die verallgemeinernde Struktur des Wir-Sagens auch umschlagen in pathetische Projekte und Agitprop. Dafür steht die Spätphase des deutschen Expressionismus, und dann wieder die Zeit um 1968. Kriege und Revolutionen haben das Wir immer als rhetorisches Mittel in die Öffentlichkeit getragen, in diesem Sinne muß 1989 als letzter Einschnitt des 20. Jahrhunderts gesehen werden, an dem dieses Wir gegen die modernen Individualisierungsprozesse antrat. Nach 1914, 1933 und bedingt auch 1968 stand noch einmal Masse gegen Minorität. Johannes Jansen hat aus der Mentalität dieser Zeit seinen Erzähler modelliert.[205]

200 Vgl. hierzu Karl Otto Conradys Nachwort zur eigens herausgegebenen Anthologie: Von einem Land zum andern. Gedichte zur deutschen Wende. Frankfurt/Leipzig 1993, S. 212.

201 Oswald Spengler: Preußentum und Sozialismus. München 1920, S. 4. – Hier zitiert nach: Kurt Lenk u.a.: Vordenker der Neuen Rechten. Frankfurt a. M. 1997, S. 45.

202 Hans Freyer: Revolution von rechts. Jena 1931, S. 36. – Zitiert nach: Lenk: Vordenker, S. 68.

203 Hans Freyer: Soziologie als Wirklichkeitswissenschaft. Leipzig/Berlin 1930, 172 f. – Zitiert nach: Lenk: Vordenker, S. 65.

204 Martin Heidegger: Einführung in die Metaphysik. Tübingen 1953, S. 53.

205 Vgl. zu diesem Abschnitt auch Jansens Text reißwolf (montage), in: Schlackstoff, S. 27-40. „wir konnten ja immer nix machen jahrestäglich verbrochenes faulvieh unter tränen ein völkisch mitleid träge bis zum nächsten tod", S. 31.

2.2.2 Ausflocken. Eine Struktur

Wenn Abgestandenes zu Rückständen wird, und diese treiben an die Oberfläche einer Flüssigkeit, dann flockt etwas aus. Jansen hat dieses Geschehen im Titel des Textes von 1992 kombiniert zu: *AUSFLOCKEN* ein abwasch. Die Nachstellung des zweiten Teiles mit unbestimmtem Artikel fungiert dabei nicht nur als Untertitel, sondern nimmt zudem den Platz einer literarischen Genrebeschreibung ein. *ein abwasch* steht hier auch für die formale Eigenart des Textes. Dabei sind zwei Konnotationen wichtig: Erstens werden Dinge, die sich ursprünglich nicht unbedingt nahestehen, im Abwasch zusammengeführt. Der Abwasch wird zur Tätigkeit mehrerer Tätigkeiten. Regeln gibt es nicht, wer ‚etwas in einem Abwasch erledigt‘, tut dies in beliebiger Reihenfolge. Diese Regellosigkeit ist der zweite wichtige Punkt.

Bei einem Rückblick auf Jansens Texte zur Wendezeit (*spottklagen, unverwandt abseitig*) meint man zunächst, Jansen habe die Lyrisierung seiner Sprache in *Ausflocken* bereits zurückgenommen. Doch der Eindruck trügt: Der Text verliert im Vergleich kaum an Bewegung, er hat – durch das absatzlose Druckbild verstärkt – eine hohe Fließgeschwindigkeit. Neu ist allein die fast durchgängige Präsenz eines Wir-Erzählers.[206]

Die Bilder werden von diesem Wir zusammengehalten und gesendet. Es sei aber vorausgeschickt, daß *Ausflocken* durch den Erzähler noch nicht zu einer Erzählung wird. Die Textbewegungen finden hier innerlich statt, der Wir-Erzähler teilt *nicht* seine Erlebnisse in der Zeit um 1989 mit, sondern er geht die Spuren ab, die diese Erlebnisse in seinem Kopf bis 1992 hinterlassen haben. Zu lesen ist daher keine abgeschlossene (und eventuell dialogische) Geschichte, die hinter ihrer Handlung einzelne Motive entstehen läßt. Zu lesen ist in *Ausflocken* von den Motiven selbst. Scham, Naivität, Schuld, Glaube, Liebe – *sie* sind die Handlungsträger dieser Erzählung. An den Lebensstationen des Wir wird dann ablesbar, wie sich der Gehalt dieser Handlungsträger verändert. Für eine Textbesprechung entsteht dadurch die Schwierigkeit, daß in *Ausflocken* kaum klare Einschnitte zu erkennen sind, die neue Passagen kenntlich machen. Es gibt keine ausgesprochenen Orts- und Zeitwechsel, die als Abgrenzungen wirken könnten.[207] Der Text hat eher eine wellenförmige Bewegung, in der die oben genannten Motive einander überlagern, sich widersprechen, und sich nur langsam ablösen[208].

Ich will hier dennoch chronologisch vorgehen, weil eben dieses Auf- und Abtauchen für Jansens Reflektionsprosa bestimmend ist. Mir scheint, daß der lineare Lesevorgang erst akzeptiert werden muß, damit Stil und Konstruktionen des Autors sich daran reiben können.

---

[206] Die hier als Gegenbeispiel genannten Texte ordnen ihre Erzähler-Ichs noch den Bilderfolgen der Handlung unter.

[207] *Ausflocken* findet auf heimatlosem Gelände statt, von Jansen wahlweise „umland", „neuland", „schalltote gegend" oder „sorgenumworbene landschaft" genannt.

[208] Hier schiebt sich also ein reflektierendes Schreiben vor ein erzählendes. Eine Tendenz, die sich im Verlauf der neunziger Jahre bei Jansen verstärkt. *Verfeinerung der Einzelheiten* (Kap. 4 dieser Arbeit) ist als Versuch einer ‚reinen Reflexion‘ zu lesen. Das Denken hat dort das Handeln abgelöst.

2.2.3 Das parodierte Wir

Ein besonderes Merkmal von *Ausflocken* ist das Changieren zwischen individuellen und gruppenspezifischen Aussagen. Der Gestus des Textanfangs spiegelt sofort die Ungewißheit der Erzählinstanz. Der Autor Jansen, so scheint es, gibt auf nicht annähernd einer Seite seine ersten zwanzig Lebensjahre anhand von Orten und Zuweisungen zu Protokoll: „geburtenstationen [...] klinik [...] verschimmelte villa der großeltern [...] schule (›die städtischen rühreierwerke‹) [...] lehrzeit in einer kleinen fabrik hinter dem kulturministerium [...] der dienst bei den waffen...“[209].

Hier wird der Wir-Erzähler noch völlig ausgespart. Ist nun der Schimmel an der Villa der Großeltern schon unverwechselbar? Gehört er einem einzigen Blick, und wenn ja, wessen? Oder bleibt die Aufzählung ein typischer Lebenslauf aus Ostdeutschland? Diffizil gestellt ist das Perspektivproblem in der näheren Bezeichnung der Schule, ein vermutlich herumgereichtes Zitat, das selbst kollektiver Erinnerung entspringt. Der knappe Auftakt, in sich „hellgrau lackiert“ wie die frühen „wickelboxen in der mütterberatung“, mündet in der resignativen Formel: „ein verfall der sich hinzog oder besser ein verkommener kreislauf“ (9). Ein Kreislauf in den Grenzen der DDR. Kaum ins Textspiel geraten, stellt das Wir jedoch fest, daß „das wort biographie hier nur eine flüchtigkeit ausmacht“ (10).

Mit dem „hier“ ist die BRD benannt, und ein Ausgangsziel des Textes: die Reetablierung von Lebenslauf und somit von Subjektivität. Jansen sieht nicht zu Unrecht die Gefahr, daß die jeweilige Sozialisierung seiner Landsleute unter den neuen Ansprüchen der ›alten Bundesländer‹ verschütt geht. Was später als „eitle differenzierungsarmut“ (16) benannt wird, meint eben diese Zusammen-Fassung der Ostler unter eine typisierte Biographie. Hier hingegen ist das Wir keine autonome Gruppe, es gibt sogar sein Zugehörigkeitsangebot an den Leser weiter. Diesem wird – mit der Voraussetzung einer ostdeutschen Vergangenheit – selbst überlassen, inwieweit er sich in das handelnde und beschreibende Subjekt einordnen möchte. In diesem Sinne wird eine Freiheit gefeiert, die das Wir in der DDR nie vermitteln konnte.

Interessant ist, daß sich Versatzstücke finden, die Jansen in älteren Texten noch im Singular verwendete, allen voran der einprägsame Satz, den ich bereits zitiert habe: „wir waren nie ein land und wir waren nie ein wir.“ (10)[210] Für diese Behauptung spricht, daß sich Jansens Wir sofort selbst bekämpft, mit den Mitteln eines Ich:

...obwohl wir von unseren vorzügen überzeugt waren in dem maße in dem man möglicherweise einen körperlichen fehler dazu benutzt um sich persönlich als etwas besonderes zu bezeichnen. zum beispiel konnten wir den daumen der linken hand dort wo er anfing ein wenig einknicken und dann so weit nach außen biegen daß er im rechten winkel zu den fingern stand. aber wer würde dies als beweis unserer überlegenheit deuten zumal es nur die folge eines fehlenden knorpels war. überhaupt gedachten wir uns durch mangel zu definieren. (10)

---

[209] *Ausflocken*, S. 9.
[210] Im Gedicht *Bilanz eines Sommers* hatte es noch geheißen: „Ich war nie ein Wir und / Ich war nie ein Land.“ In: Mikado, Heft 4, 1984, S. 27.

Der Erzähler definiert sich anhand eines besonderen Kennzeichens, das ein körperlich geschlossenes Subjekt voraussetzt. Oder anders gesagt: Das Wir erfährt mit dem körperlichen Schaden „am daumen der linken hand" eine Codierung, die nur einem Ich zusteht. Wo diese Grenze ins Körperliche überschritten wird, verliert das Wir seine Herrschaft über den Text. Offenbar steht hinter dem Wir des Textes also noch ein Erzähler, der sich hier in Szene setzt. Der Text erhält damit früh seine besondere Struktur: Er scheint doppelt geschrieben und erzählt zu werden. Zu dieser Dialogizität gibt es erhellende Aufsätze bereits von Michail Bachtin. Er hat vor allem die humoristischen Wirkungen in Erzählprosa untersucht und nennt dabei diejenige Äußerung eine „hybride Konstruktion",

> die ihren grammatischen (syntaktischen) und kompositorischen Merkmalen nach zu einem einzigen Sprecher gehört, in der sich aber in Wirklichkeit zwei Äußerungen, zwei Redeweisen, zwei Stile, zwei ‚Sprachen‘, zwei Horizonte von Sinn und Wertung vermischen [...]; die Unterteilung der Stimmen und Sprachen verläuft innerhalb eines syntaktischen ganzen, oft innerhalb eines einfachen Satzes, oft gehört sogar ein und dasselbe Wort gleichzeitig zwei Sprachen und zwei Horizonten an, die sich in einer hybriden Konstruktion kreuzen...[211]

Jansens *Ausflocken*-Text läßt sich durchaus als „hybride Konstruktion" bezeichnen: Der Autor ‚kreuzt‘ darin zwei Erzähler, er gibt einerseits dem Wir-Erzähler den grammatischen Vortritt und läßt diesen reflektieren, deckt aber die Mängel dieses Wir-Erzählers mehrfach durch eine zweite Instanz aus dem Hintergrund auf. Wenn es um Essen und Verdauung (19-21) oder um die konkrete Partnerschaft mit einer Frau (25 ff) geht, wird *Ausflocken* individualisiert und die Unmöglichkeit eines kollektiven Erzählers vor Augen geführt. Wir haben es mit einer Erzähler-Parodie zu tun.

Bachtin betont, daß das Sprachzentrum in der ausführenden, parodierten Stimme liegt, daß jedoch die parodierende Stimme „unsichtbar anwesend ist, als ein vergegenwärtigender Hintergrund, von wo aus wahrgenommen und hervorgebracht wird"[212]. Die von Bachtin (vor allem an Dostojewski) erkannte Doppel- und Mehrstimmigkeit ist aus der modernen und postmodernen Erzählliteratur nicht wegzudenken. Durchgesetzt haben sich Verfahren der Metafiktion, in denen die Subjektivität des Erzählers unterstützt und gleichzeitig eine monologische Sinnsuche untergraben werden (oft als ein ›Schreiben über das Schreiben‹). Die Parodie tritt noch als Untergruppe dieser reflexiven Literatur auf. Um sie vor anderen postmodernen Vokabeln zu verteidigen, besteht eine Reihe von Literaturwissenschaftlern zurecht auf den humoristischen Gehalt der Parodie.[213]

Eine Verkomplizierung der Kommunikation[214], wie es Margaret A. Rose nennt, ist parodistisches Schreiben durch das doppelte Textsubjekt allemal. Aber wo Jansen seine parodierende Instanz in den Vordergrund drängen läßt, ist das Resultat für den Leser auch eine Komik. Jansens oben zitierte Stelle mündet in einer Generali-

---

[211] Michail M. Bachtin: Die Ästhetik des Wortes. Frankfurt 1979, S. 195.

[212] Michail M. Bachtin: The Dialogic Imagination. Four Essays. Austin/London 1981. Hier zitiert nach: Margaret A. Rose: Parody. Ancient, Modern, and Post-Modern. Cambridge 1993, S. 154. Übersetzung J.B..

[213] Zu nennen sind die Arbeiten von Margaret A. Rose, David Lodge, Malcolm Bradbury.

[214] Margaret A. Rose: Parody // Meta-Fiction. London 1979, S. 61. Zitiert nach: Mirjam Spengler: Modernes Erzählen. Stuttgart 1999, S. 149: „Parody and irony both complicate the normal process of the communication of a verbal message from adresser to adressee..." Übersetzung J.B.

sierung, in Mangelerscheinungen, die sich bedenkenlos auf eine Gruppe übertragen lassen. Das Wir wird wieder eingefangen. Diese oszillierende Bewegung generiert die Struktur. Der *Ausflocken*-Erzähler gibt seine eigene künstliche Multiplikation schon früh explizit zu:

> ...und also verdrängt wie jene vereinzelung die aus dem hilflos erzwungenen ›wir‹ sprach. ein rest knirschender haß ohne richtung (11)[215]

Hier ist das Dilemma bloßgelegt: Der Erzähler kann die Verdrängung der Vereinzelung reflektieren, und er weiß schon, daß sein Wir nur einen „rest" ausmacht. Dieser Rest ist die DDR, ein untergegangener und weiter untergehender Staat, der nur noch in der Vergangenheit anwächst. Jansen nimmt wahr, wie diese Vergangenheit zunehmend einer Verklärung unterliegt. Sein Text nimmt sich zum Ziel, die sich von 1989-1992 angehäuften Schichten auf dem DDR-Geschirr ›abzuwaschen‹.

Dabei hat der Erzähler hat ja bereits klar gemacht, daß er nicht für das Land sprechen wird. Der Text sucht den Weg in die Intimisierung. Die Erfahrungen des Wirs werden beschränkt, und die Gruppe verkleinert sich, indem sie sich von anderen Subjekten abgrenzt:

> das gespräch war die wichtigste aller lügen die uns ernährte. wir gerieten an kleine aufdringliche tiere die sich in unseren öden unterhaltungen zur sau machen ließen als wären sie dafür geboren [...] die mit nichtachtung straften waren uns noch die liebsten. sie boten die nötige sicherheit uns für etwas außergewöhnliches halten zu können. (12)

> zeugungslahm zwar wollten wir dennoch den nachwuchs verleiten. eine generation von zynikern wuchs da heran und wir waren obwohl zur nachhut gehörig als vorväter brauchbar was uns mit einem traumatischen stolz erfüllte. (13)

Indem sich die Haltung des (gemeinsamen) Lebenslaufs zuspitzt, hat sich das Wir immer öfter von anderen Teilgruppen abzustoßen. Und es verliert dabei wie im physikalischen Prozeß der Teilchenbewegung im Raum nach und nach seine Mitglieder. Eine Sache der Reibung. Wer nicht „zynisch" genug ist, wird an den Rand des Wirs geschoben und schließlich ausgestoßen. Der Erzähler nennt es später das „gesetz der beschneidung", „so vom verneinen zu vegetieren" (21).

Der Leser bleibt noch orientierungslos, weil kein Haltepunkt für Raum und Zeit der Aussagen zu finden ist. Die Westwelt wird in diesen Momenten bewußt noch nicht von der Erzählung über die Künstlerszene des Prenzlauer Bergs gelöst.[216]

---

[215] Ein früherer Textbeleg für Jansens Beschäftigung mit dem Ich-Wir-Erzähler findet sich in „schlackstoff (teilstücke)" und spricht ebenso deutlich für die Konstruktion jeglichen Erzählers: „dies ständige stammeln dient nicht es herrscht mich an beim leeren gewisser gefäße der ich doch hoffend verloren bin gleichgültig ob ich mich je als wir zu begreifen gedachte bin ich gestellt unter übelkeiten in verfahrne bastelstraßen..." In: Schlackstoff, S. 50.

[216] Die Verkleinerung des Wirs hat also zur Folge, daß eine gängige Aufteilung ethischer Diskussionen ins Schwanken gerät. Die Ethik trennt das individualistische Wir der Verantwortung und des Konsenses (kleine Gruppen) vom Wir als institutionellem und politischem Kollektivsubjekt. Vgl. hierzu: Werner Becker: Ethik als Ideologie der Demokratie. In: Kurt Salamun (Hrsg.): Ideologien und Ideologiekritik. Darmstadt 1992, S. 149-160, S. 152 ff. – Siehe hierzu auch Kapitel 4 dieser Arbeit zu *Verfeinerung der Einzelheiten.*

2.3 Die Geschichte der Schuld

Erst auf Seite 14 kippt die Erzählung ins „neuland", und jetzt schiebt sich die Wahrnehmung neuer Gesellschaftszustände über das Subjekt, das unpersönlichere „man" taucht auf, und der Text beginnt, das Gegenüber des Wirs genauer zu bezeichnen. Das sind zunächst „reaktionseifrige sklaven des erlebniszwanges" (14), „die haupthelden des debakels (wurden vom rechtsstaat geschützt)"[217], auch „racheröchelnde widerständler" (15).[218] Das Wir sucht im Hohn einen Abstand, es beobachtet in der Suche der Opfer nach den Tätern ein letztes DDR-Klammern („man war ja einander verbunden"). Diese Erzählerattacke geht auch gegen die intellektuelle Nachkriegsgeneration der DDR, die noch Freund-Feind-Bedingungen annahm und sich idealistisch mit den Kulturfunktionären auseinandersetzte.

Mit dem zynischen Blick auf die Altlasten im Neuland scheint sich das Erzähler-Wir von sich selbst zu lösen, aber es kehrt ›ängstlich‹ in den Text zurück (vgl. 16). Dort wird nun die Zeit der „vergangenheitsüberwältigung" in ihre Ursachen und Konsequenzen zerlegt. Dabei wird erkennbar, daß nicht nur die äußere Welt „von verdrängung geprägt" ist, sondern daß auch (und gerade) das Erzähler-Wir mit einer widersprüchlichen Biographie zu kämpfen hat. Das Wir gibt zu, daß es sich zu unbestimmter Zeit „vereinnahmen" ließ, und es bemerkt an sich ein bereits dem kapitalistischen Neuland verfallenes Besitzdenken (16/17).

Die Zeitlosigkeit des Textes wird jetzt sinnvoll gemacht; Jansen belegt auf biographischer Ebene, was er der Erzählung auch als Makrostruktur einschreibt: Die Vergangenheit besteht zwar aus verschiedenen Schichten, die nach dem *abwasch* aber zu Variationen des stets anwesenden nationalsozialistischen Erbes verkommen.

> mitten im kriegsspiel versprach sich der völlig betrunkene genosse ›ich bin heimlich himmler‹. ein satz den wir uns selbst und jedem in den mund legen konnten. die genaue bezeichnung des übels egal wann und unter welcher bedingung auch immer. (16)[219]

In diesem Zusammenhang muß auf die bereits im März 1989 von Konrad Weiß angeregte Debatte über Faschismus in der DDR hingewiesen werden. In der kirchlichen Zeitschrift *Kontext* hatte Weiß die (weiter wachsenden) neonazistischen Tendenzen Ostdeuschlands erstmals in aller Schärfe benannt:

> Faschistische Traditionslinien, personelle wie strukturelle, finden sich auch im sozialistischen Staat. Selbst bei denen, die eine ehrliche Umkehr vollzogen, blieben im Unter- und Unbewußten Spuren des Dritten Reiches. Vieles an unserer Alltagssprache verrät das. [...] Das Führerprinzip, das sich für die Deutschen als

---

[217] Zu den „haupthelden des debakels" vgl. vor allem den Schlußabschnitt in Jansens Text *freistück*, in: *Reisswolf*, S. 65-67.

[218] Vgl. hierzu auch Jansens Abschnitt im Band *Schlackstoff*, S. 35f. – Dort wird das Feld auch auf „schwafelnde schönschriftler" ausgeweitet. Ein einzelner Satz in *Ausflocken* ließe sich auch auf die Situation des Autors Jansen beziehen. Wenn es heißt „ein müßiger lärm um formales angeblich rettend und unklar" (21), liest sich daraus auch die zwiespältige Rezeption der Prenzlauer Berg-Literatur zur Wendezeit.

[219] In einem Gespräch erzählt Jansen die zugehörige Anekdote: „Als ich bei der Armee war, [1986 in Brandenburg; J.B.] gab es Leute, die sagten, sie wären Nazis. Natürlich wurde gesoffen trotz Verbot, und eines nachts war einer von diesen Typen [...] vollkommen blau, stand auf und brüllte: ‚Ich bin Heimlich Himmler'. [...] Das war der Satz, wo ich mir sagte, das hat jeder in sich. Das sind Zusammenhänge und Eindrücke, die passieren, die kann man sich nicht anlesen, die kann man nirgendwo lernen. Es geschieht in extremen Situationen." In: Der andere Blick auf die Landschaft. Marcel Beyer und Johannes Jansen im Gespräch. In: Konzepte Nr. 12, 8. Jahrgang, 1992, S. 17-28, S. 27.

verhängnisvoll erwiesen hatte, erlebte unter anderem Vorzeichen eine Renaissance: erst der Stalinkult, dann der unbedingte Anspruch der kommunistischen Partei, Avantgarde und Vorhut zu sein.[220]

Wolfgang Ullmann sah in der Analyse den „wahrscheinlich verbreitetste[n] Text der gesamten DDR-Opposition"[221].

Jansens Erzähler konfrontiert die DDR-Geschichte mit der NS-Vergangenheit. Daß sich Geschichte wiederholt, begründet er auch mit dem eigenen Fehltritt „in diverse fettnäpfe". Täter und Opfer sind hier nicht auseinanderzuhalten. Das Wir leistet Selbstkritik, und die Angst, an der es leidet, setzt sich eben aus genau den zwei Komponenten des Diskurses deutscher Vergangenheitsbewältigung zusammen, die noch jüngst die Walser-Bubis-Debatte bestimmten: „zwischen überdruß und erinnerungswütigem schuldkrampf" (16). Die Wende wird so zum Einschnitt, an dem deutsche Geschichte großflächig zutage tritt.[222] Dem zweiten Weltkrieg folgte der Nach-Krieg, schließlich der kalte Krieg. Der Zynismus der Erzählung schreckt nicht davor zurück, das Leben des DDR-Wir als Folie für ›immerdeutsche‹ Einschreibungen zu nutzen. Unausgesprochen lauern dahinter Fragen: Welcher Teil des Wirs wartet – in Parallele zum Ende einer nationalsozialistischen Karriere nach 1945 – auf seine Aburteilung? Und wer hat andererseits das Recht, sich in der neuesten deutschen Geschichte als Opfer öffentlich zu machen?

Jansen schreibt keinen Text über Gewalt und Tod. Die Präsenz der deutschen Vergangenheit liegt für ihn in den Verhaltensmustern, mit denen die – vergleichsweise harmlose – Ost-West-Schlacht seit 1989 geschlagen wurde.[223] Der Mund wurde zur Waffe, die Akten zu Zeugen. Die Vorstellung, daß Geschichte nicht abreißt, sondern sich der einmal erarbeiteten Muster ihres Damals bedient, hatte auch in der DDR ihre literarische Tradition. Heiner Müller ließ seinen ›Hamletdarsteller‹ sagen: „Die Dekoration ist ein Denkmal. Es stellt in hundertfacher Vergrößerung einen Mann dar, der Geschichte gemacht hat. Die Versteinerung einer Hoffnung. Sein Name ist austauschbar [...] Mein Platz, wenn mein Drama noch stattfinden würde, wäre auf beiden Seiten der Front, zwischen den Fronten, darüber."[224] Diese Sätze sind radikal. Sie assoziieren den Stillstand von Geschichte, stehen aber dennoch hinter Jansens zitiertem ›Himmler-Versprecher‹. Weiterhin wäre Reinhard Jirgls Faschismus-Analyse *Mutter Vater Roman* zu nennen. Seine Textkollage mit einem persönlich gekennzeichneten Einschub konternd, schreibt Jirgl: „Bilder aus dem Zweiten Weltkrieg, dem jüngsten epileptischen Anfall europäischer Zivilisation, sind aus dem Blut derer, die vor uns waren, das aktuellste Erbgut. Die Haut der Nachge-

220 Konrad Weiß: Die neue alte Gefahr. Junge Faschisten in der DDR. In: Kontext. Beiträge aus Kirche & Gesellschaft/Kultur. Hrsg. von der Evangelischen Bekenntnisgemeinde Berlin-Treptow. Heft 5, 8. März 1989, S. 3-12, S. 9.
221 Wolfgang Ullmann: Kontext. In: MachtSpiele, S. 20-27, S. 26.
222 Jansen hat übrigens bereits im Januar 1990 einen Entwurf für ein Holocaust-Museum literarisiert; „schandmal & mahnfleck" ist eine Textgrafik auf „drei Ebenen", die deutsche Geschichte anhand von Zitaten, Reflexionen und Instruktionen festhält. Neben „ich bin heimlich himmler" wird die Gegenwärtigkeit des Faschismus auch benannt durch: „ein geschichtsbuch: die skinheadschlacht in der zionskirche text: schade dass beton nicht (ver)brennt." – In: Schlackstoff, S. 23-26.
223 Jansen nennt in *Reisswolf* eine seiner Aufzeichnungen *(winterschlacht)*. Von „erfrorene[n] panzerwagen" über „die nun doch noch siegreichen mannen unterm märkischen sand" wird die neueste deutsche Geschichte hier Teil einer weltweiten Geschichtsschlacht, die Vergangenheit kaum von Zukunft trennt. In: *Reisswolf*, S. 35-38, hier S. 35 f.
224 Heiner Müller: Hamletmaschine (1977). Zitiert nach: Heiner Müller. Material. Hrsg. von Frank Hörnigk. Leipzig 1989, S. 45 und 46.

borenen ist voller Narben." Und kurz darauf setzt er hinzu: „Ich hätte ebenso über Troja schreiben können."[225] Geschichte kehrt wieder.

Krisenzeiten heißen auch so, weil die Zeit in der Krise steckt, weil es an Zeit mangelt; so wurde der Prozeß der deutschen Vereinigung für die Ostdeutschen zur marktwirtschaftlichen Nagelprobe. Und das Abgleichen der persönlichen mit der historischen Wahrheit braucht eine Stärke, die Überlagerungen zuläßt. Der Leipziger Autor Kurt Drawert, mit einem ähnlichen Blick auf die Lage der Nation ausgestattet wie Johannes Jansen, veröffentlichte 1992 *Spiegelland. Ein deutscher Monolog*[226]. Das Buch nimmt sich den Rückblick über zwei Generationen vor, von Drawert im kurzen Nachwort als „die Welt der Väter [...] als herrschende Ordnung, als Sprache, als beschädigtes Leben"[227] benannt. Bezeichnenderweise hat er den Monolog seinen Söhnen gewidmet, der Erzähler wird also zur Zwischeninstanz von Geschichte, er nimmt auf und gibt weiter.

Die ersten Kapitel des Buches stellen verschiedene Perspektiven der Ernüchterung nach 1989 zusammen. Dort wird eben auf die Vermarktung der friedlichen Revolution hingewiesen: „als sie riefen ‚Wir sind das Volk!‘, haben sie ein Bewußtsein produziert, und als sie den Ausruf als Abziehbild auf ihre Autos geklebt haben, war das Bewußtsein als abgebildetes Bewußtsein wieder verloren gegangen". Da wird die verpaßte Chance benannt, daß man „die Sprache des Systems nicht verließ [...], so daß das System kein gestürztes System, sondern ein lediglich umgekehrtes System geworden ist"[228]. Und deprimiert liest Kurt Drawert an der Gesellschaft auch die Wiederholung von Geschichte ab, die schon Zukünftiges vorausahnen läßt:

> Sie haben sich engagiert für eine Macht jahrzehntelang, nicht, weil sie eine bestimmte Ideologie vertrat, sondern Autorität bedeutete, und sie haben für diese Macht noch im Oktober von jenen verächtlich gesprochen, die als erste in einem tatsächlichen Sinn auf die Straße gegangen waren, und sie hätten auch geschossen, [...] weil sie jedem System bedingungslos dienen und sich jeder Autorität bedingungslos unterwerfen für einen noch so kleinen und bedeutungslosen Gewinn. Und weil durch sie Geschichte zu einer Geschichte der Wiederholungen und die Revolution immer nur zur Umkehrung wird und schon im Ansatz scheitert.[229]

Das Bild vom unmündigen Menschen wohnt auch Jansens hier zu besprechenden Erzählung inne. In Drawerts kräftige Farben kann und will Jansen es aber nicht tauchen, weil sein Erzähler selbst sich nicht von Ereignissen distanzieren kann, weil das Wir von eigener Schuld und Naivität – zwei Begriffe, die einander bedingen – eingeholt wird. Über diese beiden Motive steht *Ausflocken* nämlich in interessantem Kontext zu einer autobiographischen Auskunft Jansens aus dem Januar 1992. Ich habe bereits aus dem Band *MachtSpiele* zitiert, wo Stimmen zu Literatur und Staatssicherheit zusammengetragen wurden. Johannes Jansen hat seinen dortigen Beitrag mit *Enttarnt mich auch!*[230] betitelt, und er berichtet darin, von der Staats-

225 Reinhard Jirgl: Mutter Vater Roman. Berlin/Weimar 1990, S. 136 und 137.
226 Kurt Drawert: Spiegelland. Ein deutscher Monolog. Frankfurt a.M. 1992.
227 Ebd., S. 156.
228 Ebd., S. 36 und 23.
229 Ebd., S. 24.
230 Johannes Jansen: *Enttarnt mich auch!* In: Böthig/Michael: MachtSpiele, S. 138-143. Im folgenden mit Seitenzahlen im Text zitiert.

sicherheit aufgesucht worden zu sein. Er habe während seiner Lehrzeit im VEB
Münze „aus diversen Ausschußkübeln einige Probeprägungen von Orden und
Abzeichen mitgehen" (138) lassen, sei verraten worden, und man habe „eine Art
Schuldbekenntnis" von ihm verlangt, „schriftlich natürlich, und in meiner katholischen Naivität ließ ich mir diesen Ablaßbrief diktieren." Daraufhin hat Jansen noch
einige Gespräche mit den zwei Offizieren geführt, in denen „sie nie etwas Konkretes
verlangten oder ansprachen" (139). Auf den letzten zwei Seiten speist sich der Text
von der gleichen Abscheu gegenüber der deutsch-deutschen Auseinandersetzung,
die auch die *Ausflocken*-Prosa bestimmt. Jansen schreibt:

> Doch wenn die vielbesungene „Trauerarbeit" zum kreischenden Zeitvertreib
> verkommt, erscheint mir das eher als zehrende Streitigkeit unter Schreber-
> gärtnern, provinziell bis in die Aufklärung hinein, während draußen der
> Zusammenbruch wütet. (143)

Ein anderes Zitat ist noch wertvoller, um den direkten Zusammenhang der beiden Texte zu erkennen. An seine eigene Stasi-Anekdote schließt Jansen an:

> Ich halte die Geschichte nicht für besonders bedeutend, nur derzeit regen sich
> Zweifel, wenn ich sehe, wie diverse Kümmerlichkeiten zu Katastrophen stili-
> siert werden einer gewissen Präsenzsucht wegen. Da wär ich fast lieber ein
> skrupelloser IM gewesen (und war es vielleicht auch, ohne es zu wissen), nur
> glaube ich leider, daß meine Begegnungen kaum tauglich sind für eine echte
> Spitzelkarriere, denn dummerweise habe ich nie einen Bericht geschrieben oder
> einen Auftrag erhalten, sonst wäre wenigstens etwas da, was ich zu verbergen
> hätte. (141/142)

Nicht nur die Zweifel hat Jansen in seinen Prosatext *Ausflocken* investiert, Schuld
und Naivität sind hier wie dort zentrale Begriffe. Sarkasmus wird zum letztmög-
lichen Ausdrucksstil. Bis in den schmerzhaften Bereich, in dem die Realität umge-
tauscht und dadurch entwertet wird, geht das Erzähler-Wir:

> ›wenn es drauf ankommt werden wir wahrscheinlich vorgänge gestehen die
> wir gar nicht begangen haben‹ dachten wir ›nur um uns zu erleichtern‹ denn
> es gab kein erlösenderes gefühl als geständig zu sein auch wenn man nicht
> schuld war.[231]

Hatte der Text sein Wir schon zuvor *ex negativo* hergeleitet, also Ausschlußverfahren angewendet, so wird nun die Wahrheit selbst ausgeschlossen. In dieser ›Lustlüge‹[232] löst Jansen kurz und prägnant auf, was das Klima der Nachwendezeit
beherrscht. Vor dem „diensthabenden gegenüber" (18) sitzend, bringt nur Fiktion
noch Erleichterung.

Daß es sich hierbei auch um die Umsetzung des literarischen Schreibprozesses
handelt, hat Christa Wolf in einem Briefwechsel desselben Jahres verdeutlicht.

---

231 *Ausflocken*, S. 18. – Als einziges (biographisches) Ziel des Textes wird später noch bekannt gegeben: „das
vorliegende sollte uns wenn nicht entlasten so doch zumindest erleichtern..." *Ausflocken*, S. 32 f.
232 Das Wort paraphrasiert den Titel eines Textes von Rainer Schedlinski, der maßgeblich die Spaltung zwischen engagierter und postmoderner Literatur am Prenzlauer Berg spiegelt. „lustlüge", in: Abriss der
Ariadnefabrik, Berlin 1990, S. 33-37. Zuerst erschienen in: Ariadnefabrik 3/1986.

Wie kommt es, daß, je näher man an ›die Wahrheit‹, das heißt an sich selber, die multiplen Wesen in sich und besonders an jenes Wesen herangeht, mit dem man sich am wenigsten identifizieren möchte: Wie kommt es, frage ich, daß sich in den Text, der sich auf die Spur dieses Wesens und seiner Wahrheit begibt, auf dem Weg vom Kopf über die Hand bis aufs Papier immer ein Hauch von Unaufrichtigkeit einschleicht?[233]

Wolfs Erzählung „Was bleibt" hatte massive Kritik auf sich gezogen, die Autorin war exemplarisch in ein Kreuzfeuer geraten, das sich dem Drang schuldete, die DDR noch während des Einheitsprozesses zu objektivieren. Wolfs literarische Selbstreflexion trieb die Kritik an, es ihr nachzutun. Nur diese überaus biographisch gefärbte Prosa konnte den deutschen Literaturstreit anheben lassen. Das Spannungsfeld der deutschen Einheit war das zwischen Ich und Wir. Wolf hatte dieses Feld bereits am 28. November 1989 in der Erlöserkirche selbst definiert: „Ehe die Erneuerung unserer Gesellschaft nicht in die Tiefe von Selbstbefragung und Selbstkritik eines jeden einzelnen vorgedrungen ist, bleibt sie symptombezogen, mißbrauchbar und gefährdet."[234]

2.4 Die zweite Lesart

2.4.1 Das Wir aus multiplen Ichs

Ich habe gesagt, daß *Ausflocken* doppelt erzählt wird, vom Text-Wir und einem dahinter stehenden Subjekt, das parodierend tätig ist. Trotzdem bleibt der Text äußerlich monologisch, denn die parodierende Instanz ist im Hintergrund verborgen. Sie ist zu zurückhaltend, als daß wir von ihr mehr als ihre parodierende Tätigkeit erfahren. Sie will kein Gespräch, sondern gibt dem Text eher die Struktur einer Schuldsprechung. Sie kapselt das Wir ab, legt seine Biographie bloß, und sie macht das Wir als Erzähler lächerlich. Die Dialogizität, von der Bachtin spricht, muß hier anders gedacht werden.

Mit Christa Wolfs Briefzeile der „multiplen Wesen in sich" (s.o.) läßt sich eine zweite Lesart auf Johannes Jansens Erzählerfigur anwenden. Eine Lesart, die das ›völkische Wir‹ und die Parodie aufgibt, und die das Wir überhaupt als Multiplizierung von Ich-Erfahrungen definiert. Dann gibt es nur einen Erzähler, oder besser: verschiedene Erzählerfiguren oder Erzähldiskurse, die sich zu einer Identität zusammensetzen. Dann bestimmt die Betonung der einzelnen „multiplen Wesen" ihren Anteil an der Identität des Text-Subjekts.

Nachzufragen ist demnach, ob Peter Geists Analyse des lyrischen Ichs bei Durs Grünbein anwendbar ist auf Jansens Wir des Prosatextes: „Der Einfall, in der Ich-Figur mehrere Rollen ineinander zu spiegeln, läßt eine Art holographisches Gebilde entstehen, das von wechselnden Standpunkten aus verschiedene Tiefensichten erlaubt."[235] Der zweite Blick geht also hinter das Wir, oder, um die Titelmetapher

---

233 Christa Wolfs Antwort an Efim Etkind. Ein Briefwechsel über Observation, Lüge, Angst und andere Erbschaften der DDR. Zuerst in: FAZ, 3.2.1993, S. 31. Den Brief schrieb Christa Wolf bereits am 23.5.1992. Hier zitiert nach: Hermann Glaser: Die Mauer fiel, die Mauer steht. Ein deutsches Lesebuch 1989-1999. München 1999, S. 115.
234 Zitiert nach: Thomas Anz: Einleitung. In: ders. (Hrsg.), Es geht nicht um Christa Wolf, S. 25.
235 Peter Geist: „mit würde holzkekse kauen". In: NdL 2/1993, S. 131-153, S. 151.

des Buches zu nehmen, das mit *Ausflocken* beginnt: Der Blick geht hinab in den *Splittergraben*.

2.4.2 Die Geschichte der Verluste: Glaube, Liebe, Existenz

Der Text *Ausflocken. ein abwasch.* erschien bereits 1992 bei der Edition Balance in einer Auflage von 35 Stück als wertvolles Künstlerbuch.[236] Der Maler Wolf Spies hat den Text mit Handzeichnungen illustriert, doch seine Zeichnungen bedeuten mehr: Sie sind Interpretation und Weiterführung des Textes. Er greift darin vor allem die „körperlichen fehler" der Erzählers (10)[237] auf; so zeichnet er zwei gegenüberstehende Figuren in Kontur, von denen eine mit vorstehender Spitze, die andere Figur mit einer Kerbe im Kopf ausgestattet ist. Doch passen und fassen diese Kommunikationsköpfe nicht ineinander, und so bleiben es Mißbildungen, die einander nicht helfen können. In einem anderen Bild drücken zwei Füße die Hirnmasse einer Figur zusammen, nur daß einer der Füße von unten aus dem Körperinneren der Figur in den Kopf ragt, der andere tritt von außen auf den Schädel.

Spies setzt sich mit dem vom Text eröffneten Zusammenhalt zwischen Geist und Körper auseinander. Fäkalien wandern in den Kopf und (z)ersetzen das Hirn. Gezeichnet wird auch das Röntgenprofil eines doppelten Menschen. Dieser hat seine Körperkontur, doch aus dem Zentrum des Bauchraumes wächst spiralförmig Darm. So entsteht ein Kugelbauch, dessen äußerer Darmschlauch eine zweite Hülle um den Körper legt. Aus dem Zentrum des Bauches gehen außerdem rote Netzstrahlen in alle Richtungen des Bildes, als würde sich dort drinnen aller Schmerz sammeln, um dann sein Spinnennetz um Körper und Geist zu ziehen.

Die Zeichnungen sollen hinüberführen auf die zweite Lesart der Erzählinstanz, die sich dem Text über die Identität des *einzelnen* Menschen nähert. Für eine solche Aufsplitterung des Wirs in lauter Ichs spricht der von Jansen gewählte Erzählstil. Nicht selten gibt es Infinitkonstruktionen, die den Erzähler völlig aussparen. Hinzu kommt, daß die Sätze größtenteils parataktisch gebaut sind, zumindest das erste Satzglied ist fast ausschließlich ein Hauptsatz. Der konjunktionsarme Stil erhöht den Eindruck, der Erzähler könne seine Sätze nicht richtig zusammenhalten. Vielfach entstehen kausale Lücken, winzige Atempausen, hinter denen man glaubt, eine neue, leicht modifizierte Stimme zu hören.

Jansen nutzt vor allem durchgehend eine Form des Zitierens: Kurze Passagen werden in einfache Anführungsstriche gesetzt und ergänzt durch ein „dachten wir". Diese Gedankengänge gehen implizit immer gegen eine Masse vor. Denn mit den Reflexionen wird eben ausgesprochen, daß sich im Text *nicht* ausgesprochen wird[238]:

›liebesglück diese feuchtkalte mangelerscheinung‹ dachten wir um das typische wehleid mit einer lästerung zu kaschieren. einsichtig dessen daß wir in derartigen situationen eh nur unter unnatürlichen schweißausbrüchen zu leiden hät-

---

[236] Das Buch hat einen Handeinband aus Halbpergament und wurde in einer schwarzen Leinenkassette geliefert. Der Verleger und Herausgeber Henry Günther übernahm die Satz- und Buchgestaltung selbst.
[237] Die Seitenzahlen beziehen sich weiterhin auf die Textfassung im Suhrkamp-Band.
[238] Daß der Gedanke höher steht als die Aussprache, hat Jansen konsequent weiter verfolgt. Siehe hierzu auch die beiden weiteren Textbesprechungen dieser Arbeit, Kapitel 3 und 4.

ten wollte uns nämlich doch nicht diese leichte sehnsucht verlassen. hin und wieder bemerkten wir eine schönheit die wir uns dann nur zu mustern getrauten wenn sie grad nicht hersah. (24)

Die Stelle zeigt sehr gut, wie uneins die Erzählerfigur mit sich ist. Sie leidet im Grunde an Überreflektionen, kein Teil-Ich kann seinen Gedanken hier zuende bringen, ohne daß es vom Motiv seiner Handlung entlarvt und überlagert wird[239]. Dafür steht auch das „kaschieren" im ersten Satz, das sich erst am Ende auf die Hauptworte legt. Danach wird das „wehleid" zu einer „leichte[n] sehnsucht" gesteigert, wodurch der Text gerade noch seine innere Bewegung aufrecht erhält. Denn mit dem Entschluß, jemanden „schönheit" zu nennen, ist schon das Maximum an unreflektiertem Gefühl erreicht. Allein im „hin und wieder" der Blicke auf die begehrte Frau bekämpfen sich schon zwei Kräfte im Subjekt: Eine Kraft will und kann die Frau wirklich anschauen, während die andere Kraft den Blick bei Augenkontakt abziehen muß.

Spätestens hier setzt sich die Lesart des zersplitterten Ichs gegen die Parodie des völkischen Wirs durch. Der Text richtet seinen Fokus in der zweiten Hälfte immer mehr auf Personen, an denen sich das Textsubjekt spiegelt und definiert. Von einer Art Eingangsthese „der mitmensch war nichts als ein untier" (23) geht Jansen dazu über, Zweisamkeit zu betrachten. „partnerschaften" jedoch bleiben seinem Erzähler „zwielichtige gebilde aus selbstmitleid und betrug" (25). Beide Eigenschaften werden zu genüge belegt. Als die Lebenspartnerin ein „geständnis vom Verfeinerung der Einzelheiten eines fremdartigen lieblings" (26) ablegt, sie damit also eingesteht fremdzugehen, hebt das Wir sich innertextlich ein weiteres Mal aus den eigenen Angeln:

verständnisvoll heulten wir eintracht temperamentarm genug mit christlicher geste einen krieg zu vermeiden. wenn es verrat gab dann dort wo wir unser leben zu zweit amputierten denn was für zwei galt war falsch.(26)

Plötzlich springt das Wir in ein „leben zu zweit" und wird zum Ich mit Gegenüber. Eine solche Formulierung ist im Text einmalig, ein paradoxaler Zustand, den der Erzähler nicht erträgt und abqualifizieren muß. Denn seine mühsam erschriebene Einheit droht hier, nicht nur grammatisch zerstört zu werden.

Erstmals finden sich hier die Diskurse Liebe/Partnerschaft und Glaube miteinander verknüpft. Diese Symbiose findet ihre Fortführung:

›vielleicht werden wir sie umbringen‹ dachten wir gütig lächelnd. unsre methode war die vergebung. wir hatten in gottesdiensten gelernt wie man einem partner ein ätzendes schuldgefühl anhängt und bevor wir uns erbrachen wollten wir noch diese zwei seelen mit einem skrupel versorgen damit sie bis zum schluß die verantwortung für unseren dauernden schüttelfrost spürten. so kindisch war unsere rache fast ein gebot. (26/27)

Auch die „rache" setzt sich also aus zwei Teilen zusammen, die zeitlich aufeinanderfolgen. Vergebung scheint nur möglich, wenn sie auch ein Schuldgefühl für die Affäre hinterläßt. Der Erzähler, von Gottesdiensten so erzogen wie enttäuscht,

---

239 Diese ‚Abwechslung‘ der Erzähler findet in *Dickicht Anpassung* eine Fortführung. Dort wechselt auch der Gestus des Erzählers je nach Sprachdiskurs. Siehe hierzu Kapitel 3 dieser Arbeit.

verfällt der Dogmatik seines eigenen Gebotes. Auch hier wird die Vereinzelung durch fehlende Kommunikation zwischen den Menschen angezeigt. Der Erzähler darf gar nicht zu einer Stimme finden, mit der er der Frau entgegenzutreten vermag. Denn er spricht mit sich und deshalb in sich hinein, dorthin, wo seine Haltungen einander bekämpfen. Die Gespräche der Partner, die immer hinter den Reflexionen liegen, spart Jansen bewußt aus. So zerstreut sich der Leserblick nicht in Dialogen, sondern bleibt auf den Erzähler gerichtet.

Es liegt an der Allgegenwart der Schuld, daß das biographische Schicksal immer wieder Kontakt zur Politik aufnimmt. Noch einmal sei auf einen Satz des rechtskonservativen Denkers Hans Freyer verwiesen: daß allein „mit einem Volk das liebt und glaubt...große Politik gemacht werden"[240] könne. Man meint Jansen mit seiner Durchführung, mit seiner Vermischung der politischen und privaten Ebene in *Ausflocken* darauf antworten zu sehen. Denn so sehr hier Liebe und Glaube als Grundvoraussetzungen eines funktionierenden Lebenslaufs akzeptiert sind, so wenig kann Jansens Erzähler daraus Gewinn ziehen. Der ist vom „schoß der familie" und dessen „heroische[n] mutterschaften" (25) angewidert, und:

> kaum bekannte kirchgänger väterlich bohrenden blicks und offiziell funktionierend hatten uns mit verhängnissen infiziert in sakristeien und staatsratsgebäuden. beichtstühle fahnenappelle und wieder beichtstühle. (28)

Beide Familienteile werden belastet. Aber gerade über die „väterliche" Seite findet Jansen zurück auf die gesellschaftliche Makroebene. Daß gerade die Kinder „offiziell funktionierend[er]" Eltern 1968 wie 1989 Unruhe in den DDR-Staat brachten, ist bekannt. Wenn der Erzähler sich an seine Kindheit erinnert, werden Kirche und Staat über die „väterlich[en]" Gestalten parallel geschaltet. Ulrich Greiner nannte die kommunistische Idee „in ihrem Kern die säkularisierte Form religiöser Heilserwartung", die „deshalb fast jedes Opfer zu rechtfertigen schien."[241] Heiner Müller ging in einem seiner zahlreichen Interviews noch weiter: „Die DDR hat eine katholische Struktur, und die ermöglicht oder erzwingt eine vatikanische Kulturpolitik."[242] Der Vergangenheitsgestus, in dem Jansens Wir-Erzähler spricht, läßt auch immer mitschwingen, daß die „verhängnisse" der DDR den meisten erst nachträglich sichtbar geworden sind.

Auf den letzten Seiten des „abwaschs" fließen die deutschen Vorvergangenheiten und die Vergangenheit des Mauerfalls wieder zusammen. Nur zusammen bestimmen sie die Gegenwart des Erzählers:

> was unseren fortgang bestimmte waren halt die verkommenen reste der gegend mit der unsere existenz begann. [...] bunkerbestückte erlustigungsorte zur teezeit. harrende schloßparks mit klassischem wintergeäst und an verkühlung krankenden putten in jenem zwielicht wie damals als unsere ersten schritte erzwungen wurden auf der aschenbahn an einem beliebigen fluß gegenüber dem kraftwerk. die anwesenheit einer entarteten residenz hatte uns scheinbar und stetig ins erfolgsgeile abseits getrieben (31)

---

240 Hans Freyer: Preußentum und Aufklärung. Weinheim 1986, S. 38.
241 Ulrich Greiner: Keiner ist frei von Schuld. In: Die Zeit, 27. Juli 1990. Zitiert aus: Thomas Anz: Es geht nicht um Christa Wolf, S. 180.
242 Heiner Müller: „Ich weiß nicht, was Avantgarde ist". Gespräch mit Eva Brenner, 1987. In: ders.: Gesammelte Irrtümer 2. Interviews und Gespräche. Frankfurt 1990, S. 94-104, S. 94.

Die Bunker hat Johannes Jansen auch in seinem im März 2000 erschienenen Textgeflecht *Kleines Dickicht* als Spielplatz seiner Kindheit beschrieben[243], der Auftakt des Zitats hingegen erinnert an seine Schreibauskünfte[244]. Demnach spürt seine Existenz nur, wer jederzeit die Überlagerung der Zeiten wahrnimmt. Der Autor ist weder fähig noch willens, in den „triebkriegereien" (27) der Vereinigung detailliert über/für seine Biographie zu sprechen. Seine Selbstzweifel sind unlängst von der Angst unterfüttert, der Selbstdarstellung bezichtigt zu werden[245]. Fast zwanghaft hält er den Fluß „beliebig", und es bleibt ihm nichts übrig, als in den „verkommenen reste[n] der gegend" einen Neubeginn eigener Existenz zu suchen, „die stetige übelkeit als ständigen anfang zu deuten" (32).

Der Text selbst flockt nun mehr und mehr aus, gibt kausale Satzanschlüsse auf und sich damit der Vielstimmigkeit seines Erzählers hin. Die Parodie des Wirs ist zur Parodie eines Ichs geworden: „eindeutigkeit war kaum unsere stärke" (32), heißt es dazu noch einmal thesenhaft. Glaube und Liebe sind in staatlichen, familiären und kirchlichen Dogmen zersetzt, und zu einer Hoffnung schwingt sich der Text auch nicht auf.

Der Erzähler meint, „zunehmend im unkommunikativen verkehren zu müssen da die verständigung überhand nahm" (33). Er zieht sich zurück, eine Ankunft in Gestalt eines Bettes vor Augen. Auch in den Schlußsätzen findet der Text in keine Ordnung zurück. Ein „starrsinnige[r] flüchtling" will man nicht sein, doch „das bett schien zu warten" (34). Die Erzählerstimmen werden von Johannes Jansen aber schließlich zu einer Einsicht geführt, die an Christa Wolfs Mahnung aus dem November 1989 erinnert. Nur der gründliche Selbst-„Abwasch" kann wenigstens so weit bringen, nicht vollkommen am endlosen Dasein gesellschaftlicher Autoritäten zu verzweifeln.

> durch den wind den das anscheinend letztmalig notwendige aufschütteln des bettzeugs verursachte wendete sich ein blatt. dort stand das profane bekenntnis. WOZU DER LÄRM. AUCH WIR HABEN GESÜNDIGT. so holte uns der katholizismus unserer verkrüppelten kindertage aus dem abseits heim in die erkenntnis doch hämischen gebilden dienen zu müssen um wenigstens halbwegs unserer gattung gemäß zu existieren. (34)

Mit der Kurznotiz auf dem Zettel schreibt sich der Erzähler das eigene Abschlußzeugnis aus. Das hat seinen moralischen Anstrich, aber „aus dem abseits heim[geholt]" zu werden, nimmt erneut eine deutsche Vorstellung aus der NS-Zeit hinein. Subjekt dieser Heimholung ist der Katholizismus der Kindertage; den nazistischen Schatten darf die Kirche bei Jansen nicht loswerden. Die Dreieinigkeit aus Kirche, Staat und Eigenleben im letzten Satz ist auch erneut eine Dreizeitigkeit: Wie schon an anderen Texten beobachtet, sucht Jansen in der Schlußformel Vergangenheit,

---

[243] Johannes Jansen: *Kleines Dickicht*. „Ich spielte oft in den Resten eines alten Bunkers, der in der Nähe, in einem ungepflegten Park herumstand [...] Am liebsten spielte ich ‚Die Deutschen kommen', wobei das Spiel hauptsächlich darin bestand, Deckung zu suchen. Ich durfte nicht gesehen oder getroffen werden, da ich ja ganz allein war und diese Deutschen meistens mit gewissen Flugobjekten über mich hereinbrachen." S. 24/25.
[244] Siehe Kapitel 1 dieser Arbeit. „eine struktur der werke, die in jeder beziehung ein bild ist, das weitertreibt durch die täuschungsmanöver der mit ihm verbundenen erinnerung." *Zur Arbeit mit Text-Bild-Kombinationen*. In: Erhart Gillen (Hrsg.): Kunst in der DDR, S. 204.
[245] Zur Furcht vor der Ideologisierung von Sprache siehe vor allem Kapitel 3.3 dieser Arbeit.

Gegenwart und Zukunft zu binden.[246] Die Unabgeschlossenheit des gesamten Abwaschs, aber auch die Offenheit der Zukunft spricht aus dem syntaktischen Zusammenhalt der Worte „halbwegs" und „existieren".

2.5 Ausblick: Bewegung ins Abseits

Die bittere „erkenntnis", Autoritäten akzeptieren zu müssen, läßt noch einmal das Grundkonzept von *Ausflocken* aufleuchten. Ins Rennen geschickt wurde ein Wir-Erzähler, dessen Wahrnehmung aber nicht integrierend wirkte, sondern nach und nach *die* Personen anhäufte, die außerhalb des Wirs standen, um sie zu durchaus machtvollen Diskursgruppen anwachsen zu lassen. Hier setzte meine erste Lesart an: Demnach erzählt eine parodierende Instanz, wie das Wir über einzelne Stationen gestutzt wird, bis es schließlich seinen Namen nicht mehr verdient, sich auflöst. Gegen Kirche, Staat und selbst Partnerschaft blieb dem Wir nur der Schritt in die Vereinzelung.

Deutlich wird, daß Johannes Jansen mit *Ausflocken* seine (auch literarische) Randexistenz, wie sie spätestens mit den *spottklagen eines abseitigen* 1989 ausgesprochen war, eigenhändig bestätigt. Es gilt aber zu differenzieren: Der Text *Ausflocken* ist in erster Linie eine Verarbeitung der Jahre ab 1989, anders als in den *spottklagen* wird hier explizit die Frage der Identität in einer Zeit des geschichtlichen Umbruchs gestellt. Und hätte es für den Autor Jansen nicht neben dem vereinzelten Ich in dieser Zeit auch die Alternative des Wir gegeben, so wäre der Text gar nicht entstanden.

Das Spannungsfeld entsteht dabei zwischen der aktiven *Flucht* aus der Masse und der *Verflüchtigung* der Masse selbst. Wenn der Erzähler am Ende allein im Bett liegt, dann hat er einige Entscheidungen selbst treffen können, andere seiner Schritte hat sein Umfeld bestimmt. Kaum war die letzte Liebe zu einer Frau im Text ausgesprochen, „drehte sie sich mit der bemerkung ›vorbei‹" (30).

Flucht und *Verflüchtigung* sind hier als Vokabeln gedacht, um einen Blick auch auf den Titel dieser Arbeit zu werfen. Betrachtet man den Text in seiner Gesamtheit, so hat sich eine (auto)-biographische Lesart durch die Wir-Destruktion wieder interessant gemacht. Die ‚Ausschreitungen' dieses Raumes setzen diejenigen des Dialoges zwischen Landschaft und Läufer (1989) fort; auch in *Ausflocken* kann sich der Autor-Erzähler nur anhand des ihn umgebenden Feldes definieren. Die Umwelt wirkt aktiv auf Entscheidungsprozesse des Erzählers ein, doch hier treibt Jansen diese Einwirkung weiter. Die verschiedenen Diskurse, vom Wir nicht mehr in einer Sprache handhabbar, führen zur Zersplitterung des Erzählers in einzelne Handlungsträger. Ich habe deshalb die zweite Lesart vorgeschlagen, bei der die Wahl des kollektiven Erzählers einen anderen Sinn erhält. Das Wir liest sich dann als „hilflos erzwungen[e]" (11) Deckelung dezentralisierter Subjekte. Und das Verschwinden des Erzählers in Sätzen, die reine Beschreibung waren oder allein mit infiniten Verbformen auskamen, rief den Eindruck hervor, danach trete jeweils ein *neuer* Erzähler ins

---

246 Dem eigentlichen Textschluß ist auf Seite 35 noch eine Art Aphorismus nachgestellt. Aus dem gleichnamigen Kunstbuch wird ersichtlich, daß diese Zeilen zum Text *Ausflocken* gehören, sie sind auch dort abgedruckt. *Ausflocken*, S. 35: „VIELLEICHT HAST DU KEIN GESPÜR FÜR DEINE SCHULDEN/ ABER DU HAST EINEN FEIND IN DER STADT/ UND ER WIRD DICH VERDAMMT GUT ERNÄHREN".

Textbild ein. Auch der Zusammenhang zu den in Kap. 1 benannten multiplen Ichs der *Zitatreste* dürfte damit deutlich sein. Und der Text *Dickicht Anpassung* (Kap. 3) führt die Dekonstruktion des Erzählers in Stimmen radikal fort.

Am Ende betrachtet der Erzähler seinen Text zurecht als Reise. Eine Reise, die ins Wir hinein führte, um daraus ins Ich zurück zu finden: „wir waren einmal herum gekommen und nun wieder am ausgangspunkt eingetroffen" (33)[247]. Der Kreislauf macht das Wir zu einer erzähltechnischen ‚Ausschreitung', einem Experiment.

Dabei drängt sich die letzte Ortsbestimmung des gebundenen Textes[248] auf, dieses „aus dem abseits heim" (34), in dem sich die im Verlauf des Kapitels besprochenen Ebenen des Textes noch einmal spiegeln. „ausgangspunkt" ist demnach auch der hier wiederkehrende Zynismus, in der Lesart, die DDR würde „heim[geholt]" wie ein verloren gegangenes ›Ostgebiet‹; für den Erzähler und den Autor ist 1992 klar, daß ein Neuanfang ohne Ideologie im vereinigten Deutschland nicht in Sichtweite ist, sondern daß sich im Gegenteil deutsche Geschichte immer addiert hat. Auch nach der Wende gibt es für Jansen keinen Anlaß, die Tradition einer deutschen Hörigkeit vor Autorität anzuzweifeln. Wer in diesem Sinne „aus dem abseits heim[geholt]" wird, der hat keinen Mittelpunkt gefunden, für den besteht das Abseits selbstredend weiter. Der befindet sich „also in einem zustand der es erlaubte ›gute nacht‹ zu sagen" (34).

Das Wir kommt als Ich an. Im Kampf der Erzähler wird das Grundthema des Textes veranschaulicht, der sich letztlich um Macht und Vereinnahmung des Einzelnen und von Gruppen dreht. Wo Masse und Einzelner gegeneinander stehen, bringt Jansen jede Volksbewegung in Verruf, ob diese sich nun als faschistisch oder sozialistisch zu erkennen gibt. Doch der Schlußsatz steht auch für das Scheitern des Einzelnen. Daß jemand erkennt, „dienen zu müssen" (34), macht seine Bewegung zum Stillstand. Bei aller Häme über die „hämischen gebilde" (34) des vereinten Deutschlands, Jansen faßt in *Ausflocken* zwei Beschlüsse, die für die weiteren Textbesprechungen von Bedeutung sind: Er spricht einerseits ein Veto gegen ein Wir aus, das meint, für große Gruppen sprechen zu können; ebenso wird die vollständige Vereinzelung ausgeschlossen. Mit den Schlußsätzen stellt Jansen auch jenes Kapitel der eigenen Biographie als nicht mehr zukunftsfähig dar, in dem er sich mit einer kleinen Künstlerszene am Prenzlauer Berg isolierte und sich als ›Inoffizieller‹ kriminalisieren ließ.

---

[247] Damit steht der Text in enger Verwandtschaft mit *Verfeinerung der Einzelheiten,* wo ebenfalls eine Reise aus dem Ich ins Wir und zurück erfaßt wird. Siehe hierzu Kapitel 4 dieser Arbeit.
[248] Das meint im Text bis S. 34, ohne die abgesetzten Schlußverse.

KAPITEL 3: „ICH BEFINDE MICH NOCH IMMER IM ZWISCHENREICH"
Zu *Dickicht Anpassung*

> Was ein Mensch tut, ist so, als ob es alle Menschen täten. Deswegen ist es nicht ungerecht, daß der Ungehorsam in einem Garten das ganze Menschenge- schlecht befleckt; deswegen ist es nicht ungerecht, daß die Kreuzigung eines einzigen Juden genügt, alle zu erlösen. Vielleicht hat Schopenhauer recht: Ich bin die anderen, jeder Mensch ist alle Menschen.
>
> Jorge Luis Borges: Die Narbe.

3.1 EINLEITUNG

Es braucht keine Konstruktion, um die zweite Textbesprechung der ersten direkt anzufügen; der Ort, an dem *Ausflocken* endet, ist der Ort, an dem *Dickicht Anpassung*[249] beginnt: das Bett. Eine zweite Beobachtung aus dem Schlußteil des letzten Kapitels möchte ich hinzunehmen: daß der „ausgangspunkt" immer Anfang und Ende zugleich sein kann. Und so liegt ein Geheimnis von Literatur eben darin, daß Schreibkrisen sich durchaus produktiv geben können, und daß vermeintliche Endpunkte mitunter als Neuanfänge taugen. In diesem Sinne bilden die Zusatzverse in *Ausflocken* das Fundament eines Krisentextes, den sie beschließen: „...ABER DU HAST EINEN FEIND IN DER STADT/ UND ER WIRD DICH VERDAMMT GUT ERNÄHREN"[250]. Sie bezeugen die Abhängigkeit des Ichs von seinem Umfeld, des kritischen Autors von einer gesellschaftlichen Misere.

In *Ausflocken* haben sich die Erzählerstimmen am Ende in einer Einsicht zusam- mengezogen und im Abseits eingerichtet. Doch der Rückzug ist nicht vollkommen. Die Entscheidung einer zukünftigen Ausrichtung – so bezeugt der Schlußsatz der Erzählung – fällt weder für die Masse, noch zugunsten einer Totalverweigerung der Gesellschaft.

Dieses Projekt einer Vereinzelung findet in *Dickicht Anpassung* 1996 eine radi- kale Fortsetzung. Wir bekommen es dort mit einem Ich-Erzähler zu tun, der sein Bett nicht mehr verlassen kann. Er hat keinen Kontakt zur Außenwelt. Um so mehr konzentriert sich der Text auf die Kopfwelt dieses Körpers, und auch darin gibt es zwischen *Ausflocken* und *Dickicht Anpassung* eine Analogie: Beide Texte spielen mit der Mehrstimmig-keit eines einzelnen Erzählers. Passagen von unterschiedli- chem Sprachgestus zersplittern das Subjekt. Identität wird in Frage gestellt.

---

[249] *Dickicht Anpassung*. Der Text wurde zuerst veröffentlicht in der Zeitschrift *Sklaven*, Nr. 29, Oktober 1996. S. 12-14. Nachdem Jansen beim Ingeborg Bachmann-Wettbewerb damit den „Preis des Landes Kärnten" gewon- nen hatte (1996), erschien er auch in der zugehörigen Anthologie, die auch die Diskussion um den Text doku- mentiert. Gebunden ist er erst seit 2002 erhältlich im gleichnamigen Band *Dickicht Anpassung. Texte 1995- 2001*, Ritter Verlag Klagenfurt.

[250] *Ausflocken*, S. 35.

3.1.1 Kleines Dickicht

Im Umkreis von *Dickicht Anpassung* entstand das *Kleine Dickicht*, ein von Jansen erst im März 2000 veröffentlichter Band aus titellosen Kurzprosablöcken.[251] Schon der Titel weist darauf hin, daß ein enger Zusammenhang zwischen diesen Werken besteht, und tatsächlich handelt es sich beim *Kleinen Dickicht* um eine Art Material-sammlung zu *Dickicht Anpassung*. Die Texte sind bereits im Sommer 1995 ent-standen[252], erst 1996 veröffentlichte Jansen *Dickicht Anpassung*.

Dabei ist die Entwicklung interessant, die das Erzähler-Ich im *Kleinen Dickicht* nimmt. Jansen hält sich dort zunächst an die – recht eindeutig – eigene Biographie, beginnend mit Reflexionen aus der DDR-Kindheit. Der Erzähler altert im Verlauf der Texte mit, verliert seine spielerischen Züge, wird unkörperlicher. Es häufen sich Reflexionen über die Sprache, und dabei nehmen auch die Bilder des liegenden Körpers zu. Kurz vor Ende des Bandes vergleicht sich das Ich mit einer träge im Zookäfig lebenden Hyäne. In den letzten Notizen meint man, dieselbe Gestalt spre-chen zu hören, die auch *Dickicht Anpassung* – ans Bett gefesselt – erzählt. Wörtliche Berührungen der Texte häufen sich jetzt. Daß Jansen in dieser Zeit collagenhaft arbeitete und auf die einzelnen Reflexionen zurückgriff, wird nun nachträglich erkennbar.

Wenn die folgende Textbesprechung das „Dickicht" etwas lichten will, kann sie nicht chronologisch vorgehen. Denn Jansens *Dickicht Anpassung* hält nicht dadurch zusammen, daß ein Erzähler eine Geschichte erlebt hat und kohärent niederschrieb, sondern indem dieser Erzähler einzelne Motive, Zeiten, Haltungen und Sprachgesten einander gegenüberstellt. Der Text beschreibt auch das Scheitern, alles zu *einer* Sprache zusammen zu fügen. Eine Sehnsucht, die Jansen auch in der letzten Notiz des *Kleinen Dickichts* benannt hat: „Mein Wunschtraum wäre ein Knäul. Da stellt sich dann die Harmonie von selbst her."[253]

3.1.2 Das Zwischenreich – eine Annäherung

Die Fabel des Textes zusammenzufassen, muß scheitern. Wie bereits gesagt, ist Jansens Erzähler in *Dickicht Anpassung* ein Ich, das nicht aus seinem Bett ausstei-gen kann. Sein Körper ist funktionslos geworden, eine „Rumpfexistenz"[254]. Man erfährt, daß auch das Ich einmal als Krankenpfleger gearbeitet hat. Nun hat aber alle Arbeit der Kopf übernommen, in vielen Reflexionen überdenkt das Ich sein ver-gangenes Leben und wie dieses zur aussichtslosen Bettlägrigkeit geführt hat. Dabei wird schließlich auch eine zukünftige Zeit in die Reflexionen hinein genommen. Der Text endet nicht mit dem Tod des Ich-Erzählers, sondern mit einem neuerlichen „Strategiepapier". Darauf ist der Satz zu lesen, der nicht nur das *Dickicht* beschreibt, sondern auch eine höhnische Lese- (und Schreib-)anleitung für den Rezipienten gibt: „Sieh zu, daß Du nicht zurecht kommst..."[255]

---

[251] *Kleines Dickicht.* Klagenfurt 2000.
[252] Siehe den Hinweis auf Seite 110 des Buches: Die Texte entstanden von April bis Juni 1995.
[253] *Kleines Dickicht*, S. 91.
[254] Peter Demetz, aus der Diskussion der Jury zum Ingeborg-Bachmann-Wettbewerb. In: Klagenfurter Texte, München 1996, S. 169.
[255] *Dickicht Anpassung* (6, 40). Ich zitiere im folgenden erneut innerhalb der Arbeit mit Spalten- und Zeilenzahl, nach dem Erstdruck im *Sklaven*.

Um die Schichten des *Dickichts* dennoch nacheinander beschreiben zu können, will ich einen Standort vorschlagen. Im *Kleinen Dickicht* heißt es in einem der Textblöcke:

> Ich befinde mich noch immer im Zwischenreich. Ich habe zwar schon eine Ahnung von dem, was dahinter liegt, von dieser Harmonie, die derartig groß ist, als wenn sie dir die Augenlider weggeschnitten hätten... Ein ungesundes Maß an Dramatik macht die Vision zur Tatsache. Doch da, wo ich bin, tobt immer noch der Krieg, dieser verletzte Stolz. Überzeugung gegen Prägung. Prägung aus Überzeugung gegen Überzeugung aus Prägung und so weiter.[256]

Mit „Zwischenreich" fällt hier der Begriff, der mich in der Textbesprechung von *Dickicht Anpassung* leiten soll. Ein solches Zwischenreich läßt sich meiner Meinung nach bei Jansen auf verschiedenen Ebenen des Textes erfahren. Denn *Dickicht Anpassung* ist ein Text, der sich aus Oppositionen und Widersprüchen zusammensetzt und dabei keine Zugeständnisse an eine Lesererwartung macht.

Das Zwischenreich ist umfassend. Ich möchte den Begriff im folgenden nicht im Sinne des Zitats anwenden, wo er eher als Vorgriff auf eine Zukunft gebraucht ist. In *Dickicht Anpassung* hingegen verbinden sich – auf verschiedenen Ebenen – mehrere Zustände zu je einem Zwischenreich. Auf sprachlicher Ebene beispielsweise setzt sich dieses aus einzelnen Diskursfeldern (theologisch, staatlich, wissenschaftlich) zusammen. Keiner der Diskurse kann die anderen regieren. Die verschiedenen Sprachtraditionen haben zur Folge, daß der Text auch erzähltheoretisch nicht greifbar ist. Weder kann von innerem Monolog die Rede sein, noch werden die Grundbedingungen einer Erzählung erfüllt.

Ich will in den Abschnitten dieses Kapitels also einzelne Zwischenreiche untersuchen. Auf folgenden Ebenen können Jansens Techniken der Durchmischung ausgemacht werden: Der Ich-Erzähler im Bett, das Zwischenreich von Schlaf und Wachsein (3.2); das Schwanken des Ichs, seine Selbsteinschätzung zwischen Auf- und Abwertung (3.3.1-3.3.3); das erzähltheoretische Zwischenreich aus Erzählung und innerem Monolog (3.3.4-3.3.5); die Durchmischung der temporalen Strukturen (3.3.6); und schließlich: der Ich-Erzähler zwischen vereinzeltem Körper und zersplittertem Geist (3.4).

3.2 Das Bett, die Vereinzelung

Dickicht Anpassung beginnt mit der Anrede „Lieber Herr im Himmel, sag, daß das nicht wahr ist" (1,1), einen menschlichen Ansprechpartner hat das Ich nicht. Zu erwarten ist also ein Gebet, die Schrift wird zumindest von Anbeginn in der Mündlichkeit verankert:

> Warum liege ich in einem Bett, aus dem ich nicht aussteigen kann? Es ist so schön, zu wissen, daß man in einem Bett liegt, aus dem man nach allen Seiten aussteigen kann. Aber ich liege in einem Bett, aus dem man nach keiner Seite aussteigen kann. Ich habe es, ich weiß nicht wie lange probiert. Es ist kein Aussteigen möglich, obwohl ich abschätzen kann, daß der Fallschutz, der mein

---

[256] *Kleines Dickicht*, S. 76.

Lager umgibt, nicht sehr hoch ist. Ich kann mich einfach nicht überwinden. In der Nähe meines rechten Ohres befinden sich zwar einige Knöpfe, die der Verlagerung dienen, doch mein Arm ist erledigt. (1, 1-10)

Mit dem Textanfang stellt sich der Autor in eine Reihe von Ich-Erzählungen, die das Bett als Erzählort aufgerufen haben. Der größte Teil der Bett-Literatur braucht hier nicht beachtet zu werden, geht es darin doch um den erotischen Ort, den Bereich der Intrigen, oder aber das Bett erhält märchenhafte Konnotationen. Trotz solcher Einschränkungen muß ein Exkurs in die Literaturgeschichte des Bettes hier einige wichtige Werke berühren.

Zum festen Erzählort wurde das Bett erstmals in Ivan A. Gontscharows Roman *Oblomow* (1857). Der Autor nutzt es hier vor allem, um seinem Erzähler den nötigen Halt für einen Rückzug aus dem russischen Stadtleben zu geben. Oliver Sill hat hierfür in einem kleinen Aufsatz die „Ambivalenz" des Bettes erkannt, "die Oblomows Rückzug zugleich als legitime Zuflucht vor den Zumutungen der sich abzeichnenden modernen Gesellschaft erscheinen läßt."[257]

Die Reise führt weiter in die *verlorene Zeit*, die Marcel Proust mit dem „Drama [m]eines Zubettgehens"[258] eingeleitet hat. Der Ich-Erzähler erinnert sich aus dem Bett heraus an sein Kinderbett, er konnte damals nicht ohne den Gute-Nacht-Kuß der Mutter schlafen gehen. Auch Rilke schuf in *Malte Laurids Brigge* (1910) einen Ich-Protagonisten, der auf sein Bett zurückschaut als einen Ort, wo ihm psychische Labilität und ödipale Liebe entstanden.

Das Bett ist der Ort der Vereinzelung. Ein Ruhepol in der Erzählzeit, kann es doch von einem ganzen Universum der Zeiten umgeben und aufgeladen sein. Es steht zwischen den zwei elementaren menschlichen Zuständen: Schlafen und Träumen hier, Wachen und Denken dort.

Bei Proust tauchen die Erinnerungen denn auch weder im Tiefschlaf noch im Wachsein auf, sondern im Prozeß des Aufwachens. Sie nisten sich in den Körperhaltungen des Ichs ein, bevor es noch wieder ganz zu sich gekommen ist. Diese Übergangsstimmungen des Morgens gibt es bei Proust auch für das abendliche Einschlafen, wo sie anhand von Lektüre erlebt werden: Das mit in den Schlaf hinüber genommene Buch, die im Traum weiter erzählte Geschichte. Wird das Bett zum Text-Standort, dann erhält der Erzähler oft eine doppelte Fragwürdigkeit. Spricht er selbst, oder erzählt sein Traum? Oliver Sill faßt zusammen:

Unabhängig von der Frage, welche Darstellungsintention mit dem Leitmotiv ‚Rückzug ins eigene Bett' jeweils verknüpft ist: als Symbol der Entfremdung zwischen entfremdetem einzelnen und der Gesellschaft gehört es zum vielfach variierten Muster literarischer Bearbeitung moderner Selbst- und Welterfahrung.[259]

Proust schreibt ein „Drama", Rilke vom „Fieber": Die Autoren sind sich insofern nah, als sie selbst ihre Erzähler so konstituieren, daß diese gerade im Bett – am vermeintlich ruhigsten Ort – ihre nervöseste Seite zeigen.

---

[257] Oliver Sill: Rückzug ins Grenzenlose. ‚Das Bett' als Leitmotiv in der Prosa Brigitte Kronauers. In: Neue Generation – neues Erzählen. Hrsg. von Walter Delabar, Werner Jung, Ingrid Pergande. Opladen 1993, S. 15-23, S. 16.

[258] Marcel Proust: A la recherche du temps perdu. Du côté de chez Swann. (geschr. 1912/1913). Hier als: Auf der Suche nach der verlorenen Zeit. Erster Teil: In Swanns Welt. Frankfurt 1981. S. 62.

[259] Oliver Sill: Rückzug ins Grenzenlose, S. 17.

Jansens Erzähler in *Dickicht Anpassung* besitzt diese Nervosität nicht, was auch an der Grundverschiedenheit des Ansprechpartners liegt. Wie sich zeigen wird, ist Jansens Ich monologisch angelegt, es erzählt nicht für einen Leser, sondern spricht zu einem abwesenden Gott. Dennoch gilt: Wer seine Sprache wie Jansen im Bett dem Wachzustand eines Ichs überantwortet, weiß natürlich um die Nähe des Traums. In veränderter Rolle, als visionäre Wünsche, gehen Träume auch in Jansens Text *Dickicht Anpassung* ein.

3.3 Die Zwischenreiche

3.3.1 Selbsteinschätzung des Ichs: Becketts Malone stirbt

Direkter als zu Proust und Rilke ist deshalb der Bezug Jansens auf Samuel Becketts Trilogie monologischer Romane: *Molloy, Malone stirbt* und *Der Namenlose*. Die Romane sind beeindruckende Zeugnisse der Nachkriegsmoderne; Reflexionen über den Tod, über das Nichts und ein eventuelles Jenseits.

In *Malone stirbt*[260] läßt Beckett seinen Ich-Erzähler, der sich nicht mehr aus dem Bett erheben kann, auf seinen Tod zuschreiben. Malones Papiervorrat ist begrenzt, einen letzten Bleistift hat er in der Hand. Malone weiß um sein Schicksal, er beginnt seinen Monolog mit dem Satz: „Ich werde endlich doch bald ganz tot sein" (247). Sein anfängliches Zeitgefühl verliert er im Verlauf des Romans, seine Ankunft im Zimmer hat Malone nie verstanden: „Wie ich hierhergekommen bin, weiß ich nicht" (252).

Um psychische Vorgänge und Strukturen zu erfassen, bündelt Beckett seine Aufmerksamkeit auf dem Ich und dessen Tätigkeiten. Es entsteht ein Monolog, der gleichzeitig die Aporie eines Gebetes ist. Der Glaube an Gott soll als Irrtum entlarvt werden, und dafür bedarf es eines scharfsinnigen Erzählers. Ans Bett gebunden, ist Malone eine vergeistigte wie entkörperlichte Figur. Sein Fleisch kann nicht mehr schwach werden – eine Grundbedingung, sich gegen Gott zu stellen.

An Becketts Malone lassen sich Denk- bzw. Schreibarten ablesen, die auch das Subjekt in Jansens *Dickicht* konstituieren. Vor allem handelt es sich bereits bei Malone um eine Ich-Gestalt, die zu sich selbst ein gespaltenes Verhältnis zeigt. Sie schwankt permanent zwischen *Selbsterniedrigung* und *Selbsterhöhung*[261]. Vorwürfe macht sich Malone vor allem im Rückblick auf frühere Illusionen: „Ich, der glaubte, alles so gut kombiniert zu haben..." (299). Das Ich entlarvt sich in seiner Vergangenheit, Einsichten werden zurückgenommen. Anderseits kann Malone auch verzweifelt sagen: „Ich bin im Grunde so gut, so gut, wieso hat keiner es gemerkt" (374). Diese erhöhende Selbsteinschätzung kann Malone bis an den Rand des Göttlichen bringen. Hierher gehören dann seine Hoffnungen, Ahnungen, und die *prophetischen Momente*: „Und schließlich schien es mir, für einen Augenblick, daß ich Besuch bekommen würde" (288); aus Malones Gewißheit des Todes erwachsen noch einmal Figuren, die eine Nähe zu Heiligen haben. Der Schuljunge Sapo wird eingeführt wie Christus,

---

[260] Samuel Beckett: Malone meurt. Paris 1951. Hier als: Malone stirbt. Werkausgabe, Band 7, Werke III/2. Frankfurt 1976, S. 247-394. Im folgenden nach dieser Ausgabe mit Seitenzahlen im Text zitiert.
[261] Die hier und im folgenden kursiv gekennzeichneten Termini tauchen in späteren Zusammenhängen nochmals auf.

der mich [Malone, J.B.] stets erwartete, der mich brauchte und den ich brauch-te, der mich in seine Arme nahm und sagte, ich solle nicht mehr fortgehen, der mir seinen Platz überließ und mich behütete, der jedesmal litt, wenn ich ihn verließ, den ich viel leiden ließ und kaum zufriedenstellte, den ich nie gesehen habe. (268)

Später vernimmt Malone einen Chor und verbindet den akustischen Eindruck im Traum erneut mit der Gestalt des Christus, „der mich rettete, zweitausend Jahre im voraus" (286). Die Nähe des Todes geht bei Malone in solchen Momenten einher mit dem Bewußtsein, selbst ein Märtyrer zu sein. Aber jeder *Selbsterhöhung* folgt ein um so tieferer Fall, der Monolog wird so zum zwei- oder mehrstimmigen Dialog mit sich selbst.

Dieses Schwanken zwischen extremen Stimmungen hat auch Jansen seinem Erzähler eingeschrieben. Es entsteht so eine Polyphonie, die verschiedene Identitäts-zustände des Erzähler-Ichs ausdrückt. Mit jeder Erhöhung setzt er sich von der Masse ab, doch sobald er mit einer Denkkonstruktion scheitert, fällt er in die Masse zurück. Bereits im Titel wird dieses Zwischenreich des Subjekts angekündigt. Denn *Dickicht Anpassung* ist ein dialektischer Ausdruck, der danach fragt, ob der Weg des Menschen vom „Dickicht" vorgezeichnet ist, oder ob er sich einer Umwelt selbst „anpaßt". Eine freie Entscheidungskraft wird dem Menschen jedoch verweigert.[262]

3.3.2 Das antithetische Vorgehen

Bei Beckett ist dieses antithetische Vorgehen an vielen Stellen zu beobachten. Es ist insofern an die *Selbsterniedrigung* gekoppelt, als in diesen Momenten zumeist eine Reflexion zurückgenommen wird. Die gegenständliche Welt drückt das sprachge-bende Ich in den Hintergrund. Malone spricht von „Tagen, wo es an Gegenbeweisen nicht fehlte" (320). Ganz ähnlich formuliert Jansens Ich sein antithetisches Vor-gehen: „Solange ich denken kann, hat es zu jedem mühsam konstruierten Gedanken einen vernichtenden Gegengedanken gegeben" (1, 28-30).

Das ist geradezu eine Poetologie der Negation, eine Begründung für Jansens Erzählstil. Sein Erzähler in *Dickicht Anpassung* kämpft mit einer komplexen Wirklichkeit und kann Gedanken deshalb nicht ausformulieren; bevor ein Gedanke als Erzählstück (evtl. in Form eines Absatzes) abgerundet wird und eine Geschichte zu erzählen beginnt, wird dieser – mit einem Wort Thomas Bernhards – ‚abge-schossen'. Iris Radischs Beobachtung ist zutreffend:

[...] der ganze Text [hat] eigentlich die Geste einer logisch-philosophischen Deduktion, die aber permanent abbricht, die in einem Cut-Up-Verfahren sich immer wieder selbst unterbricht und dann entweder im Nonsens, in einer Selbstparodie oder einfach mit nur mit diesen Schnitten endet.[263]

Der Leser erfährt diese Widersprüche des Ichs, diese andauernden Selbstunter-brechungen, auf mindestens drei ineinander verschränkten Ebenen, die ich nun

---

[262] Damit ist ein durchgängiges Motiv in Jansens Schreiben problematisiert. In Kapitel 1.1.1 war unter dem Gesichtspunkt der Bewegung bereits eingehend von der Dialektik zwischen Landschaft und Läufer in *mär* (1988) die Rede.
[263] In: Klagenfurter Texte. München 1996, S. 167.

näher beschreiben möchte. Er erfährt sie erstens temporal: Die Gegenwartsebene (im Bett) wird vom Vergangenheitstempus unterbrochen, eingeschoben sind auch konjunktivische Momente im Futur. Daß der Text aus der Erzählzeit sowohl nach hinten als auch nach vorne ausbrechen kann, verankert ihn temporal in einem Zwischenreich.

Ein zweites Zwischenreich bildet sich erzähltheoretisch. Was präsentisch – wie ein innerer Monolog – beginnt, wird reflexiv, mitunter erzählerisch, später sogar prädiktiv[264]. Techniken des inneren Monologs fließen in eine Ich-Erzählung ein.

Zunächst möchte ich aber auf die sprachdiskursive Ebene des Textes eingehen. Zur „logisch-philosophischen"[265] Wirkung trägt bei, daß der Text mehrere Erzählhaltungen hat. So sind einige Passagen von einem christlichen Gestus eingefärbt, andere sprechen in Bildern und Metaphern von Ideologie. Erst die Selbstverständlichkeit *jeder* Haltung zum Zeitpunkt ihrer Anwendung macht *Dickicht Anpassung* zu einem Stimmenkampf, in dem niemand gewinnen kann.

3.3.3 Nach den Ideologien

Noch ein letztes Mal möchte ich auf Beckett zurückkommen, um eine historische Analogie zwischen *Malone stirbt* (1951) und *Dickicht Anpassung* (1996) herauszustreichen. Beckett hat seinen Monolog sechs Jahre nach dem zweiten Weltkrieg geschrieben, Jansen seinen kurzen Text sechs Jahre nach der Vereinigung der beiden deutschen Staaten. Eine Parallele ist dabei allein in den ideologischen Sprachrückständen zu sehen, die auf die Erzählsprache Einfluß nehmen.

Beckett hat sich für sein monologisches Schreiben in einem Pariser Hotelzimmer selbst isoliert. Nicht nur, daß all seine Figuren als versehrte Kriegsveteranen denkbar sind, sie sind dabei auch unfähig, von ihrem eigenen Leben zu berichten. Noch kurz vor dem Verstummen borgen sie sich Identitäten.

Die Monologe Becketts sprechen über das Sprechen. Sie lesen sich als Versuch des Einzelnen, wieder zu sich zu finden. Die Vergangenheit Malones hält Beckett verdeckt, und doch stellt der Krieg die Frage, ob überhaupt noch etwas zu sagen ist. Diese Sprachskepsis hält Verdrängungsmechanismen allgegenwärtig. Als sich Malone versucht, über den Ernst seiner (Sprach)-Lage hinweg zu täuschen, muß er den Gedanken sofort einschränken: „Aber ich werde einen großen Teil der Zeit spielen, hinfort, den größten Teil, wenn ich kann. Aber es wird mir vielleicht nicht besser gelingen als früher" (249).

Hinter dem Text lauert die Bedrohung noch in Gestalt der Sprachverhunzung durch den Faschismus. In Malones dialektischem Monolog – zwischen *Selbsterhöhung* und *Selbsterniedrigung* – versucht sich Beckett, einer anti-ideologischen Sprache zu nähern, die wieder Widersprüche erträgt.

---

[264] Der Ausdruck geht auf Todorov zurück, ich übernehme ihn in der Verwendung von Gerard Génette, der vier Narrationstypen nach dem Verhältnis der narrativen Instanz zur erzählten Geschichte unterscheidet. ‚Prädiktiv' meint „die *frühere* Narration", der Erzähler befindet sich *vor* der Geschichte. Auf die prophetischen Passagen in Jansens Text komme ich zurück. Vgl. Gérard Génette: Die Erzählung. München 1994, S. 154.

[265] Siehe Iris Radischs Zitat zur Fußnote 167. – Von einer „Deduktion" möchte ich aber nicht reden, da eben alle einzelnen Reflexionen im Verlauf des Monologes relativiert werden. Es bleibt die interessante Frage, was hier eigentlich hergeleitet wird.

Bevor ich auf Jansen übertrage, bedarf der Ideologiebegriff hier einer kurzen Erläuterung. Das Marxsche Verständnis von Ideologie ist eines des ‚gesellschaftlich notwendig falschen *Bewußtseins*‘, das dem *Sein*, den materiellen Lebensbedingungen, entspringt. Die Ideologiekritik setzt dort an, wo Marx einen objektiven *Seins*zustand sieht, der Subjekten nur vermittelt wird. Das vernachlässigt die Dynamik zwischen dem Einzelnen und der Gesellschaft. Hansjörg Bays Kritik übernimmt zwar den politischen Gehalt des Ideologiebegriffs[266] von Marx, ersetzt aber in seinen Überlegungen das *Sein* durch *Erfahrung*, um eine falsche bzw. richtige Bewertung des Lebens auszuschließen. Das *Bewußtsein* faßt Bay für die heutige Zeit als *Erzählungen* auf, denn es handelt sich dabei um die „permanent produzierten und reproduzierten Gebilde, in denen wir [...] unsere Lebenswirklichkeiten repräsentieren, darstellen, ordnen und erklären.“[267] Im herrschaftlichen Diskurs lassen sich erzählerische Mechanismen (Ausblendung, Verdrängung) beschreiben, die Ideologie konstruieren. Damit bleibt der Ideologiebegriff allerdings nicht ohne Wertung. Mit Bezug auf Adorno begreift Bay Ideologie in der heutigen Gesellschaft als „Produktion eines Erzählpanzers gegen gesellschaftliche Leiderfahrungen“[268]. Die ideologischen Erzählungen überdecken und verdrängen demnach die Erfahrungen des Einzelnen. Die Gründe der menschlichen Anfälligkeit für Ideologien wäre im Psychologischen zu suchen. Ideologien sind immer Ventile, „Formen der Abwehr bedrohlicher Erfahrungen“[269].

Nur Sprache kann verraten, ob sich jemand den Bedrohungen stellt. Wenn das Subjekt gegenüber den gesellschaftlichen Prozessen seine Identität bewahren will, muß es sich auseinandersetzen. Dafür steht gerade das *antithetische Vorgehen*, wie es sich in Becketts und Jansens Erzähler-Ichs verkörpert. Noch einmal Hansjörg Bay: „[D]ie selbst gesellschaftlich vermittelte und stets fragile Freiheit des Subjekts ist nichts anderes als die Kraft zu solcher Widerständigkeit, zur Negation.“[270]

Sowohl Becketts Monologe als auch Jansens *Dickicht* kann man deshalb als existentielle „Leiderfahrungen“ lesen, die gegen alle ideologischen Erzählungen angehen. Die jeweils seit sechs Jahren vergangenen totalitären Staatssysteme sind eben deshalb Bezugspunkte, weil sie jedes biographische Leid im Dienst ihrer Sache unterdrückten.[271] Zurückgeblieben ist in *Dickicht Anpassung* aus dieser Vorzeit „zumindest das Porträt eines Idols, dessen Name mir inzwischen entfallen sein dürfte. Es hängt über meinem Kopfende [...] Sehen kann ich es nur, wenn mir jemand den Kopf dreht“ (1, 45-50). Wir befinden uns also in einer posttotalitären Zeit, aus der die Beweisstücke noch vorhanden sind. Sie sitzen bildlich noch im Nacken. Aber *Dickicht Anpassung* geht über die Zeiten hinweg, und ist mitnichten ein Text nur über eine einzelne Herrschaft. Es gibt ein weiteres Bild dafür, daß sich die DDR mit ihren Rückständen nur einreiht in andere Staatsexperimente:

---

[266] Ich möchte zunächst Bay darin folgen, Ideologie nicht so auszuweiten, daß Sprache im Ganzen von ihr belastet ist. In dieser Totale fiele u.a. die Grenze zwischen politischer und wissenschaftlicher Welt, jeder Diskurs wäre herrschaftlich ausgerichtet. Vgl. auch die Definition von Peter V. Zima: Ideologie. Funktion und Struktur. In: Hansjörg Bay/ Christof Hamann (Hrsg.): Ideologie nach ihrem ‚Ende‘. Opladen 1995, S. 64-78, S. 76.

[267] Hansjörg Bay: Erzählpanzer. Überlegungen zu Ideologie und Erfahrungen. In: ebd., S. 17-41, S. 23.

[268] Ebd., S. 30. Zum Bezug auf Adorno siehe Bays Fußnote 10 (S. 29), in der er Adornos Satz aus der „Negative[n] Dialektik“ zitiert: „Denn Leiden ist Objektivität, die auf dem Subjekt lastet.“

[269] Ebd., S. 37.

[270] Ebd., S. 20.

[271] Vgl. dazu ein nur in der Literaturzeitschrift „bateria“ erschienenen Comic Jansens, das dortige Bild eines Pilotenkopfes mit zwei Stimmen aus dem Off: „wir haben ihn ausgebildet weil wir ihn brauchten“ – „wir geben ihn auf weil wir müssen“.

244

Ein zerbrochener Horizont türmt sich auf den anderen. Scherben, die als Beschreibstoff dienen und in großen, dunklen Schränken eingelagert sind. (4, 9-12)

Hier ist in verdichteten Sätzen ein Kernbild des Textes gegeben. Jansen setzt dabei das Wort „Beschreibstoff" mehrdeutig ein. Zwei Lesarten ergeben sich: Entweder sind die „Scherben" leer und dienen zukünftig – wie schon im alten Griechenland – als Schreibtafeln.[272] Dabei entsteht allerdings eine Kettenreaktion, die sowohl die „zerbrochenen Horizonte" als auch die „dunklen Schränke" als leere, schriftlose Bilder stehenläßt. Ebenso gut kann man aber unter „Beschreibstoff" das Quellenmaterial verstehen, mit dem eine Vergangenheit zugänglich gemacht wird. Dann sind die Scherben schon beschriftet, und die Schränke werden zum Schriftarchiv.[273]

Die beiden Lesarten haben verschiedene temporale Richtungen: die leere Scherbe ist zukünftig einsetzbar, die beschriebene Scherbe hat bereits ihre Geschichte. Sich darin nicht festzulegen, macht Jansens Erzähler aus. Er steckt in einem ideologischen Zwischenreich, das sich sogar örtlich fassen ließe: Draußen, in der Öffentlichkeit, liegt ein undifferenzierbarer Scherbenhaufen. Erst durch eine Verinnerlichung, erst nach einer Ordnung in großen, dunklen Schränken – die eine Körperlichkeit besitzen – wird Ideologiekritik möglich.[274]

Der „Zerfall der großen Erzählungen"[275], von dem die postmoderne Gesellschaft spätestens seit dem osteuropäischen Zusammenbruch um 1989 geprägt ist, klingt hier erneut an. Die Frage an Jansens Text kann nur noch sein, inwieweit er Folgeerscheinungen des Zerfalls der ideologischen Metasprachen beschreibt.

Jansens Monolog macht es sich zur dringenden Voraussetzung, daß jede Sprache ein potentiell „zerbrochener Horizont" ist, daß also jede Äußerung als *Idee* mißbraucht werden kann. In diesem Sinne muß auch der Ideologie-Begriff bei Johannes Jansen umfassender gedeutet werden als in der vorherigen Definition.[276] „Ich weiß das alles ja nur aus beliebiger Hand", heißt es an einer Stelle (3, 37-38). Und einmal faßt der *Dickicht*-Erzähler die ideologischen Stimmen – in zwei schnelle Sprüche verpackt – zusammen:

Nur ein Geringes ist noch zu richten, und um uns selbst müssen wir uns selber …All diese Sätze, die ich auf ihre Richtigkeit überprüfen wollte, indem ich ihr Gegenteil lebte und vertrat. (2, 16-18).

---

[272] Beim ‚Scherbengericht' (zuerst im 5. Jh. v. Chr.) schrieb das Volk sein Urteil über die Verbannung einzelner Bürger auf Tonscherben. Die Scherbe hat also einen hochpolitischen und mithin ideologischen Symbolgehalt.

[273] Vgl. auch: *Kleines Dickicht*, S. 89. Dort schreibt Jansen in einer sonst identischen Passage das Verb „dienen" im Imperfekt als „dienten". Dadurch ergibt sich eine andere Lesart, die die Anwendung der Scherben in der Vergangenheit betont.

[274] Auch die „Horizonte" und Ideologien hängen für Jansen stark von der Biographie des Einzelnen ab, jeder hat seine Vergangenheit nach der Ordnung selbst zu befragen. Dieses Verständnis habe ich in Kapitel 2 im Text *Ausflocken* für die Schuldfrage beschrieben.

[275] Jean-Francois Lyotard: Das postmoderne Wissen. Ein Bericht (1982). Wien 1993, S. 54. Jansen übernimmt auch Lyotards Kommunikationsbegriff des „Posten": „Das *Selbst* ist [...] auf Posten gesetzt, die von Nachrichten verschiedener Natur passiert werden.", schreibt Lyotard im gleichen Zusammenhang (ebd., S. 55). Im *Dickicht* heißt es: „Draußen wird es schon hell und jeder hat seinen Posten." (2, 3)

[276] Nur unter der Voraussetzung, daß alles Ideologie sein kann, ist Iris Radischs Kommentar zum Text zuzustimmen: „Es ist natürlich ein Spiel mit Fertigteilen, mit fertigem Ideologem, das aufgetischt und sofort wieder in den Zaubersack gesteckt werden kann. Er nennt es selber ja auch einmal einen transzendentalen Steckbaukasten. Ich denke, auch das ist eine mögliche Selbstbeschreibung des Textes." In: Klagenfurter Texte. München 1996, S. 167.

Die Phrasen gehen im Grunde gegeneinander. Die erste klingt eher ostdeutsch, weil sie das Kollektiv in den Vordergrund stellt; die zweite eher westdeutsch, weil sie den Überlebenskampf des Einzelnen umschreibt. Wir haben es mit zwei Herrschaftsideologien auf der Mikroebene zu tun.

Durch den zweiten Satz entsteht das Bild eines Jungen, der im Widerspruch – aus dem Elternhaus oder vor dem politischen Gegner – flüchtet. Er hört die Phrasen zwar, verspricht sich aber mehr darunter, „ihr Gegenteil" zu leben. Schon in der ideologisch belasteten Vergangenheit scheint zwischen Ich und Umfeld ein problematisches Verhältnis geherrscht zu haben. Auf die Gesellschaft muß das Ich mit Antithesen reagieren. Dabei hatte der Erzähler zu Beginn noch zugegeben: „Solange ich denken kann, war ich bereit, mich zu fügen..." (1, 10-11).

Die Aussagen gehen in *Dickicht Anpassung* gegeneinander an und tragen Widersprüche aus.

In der Nähe zur literarischen Form des inneren Monologs stellt sich der Text damit einem weiteren Spannungsverhältnis: dem von Mündlichkeit und Schriftlichkeit.

3.3.4 Mündlichkeit

„Lieber Herr im Himmel, sag, daß das nicht wahr ist." Mit dem ersten Satz wird der Text paradox. Wenn dem Erzähler ein Gott antworten könnte, würde er dann die Wahrheit eines Zustandes leugnen? Der Erzähler möchte seine Bettlägrigkeit negiert haben und negiert damit den christlichen Gott. Sein Dialogpartner wird zur textimmanenten Leerstelle.[277] Noch einmal sei hier der weitere Verlauf der Exposition zitiert:

> Warum liege ich in einem Bett, aus dem ich nicht aussteigen kann? Es ist so schön, zu wissen, daß man in einem Bett liegt, aus dem man nach allen Seiten aussteigen kann. Aber ich liege in einem Bett, aus dem man nach keiner Seite aussteigen kann. Ich habe es, ich weiß nicht wie lange probiert. Es ist kein Aussteigen möglich, obwohl ich abschätzen kann, daß der Fallschutz, der mein Lager umgibt, nicht sehr hoch ist. Ich kann mich einfach nicht überwinden. (1, 1-8)

Der Autor nimmt sich vollkommen hinter den Erzähler zurück. Weil ein göttliches Gegenüber nicht zu erwarten ist, bedient sich *Dickicht* früh den Techniken des inneren Monologs[278]. Der Erzähler spricht vor sich hin, sein Text gewinnt dabei für den Leser durch die Wiederholungen eine Unmittelbarkeit.

Die erste semantische Offenheit hat der Text in dem Satz „Es ist kein Aussteigen möglich" (1,6). Die Formulierung geht über die Bettsituation hinaus. Hier taucht Johannes Jansen hinter der mündlichen Rede des Erzählers auf und schreibt fest, daß wir es nicht mit einem „Aussteiger" zu tun haben. Im Bett angekommen, kann

---

[277] Ich schreibe hier textimmanent, weil jeder Text im Leser einen äußeren Dialogpartner hat. Im Monolog, der die Abwesenheit eines Zuhörers beklagt, rechtfertigen sich die sprachlichen Mittel ausschließlich durch den Leser. Tatsächlich führt Jansen später auch zweimal die Anrede an ein „Sie" ein (vgl. Kap. 3.3.6).

[278] Ich möchte lediglich von Techniken sprechen, da der Text als Ganzes nicht als innerer Monolog bezeichnet werden kann. Diese Erzählsituation (bereits nach Stanzel) kommt nur in Betracht, wenn sie von einer narrativen Instanz eingerahmt und begrenzt wird. *Dickicht Anpassung* aber hat nur eine Instanz, ist deshalb von vornherein eine monologische Erzählung.

der Erzähler auch eine Haltung, ein Projekt, (evtl. gar eine Gesellschaft) nicht mehr verlassen.[279] Und - so stellt sich noch im selben Satz heraus - er kann auch das Dickicht der Gattungen nicht mehr verlassen. Eben noch gibt er die mundsprachliche Replik „Ich habe es, ich weiß nicht wie lange probiert"; plötzlich beginnt er, seine Sprache in drei abhängigen Nebensätzen zu organisieren.

Dieses Schwanken macht für uns auch eine Alterseinschätzung des Erzählers unmöglich. Weder erzählt hier ein Kind, noch ein geisteskranker alter Mann. Um das Bett herum konstruiert Jansen lediglich einen „Fallschutz", der für jede Art von Bett denkbar ist.

In die Mündlichkeit fällt der Text immer zurück, wenn der Erzähler seinen Assoziationskräften freien Lauf läßt. Immer wenn das abstrakte Vokabular den Text ins Zeitlose zu ziehen sucht, wo alle Worte ihre Herkunft und Geschichte verlieren, „kippt das Gesehene in eine vorbereitete Gehirnstelle und ist wirklich" (2, 28). So stellt der Erzähler noch in der ersten Spalte einen bildlichen Vergleich auf: „Gestalten wie abgefüllte Kübel" (1, 39) seien ihm in der Vergangenheit begegnet. Das Bild bedarf ihm aber einer näheren Überprüfung, bis er schließlich zu dem Schluß kommt: „Es ist lange her und natürlich ist Kübel nicht das richtige Wort" (1, 51). Die unmittelbare Beschäftigung mit dem bildlichen Problem wird betont, indem der Erzähler das Wort „Kübel" in dieser Passage ganze fünfmal nennt.

Ein anderer längerer Auszug sei zitiert, um die Spannung von Mündlichkeit und Verschriftlichung zu verdeutlichen:

Wie dumm von mir. Daß sich die Erkenntnis schon einstellt, bevor der Verfall kommt. Ich weiß doch Bescheid. Aber greifen... Ich muß mir Zeit lassen. Solange mein Körper noch in diesem Bett liegt - einige Stellen hat er ja schon - beschäftige ich mich am besten mit diesem Monolog. Fast ist es wie Füttern. Es erleichtert die Zweideutigkeiten. Die Unvorstellbarkeit eines Gebetes zum Beispiel. So schaffe ich mir einen Adressaten, und sei es auch ein Gehörloser, denn gerade ein Gehörloser ist als Adressat nicht unvorstellbar, vorausgesetzt, daß er blind ist. Schließlich meinte auch ich, einmal helfen zu müssen, als ich noch jung und laut Vorschrift aufrichtig war. So badete ich über etliche Jahre hinweg eine völlig gehörlose Frau in einer hochtechnisierten Pflegewanne... (2, 28-42).

Von einer reinen Logik der Schrift kann hier keine Rede mehr sein. Nicht die Fiktion steht im Vordergrund, sondern es schiebt sich das Subjekt des Aussagevorganges vor das Subjekt der Aussage. Oft findet der Text an jenem Ort statt, „wo die Gedanken gerade erst Wort werden"[280]. Doch gegen den durchgängigen Prozeß einer Rede, gegen eine damit konstruierbare Authentizität setzt Jansen immer wieder komplexe Satzgebäude und ein abstraktes Vokabular. In der zitierten Passage übernimmt diese Umschaltfunktion ausgerechnet das Wort „Unvorstellbarkeit"[281]. Das Wortfeld „unvorstellbar" wäre im inneren Monolog vollkommen überflüssig, eine einfache Verneinung würde genügen. Wogegen wird die Mündlichkeit mit der „Unvorstellbarkeit eines Gebetes" eingetauscht? Es ist, als würde sich der Erzähler

---

[279] Später heißt es ergänzend: „Je mehr wir wissen, desto mehr wissen wir, daß Flucht unmöglich ist" (1/56-57).

[280] Michael Niehaus: „Ich, die Literatur, ich spreche...". Der Monolog der Literatur im 20. Jahrhundert. Würzburg 1995, S. 142.

[281] Abstrakta lassen sich am einfachsten erkennen, wo der Wortstamm gegenüber dem Beiwerk an Wertigkeit verliert. Bei „Unvorstellbarkeit" wird eine Stammsilbe von zwei Präfixen und zwei Suffixen eingeklammert.

wieder Pausen in seinen Bewußtseinsstrom legen. Eine dieser Pausen dient als Schnittstelle von mündlicher Rede zur Reflexion, bis die Reflexion durch einen weiteren Schnitt von der Vergangenheit abgelöst wird. Von da löst sich dann fast organisch eine verbliebene Erinnerung: „So badete ich über Jahre hinweg..."

In einigen Schritten wird der Diskurs des Subjekts (Rede) gegen einen Diskurs *über* das Subjekt (Erzählung) eingelöst. Sobald die Vergangenheitsebene den Text bestimmt, wird der Erzähler zur vermittelnden Instanz. Er rückt vom Leser fort. Hinzu kommt, daß *Dickicht Anpassung* überhaupt *nur* in der Vergangenheit ein handelndes Ich aufweisen kann. Der ans Bett gebundene Rumpf wird in den eigenen Erinnerungen wieder zur Person, die mit einer anderen Person – „eine[r] völlig gehörlose[n] Frau" – kommuniziert. In dieser Welt hat sich demnach der Erzählmodus über den Reflektormodus geschoben, das Ich entrückt dem Bett. Doch bleiben diese Handlungen nur Bruchstücke, die nicht wieder aufgenommen werden, sondern lediglich additiv eine Vergangenheit des Ichs andeuten.

3.3.5 Schriftlichkeit – im Dickicht der Gattungen

Zahlreiche Belege gibt es dafür, daß sich der Erzähler selbst einem Gattungs- und Zuordnungsproblem seiner Sprache gegenübergestellt sieht. An das Gespräch mit Gott glaubt er nicht, seine zweite Ansprache klingt dementsprechend weltlich: „Da muß ich doch schnell noch von meinem Leben berichten..." (1, 23). Später will er sich „am besten mit diesem Monolog" beschäftigen (2, 33), sucht die „brauchbare Beschreibung" (5, 42) und sieht „Zusammenhänge", die er „nun unermüdlich erzählend wiederhol[t]" (5, 43-45).

Auch in dieser Widersprüchlichkeit entspricht Jansens Text seiner Konzeption. Zu gerne möchte man für die Begriffsverwirrung aus Bericht, Beschreibung und Erzählung den mündlichen Erzähler verantwortlich machen, aber warum kann der dann auch *die* Form benennen, die man dem Text selbst gerne geben wollte? Jansen sagt selbst „Monolog", und damit erfüllt *Dickicht Anpassung* diese Zuweisung eben nicht mehr und nicht weniger als alle anderen. Indem uns Jansen zwischen den genannten Begriffen kein Zentrum ermitteln läßt, schlägt er eine Gattungszuweisung selbst aus.

Um den Autor Johannes Jansen hinter dem Text zu erkennen, bedient man sich am besten der Stellen, an denen das Schreiben thematisiert wird. Die metasprachlichen Verweise auf eine Instanz hinter dem Erzähler sind zahlreich:

> Schweigen würde ich auch gern, denn es gibt kaum einen Satz, den ich nicht schon gehört hab, so, wie die Großen ihn hörten, bevor sie einsehen mußte, daß er zur Haltung nicht taugt und ihn höchstens notierten. Dauernd frage ich mich, wozu soll man das lesen, wo es doch nur Phantasie ist. (1, 15-20)

Diese Sätze beschließen die Exposition. Der Text bekommt hier eine Ausrichtung, neben der Erzählerhinwendung zu Gott wird das Bett als Erzählort installiert. Das Ich sagt auch bereits zuvor: „[M]ein Arm ist erledigt" (1, 10). Damit wird der mündliche Monolog gestärkt, an Schreiben ist scheinbar nicht zu denken.

Im o.g. Zitat macht Jansen einen interessanten, wertenden Unterschied: Einen Satz zu hören, ihn aufzunehmen und ihn in sich zur „Haltung" zu formen, ist ein Wunschziel. Man spürt, daß sich der Text auf die Suche nach dieser Art von Sätzen machen könnte, um sie an den Leser weiter zu geben. Doch der Erzähler von *Dickicht Anpassung* erklärt hier bereits „Haltung" zum utopischen Zustand. Die Aufbewahrungsspeicher der Schrift, die Notizen, wachsen parallel zu den gehörten Sätzen. Alles wird aufgeschrieben, weil es später noch einmal zur Anwendung gelangen könnte. Jansen sieht im Zeitalter der Schrift jede Unmittelbarkeit verloren gehen, und er spart den eigenen Text nicht aus, der ja ebenfalls unter die „höchstens notierten" Schriftsätze fällt. Auffällig ist zudem die Schnittstelle zwischen den beiden Sätzen: „[W]ozu soll man das lesen", ist eine Frage sowohl an die „Großen", als auch an die Verschriftlichung der eigenen „Phantasie". *Dickicht Anpassung* gibt sich allein in diesen zwei Sätzen als ein in hohem Maße vermittelter Text aus. Er hinterläßt dem Leser die offene Frage, von wann und wem die niedergeschriebenen Sätze überhaupt sind.

Dennoch bleibt auch ein besonderer Tonfall im „höchstens" hörbar: Das Verschriftlichen wird leicht abgewertet, wodurch sich der Text selbst ironisiert. Dieser kleine, metasprachliche Hinweis hat auch die Funktion, den Text als Textspiel auszugeben. Eine gewisse Leichtigkeit im Umgang mit Schrift bewahrt sich Jansen.

Einen weiteren Vorbehalt spielt *Dickicht Anpassung* im vorletzten Satz gegen sich selbst aus: „Doch für Erinnerungen war es an sich noch zu früh" (6, 39)[282]. Damit reicht Jansen eine Verteidigung des geringen Erzählanteils in *Dickicht Anpassung* nach. Der Erzähler scheint sich also sogar bewußt gewesen zu sein, daß er seine Vergangenheiten nicht zugelassen hat, daß er seine „Erinnerungen" immer wieder abbrach. Doch wie so oft in Jansens Texten, durchmischen sich am Ende die Zeiten. Der Satz ist deshalb genauso gut als geradezu lebensfroher Ausblick zu lesen. Der Erzähler, durch den eigenen Monolog in seinem Verfeinerung der Einzelheiten gestärkt, denkt noch lange nicht an seine Memoiren. Ja, auch die schriftliche Fixierung von „Erinnerungen" schwingt hier erneut mit. Indem Jansen die Zeitschichten Vergangenheit und Zukunft hier zueinander führt, bezeugt er nur ein weiteres Mal, worum sich der Text dreht: Die Unfaßbarkeit des ‚Zwischenreiches' Gegenwart.

3.3.6 Das dritte Tempus: Die Utopien

Der Erzählmonolog hält das Gleichgewicht zwischen Geschichten und Erzählrede, Vergangenheit und Präsens nehmen in *Dickicht Anpassung* etwa gleich großen Raum ein. Nach der präsentischen Einleitung findet erst wieder im Schlußteil eine Akzentuierung der Gegenwartsebene statt. Am Ende schwingt sich der Erzähler auf eine dritte temporale Ebene, er macht konjunktivische Vorausgriffe in eine mögliche Zukunft. Erst diese *prophetischen Momente* des Ich-Erzählers lassen eine Gesamtschau des Textes zu. Jenseits des Zwischenreiches ist also schon etwas in Aussicht, jenseits der zerbrochenen Horizonte, der Ideologien. Eine längere Passage soll das verdeutlichen:

> Hieß es nicht, wir bedingen einander? Unsere Wahrnehmung arbeitete genau, bis alles einem fast schon antiken Uhrwerke glich, das vor allem durch sein aufdringliches Ticken bekannt ist. Und doch bestand die Gefahr, daß jeder die Sache

---

[282] Vgl. hierzu Jansens Nachruf auf seinen 1995 verstorbenen Freund, den Wiener Autor Mario Rotter. *Für Mario Rotter*, in: Mario Rotter: Aus der Fischwelt. Klagenfurt 2000, S. 283: „Nachts war er allein mit diesem Gestern. Aber es schien noch zu früh, all diese Vergangenheiten die seinen zu nennen,...".

auf eine andere Art zusammenhängte, oder sie sich nach seinem Konzepte vozu-
stellen [sic] im Stande war. Das würde ebensoviele Lehren wie Köpfe geben,
hieß es, und unsägliche Verwirrung hervorrufen. Daher sind es die Gelehrtesten,
Erfahrensten aller Zeiten, Länder, Stände und beiderlei Geschlechts, die sich vereinigt haben, nach und nach und fast automatisch dieses übereinstimmende,
große und allgemeine Gebäude aufzuführen, die auf großen Versammlungen
ihre Gedanken einander mitgeteilt, sich wechselseitig erbaut und eine
Sicherheit, eine Gewißheit gegeben haben, deren sich keiner je rühmen konnte. Daher kommt diese Übereinstimmung, die jeden erstaunen muß. Ob Sie mich
reden hören, in dieser gottverlassenen Gegend oder einen in der größten
Hauptstadt eines beliebigen anderen Landes, den Ungeschicktesten oder den
Fähigsten, alle werden wir eine Sprache führen, und also werden wir immer
dasselbe hören, überall auf dieselbe Weise unterrichtet und erbaut werden. Das
ists, was uns die süße Zufriedenheit und Versicherung gibt, in der wir, einer mit
dem anderen, fest verbunden leben. Wir alle… Der Atem stockt. Ein derart schnell
entstehender Strom reißt selbstverständlich alles ein… (5, 24-38)

Konsequenterweise ist die Mehrstimmigkeit bereits wieder ein Zitat Jansens, er
hat hier den Vortrag eines katholischen Paters über das Predigtamt aus Goethes
Briefe[n] aus der Schweiz[283] eingebaut. Bei Goethe heißt es unter anderem: „…alle
werden Eine Sprache führen, ein katholischer Christ wird immer dasselbige hören,
überall auf dieselbige Weise unterrichtet und erbauet werden: und das ist's was die
Gewißheit unsers Glaubens macht…".

Die Art des Zitierens verdeutlicht: Der katholische Hintergrund, obwohl vom
Erzähler abgeblendet, soll bei Jansen noch mitschwingen. In den ersten Sätzen wird
die Befürchtung eines (postmodernen) Babels entworfen, die Zerstreuung des
Wissens in alle Richtungen.[284] Nur daß es nicht mehr um die biblischen Sprachen
als Urkommunikationsmittel geht, sondern um „Lehren". Jeder Mensch formuliert
sich seine eigene Ideologie. Dies war zuvor schon aus anderen Textstellen abzulesen. Hier jedoch wird Babel mit einem Anti-Babel widersprochen. Das zweite System
trifft die Gegenaussage: „[A]lle werden wir eine Sprache führen"[285]. Die Utopie hat
ihr grammatikalisch richtiges Tempus angenommen, das konjunktivisch genutzte
Futur I. Die zeitliche Bewegung – über abgeschlossene Gegenwart und Gegenwart
ins Futur – läuft parallel zur Entwicklung des Textsubjektes. Spricht der Erzähler
zunächst noch von einer Elite, so reiht er sich später darin ein, aber der Text zielt
darauf ab, auch den Leser – vorher als „Sie" angesprochen und dadurch vorbereitet – in die Gruppe zu integrieren: Die Utopie ist erst vollendet, als „Wir alle" einbezogen sind[286].

---

[283] Johann Wolfgang von Goethe: Briefe aus der Schweiz (1797). Vgl. die Passage in : Goethes Werke. Weimarer
Ausgabe. 1. Abtheilung, 19. Band. S. 193-306. Notiz *Realp, den 12. Nov. Abends,* S. 297 ff.
[284] Vgl. Altes Testament, 1. Buch Moses, 11.
[285] Die Katastrophe der Sprachverwirrung wird im NT wieder aufgehoben, vor allem die Ausschüttung des
Heiligen Geistes zu Pfingsten gibt die Eintracht zurück. Vgl. vor allem auch 1. Korinther, Kap. 14 und den auf-
gegriffenen Psalm „Ich glaube, darum rede ich", 2. Korinther, Kap. 4, 13.
[286] Von einem visionären Gestus darf gesprochen werden, ich ziehe aber den Begriff der Utopie der Vision
vor. Die Unmittelbarkeit einer *Schau* (visio) scheint mir für Jansens Textkonstruktionen nicht angemessen.
Mit gleicher Begründung verfahre ich in Kapitel 4.3.1 dieser Arbeit. Ich lege die Definition zugrunde, nach
der ‚Utopie' „ein in Gedanken konstruierter idealer Zustand menschlichen Zusammenlebens, vergleichbar
mit den Idealen kommunistisch-humanistischer Färbung" ist. In: Georgi Schischkoff (Hrsg.): Philosophisches
Wörterbuch. Stuttgart 1991, S. 749 f.

Hier scheint der Text einen ganz neuen Impetus zu erhalten, ein Ziel, einen Aussichtspunkt. Das beschriebene Wir hat nichts mehr gemeinsam mit dem Wir von *Ausflocken*[287]. In *Dickicht Anpassung* bekommt das Wir durch sein plötzliches Auftreten eine punktuelle Ernsthaftigkeit. Der Text antwortet so auf einen schon anfangs gestellten Anspruch: „Sich vom Individualismus verabschieden" (2,1). Das war gleichzeitig Aufgabenstellung als auch Tätigkeit des Textes gewesen. Deshalb scheint der Text auf dieses Wir, wie es in den letzten beiden Spalten auftaucht, hingearbeitet zu haben. Die Gemeinschaft tritt noch ein zweites Mal in den Vordergrund:

> Andererseits, wenn uns nicht hilft, was ich tue, was tue ich dann? Und was ist also Eigenliebe anderes als Liebe zum Ganzen, dem man doch zugehört, weil man es selber ist. Also ist jede Art von erzwungenem, von synthetischem Leiden, welches uns der Eigenliebe entwöhnen soll, eine tausendfache Verhöhnung der Leiden derer, die mit Leib und Seele – und ich betone: mit Leib und Seele – dafür gelitten haben, daß das Ganze ein Ganzes wird, das heißt, daß sich das Ganze bewußt werde, daß es schon immer ein Ganzes war und ist und bleiben wird in alle Ewigkeit. Amen. So ist der Glaube der Inbegriff jeder Vernunft und nur, wenn wir so leben, wie es uns selber gefällt, können wir wahrhaft in ihm existieren.

> Dieser Traum vom Wachrütteln, als ob wir je geschlafen hätten,... (5, 67- 6, 11).

Der theologische Diskurs übernimmt hier den Text und macht ihn zur Predigt. Ich habe aber bewußt auch zu dieser prophetischen Textstelle ihre Auflösung hinzugenommen. Der Text fällt – nach seinem insgesamt erst zweiten Absatz – in seinen Schlußteil. „Dieser Traum vom Wachrütteln" stellt nachhaltig in Frage, wo die Wirklichkeit in *Dickicht Anpassung* eigentlich zu suchen ist. Genau auf dem Absatz wird noch einmal das Zwischenreich aus Schlaf und Wachsein betont.

Was sind das nun für utopische Zustände, die in den Text eingeflochten sind? Die Dialektik zwischen Masse und Einzelnem – in *Ausflocken* noch negativ bewertet – scheint hier aufzugehen. Der erste Gedanke ist, daß Jansen der Idee einer menschlichen Gemeinschaft trotz seiner DDR-Erfahrung eine weitere Chance einräumt. Jansens Erzähler weiß, daß das dialektische Projekt zwischen der Masse und dem Einzelnen eine längere Geschichte hat, daß jedes dynamische System sich darauf zu gründen hat.[288] Er abstrahiert daher auf die „Gelehrtesten und Erfahrensten aller Zeiten, Länder, Stände und beiderlei Geschlechts" (5, 24). Doch was die Sprache ausmachen würde, die alle führen werden, wovon wir unterrichtet, wodurch erbaut würden – darüber schweigt er.

Die gleiche bewußte Inkonsequenz prägt die zweite Passage. Hier kann von der letzten Behauptung zur Auftaktfrage „[W]enn uns nicht hilft, was ich tue, was tue ich dann?" gesprungen werden. Die Reflexion ist ein Zirkelschluß, der vorn den Glauben an die eigene Erheblichkeit investiert, um hinten „so [zu] leben, wie es uns selber gefällt."

---

[287] Dort war das Wir durchgängiges Erzählsubjekt gewesen, und es war dabei erstens als Parodie auf das pathetische Wende-Wir des ostdeutschen Volkes, und zweitens als Dach eines mehrstimmigen Ich aufgetreten. Siehe Kapitel 2 dieser Arbeit.

[288] Gemeint sind auch hier imgrunde Diskurse, also alle gruppenhaften Organisationsformen, die ihr Bestehen einem mehr oder weniger festen Regelkatalog zwischen den Teilnehmern verdanken. Vom Staatssystem über die Kirchen bis hinunter zum Sportverein und verschiedenen Teilbereichen der Wissenschaften.

Interessant bleibt das Thema der ‚Bewußtwerdung‘; der Ich-Erzähler sieht, daß es einzelne Märtyrer gegeben hat, die von der Ganzheitlichkeit der Welt so überzeugt waren, daß sie es anderen vermitteln konnten. Die Masse – um Jansens Worte zu paraphrasieren – ist im Zeitlichen, Räumlichen, Ständischen und Geschlechtlichen gefangen[289]. Das ‚dritte Tempus‘ des Textes meint hier also nicht bloß das grammatische Futur, es führt die Utopie einer Zeit mit sich, in der alle bisherigen Zeiten zusammenkommen und sich harmonisch auflösen.

3.3.7 Namenlose Offenheit

Daß jedoch selbst die untergehen, die „mit Leib und Seele [...] dafür gelitten haben, daß das Ganze ein Ganzes wird“ – dafür sorgt der Text selbst. Jansen nennt ihre Namen nicht. Diese Verweigerung ist ein wichtiger Punkt, denn sie findet genau auf dem Schnittpunkt zwischen Ideologie und Literatur statt.

Wo sich Literarizität in anderen Erzählungen zumeist über das beengte Blickfeld eines Erzählers vermittelt, muß Jansen das Blickfeld seines Erzählers öffnen, so weit es geht. Erst die vollständige Entgrenzung, der Blick über die Gegenwart hinaus, wirft den Leser zurück auf die Ausgangsposition des Textes. Ein Mann liegt im Bett. Alle Wege sind im Kopf ausgeschritten worden. Die Spannung zwischen der Bewegung in den Sprachen des *Dickichts* und der Bewegungslosigkeit des sprechenden Körperrumpfes ist bis ins Absolute getrieben.

Auch im Schlußabsatz rücken die Auserwählten noch einmal in den Fokus des Erzählers. Wieder bleiben sie namenlos:

> Denn gegen Ende, als die Vision fast schon der Realität wie zum Verwechseln ähnlich sah, da stellte sich noch einmal die Band mit Namen vor. Am Schlagzeug...Am Baß...An der Gitarre...An der Orgel... Und an den Reglern hinter dem Publikum... Eine schier endlose Reihe geschichtsträchtiger Persönlichkeiten, geschlechtsübergreifend und nicht milieubedingt. Dekoration. Kostüme. Licht und so weiter. Ein riesiges Orchester, das gerade im neuerdings [sic] Time Hall genannten Kulturpalast die öffentliche Generalprobe einer nun endgültig erfolgversprechenden Musik hinter sich gebracht hatte. (6, 23-32)

Einiges spricht dafür, diesen Schlußauftritt als Ende der Prophetie zu nehmen. Der Absatz war ja bereits als „Traum vom Wachrütteln“ (6, 11) eingeleitet worden. Hier werden ein weiteres Mal Utopie und Realität ineinander verwoben. Der Leser soll dabei zwar auf die Ebene der Wirklichkeit zurückgeführt werden, aber kann er dieses Angebot angesichts des nun folgenden phantastischen Bildes annehmen? Eine Band aus „geschichtsträchtige[n] Persönlichkeiten“, ein solches *grand finale*, reißt die Grenze zwischen Traum und Wachsein endgültig ein.

Auch die drei in *Dickicht Anpassung* verwendeten Tempi finden hier zusammen. Die Verwirrung des zeitlichen *Dickichts* ist nicht zu steigern: Die „Vision [sah] der Realität wie zum Verwechseln ähnlich“, in einer nicht mehr zu bestimmenden Vergangenheit. Das Zwischenreich, wie ich es zu beschreiben versucht habe, zieht hier alle Einflüsse, unter denen es steht, auf engstem Raum zusammen. Diese Ballung

---

[289] Hier kündigt sich bereits der Text *Verfeinerung der Einzelheiten* (Kap. 4 dieser Arbeit) an, der die prophetischen Passagen aus *Dickicht Anpassung* zu seinem Mittelpunkt machen wird.

der Zeiten, dazu die „endlose Reihe", „Kostüme", „Licht" – alles gemeinsam scheint den Kopf des Erzählers für einen kurzen Moment zu überfordern. So erwächst ein ironischer Unterton, in der „endgültig erfolgversprechenden Musik". Nichts deutet jedenfalls darauf hin, daß der Erzähler an diese Musik ‚wirklich' glaubt, zumal das Orchester riesig ist.[290]

JederText stößt auf seine innerliterarischen Grenzen. *Dickicht Anpassung* hat sie in den „Persönlichkeiten", deren namentliche Aufzählung den Text verorten und verzeitlichen würde. Jede Namensnennung wäre auch Bewertung dieses Namens, und dabei bestünde die Gefahr, daß der Text selbst ideologisch würde.

3.4 Vereinzelter Körper, zersplitterter Geist

3.4.1 Das Sowohl-Als-Auch

Im Kopf des Einzelnen, des reflektierenden und monologisierenden Erzählers herrscht ein ‚Dickicht' aus Ideen. Er weiß, daß die Verzweigungen, Berührungen, Knotenpunkte der Ideen das Projekt einer Lichtung, die hier auch Erleuchtung ist, schwierig machen. In seinen Utopien geht der Erzähler dagegen an. Sie handeln von „diese[r] Übereinstimmung, die jeden erstaunen muß" (5, 30). Die Menschheit der Erzählzeit, in ihrem Zwischenreich Gegenwart lebend, kennt diesen neuen Zustand der Einstimmigkeit noch nicht, oder nicht mehr[291]. Jansen hatte bereits im ersten Drittel der Geschichte folgende „Konstruktion" (2, 63) geliefert:

> Nehmen wir an, inmitten dieses falschen Lebens – und wir nehmen ja immer noch an, daß dieses Leben falsch ist – inmitten dessen gäbe es einen richtigen Zustand, der jedoch mutwillig – aus Trotz oder pädagogischem Eifer – als falsch repräsentiert wird, und inmitten dieses Zustandes gäbe es nun ein falsches Geschöpf, eines mit einer scheinbar gefälschten Biographie, das in all seiner Ahnungslosigkeit zwanghaft darum bemüht ist, alles richtig zu machen und dadurch alle Unterscheidungen auflöst in ein Sowohl-Als-Auch... Ich habe vergessen, was diese Konstruktion hätte beweisen können. Irgendwie ging es um Geographie. (2, 55-64)

Hier gelangt der Erzähler selbst an den Punkt, seine Gedankenkonstruktion nicht mehr zu verstehen. Erneut nutzt Jansen die doppelte Struktur des Textes aus „Dickicht" (Umwelt) und „Anpassung" (Ich). Der Erzähler steigert sich in ein paradoxales Spiel der Identität. Im Mittelpunkt steht ein „Geschöpf", das gleichzeitig Urheber und Handlungsträger ist. Um dieses Geschöpf haben sich Kreise aus „falschen" und „richtigen" Zuständen gebildet, die sich überschneiden und daher keine Systemanalyse zulassen. Wer sein Leben hier präsentiert und wer es „repräsentiert", wird spätestens mit der „scheinbar gefälschte[n] Biographie" zur unlösbaren Frage.

Was hat es mit dem „Sowohl-Als-Auch"-Zustand auf sich? Das hängt davon ab, ob man die Perspektive des Ichs oder die seiner Umwelt einnimmt. Geht die Bewertung

---

290 Das Bild ließe sich parallel zu Volker Brauns bekanntem Gedicht *Jazz* (1965) betrachten. Ein Gedicht, das sich genau um die Integration des Einzelnen (Improvisation) in die Masse (Thema) dreht. Im musikalischen Wortfeld wird die DDR-Gesellschaft metaphorisiert. Volker Braun: Jazz. In: Ders.: Texte in zeitlicher Folge. Band 1. Halle/Leipzig 1989, S. 60.

291 Auch auf dieser Fremdheit der Übereinstimmung baut *Verfeinerung der Einzelheiten* (Kap. 4) auf.

des Zustandes von der Umwelt (also von außenstehenden Kriterien) aus, dann liest sich die Konstruktion als ein Wunschzustand. Jede Aussage des Ichs wäre dann so subjektiv, daß sie in der Umwelt gleichzeitig zu Widerspruch und Zustimmung führen würde. Darin klingt die Utopie an, die marxistische Dialektik und Antithese zu überspringen und sofort zur Synthese zu gelangen. Vielleicht das Idealbild einer Kommunikation, möglicherweise das Ende aller Ideologie.

Doch nicht die Umwelt steht in Jansens Konstruktion im Mittelpunkt, sondern das falsche Geschöpf. Und dieses Geschöpf „[löst] alle Unterscheidungen auf". Das Ich soll also imstande sein, zwei opponierende Aussagen ineinander zu führen, um sie sozusagen gleichzeitig zu treffen. Damit würden die bewertenden Stimmen in den Kopf des Ichs verlegt. Ideologien, Haltungen, Wertungen – alles, was das Ich in sich trägt, würde relativiert. Alles wäre gleichzeitig falsch und richtig. Man merkt, daß hier die sprachliche Veräußerung selbst auf dem Spiel steht. Wenn das Ich jeden Konflikt in sich austrägt, hört Sprache dann auf zu existieren?

3.4.2 Der Körper ist vergangen

Die gesamte „Sowohl-Als-Auch"-Konstruktion löst sich vor dem Leser auf. Interessant bleibt allerdings, daß Jansen sie in die Vergangenheit seines Ich-Erzählers gelegt hat. Wir erinnern uns, daß diese Vergangenheit die Zeit seines (auch körperlichen) Handelns war. „Ich weiß nur noch, daß ich mich für dieses Geschöpf hielt", sagt das Ich im Anschluß an das obige Zitat. Es gab also bereits in der körperlichen Zeit Utopien, von denen sich der Erzähler erst jetzt distanzieren kann. In der Erzählzeit kann diese Handlungsfähigkeit nur als abgeschlossene Vergangenheit vorhanden sein. Anders gesagt: Der gesunde Körper entsteht nur durch den Filter des gesunden Geistes, der Bezug zur Vergangenheit stellt sich her. Der kranke Körper wiederum beeinflußt die verrückten Utopien einer Weltgemeinschaft; nicht umsonst ist die zukünftige Ebene des Textes von einer totalen Körperlosigkeit bestimmt. „Alle werden eine Sprache führen" – darum drehen sich die Utopien. Der Erzähler will an dieser Zeit teilhaben, deshalb muß die Zukunft geistiger Natur sein.

Noch einmal seien die beiden Tendenzen des Ichs genannt: Vereinzelung und Zersplitterung. Das *körperliche, handelnde Ich* vereinzelt. Es kann sich nicht mehr bewegen, und man kann nur mutmaßen, woran das liegt. Der Erzähler macht zumindest klar, daß da auch keine Ideologie mehr ist, keine große Idee, die Handlungsbedarf äußert. Das sich im Körper-„Kübel" (siehe 3.3.4) befindliche, *geistige Ich* hingegen vereinzelt nicht, sondern es zersplittert immer weiter. Diese Zersplitterung geschieht innerhalb des begrenzten Körpers und ist doch zu verstehen als die Unmöglichkeit, die vielen Sprachdiskurse ineinander zu verweben. Bis in den Tod treibt der Erzähler seine Reflexion diesbezüglich:

> Doch es gibt natürlich eine Erstickungsart, die einer Genugtuung gleichkommt.
> In den zunehmend sich verdichtenden Zusammenhängen nicht mehr atmen zu
> können. Wäre das nicht ein herrlicher Ausgang? (4, 4-7)

Man wird schon deshalb nicht herausfinden können, ob der „Sowohl-Als-Auch"-Zustand für den Erzähler wünschenswert ist, weil sich dieser Erzähler textimmanent doppelt. Mit zwei anderen Beispielen des Textes gesagt: In dem Ich, das „sich vom Individualismus verabschieden" will (2,1), spiegelt sich das multiperspektivische Kopf-Ich. In der Hoffnung auf „Enthaltsamkeit, die bekanntlich in vielen Kulturen einen hohen Stellenwert genießt" (4, 8-9), wird das Körper-Ich hörbar, das sich isoliert.

So zerreibt sich das Textsubjekt ständig zwischen zwei möglichen Welten: der menschlichen Gemeinschaft und dem Verzicht darauf. In Jansens Nachruf auf Mario Rotter heißt es ergänzend: „Die Meinungen stechen sich aus. Im Kampf um die Unmöglichkeit einer richtigen Perspektive gehen die Schicksale unter."[292]

An anderer Stelle bezeichnet der Erzähler sein inneres Stimmenbündel als „kombinierte Tradition" (4, 61). Er verwischt damit die Grenze zwischen kombinierendem Kopf und kombinierten Stimmen. In *Dickicht Anpassung* findet die radikale Weiterführung einer Poetik statt, die Jansen mit den *Zitatresten / Berührungen* zu Wendezeiten angelegt hat. Multiperspektivität, die schon in *Ausflocken* herausragendes Thema war, holt Jansens Texte der neunziger Jahre immer wieder ein. Natürlich verzweifelt so der Monolog an sich selbst. Gerade darin liegt die Verwandtschaft zum *Ausflocken*-Text. Dort waren die inneren Ichs gegen das geschriebene Wir vorgegangen, hier gehen die inneren Ichs gegen das geschriebene Ich vor.

3.4.3 Topographie

Ich habe in die oben zitierte „Sowohl-Als-Auch"-Textstelle bewußt die Auflösung der Passage hinein genommen. „Irgendwie ging es um Geographie" (2, 64), heißt es da. Wo der Körper bettlägrig ist, gibt es Geographie nur innerhalb des Kopfes. Dort finden die Ausschreitungen statt. Weil hier hinter jedem Gedanken ein neuer auftaucht, hat Thomas Hettche in seiner Klagenfurter Jurykritik das „Sowohl-Als-Auch" auf „die Konstruktion des Schädels"[293] übertragen. Zur Kopf-Topographie gibt es ein ähnliches Spiel mit dem Körper. Hettche zitiert es anhand der Erzählpassage, wo eine Frau – „dieses mit fast schon durchsichtiger Haut überzogene, beinahe geschlechtslose Knochengerüst" (2, 41) – vom Erzähler gebadet wird:

> Und ich sah unter ihren dünnen Lippen jenes mechanische Grinsen, das von der hauchdünnen Haut nur noch notdürftig verdeckt war. Dann verlor sich mein Blick in den komplizierten Windungen einer Ader, die an ihrem Hals entsprang, in seltsamen Schwüngen quer über ihren Bauch lief, bis sie sich schließlich zwischen ihren Beinen verlor. (2, 47-52).

Der erste Satz zeigt, daß die Haut als Maske für eine Haltung dient. Der kleinen Erzählreise an der Körperoberfläche steht eine großspurige Reiseerzählung zur Seite, die das Ich im Flugzeug gemacht haben will. Die Einführung dieser Passage zeigt, wie Jansen die Körpertopographie hinüberführt in die Landschaft:

> So stand jede Narbe, die wir fast manisch zu hinterlassen hofften, zumindest unter einem gemeinsamen Stern. Ein schier unerreichbares Licht. Und als wir einmal über Alaska waren, ging ich nach vorne, um etwas zu sehen. (4, 27-30) [...] und später, irgendwo tief unter uns, in den nicht mehr ganz so sowjetischen Weiten, dieser riesige Staudamm, dieses durch bedingungslose Solidarität tau-

---

292 *Für Mario Rotter*, S. 283 f. Siehe Fußnote 282.
293 Thomas Hettche in: Klagenfurter Texte, S. 165.

sender Hände errichtete Wasserkraftwerk mit der Inschrift: Schamschaden plus Tugendterror gleich Konsumkommunismus. Welch gigantische Perspektiven! (4, 42-46)

Als Erzählung ist das kaum zu nehmen, weder hat die „Narbe" eine Körperlichkeit, noch kann man dem „gemeinsamen Stern" mehr als seine mundsprachliche Symbolik abgewinnen. Auch wenn im Verlauf des Fluges „Cockpit" und „Pilot" als Bezüge auftauchen, dem Flug ist dennoch gründlich zu mißtrauen. Er stellt nur einen weiteren Erzählort dar, an dem sich Denkprozesse geeignet darstellen lassen. „Alaska" bleibt ein vollkommen haltloses Wort, und wo sich „die nicht mehr ganz so sowjetischen Weiten" befinden, erfahren wir nicht. Topographie wird aufgelöst und macht dabei „Perspektiven" Platz. Was der Kopf sehen will – und sei es auch eine „Inschrift" noch so „tief unter uns" – das sieht er. So wird auch die Landschaft zur Maske. Sie wird angezapft von Köpfen, die Jansen schon früh als „telepathische Bunker" (2, 4) eingeführt hat.

3.5 Schluß

Auf verschiedenen Ebenen habe ich beschrieben, daß sich *Dickicht Anpassung* in einem Zwischenreich befindet. Jedes einzelne Zwischenreich definiert sich durch seine Verweise, nach hinten, nach vorne, zu allen Seiten. Allein die zeitliche Trias aus Vergangenheit, Gegenwart und Zukunft steht als Beispiel für die Auflösung von Oppositionen, für die Zerstörung von Dichotomien. Jansens Erzähler hat ein Projekt, und dieses Projekt ist ein dekonstruktivistisches: Er will ein *Dickicht* etablieren, in das die Dinge bzw. Worte so vielfältig eingeflochten sind, daß sein Erzähler am Ende sagen kann: „Sieh zu, daß Du nicht zurecht kommst..." (6, 40).

Das dekonstruktivistische Fundament hat zwei Voraussetzungen, die erste ist im *Dickicht* eingelöst: Ein Gott, der Jahrhunderte lang die Stelle des metaphysischen Zentrums eingenommen hat, nach dem sich das menschliche Zeichensystem ausrichtete, muß hier abwesend sein. An seine Stelle trat mit der Aufklärung, mit Descartes und spätestens seit Nietzsche der Mensch. Sein Denken und sein Wille wurden zum Zentrum der Welt. Der Dekonstruktivismus wollte auch den Autor-Begriff auflösen (R. Barthes, M. Foucault), jedes menschliche Gehirn sollte zum beliebigen Knotenpunkt in einem dezentrierten Weltbilds werden. Das wäre die zweite Voraussetzung, die ich aber anhand eines literarischen Textes wie *Dickicht Anpassung* nicht eingelöst sehe. Es geht nicht um das endgültige *Dickicht*, es geht um den Prozeß der *Anpassung* im *Dickicht*. Das Textsubjekt ist so wenig aufzulösen wie seine Sprache. „Ich weiß nur noch, daß ich mich für dieses Geschöpf hielt" (2, 64) – wo ist in diesem Satz noch Schöpfer-Ich von Geschöpf zu trennen? Auch in der „kombinierten Tradition" steckt immer der Kombinierende, der Autor. Die Auflösungen bleiben stets paradox. Und natürlich lebt auch ein göttliches Prinzip fort. Wenn der Erzähler vom „transzendentalen Steckbaukasten" (5, 7) spricht, klingt es, als müsse er seinen eigenen Drang, Ordnung in die Welt zu bringen, in einem ‚göttlichen Kind' persiflieren.

Die prophetischen Passagen in *Dickicht Anpassung* beschreiben das Paradox zwischen „Eigenliebe" und „Liebe zum Ganzen". Im *Dickicht* gibt es keine Präferenz, und die Einzelteile können nur bestehen, wenn sie ihr Eingebundensein ins Ganze erkennen. Aber nur *das* Subjekt, das sich einordnen kann, *ohne* seine dabei eingenommene Position im Dickicht zu vergessen, d.h. ohne seine Selbständigkeit aufzugeben, kann das System voranbringen[294]. Am Spiel der gegeneinander geführten Sätze nimmt nämlich auch folgender teil:

> Doch da wir Mund sind, so sind wir eben dies, nicht Sprachrohr, nicht Werkzeug, sondern Organ, eigengesetzlich lautendes Organ, und lauten heißt ja bekanntlich umlauten. (6, 13-16)

Wie gesagt, auch diese Stimme ist eingeflochten, hat keinen Vorrang vor anderen. Bilder, die den Menschen als rein passiven Speicher nehmen, stehen dagegen („Kübel" (1, 40), „Batterie" (5, 47)). Nimmt man den gesamten Textkorpus in den Blick, so weitet sich das *antithetische Denken* des Erzählers also auf ein *antithetisches Vorgehen* des Autors aus. Nicht nur innerhalb einzelner Aussagen finden sich Negationen und Widersprüche, auch die Aussagen untereinander finden in *Dickicht Anpassung* keine Versöhnung.

Ich habe anfangs bereits erwähnt, daß *Dickicht Anpassung* nach Jansens Auskunft unter Collageprinzipien entstand. Nur Teile des Materials, aus denen er erstmals einen Roman zusammenstellen wollte, sind in diesen Text eingegangen. Das *Dickicht*, das in uns besteht, mag man sich ausgelagert als Wust von Papierzetteln in Jansens Arbeitszimmer vorstellen. Das Künstlerbuch *Dickicht Anpassung*[295], 1997 in der Berliner Mariannenpresse hergestellt, gibt einen Einblick in die letzte Arbeitsstufe eines langen Prozesses. Gedruckt ist dort ein Manuskript Jansens, das noch mit zahlreichen Einfügungen am Rand versehen ist. Vor allem der Schlußteil ist nicht identisch mit der Druckfassung in der Zeitschrift *Sklaven*, die dem Künstlerbuch als Typendruck angehängt ist.

Wenn diese Textbesprechung etwas zeigen kann, dann, daß noch jeder Dekonstruktion eine große Menge bewußter Entscheidungen eines Autors vorausgehen. Der Autor löst sich nicht auf. Die Orientierungslosigkeit im *Dickicht* ist ein in höchstem Maße vermittelter Zustand. Johannes Jansen ist es, der Traditionen kombiniert und Transzendentales zusammensteckt. Indem er das stringente Erzählen dekonstruiert, konstruiert er „die Rede aus dem Kerker eines Kopfes"[296]. Das ist ein neuer Raum. Der Text hat das Ziel, den Leser in diesen Raum zu schicken. Es gelingt ihm auf formaler wie inhaltlicher Ebene, die darin ablaufenden, hintergründigen Bewußtseinsprozesse zu übertragen.

---

[294] Genau diese Struktur liegt dem Text *Verfeinerung der Einzelheiten* zugrunde, den ich im folgenden Kapitel besprechen will.

[295] Johannes Jansen: *Dickicht Anpassung*. Papier und Wasserzeichen von Gangolf Ulbricht. Edition Mariannenpresse. Berlin 1997. (100 Ex.)

[296] Iris Radisch, in: Klagenfurter Texte, S. 166.

KAPITEL 4: DEM DENKEN AUF DIE SPUR KOMMEN
Zu Verfeinerung der Einzelheiten[297]

4.1 Ausgangspunkte des Aufbruchs

Eine Entwicklung von den *Aufzeichnungen* der frühen neunziger Jahre hin zu *Kleines Dickicht* und *Dickicht Anpassung* (1995) ist deutlich geworden: Die Zersplitterung des Subjekts hatte Jansen soweit akzeptiert, daß er sie nicht mehr auf der Textoberfläche zur Schau stellte. Finite Sätze, in denen das Erzähl-Ich greifbar wurde, kehrten in die Texte ein. *Dickicht Anpassung* habe ich als Dokumentation eines ‚Zwischenreiches‘ gelesen, das stark poststrukturalistische Züge trägt. Stimme um Stimme widersprach sich dort im Kopf des Erzählers, die Diskurse wechselten; für den Autor war ein einheitlicher Sprachgestus unmöglich geworden. Der Erzähler suchte seinen Rückzug in der Vereinzelung, das *Dickicht* war dort (auch quantitativ) geprägt von der Vergangenheit, die er nicht abstreifen konnte.

Doch bereits der *Dickicht*-Erzähler war nur noch Kopf. Er reflektierte seinen bettlägerigen Zustand, aus dem nicht auszubrechen war, und er sah in visionären Momenten eine Welt der Gemeinschaft, an der er körperlich kaum teilhaben würde. Dieser prophetische Gestus aus *Dickicht Anpassung* wird in *Verfeinerung der Einzelheiten* 2001 zum Mittelpunkt des Textgeschehens. Nur braucht es kein Bett mehr, um den Körper und das körperliche Handeln darin abzulegen. Das reflektierende Denken wird in *Verfeinerung der Einzelheiten* von Anfang an gesetzt; es geht über räumliche und zeitliche Zuordnungen hinweg.

In der *Verfeinerung* bricht ein Ich auf, um das Wir einer menschlichen Gemeinschaft zu suchen. Beide Pronomina bestimmen gleichrangig das Textbild. Von Anfang wird durch den reflexiven Gestus auch eine Unklarheit eingeführt: Handelt es sich bei dem Wir tatsächlich um eine in der Außenwelt möglicherweise zu errichtende Menschengemeinschaft? Oder soll der Leser dem allerersten Satz des Textes vertrauen, der alles zur Innenwelt, zu einem Gedankengang erklärt: „In meinem Kopf hatte ich sie alle hübsch beieinander" (3)[298].?

Verfeinerung der Einzelheiten ist ein Konvolut aus insgesamt 50 Kurzprosatexten, das vorherige Schritte des Autors reflektiert und nachvollzieht. Was ich bisher beschrieben habe, steckt hier bereits in der Textkonstruktion: Jansens Erfahrung mit dem Machtapparat der DDR, welcher gegen den Einzelnen vorging und dabei den kollektiven Gedanken aushöhlte. Die *Verfeinerung* nimmt auch das Erlebnis der Zersplitterung hinein, welches Jansen im Gesamtdeutschland machte und auf seine Textsubjekte übertrug. Zwei Lebensentscheidungen bilden daher den Rahmen der Prosa[299]: Der Aufbruch aus dem Ich ins Wir, und der Rückzug aus dem Wir ins Ich. Die Ambition des Textes – als Spiegel einer neuen Lebensphase des Autors Johannes Jansen – ist aber gerade, die Reise zwischen diesen Polen Individualismus

---

[297] Der Text erscheint aller Voraussicht nach im Frühjahr 2001 im Suhrkamp-Verlag. Das Manuskript der Druckfassung wurde mir freundlicherweise von Johannes Jansen zur Verfügung gestellt. Der Anfang (S. 3-13) ist veröffentlicht in: Sinn und Form, 6/1998, S. 828-833. Außerdem sind acht Texte zu finden in: Projekt Null. Hrsg. von Thomas Hettche und Jana Hensel. Köln 2000. Die Manuskriptseiten 3-13 habe ich in den Anhang dieser Arbeit gestellt.
[298] *Verfeinerung der Einzelheiten*, S. 3. Im folgenden nach Seitenzahlen des Manuskriptes im Text zitiert.
[299] Im letzten Teilstück heißt es diesbezüglich: „...manchmal dachte auch ich noch, ob es nicht besser gewesen wäre, in der Vereinzelung zu verharren." *Verfeinerung der Einzelheiten*, S. 59.

und Kollektivismus zu beschreiben. Jansen will hinter das ‚Zwischenreich' blicken, das ich im vorherigen Kapitel beschrieben habe.

Aus den Denkprozessen des Ichs entsteht eine utopische Gemeinschaft. Sie übertrifft das kommunistische Ideal einer *Gleich*heit der Menschen noch; eher wird eine *Ein*heit der Menschen zu beschreiben sein. Der Text nimmt dabei – in seiner konsequenten Reflexion des Einzelnen in der Masse – den anti-ideologischen Blick von *Dickicht Anpassung* auf, führt ihn fort, radikalisiert ihn. Fast auf jeder Seite findet sich eine Spur der Gefahr, aus einer verengten Perspektive zu sprechen. Wenn die Menschheitsutopie einer Ideologie zu nahe kommt, muß sich Jansens Ich selbstironisch zurücknehmen.

Der Titel *Verfeinerung der Einzelheiten* kündigt es an: Jansen sucht Bilder, die unser Dasein existentiell fassen könnten. Er hat dafür die erzählerischen Mittel fast vollständig zurück genommen. Statt dessen heißt es gleich zu Beginn:

> Etwas ausrichten zu können allein durch die Denkkraft geisterte durch diese Nacht. Etwas ordnen zu können allein durch eine Sichtweise, die harmonisierend sein sollte. Ich fühlte mich zu etwas berufen, für das ich keine Form finden konnte. (12/13)

Wenn „Denkkraft" und „Sichtweise" zu Schreibvoraussetzungen werden, steht nicht weniger als die Grenze auf dem Spiel, hinter der Philosophie Literatur zu dominieren beginnt. Während der gängigen Gegenwartsliteratur gerade (nicht zu unrecht) *die Wiederkehr des Erzählens*[300] attestiert wird, begibt sich Johannes Jansen mit *Verfeinerung der Einzelheiten* auf die Spur einer neuzeitlichen Ethik, die das Denken dem Handeln vorzieht. Als Grund dafür kann aus theoretischer Perspektive benannt werden:

> (Gleichzeitig) gerät das Handeln mit der unendlich beschleunigten Geschwindigkeit der Information in einen Zustand des Stillstands, wenn das Handeln nur noch am Bildschirm erfolgt: In der Informationsgesellschaft könnte das Handeln an sein Ende gelangen und im Denken aufgehen [...][301]

Ich möchte zunächst einige Dichotomien aufstellen, die nicht unter Ausschlußverfahren funktionieren, die aber hilfreich sind, um Jansens Schreibstil in der *Verfeinerung* noch vor der Lektüre zu erfassen. Den Begriffen der linken Spalte liegen dabei gängige Erzähltexte zugrunde. In *Verfeinerung der Einzelheiten* hingegen liegt die Betonung aber auf den gegenüber gestellten Begriffen in der rechten Spalte:

Handeln	Denken, Warten (Gelassenheit)
Erzählen, Begreifen	Reflektieren, Befragen
Veräußerung	Verinnerlichung
Handlung, Erlebendes Ich	Statik/Ort, Beschauendes Ich
Körper	Kopf
Konkretion, Dinglichkeit	Abstraktion
Begriffe, Kategorien	„Einheit der Welt"

---

[300] Nikolaus Förster: Die Wiederkehr des Erzählens. Deutschsprachige Prosa der 80er und 90er Jahre. Darmstadt 1999. – Der Titel bezugt die Wellenformen, in denen Literaturkritik ihrem Korpus näher kommen will; Förster paraphrasiert dabei Volker Hage: Die Wiederkehr des Erzählers. Neue deutsche Literatur der siebziger Jahre. Frankfurt/Berlin/Wien 1982.
[301] Hans-Martin Schönherr-Mann: Postmoderne Perspektiven des Ethischen. Politische Streitkultur, Gelassenheit, Existentialismus. München 1997, S. 140.

Verfeinerung der Einzelheiten ist geprägt von der Hinwendung zum denkenden Ich, von einer extremen Abstraktheit jener Gedanken, vor allem aber von dem visionären Gestus einer Einheit zwischen den Menschen. All dies läßt sich auch über Texte der mittelalterlichen Mystik behaupten. Meister Eckharts Predigten sind auf das Schauen einer Einheit zwischen Mensch und Gott ausgerichtet. Diese Einheit versucht Jansens Ich, aus der Transzendenz zu lösen und auf ein Zwischenmenschliches zu übertragen. So lassen sich auch im Wortschatz erstaunliche Parallelen zu Eckhart feststellen. Ich möchte deshalb (in den Abschnitten 2-3) die mystischen Elemente und ihre Transformationen in Jansens Prosa *Verfeinerung der Einzelheiten* herausarbeiten. Eine göttliche Instanz läßt Jansen nicht zu, die Möglichkeit einer ‚höheren Erkenntnis‘ jedoch wird in *Verfeinerung der Einzelheiten* nicht verneint. Insofern entsteht die Reibung mit einer zweiten Tradition, die sich auch biographisch belegen läßt. Während der Entstehungszeit des Textes hat Johannes Jansen in einem anthroposophischen Jugendheim am Bodensee gearbeitet. Die Auseinandersetzung mit Schriften Rudolf Steiners ist in *Verfeinerung der Einzelheiten* eingegangen, vor allem der 1904 entstandene *Pfad zur Erkenntnis* aus der *Theosophie*[302] hat seine Spuren hinterlassen. Steiner beschreibt darin das Primat des Denkens, die „ernste Gedankenarbeit“[303] wird zum obersten Gebot, und er macht dabei jene Doppelstruktur geltend, die bereits in früheren Werken Jansens zu beobachten war: Das Ich muß sich auf die Welt einlassen, es erfährt bei allem, was ihm zustößt, immer auch etwas über dasjenige, von dem es ihm zugefügt wurde[304]. Jansens Einheitsgedanke baut auf dieser *Theosophie* auf, im ersten Textblock heißt es bereits: „Überhaupt schien mir alles anzugehören, denn ich steckte in jedem was ich sah, so wie alles was ich sah mich auszumachen schien.“ (11)

Die Abschnitt 4-6 werden aber zeigen, daß die angekündigte Einheit zwischen Mensch und Mensch nicht einzulösen ist. Weil das Scheitern des Ichs am Wir dabei in den Blickpunkt rückt, sich also die Utopie auflöst, werde ich auch die Intertexte der Utopie auflösen. Eckharts mystische Einheit, Steiners humanistischer Pfad, und auch Heideggers Gelassenheit – ein dritter Ausgangspunkt – bleiben zurück, weil sie nicht verwirklicht werden können. Daß das Ich sich im Verlauf von *Verfeinerung der Einzelheiten* als Klinikinsasse zu erkennen geben muß, bezeugt den Einbruch der Kategorien auf der linken Seite der Tabelle (s.o.). Am Ende wird deutlich, daß sich auch ein reflexives Schreiben erzählerischer Strukturen bedienen muß.

Ein ganz anderer Blickwinkel ergibt sich mit der Frage, warum Jansen heute die angesprochenen Philosophien wieder aufruft. Die meditative Schreibweise geht aus Jansens literarischer Biographie hervor, und sie läßt sich auch gesellschaftlich in der Gegenwart verorten. Reinhard Margreiter, von dem ich einige Hilfsbegriffe zur Mystik übernehme, hat darauf hingewiesen, daß die Postmoderne aus zwei Bewegungen besteht:

Während die *differenzorientierte* Postmoderne (Lyotard, Derrida) den Universalanspruch einer einheitlichen Vernunft als *Macht*anspruch zu entlarven sucht und ihn ‚zersplittern‘, ‚dezentrieren‘ will, setzen die *holistischen Postmoderne*-Konzeptionen spekulativ auf eine neue Einheit der Welt, und sie ver-

---

[302] Rudolf Steiner: Theosophie. Einführung in übersinnliche Welterkenntnis und Menschenbestimmung (1904). Dornach/Schweiz 1990. Darin: Der Pfad der Erkenntnis, S. 172-194.
[303] Ebd., S. 174.
[304] Siehe Jansens Zitat in der Einleitung zu Teil I dieser Arbeit.

stehen darunter vor allem die Vernetzung, die ökologische Kontinuität und Komplemetarität aller Dinge und Bezüge.[305]

Die Zersplitterung hat Jansen hinter sich. Seine eigene „holistische Konzeption" und ihr Scheitern stehen im Mittelpunkt meines Kapitels. Weil ich auch an Topoi arbeite, kann die Wahl der Zitate nicht immer der Textchronologie folgen. Dennoch liegt dem Kapitel ein linearer Weg durch die sechzig Druckseiten von *Verfeinerung der Einzelheiten* zugrunde. Die Titel der Abschnitte deuten das an. Ich hoffe, daß sich so auch Textbrüche spiegeln lassen, die den Leseakt von *Verfeinerung der Einzelheiten* bestimmen.

4.2 Gelassenheit

(...) Gleichgültige Landschaften, durch die ich in Gedanken hindurchging wie auf ein Ziel zu, mit zufassendem Blick all die verkommenen Eindringlichkeiten betrachtend, leere Läden und freistehende Fernsprechgeräte. Ein toter Bezirk, von ehemaligen Haustieren bevölkert. Unrat und verrußte Fassaden. Etwas ohne Alternative. Ein Ausgangspunkt. In den defekten Fahrzeugen links und rechts der Straße laufende Anlagen. Synthetische Stimmen, die von Glücksumständen berichteten mit einem gewissen Unterton, einem traurigen Augenzwinkern. Ich blieb stehen und lauschte den Offenbarungen, die mit einem dauernden Endspurt vergleichbar waren, atemlos im Gegensatz zu der Gelassenheit, die mich ausfüllte. Die Luft war klar wie im Gebirge und ich dachte an einen hohen Punkt, von dem aus ich alles zu sehen hoffte. Die perfekte Antwort – Gelächter. (*Verfeinerung der Einzelheiten*, 18/19)

Jansens Ich[306] nimmt die Landschaften zur Kenntnis, akzeptiert ihre Bilder. In dieser Akzeptanz ruht bereits das, was wenig später als Gelassenheit benannt wird. Nur dort, wo etwas „ohne Alternative" ist, wird es zum „Ausgangspunkt". Auch die Welt ist eine gelassene[307], denn die Zivilisation hat sich aus ihr zurückgezogen. Diese alte Welt ist noch sichtbar, hörbar jedoch sind die „synthetisierte[n] Stimmen" der neuen Welt. Aus den Radios tönt die Informationsgesellschaft, deren Botschaften als „Offenbarungen" ironisiert werden. Wenn diese für das Ich „mit einem dauernden Endspurt vergleichbar" sind, schwingen zwei Ebenen mit: Einerseits die meinungsmachende Zielstrebigkeit der Durchsagen, ihr immer noch teleologischer Gestus. Andererseits wird hinter dem Endspurt und dem Zieleinlauf jene Leere hörbar, die ein ausgeschaltetes Radiogerät vermitteln würde. Das Ich macht sich die fehlende Haltbarkeit des Gehörten bewußt.
Von Geschwindigkeiten grenzt sich Jansens Gelassenheits-Begriff ab. Gelassenheit steht hier direkt gegen die „Veranschaulichung des Schnellen als neuer Leere", die auch Paul Virilio in seinen Beschreibungen stets umkreist und als „negativen

---

305 Reinhard Margreiter: Erfahrung und Mystik. Berlin 1997, S. 24.
306 Wo ein Text dem Denken den Vorzug vor dem Handeln gibt, wo er die philosophische Reflexion über den Fortgang einer Handlung stellt, steht seine Literarizität zur Debatte. Akzeptiert wird zumindest das Ich als Wahrnehmungs- und Erfahrungszentrum. Von einem Ich-Erzähler möchte ich in meiner Besprechung aber nicht mehr reden.
307 Im Sinne Meister Eckarts bedeutet ‚gelassen sein' auch ‚etwas gelassen bzw. verlassen haben'. Der Begriff wird noch weiter erläutert.

Horizont"[308] kritisiert. Interessant ist jedoch Jansens Fortführung des Gedankenganges. Das Ich versucht, sich aus einer in der Situation gewonnenen Gelassenheit aufzuschwingen, es denkt an einen „hohen Punkt". Motiviert wird der Aufstieg im Nachsatz durch die Hoffnung, von dort alles zu sehen. Das Wort ‚sehen' bekommt hier ein großes semantisches Feld, es meint auch das Überschauen eines Landes und das Hinabschauen auf die Menschen. Erst durch dieses Feld wird verständlich, warum sich die Szene in Gelächter auflöst[309]. Der hohe Punkt darf – das nehme ich mit Blick auf den Textkorpus vorweg – von den anderen Ichs nicht akzeptiert werden. Die harmonische Einheit des Kollektivs kennt keine unterschiedlichen Höhenniveaus.

Allerdings ist in Jansens Text auch das Gelächter positiv konnotiert. „Die perfekte Antwort: Gelächter" meint hier keine Schadenfreude, sondern spricht eher dafür, daß sich eine aus Lachenden bestehende Masse emanzipiert hat und keine Ehrfurcht mehr vor Rednern, Betrachtern oder Führern hat. Später heißt es im Text einmal euphorisch: „Wenn ich nachher hier rausgehe, will ich euch lachen sehen" (50). Es ist also nicht nur ironisch zu nehmen, daß Gelächter auf Gelassenheit antwortet. Selbst ein Auslachen würde noch produktiver Bestandteil einer Gleichheit sein, die es zwischenmenschlich zu erreichen gilt.

Insofern ist der Versuch des Ichs, einen hohen Punkt zu erreichen, kein Fehltritt, sondern entspricht im Textgeschehen ebenfalls einer langsam stattfindenden Emanzipation. Situationen müssen ausprobiert, Erfahrungen gemacht werden.

4.2.1 Zur Begriffsgeschichte der Gelassenheit

Der Begriff der Gelassenheit geht zurück auf Meister Eckhart. In dessen mittelalterlicher Mystik beschreibt „Gelazen-sin" die doppelte Einheit zwischen Mensch und Gott. Erst sollte der Mensch seine kreatürliche Welt, ihre Kategorien und Verpflichtungen zurück-lassen. Wenn er die Gleichheit aller Wesen und Dinge sieht, kann das Ein-Lassen auf Gott folgen. Gott und Mensch kommen zusammen, werden eins.

Johannes Jansen verwendet nicht nur den Begriff Gelassenheit in *Verfeinerung der Einzelheiten* ganze fünfmal, er hat auch andere mystische Bilder und Motive in seinen Reflexionen aufgegriffen. Die durchgehende Thematisierung des Lichtes gehört dazu, oder das Bild des Abgrunds, das bei Eckhart so oft beim Versuch einer Erhöhung präsent ist. Es wird sich zeigen, daß auf der Suche nach dem Wir, die *Verfeinerung der Einzelheiten* prägt, einiges ‚gelassen' werden muß: Der Wille, die Begrifflichkeiten, die Gegenstände finden bei Jansen nur noch in der Negation Betrachtung.

Hans Martin Schönherr-Mann hat im Schlußteil seines Buches zu ethischen Perspektiven den Topos der Gelassenheit aufgegriffen. Gelassenheit wird dabei zur Haltung in einer nach-ideologischen Zeit, was vor allem an Martin Heideggers *Feldweggespräch* entwickelt wird. Indem Heidegger die Suche nach der Gelassenheit auf

---

[308] Vgl. Paul Virilio: Der negative Horizont. Bewegung, Geschwindigkeit, Beschleunigung. Frankfurt a.M. 1996, S. 114.
[309] Vgl. Rudolf Steiner: Theosophie, S. 190: „Der ist ein schlechter Erkennender, der nur in Wolkenhöhen wandeln wollte und darüber das Leben verlöre." Auch verwendet Rudolf Steiner Gelassenheit als Zugang auf seinen Pfad der Erkenntnis. In: Theosophie, S. 180.

einen Feldweg verlegt, nimmt er das Er-Fahren in seiner ursprünglichen Bedeutung: Man muß bis ans Ende des Fahrens bzw. Gehens – und eben auch des Denkens – gelangen. Heideggers drei Denker bewegen sich abseits der technischen Welt und Zivilisation in jener Welt, die nicht geschaffen werden muß, sondern immer schon vorhanden ist. Gelassenheit wird ihnen im Dialog zum höchsten Ziel. Ein Denk- und Erlebnisstadium allerdings, das nur erreicht werden kann, wenn ein anderes gelassen wird.

G   Insofern wir uns wenigstens des Wollens entwöhnen können, helfen wir mit beim Erwachen der Gelassenheit.
L   Eher beim Wachbleiben für die Gelassenheit.
G   Weshalb nicht beim Erwachen?
L   Weil wir die Gelassenheit nicht von uns aus bei uns erwecken.
F   Die Gelassenheit wird also anderswoher bewirkt.
L   Nicht bewirkt, nur zugelassen.
G   Zwar weiß ich noch nicht, was das Wort Gelassenheit meint; aber ich ahne doch ungefähr, daß sie erwacht, wenn unser Wesen zugelassen ist, sich auf das einzulassen, was nicht ein Wollen ist.[310]

Heidegger macht die Willenlosigkeit zur zentralen Voraussetzung einer Erhöhung, und gerade darin will er über Meister Eckharts Begriff hinausgehen. Der hatte zwar, so spricht die Figur des Gelehrten wenig später, „das Abwerfen der sündigen Eigensucht" bestärkt, aber nur „zugunsten des göttlichen Willens"[311].

Auf Heideggers Begriff vom Sein, so faßt Jürgen Wagner zusammen,

hat unser Wollen keinen Einfluß, dahinein sind wir ‚geworfen‘. Um diese Betrachtungsweise nachvollziehen zu können, sollten wir die Willensebene verlassen, die Ebene, auf der der Mensch handelt und behandelt wird.[312]

Wagner nennt seine Studie eine „Meditation", er stellt darin Meister Eckharts Begriff von Gelassenheit dem von Heidegger gegenüber. Eckharts Begriff ist hier weniger relevant, weil ihn der Mensch nur in innerer Einkehr und Abgeschiedenheit erreichen kann. Diesem Rückzug widersetzt sich Johannes Jansens Text-Ich aber ausdrücklich. Dennoch bleibt auch für Eckharts Lehre die bis zur Identität gehende Verbindung zwischen Gelassenheit und Willenlosigkeit festzuhalten.

An Heideggers *Feldweg* hat Wagner hilfreiche Aspekte des Begriffes Gelassenheit herausgearbeitet. Zunächst wird das „Primat der Rezeptivität" festgehalten:

„[I]n Bezug auf das, was geschieht, sind wir immer Empfangende, gleich wie viel oder wie wenig wir tun [...] wir sind darauf angewiesen, daß wir das ‚wahrnehmen‘, was sich zeigt und das nachsprechen, was uns anspricht."[313].

---

[310] Martin Heidegger: Zur Erörterung der Gelassenheit. Aus einem Feldweggespräch über das Denken (1944/45). In: ders.: Gelassenheit. Pfullingen 1959, S. 29-73, S. 34 f. Die Abkürzungen bezeichnen: Gelehrter (G), Lehrer (L), Forscher (F).
[311] Ebd., S. 36. – Wenn Heidegger diese transzendentale Tradition kappen will, so ist der Vorwurf an ihn - vor allem von seiten der Frankfurter Schule - immer gewesen, daß er stattdessen eine neue Metaphysik geschaffen hat, in der das SEIN die autoritative Stelle einnimmt. Vgl. vor allem Adornos Denken gegen die „Allherrschaft des übergeordneten Begriffs". In: Theodor W. Adorno: Negative Dialektik. Frankfurt a.M. 1983, S. 10.
[312] Jürgen Wagner: Meditation über Gelassenheit. Hamburg 1995, S. 139.
[313] Jürgen Wagner: Meditation über Gelassenheit, S. 140.

Rezeptiv zu sein bedeutet, eine (evolutionäre) Bescheidenheit in die Haltung zu bringen.

Gegenüber den theosophischen Gedanken von Rudolf Steiner bedeutet diese Art der Rezeptivität bereits eine Abschwächung. Wer „zu eigener Anschauung höherer Tatsachen" kommen will, muß für Steiner unbedingt eine Eigenschaft ausbilden:

> Es ist die *rückhaltlose, unbefangene Hingabe* an dasjenige, was das Menschenleben oder auch die außermenschliche Welt offenbaren. Wer von vornherein mit dem Urteil, das er aus seinem bisherigen Leben mitbringt, an eine Tatsache der Welt herantritt, der verschließt sich durch solches Urteil gegen die ruhige, allseitige Wirkung, welche diese Tatsache auf ihn ausüben kann. Der Lernende muß in jedem Augenblicke sich zum völlig leeren Gefäß machen können, in das die fremde Welt einfließt. Nur diejenigen Augenblicke sind solche der Erkenntnis, wo jedes Urteil, jede Kritik schweigen, die von uns ausgehen. [...] Will einer den Pfad der höheren Erkenntnis betreten, so muß er sich darin üben, sich selbst mit allen seinen Vorurteilen in jedem Augenblicke auslöschen zu können. Solange er sich auslöscht, fließt das andere in ihn hinein.[314]

Steiner ergänzt Heideggers Kritik am vorwärts gerichteten Lebensantrieb des Willens hier durch den rückwärts gewandten Pol des Vorurteils.[315] Beides muß gelassen - hier sogar „ausgelöscht" - werden, um sich auf ein Gegenüber einzulassen. Hinzu tritt bei beiden Philosophen immer die Fähigkeit, sich vor einer Handlung zu besinnen, etwas abzuwägen, zu warten. Jansens Ich faßt sein Denken und Lassen zusammen: „Alles beginnt mit einer scharfsichtigen Gleichgültigkeit" (40). Und an anderer Stelle spricht es deutlich:

> Dies alles war lebbar, wenn man denn eine Vorstellung davon hatte und sich einließ in das, was einem zustoßen konnte. Beziehungen ohne Abhängigkeit. Gesellschaften ohne Haftung. Wie trügerisch es ist, dem eigenen Willen zu folgen, dachte ich in diesem Zusammenhang, da ich sah, wie engstirnig ich wurde, wenn mir mein Wille den Weg wies. (48)

In der Negation klingt schon an, daß sich die reine Willenlosigkeit in der Vergangenheit nicht durchhalten ließ. Reflektiert wird ja gerade der Mißstand, und das repetitive Zeitadverb „wenn" zeigt an, daß das Ich sich nicht nur einmal dabei ertappt hat, „dem eigenen Willen zu folgen". Um einen Perspektivwechsel zu zeigen, hat Jürgen Wagner an Heideggers Gelassenheit wenn auch keinen Willen, so doch eine „Bereitwilligkeit"[316] ausgemacht, und er meint damit eine bewußte Offenheit und Aufgeschlossenheit gegenüber der Welt. Diese Bereitwilligkeit ist auch Jansens Ich zuzusprechen. Denn obwohl es seine Reisen zu Beginn als Gedankengänge bezeichnet, letztlich wagt es sich doch hinaus in eine Landschaft, die ihm Bilder spendet. Nur hat in Jansens Subjekt eine unauflösbare Einheit zwischen Innenwelt und Außenwelt stattgefunden. Woher und vor allem von wann die Bilder stammen - dafür fühlt sich der Text nicht zuständig. Für die Textrezeption bleibt

---

[314] Rudolf Steiner: Theosophie, S. 176 f. - Das Bild des Gefäßes ist auch wieder zu erkennen im „Kübel"-Bild Jansens in *Dickicht Anpassung*. Siehe hierzu Kapitel 3.3.4 dieser Arbeit.

[315] Die Rückhaltlosigkeit, mit der man sich allem hingibt, entspricht auch Eckharts Begriff von der Gleichheit aller Erscheinungen.

[316] Jürgen Wagner: Meditation über Gelassenheit, S. 142.

aber letztlich die ‚Bereitwilligkeit' entscheidend, mit der das Ich die Bilder gesammelt hat, um sich auf sie einzulassen.

Noch einen zweiten Bezug will ich hier auf Heideggers Begriffswelt nehmen. Der Philosoph verankert das Denken (und dadurch auch die Gelassenheit) vollkommen in der Gegenwart, weil ihm das Zukünftige immer des Ideologischen verdächtig ist. Doch in einer früheren Schrift hatte sich Heidegger zur Ausweitung des Denkens einen mit Zukunft aufgeladenen Begriff zur Hilfe genommen: „Ahnen meint das Fassen von solchem, was auf uns zukommt, dessen Kommen längst waltet, nur daß wir es übersehen…"[317] Diese Erklärung will dem Ahnen absprechen, was der Begriff unweigerlich mit sich führt: Intuition und Antizipation.

Bei Jansen werden die Begriffe Ahnung, Hoffnung, Richtung und sogar Offenbarung mehrfach verwendet und dadurch zu Hauptbestandteilen des Textes. Eine Grundbeobachtung ist, daß *Verfeinerung der Einzelheiten* seine Stoßrichtung nach *vorne* hat. Selbst auf jüngste Vergangenheit läßt sich das Ich nur ein, um daraus sein Stück Zukunft zu schlagen: „Aus dem Diffusen fand ich selten heraus. Es war wie der Zustand einer dauernden Ahnung" (27). Es braucht keinen Handlungsverlauf, wo die Begriffe selbst den Text als Utopie ausweisen.

Auch die Gelassenheit hat diesen „Zustand einer dauernden Ahnung". Einmal, in einem „hündischen Traum von einer Einflußnahme" (79), *will* das Ich danach greifen. Gelassenheit stellt sich dabei dar als „Ergebnis einer inneren Verheerung […] und ich bemerkte, daß es gut war oder möglich zumindest, wenn auch für mich kaum zu erreichen" (80). Der Zustand entzieht sich, wo das Subjekt ihn bereits erreicht zu haben glaubt. Es bleibt die letzte Nennung der Gelassenheit in der Chronologie des Textes.

Gelassenheit ist ohne Willenlosigkeit bzw. mit Vorurteilen nicht zu haben.

4.2.2 Entdinglichung

Das abstrakte Vokabular, von dem wir hier bereits umgeben sind, hat seinen Ursprung in einer bewußten Entdinglichung des Geschehens. Jansen vermeidet die Welt der Gegenstände. So heißt es:

> Überdeutlich die Dinge, von jeder Verkleidung befreit. Meine fragwürdige Biographie in Verbindung mit einer unfaßbaren Geschichte, in die ich verwickelt schien. Ich war die Summe sämtlicher Deutungen. Lauter Lasten trug ich in mir, doch ich trug leicht an ihnen. Die kleinste Begebenheit als Bild für das ganze Land, so dachte ich, je bescheidener desto eindringlicher. (20)

Mit dem ersten Satz würde in vielen Erzähltexten eine Aufzählung von Gegenständen eingeleitet. Jansens Dinge sind aber keine Einzelheiten, die Eigenschaften oder Formen haben und sich so aus ihrem Umfeld isolieren und beschreiben ließen. Hier heißen die Dinge „fragwürdige Biographie" und „unfaßbare Geschichte". Sie werden nicht benannt, um sich von anderen zu unterscheiden[318]. Und wenn es als Konsequenz der schweren Aufladung heißt: „Ich war die Summe aller Deutun-

---

[317] Martin Heidegger: Grundbegriffe (1941). Hrsg. von Petra Jaeger, Frankfurt 1981, S. 12. Zitiert nach: Wagner, S. 144.
[318] Eine semiotische Untersuchung wäre interessant und müßte hier ihren Schwerpunkt setzen.

gen", dann sind die literarischen Gegenstände zu philosophischen Dingen geworden. Sie haben sich aus der Außenwelt gelöst und erreichen den Leser nur noch als *Reflexion* des Ichs.[319]

Weitere Stellen belegen diese Verinnerlichung. Das Ich hat „gelernt, die Dinge mit stillem Erstaunen zu betrachten", aber nur, um „jener inneren Erfahrung gerecht zu werden, die mich gänzlich aufzufüllen schien" (23). Sofort wird das Betrachten verinnerlicht. Im gleichen Gestus heißt es später: „Ich stand nackt inmitten der Dinge, die man mir nachgetragen hatte und plötzlich spürte ich ihren Zusammenhang [...]. Gedanken, die ich anzog, weil ich vorhanden war" (39). Auch hier geht es nicht um einen Hausstand, der dem Ich nachgetragen wird; nicht die Außenwelt, sondern das reflexive Wesen des Ichs spiegelt sich in den Dingen. „Dinge" entsprechen seinen Erfahrungen und hier speziell den Erinnerungen, die im Kopf wieder aufgerufen werden.

Die Entdinglichung kann zum Ausgangspunkt genommen werden, um den Blick auf das mystische Denken bei Johannes Jansen zu richten. Denn ein wesentlicher Bestandteil der Mystik ist eben das, was bei der Vereinigung des Menschen mit Gott zurückgelassen bzw. negiert wird. Nach Margreiter realisiert sich auch für Meister Eckhart unsere mindere, kreatürliche Wirklichkeit

durch kategoriale Differenzierung, also durch die Konstituierung von Zahl und Vielheit, Raum und Zeit, Kausalität und Gegenständlichkeit [...]. Doch die Selbst-Realisierung der Wirklichkeit bleibt nicht bei dieser Konstitution und Differenzierung stehen. Diese ist vielmehr ein Mittel – in mehrfacher Bedeutung des Wortes: ein *Medium* –, um dasjenige, was die Kreatürlichkeit *nicht* ist, zu erfahren. Dieses der Kreatürlichkeit gegenüber *Andere* ist bei Eckart die Dimension *Gottes* (genauer: der ‚Gottheit‘). In ihr sind die Bestimmungen der Kreatürlichkeit hinfällig – und eben im Hinblick auf die Kategorien wird die Gottheit apophatisch umschrieben als nicht-geschaffen, nicht-vielheitlich, nicht-zählbar, nicht-gegenständlich, raum- und zeitlos und ‚ohne Warum‘.[320]

Jansens *Verfeinerung der Einzelheiten* spielt sich genau in der Auseinandersetzung mit dieser – wie sie Margreiter auch nennt – Transkategorialität ab. Deshalb ist dem Text nicht gerecht zu werden, wenn man ihn als Reflexion nimmt und einer Erzählung gegenüberstellt. Die hier genannten positiven Elemente, über die Eckharts Mystik hinaus gelangen will, säumen allesamt auch den Weg bzw. die Denkwelt von Jansens Ich. Aber die Auflösung der Kategorien ist nicht mit seiner Wahrnehmung der Welt in Einklang zu bringen. So wird das entschlossene „Ich wollte nichts mehr in Begriffe fassen" (22) schnell zurückgenommen: „Alles war Seltsamkeit und ich kam ohne Begriffe nicht aus" (23). Jansen gibt den beiden Zeilen – als jeweilige Anfangszeilen der Abschnitte – besonderes Gewicht. Sie lesen sich als früher Hinweis auf das Scheitern des Ichs an der Transkategorialität.

In lichten Momenten sieht Jansens Ich hinter den Kategorien „einen Rest von Substanz, der nicht bestechlich war" (69). Die Gefahr des abstrakten Schreibens liegt aber in ihren Negationen; eine Spannung (oder auch Aura) wird angesammelt

---

[319] In Rudolf Steiners Denken bedeutet eine Erhöhung des Menschen auch, die Unvergänglichkeit der Dinge, „ein Ewiges an den Dingen" wahrzunehmen. In: Theosophie, S. 188 f.
[320] Reinhard Margreiter: Erfahrung und Mystik, S. 455.

und entlädt sich auf den ausnahmsweise eingestreuten Gegenständen und Gestalten. Auch Jansen muß vereinzelt etwas benennen, dem dann sofort eine besondere Gültigkeit zukommt[321].

Erst wo Dinge, Begriffe und Kategorien aufgegeben werden können, ist jene Einheit der Welt denkbar, die Jansens Ich anstrebt. Deshalb wiegen alle Bezüge zur Mystik noch wenig gegen die Parallelität in der Gesamtkonzeption: Jansens Ich will genau die von Meister Eckhart erstrebte All-Einheit von ihrem göttlichen Teil befreien und auf die Menschheit übertragen. Statt einer Vereinigung mit Gott sollen die Menschen selbst zueinander kommen und sich vereinigen.

4.3 Die Einheit

Wie anfangs erwähnt, heißt es in *Verfeinerung der Einzelheiten* früh: „Überhaupt schien mir alles anzugehören, denn ich steckte in jedem was ich sah, so wie alles was ich sah mich auszumachen schien." (11). Die wechselseitige Bestimmung von Ich und Umwelt sehe ich in Jansens Werk als durchgehendes Thema. Man darf aber sagen, daß das Ich in diesem Bestimmungskampf zumeist unterlegen war, daß es seine Individualität immer zu verteidigen hatte und nur selten bewahren konnte. Denn die Umwelt besitzt bei Jansen starke Kräfte, sie ist – im Sinne des Wortes – eindringlich: In Form von Vergangenheiten, durch visuelle Überreizung und pervertierte Sprache, oder einfach in Gestalt einer Frau.[322]

In *Verfeinerung der Einzelheiten* hat sich mit dem Ich und seinem Sprachstil auch die Umwelt beruhigt. Der Kampf wird aber nur in eine Vorzeit verlagert: Nie wird deutlich, ob das Ich die Einwirkungen von Außen aus seinem Denken verbannt hat. Oder hat es sie integriert, aber bereits so weit durchdacht, daß die Kräfte nicht mehr an die Oberfläche stoßen? Die Lektüre zeigt: Je länger die Sprache als Strom von Abstrakta dahingeht, desto mehr – nicht etwa weniger – Unruhe verbreitet sie für den Leser.

Das überträgt sich auf die Suche der Menschengemeinschaft: Je öfter sie im Text heraufbeschworen wird, desto größer werden die Zweifel an ihr. Hier schwingt das Paradox auch der mystischen Sprache Eckharts mit: Läßt sich das Einheitliche überhaupt in einem System wie der Sprache fassen, die da ist, um Bedeutung zu differenzieren? Eckhart hat das Problem an einigen Stellen mit der Unaussprechlichkeit Gottes und dem Ziel des erfüllten Schweigens ihm gegenüber reflektiert.[323] Die daran anschließende, in der Mystik-Forschung umstrittene Frage dreht sich um „die Nachträglichkeit der Sprache gegenüber dem Erlebnis".[324] Ist das visionäre Denken direkt an sein Aussprechen gebunden? Sind Eckharts Predigten unmittelbare mystische Erlebnisse?

Das Genre der Vision meint eigentlich das unmittelbare Sehen (*visio*) einer Erscheinung. Hier wäre der gleiche Streitpunkt erreicht, an dem auch das automatische Schreiben der Surrealisten (siehe Kapitel 1.2) für viele unglaubhaft wird.

---

321 Diese Aura der Gegenstände läßt die Textblöcke oft auch ins Lyrische übergehen. Eine Gattungsuntersuchung könnte am ehesten mit dem Begriff des ‚Prosagedichts' arbeiten. Zur Begriffsbestimmung siehe: Ulrich Fülleborn (Hrsg.): Deutsche Prosagedichte des 20. Jahrhunderts. München 1976. Einleitung, S. 16-43.
322 All dies bereits im Text *mär*, der zehn Jahre zuvor entstand (Kap. 1.1.1).
323 Vgl. Margreiter: Erfahrung und Mystik, S. 95 ff.
324 Margreiter: Erfahrung und Mystik, S. 474.

Geschriebener Text hat keine visionäre Unmittelbarkeit, auch Jansens *Verfeinerung der Einzelheiten* wäre so nicht zu fassen. Doch der Text spielt bewußt einen immanenten Widerspruch aus. Sein äußeres Erscheinungsbild sind Blöcke, nie länger als zwei Seiten lang, die von Reflexion und Überarbeitung des Autors zeugen. Die Mündlichkeit aus *Dickicht Anpassung* ist hier endgültig einem komplexen Satzbau gewichen. Dennoch werden wir im Text auf ein Subjekt gestoßen, das im Prozeß seiner Wahrnehmung steht und eine uns unvertraute Welt *sieht*.[325]

4.3.1 Utopie

Der Text ist durchgängig im erzählerischen Präteritum gehalten. Dadurch erhält er eine Struktur, in der sich utopische Sprache zu einer ‚haltbaren' Welt verdichten kann. Ein genauer Blick auf die Zeitlichkeit zeigt, daß Teile der idealen menschlichen Gemeinschaft bereits eingelöst sind. Ich möchte daher einen Abschnitt vollständig zitieren, der die Einheit in seinen Mittelpunkt stellt:

> Eine bedeutsame Beliebigkeit, eine Ungewißheit, die uns mit erstaunlicher Spannung erfüllte. Es schien doch nicht wichtig, ob etwas neu war. Was zählte, war die Erfahrung, daß wir selbst drauf kamen, ohne geführt worden zu sein, oder besser, im Führen uns aneinander hielten und so eine Einsicht erzeugten, die uns trug. Heillos konnte man sagen und unerträglich von Hoffnung befallen, denn es war Zeit für den Durchschnitt und die Zukurzgekommenen. Grad stehen, hieß es. In diesem Mündigkeitsstrom, diesem schier endlosen Zug durch Heilstätten und Therapiegebäude. Vieles fiel ab, doch manches wurde mitgerissen, und nichts geringeres als wie der Einzelne mit sich selbst fertig wird, stand zur Debatte. Man konnte der Welt nicht mit Modellen auf den Leib rücken. Also wie rückten wir uns selbst auf den Leib? Denn nach Ablauf aller Verhandlungen sollte sich da ein Gebäude entwickelt haben, das alle Ansätze in sich trug, aber nur dann begehbar wäre, wenn man seine Schwächen auch noch hineinnimmt. Doch das taten wir schon, denn schließlich waren wir, was das Gebäude ausmachen sollte. Hin und wieder auch Eckstein, doch meistens eher bedeutsames Stückwerk, kompliziert im Detail, aber passend im ganzen, tragfähig sozusagen, denn gewisse Lasten gab es ja doch. (67/68)

Der Satz „Es schien doch nicht wichtig, ob etwas neu war" liest sich wie ein ironischer Kommentar auf die Textkonstruktion. Jansen baut an einer Welt, die sich nicht mehr zeitlich verankern läßt. Meine Ausgangsfrage zur zitierten Passage lautet daher: Woran erkennt man als Leser eigentlich, daß das erzählerische Präteritum einen futurischen Gestus hat?

Es gibt zwei Beobachtungen, an denen das Futurische faßbar wird. Einerseits wird durchgehend ersichtlich, daß es zum epischen Präteritum noch eine Vorvergangenheit gibt, die hier mit „Erfahrung" (Z.2) und an dem Meinungen zusammenfassenden „hieß es" (Z.5) erkennbar wird. Wie selbstverständlich kann das Ich für die Gemeinschaft behaupten: „Doch das taten wir schon...". Es handelt sich bei diesen Vorvergangenheiten aber nicht um Geschehnisse, zu denen sich eine zweite Handlung in Beziehung setzt. Vielmehr wird in der Reflexion etwas „Erfahrenes" zur

---

[325] Vgl. rückblickend Kapitel 3.3.6 zu *Dickicht Anpassung*.

Verfügung gestellt für Folgeschritte. Deshalb muß oben vollständig zitiert werden: „Was zählte, war die Erfahrung...". Das Ich spricht im Gestus der Unruhe, es drängt von sich aus in Gedanken vorwärts, und dies ist die zweite zeitliche Beobachtung. Die ins Offene gehende Frage „Also wie rückten wir uns selbst auf den Leib?" sprengt das Präteritum nach vorne auf. Es gehört zum Spiel des Textes, daß sein Ich sich *im Prozeß* der Verwirklichung seiner eigenen Utopie befindet.[326]

Die Einheit selbst wird als Gebäude beschrieben, das „alle Ansätze in sich trug". Kollektive Geschichte und einzelne Biographien sollen hier versammelt sein, aber das Gebäude hat keine statischen Grenzen, „die Schwächen" deuten an, daß es ein Ort der weiteren Verständigung über das Zusammenleben sein soll. Das Gebäude selbst ist in den Prozeß einbezogen, da es aus einzelnen Menschen besteht, die „tragfähig" bleiben müssen.

An Stellen wie dieser gewinnt die utopische Welt in *Verfeinerung der Einzelheiten* eine große Nähe und wirkt wie eingelöst. Das Denken des Ichs greift voraus, greift zu, will die bisherigen Denkprozesse als Ergebnisse festhalten. Der letzte Satz der zitierten Passage mündet aber erneut in einem Zweifel: „Gewisse Lasten" drücken auf das Gebäude-Bild. Schlüssig ist die Einheit durchaus, da ein Zusammensturz des Hauses das Wir erneut in lauter Ichs zerstreuen würde. Andererseits weiß der Autor Jansen natürlich um die ideologische Vorzeit der „Gebäude" und daß sie immer nur mit metaphorischer Anstrengung zur ganzen Welt werden. Zu dem tragenden Gebäude gibt es daher auch das Komplementärbild, das sehr viel skeptischer klingt und die Utopie relativiert:

> Jeder in seinem Gehäus mit einer Leitung nach draußen, die durchaus verbindend sein konnte und manchmal sogar den Erwartungen entsprach, indem sie große Gebäude hereinließ (...). (57)

Der gesamte Text kreist um die Einheit zwischen Ich und Wir, die in *Verfeinerung der Einzelheiten* stets greifbar ist, aber auch immer gefährdet. Ich habe bereits einige Schwierigkeiten angedeutet, die von der Sprache herrühren: So sehr die Verschriftlichung ein Denken sein will, Begriffe und Kategorien lassen sich nicht einfach aus dem Denken eliminieren.

Dieses Problem setzt sich auf der Ebene der Vereinheitlichung von Menschen zu einer harmonischen Gemeinschaft fort. Ständig tauchen in *Verfeinerung der Einzelheiten* doch Gegenwelten auf, von denen sich das Ich absetzen und die es nicht in seinen Entwurf einbinden will. Sobald beobachtet wird, verrückt sich notgedrungen die Perspektive: Das Wir wird zum Er, Sie, Es – aus der Menschheit werden einzelne Personen.

In diesen Gegenwelten wird erkennbar, warum für Jansens Ich Gelassenheit „kaum zu erreichen" (80) ist. Im Vorwärtsdrängen wird es zurückgeworfen auf Mechanismen der Ab- und Ausgrenzung, die mit seiner Wahrnehmung auch sein Denken bestimmen.[327]

---

[326] Ich ziehe also den Begriff der Utopie erneut dem der Vision vor; (besser wäre es allerdings, von einer „Utopie im Prozeß" zu reden). Vgl. Kapitel 3.3.6 zu *Dickicht Anpassung*, Fußnote 286.

[327] Siehe zum Vergleich noch einmal: Jürgen Wagner: Meditation über Gelassenheit, S. 90. Er benennt an Eckhart „jene radikale Dynamik, die alle ‚Zweiheit' und damit auch alle Differenz von Wort und Sache überschreitet [...] Wer sich völlig einläßt, weiß von keinem Einlassenden und keinem Eingelassenen mehr."

4.4 Gegenwelten. Ich – Wir – Sie

Auf Seite 32 entwirft Jansens Ich erstmals ein ausführlicheres Bild der ‚anderen‘ Menschen, und man hat nicht den Eindruck, als könnten sie jemals in die Utopie integriert werden. Das Ich nennt sie:

Moderne Passanten. Vertreter für Makulaturen [...] Jede Natürlichkeit fehlte [...]. Wissend nicht im Sinne von hilfesuchend sondern im Sinne von tödlich. Hart und steif. Kein Schmerz, nur geschwollene Schläfen wenn da wer aus dem Takt kam.

Nach dieser Distanznahme fährt das Ich direkt fort:

Demgegenüber, auf der anderen Seite der Fahrbahn, im Schatten der Hoch-
bauten, die Unverstandenen. Wie vielfältig sie auf ihrer Einfalt bestanden, aus
Einsicht oder Ignoranz freundlich gestimmt gegen alle. Warum kein Fall werden, sagten sie sich zeitweise. Geschöpfe, die für unsere Vorstellungen völlig
unempfänglich waren ohne aus ihrer Gegenhaltung einen Schreikrampf zu
machen. Die Verlorenen, zu denen man sich zählen sollte, ihrer Müdigkeit
wegen. All das Umgebende war schon durchdacht und bekanntlich verworfen.
(ebenso S. 32)

Diese „andere Seite der Fahrbahn“ ist wesentlich interessanter, denn hier befinden sich die, „zu denen man sich zählen sollte“. Daß das Ich sie dennoch beschreiben kann, ja muß, läßt sich als Rückfall auf dem Weg in die Utopie lesen. Da bleiben
einige zurück, die das Ich gerne dabei hätte, denen aber mit keiner Heilsgeschichte
beizukommen ist. Dazu paßt, daß nicht mehr zu erkennen ist, ob sie „aus Einsicht
oder Ignoranz freundlich gestimmt [sind] gegen alle“. Sie haben also bereits eine
Einheit der Welt vollzogen, jedoch aus Resignation, sie begnügen sich mit der Rolle
der „Unverstandenen“. Ein Fatalismus, den Jansens Ich hinter sich lassen muß.
    Dennoch wird das gesamte *Verfeinerung der Einzelheiten* durchzogen von jener
Gruppe, denen das Ich mit einer Mischung aus Abwehr und Faszination gegenüber
tritt:

So waren sie mitten unter uns, lautstark Selbstgespräche führend und leicht ver-
wachsen zumeist. All diese Durchgebrannten, die man unter normaleren
Umständen auch als erleuchtet hätte bezeichnen können. Wie um Leute, die keinen Schatten werfen, zogen wir um sie herum, und dennoch waren sie es, die
uns im Gedächtnis blieben, wenn wir versuchten, die Gesichter des Tages an
uns vorbeiziehen zu lassen. Eine kleine Geste in ihrem auffälligen Verhalten, die
uns anzog und uns in Frage stellte, da wir keine Zeit hatten, so konsequent ausweglos zu verharren. (35)

Im ersten Drittel des Textes wird so bereits jene dünne Grenze zwischen Wir und
Sie angedeutet. Kurz darauf faßt das Ich das verhängnisvolle Perspektivspiel seines
Kopfes zusammen: „Immer wieder diese Frage nach der Funktionsträchtigkeit, nach
dem ‚von Außen betrachtet‘.“ (41). Es besteht also ein enger Zusammenhang zwischen dem kategorischen Denken und dem Beobachten der Menschen. Das *Denken*
des Ichs ist eben doch auf das *Handeln* der Anderen angewiesen. Wen das Ich „von
Außen betrachtet“, den stellt es in Verhaltensweisen und Gesten dar. Weil es nicht
ins Innere der Anderen blicken kann, bekundet das Ich mehrfach seine Enttäuschung: „[D]auernd blieb jeder letztendlich bei sich...“ (55).

Es gibt also die Abseitigen, die sich nicht zum Mittelpunkt umfunktionieren lassen. Aber nicht nur die Welt der „Unverstandenen" stellt eine Reibung für das Ich dar, auch an einzelnen Gestalten arbeitet sich die Utopie der Gemeinschaft ab.

> Diese kleine alte Frau, wie sie - leicht gekrümmt - ihrem Ideal auf der Spur war. Bei allem, was sie sich nahm, wägte sie ab, wieviel ihr gestattet sei, obwohl niemand da war, der sie beschränkte, nur dieses unsichtbare Auge über ihr und ihre Existenz, nicht als Antwort, höchstens als Möglichkeit einer Antwort, doch als solche vertretbar vielleicht. (43)

Hier wird noch einmal ein Leitsatz aus Rudolf Steiners Denken umgesetzt. Die rückhaltlose Hingabe an die Welt bedeutet, Personen nicht im voraus zu bewerten, denn: „Empfinde ich Sympathie [ergänze: bzw. Antipathie] für einen Menschen, so empfinde ich zunächst nur *mein* Verhältnis zu ihm."[328] Jansens Darstellung der alten Frau liest sich auf den ersten Blick als Zulassung *ihrer* Welt. Doch die Sprache ist voller Wertungen, die auch in dieser kurzen Passage mitschwingen. Allein daß die alte Frau „*ihrem* Ideal auf der Spur" ist, macht sie zu einer außenstehenden Figur. Sie hat nicht teil an der Einheitssuche, die das Ich betreibt, weil sie sich noch dem Blick *eines* „unsichtbaren Auges" unterzieht. Wie bereits die „Durchgebrannten" (35), die als „graue krumme Gestalten" eingeführt wurden, hat auch die alte Frau den Makel, „leicht gekrümmt" auszusehen. Eine aufrechte Körperhaltung, so scheint es aus der mehrmaligen Nennung, wäre aber Grundvoraussetzung für die Gemeinschaft.

Die krumme Haltung korrespondiert im Text mit einer kleinen Geste des Ichs: Zweimal macht es „einen Bückling", zunächst vor „jedem mühsam entdeckten Denkmal" (11), später einfach „auf der Straße" (70), ohne Adressaten, aber nach reiflicher Überlegung. Um diese Möglichkeit, seine Achtung - wem auch immer gegenüber - durch eine Verbeugung sichtbar zu machen, ist das Ich jenen Anderen voraus, wenn diese *per se* als krumm und gekrümmt dargestellt werden.

An einer dritten Stelle wird der „Bückling" transformiert und bekommt eine entscheidende Bedeutung:

> Bis zur Lächerlichkeit provisorisch sein, das wäre eine brauchbare Haltung, dachte ich im Angesicht dieser hilflosen Boten, die fast zufällig in den Straßen verteilt waren. Ich erkannte sie sofort, denn ich war einer von ihnen. Ein fast unmerkliches Nicken des Kopfes im Vorübergehen, eine Ehrenbezeigung, die auch ein reiner Reflex sein konnte, so als würde uns der Mantel der Fremdheit verbinden, da wir um das Darunter wußten. Nur nicht berühren, nur kein Wort, das dieses Wissen stören konnte. Die unglaubliche Botschaft im Hirn: scheue niemand, vielleicht. (54)

Jansen hat eine zweite Reflexionsebene in den Text eingeführt, die eine Gegenbewegung zu den o.g. „großen Gebäuden" darstellt. Dabei handelt es sich - ganz dichotomisch - um winzige und kleine „Gesten" und um „Details". Zumindest die Gesten laufen schließlich auf die hier zitierte Stelle zu und münden im „fast unmerklichen Nicken des Kopfes", in der „Ehrenbezeigung", zu der die ausgegrenzten Personen nicht fähig sind.

---

[328] Steiner: Theosophie, S. 179.

4.5 Gesten und Details

Die Auflösung (der Geste im Nicken) soll nicht über eine Schwäche des Textes hinwegtäuschen. Zuerst hatte es geheißen: „Die ganze Großartigkeit meines Aufbruchs lief aus in einer winzigen Geste" (27). Mit keinem Wort aber wurde die Art dieser Geste benannt. Damit ist der Kulminationspunkt in Jansens Textästhetik erreicht: Denn wenn es darum geht, Begriffe, Dinge und Kategorien im Dienst einer ‚Einheit der Welt' aufzulösen, dann fällt dieser Auflösung natürlich auch *das* zum Opfer, womit das Ich die Welt erst verändern will. Wenn die Geste nicht als Handlung gelten darf, weil das Denken jedes Handeln unterdrückt, dann gibt es diese Gesten eigentlich nicht. Insofern kommt im obigen Textbeispiel dem „fast Unmerklichen" große Bedeutung zu: Das Nicken ist nur für Eingeweihte verständlich, es ist die ‚Handlung der Denkenden'.[329]

> Was ich sah und zu beschreiben beinahe genötigt wurde, war die Verfeinerung der Einzelheiten, in die ich durchaus mit einbezogen war. (44)

Ein Satz, der den Zwiespalt des Ichs hörbar macht. Es hat sich das Denken und Reflektieren zur Aufgabe gemacht, und möchte doch die „Verfeinerung der Einzelheiten" herbeiführen, von der es unbedingt erzählen, oder sie zumindest beschreiben müßte.

So wirft die Entdinglichung ihre ganz eigenen Probleme auf. Dazu gehört Jansens vielfache Verwendung des Wortes ‚Detail', es taucht in *Verfeinerung der Einzelheiten* allein neunmal auf.[330] Die Zusammenhänge könnten unterschiedlicher nicht sein. Einmal wird die Intensität thematisiert, mit der das Ich die Details des Himmels wahrnimmt, ohne daß Sternbilder ins Spiel kommen (48), dann hat sich jeder „um die eigenen Details zu kümmern" (58), an einer dritten Stelle heißt es, daß „etwas angezettelt worden war […] und es war verabscheuungswürdig bis ins Detail" (72). In seiner Aufgespanntheit wirkt das Wort nur noch wie ein Lückenfüller *der* Dinge, die es dem Ich unmöglich ist, zu bezeichnen.

Der Text trägt mit den ‚Kleinigkeiten' und ‚Details' seine eigene Leerstelle vor sich her. Sie spiegeln nur noch die permanente Unruhe des Ichs, das im Prozeß der Gesamtheits-Utopie erkennen muß, daß diese aus lauter einzelnen Teilen besteht. Die Intensität und Frequenz, mit der die ‚Details' auftauchen, ohne von sich zu sprechen, zeigen, wie sehr der Druck der Außenwelt auf das Ich zunimmt.

4.6 Konfliktverschärfung, Rückkehr ins Ich

Die Utopie selbst wird mit jedem Abschnitt deutlicher. Es geht in ihr eben gerade darum, *ohne* Utopie miteinander auszukommen: „Manchmal lag uns eine Hoffnung im Weg, die wir mühsam aus den Täglichkeiten herauskratzen mußten, bevor wir sie hinter uns lassen konnten" (56). Es geht um das Zurück-Lassen aller Dinge, die

---

[329] Die Textstelle zeigt einige Ambivalenzen, die eine Wertung der Szene fast unmöglich machen. So ist die Hilflosigkeit im wörtlichen Sinne eine Voraussetzung für die Menschengemeinschaft, andererseits wird „der Mantel der Fremdheit" vom Ich immer noch erkannt.
[330] Auf den Seiten 10, 22, 23, 24, 29, 37, 38, 43, 46.

diese Vorbehaltlosigkeit stören könnten. Es geht um ein füreinander offenes, mit jeder Begegnung neu beginnendes *Vorhandensein*[331].

Aber Jansens Ich ist kein Missionar, seine Gedanken können keine Mission sein. Es beobachtet nur, es handelt nicht. Es ist unfähig, andere Menschen von seiner Utopie zu überzeugen, und schon gar keine große Menge an Leuten. Wenn ich trotzdem von der Stoßrichtung des Textes gesprochen habe, die aus einer Unruhe *nach vorne* geht, so ist das nur scheinbar ein Widerspruch. *Verfeinerung der Einzelheiten* ist zu lesen als ,ständig scheiternder Versuch'[332] einer Suche nach Ansprech-Partnern. Alle Erkenntnisstadien sind sowohl – in ihrem wörtlichen Sinne – statisch, als auch Glieder einer Bewegung.

So werden im dritten Drittel des Textes die Wechsel zwischen Ich und Wir immer häufiger, kaum ein Textblock wird noch in einer Perspektive begonnen und zuende geführt. Dieses Wechselspiel beschreibt natürlich zwei Tendenzen: Immer wieder läßt sich Jansens Ich auf das Kollektiv ein, geht darin auf, zeigt uns die einheitliche Menge – immer wieder zieht es sich aus dieser Menge in die Vereinzelung zurück. „So zogen wir Kreise um uns herum, ohne in ein passendes Bild zu geraten, was uns verwundert Abstand nehmen ließ" (56/57).

Jansen verwendet das Kreisbild schon eine Seite vorher, als Illustration einer Krankheit: „Die Rückkehr der Utopie in Gestalt der Psychose. Ein durchaus poetischer Vorgang, der etwas in diese Kreisbahn hineintrieb, die eine Spirale war" (55).

Ob Kreis oder Spirale – hier wird die Ausweglosigkeit der Gedankengänge gesetzt. Die Psychose gehört zu jenem Wortfeld, das bereits in die allererste Reflexion einbrach. „Am Morgen dann in einer Klinik" (13), hieß es dort. Aus dem Traum wurde Wirklichkeit.

Das Wortfeld wird jetzt schnell erweitert: „Dieses Nervenzittern in der Abfertigungshalle" (58) gehört dazu, und der Textblock auf Seite 62 spielt in einem „gut erleuchteten Raum", durch den ein „Posten" „seinen Streifzug" macht, während die Blicke der Bewohner erstarrt sind. Wird der klinische Raum hier noch allegorisiert, so heben ihn die Schlußtexte in die Realität. Einen „endlosen Zug durch Heilstätten und Therapiegebäude" (67) gibt es, das Ich zeigt sich „gelähmt von Chemie" (74/75).

In den Textblöcken der Seiten 81-89 stößt die Welt der Kriegsveteranen dazu und vermischt sich mit den Bildern psychischer Krankheit.[333] „Überall vergnügten sich Versehrte" (81), sagt das Ich, und es muß sich selbst „auf einem Sammelplatz sehen, eine Art Verbandsplatz, nicht weit hinter der Front" (87). Zwischen diesen Texten heißt es jedoch:

> Egal wo wir hineinschauten, überall zurechtgemachte, aber müde Gesichter. Die Mühle lief, und wir – Bestandteile einer Hoffnung – lagen auf dem Platz vor der Klinik in der Sonne wie prähistorisches Getier, warteten auf Medizin und Essen oder ein Gespräch mit dem Sozialarbeiter, der immer wieder betonte, wie gebunden seine Hände waren. Als würde er beten. (84/85)

Was sich lange angekündigt hat, wird in den letzten Textblöcken eingelöst: Das *Verfeinerung der Einzelheiten* wird verortet, den Gedanken wird eine Außenwelt

---

331 *Vorhandensein* war Jansens Arbeitstitel für den Text, an dem er bis zuletzt festhielt. Der Verlag setzte sich durch.

332 Ich nehme Jansens Formulierung aus *streugut* zu Hilfe. In: *prost neuland*, S. 44.

333 Auch das militärische Motiv war bereits im ersten Textblock angekündigt worden: „Keine Fronten mehr [...] Eine Landschaft wie nach der Schlacht der Giganten." (9).

gegeben. Kein anderer Satz des Textes spricht so ‚verweltlicht' eine Tätigkeit aus: „wir [...] warteten auf Medizin und Essen oder ein Gespräch mit dem Sozialarbeiter." Freilich steht das ‚Warten auf' noch auf der Schwelle zum Handeln, doch steht es ganz gegen die Unabhängigkeit und Willenlosigkeit, die das Ich sich vorgenommen hat. Die Textstelle wirkt wie ein unaufmerksamer – von Jansen bewußt eingesetzter – Moment, der genügt, um aus dem Reflektieren ins Erzählen zu geraten. Mit der Klinik bricht die Wirklichkeit des Ichs ins *Verfeinerung der Einzelheiten* ein.[334]

Der Konflikt zwischen Utopie und Wirklichkeit ist jetzt klar gefaßt. Dieses Klinik-Wir, zu dem sich das Ich in der Realität zählt, kann nicht Subjekt des Einheitstraumes sein. Jener Auftaktsatz des Textes: „In meinem Kopf hatte ich sie alle hübsch beieinander" (9) hat sich nach Außen gekehrt. Mit denen, die „auf dem Platz vor der Klinik [liegen]", ist die Utopie nicht umzusetzen.

Im Abschnitt auf Seite 88 steigt das Ich aus diesem Wir aus:

Dieses Knäul, das zäh die Räume füllte. Nichts, was nicht heillos verschlungen schien, obwohl es durchdacht war, oder gerade deswegen. Bei dem Versuch, ein Ziel zu verfolgen, hatte man sich maßlos verheddert in Grundsätzlichkeiten, Grundlagen, die höchstens noch dazu angetan waren, die Verluste aufzurechnen. es wird keine Zeit mehr sein, hieß es, und die da sprachen waren die Haltlosesten unter uns, die mit den größten Köpfen und der leisesten Stimme – eine Mahnung, die auf nichts Einfluß nahm. Wundgelegen vor lauter Eindeutigkeit, die Nerven blank, so saßen sie vor diesem opfersüchtigen Geschehen, starr vor Mitgefühl, das die Gelenke lähmte. Da müßte man der Natur doch Einhalt gebieten. Diese Mißbildungen bis in den eigenen Gedankengang. Schiefe Gesichtszüge. Aussichtslos in der Hoffnung auf ein vertrautes Gegenüber. Und hätten der Liebe nicht... Sitzengelassen, konnte man sagen, mit der Bemerkung, sie passen nicht in meine Biographie.

Noch einmal werden alle drei Perspektiven nebeneinander hergeführt: Zunächst wird ein unpersönliches „Knäul" beobachtet („man"), dann übernehmen „die Haltlosesten unter uns", am Ende steht „meine Biographie".

In der Auflösung des utopischen Wir ist kein eindeutiger Akteur auszumachen. Dem Leser wird überlassen, wem er die „Bemerkung" zuschreiben will: Zieht sich das Ich vor den Anderen zurück? Oder wird es vom Wir ausgestoßen und tatsächlich „sitzengelassen"?

In den beiden Varianten spiegelt sich der unauflösliche Kreis, in dem sich die Innenwelt des Ich und die Außenwelt des Wirs vor der Klinik am Ende von *Verfeinerung der Einzelheiten* umeinander drehen. Die Klinikinsassen können real sein, sie können auch gedachte Absplitterungen des Ich-Kopfes sein. In jedem Fall sind sie *vorhanden*. Beide Ebenen klingen auch in dem Satz „Diese Mißbildungen bis in den eigenen Gedankengang" an, der bewußt sowohl eine Beschreibung des Wir, als auch eine Selbstreferenz des Ichs darstellt.

---

[334] Der „Verbandsplatz" eine Seite später liest sich dann als verzweifelter Versuch des Ichs, den Schritt in die Wirklichkeit zurückzunehmen. Noch einmal soll ein Bild die Wirklichkeit ersetzen.

4.7 Schluß

Indem das Ich zurückbleibt, werden noch einmal beide Projekte aufgerufen, die ich in dieser Arbeit beschreiben habe. Die Zersplitterung wird jetzt allerdings endgültig mit dem Rückzug in die Vereinzelung gekontert. Diesen Weg, der sich in *Ausflocken* und vor allem *Dickicht Anpassung* bereits angekündigt hat, beschreibt das Ich noch mit ganz anderen Worten.

> (...) es schien kein Experiment zu sein, denn schließlich war ich nicht aufgebrochen, um zu experimentieren. Kurz vor der Ankunft löste sich alles auf (21).[335]

Von Anbeginn wollte das Ich nicht als ein Kopf dastehen, der sich nur auf die Durchführung eines Experimentes einläßt. Der Autor Jansen teilt uns mit, daß menschlicher Erfahrung für ihn nicht mit Versuchsanordnungen, die immer bestimmte Regeln voraussetzen, beizukommen ist. Es geht dabei auch um das Ende des experimentellen Schreibens: Erfahrung, Wirklichkeit, Handlung sind nicht aus dem Denken zu eliminieren. So wie es keine „Ankunft"[336] geben kann, so gibt es auch keinen geschichtslosen, vorurteilsfreien Anfang des Denkens. Immer „verheddert" man sich – wie es oben heißt – „in Grundsätzlichkeiten, Grundlagen". Johannes Jansen hat seinem Text deshalb ein Motto vorangestellt, das dieser eingelöst hat:

> Wir *leben* beständig eine Lösung der Probleme, die für das *Denken* hoffnungslos unlösbar sind.
> J.H. van den Berg (2)[337]

Mit dem Motto kann auch diese Arbeit schließen. Ein Satz, der noch einmal verständlich macht, warum Eckharts Mystik und Steiners Denken im zweiten Teil dieses Kapitels keine Rolle mehr spielten. Eckharts Visionen verschreiben sich radikal einem Gott, während Steiner seine höhere Erkenntnis in den Dienst des Guten, Wahren und Schönen stellt. Ziele, die für Jansen im Jahr 2001 nur noch Reibungspunkte sein können. Den ‚gelassenen' Menschen galt es hier heranzuziehen, um das Scheitern von Jansens Ich auf dem Weg in die Gelassenheit zu veranschaulichen.

Die Frage, ob es sich bei *Verfeinerung der Einzelheiten* noch um Literatur oder schon um ethische Philosophie handelt, ist am Ende völlig unerheblich. Gattungsgrenzen fallen, wo es weder ein statisches Denken, noch eine unbewegliche Sprache gibt: Das Streben des Ichs nach Vereinigung im Wir *muß* selbst eine Handlung darstellen. Und die Prozeßhaftigkeit von Gedanken ist nichts anderes als die Prozeßhaftigkeit einer Handlung. So gilt jenes „Wir leben beständig" für Johannes Jansen von *prost neuland* bis *Verfeinerung der Einzelheiten*: Wer schreibt, setzt sich und seine Biographie in Bewegung.

---

335 Vgl. hierzu Jansens Absage an das experimentelle Schreiben in Kapitel 1.3 dieser Arbeit.
336 Vgl. auch die „scheinbar Angekommenen", *Verfeinerung der Einzelheiten*, S. 63.
337 Kursivdruck von mir.

4.8 FAZIT

Von *mär* (1988), über *Ausflocken* (1992) und *Dickicht Anpassung* (1995) bis hin zu *Verfeinerung der Einzelheiten* (2001) setzen sich in Johannes Jansens Prosa die „Ausschreitungen eines (auto)-biographischen Raumes" fort. Aus den Texten der achtziger wie der neunziger Jahre taucht durchgängig ein Ich auf, das Teile von sich einbüßt und andere verteidigen kann, kurz: daß um seine Biographie kämpft. Damit steht immer die Identität des Einzelnen vor der namenlosen Menge auf dem Spiel: „wo der test draufgeht setzt ein (was mich ausmacht) erfahrung... ein experiment aus dem eigenen gewebe als lebensweg mit offenem ausgang...".338

Johannes Jansens Versuch, biographische Erfahrung zu behaupten, hat zwei mächtige Gegner. Einerseits muß sich jeder seiner Erzähler-Köpfe gegen eine ‚Zersplitterung' wehren. Durch Namenslisten im Anhang seiner Publikationen weist Jansen darauf hin, daß Text immer Intertext sein kann. Diesen Zusammenfall von eigener und fremden Stimmen hat der Autor in den neunziger Jahren immer mehr akzeptiert und immer weniger zur Schau gestellt. Stattdessen stemmt sich innerhalb seiner Kurzprosa dem Ich in den neunziger Jahren regelmäßig ein Wir entgegen, das die Biographie des Einzelnen binden will. Die Texte stellen sich darin einer zweiten Bedrohung. Von verschiedenen Seiten wird also die Individualität der Erzähler bei Jansen angegriffen.

Von Anbeginn hat der Autor den *Prozeß* des Schreibens thematisiert und dabei eine Analogie zur Lebenserfahrung aufgestellt, die für ihn nur in der Bewegung zu machen ist. Eine vielschichtige Poetik ist entstanden, zu deren Fortbestand jeder Text als neue „Ausschreitung" beiträgt.

Die Außenwelt geht aber den hier besprochenen Texten nur noch voraus, eine unmittelbare Wahrnehmung der ‚Straße' – noch in den *Aufzeichnungen* 1992-93 vorrangig – ist im Verlauf der neunziger Jahre geschwunden. In der Chronologie dieser Arbeit spiegelt sich, wie neben das ‚Projekt der Zersplitterung' ein ‚Projekt der Vereinzelung' tritt: Jansens Erzähler leben von ihren Köpfen mehr als von ihren Taten, sie haben sich zurückgezogen, um über die (immer erzählende) Welt zu reflektieren. In den aktuellsten Texten hinterlassen Jansens Ichs den Eindruck, als hätten sie sich in ihren Vergangenheiten genug gegenüber den Dingen verhalten, ohne vorwärts zu kommen. Nun wollen sie ihre Schritte zuerst einmal bedenken.

Diese Rückzüge der Figuren in die Verinnerlichung sind vor allem Eingriffe Johannes Jansens in den eigens suggerierten, ständigen Bewegungsablauf. Was dem Autor an Bildern und Erzählmustern hingeschüttet wird, damit will er in den neunziger Jahren nicht mehr nur jonglieren, er will nicht mehr von der Unzulänglichkeit der Worte und Dinge schreiben.

Den Endpunkt der reinen Splitter-Ästhetik sehe ich in *Ausflocken* (1992), hier nahm Jansen noch einen parodistischen Zugriff, um seinen Wir-Erzähler zu zerlegen. Nach diesem Text begab er sich auf die Suche nach einem Halt. Wonach hat sich Leben und Schreiben auszurichten, nachdem die marxistische Ideologie – mitsamt der sie pervertierenden Mauer – zerbrochen war? Das Jahr 1992 markiert deshalb den Punkt, an dem »das, woran man sich hält« bei Jansen abgelöst wird von »dem, der Haltung zeigt«. *Dickicht Anpassung* (1995) liest sich als Kerntext, will man Jansens Fusion aus Halt und Bewegung, aus Vereinzelung und Zersplitterung

---

338 Johannes Jansen: Podium. Zu Literatur und Experiment. In: Konzepte Nr. 12, Essen 1992, S. 43.

nachvollziehen. Entstanden ist ein multiperspektivischer Monolog, in lauter kurzen Versatzstücken spricht ein von der Außenwelt isoliertes Ich. Vor allem spricht es von dem, was an Ideologie liegen geblieben ist. Teile der „zerbrochenen Horizonte"[339] lassen sich in den eigenen Gedankenfluß integrieren. Die Bewegung spielt sich im Geiste ab. Jansen drückt damit aus, daß man sich nur mit einer ständigen Selbstüberprüfung, also mit einer wandlungsfähigen Biographie in der Welt behaupten kann. Nur so kann sich der Einzelne neuen, großen Gedankengebäuden entgegenstellen und der Masse entsagen. *Verfeinerung der Einzelheiten* (2001) ist deshalb auch Jansens Text über die Gefahr einer Sprache, die über das Erzählen hinaus wachsen will. Je mehr das Ich dabei eine Reaktion von anderen erwartet, desto stärker wird in der sprachlichen Aktion ein ideologischer Gestus hörbar.

Jansen hat sich seit den frühen achtziger Jahren eine Offenheit in den Mitteln der Darstellung gegönnt. Er hat mit Film und Hörspiel gearbeitet, und er hat sich in der Literatur eine Mischform aus Prosa und Lyrik erschrieben. Wenn der Autor darin der äußeren Bewegung eine Reflexivität entgegensetzt, um mit diesem Innehalten Haltung zu formulieren, kann sich das nicht nach Gattungsbezeichnungen richten. Im aktuellen Text *Verfeinerung der Einzelheiten* werden philosophische Sprachspiele aufgerufen, weil Jansen darin die Grenzen eines reinen Denkens erfassen will.

Bis in die mittelalterliche Mystik reichen die Wurzeln, und aus dem Sprachspeicher der Jahrhunderte ist immer neu auszuwählen. Die *Zitatreste* sind deshalb aus Jansens Veröffentlichungen nicht verschwunden. Die Listen der letzten beiden Textsammlungen *Kleines Dickicht* (geschrieben 1995, veröffentlicht 2000) und *Verfeinerung der Einzelheiten* (geschrieben 1999, veröffentlich 2001) bestehen aus jeweils siebzehn Namen. Vier davon tauchen in beiden Listen auf, haben Jansen also über die Jahre begleitet: Franz Kafka, Thomas Bernhard, Ulrike Meinhof, und der rumänische Literat und Philosoph E. M. Cioran. Das Gemeinsame der vier Zeugen bedenkend, in Kafkas *Prozeß*, Bernhards *Erregungen*, auf Meinhofs terroristischem Lebensweg und Ciorans *Gipfeln der Verzweiflung* – sehe ich das Manöver, sich als Einzelne/r von der Masse abzusetzen, um diese neu definieren zu wollen, radikal bestätigt. Es versteht sich, daß das Subjekt in den utopischen bis anarchistischen Gedankengängen dieses Quartetts einem besonderen Druck ausgesetzt ist.

Auch anhand dieser von Jansen integrierten Stimmen ließe sich zeigen, daß sein Projekt vor allem in *Verfeinerung der Einzelheiten* nicht reine Vereinzelung sein will. Die vage Hoffnung eines Wirs als harmonische Menschengemeinschaft ist immer anwesend. Der Leser erfährt die Kompositionen gerade von *Dickicht Anpassung* und *Verfeinerung der Einzelheiten* im Vergleich zu den *Aufzeichnungen* (1992-93) als sprachliche Beruhigungen. Diese Arbeit soll aber deutlich machen, daß die Unruhe – als innere Zerrissenheit des Subjekts – sich ebenfalls bewegt hat. Sie ist bei Jansen nicht mehr auf der Textoberfläche zu finden, sondern hinter den Text gewandert; und sie wird vom Leser um so intensiver erfahren, wenn er verschiedene Passagen eines Textes mit ihren Reibungen und Widersprüchen gegeneinander halten muß.

Was ist von der DDR geblieben? Jansen nutzt sie heute weniger als Schatz biographischer Anekdoten, sondern als einen vorangegangenen und letztlich geschei-

---

339 *Dickicht Anpassung*, 4, 9.

terten Ich-Wir-Dialog. Ein Jahrzehnt nach dem Zusammenbruch der DDR ist die Erfahrung, die der Autor mit dem Staat machte, zur Erfahrung von Individuen mit (Sprach)-Herrschaft ausgeweitet worden.

Es war mein Ziel, das Porträt eines jungen Autors zu geben, der aus der DDR herausgewachsen ist. Vermessen wäre es, daraus eine Literaturgeschichte der neunziger Jahre anzugehen oder gar abzuleiten. Fakt ist, daß gerade die gesamtdeutsche Prosa geprägt wurde von den Stimmen ostdeutscher Schriftsteller. Vor allem die Romane von Wolfgang Hilbig („Ich“) und Reinhard Jirgl *(Abschied von den Feinden)*, im Feuilleton als Endzeitgesänge der DDR gefeiert, haben bleibenden Eindruck hinterlassen. Mir scheint es logisch, daß eine starke, literarische Auseinandersetzung mit Autorität und auch mit Biographie aus dem Osten Deutschlands kam.

In dem von mir aufgemachten Spannungsfeld zwischen dem Einzelnen und der Masse, so könnte man mir entgegenhalten, arbeitet sich auch die heutige deutsche Pop-Literatur ab. Das ist richtig, nur tut sie es in einer bis zur Austauschbarkeit der Protagonisten gehenden Sachwelt. Johannes Jansens Texte hingegen sind das Zeugnis einer Kopflastigkeit. Hier ließen sich Sprachstile produktiv gegenüberstellen und untersuchen. Der entscheidende Unterschied zum Großteil junger Erzähler, so würde sich zeigen, liegt in Jansens Fähigkeit, *trotz* der Bewegung auch Alternativen zur existierenden Welt wahrzunehmen. Für ihn ist Gegenwartsliteratur auch Zukunftsmusik.

5. BIBLIOGRAPHIE ZU JOHANNES JANSEN

5.1 Bücher, eigenständige Veröffentlichungen in höherer Auflage:

Poesiealbum *248.* – Verlag Neues Leben. Berlin 1988. (Lyrik und Prosa)

Prost Neuland. – Aufbau Verlag. Berlin 1990. (Lyrik und Prosa)

fundzeug. chamäleon. text-bild-kombinationen 1987-90 – Siegen 1991.

Schlackstoff. Materialversionen. – Literarisches Colloquium Berlin, Text und Porträt, Band 3. 1991.

Reisswolf. Aufzeichnungen. – edition suhrkamp. Frankfurt am Main 1992.

Splittergraben. Aufzeichnungen II. – edition suhrkamp. Frankfurt am Main 1993.

Lost in London. Mit Ute Zscharnt (Fotos). – Ritter Verlag. Klagenfurt 1994.

unser eins. Mit Antje Kahl. – Kontextverlag. Berlin 1994.

Heimat. Abgang. Mehr geht nicht. Ansätze.– edition suhrkamp. Frankfurt am Main 1995.

Kleines Dickicht. Biographische Notizen. – Ritter Verlag. Klagenfurt 2000.

Verfeinerung der Einzelheiten. – edition suhrkamp. Frankfurt am Main 2001.

Dickicht Anpassung. Texte 1995-2001. – Ritter Verlag. Klagenfurt 2002.

5.2 Künstlerbücher, Text und Grafik:

Fluchtblaetter. Mit Bernd Janowski. Berlin 1987.

Von je her. Berlin 1988. (Zwei Auflagen à 30 Ex., beide 1988)

Gehsteig. Berlin 1988. (Zwei Auflagen à 30 Ex., zweite Auflage 1989)

Fang. Berlin 1988.

lieblingmachLACK. aus den unzuchtblättern oder aus den fluchtblättern des jot jansen. Berlin 1988. (100 Ex.)

Selbstversprengtes Suchbild. Mit Fotos von Ute Zscharnt. Berlin 1989.

Das Schwarz zieht die Bilder zusammen. Mit Rainer Görß. Berlin/Dresden 1988/89. (50 Ex.)

Die Dame Europa. Mit Rainer Görß. Dresden 1989.

problemtext o.T.- Mit „problemskizzen" von Rainer Görß. edition bizarre städte. Eggersdorf 1989. (50 Ex.)

mär. Berlin 1989.

Prost Neuland. Edition Eigen+Art. Leipzig 1989. Broschur als Begleitbuch zur Ausstellung. (60 Ex.)

Textwegbildspiel. Verlag der Galerie Andreas Weiss. 1990. (300 Ex.)

Ausflocken. Ein Abwasch. Edition Balance (Ill.). Berlin 1992. Text auch in Splittergraben.

Zuegellos sorgsam. Skripturale Zeichnung. Edition Balance. Berlin 1992.

Famos Last Works. Edition SilkeScreen (Tacheles). Berlin 1993.

Hans Hiob. Ein Auszug. Edition Balance (Ill.). Berlin 1994.

Standort. Endpunkt und Ausgang. Mit Steindrucken von Carsten Nicolai. Edition Balance / Galerie Eigen+Art. Gotha/Berlin 1995. (50 Ex.)

Dickicht Anpassung. Papier und Wasserzeichen von Gangolf Ulbricht. Edition Mariannen-presse. Berlin 1997. (100 Ex.)

5.3 In Anthologien (chronologisch):

Poesiealbum. Sonderheft 1970-1984. Ausgewählt von Hannes Würtz. Verlag Neues Leben, Berlin 1985. (64 Seiten), S. 5, 12, 23, 30.

Poesiealbum. Sonderheft Poetenseminar 1985. Verlag Neues Leben, Berlin 1986, S. 4, 7, 30.

Hoch zu Ross ins Schloss. 15 Jahre Poetenbewegung der FDJ. Gedichte, Kurze Prosa, Berichte. Verlag Neues Leben, Berlin 1986, S. 84 und 221.

Flugschutt. Edition Sascha Anderson, Berlin 1986, (ohne Seiten).

Auswahl 88. Neue Lyrik – neue Namen. Verlag Neues Leben, Berlin 1988, S. 69-77.

komm *lies* geh *sprich*. gedichte im dialog. Hrsg. von Dorothea von Törne. Union Verlag, Berlin/Ost 1989, S. 47-61.

Selbstbildnis zwei Uhr nachts. Gedichte. Hrsg. von Helga Pankoke und Wolfgang Trampe. Aufbau-Verlag, Berlin/Weimar 1989, S. 167.

Wider den Schlaf der Vernunft. Temperamente-Sonderheft. Zusammenarbeit zwischen Verlag Neues Leben (Berlin O) und Elefanten Press (Berlin W). Berlin, Oktober 1989, S. 130.

Abriß der Ariadnefabrik. Hrsg. von Rainer Schedlinski und Andreas Koziol. Edition Galrev, Berlin 1990, S. 216-222.

Die andere Sprache. Neue DDR-Literatur der 80er Jahre. Hrsg. von Heinz Ludwig Arnold und Gerhard Wolf. Edition Text und Kritik, München 1990, S. 145-150.

Schöne Aussichten. Neue Prosa aus der DDR. Hrsg. von Christian Döring und Hajo Steinert. edition suhrkamp, Frankfurt am Main 1990, S. 155-174.

Kunst in der DDR. Hrsg. von Erhart Gillen. Verlag Kiepenheuer & Witsch , Köln 1990, S. 203-204.

wortBILD. Visuelle Poesie in der DDR. Hrsg. von Guillermo Deisler und Jörg Kowalski. Mitteldeutscher Verlag, Halle / Leipzig 1990, S. 85.

Ein Molotow-Cocktail auf fremder Bettkante. Lyrik der siebziger/achtziger Jahre aus der DDR. Ein Lesebuch. Hrsg. von Peter Geist. Reclam Verlag, Leipzig 1991, S. 248-251.

Grenzfallgedichte. Eine deutsche Anthologie. Hrsg. von Anna Chiarloni und Helga Pankoke. Aufbau Verlag, Berlin 1991, S. 50 und 72.

Das heimliche Auge. Das Jahrbuch der Erotik VII. Hrsg. von Claudia Gehrke und Uve Schmidt. kontextbuch, Tübingen 1992, S. 126/127.

Konzepte. Nr. 13. Eine Anthologie zur jungen deutschsprachigen Literatur. Essen 1992, S. 45-56.

Vogel oder Käfig sein. Kunst und Literatur aus unabhängigen Zeitschriften in der DDR 1979-1989. Hrsg. von Klaus Michael und Thomas Wohlfahrt. Edtion Galrev, Berlin 1992, S. 29, 166, 181-183.

MachtSpiele. Literatur und Staatssicherheit. Hrsg. von Peter Böthig und Klaus Michael. Reclam Verlag, Leipzig 1993, S. 138-143 [*Enttarnt mich auch!. * Zum Erlebnis Staatssicherheit].

Lesen im Buch der edition suhrkamp. Hrsg. von Christian Döring. Frankfurt a.M. 1995, S. 84-92.

Figuren & Capriccios. Hrsg. von Jörg Luther und Jürgen M. Paasch. Kraak Verlag, Köln 1995, S. 57-64.

Poetry! *Slam!* Texte der Pop-Fraktion. Hrsg. von Andreas Neumeister und Marcel Hartges. Rowohlt Verlag, Reinbek bei Hamburg 1996, S. 244-250.

Klagenfurter Texte. Ingeborg-Bachmann-Wettbewerb 1996. München 1996, S. 37-47 [Dickicht Anpassung].

visuelle poesie. Hrsg. von Eugen Gomringer. Reclam Verlag, Stuttgart 1996, S. 89-96.

Projekt Null. Literatur im Netz. Hrsg. von Thomas Hettche und Jana Hensel. Dumont-Verlag, Köln 2000, ohne Seiten [8 Texte aus *Verfeinerung der Einzelheiten*].

5.4 In Kunst- und Literaturzeitschriften

5.4.1 In inoffiziellen Kunst- und Literaturzeitschriften in der DDR (alphab.):

ariadnefabrik, Berlin, 1986-90: • Heft 1, 4, 6/1988 (jeweils ein Text) • 1/1989 .Text mit zwei xerokopierten Arbeitsblättern von Jansen und Rainer Görß. • 3/1989. Vier Texte. • 6/1989 .Text zu Fotos von Ute Zscharnt (je 60 Ex.)

bizarre städte, Berlin/Eggersdorf 1987- •Band 1, Oktober 1987. Texte und Zeichnungen. Auch Z. als Beilage (21 Ex.): *Gehsteig.* Collage. Fragment. Mit Fotos von Bernd Janovski. • Band 3, März 1988. Neun xerokopierte Collagen mit sechs Texten. Auch Tuschezeichnung von J.J. (26 Ex.) • Band 4, März 1989. Ein Text. (54 Ex.)

grafikedition bizarre städte, ebd. • 1988. Faltmappe (29 Ex.), darin eine Serigrafie.

Entwerter/Oder, Berlin seit 1982 • Heft 7, Februar 1984. Zwei Fotos von Collagen und zwei Gedichte. • Heft 8, Mai 1984. Zwei Gedichte und Radierung. • Heft 24, Dezember 1986. Zwei Texte und fotokopierte Zeichnung. (je 15 Ex.)

Koma-Kino, Berlin 1987-89 • Arbeitsheft 5, April 1989. Ein Text. • Arbeitsheft 6, September 1989. Ein Text. (je 20 Ex.)

Liane, Berlin 1988-89 • Heft 5, Juli 1989. Ein Text und Statement aus dem POE SIE ALL BUM zur Zersammlung im März 1984. Broschur mit Einbandserigrafie von J.J. (Zwei Auflagen je 50 Ex.)

Mikado, Berlin 1983-87 • Heft 4, 1984. Drei Gedichte (100 Ex.)

Schaden, Berlin 1984-87 •Heft 2, November 1984. Zwei Gedichte mit Zeichnungen. Grafik als Beilage. • Heft 3, Februar 1985. Zwei Gedichte. Foto einer Zeichnung von J.J. • Heft 4, April 1985. Ein Text. • Heft 5, Juni 1985. Ein Gedicht + Bemalter Umschlagkarton. • Heft 6, Aug. 1985. Ein Text mit Zeichnung. • Heft 7, Okt. 1985. Ein Gedicht. (je 21 Ex.) • Heft 11, Juni 1986. Ein Text. Verpackung. • Heft 12, Okt. 1986. Zwei Texte (je 32 Ex.) •Heft 13, Nov. 1986. Statement zu „Was soll Kunst z.Z.?" • Heft 17, Nov. 1987. Collage. (je 40 Ex.)

U.S.W., Dresden 1984-87 • Heft 7, IV/1985. Zwei Texte. (25 Ex.)

Verwendung, Berlin 1988-92 • Heft 6, Mai 1989. Text mit beigelegter Postkarte nach Zeichnungen von Frank Lanzendörfer. • Heft 7, Juli 1989. Ein Text. (je 50 originalgrafische Hefte, 200 Lesehefte) • Heft 11, Januar 1991. (Zeichnung)

5.4.2 Beiträge in anderen Zeitschriften (alphabetisch):

bateria. Zeitschrift für künstlerischen Ausdruck. Doppelheft 13/14, Nürnberg 1993, S. 94-103.

drehpunkt. Die Schweizer Literaturzeitschrift. Nr. 70, Basel 1988, S. 31-35.

edit. Papier für neue Texte. Leipzig. Nr. 5, Sommer 1994, S. 21. Nr. 18, Winter 1999, S. 15/16.

Gegenwart. Frühjahr 1991, S. 20/21.

INN. Nr. 19, Innsbruck 1989, S. 30/31.

intendenzen. Zeitschrift für Literatur. Nr. 8, Berlin 2002, S. 20/21.

Kontext. Beiträge aus Kirche & Gesellschaft/Kultur. Hrsg. von der Evangelischen Bekenntnisgemeinde Berlin-Treptow. S. 47-56??

Konzepte. Magazin für junge Literatur, Essen: Heft 9, 1990, S. 76-90. Heft 12, 1992, S. 43 [poetologischer Text auf dem *Podium* zu „Literatur und Experiment"!]. Heft 15, 1994, S. 48-54.

lauter niemand. Heft 1, Berlin 1997, S. 2.

Litfass. Nr. 50, Berlin West 1990, S. 110-117 [Text *unverwandt abseitig* aus *Reisswolf*].

manuskripte. Nr. 116, Graz im Juni 1992, S. 53-61 [Texte und Bilder aus *Splittergraben*].

moosbrand. neue texte 5. Berlin 1997, S. 68.

neue deutsche literatur. Nr. 12/1985, S. 122-129. Lyrik, Prosa, Zeichnungen.

Nummer. Nr. 2, Köln 1994, S. 8-11 [z.T. ansonsten unveröffentlichte Texte].

Perspeftief. Nr. 44. Rotterdam 1992, S. 40.

perspektive. Hefte für zeitgenössische Literatur, Graz/Salzburg/Wien: Nr. 26, 1993/94. „sprachlos" – Sondernummer zum Prenzlauer Berg, S. 51-54. Nr. 28, 1994, S. 5 [Ansonsten unveröffentlichter Text aus dem Material zu *Dickicht Anpassung*].

reiter*in*. das kulturjournal. Nr. 5, Dresden 1990, S. 26/27.

Rossbreiten. Nr. 1, Berlin West 1985, S. 4. (Auflage 30 Stück!)

‚Salz'. Nr. 69, Salzburg 1992, S. 11-21 [Text *Ausflocken*].

Schreibheft. Zeitschrift für Literatur. Nr. 38, Essen im Oktober 1991, S. 147-152.

Sinn und Form, Berlin: 3/1994, S. 462-465. 6/1998, S. 828-833 [Anfang aus *Verfeinerung der Einzelheiten*].

Sklaven. Nr. 29, Berlin 1996, S. 12-14 [*Dickicht Anpassung*].

Sprache im technischen Zeitalter. Berlin West: Nr. 112, Dezember 1989, S. 272 f. Nr. 113, März 1990, S. 6 f.

Temperamente. Berlin Ost: 4/ 1984, S. 54-57 + 64-65 [*Statt eines Interviews*. Text von Johannes Jansen und Thomas Böhme]. 3/ 1989, S. 38 [Zu einem Text von Constanze Schwer]. 5/1989, S. 156 f. [Lesart Johannes Jansens zu drei Poesiealben]. 1/ 1990. Dokumentarband, S. 130. [*Bleibt auf der Straße!*, Text zu den Leipziger Demonstrationen] Siehe auch unter Anthologien: *Wider den Schlaf der Vernunft*, Oktober 1989.

5.5 Beiträge in Ausstellungskatalogen und Büchern anderer Autoren:

Berliner Kunststücke. Die Sammlung der Berlinischen Galerie zu Gast im Museum der bildenden Künste Leipzig. Ausstellungskatalog 1990, S. 767. Text zum Maler Otto Freundlich.

flanzendörfer: unmöglich es leben. texte bilder fotos. Zusammengestellt von Klaus Michael und Peter Böthig. Berlin 1992, S. 78-81. Gemeinschafttexte und gemeinsame Zeichnungen J.J. und Frank Lanzendörfers.

Görß, Rainer: Midgard. Katalog zur Installation. Dresden 1989, S. 41 und 47 [Aus *mär*].

Rotter, Mario: Aus der Fischwelt. Klagenfurt 2000, S. 281-284. Nachruf *Für Mario Rotter.*

Woisnitza, Karla: Tecuna Projekt. Ausstellungskatalog Frauen Museum Bonn, 1990, S. 6 [*unterholz wegzehr*, Text auch in *prost neuland*].

X 94. junge kunst + kultur. Ausstellung der Akademie der Künste, März/April 1994. S. 42-44 [Zur Videoinstallation *Heimat – Text extrem*, mit Ulv Jakobsen und Andre Peters.

3 Wege zum See. Künstlerhaus Klagenfurt. Ausstellungskatalog 1997. [Text aus *Kleines Dickicht*, zieht sich durch das Heft.

5.6 Sekundärliteratur zum Autor

Rezensionen, Interviews, Untersuchungen:

Bischoff, Matthias: Fragmentmaschine. Zu *Reisswolf*. FAZ, 6.5.1992, S. L2.

Biskupek, Matthias: Die Wörter in kostbarer Umgebung. Zu Hans Hiob, Reißwolf, Splittergraben. In: NdL, 2/1994. S. 175-177

Böthig, Peter: leib eigen & fremd. Porträt zu Frank Lanzendörfer. In: Die Zeit, 20.3.1992, S. 81.

Böthig, Peter: Johannes Jansens Maschinen der Gewalt. In: Grammatik einer Landschaft. Berlin 1997, S. 122-127.

Bormann, Alexander von: Wege aus der Ordnung. In: Gabriele Muschter, Rüdiger Thomas (Hrsg.): Jenseits der Staatskultur. München/Wien 1992, S. 99-105.

Bormann, Alexander von: Eine Wutspur in Flocken. Zu *prost neuland, Schlackstoff, Reisswolf.* In: Neue Zürcher Zeitung, 23.4.1993, S. 31.

Buchmann, Ilka: Willkommen im Fremdgehege der Gegenwart. Ein Porträt. In: Grauzone, Zeitschrift über neue Literatur, Freiburg 1996. S. 16-18

burk (Kürzel): Nachschlag. Neues vom Prenzlauer Berg im Café Clara. In: die tageszeitung, 10.12.1992, S. 24.

Dahlberg, Karin: Schwarze Listen lieben uns. In: tip. (Berliner Profile), 10/91, S. 104 f.

Der andere Blick in die Landschaft. Marcel Beyer und Johannes Jansen im Gespräch, moderiert von Stefan Sprang. In: Konzepte No. 12, 8. Jahrgang 1992. S. 17-28.

Eckart, Frank: Nie überwundener Mangel an Farben. In: Eigenart & Eigensinn. Alternative Kulturszenen in der DDR (1980-90). Hrsg. von der Forschungsstelle Osteuropa. Bremen 1993. S. 7-21.

Freier, Friederike: Schriftsteller als Scharlatan. Porträt, auch zu *unser eins.* In: TAZ, 17.4.1994, S. 27.

Geisel, Sieglinde: „wortschraubend und versehrt". Zu Prosa und Graphik. In: Neue Zürcher Zeitung, Fernausgabe, 28.7.1992, S. 11.

Goetz, Andreas: Interview mit J.J. In: Scriptum. Nr. 12, Rothenburg/Schweiz 1993, S. 10/11.

Heckel, Christian: o.T., zum Text *prost neuland*. In: Temperamente, Nr. 2, 1990, S. 124 f.

Heimberger, Bernd: Imaginist im „Reisswolf". In: die andere, 14/92, S. 13

Hummelt, Norbert: Reisswolf. In: Stadt Revue Köln, 25.4.1992, S...

Ingold, Tim; Schomacker, Tim: Vermutung, daß sich alles zum Schluß in ein großes Gelächter auflösen wird. Gespräch mit Johannes Jansen. In: stint. Zeitschrift für Literatur, Bremen 1999. No. 21, März 1999. S. 123-134.

Klagenfurter Texte. Ingeborg-Bachmann-Wettbewerb 1996. Auszüge aus den Diskussionen der Jury. München 1996. Zu „Dickicht Anpassung", S. 163-171.

Krämer, Thorsten: Rezension zu *unsereins*. In: Konzepte, Nr. 15. Essen 1994, S. 167 f.

Krämer, Thorsten: Alltag '95. Zu *heimat...abgang*. In: Stadt Revue Köln. 8/1995

Kron, Norbert: Die Poetik des Reißwolfs. In: Der Tagesspiegel, ...S.9

Kurzke, Hermann: Spätgereift und traurig. Junge Autoren in Deutschland. In: FAZ, 26.8.1995.

Leeder, Karen: Breaking Boundaries. A New Generation of Poets in the GDR, 1979-1989. New York 1996.

Moser, Samuel: Die Schönheit der kalten Schulter. Zu *heimat...abgang*. In: Neue Zürcher Zeitung, 5./6.8.1995, S. 33.

Ratzenböck, Manfred: Sätze zum Auswendiglernen. Zu *Splittergraben*. In: Märkische Allgemeine Zeitung, 12.11.1993.

Schaub, Mirjam: 3 Dichter und 1 Henker. Ein deutsch-deutsches Gespräch über Dichtung im Literaturhaus Berlin. In: die tageszeitung, 7.5.1992, S. 21.

Schwering, Gregor: Im Reisswolf. In: Konzepte, No. 12, 8. Jahrgang, 1992, S. 157 f.

Serke, Jürgen: Talentprobe. Zu *Reisswolf*. In: Die Welt, 11.3.1992.

Stadler, Siegfried: Sag mir, wo Du stehst. Zu den Schweriner Poetenseminaren. In: FAZ, 24.9.1994.

Steiner, Bettina: wir waren nie ein land und wir waren nie ein wir. Porträt. In: Die Presse, 14.3. 1992, Literaricum, S. 10.

Steinert, Hajo: Die neuen Nix-Künstler. In: Die Zeit, 7.12.1990, S. L5.

Steinert, Hajo: Johannes Jansen. In: Literaturlexikon. Autoren und Werke deutscher Sprache. Hrsg. von Walther Killy. 15 Bände. Gütersloh / München 1990, Band 6, S. 84.

Tannert, Christoph: Leben ist außer den staatlichen Sprachen. Produzenten- und Selbsthilfegalerien. In: Kunst in der DDR. Hrsg. von Erhard Gillen. Köln 1990. S. 97-104

Törne, Dorothea von: Im rostigen Netz. Zu *Lost in London*. In: Berliner Wochenpost, 9.2.1995, S. 28.

Uhlig, Ulrike: o.T., zu *Standort -endpunkt und ausgang*. In: neue bildende kunst, Nr. 1, 1996.

Wieke, Thomas: die spottklag johanni. Zu *prost neuland*. In: Freitag, 4.11 1990, S. 6.

Winkels, Hubert: Alpträume, leicht gemacht. Zu *unser eins*. In: Die Zeit, 15.4.1994, S. 57

5.7 Verwendete Primärliteratur:

Beckett, Samuel: Malone meurt. *Prosa. Paris* 1951. Hier als: Malone stirbt. Werkausgabe, Band 7, Werke III/2. Frankfurt 1976, S. 247-394.

Braun, Volker: Jazz. *Gedicht*. In: ders.: Texte in zeitlicher Folge. Band 1. Halle/Leipzig 1989, S. 60.

Drawert, Kurt: Spiegelland. Ein deutscher Monolog. *Prosa*. Frankfurt a.M. 1992.

Goethe, Johann Wolfgang von: Briefe aus der Schweiz (1797). Vgl. die Passage in : Goethes Werke. Weimarer Ausgabe. 1. Abtheilung, 19. Band. S. 193-306. Notiz *Realp*, den 12. Nov. Abends, S. 297 ff.

Grünbein, Durs: Schädelbasislektion. *Gedichte*. Frankfurt a.M. 1991.

Jelinek, Elfriede: Wolken. Heim. *Prosa*. Göttingen 1990.

Jirgl, Reinhard: Mutter Vater Roman. Berlin/Weimar 1990.

Müller, Heiner: Hamletmaschine (1977). *Drama*. In: ders.: Material. Hrsg. von Frank Hörnigk. Leipzig 1989.

Proust, Marcel: A la recherche du temps perdu. Du côté de chez Swann. (geschr. 1912/1913). Hier als: Auf der Suche nach der verlorenen Zeit. Erster Teil: In Swanns Welt. Frankfurt 1981.

Vesper, Bernward: Die Reise. *Romanessay*. Ausgabe letzter Hand. Reinbek 1983.

Wühr, Paul: Gegenmünchen. *Kollage*. München 1970.

5.8 Weitere, verwendete Sekundärliteratur:

Anz, Thomas (Hrsg.): Es geht nicht um Christa Wolf. Der Literaturstreit im vereinten Deutschland. Frankfurt 1991.

Aust, Stefan: Der Baader Meinhof Komplex. Hamburg 1985.

Bakker Schut, Pieter H. (Hrsg.): das info. briefe der gefangenen der raf 1973-1977. Dokumente. Kiel 1987.

Baumgart, Reinhard: Das Leben – kein Traum? Vom Nutzen und Nachteil einer autobiographischen Literatur. In: ders.: Glücksgeist und Jammerseele. München/Wien 1986. Teil 1, S. 198-225.

Bay, Hansjörg/Hamann, Christof (Hrsg.): Ideologie nach ihrem ,Ende'. Gesellschaftskritik zwischen Marxismus und Postmoderne. Opladen 1995.

Becker, Werner: Ethik als Ideologie der Demokratie. In: Ideologien und Ideologiekritik. Hrsg. von Kurt Salamun. Darmstadt 1992, S. 149-160.

Benjamin, Walter: Illuminationen. Ausgewählte Schriften 1. Frankfurt a.M. 1977.

Berendse, Gerrit-Jan: Grenz-Fallstudien. Essays zum Topos Prenzlauer Berg in der DDR-Literatur. Berlin 1999.

Böthig, Peter: Von der Selbstverständlichkeit zu schreiben. In: Abriß der Ariadnefabrik, hrsg. von Rainer Schedlinski und Andreas Koziol. Berlin 1990, S. 329-332.

Böthig, Peter: Die verlassene Sprache. In: Die andere Sprache, edition text & kritik, München 1990, S. 38-48.

Bohrer, Karl-Heinz: Die gefährdete Phantasie, oder Surrealismus und Terror. München /Wien 1970.

Braun, Michael: Poesie in Bewegung. In: manuskripte. Zeitschrift für Literatur. Nr. 108/ Juni 1990. Graz 1990, S. 69-72

Burdorf, Dieter: Einführung in die Gedichtanalyse. Stuttgart 1997.

Criegern, Axel von: Vom Text zum Bild. Weinheim 1996.

Derrida, Jacques: Die Struktur, das Zeichen und das Spiel im Diskurs der Wissenschaften vom Menschen. In: Die Schrift und die Differenz. (1967). Frankfurt 1994. S. 422-442.

Eagleton, Terry: Einführung in die Literaturtheorie (1983). dt.: Stuttgart 1997.

Eckart, Frank: Nie überwundener Mangel an Farben. Einführung in: Eigenart & Eigensinn. Alternative Kulturszenen in der DDR (1980-90). Hrsg. von der Forschungsstelle Osteuropa, Bremen 1993.

Eckart, Frank: Zwischen Verweigerung und Etablierung. Mit einem Quellenverzeichnis zu den Dokumenten der Eigenverlage und offiziellen Kulturinstitutionen in der DDR (1980-1990). 2 Bände. Bremen 1995.

Eckart, Frank: Das „Archiv der Gesten" – über originalgraphische Bücher. In: Christine Cosentino/Wolfgang Müller (Hrsg.): „im widerstand / im mißverstand"?. New York 1995, S. 169-190.

Faktor, Jan: Sechzehn Punkte zur Prenzlauer-Berg-Szene. Geschrieben im September 1992. In: Böthig/Michael (Hrsg.): MachtSpiele, S. 91-111.

Förster, Nikolaus: Die Wiederkehr des Erzählens. Deutschsprachige Prosa der 80er und 90er Jahre. Darmstadt 1999.

Fülleborn, Ulrich: Deutsche Prosagedichte des 20. Jahrhunderts. Eine Textsammlung. München 1976.

Geist, Peter: Nachwort. In: ders. (Hrsg.): Ein Molotow-Cocktail auf fremder Bettkante. Leipzig 1991, S. 370-407.

Geist, Peter: „mit würde holzkekse kauen". In: NdL 2/1993, S. 131-153.

Genette, Gérard: Palimpseste. Die Literatur auf zweiter Stufe. (Orig. Paris 1982), Frankfurt 1993.

Genette, Gérard: Paratexte. Das Buch vom Beiwerk des Buches. (Orig. Paris 1987), Frankfurt/New York 1992.

Genette, Gérard: Die Erzählung. München 1994.

Goodnough, Robert: Pollock paints a picture. In: Artnews 50 no.3, New York, May 1951.

Greiner, Ulrich: Die deutsche Gesinnungsästhetik. In: Die Zeit, 2. November 1990.

Grunenberg, Antonia: ‚Deuten wir alles um und für uns'. Zur jungen Lyrik in der DDR. In: Niemandsland Nr. 5. Berlin/West 1988, S. 76-88.

Hage, Volker: Die Wiederkehr des Erzählers. Neue deutsche Literatur der siebziger Jahre. Frankfurt/Berlin/Wien 1982.

Hartmann, Anneli: Der Generationswechsel – ein ästhetischer Wechsel? In: Literatur und bildende Kunst. Jahrbuch zur Literatur in der DDR, No.4. Hrsg. von Paul G. Klussmann und Heinrich Mohr. Bonn 1985, S. 112-134.

Hasenfelder, Ulf Christian: „Kwehrdeutsch". In: Neue deutsche Literatur, 1/1991, S. 82-93.

Heidegger, Martin: Einführung in die Metaphysik. Tübingen 1953.

Heidegger, Martin: Zur Erörterung der Gelassenheit. Aus einem Feldweggespräch über das Denken (1944/45). In: ders.: Gelassenheit. Pfullingen 1959, S. 29-73.

Jauß, Hans Robert: Ästhetische Erfahrung und literarische Hermeneutik. Frankfurt 1982.

Kaiser, Paul und Claudia Petzold (Hrsg.): Boheme und Diktatur in der DDR. Gruppen, Konflikte, Quartiere 1970-1989. Katalog zur Ausstellung des Deutschen Historischen Museums, Berlin 1997.

Kolbe, Uwe/ Lothar Trolle, Bernd Wagner: Mikado oder Der Kaiser ist nackt. Selbst-verlegte Literatur in der DDR. Darmstadt 1988.

Lejeune, Philippe: Der autobiographische Pakt (1975). dt: Frankfurt 1994.

Lenk, Kurt u.a.: Vordenker der Neuen Rechten. Frankfurt a. M. 1997.

Lévi-Strauss, Claude: Das wilde Denken. Frankfurt 1968.

Link, Heiner: Vorwort Trash! In: Trash-Piloten. Texte für die 90er Jahre. Hrsg von Heiner Link. Leipzig 1997, S. 13-18.

Lorek, Leonhard: Ciao! Von der Anspruchslosigkeit der Kapitulation. In: Böthig/ Michael (Hrsg.): MachtSpiele, S. 112-125.

Lyotard, Jean-Francois: Das postmoderne Wissen (1982). Ein Bericht. Wien 1993.

Man, Paul de: Autobiographie als Maskenspiel. In: Die Ideologie des Ästhetischen. Frankfurt 1993, S. 131-144.

Mann, Ekkehard: Untergrund, autonome Literatur und das Ende der DDR. Eine sys-temtheoretische Analyse. Frankfurt a.M. 1996

Margreiter, Reinhard: Erfahrung und Mystik. Berlin 1997.

Meyer, Herman: Das Zitat in der Erzählkunst. Stuttgart 1967?.

Michael, Klaus: Papierboote. In: Gabriele Muschter, Rüdiger Thomas (Hrsg.): Jenseits der Staatskultur. München/Wien 1992, S. 62-82.

Michael, Klaus (hier Michael Thulin): Die verschwundenen Gegenstände. In: Sprache im technischen Zeitalter, Nr. 111, September 1989, S. 222-228.

Mersmann, Birgit: Bilderstreit und Büchersturm. Medienkritische Überlegungen zu Übermalung und Überschreibung im 20. Jahrhundert. Würzburg 1999.

Müller, Heiner: „Ich weiß nicht, was Avantgarde ist". Gespräch mit Eva Brenner, 1987. In: ders.: Gesammelte Irrtümer 2. Interviews und Gespräche. Frankfurt 1990, S. 94-104.

Neumeyer, Harald: Der Flaneur. Konzeptionen der Moderne. Würzburg 1999.

Niehaus, Michael: „Ich, die Literatur, ich spreche...". Der Monolog der Literatur im 20. Jahrhundert. Würzburg 1995.

Niggl, Günter (Hrsg.): Die Autobiographie. Zu Form und Geschichte einer literari-schen Gattung. Darmstadt 1989.

Obad, Vlado: Zu Müllers Poetik des Fragmentarischen. Heiner Müller im Gespräch, Mai 1985. In: Heiner Müller. Material. Hrsg. von Frank Hörnigk. Leipzig 1989.

Oppermann, Michael: Writing as Dialogic Imagination or: Two Sketches of a Postmodern Concept of Identity. In: Angermüller/Nonhoff (Hrsg.): PostModerne Diskurse zwischen Sprache und Macht, S. 185-195.

Papenfuß, Bert; Faktor, Jan; Döring, Stefan: Zoro in Skorne (1985). In: Vogel oder Käfig sein. Berlin 1992, S. 14-25.

Papenfuß-Gorek, Bert: Man liebt immer die Katze im Sack. Gespräch mit Ute Scheub und Bascha Mika. In: Böthig/Michael (Hrsg.): MachtSpiele, S. 182-188.

Papenfuß, Bert: „Umbau in der Ästhetik". Ein Lyriker-Gespräch mit Silvia Schlenstedt, in: Zeitschrift für Germanistik 1/1988.*

Rath, Wolfgang: Entgrenzung ins Intersubjektive. Zu den literarischen achtziger Jahren. In: Tendenz Freisprache. Texte zu einer Poetik der achtziger Jahre. Hrsg. von Ulrich Janetzki und W. Rath, S. 258-276.

Salamun, Kurt (Hrsg.): Ideologien und Ideologiekritik. Darmstadt 1992.

Schirrmacher, Frank: Idyllen in der Wüste oder Das Versagen vor der Metropole. FAZ vom 10.10.1989.

Schischkoff, Georgi (Hrsg.): Philosophisches Wörterbuch. Stuttgart 1991.

Schneider, Manfred: Die erkaltete Herzensschrift. Der autobiographische Text im 20. Jahrhundert. München / Wien 1986.

Schönherr-Mann, Hans-Martin: Postmoderne Perspektiven des Ethischen. Politische Streikultur, Gelassenheit, Existentialismus. München 1997.

Sill, Oliver: Zerbrochenen Spiegel. Studien zur Theorie und Praxis modernen autobiographischen Erzählens. Berlin 1991.

Sill, Oliver: Rückzug ins Grenzenlose. ‚Das Bett‘ als Leitmotiv in der Prosa Brigitte Kronauers. In: Neue Generation – neues Erzählen. Hrsg. von Walter Delabar, Werner Jung, Ingrid Pergande. Opladen 1993, S. 15-23

Späth, Sibylle: Die Entmythologisierung des Alltags. In: Text und Kritik, No. 71: Rolf Dieter Brinkmann. Hrsg. von Heinz Ludwig Arnold. München 1981, S. 37-49.

Sprenger, Mirjam: Modernes Erzählen. Stuttgart 1999.

Steiner, Rudolf: Theosophie. Einführung in übersinnliche Welterkenntnis und Menschenbestimmung (1904). Dornach/Schweiz 1990. Darin: Der Pfad der Erkenntnis, S. 172-194.

Tannert, Christoph: „Allez! Arrest!“ Körper. Orte. Abläufe. In: Liane 6, November 1989. S. 1-8.

Virilio, Paul: Der negative Horizont. Bewegung, Geschwindigkeit, Beschleunigung. Frankfurt a.M. 1996.

Wagner, Jürgen: Meditation über Gelassenheit. Der Zugang des Menschen zu seinem Wesen im Anschluß an Martin Heidegger und Meister Eckhart. Hamburg 1995.

Weiß, Konrad: Die neue alte Gefahr. Junge Faschisten in der DDR. In: Kontext. Beiträge aus

Kirche & Gesellschaft/Kultur. Hrsg. von der Evangelischen Bekenntnisgemeinde Berlin-Treptow. Heft 5, 8. März 1989, S. 3-12.

Winter, Helmut: Der Aussagewert von Selbstbiographien. Heidelberg 1985.

Wolf, Christa: Antwort an Efim Etkind. Ein Briefwechsel über Observation, Lüge, Angst und andere Erbschaften der DDR. In: FAZ, 3.2.1993, S. 31.

Frank Thomas Grub

Bestandsaufnahmen und Selbstvergewisserungen – Tagebücher und Autobiografien nach 1989

Wer sind wir eigentlich? Wir sind nicht die, die wir zu sein glaubten. Wir sind aber auch nicht die, zu denen man uns abstempeln will. Vielleicht aus Gründen, die wir nicht durchschauen.

Wer bin ich? Was meint heute noch mein „Wir"?

Diese schöne, schreckliche Welt erlaubt kein langes Grübeln. Wir müssen uns ihr stellen, und während wir das tun, begreifen wir zugleich, daß dies der Weg ist, Identität zurückzugewinnen.

(Helga Königsdorf:
Das Recht auf Identität und die Lust zur Intoleranz, 1991)

INHALTSVERZEICHNIS

1. AUTOBIOGRAFISCHES SCHREIBEN NACH 1989

Der vorliegende Aufsatz beschäftigt sich mit den wohl wichtigsten Textsorten auto-biografischen Schreibens: dem Tagebuch und der Autobiografie. Beide sind zu den persönlichsten und zugleich frühesten im weiteren Sinne literarischen Zeugnissen der als ‚Wende‘ bezeichneten Ereignisse des Herbstes 1989 und deren Folgen sowie der Vereinigung beider deutscher Staaten am 3. Oktober 1990 zu zählen. Im Zusammenhang mit diesen Entwicklungen ist nicht zuletzt auch die ohnehin pro-blematische Kategorie des ‚Schriftstellers‘/der ‚Schriftstellerin‘ kritisch zu hinter-fragen, denn die sich teilweise erdrutschartig vollziehenden Veränderungen waren nicht nur für Schriftstellerinnen und Schriftsteller im engeren Sinne Anlass, Tage-bücher und autobiografische Texte zu schreiben, sondern auch und gerade für eine signifikante Zahl von Menschen, die bisher kaum oder überhaupt nicht schrieben, geschweige denn ihre Texte publizierten. Selten war das Bedürfnis – auch öffent-lich – Bilanz zu ziehen, den eigenen Standort zu bestimmen und damit Klarheit über die eigene Person zu gewinnen, derart groß. Insofern scheint es mir wichtig, ins-besondere bei den Tagebüchern, auch auf Texte von Autorinnen und Autoren ein-zugehen, die eben keine Schriftstellerinnen und Schriftsteller sind – zumal diese Publikationen bei den Leserinnen und Lesern in der vergehenden DDR und den östlichen Bundesländern auf breites Echo stießen. Um einen Vergleich wenigstens anzudeuten, werden auch einige wenige Tagebuchveröffentlichungen von Westdeut-schen mit einbezogen.

Wesentlich sowohl im Falle des Tagebuchs als auch bei der Autobiografie ist der Aspekt der Auswahl, denn oft liegt im Ungesagten mehr als in dem, was gesagt wird.[1] Es muss dabei nicht eigens betont werden, dass vielfach versucht wird, eine ‚objek-tive Wahrheit‘ zu etablieren, die es selbstverständlich nicht geben kann. Insbeson-dere im Zusammenhang mit Rechtfertigungen oder dem Eingestehen von Schuld zeigt sich deutlich die Ich-Gebundenheit der Aussagen. Viele Texte lassen sich in diesem Sinne wechselseitig als Korrektive zu anderen Aussagen lesen. Es verwun-dert nicht weiter, dass nach der ‚Wende‘ eine Fülle von ‚Rechtfertigungsliteratur‘ entstand, die kaum mehr zu überschauen und mittlerweile selbst zum Gegenstand von Texten geworden ist. So äußert Lothar Kusche (*1929) in seinem satirisch gefärb-ten Essay *Wenn der Reiter nichts taugt...* (1991):

> Wir werden von diesen Bekenner- und Rechthaber-Büchern dermaßen über-schwemmt, daß man kaum noch zum Lesen kommt, weil man ständig gegen das Ertrinken ankämpfen muß.
> Auch ich muß zugeben, daß ich mich in all dem autobiographischen Zeug nicht mehr so recht auskenne.[2]

Unabhängig von Qualitätsurteilen jedweder Art ist allerdings die selbsttherapeu-tische Funktion des Schreibens von Tagebüchern und autobiografischen Texten

---

[1] Vgl. auch Julian Preece: Damaged lives? (East) German memoirs and autobiographies, 1989-1994. In: *The New Germany. Literary and Society after Unification*. Edited by Osman Durrani, Colin Good, Kevin Hilliard. Sheffield 1995; S. 349-364, S. 349f.
[2] Lothar Kusche: Wenn der Reiter nichts taugt... In: *ndl* 39 (1991) 11; S. 171-172, S. 171 (*Post-Skriptum*).

nicht zu unterschätzen. Thomas Rosenlöcher zufolge waren große Teile der Biografien in der DDR „verstaatlicht". Schreiben konnte ein Refugium gegen diese Form der ‚Verstaatlichung' bilden, wie er in Abschnitt 33 („Ein-Nicken") von *Der Nickmechanismus. Ein Selbstbefragungsversuch* (1996) ausführt:

> Und doch verdanke ich – denn immer kann der Mensch nicht schlafen – gerade dem tonnenweise auf die Studentenköpfe herabgewälzten Sprachmüll, daß ich mich zu wehren begann; unbewußt eine Gegensprache suchte; Individuation. Las, meist Sachen außerhalb jeder Politik; Mörike, Eichendorff, den Anti-Becher Bobrowski, Rilke natürlich und Hölderlin. Schwänzte wochenlang die Uni, versuchte Gedichte zu schreiben. Setzte damit jenen Teil meiner Biographie fort, der nicht zu verstaatlichen ist, nicht einmal nachträglich und auch nicht durch mich selbst.[3]

Ohnehin fällt auf, dass – über die autobiografischen Texte hinaus – in der ‚Wendeliteratur'[4] Ich-Erzähler bzw. lyrisches Ich und Autorin bzw. Autor häufig nahezu deckungsgleich sind oder zumindest scheinen. Mitunter wird dieses Phänomen auch thematisiert, wie sich am Beginn von Hermann Kants (*1925) Roman *Kormoran* (1994) zeigt:

> Falls Sie wissen möchten, lieber Leser, wer Ihnen dies erzählt: Ich mache das. Ich bin der Autor und Urheber, ein erfinderisches Wesen, das sich zu Zwecken der Unterhaltung und Belehrung etwas ausdenkt. Oder in Abwehr übergroßer Ängste wie übergroßer Freude. Zugegeben, als Einrichtung kam ich ein bißchen aus der Mode. Aber es gibt mich. Nicht nur im Prinzip, sondern mit fester Anschrift.
>
> Wenn Sie nicht ahnen, wie ich heiße, müssen Sie an ein Buch ohne Einband und ohne Schmutz- und Haupttitel geraten sein. Da steht nämlich überall mein Name. Besorgen Sie sich ein vollständiges Exemplar, falls Ihnen wichtig ist, von wem diese fabelhafte Geschichte geliefert wird.
>
> Und zwar ohne Hinzuziehung irgendwelcher Gehilfen sowie unter Ausschluß von Mittelspersonen oder Konstruktionen, auf die sich Glaubhaftigkeit stützen soll. Ich sehe nicht, warum ich anderen in den Mund schieben muß, was sich aussprechbar in meinem Kopfe findet. So leiste ich leicht Verzicht auf den Freund, welcher stockend vom Freunde berichtet, pfeife auf den Archivar, der aus verschollen geglaubten Folianten liest, verkneife mir alle Umbögen über Psychiatrie, Polizeistation oder frisch geschaufeltes Grab und schaffe die Sache auf kürzestem Wege heran: direkt vom Autor an den Leser.

---

3 Thomas Rosenlöcher: Der Nickmechanismus. Ein Selbstbefragungsversuch. In: *Das Vergängliche überlisten. Selbstbefragungen deutscher Autoren.* Hrsg. von Ingrid Czechowski. Leipzig 1996; S. 114-142; in erweiterter Fassung auch in Thomas Rosenlöcher: *Ostgezeter. Beiträge zur Schimpfkultur.* Frankfurt a.M. 1997, S. 97-145; hier Abschnitt 37; S. 125f., S. 126.
4 Unter ‚Wendeliteratur' seien mit Herhoffer und Liebold vorläufig diejenigen Werke verstanden,
„– die sich stofflich auf die Zeit der Wende beziehen, welche – wenn man den Medien Glauben schenken darf
 – im Osten keineswegs und auch im Westen (hoffentlich!) lange noch nicht abgeschlossen ist,
– die durch den Wegfall von Zensur und Selbstzensur oder durch intensive Materialforschung (wie zum
 Beispiel in alten Dokumenten und Stasiakten) erst möglich wurden."
(Astrid Herhoffer/Birgit Liebold: Schwanengesang auf ein geteiltes Land. Der Herbst 1989 und seine Folgen in der Literatur. In: *Buch und Bibliothek* 45 (1993) 6/7; S. 587-604, S. 587f.; Hervorhebungen im Original). Zu ergänzen wären Texte, die die ‚Wende' im weitesten Sinne mit ‚vorbereiten' halfen.

In einer Weise also, die ebenfalls ein wenig aus der Mode ist. Ohne Furcht vor der Frage: Woher weiß der Verfasser das? Ohne Angst, man könnte ihn Doktor Allwissend heißen. Mit dem Mut zur Erklärung vielmehr: Ich weiß es, denn ich habe es mir ausgedacht. Ich bin die Quelle der Nachricht, wie sollte ich da nicht ihr Überbringer sein?[5]

Folgerichtig weist die Hauptfigur, Paul-Martin Kormoran, bis hin zu dem operativ behandelten Herzfehler, zahlreiche Übereinstimmungen mit ihrem Verfasser auf. So äußerte Hermann Kant 1991 in einem Interview mit Artur Arndt:

Im übrigen ist es aber auch so, um es so undramatisch wie möglich auszudrücken: Ich weiß ziemlich genau, wie abgezählt, nicht nur wie gezählt meine Tage sind. Seit meinem vierundsechzigsten Geburtstag, das war der vierzehnte Juni dieses Jahres, trage ich zwei künstliche Herzklappen im Leib, bin also jemand, der auf das Funktionieren einer Mechanik angewiesen ist und der wissen muß, daß das eine Weile gut gehen, aber auch mit einem letzten Klapp ganz plötzlich aufhören kann.[6]

Die relativ große Nähe von Ich-Erzähler und Autor mag die häufig vorgenommenen unzulässigen Gleichsetzungen beider Instanzen bzw. Verwechslungen von Fiktion und Realität im Zusammenhang mit der ,Wendeliteratur' erklären. Weder der ,deutsch-deutsche Literaturstreit'[7] noch Karl Corinos unsägliches Buch über Stephan Hermlin (1996)[8] wären ohne solche Fehlleistungen denkbar gewesen oder hätten, zumindest im Falle der ersten Phase des Literaturstreits, einen sachlicheren Verlauf genommen. Die beschriebene Nähe dürfte in vielen Fällen mit einem politischen Verständnis von Literatur zusammenzuhängen. So schließt Klaus Huhns (*1928) ironisch betitelte Textsammlung *Briefe aus dem blühenden Ländern* (1997) mit einem Appell:

Hier enden die Briefe aus den blühenden Ländern. Vorerst. Sie haben – zum Beispiel bei künftigen Wahlen – ausreichend Gelegenheiten, die Voraussetzungen für endlose Fortsetzungen zu schaffen. Oder auch nicht...[9]

Zudem machen Autorinnen und Autoren auffallend häufig implizit auf die Realitätsnähe ihrer fiktionalen Texte aufmerksam, insbesondere in Form von der Norm abweichender juristischer Schutzklauseln zu Beginn oder am Ende von Texten. Im Folgenden sei eine Auswahl an Beispielen gegeben.

Vergleichsweise konventionell gehen Mathias Wedel (*1953) und Thomas Wieczorek (*1953) vor, die ihrem Buch *Mama, was ist ein Wessi?/Papa, was ist ein Ossi?* die Bemerkung voranstellen:

---

[5] Hermann Kant: *Kormoran. Roman.* Berlin/Weimar 1994, S. 5.
[6] [Interview mit Artur Arndt]: Artur Arndt: Gespräch mit Hermann Kant. In: *Sinn und Form* 43 (1991) 5; S. 853-878, S. 870.
[7] Vg. dazu Thomas Anz (Hg.): *„Es geht nicht um Christa Wolf". Der Literaturstreit im vereinigten Deutschland. Erweiterte Neuausgabe.* Frankfurt a.M. 1995 sowie *Der deutsch-deutsche Literaturstreit oder „Freunde, es spricht sich schlecht mit gebundener Zunge". Analysen und Materialien.* Hrsg. von Karl Deiritz und Hannes Krauss. Hamburg/Zürich 1991.
[8] Karl Corino: *„Aussen* [sic] *Marmor, innen Gips". Die Legenden des Stephan Hermlin.* Düsseldorf 1996.
[9] Klaus Huhn: *Briefe aus den blühenden Ländern.* [Berlin] 1997 (*Spotless-Reihe Nr. 74*), S. 96.

Ähnlichkeiten mit Personen, Ereignissen und Stimmungen sind, mögen sie vom Autor beabsichtigt oder ihm unterlaufen sein, unleugbar.[10]

Hier wird lediglich mit der Erwartenshaltung des Lesers gespielt, zugleich aber auf die durchaus vorhandene Realitätsebene des folgenden Textes explizit aufmerksam gemacht. Aufgabe des Hinweises ist also weniger der Schutz im juristischen Sinne und die damit verbundene Hervorhebung der Fiktion, sondern der Verweis auf den Wahrheitsgehalt des Textes. Brigitte Burmeister (*1940) dagegen sichert sich in *Pollok und die Attentäterin* (1999) ausdrücklich auch juristisch ab:

> Alle Figuren des Romans sind erfunden. Keine ist identisch mit einer lebenden oder toten Person, auch dort nicht, wo sich beschriebene Episoden mit tatsächlichen Vorgängen decken.[11]

Burmeisters Klausel zählt zu den kürzesten. Im Gegensatz zu ihr weist Helmut Sakowski (*1924) nicht in Form einer knappen Be- oder Anmerkung, sondern ausführlich im Vorwort zu seinem Roman *Wendenburg* (1995) auf das Verhältnis von Realität und Fiktion hin:

> Wendenburg liegt in Ostdeutschland, und der Roman handelt in der Gegenwart. Soviel ist gewiß. Wer eine Spürnase hat, mag sogar den Turmstumpf der alten Burg Werle lokalisieren. Daß aber Frauenlob seinerzeit auf dem Hügel gehaust und gesungen hat, ist so wenig verbürgt, wie es die erstaunlichen Begebenheiten sind, die der Leser erfährt.
> Es ist wahr, daß sich viele Menschen in den neuen Ländern mit den Konflikten der Nachwendezeit herumschlagen müssen und dies oft auf merkwürdige, mitunter groteske Weise tun. Vielleicht gleichen manche Lebensgeschichten des Romans sogar jenen, die der eine oder andere Leser aus der Wirklichkeit kennt, dennoch sind alle Erzählungen märchenhaft und erfunden. Jede Ähnlichkeit mit lebenden Persönlichkeiten muß zufällig sein.[12]

Ähnlich ausführlich geht Jürgen Petschull in seinem Spionagethriller *Der Herbst der Amateure* (1991) vor. Die Haupthandlung des Textes spielt an wenigen Tagen zwischen dem 28. September und dem 10. November 1989. Die Passagen über den Fall der Mauer enthalten so gut wie keine Reflexionen, sie besitzen dokumentarischen Charakter; auf diese Tatsache weist der Verfasser am Ende seiner Vorbemerkung explizit hin:

> Die Handlung dieses Romans ist nicht frei erfunden. Sie ist der Wirklichkeit nachempfunden. Die Hauptpersonen existieren tatsächlich. Sie heißen anders. Ihre Schicksale habe ich zum Teil verändert und aus dramaturgischen Gründen Lebenswege miteinander verbunden, die sich nicht gekreuzt haben.
> Mit den Männern, die mir als Vorbild für Tasarow, Dillon und Lohmer dienten, habe ich gesprochen, und die Geschichte von Rosenblatt ist in den USA recherchiert – denn der Mann, der Rosenblatt ist, darf wegen Gefährdung nationaler Sicherheitsinteressen noch immer nicht reden.

---

10 Mathias Wedel/Thomas Wieczorek: *Mama, was ist ein Wessi?/Papa, was ist ein Ossi? Ein Dreh- und Wendebuch*. Berlin [o.J.], S. 4/S. 4.
11 Brigitte Burmeister: *Pollok und die Attentäterin. Roman*. Stuttgart 1999, S. 306; im Original kursiv.
12 Helmut Sakowski: Vorwort. In: Helmut Sakowski: *Wendenburg. Roman*. Berlin 1995; S. 5, S. 5.

Die historischen Hintergründe und die politischen Ereignisse im Herbst 1989 in Deutschland entsprechen der Realität.[13]

Am engsten der Realität verhaftet sind natürlich die zahlreich erschienenen autobiografischen Berichte. Therese Fischer schildert in *Mit dem Trabi in den Westen* (1999) ihre Flucht aus der DDR und den schwierigen Aufbau einer neuen Existenz in der Bundesrepublik. Dem Haupttext ist die Bemerkung vorangestellt:

> Diese Geschichte ist nicht erfunden, sie beinhaltet einen Abschnitt in meinem Leben. Ich habe ihn aufgeschrieben, weil es für mich wichtig ist, Geschehenes nicht in Vergessenheit geraten zu lassen.
> Die Namen der Personen sind frei erfunden. Wer sich dennoch mit einer meiner Figuren in dieser Geschichte identifiziert, möchte dies bitte mit seinem Gewissen abmachen.[14]

---

[13] Jürgen Petschull: *Der Herbst der Amateure. Roman*. München/Zürich 1991, S. 6.
[14] Therese Fischer: *Mit dem Trabi in den Westen. Geschichte eines schweren Neubeginns*. Berlin 1999, S. 4.

2. TAGEBUCHAUFZEICHNUNGEN ÜBER ‚WENDE' UND ‚EINHEIT' – EINE AUSWAHL

Das ist ja gerade das Tolle am Leben: Was auch darüber gesagt oder geschrieben wird, es ist immer anders gewesen.

(Helga Königsdorf: *Landschaft in wechselndem Licht*, 2002)[15]

Tagebücher können mit unterschiedlichem Anspruch geführt werden. Handelt es sich nicht um später für den Druck überarbeitete literarische Tagebücher, wie im Falle von Thomas Rosenlöchers (*1947) *Die verkauften Pflastersteine* (1990), wohnt ihnen zunächst ein in erster Linie persönliches Interesse inne, häufig verbunden mit einem chronistischen Anspruch. Das Tagebuch ist also „wesentlich ein Mittel zur Kommunikation mit sich selbst."[16] Im Zentrum steht meist der Ort, an dem sein Verfasser zu Hause ist oder sich gerade aufhält. Sonderformen von Tagebüchern[17], aber auch tagebuchähnliche Aufzeichnungen wie Notizen, gehören zu den frühesten und authentischsten Formen der schriftlichen Auseinandersetzung mit ‚Wende' und ‚Einheit'.

Bisweilen ist der dargestellte Zeitraum bzw. der Zeitraum, aus dem Eintragungn veröffentlicht werden, außerordentlich kurz: Die „Bekenntnisse und Einsichten" des DDR-Spionagechefs Markus Wolf (*1923 im württembergischen Hechingen), veröffentlicht 1991 unter dem Titel *In eigenem Auftrag*[18], umfassen das ganze Jahr 1989, Mario Göpferts (*1957) Tagebuchblätter[19] dagegen lediglich den Zeitraum vom 7. bis zum 10. Oktober 1989: Gegenstand ist die Festnahme des Autors am Rande von Protestkundgebungen in Dresden (die er lediglich beobachtete) und die anschließende Haft. Die Aufnahme exakter Uhrzeitangaben legt den Schluss nahe, dass die Blätter für Göpfert eine schriftliche Rekonstruktion der Ereignisse darstellen, die zunächst einmal vor allem für ihn selbst wichtig sind. Wieder andere Tagebücher besitzen keinen umfassenden Anspruch im Hinblick auf das Festhalten gelebten Lebens und von Gedanken, sondern bezeugen lediglich Teilaspekte davon. Ein Beispiel ist Christina Wilkenings *Ich wollte Klarheit* (1992)[20]: Die Autorin dokumentiert darin ihre journalistische Recherche in Sachen Staatssicherheit zwischen dem 9. Februar 1990 und dem 1. Oktober 1991.

---

[15] Helga Königsdorf: *Landschaft in wechselndem Licht. Erinnerungen*. Berlin 2002, S. 5.

[16] Rüdiger Görner: *Das Tagebuch. Eine Einführung*. München/Zürich 1986, S. 11 (*Artemis Einführungen, Band 26*).

[17] So liegen für die Zeit des Herbstes 1990, also der Wochen um die Vereinigung der beiden deutschen Staaten, acht von Frauen geführte Tagebücher vor, die gewissermaßen ‚im Auftrag' – nach Aufforderung über einen Zeitungsartikel – geschrieben wurden. Es handelt sich also nicht um Tagebücher im ganz eng gefassten Sinn. Dennoch geben auch diese Aufzeichnungen aufschlussreiche Einblicke in alltägliche Veränderungen und die Brüche von Biografien in der Zeit der ‚Wende' bzw. unmittelbar danach – einmal mehr aus weiblicher, nicht aber explizit feministischer Perspektive: *Unsere Haut. Tagebücher von Frauen aus dem Herbst 1990*. Hrsg. von Irene Dölling, Adelheid Kuhlmey-Oehlert, Gabriela Seibt. Berlin 1992.

[18] Markus Wolf: *In eigenem Auftrag. Bekenntnisse und Einsichten*. München 1991 (*Schneekluth, Zeitzeugen sprechen*).

[19] Mario Göpfert: Blätter aus dem Dresdner Herbst 89. Ein Stundentagebuch. In: *Die sanfte Revolution. Prosa, Lyrik, Protokolle, Erlebnisberichte, Reden*. Hrsg. von Stefan Heym und Werner Heiduczek. Mitarbeit: Ingrid Czechowski. Leipzig/Weimar 1990, S. 200-214.

[20] Christina Wilkening: *Ich wollte Klarheit. Tagebuch einer Recherche*. Berlin/Weimar 1992.

Einige Tagebücher seien nun etwas genauer betrachtet:

2.1 Reiner Tetzner: *Leipziger Ring* (1990)

Das Tagebuch des Philosophen Reiner Tetzner (*1936), erschienen 1990 unter dem Titel *Leipziger Ring*, gehört zu den frühesten selbstständig erschienenen Publikationen des Genres. Tetzner versteht sich als Zeitzeuge[21], der seine Glaubwürdigkeit vor allem darauf stützt, unmittelbar an den Ereignissen beteiligt gewesen zu sein: „Ich bin bei den Leipziger Montagsdemonstrationen mitgegangen und habe aufgeschrieben, was ich gesehen und gehört habe."[22] Folglich konzentriert sich seine Darstellung auf den Leipziger Raum. Tetzner berichtet subjektive Erlebnisse, ordnet diese aber in einen umfassenderen Kontext ein. Die Subjektivität tritt durch diese Vorgehensweise an zahlreichen Stellen zu Gunsten eines Objektivitätsanspruchs zurück, etwa wenn historische Ereignisse nachgetragen werden. Tetzners Aufzeichnungen lassen – nicht zuletzt durch die dominierende Verwendung des historischen Präsens – eine Atmosphäre des Unmittelbaren entstehen; so schreibt er am 2. Oktober 1989:

> Bereitschaftspolizisten sperren die Straßen und schließen einen Ring um die Nikolaikirche.
> Ich fordere an der Reichsstraße Durchlaß, werde abgewiesen und stehe mit vielen hundert Zuschauern und Neugierigen vor den Grünuniformierten. Polizeihunde bellen gegen die eingekesselten Menschen, in deren Pfiffe und Sprechchöre viele der Sympathisanten vor dem grünen Spalier einstimmen.[23]

Dass sein Tagebuch für den Druck bearbeitet wurde, zeigt sich an vielen Stellen: Häufig stellt der Verfasser seine Sicht der Dinge offiziellen Zeitungsmeldungen aus der *Leipziger Volkszeitung* und dem *Neuen Deutschland* gegenüber. Das Buch enthält zahlreiche Passagen, in denen die aktuellen Ereignisse reflektiert und in einen größeren historischen Rahmen eingeordnet werden:

> Am Ring stehen neue oder renovierte Hotels, moderne Wohnbauten, neben Grünanlagen das 1981 eingeweihte Gewandhaus, restaurierte Kirchen. Außerhalb des Rings verfallen ganze Stadtviertel. Zur Messe wird die Innenstadt glänzend aufpoliert; die Berliner SED-Führung präsentiert Leipzig weltstädtisch. Einheimische schmerzt um so mehr der Kontrast zwischen diesem Anspruch und dem Verfall in den alten Außenvierteln und Vororten, den stinkenden Flüssen, der oft vergifteten Luft in der Stadt.
> [...]
> In Leipzig, der weltoffensten Stadt der DDR nach Berlin, wuchs früh Protest gegen die stalinistischen Strukturen, nicht zuletzt bereits in den fünfziger Jahren an der Universität, durch den Philosophen Ernst Bloch und den Germanisten

---

[21] Vgl. zu diesem Anspruch auch *Dr. Reiner Tetzner – Schriftsteller: „Als Schriftsteller möchte ich festhalten, was während der Wende geschehen ist."* In: Bernd Lindner/Ralph Grüneberger (Hgg.): *Demonteure. Biographien des Leipziger Herbst.* Bielefeld 1992, S. 243-250.

[22] Reiner Tetzner: *Leipziger Ring. Aufzeichnungen eines Montagsdemonstranten Oktober 1989 bis 1. Mai 1990.* Mit 42 Fotos. Frankfurt a.M. 1990, S. 5.

[23] Ebd., S. 7.

Hans Mayer. Die Proteste gegen die Sprengung der Universitätskirche gehörten dazu. In den achtziger Jahren war es die Friedensbewegung. Im Schutz der Leipziger Kirchen arbeiten seit Jahren Umwelt-, Menschenrechts- und Friedensgruppen. Zur Tradition wurden die seit sieben Jahren an jedem Montag abgehaltenen Friedensandachten in der Nikolaikirche – aus ihr zogen schließlich die Demonstranten auf den Ring.[24]

Tetzners Aufzeichnungen enden am 6. Mai 1990 mit der Wiedergabe eines Gespräches, in dem die Montagsdemonstrationen bereits mit historischem Abstand betrachtet werden:

„Haben wir zu Recht demonstriert?" frage ich Klaus B.
„Es wurde Zeit. Drei Jahre länger, und die Katastrophe wäre noch größer gewesen", erwidert er.
„Wenn ich sehe, was in unseren Betrieben los ist, sage ich mir: Es war höchste Zeit! Aus eigener Kraft würden wir aus der Misere nicht rauskommen."
„Durchziehen", sagt Christel.
Ich telefoniere mit dem Kabarettisten Bernd-Lutz Lange, einem Unterzeichner des Aufrufs der Sechs.
„Das Wichtigste ist die geistige Freiheit, das Leben ohne Mielke und Mittag", meint er über unsere Lage.
„Wir müssen das Beste draus machen. Nun erlebe ich den Kapitalismus wenigstens in meiner Heimat. Nach den Jahren des Mangels verstehe ich das Bedürfnis der Massen nach Konsum. Die Revolution endet im Kaufhaus."
„Alles geht ziemlich schnell", sage ich.
„Nicht nur die SED ist Trittbrettfahrer der Revolution. Auch die Leute hinter den Gardinen, die herauskommen, wenn's nicht mehr gefährlich ist. Aber die Gewinner der Revolution wohnen nicht in Leipzig."
„Du meinst drüben?"[25]

Das Fragezeichen am Ende der Aufzeichnungen lässt dem Leser Raum für eigene Überlegungen, das oben zitierte Gespräch erhält dadurch nahezu den Charakter eines ‚Lehrstücks'.

2.2 Heinz Kallabis: *Ade, DDR!* (1990)

Die unter dem Titel *Ade, DDR!* (1990) veröffentlichten „Tagebuchblätter" von Heinz Kallabis (*1930) umfassen praktisch den gleichen historischen Abschnitt wie Reiner Tetzners Aufzeichnungen. Kallabis waren 1969 seine Professur für Soziologie an der Hochschule der Gewerkschaften in Bernau und die Lehrberechtigung an Hoch- und Fachschulen der DDR entzogen worden, weil er angeblich revisionistische Konzeptionen vertreten hatte. Anfang 1990 wurde er politisch und wissenschaftlich rehabilitiert. Zu Beginn des Bandes stellt Kallabis relativ ausführlich seine Gründe dar, überhaupt Tagebuch zu führen:

---

[24] Ebd., S. 30-32.
[25] Ebd., S. 117.

Die Tagebuchblätter entstanden seit Anfang Oktober 1989 aus dem persönlichen Bedürfnis, Ereignisse, Probleme und eigene Erlebnisse, persönliche Meinungen und Befindlichkeiten in dieser bewegten Zeit festzuhalten, in der Absicht, später einmal bei einer gründlicheren Analyse und Wertung des im Oktober vergangenen Jahres begonnenen gesellschaftlichen Wandels Dinge, die sonst in Vergessenheit geraten könnten, zu reflektieren.

Sie stellen in gewissem Sinne eine persönliche Materialsammlung dar, um die eigenen Einschätzungen, Haltungen, auch die Irrtümer und möglichen Illusionen auf ihre Gründe befragen zu können. Aus diesem Grunde wurden diese Tagebuchblätter auch immer in der Sicht des Augenblicks geschrieben, ohne dabei vorher Geschriebenes nochmals zu prüfen und zu berücksichtigen.

Sie haben daher eigentlich nur eine Bedeutung für mich selbst, meine Selbstauseinandersetzung. Sie sind sehr subjektiv und zeitgebunden, ohne jeden Anspruch auf Wissenschaftlichkeit. [...]

Die Veröffentlichung endet mit dem 8. Mai 1990. Ich glaube, daß bis zu diesem Datum wichtige Wandlungen ihren relativen Abschluß gefunden haben. Die „Revolution" des Oktober ist in die „Restauration" des Mai übergegangen. Ein neuer Abschnitt beginnt.[26]

Kallabis' Aufzeichnungen lassen durchaus den Impetus des Wissenschaftlers erkennen, der die Fähigkeit und den Willen zu einer gewissen Distanzierung besitzt. Seine am 16. Oktober 1989 festgehaltenen sprachkritischen Bemerkungen belegen diese Haltung:

Das neue Schlagwort ist gefunden! Hurra! Wir machen alle in „Dialog". Überall wird jetzt dialogisiert. Ein Schelm, wer Übles dabei denkt. [...] Den „Dialog" des Echos brauchen wir nicht. Wir brauchen auch keinen einer „Führung" mit dem Volk, den „Geführten". Wir brauchen das Gespräch unter Gleichen und Gleichberechtigten, das Gespräch des Volkes mit sich selbst, über seine eigenen Probleme, seine eigenen Interessen, seine eigene Zukunft.[27]

Drei Tage später, am 19. Oktober, erkennt er die ersten ‚Wendehälse':

Da sitzen sie wieder, wie gehabt, vor den Kameras des DDR-Fernsehens. Alte Bekannte! Buchstäblich gestern und vorgestern saßen sie auch schon da und verkündeten die unbezweifelbaren Wahrheiten der gestrigen Politik und Ideologie, ganz im Sinne der Lobpreisung der Erfolge und Errungenschaften, wie noch am 6. Oktober gesehen. Das ging ihnen gut über die Lippen! Anschaulich malten sie auch das Bild vom Klassenfeind, dem eigentlichen Übel und Ursache, wenn mal nicht alles so klappte. Auch dafür, daß manche nicht so recht glauben wollten und konnten, daß wir über eine „wissenschaftlich begründete und vom Leben bestätigte Gesellschaftskonzeption" verfügen, „die weit in das nächste Jahrtausend reicht", daß „Ideale und Werte des Sozialismus in unserem Lande lebendige Wirklichkeit" sind, daß „unsere sozialistische Demokratie breit entfaltet und unersetzbar" ist.

---

26 Heinz Kallabis: *Ade, DDR! Tagebuchblätter 7. Oktober 1989 bis 8. Mai 1990.* Berlin (DDR) 1990, S. 6.
27 Ebd., S. 13.

Nun präsentieren sich dieselben Leute als Apostel der gerade verkündeten „Wende"! Sind sie wirklich so vermessen zu glauben, daß man ihnen glaubt? Oder betrachten sie das ganze als das alte Spiel, nur in einer etwas abgewandelten Form und dies nur solange, wie man nicht in alter Weise spielen kann? Also etwas zur Ermunterung des bisher gelangweilten Publikums?[28]

Ab dem 9. November 1989 thematisiert Kallabis zunehmend das Tempo der ‚Wende'-Ereignisse. Dabei beschränkt er sich im Gegensatz zu den meisten anderen Chronisten nicht auf die Öffnung der Mauer am Abend, sondern geht auch auf weitere Ereignisse des Tages ein:

Man kann plötzlich die Ereignisse kaum noch verarbeiten. Was gestern noch mühsam angeregt, gefordert, erstritten werden mußte, ist heute Entscheidung, plötzlich ohne volle Sicht auf die Konsequenzen.
Früh die Forderung von „Blockparteien" nach freien Wahlen für alle Volksvertretungen auf der Grundlage eines Wahlgesetzes, das durch Volksentscheid bestätigt werden soll.
Mittags die Entscheidung des Zentralkomitees über die Einberufung einer Parteikonferenz noch Mitte Dezember zur Beratung der Lage, zur Neubestimmung der Aufgaben der Partei und zu Veränderungen im Zentralkomitee.
Dazu die Proteste von Parteiorganisationen gegen eben erst gewählte Mitglieder und Kandidaten des Politbüros mit der Forderung ihrer Abwahl.
Abends schließlich die Öffnung der Grenzen zur BRD und Westberlin. In wenigen Augenblicken der Geschichte mehr Einschnitte in die Entwicklung der Partei, der DDR-Gesellschaft und in die Geschichte Europas und der Weltpolitik als in Jahrzehnten.
Hier ist ein Prozeß in Gang gekommen, dessen weitreichende Wirkungen überhaupt nicht zu überschauen sind.
Jetzt muß durch die Partei entschlossen ein neuer Anfang gemacht werden. [...]
Lassen wir uns durch die Ereignisse nicht überrollen, werden wir nicht kopflos, besinnen wir uns auf unsere Möglichkeiten. Nutzen wir die historische Chance![29]

Am 12. November bestätigt er die Auffassung vom Tempo der Ereignisse nochmals:

Die hohe Dynamik der politischen Prozesse überholt alle gestern noch als hinreichend und für eine längere Perspektive gedachten Überlegungen und Vorschläge. Die Entwicklung der Ereignisse nach Öffnung der Grenzen bringt eine neue politische Lage.[30]

Vergleichsweise spät – am 15. November – begibt sich Kallabis erstmals nach West-Berlin. Deutlich erkennbar ist die Rolle des zumindest innerlich, nicht aber räumlich distanzierten Beobachters; einmal mehr zeigt sich ein dokumentarischer Anspruch. Der beinahe ethnologisch zu nennende Blick des Autors lässt sich nicht zuletzt an der häufigen Verwendung von Begriffen wie „Beobachtungen" ablesen:

---

[28] Ebd., S. 15.
[29] Ebd., S. 34f.
[30] Ebd., S. 37.

Heute konnte ich selbst erste Beobachtungen in Westberlin machen. Die vielen DDR-Bürger sind an verschiedenem erkennbar.

Zunächst an vielen Plastik-Einkaufsbeuteln, mit allem möglichen, mit Bananen, Apfelsinen.

Dann die Leute, die sich an den Banken und Sparkassen drängen, um ihre 100 D-Mark Begrüßungsgeld zu bekommen. Mitunter sind das Familien mit 2 und mehr Kindern, die sie vorzeigen, um auch für sie das Geld zu bekommen. Verständlich, aber nicht alles hat mit menschlicher Würde zu tun. Da sind auch die Betrüger am Werke, die sich sowohl auf Personalausweis als auch auf Reisepaß zweimal in den Besitz des Geldes bringen wollen. Manche haben sogar die bereits abgestempelte Seite aus ihrem Personalausweis gerissen, um es ein zweites Mal zu versuchen. Peinlich!

Da gibt es Schlangen vor den Billigläden, vor den Sex-Shops – alles DDR-Bürger! Elektronik scheint besonders anziehend zu sein. Das ist angesichts des Mangels auf diesem Gebiet und der weit überhöhten Preise dafür bei uns einzusehen. Überhaupt betreiben die DDR-Bürger eine Art Wirtschaftsstudium.[31]

Am 11. Dezember erkennt er eine ‚Wende‘ innerhalb der ‚Wende‘:

Der politische und ideologische Schwerpunkt der Leipziger Demonstrationen ist ein anderer geworden. Nicht mehr die demokratische Reform und Erneuerung der gesellschaftlichen Verhältnisse in der DDR steht im Zentrum, sondern die Frage, ob Vereinigung der DDR mit der BRD oder Selbständigkeit der DDR. „Deutschland einig Vaterland", „Wir sind ein Volk" wird heute von der Mehrheit der Demonstranten gerufen. Und nicht nur das. Immer lauter werden offen nationalistische und rechtsradikale Töne hörbar. [...] Die Gefahr der Gewalttätigkeit wird immer drohender.[32]

Im März 1990 – die Einheit zeichnet sich immer klarer ab – macht Kallabis sich Gedanken über den juristischen Weg in die Einheit; seine Vorbehalte gegenüber dem Verhalten der Bundesregierung treten dabei immer deutlicher zu Tage:

Der Artikel 23 des Grundgesetzes der BRD hat es den Kohls angetan. Sie preisen ihn uns als das am schnellsten und am sichersten wirkende Allheilmittel für all unsere Beschwerden. Beschließt den Beitritt zur BRD nach Artikel 23, und alles ist in Ordnung! Das ist natürlich eine einfache Anschlußstrategie, die früher schon unter der Losung „Heim ins Reich" praktiziert wurde. Die DDR-Bürger sollen einfach das Bonner Grundgesetz und alle anderen Ordnungsformen der BRD übernehmen und nicht einen Augenblick darüber nachdenken, ob denn die heutige Verfassung und Verfassungswirklichkeit tatsächlich das Nonplusultra aller möglichen Gesellschaftszustände ist; sie sollen keinen Augenblick prüfen, ob es nicht diese oder jene Erfahung ihres eigenen Lebens in 40 Jahren DDR gibt, besonders der letzten Monate des revolutionären demokratischen Umbruchs, die es wert wäre, mit hinübergebracht zu werden in ein neues einheitliches Deutschland. [...] Darum kann es nur nach Artikel 146 gehen, d. h., um die Ausarbeitung einer neuen Verfassung für eine deutsche Republik [...].[33]

---

31 Ebd., S. 43.
32 Ebd., S. 75f.; Hervorhebung im Original.
33 Ebd., S. 172.

Vom Ergebnis der Volkskammerwahlen am 18. März zeigt er sich überrascht. Am Tag danach stellt er jedoch fest:

Gesiegt haben wohl mehr die CDU und CSU, also das Kapital, das Geld. Die Leute wollen schnell und ohne Umwege die D-Mark, sie wollen die vollen Schaufenster, und die versprechen sie sich von der CDU, von der Bundesregierung, von Kohl.
D-Mark, D-Mark über alles![34]

Seine ohnehin stark ausgeprägte Distanz zur Bundesrepublik Deutschland nimmt weiter zu; am 4. April 1990 warnt er vor den „Folgen der Währungs- und Wirtschaftsunion nach Bonner Muster":

Entgegen aller ökonomischen und sozialen Vernunft, entgegen den Ratschlägen vieler Wirtschafts- und Finanzexperten, entgegen den Forderungen der Gewerkschaften in beiden deutschen Staaten hat sich die Bonner Regierung aus machtpolitischen Gründen vorgenommen, nicht eine allmähliche Reform und Anpassung der DDR-Wirtschaft an marktwirtschaftliche Verhältnisse mit einer stufenweisen Regulierung auch der Währungsverhältnisse abzuwarten, sondern der DDR auf einen Schlag die D-Mark und mit ihr die entscheidenden marktwirtschaftlichen Regelungen der BRD überzustülpen.
Der Tag X, an dem die D-Mark in der DDR eingeführt werden soll, steht vor der Tür. An diesem Tage ist die Souveränität der DDR und ihrer Regierung weitgehend dahin, die wirtschaftliche, soziale und politische Lage in der Noch-DDR wird sich radikal wandeln. Die plötzliche Währungs- und Wirtschaftsunion wird tiefgreifende, ja katastrophale wirtschaftliche und soziale Folgen haben. Darauf müssen sich alle, vor allem die Gewerkschaften, einstellen.
[...]
Was wird passieren? Unmittelbar nach dem Tag X der Währungsunion wird der Markt von guten und wohlfeilen Waren der BRD-Betriebe und des Weltmarktes überschwemmt werden. Dem können die Produkte vieler DDR-Betriebe nicht nur aus Preisgründen, bedingt durch Produktivitäts- und Effektivitätsrückstände, sondern mehrheitlich auch qualitativ und auf Grund der Käuferpsychologie nicht standhalten. Viele Betriebe werden ihre Produkte nicht mehr los werden. Beispiele dafür gibt es bereits jetzt. Konkurse sind also angesagt. Arbeitslosigkeit ist die Folge.[35]

Kallabis' Einschätzungen sollten sich als richtig erweisen. Seine Aufzeichnungen enden mit den Einträgen vom 8. Mai 1990 eher resignativ:

Die Agonie des alten Systems ist zu Ende, die Restauration läuft auf vollen Touren. [...]
Mit dem bevorstehenden Staatsvertrag und den Ergebnissen der ersten 2-plus-4-Beratung der Außenminister, die die staatliche Vereinigung der Deutschen in Form und Tempo zur Sache der Deutschen selbst erklärten und von dem Problem der außenpolitischen Einordnung des geeinten Deutschlands abkoppelten, ist der Weg endgültig frei für die volle Restauration der bürgerlich-kapi-

---

[34] Ebd., S. 183.
[35] Ebd., S. 199-201.

talistischen Verhältnisse auf dem Gebiet der bisherigen DDR. Und das wird schneller geschehen als [sic] manche sich das heute noch vorstellen. [...]
Nach dem April 1985 mußte dieser Isolierungsversuch [der DDR dem Westen gegenüber durch den Mauerbau; F.Th.G.] auch nach Osten hin fortgesetzt werden. Das System des „realen Sozialismus" zeigte seine Reformunfähigkeit.
Im Herbst 1989 war es dann soweit.
Die Agonie des Systems begann.
Mit dem Staatsstreich vom 9. Novermber wurde die Tür zu einer demokratischen, sozialistischen Alternative endgültig geschlossen. Es zeigte sich, daß die Masse des Volkes keine sozialistische Alternative, keine neuen sozialistischen Experimente mehr wollte.
Die „Revolution" gegen die Machtstrukturen des „realen Sozialismus" ging in die Restauration der bürgerlich-kapitalistischen Verhältnisse über. Jetzt haben sich die Hoffnungen vieler aus der Zeit vom Oktober 1989 endgültig zerschlagen. Der Restaurationsprozeß ist in vollem Gange.
Dieser Prozeß ist nicht mehr aufzuhalten. Für ihn gibt es keine reale, praktisch-machbare Alternative. Auch keinen dritten Weg. Mag dies bitter sein, aber die Wirklichkeit ist halt so.
Wir müssen uns auf diese Wirklichkeit einstellen und ihre Bedingungen als Ausgangspunkt für das Bemühen um eine humanistische, demokratische und sozial gerechte Gesellschaft akzeptieren.
Man darf nicht aufgeben, für eine solche Gesellschaft zu kämpfen.[36]

2.3 Steffie Spira-Ruschin: *Rote Fahne mit Trauerflor* (1990)

Die Aufzeichnungen von Kallabis zeigen einmal mehr, wie herb Hoffungen auf eine Reformierbarkeit der DDR enttäuscht wurden; betrachtet man die veröffentlichten Tagebücher und Tagebuchauszüge der meisten Ostdeutschen, so dominiert ein melancholischer Ton. In den ebenfalls 1990 erschienenen „Tagebuch-Notizen" der Schauspielerin Steffie Spira-Ruschin (1908-1995) wird dies bereits im Titel deutlich: Der Band *Rote Fahne mit Trauerflor* (1990) enthält neben den Tagebuchfragmenten von 1954 bis 1971 und aufgezeichneten Gesprächen ein Kapitel (das zugleich dem Buch den Titel gab) mit Spiras Aufzeichnungen aus den Jahren 1988 bis 1990. Spira reflektiert viele Ereignisse erst in der Rückschau. An den Tagen selbst oder einige Tage nach ‚großen Ereignissen' finden sich häufig nur knappe Bemerkungen. Am 10. Oktober 1989, drei Tage nach dem 40. Jahrestag der DDR-Gründung, schreibt sie etwa: „Der 40. Jahrestag ist vergangen. Hoffen wir, daß der 50. besser ausfällt."[37] Die Massenflucht und die offiziellen Verlautbarungen dazu nimmt sie mit Bestürzung zur Kenntnis, denn

35.000 Menschen, groß und klein, haben uns verlassen. Ihre Schuld? Unsere Schuld! auch [sic] wenn Honecker ihnen „keine Träne" nachweint.
Das habe ich begriffen. Schon am 6. und 7. Oktober, dem 40. Jahrestag der DDR,

---

[36] Ebd., S. 251-253.
[37] Steffie Spira: *Rote Fahne mit Trauerflor. Tagebuch-Notizen.* Freiburg i.B. 1990, S. 103.

habe ich aus meinem Küchenfenster, das zur Straße geht, meine rote Fahne mit langem Trauerflor aus dem 7. Stock herausgehangen.[38]

Am 27. Oktober 1989, einige Tage nach dem Amtsantritt von Egon Krenz, äußert sie sich eher skeptisch:

Krenz sprach bei der Antrittsrede von „Wende". Nachdem er gerade von einer Reise aus Peking zum 40. Jahrestag zurückgekommen war. Dort hatte er das „weise Eingreifen" der chinesischen Partei gegen die Studenten gelobt. Soll man da an eine wirkliche „Wende" glauben? Ich bin skeptisch."[39]

Folgerichtig zieht sie den Begriff „Aufbruch"[40] vor.
Rote Fahne mit Trauerflor enthält auch Spiras kurze Rede auf dem Alexanderplatz vom 4. November 1989, in der sie vorschlägt, aus Wandlitz ein Altersheim zu machen.[41] Die Schauspielerin bekennt:

Ich gebe selber zu, daß ich von dem Ausmaß, mit dem in der DDR die Menschen wirklich in einer gräßlichen Weise an ihrem eigenen Sein gehindert wurden, nicht nur geistig, sondern auch körperlich, ganz real, daß ich davon wenig gewußt habe. Mir ist kein einziger Fall bekannt geworden, außer dem von Walter Janka - später oder noch während -, aber ich habe nicht gewußt, was und wieviel ihm alles angetan wurde [...].[42]

Hier mag die späte Einsicht einer in der DDR Privilegierten liegen. Spiras Bekenntnis ist aber zugleich ein Beleg für die Distanz zwischen dem Volk und eben diesen Privilegierten. Am Kommunismus hält sie jedoch weiterhin fest, denn

[n]ur so ungeduldige Menschen wie ich verstehen nicht, wie man auf so brutale Weise die Welt zurückdrehen kann, unsere Welt, unsere kleine Welt zurückdrehen auf die armselige Welt des kapitalistischen Lebens, auf die Seite des Habens.[43]

2.4 Tagebücher aus westdeutscher Perspektive – Theodor Schübel: *Vom Ufer der Saale* (1992); Margarete Hannsmann: *Tagebuch meines Alterns* (1991); Rainer B. Jogschies: *Ist das noch mein Land?* (1994)

Theodor Schübels „Journal vom 10. November 1989 bis zum 3. Oktober 1990" ist eines der wenigen veröffentlichten Tagebuchzeugnisse aus Westdeutschland. Seine Aufzeichnungen setzen später ein, enden aber auch später als die von Tetzner und Kallabis. Der anders gewählte Zeitraum führt zwangsläufig zur Verlagerung des Akzents von der ‚Wende' zur ‚Einheit'. Bei Schübel finden sich weniger detaillierte Reflexionen des Geschehens - seine Perspektive ist somit die des in mehrerlei Hinsicht distanzierten Beobachters. Bei keinem anderen Autor finden sich ausführ-

---

[38] Ebd., S. 104.
[39] Ebd., S. 106.
[40] Ebd.
[41] Vgl. Ebd., S. 107.
[42] Ebd., S. 133.
[43] Ebd., S. 140.

lichere Schilderungen der Grenzöffnung und des Verhaltens der das Zonenrandgebiet geradezu überflutenden DDR-Bürger. Häufig hält der Verfasser Gespräche fest, die er offenbar in großer Zahl geführt hat. So notiert er am 11. November 1989:

> Besucher aus Jena erzählen, sie hätten für die hundert Kilometer Autobahn bis Hof zehn Stunden gebraucht; wer aus Leipzig kommt, sei noch zwei oder drei Stunden länger unterwegs gewesen. Die Fahrzeuge stauen sich auf der Autobahn bis zu sechzig Kilometer, berichtet eine junge Frau aus Weimar. Ihre beiden Kinder haben vor Übermüdung gerötete Augen. Alle wußten, wie verstopft die Straßen sind, doch sie hielt es nicht zu Hause, sie wollten dabeisein. Wer nicht schon in der Nacht, sondern erst am Morgen losgefahren ist, kam erst am späten Nachmittag über die Grenze. Die Grenzsoldaten am Kontrollpunkt Hirschberg haben vor diesem Ansturm längst kapituliert. Sie sitzen stumm in ihren Kontrollhäusern, wollen keine Pässe sehen, fordern die Fahrzeuge mit einem Wink zum Weiterfahren auf.
> An manchen Haustüren in Hof hängt ein Zettel: „Liebe Gäste aus der DDR! Läuten Sie bitte, wenn Sie bei uns Kaffee trinken wollen." Auf den Straßen werden heißer Tee und Glühwein ausgeschenkt.[44]

Am selben Tag trifft Schübel eine Krankenschwester aus Dresden, die

> berichtet, daß in einem Bezirkskrankenhaus vier von sechs chirurgischen Stationen haben geschlossen werden müssen. Ähnliches höre ich aus Leipzig. Dort seien in den Krankenhäusern Ärzte und Schwestern beschworen worden, die Kranken nicht im Stich zu lassen. Bei jedem Schichtwechsel werde ängstlich geprüft, ob jemand fehlt, und immer wieder fehle jemand.[45]

Am 17. Dezember hält er fest: „Die Züge aus der DDR sind bis zu 300 Prozent überbelegt, sie dürfen teilweise nur mit 40 Stundenkilometer [sic] fahren. Als Ursache des Andrangs gilt ein in der DDR verbreitetes Gerücht, daß ab Freitag kein Begrüßungsgeld mehr gezahlt würde."[46] Ähnlich wie Kallabis analysiert auch Schübel den Ausgang der Volkskammerwahl; am Abend des 18. März 1990 gibt er zu: „Wir richteten uns auf einen langen Wahlabend ein, doch schon um sieben Uhr stand der Gewinner fest, um acht war das Rennen gelaufen."[47] Am Tag danach folgt eine ausführlichere Bilanz:

> Zur Wahl der Volkskammer: Die Entscheidung ist eindeutig. Wer es bislang nicht glauben oder wahrhaben wollte, hat es jetzt schriftlich: Vermutlich wird es schon bald zu einer Vereinigung der beiden deutschen Staaten kommen. Vorüber die Zeit, da unsere Politiker wie Gunther in der ‚Götterdämmerung‘ fragen konnten: „Sitz ich selig am Rhein?"
> Gestern abend traten im Fernsehen vom Wahlausgang enttäuschte Leute auf, die sich nicht scheuten, die Wähler zu beschimpfen und zu verunglimpfen. Warfen ihnen Gedankenlosigkeit, Unverstand und „materielles Denken" vor. Ein sonderbares Verständnis von Demokratie: Wenn sich die Mehrheit nicht im

---

[44] Theodor Schübel: *Vom Ufer der Saale. Geschichten aus der Zwischenzeit. Ein Journal vom 10. November 1989 bis zum 3. Oktober 1990.* Berlin 1992, S. 7f.
[45] Ebd., S. 9.
[46] Ebd., S. 44.
[47] Ebd., S. 131.

gewünschten Sinn entscheidet, so ist das der Beweis, daß das Volk unwissend, also noch nicht reif für die Demokratie ist.[48]

Hier wird die von Schübel konsequent durchgehaltene Distanz deutlich, denn gerade an den Reaktionen auf den Ausgang der Volkskammerwahlen zeigt sich die Enttäuschung vieler Schriftsteller und Intellektueller, die sich gegen das Verhalten der Bürgerinnen und Bürger im eigenen Land richtet.[49]

Anlässlich des Inkrafttretens der Wirtschafts-, Währungs- und Sozialunion am 1. Juli 1990 bemerkt Schübel mit subtilem Humor:

> Von heute an gibt es in Deutschland nur noch eine Währung. Auch die in der DDR stationierten sowjetischen Soldaten erhalten fortan ihren Sold in D-Mark. Das Losungswort der evangelischen Christen für diesen Sonntag: „Der Herr macht arm und macht reich."[50]

Auch die 1921 geborene Schauspielerin und Schriftstellerin Margarete Hannsmann schreibt aus westdeutscher Perspektive. Im *Tagebuch meines Alterns* (1991) veröffentlichte die damals beinahe Siebzigjährige ihre Tagebucheinträge zwischen dem 1. Januar 1989 und dem Neujahrstag 1990. Über ihre Schreibmotivation erklärt sie:

> Es ist keine Lust. Kaum ein Trieb. Eher schon Angst. Ja doch, die Angst vor dem Sumpf des „Nicht-mehr" treibt mich, aus Wörtern Balken zu machen, an die allein ich mich klammern kann. Tagebuch als Überlebenstraining. Angsttriebe von sterbenden Pflanzen. Schreiben gegen die würgende Einsamkeit, gegen die zunehmende Sinnentleerung, gegen den Tod, der meinen Lebensraum schon fast ganz besetzt hat.[51]

Bei Hannsmann steht damit ebenfalls der selbsttherapeutische Aspekt des Schreibens im Vordergrund. Ihre Distanz ist noch größer als die Schübels; die Wendeereignisse verfolgt sie ausschließlich im Fernsehen. Dabei wehrt sie sich zunächst gegen die Entwicklungen in der DDR. So notiert sie am 24. Oktober:

> In Leipzig gehen 300 000 Menschen auf die Straße. Steht in der Zeitung. Für Reformen. Für freie Wahlen. Und daß sie einen Nachfolger für Honecker haben. Egon Krenz. Staatsratsvorsitzender. Ich verbiete mir Fernsehen. Ich laß mich nicht ein. Ich fang nicht mehr an. Nicht noch einmal Deutschland. Nein. Nein![52]

Am 11. November schildert sie den Fall der Berliner Mauer:

> Den Rest der Nacht verbrachte ich vor dem Fernseher: Seid umschlungen, Millionen / So ein Tag, so wunderschön wie heute, Gesichter, Gesichter, junge,

---

[48] Ebd.

[49] Zahlreiche Spontanreaktionen sind dokumentiert; Jurek Becker etwa schreibt am 19. März 1990 an Manfred Krugs Frau Ottilie: „Unvergleichliche Ottilie, / Chicago ist ein böser kalter Wind, gegen / den Du Dich den ganzen Tag zu den / Sehenswürdigkeiten durchkämpfen / mußt. Die Augen tränen Dir, Du bist / viel zu dünn angezogen, doch Du / hältst durch bis zur Grenze der / Lungenentzündung. Dann kommt / Du halb erfroren ins Hotelzim- / mer, machst den Fernseher an / und hörst die Wahlergebnisse / aus der DDR, und die geben Dir / den Rest. / Dein fix und fertiger Jurek" (Jurek Becker: USA, 19.3.1990. In: *Jurek Beckers Neuigkeiten an Manfred Krug & Otti*. München 1999, S. 152 [zuerst Düsseldorf/München 1997]).

[50] Ebd., S. 186.

[51] Margarete Hannsmann: *Tagebuch meines Alterns*. München 1991, S. 7.

[52] Ebd., S. 264.

alte, Männer, Frauen, vom Lachen ins Weinen umkippende Gesichter, Fernsehen: woran immer es uns teilnehmen ließ, niemals zuvor riß es Millionen so in den Strudel. Menschen sagten ins Mikrofon: Ich bin heute früh in Dresden, in München, in Paris, in Amsterdam weggefahren, um dabeizusein. Leibhaftig. Wörterohnmacht. Vor einem halben Jahr kein Augenblick davon träumbar. Ich möchte jetzt endlich schreien. Keinen gibt es mehr, der mein Glück, Trauer, Angst, Hilflosigkeit teilt, der mir antworten, der mich schütteln könnte: Mädchen, altes, Geschichte, wach auf, schrei ruhig über das, was passiert, nimm es getrost in die Arme heut nacht, Vaterland, Mutterland, das gerühmte, das verhöhnte, mißbrauchte, verdrängte, abgenutzte Wort Volk. Unser Liebeswort. Unser Haßwort. Menschen in Leipzig, Dresden, Ostberlin haben es gereinigt: Wir sind das Volk, und Europa paßt auf, daß alles gut geht dieses Mal.[53]

In die Freude über und Bewunderung für diese Ereignisse mischen sich sogleich erste Zweifel:

Würden meine Toten so mit mir reden?
Oder würden sie sagen: erinnere dich. Du hast nicht „die Gnade der späten Geburt". Keine Ausrede Deutschland. Erzähltest du nicht von einem 9. November, als du in München am Straßenrand standst, mit erhobenem Arm, eingekeilt in dein Volk, während Hitler und seine Paladine in breiten Reihen vorüberzogen auf ihrem alljährlichen stummen Marsch zur Feldherrenhalle, morgens um elf, den Blutzeugen der Partei zum Gedächtnis? Hast du vergessen: es war jener 9. November 1938? Während du ahnungslos mit dem Fahrrad nach Hause fuhrst, brannten die Synagogen. Wurden deutsche Juden erschlagen und weggeschleppt. Nicht im Verborgenen. Mitten im Volk. In deinem Volk, das diese Nacht erhob zur Reichskristallnacht.[54]

Am 22. Dezember berichtet sie von der Öffnung des Brandenburger Tors:

Das Brandenburger Tor in Berlin wird aufgemacht. Unser Kanzler schreitet hindurch inmitten seiner Deutschen. Der Regierungschef der DDR ist auch dabei. Ja, ich begreife die historische Stunde: Deutschland soll wieder vereinigt werden dürfen. Müssen. Aber nicht so. Doch nicht so.[55]

Wie die gesamten Wendeereignisse, erlebt Hannsmann auch die Silvesterfeierlichkeiten 1989 via Fernseher:

Wir einigten uns, das Fernsehgerät trotz aller Vorbehalte nicht auszuknipsen, um diese Nacht an der Mauer mitzuerleben, die Schaltungen zwischen dem Tingeltangel im Nobelhotel und den unübersehbaren Menschenmassen, die sich da durch die Mauer ergossen und über die Mauer, hinüber, herüber, um Berlins größtes Silvesterfest aller Zeiten zu feiern. Nachtkulisse, Scheinwerfer, Feuerwerk, Millionen sind unterwegs in der Stadt und zwischen der Ostsee, dem Frankenwald, westwärts.[56]

---

[53] Ebd., S. 279.
[54] Ebd., S. 279f.
[55] Ebd., S. 330.
[56] Ebd., S. 346.

Noch lange vor der Vereinigung ‚verabschiedet‘ sie das „DDR-Volk“:

Adieu, DDR-Volk, das sich selbst befreite von der Diktatur des Proletariats, die von diktierenden Machthabern ausgeübt wurde. Trotzdem mußt du bald wieder regiert werden. Ein halbes Leben lang brauchte ich, einzusehen, daß nichts ohne Gesetze geht. Dann mußte ich auch noch begreifen lernen: jedem Gesetz wohnt von vornherein der Mißbrauch inne. Adieu, meine Freunde, Schriftsteller, Maler, Musiker, Schauspieler, ihr Atheisten, Christen, Juden, Sozialisten, Kommunisten, Anarchisten, macht weiter, wie ihr könnt. Wie ihr müßt. Ich muß nicht mehr. Vierzig Jahre Geschichte, mein Leben, werden in dieser Nacht auf den Müll gekippt. Millionen Wegwerfleben. Nichts als eine Schande diese sogenannte Deutsche Demokratische Republik. Schande dem, der sie erhalten will. Der nicht einstimmt: „Einig Vaterland“ ... „in Gefahren / deine Söhne sich ...“ Aus vieltausend Kehlen klang es zu Hitlers Tribüne empor. Keiner wird dieses Beben vergessen, der ein Teil davon war, der es entfesselte mit einer Inbrunst ohnegleichen 1939 – keine Sorge, ihr Lieben, wir alle, die sangen, damals, sind in Bälde tot. [...] Das verbogene Rückgrat der Ostkinder wird von den Westhebammen seit einer Weile passend zurechtgebogen. Prokrustesbett. Adieu DDR. Machs gut.[57]

Abschließend sei auf die Tagebuchaufzeichnungen von Rainer B. Jogschies (*1954) hingewiesen. Diese fallen in zeitlicher Hinsicht aus dem Rahmen, denn sie stammen nicht aus der unmittelbaren Wendezeit, sondern reflektieren die Ereignisse Jahre später, in der Zeit vom 17. Juni 1993 bis zum 17. Juni 1994 – dem früheren bundesdeutschen ‚Nationalfeiertag‘ also. Die Stimmung hat sich deutlich ins Negative verschoben, was bereits zu Beginn des Buches deutlich wird. Am 17. Juni 1993 schreibt Jogschies:

Heut war wieder der „Tag der deutschen Einheit“. Es ist allerdings kein Feiertag mehr, seit wir die deutsche „Einheit“ alle Tage haben. Darüber trauern die meisten Deutschen – im Westen jedenfalls – mehr als vorher über die Opfer des „Volksaufstandes“ vom 17. Juni 1953.[58]

Folgerichtig stellt er am 3. Oktober 1993 fest:

Tag der deutschen Einheit. Der zweite in diesem Jahr nach dem 17. Juni. Für den gibt es noch nicht die eingefleischte Gewohnheit, ihn mit Picknicken und Verwandtenbesuchen zu überbrücken. Es ist ja auch erst das dritte Mal. Aber den Festtagsansprachen hört schon keiner mehr zu.[59]

Am 9. Oktober 1993 erinnert der Verfasser an die Leipziger Montagsdemonstration vier Jahre zuvor. Resigniert muss er erkennen:

In Leipzig wird müde an die erste Montagsdemonstration vor vier Jahren erinnert, als erstmals siebzigtausend Menschen auf die Straße gingen und „Wir sind *das* Volk“ riefen. Aber die längst in „Wir sind *ein* Volk“ geänderte Parole klingt schwach, nicht nur, weil nur wenige Demonstranten rufen.[60]

---

57 Ebd., S. 347f.
58 Rainer B. Jogschies: *Ist das noch mein Land? Ein deutsches Tagebuch*. Hamburg 1994, S. 7.
59 Ebd., S. 89.
60 Ebd., S. 95; Hervorhebungen im Original.

Vor den Zuständen im vereinigten Deutschland fürchtet sich Jogschies. Immer wieder betont er die Gefahr durch Neonazis und fragt sich am Ende seines Tagebuches:

Ist das noch mein Land?
Ich habe Angst vor einem Deutschland, das sich nicht mehr schämt, für nichts, für niemand, sondern selbstgerecht durch die Welt poltert wie seine gefräßigen und geschwätzigen Führer, all die selbstgerechten Außersichnichtse. [...] Allenfalls die Deutschen können sich derzeit übernehmen in ihrem gleichzeitigen Selbstmitleid und der Selbstüberheblichkeit, in ihrem Augenverschließen vor der Wirklichkeit, in der ihnen wieder Vergangenes als Rezept für die Gegenwart angemessen scheint.
Es ist der alltäglich gewordene Faschismus, der sich mit „Witzen", Wörtern, Brandsätzen und einer autistischen Weltsicht inzwischen durch alle Lebensbereiche zieht und selbst in den von Parteien nicht vollends kontrollierten Medien totaler funktioniert als in Orwells Schreckensvisionen. Vor allem mit so nettem Antlitz. Da brüllt nicht der Televisor ins Wohnzimmer, man solle gefälligst den Rumpf ordentlich beugen beim Frühsport, sondern die Sendeanstalten bringen hüpfende Mädchen vor Südseekulisse zu treibender Pop-Musik, Aerobic statt „Ertüchtigung", dieses wundersame deutsche Wort.[61]

Die vorgestellten Tagebücher belegen, wie unterschiedlich Akzente durch die Auswahl des Zeitraums sowie der festgehaltenen und kommentierten Ereignisse gesetzt werden können; an den Textauszügen zeigt sich zudem deutlich, wie stark die jeweiligen Verfasser – insbesondere hinsichtlich ihres politischen Standpunktes – wertend in den Texte präsent sind. Von den historischen Ereignissen unmittelbar Betroffene, in der Regel sind es Ostdeutsche, haben zwangsläufig eine andere Sicht auf die Dinge als Westdeutsche, bei denen die Beobachterrolle dominiert. Zwar handelt es sich bei den Tagebüchern in erster Linie um subjektive Zeugnisse; die Aufzeichnungen der einzelnen Verfasser dürften aber wesentliche Quellen vor allem für Soziologen und Historiker darstellen.

2.5 Ein literarisches Tagebuch – Thomas Rosenlöcher: *Die verkauften Pflastersteine* (1990)

Das bedeutendste Tagebuch eines Schriftstellers ist Thomas Rosenlöchers „Dresdener Tagebuch" *Die verkauften Pflastersteine*. Auszüge wurden bereits 1989 von der Dresdner Tageszeitung *Die Union* an Stelle des Fortsetzungsromans gedruckt, später erschienen einige Blätter in *Schöne Aussichten* (1990)[62] und in *Die sanfte Revolution* (1990).[63] Der vollständige Text wurde 1990 bei Suhrkamp veröffentlicht.

---

[61] Ebd., S. 383f.
[62] Thomas Rosenlöcher: Dresdner Tagebuch – Achter September bis zehnter Oktober. In: *Schöne Aussichten. Neue Prosa aus der DDR.* Hrsg. von Christian Döring und Hajo Steinert. Frankfurt a.M. 1990, S. 311-325.
[63] Ders.: Dresdner Tagebuch. In: *Die sanfte Revolution. Prosa, Lyrik, Protokolle, Erlebnisberichte, Reden.* Hrsg. von Stefan Heym und Werner Heiduczek. Mitarbeit: Ingrid Czechowski. Leipzig/Weimar 1990, S. 183-199.

Das *Dresdener Tagebuch* umfasst Rosenlöchers persönliche Aufzeichnungen aus der Zeit zwischen dem 8. September 1989 und dem 19. März 1990; im Zentrum stehen damit die Ereignisse zwischen den immer wichtiger werdenden Massenprotesten und den Volkskammerwahlen. Der Autor bekundet die Absicht, alles erst aufzuschreiben, „wenn es einigermaßen verbürgt ist.“[64] Über das Genre ‚Tagebuch‘ und die damit verbundenen Einschränkungen äußert er:

> Solche Unbestimmtheiten das Eigentliche des Erlebens, unaussprechbar. Hier eben der Irrtum aller Tagebuchschreiberei. Das Tagebuch reiht Fakten, je nachdem wie das Leben so spielt und behauptet damit, daß das Leben so spiele. Das ist vorsätzliche Täuschung. Alle Schriftstellerei vergröbert auf geradezu kriminelle Weise, aber das Gedicht behauptet wenigstens nicht gleich, das Leben selbst zu sein.[65]

Für den Dresdner Lyriker war die ‚Wende‘ entscheidender Auslöser für das Führen des Tagebuchs; auf die Frage, wie er dazu gekommen sei Tagebücher zu schreiben, antwortete Rosenlöcher auf einer Lesung: „Weil ich ni glei wußte, was ich noch schreim sollte, vor Schreck [...].“[66] Der zunächst ungewöhnlich scheinende Buchtitel bezieht sich auf einen von Rosenlöcher im Dezember 1989 geschriebenen gleichnamigen Artikel, in dem er den Verkauf der Pflastersteine der Pirnaer Landstraße beschreibt, die zwecks Beschaffung von Devisen nach Westdeutschland exportiert wurden. Der Volksmund reimte daraufhin: „Ach wäre ich ein Pflasterstein, / Ich könnte längst im Westen sein.“[67]

Auf die Öffnung der Grenzen reagiert Rosenlöcher zunächst mit uneingeschränkter Euphorie; am 10. November notiert er: „Die Grenzen sind offen! Liebes Tagebuch, mir fehlen die Worte. Mir fehlen wirklich die Worte. Mit tränennassen Augen in der Küche auf und ab gehen und keine Zwiebel zur Hand haben, auf die der plötzliche Tränenfluß zu schieben wäre.“[68] Doch immer wieder hält Rosenlöcher inne und reflektiert seine eigene Rolle zur Zeit der ‚Wende‘ und davor. Er bekennt, keineswegs immer systemkritisch gehandelt zu haben.[69] Als Grund hierfür nennt er unter anderem seine „verteufelte sächsische Höflichkeit“[70], an anderer Stelle betont er sein „Harmoniebedürfnis“.[71] Deshalb kostet es ihn bisweilen auch einige Überwindung, sich an Demonstrationen zu beteiligen: „Ich rufe gegen die Barrieren in mir an. Meine Ängstlichkeit, mein Duckmäusertum“.[72] Früher als viele andere stellt er die Frage nach Schuld und Verantwortung:

---

64 Ders.: *Die verkauften Pflastersteine. Dresdener Tagebuch*. Frankfurt a.M. 1990, S. 25.
65 Ebd., S. 35.
66 Matthias Biskupek: Familiendichter Rosenlöcher. Warum ein Dichter Tagebücher schreibt. In: *Wochenpost* v. 26.3.1992.
67 Thomas Rosenlöcher: *Die verkauften Pflastersteine. Dresdener Tagebuch*. Frankfurt a.M. 1990, S. 71f. Eine weitere literarische Verarbeitung dieser Geschichte findet sich übrigens in Wolfgang Hegewalds Roman *Ein obskures Nest*: vgl. Wolfgang Hegewald (*1952): *Ein obskures Nest. Roman*. Leipzig 1997, S. 154.
68 Ebd., S. 45.
69 Vgl. etwa die Eintragungen vom 12.9.1989 (Ebd., S. 13) und vom 5.12.1989 (Ebd., S. 69). Am 19.9. beobachtet er seinen Sohn beim Erledigen der Hausaufgaben: „‚Begründe die Notwendigkeit eines immer stärkeren sozialistischen Staates‘ – Moritz macht Schularbeiten. Schreibt seine Lügen rasch hin, ‚nur ehm ma‘, aber so fängt es an und so geht es weiter, und dann bist du vierzig und hast es schon zur Hälfte verpaßt, einmal in deinem Leben geradegestanden zu haben.“ (Ebd., S. 16)
70 Ebd., S. 13.
71 Ebd., S. 33.
72 Ebd., S. 42.

Alles auf das System oder die Funktionäre zu schieben, entläßt den einzelnen, mich, aus der Schuld, der sich keiner entziehen kann, und schon gar nicht durch das Davonlaufen nach drüben. Immerhin war es doch eine verhältnismäßig geringe Dosis an Zwang, die zu dieser Zwangsgesellschaft geführt hat. Manchmal war es aber auch der pure Irrtum: so hielt ich Idiot die Enteignungen in der Kleinindustrie Anfang der siebziger Jahre für ökonomisch sinnvoll! [...] Andere Formen der Mitläuferei: Kritisches Denken, das gerade in der Art des sich kritisch Äußerns gegenüber dem Gesprächspartner Übereinstimmung signalisiert, ein Für-den-Sozialismus-Sein, das sich nicht vollständig vom Stalinismus abzusetzen wußte.[73]

Als er im November 1989 in den Westen reist, bemerkt er an sich einen „Kaufhaus-ekel". In diesem Zusammenhang stellt er fest: „Das Hochgefühl, das Westgeld verleiht, übersteigt noch die Anziehungskraft der Dinge."[74] Der westdeutschen Gesellschaft gegenüber verhält er sich skeptisch, im Straßenbild erkennt er

[e]in allgemein freimütigeres Dreinschaun und lässigeres Gehn. Vielleicht spielt da auch Kosmetik und Gutangezogensein eine Rolle, ja überhaupt ein gewisser, systembedingter Zug zu positiver Selbstdarstellung. Andererseits aber zwingt die hier viel stärkere Fixierung auf den rasch verbrauchten und immer wieder neu angelieferten Augenblick, wenigstens diesen Augenblick einigermaßen zu leben. Freilich geht damit der hiesige Augenblicksmensch ziemlich nahtlos in sein System ein, das er schon von daher das freiheitliche zu nennen pflegt.[75]

Die Bundesrepublik und ihre Bewohner sieht Rosenlöcher zunächst vergleichsweise undifferenziert, er spricht von „Schicki-Micki-Land"[76], hinter der Grenze erblickt er „die ersten Sauberkeitsdörfer".[77] Den über die DDR hereinbrechenden Westen, der sich vor allem durch Geld und eine unbekannte Warenwelt auszeichnet, sieht er äußerst kritisch: „Das bißchen DDR-Selbstwertgefühl: Bankrott gegangen mit den Bankrotteuren und aufgesogen vom Glanz der Kaufhäuser."[78] Manche nun erhältlichen Produkte sind ihm völlig fremd. So notiert er am 6. März: „Am Obststand eiförmige Früchte, sogenannte Kiwis, 1,80 M das Stück."[79]

Sehr genau beobachtet Rosenlöcher die Auftritte westdeutscher Politiker im Osten, insbesondere die des damaligen Bundeskanzlers Helmut Kohl. Vor den Volkskammerwahlen hält er fest – die Verhältnisse ironisch darstellend:

Der Wahlkampf äußert sich im fortwährenden Ankleben, Überkleben und wieder Abreißen von Plakaten. Plakatsieger bleibt die Allianz. Wer sie wählt, glaubt mit den Roten am ehesten nie etwas zu tun gehabt zu haben. Selbst die umliegenden Ehemalsgenossen lassen sich Allianz-versichern. Die Wahl als Akt kollektiver Selbstreinigung. Das Glanzpapier auf den grauen, bröckelnden Häuserwänden erscheint als vorweggenommene Einlösung aller Versprechen.[80]

---

73 Ebd., S. 16f.
74 Ebd., S. 56.
75 Ebd., S. 59.
76 Ebd., S. 15.
77 Ebd., S. 51.
78 Ebd., S. 77.
79 Ebd., S. 98.
80 Ebd., S. 98f.

Schon bald scheinen die Ideale der friedlichen Revolution nicht mehr gefragt:

> Und die kerzentragende Menge? Offenbar kann sich auch eine Masse taktisch verhalten. Angetrieben durch die Ereignisse, waltete in ihr noch einmal die alte Mischung aus Opportunismus und Schläue, indem der Zeitgeist Woche für Woche mehr und doch nur immer gerade das Nächstliegende verlangte. Für die meisten ist diese Revolution ohne Revolutionäre damit gar nicht gescheitert. Sie kommen bei sich selbst an, wenn sie nun wählen werden, was sie eigentlich schon immer wollten, den Westen im Osten, oder, wie ich vor Karlis Bierbude sagen hörte: „Ni mehr minderwertsch sein."
> Nur unsereins [...] reibt sich noch immer die Augen und fragt: War das alles?[81]

Der Autor prophezeit: „Schon bald werden wir Mühe haben, uns die DDR selber zu erklären. An die neuen Verhältnisse angepaßt, werden wir uns fragen, wieso wir uns damals derart anpassen konnten."[82] Eben diese von Rosenlöcher als vorschnell betrachtete Anpassung an den Westen und dessen Verhaltensweissen dürfte einer der Gründe für die Entstehung einer – so noch nicht explizit benannten – ‚Ostalgie' sein; die Vergangenheit wird verklärt:

> Nach außen hin werden wir tun, als ob wir schon immer Westler gewesen wären und nur ein bißchen mehr als nötig zusammenfahren, wenn ein Uniformierter kommt, um unsere Fahrkarten zu kontrollieren. Insgeheim aber werden wir beginnen, das Unerklärliche zu verklären und jede Gelegenheit nutzen, im Kreise der Dabeigewesenen die fachmännischsten Gesichter zu schneiden: „Weißt Du noch, wie wir beim Bäcker anstehn mußten? Fünf Pfennig das Brötchen! Hahahahaha." Schon jetzt beginnt die Erinnerung an einen verregneten Sonntag samt Dorfkonsum und immerwährender Losung: „ARBEITE MIT, PLANE MIT, REGIERE MIT", bei mir ein Gefühl von verlorener Heimat zu erzeugen.[83]

Noch vor dem Ende des Staates DDR entsteht also das, was Michael Rutschky 1995 als „Erfahrungs- und Erzählgemeinschaft" bezeichnen wird.[84] Denn, so Rosenlöcher am 4. März, „[g]erade Mangelerfahrung kann Identität stiften."[85]

2.6 Weitere Tagebuchnotizen von Schriftstellerinnen und Schriftstellern: Hanns Cibulka, Sarah Kirsch, Helga Lippelt, Rolf Schneider, Erwin Strittmatter

Neben Rosenlöchers *Verkauften Pflastersteinen* sind im Bereich der Tagebücher mit literarischem Anspruch die Aufzeichnungen Hanns Cibulkas (*1920) zu nennen. In seinem *Tagebuch einer späten Liebe* (1998) thematisiert er die ‚Wende' selten explizit, ihre Folgen bzw. die der ‚Einheit' sind jedoch stets präsent:

---

81 Ebd., S. 100.
82 Ebd., S. 96.
83 Ebd.; Hervorhebung im Original.
84 Michael Rutschky: Wie erst jetzt die DDR entsteht. Vermischte Erzählungen. In: *Merkur* 49 (1995) 9/10; S. 851-864, S. 856.
85 Thomas Rosenlöcher: *Die verkauften Pflastersteine. Dresdener Tagebuch.* Frankfurt a.M. 1990, S. 96.

Das Arbeitsamt hat Hochkonjunktur, die halbe Stadt scheint auf den Füßen zu sein. Am Domplatz steigen nachts die Kirchenglocken vom Turm, torkeln die Domstufen hinab in die nächste Kneipe. An manchen Tagen wird auf dem Domplatz Theater gespielt, kein Hofmannsthal, kein Jedermann, nein, kleines Welttheater, Geschichten aus dem Thüringer Landtag. Der Mut der Bürger scheint vorbei zu sein, da ist keiner mehr, der sein Zeitalter in die Schranken fordert.

An der Straßenkreuzung Bahnhofstraße/Gagarinring, wo die Deutsche und die Dresdner Bank sich die Hände reichen, stellt keiner mehr eine brennende Kerze ins Fenster.[86]

In seinem ebenfalls tagebuchartig angelegten Text *Am Brückenwehr* (1994) stellt er die Frage: „Ab wann begann die Wende zu changieren?"[87] Eine explizite Antwort gibt Cibulka nicht, er kritisiert aber eine seines Erachtens bereits früh einsetzende Legendenbildung im Hinblick auf die historische Einmaligkeit der Situation: „,Nur einen Wimpernschlag lang war die Vereinigung möglich' werde ich später einmal lesen. Will man dem deutschen Volk von neuem eine Legende mit auf den Weg geben?"[88] Sein Text gerät zur Abrechnung:

> … nur selten war in der deutschen Geschichte das Menschenbild dem Ebenbild Gottes so nahe gewesen wie in den Tagen der Wende, doch die unscharfen Ränder nahmen zu, die ersten Verknotungen wurden sichtbar, der Augenblick war gekommen, in dem sich die Woge überschlug. Einem Land mit sechzehn Millionen wurde über Nacht die Deutsche Mark übergestülpt, schlagartig brach der gesamte Osthandel in sich zusammen, Millionen gingen in die Arbeitslosigkeit, die Menschen waren wie gelähmt. Das Maß lag nicht mehr in den Dingen selbst, viel zu spät dämmerten die Einsichten, die Auslichtungen. Geschichte ist immer auch ein Indiz dafür, was die Politiker versäumt haben.
> Millionen Bürger glaubten noch im Sommer 1990 an die „Wiedervereinigung des Getrennten", an die Möglichkeit, den Weltriß zwischen West und Ost für immer zu schließen, doch die Sieger des kalten Krieges schickten die Besiegten wie eh und je ins Sperrfeuer der Abwicklung, der Verfemung. Was auf die Menschen zukam, war der Übergang in eine andere einseitige Existenz.
> Nach dem Beitritt gingen in den Kirchen die Lichter aus, der Weihrauch der deutschen Einheit verflog, die Straßen und Plätze in Leipzig, Dresden und Magdeburg wurden wieder leer, eine bedrückende Stille brach über die Menschen herein. Eine jahrelange Konföderation auf Zeit wäre notwendig gewesen, um das langsame Hineinwachsen zu gewährleisten, aber jeder Bürger, der in diesen Tagen für eine Konföderation eintrat, wurde wie ein vaterlandsloser Geselle behandelt. Wie oft hatte der Bundeskanzler vor der Wende noch von den Brüdern und Schwestern im Osten gesprochen, heute erinnern wir uns, daß auch Kain und Abel Brüder waren. Wahrhaftig, wir leben in einer gnadenlosen Zeit.[89]

---

[86] Hanns Cibulka: *Tagebuch einer späten Liebe*. Leipzig 1998, S. 80.
[87] Ders.: *Am Brückenwehr. Zwischen Kindheit und Wende*. Leipzig 1994, S. 37.
[88] ., S. 37.
[89] Ebd., S. 52f.

Cibulka ist einer der wenigen Intellektuellen, die auf eine „Ironie der Wende" aufmerksam machen, denn „die Ostdeutschen haben sich einer Gesellschaft angeschlossen, die selbst einer Wende bedarf."[90]

Abschließend sei auf einige Publikationen eingegangen, die keine Tagebücher im engeren Sinne sind, sondern eher Notizen, die ähnliche Funktionen erfüllen, und meist der Selbstvergewisserung dienen. Sarah Kirschs (*1935) Aufzeichnungen beispielsweise haben zum größten Teil Tagebuchcharakter. Zudem ist die Perspektive der von Ost nach West gegangenen Schriftstellerin besonders interessant, da sie beide Seiten aus eigener Erfahrung kennt. Über die ‚Wende' äußert Kirsch sich selten und meist in Form knapper, distanzierter Kommentare. Längere Abschnitte setzen sich indirekt mit der Thematik auseinander; so schildert die Schriftstellerin in *Das simple Leben* (1994) ihre Eindrücke bei der Lektüre von Reiner Kunzes Stasi-Dokumenten:

> Gestern noch die Dokumentatione von Kunzes Stasi-Akten gelesen. Er ist an sie durch verrückte Zufälle gelangt. Die Willfährigkeit der Menschen aber zur Denunziation haut einem die Füße glatt weg. Ohne nachzudenken sagen sie nicht nur ja! sondern ja! gerne. Gottverfluchte verwurmte Seelen. Die Hausbewohner bei Kunze waren sehr eifrig. Dort wo ich wohnte auf der Fischerinsel geschah die Verteilung der Wohnungen gleich durch die Stasi da es sich um einen Neubau gehandelt hat. War ne moderne Methode. Die Idee: auf einen Hasen kommen drei Jäger. Meine Wohnung lag der von Hennigers Sekretärin gleich gegenüber und Henniger war Generalsekretär des Schriftstellerverbandes. Vielleicht gibt es meine Akten ja auch noch daß [sic] ich zu tiefer Einsicht gelange. Ibrahim Böhme jedenfalls hat über Kunze fleißig geradezu [sic] fanatisch berichtet. Und sich bis gestern als Regime-Gegner verstanden. Es kann einer das Gruseln heut lernen.[91]

Ein Ausflug in den Ostteil Berlins lässt sie vorher nicht gekannte Beobachtungen machen:

> Ostberlin ist besonders anstößig zu der Zeit. Unter den Linden wenn man da geht – aller zweihundert Meter ein zu Schrott gefahrenes Auto aufm Mittelstreifen. Man kann auch getrost darauf warten ein solches entstehen zu sehn. In knapper Zeit kam ich auf vier.[92]

Ebenfalls aus der Perspektive der Weggegangenen schreibt Helga Lippelt (*1943), die ursprünglich in Leipzig lebte. Die mit ihrem Weggang verbundenen Umstände und Reflexionen hatte sie in *Good bye* [sic] *Leipzig* (1985)[93] niedergelegt. Nun erlebt sie im Westen die ‚Wende'. In *Der Geschmack der Freiheit* (1991) schildert sie aber auch die Eindrücke eines Besuchs in Leipzig, nachdem sie wieder in die DDR einreisen darf. In diesem Sinne ist das Buch ergänzend zu *Good bye* [sic] *Leipzig* zu lesen. Wie die meisten Autorinnen und Autoren thematisiert auch Lippelt zunächst den Eindruck der Unwirklichkeit der Ereignisse:

---

90 Ebd., S. 89.
91 Sarah Kirsch: *Das simple Leben*. Stuttgart 1994, S. 34f. Später kann Kirsch im Übrigen tatsächlich in ihren eigenen Akten lesen; vgl. Ebd., S. 88-90.
92 Ebd., S. 51.
93 Helga Lippelt: *Good bye* [sic] *Leipzig. Roman*. Düsseldorf 1985.

Die Welt steht kopf in diesem heißen Herbst. Was gestern und die vierzig Jahre davor ehernes Gesetz war, gilt nicht mehr. Man könnte schreien vor Ungläubigkeit, da rennen sie durchs Brandenburger Tor, durch die Mauer hindurch, einfach so in den Westen, ohne Antrag, ohne Stasi, ohne Schüsse. Hat diese Bilder mein Fernseher erfunden – diesen Sony-Japanern ist das zuzutrauen – oder sind sie tatsächlich das Abbild einer Wirklichkeit? Sie demonstrieren, gehen ohne Angst auf die Straße, werden zu Helden, Tausende von Helden, die sich das trauen, was ich mir [sic] nicht traute und was die heutigen Helden sich vor einem Jahr auch nicht trauten.[94]

Wie viele Essayisten, bezieht sie sich auf den Ausruf „Wahnsinn!":

Jeden Tag gibt es neue Umwälzungen. Man könnte nur immer am Fernseher sitzen und Wahnsinn, Wahnsinn schreien. Jeden Tag gibt es Ereignisse, die einen zum Heulen bringen. Und ihr tut so, als wär das schon normal, als wären achtundzwanzig Jahre Mauer nicht gewesen.[95]

Später wagt sie eine Bilanz hinsichtlich ihrer Jahre in der DDR. Dabei kommt sie zu einem zumindest für die eigene Person deprimierenden Ergebnis:

Keiner will mehr etwas davon wissen. Dreißig, vierzig Jahre fallen ins Loch der Geschichte, und doch war es unser Leben, das sich hier abspielte, unsere dreißig Jahre, unsere Jugend, die hier mit ins Loch fällt. Wir waren die Lückenbüßer, die Betrogenen, die man für dumm verkaufte, denen man die Welt vorenthielt, denen Weintrinker Wasser predigten. Oh, sie ist noch da, die Wut über die vertane Zeit, das unwiederbringlich versäumte Leben, die nicht wiedergutzumachenden Schmerzen.[96]

Rolf Schneiders (*1932) in zwei Büchern erschienene Tagebuchnotizen sind aus einer ähnlichen Perspektive verfasst: Nach seinem Ausschluss aus dem Schriftstellerverband der DDR 1979 war Schneider in den Westen gegangen und ist, wie Sarah Kirsch und Helga Lippelt, mit beiden Seiten vertraut. Der Titel des ersten Bandes, *Frühling im Herbst. Notizen vom Untergang der DDR* (1991), zeugt von der positiven Einstellung des Autors zu den Herbstereignissen. Eine eigenständige – entsprechend reformierte – DDR wäre ihm lieber gewesen als die Vereinigung, er wollte stets „die Korrektur des politischen Systems [der DDR; F.Th.G.], nicht dessen Abschaffung."[97] Den Auftakt des die Zeit zwischen Spätsommer 1989 und Spätsommer 1990 umfassenden Bandes bildet eine makabre Geschichte aus dem Sommer 1989:

Eines Mittags im Sommer gingen mehrere Schulkinder des Ost-Berliner Stadtbezirks Lichtenberg über die Straße und hielten jedes im Arm einen Totenkopf. Auf Fragen von Erwachsenen, woher ihr Mitbringsel stamme, wiesen die Kinder hin auf eine Baugrube, wo, bei Erdarbeiten für eine neue Linie der Untergrundbahn, sich unvermutet ein Massengrab aufgetan hatte. Hier waren gegen Ende des Zweiten Weltkriegs Zigeuner getötet und verscharrt worden. Die DDR hatte

---

94 Dies.: *Der Geschmack der Freiheit. Ein Liebesfall*. Halle (S.) 1991, S. 182.
95 Ebd., S. 187.
96 Ebd., S. 193.
97 Rolf Schneider: *Frühling im Herbst. Notizen vom Untergang der DDR*. Göttingen 1991, S. 10.

sich in ihrer antifaschistischen Überzeugung zunächst der von Hitler verfolgten Sozialisten und Kommunisten erinnert, später der verfolgten Juden, Christen, Liberalen, der Widerstandskämpfer vom 20. Juli 1944. Daß auch das Volk der Zigeuner hierunter zu rechnen sei, war in der DDR nirgends zu lesen. Da es sich so verhielt, sammelte man die Totenschädel wieder ein, schaufelte das Massengrab wortlos zu und fuhr mit den Bauarbeiten für die neue Untergrundbahn fort.[98]

Schneider ist damit einer der Ersten, die den in der DDR offiziell nicht existenten Ausländer- und Fremdenhass zur Sprache bringen und damit auch den immer wieder beschworenen Mythos vom konsequenten Antifaschismus in Frage stellen – eine später häufiger formulierte Einsicht. Seine Schilderungen der unmittelbaren Wendeereignisse lesen sich geradezu grotesk:

Die Zahl der am 9. Oktober 1989 im Tageblatt Neues Deutschland abgedruckten Bildnisse von Erich Honecker betrug achtundzwanzig. Die Zahl der an diesem Tage aus der DDR über Ungarn in die Bundesrepublik Deutschland geflüchteten Menschen betrug eintausendachthundertsechsundvierzig.[99]

Formulierungen dieser Art sind typisch für den Autor; die dargestellten Vorgänge werden meist knapp, häufig überhaupt nicht kommentiert und erhalten bisweilen einen Charakter, der sich im Grenzbereich zum Aphorismus bewegt. Neben vielen anderen Institutionen wird auch der Schriftstellerverband zur Zielscheibe von Schneiders Kritik:

Für das Verhältnis von Geist und Macht auf deutschem Boden steht die vom Präsidium des DDR-Schriftstellerverbandes einstimmig verabschiedete Resolution, in welcher der DDR dringlich revolutionäre Reformen anempfohlen wurden genau zu jenem Augenblick, da sich diese zu ereignen begannen.[100]

Auch für Schneider steht fest, dass es sich bei der Vereinigung weitgehend um einen Anschluss handelte: Das westdeutsche System werde den Ostdeutschen im Eiltempo übergestülpt.

Mit *Volk ohne Trauer* (1992), ebenfalls einer Mischung aus Essayband und persönlichen Aufzeichnungen, schrieb Rolf Schneider *Frühling im Herbst* fort; die inhaltliche Nähe wird auch hergestellt über den parallel formulierten Untertitel: *Notizen nach dem Untergang der DDR*. Im Zentrum stehen nun die Folgen der ,Wende‘ und der rasante Umbau in den neuen Ländern. Der Titel spielt auf Alexander und Margarethe Mitscherlichs Buch *Die Unfähigkeit zu trauern* (1967) an – eine solche Unfähigkeit erkennt Schneider erneut nach der ,Wende‘.[101] Der Autor zeigt Kontinuitäten auf, beispielsweise in einem Essay über die Entwicklung seiner Heimatstadt Wernigerode.[102] Trotz aller Vorbehalte gilt für ihn, dass „[d]er Herbstaufstand 1989 in der DDR [...] die erste wirklich geglückte Emeute dieses

---

[98] Ebd., S. 27.
[99] Ebd., S. 30.
[100] Ebd., S. 42.
[101] Vgl. Ders.: Volk ohne Trauer. In: Ders.: *Volk ohne Trauer. Notizen nach dem Untergang der DDR*. Göttingen 1992, S. 195-206.
[102] Ders.: Grenzgebiet. In: Ebd., S. 143-160.

Umfangs in der deutschen Geschichte [wurde; E.Th.G.]."[103] Den Tourismus auf den nun wieder frei zugänglichen Brocken beurteilt er dagegen kritisch:

> Dergleichen macht dann auch den Brockentourismus zu einer eher gespensti-schen Veranstaltung. Daß dieser Berg zu einem förmlichen deutschen Tren-nungs- und Wiedervereinigungssymbol geworden ist, wie sonst nur noch das Brandenburger Tor in Berlin, läßt sich ohnehin rational nicht erklären. Tag um Tag lockt er die Menschen an, Kraxler, Benutzer von Kremsern, in unaufhör-lichem Strome bewegen sie sich teils vom Torfhaus, teils von Oberschierke her und die aufgelassenen DDR-Grenzbefestigungsanlagen entlang. Die Marsch-säulen vereinigen sich an der Bahnstation Goetheweg.[104]

Erwin Strittmatter (1912-1994) streift in seinem letzten Werk, den Fragment geblie-benen „Aufzeichnungen" *Vor der Verwandlung* (1995), die ‚Wende' und ihre Folgen nur knapp. Er bekennt, dass er diese Ereignisse in seinem literarischen Werk absicht-lich kaum beschrieben oder kommentiert habe und dies auch heute nicht tun wolle:

> Mein letztes Buch erschien vor fünf Jahren. Kanns nicht sein, daß jetzt, gerade jetzt, der Punkt erreicht ist, an dem man mich mit meiner Art zu erzählen zum Verstauben in die Ecke stellt?
> In der Zwischenzeit hat auch ein Umsturz stattgefunden, eine Wende hat man ihn genannt, man habe uns einen heiligen Wunsch erfüllt, wie es heißt, habe uns zu einem einig Volk von Brüdern gemacht, nachdem uns fremde Mächte jahrzehntelang trennten, schützten und auf unser Gutes aus waren. Nichts davon oder nur ganz wenig ist in meinem Roman zu lesen. Ich war stets mißtrauisch, wenn mir abverlangt wurde, die neuesten Regierungsverordnungen möchten, noch ehe man ihre Wirkung in der Praxis erlebt und ausgelotet hatte, positiv aus meinen Büchern herauszulesen sein. Und eben das wird, wie ich den Auslassungen beflissener Tageszeitungs-Kritiker entnehme, unter anderen Vorzeichen wieder verlangt. Aber sich nur nicht verärgern und verbittern las-sen von Zuständen und Ereignissen, die noch nicht eingetreten sind. Hast du nicht die Wälder und die Wiesen und das Getier in ihnen, bist du nicht nach hier hinausgezogen, damit sie dich im Gleichgewicht halten helfen?[105]

Als Einschnitt erlebt er die ‚Wende' durchaus, wie sich an anderer Stelle bei der Reflexion über die Auflagenhöhe des dritten Teils seiner Trilogie *Der Laden* (1983/1987/1992) zeigt:

> Ich höre wieder einmal etwas vom dritten Teil des *Laden*-Romans, dessen Signal-exemplar zwar bei uns ist, [...] aber draußen ist er noch nicht bekannt, das heißt im Buchhandel. Er wurde noch nicht ausgeliefert, aber vom Verlag wurde mir mitgeteilt, daß die Buchhändler ihre September-Bestellungen vorgezogen hät-ten und daß sich die Möglichkeit abzeichne, die erste Auflage (zwanzigtausend Exemplare) könnte auf Anhieb verkauft werden. Ich quittierte die Nachricht

[103] Ders.: Statt eines Vorworts. In: Ebd.; S. 7-16, S. 10.
[104] Ders.: Grenzgebiet. In: Ebd., S. 143-160, S. 154f.
Der Brocken dürfte einer der symbolträchtigsten Orte der deutsch-deutschen Geschichte sein. Insofern ver-wundert es, dass er in kaum einem literarischen Text aus der Wendezeit eine bedeutende Rolle spielt.
[105] Erwin Strittmatter: *Vor der Verwandlung. Aufzeichnungen*. Hrsg. von Eva Strittmatter. Mit einem Nachwort von Eva Strittmatter. Berlin 1995, S. 42f.

mit einem leisen Dankeschön. Vielleicht hat man beim Verlag ein heftigeres Danke erwartet, aber früher, das heißt, in einer Zeit, in der fast nichts mehr etwas getaugt haben soll, fingen wir mit sechzigtausend Erstauflage an, kletterten eins, zwei, drei auf hunderttausend. Trotzdem bin ich über die Nachricht vom Verlag erfreut, aber nur ganz hinten irgendwo.[106]

Vermischungen aus Realität und Fiktion sind übrigens auch beim Tagebuch keine Seltenheit: 1991 erscheint mit *Grenzspuren*[107] ein fiktives Tagebuch. Traute Gundlach, die von 1982-1990 Leiterin der Interessengemeinschaft *Zirkel schreibender Arbeiter* von Apolda war und seit 1983 freie Schriftstellerin ist, orientiert sich dabei lediglich an den historischen Tatsachen. Die ‚Handlung' beginnt am 30. März 1987 – mehr als zweieinhalb Jahre vor der ‚Wende' und endet mit einer Darstellung der Ereignisse vom 9. November 1989. Zentraler Schauplatz ist ein Dorf im Kreis Erfurt.

---

106 Ebd., S. 66; Hervorhebung im Original.
107 Traute Gundlach: *Grenzspuren. Tagebuch einer deutsch-deutschen Teilung*. Berlin 1991.

3. AUTOBIOGRAFIEN: (ZWISCHEN-)BILANZEN GELEBTEN LEBENS

Wir hatten Parteitag, den letzten der SED [...]. Jeder schrie jeden an, und aus einer Nische schrie Krenz mir zu: „Ja, du, du kannst wenigstens noch ein Buch schreiben, aber ich, was kann ich? Ich bin arbeitslos!" – Er machte es klingen, als handle es sich um etwas Besonderes, und zu dieser Stunde war es das auch noch.

„Kannst du doch genauso", schrie ich zurück, „du brauchst ja nur über dein glorioses Jahr 89 zu berichten!", und ich hörte mir zu wie einem, der einen bedeutenden Fehler macht. Prompt begehrte der künftige Kollege zu wissen, wie er das anstellen solle. Da sich in dem Gedränge auch andere für die Antwort interessierten, gab ich einen Rat, mit dem schon viele etwas anzufangen wußten, und verwies auf das einfachste aller Erzählordnungsmittel. „Denke dir, deine Tante Veronika aus Neuseeland hat geschrieben, sie hat dich im Fernsehen erkannt und will nun wissen, wie du in diese Lage geraten bist. Da fängst du an: Liebe Tante, Silvester war noch alles gut, aber dann ging es plötzlich los ..."[108]

(Hermann Kant: *Abspann. Erinnerung an meine Gegenwart*, 1991)

Seit der ‚Wende' sind in Deutschland unzählige Autobiografien und autobiografische Texte erschienen, die ein gesamtes bisheriges Leben, ausgewählte Lebensabschnitte oder Einzelaspekte der eigenen Biografie zum zentralen Thema erheben. Nicht nur Schriftstellerinnen und Schriftsteller[109], Liedermacherinnen[110], Schauspieler[111] und Regisseure[112], Schlagersänger[113], Politikerinnen und Politiker[114], Spioninnen und Spione[115], Sportlerinnen und Sportler[116],

---

[108] Hermann Kant: *Abspann. Erinnerung an meine Gegenwart*. Berlin/Weimar 1991, S. 512f.
[109] Außer den im Folgenden näher betrachteten Texten z.B.: Helga Königsdorf: *Landschaft in wechselndem Licht. Erinnerungen*. Berlin 2002; Lothar Kusche: *Aus dem Leben eines Scheintoten. Zerstreute Erinnerungen*. Berlin 1997; Joachim Seyppel: *Schlesischer Bahnhof. Erinnerungen*. München 1998.
[110] Barbara Thalheim: *Mugge. 25 Jahre on the road. Erinnerungen*. Mit einem Vorwort von Konstantin Wecker. Berlin 2000.
[111] Armin Mueller-Stahl: *Unterwegs nach Hause. Erinnerungen*. Düsseldorf 1997.
[112] Frank Beyer: *Wenn der Wind sich dreht. Meine Filme, mein Leben*. München 2001.
[113] Frank Schöbel: *Frank und frei. Die Autobiographie*. Berlin 1998.
[114] Hermann Axen: *Ich war ein Diener der Partei*. Autobiographische Gespräche mit Harald Neubert. Berlin 1996; Egon Bahr: *Zu meiner Zeit*. München 1996; Sabine Bergmann-Pohl: *Abschied ohne Tränen. Rückblick auf das Jahr der Einheit*. Aufgezeichnet von Dietrich von Thadden. Berlin/Frankfurt a.M. 1991; Gregor Gysi: *Das war's. Noch lange nicht!* Aktualisierte Neuausgabe. München 2001; Ders.: *Ein Blick zurück, ein Schritt nach vorn*. Hamburg 2001; Hans Modrow: *Aufbruch und Ende*. Hamburg 1991; Ders.: *Ich wollte ein neues Deutschland*. Mit Hans-Dieter Schütt. Berlin 1998; Ders.: *Von Schwerin bis Strasbourg. Erinnerungen an ein halbes Jahrhundert Parlamentsarbeit*. Berlin 2001; Günter Schabowski: *Der Absturz*. Berlin 1991; Wolfgang Schäuble: *Der Vertrag. Wie ich über die deutsche Einheit verhandelte*. Hrsg. und mit einem Vorwort von Dirk Koch und Klaus Wirtgen. Stuttgart 1991; Karl Schirdewan: *Ein Jahrhundert Leben. Erinnerungen und Visionen. Autobiographie*. Berlin 1998. Erich Honecker hatte seine Autobiografie bereits 1980 veröffentlicht: Erich Honecker: *Aus meinem Leben*. Oxford/Berlin (DDR) 1980 (*Leaders of the World, Biographische Reihe*).
[115] Am prominentesten wohl Markus Wolf: *Spionagechef im geheimen Krieg. Erinnerungen*. München 1997; Gabriele Gast: *Kundschafterin des Friedens. 17 Jahre Topspionin der DDR beim BND*. Frankfurt a.M. 1999.
[116] Gustav-Adolf Schur: *Täve. Die Autobiographie. Gustav-Adolf Schur erzählt sein Leben*. Berlin 2001; Katarina Witt: *Meine Jahre zwischen Pflicht und Kür*. München 1994. Spitzensportler zählten in der DDR zweifellos zu den Privilegierten. Die ‚Wende' bewerten sie meist auch deshalb nicht unbedingt positiv, der Befreiungsaspekt der Grenzöffnung wird häufig schlicht ignoriert. Hier zeigt sich, dass trotz der Idolwirkung und angeblichen Volksnähe der Sportler eine große Lücke zwischen ihnen und der restlichen Bevölkerung klaffte.

Wissenschaftler[117] und Juristen[118] legten Autobiografien und Erinnerungstexte vor, sondern – wie eingangs erwähnt – auch und gerade weniger oder überhaupt nicht prominente Menschen.[119] Zudem erschienen einige Autobiografien von Menschen, die in besonderer Weise mit der ‚Wende' und den Veränderungen in den östlichen Ländern zu tun hatten, wie der „Baulöwe" Jürgen Schneider (*1934).[120] Mischformen sind häufig anzutreffen. In literarischer Hinsicht sind die meisten Autobiografien nahezu unbedeutend. Sie enthalten jedoch wertvolle Informationen, die als Schlüssel zum Verständnis der DDR und der ‚Wende' unentbehrlich sind. Karl Wilhelm Schmidt (1996) geht sogar davon aus, „daß ‚Geschichtsbewältigung' nach 1989 primär in Form von Autobiographien bekannter ehemaliger DDR-Autoren erfolgte."[121]

Einen eigenen Komplex, auf den hier nicht näher eingegangen werden kann, bilden die autobiografischen Texte von Autoren, die über einen längeren Zeitraum entstanden sind und als Form der persönlichen Vergangenheitsbewältigung niedergeschrieben wurden, aber erst jetzt, unter den geänderten politischen Bedingungen, veröffentlicht werden können. Ein Beispiel hierfür ist Uwe Saegers (*1948) *Die Nacht danach und der Morgen* (1991). Der Verfasser berichtet darin von seinem Wehrdienst bei der *NVA*:

> Am 4. Mai 1972 begann mein eineinhalbjähriger Wehrdienst bei der Nationalen Volksarmee der DDR. Ich wurde zu den Grenztruppen eingezogen. Nach halbjähriger Ausbildung wurde ich zu einem in Berlin-Treptow stationierten Linienregiment versetzt, das die Staatsgrenze der DDR zu Berlin-West vom Brandenburger Tor bis nach Lübars zu sichern hatte. Es war Dienst an der Mauer, Aug in Aug mit dem Klassenfeind, dem sogenannten.
> Dieses Jahr war ein Bruch in meinem Leben.[122]

---

117 Wolfgang Jacobeit: *Von West nach Ost – und zurück. Autobiographisches eines Grenzgängers zwischen Tradition und Novation*. Münster 2000; Fritz Klein: *Drinnen und Draußen. Ein Historiker in der DDR. Erinnerungen*. Durchgesehene Ausgabe. Frankfurt a. M. 2001 [zuerst Frankfurt a. M. 2000]. Darin insbes. das Kapitel „VIII Umbruch (1985-1992)", S. 315-365; Jürgen Kuczynski: *„Ein linientreuer Dissident". Memoiren 1945-1989*. Berlin/Weimar 1992; Ders.: *Ein hoffnungsloser Fall von Optimismus? Memoiren 1989-1994*. Berlin 1994; Ders.: *Ein treuer Rebell. Memoiren 1994-1997*. Berlin 1998. Auskunft über die unmittelbare Wendezeit geben auch Kuczynskis Aufzeichnungen *Schwierige Jahre – mit einem besseren Ende? Tagebuchblätter 1987 bis 1989*. Berlin 1990 sowie seine *Kurze Bilanz eines langen Lebens*. Berlin 1991.
118 Heinrich Hannover: *Die Republik vor Gericht*. Für die Zeit der ‚Wende' ist der zweite Band relevant: *1975-1995. Erinnerungen eines unbequemen Rechtsanwalts*. Berlin 1999.
119 Auch hier ist die Bandbreite groß. Sie reicht von Erfahrungen in der politischen Haft in der DDR (Beate Messerschmidt: *Hinter doppelten Mauern. Eine deutsche Geschichte*. Frankfurt a. M./Wien 1999) bis zu Zeugnissen ehemaliger Funktionsträger, etwa der Grenztruppen (Hans Fricke: *Davor – Dabei – Danach. Ein ehemaliger Kommandeur der Grenztruppen der DDR berichtet*. Köln [o.J.]) oder der *NVA* (Erich Hasemann: *Soldat der DDR. Erinnerungen aus über dreißigjähriger Dienstzeit in den bewaffneten Organen der DDR*. Berlin 1997).
120 Jürgen Schneider: *Bekenntnisse eines Baulöwen*. Unter Mitarbeit von Ulf Mailänder und Josef Hrycyk. München 1999. Siehe darin v.a. die für die ‚Wende'-Thematik aufschlussreichen Kapitel „Auf nach Leipzig" (S. 141-153), „Berlin" (S. 154-161) und „Mein Reich" (S. 162-165) sowie die entsprechenden Passagen aus den „Prozess"-Kapiteln. Schneider veröffentlichte nicht nur seine Autobiografie, sondern auch einen Bildband, der seine gesamten Bauprojekte und damit über weite Strecken auch sein Engagement im Osten dokumentiert; vgl. Jürgen Schneider: *„Alle meine Häuser". Moderne Denkmale in Deutschland*. Bad Homburg/Leipzig 2000.
121 Karl Wilhelm Schmidt: Geschichtsbewältigung. Über Leben und Literatur ehemaliger DDR-Autoren in der wiedervereinten Bundesrepublik. Eine Bestandsaufnahme kulturpolitischer Debatten und fiktionaler, essayistischer sowie autobiographischer Publikationen seit der Vereinigung. In: Helmut Kreuzer (Hg.): *Pluralismus und Postmodernismus. Zur Literatur- und Kulturgeschichte in Deutschland 1980-1995*. Vierte, gegenüber der dritten erweiterte und aktualisierte Auflage. Frankfurt a. M./Berlin/Bern/New York/Paris/Wien 1996 *(Forschungen zur Literatur- und Kulturgeschichte, Band 25)*; S. 353-395, S. 354.
122 Uwe Saeger: *Die Nacht danach und der Morgen*. München/Zürich 1991, S. 5.

Diesen „Bruch" und die damit einhergehenden psychischen Belastungen versucht Saeger schreibend zu bewältigen. Kernstück seines Buches ist ein „Filmszenarium" desselben Titels.

Zweifellos ist die Gattung der Autobiografie in erster Linie „eine Zweckform, die nur gelegentlich auch einen literarischen Charakter haben kann".[123] Dennoch enthalten gerade diese Texte wichtige Inhalte über die subjektive Rezeption der ‚Wende'. In diesem Sinne stellt Manfred Jäger (1992) fest:

> Vor allem in Phasen des gesellschaftlichen Umbruchs empfinden viele das Bedürfnis, über sich selbst und über die unvorhergesehene neue Lage Klarheit zu gewinnen. Das läßt sich gegenwärtig im Bereich der einstigen DDR gut beobachten. Es ist die Zeit der Rechtfertigungen und Anklagen, der Absagen und Selbstvergewisserungen, der Treuebekundungen und der Umorientierungen.[124]

Auch und gerade in autobiografischen Texten von Politikerinnen und Politikern ist dies der Fall. Interessant ist dabei naturgemäß weniger die literarische Qualität – die wenigsten Politiker dürften auch einen solchen Anspruch erheben – als die Anlage zahlreicher Werke als Rechtfertigungen früheren Verhaltens. So bekennt Günter Schabowski (*1929) in *Der Absturz* (1991):

> Ich will keinen Abstrich davon erfeilschen, daß ich zu lange und exponiert eine falsche Politik vertreten habe. Die Marxschen Ideen der Gesellschaftsentwicklung und Veränderung wurden zu Mittelmaß und Dogma verballhornt. Nicht zu entschuldigen ist, daß wir Unrecht an Menschen begingen, um recht zu behalten. [...]
> Kurzum, ich will mich dem Schuldkonto dieser Politik stellen, weil es das Nützliche ist, das mir bleibt. Sei es nur, um eine glaubwürdige Warnung abzugeben. Wir haben zu lange gebraucht, um uns elementare Fehler einzugestehen. Der Politik, deren Fragwürdigkeit heute so vielen sonnenklar ist, habe ich irrend, wenn auch subjektiv ehrlich, meine Arbeit gegeben.[125]

Für Schabowski ist die Autobiografie zugleich ein wesentliches Medium der Selbstvergewisserung, nicht zuletzt im Hinblick auf die wenigen in seinem Leben noch verbliebenen Konstanten. So heißt es zu Beginn:

> Als ich diese Niederschrift begann, war ich 61 Jahre alt. Meine Körperlänge beträgt 184 Zentimeter. Mein Gewicht schwankt zwischen 86 und 88 Kilogramm. Nach Meinung des Arztes ist meine Gesundheit nicht die allerbeste. Ungeachtet medizinischer Unkenrufe wähne ich mich in guter Verfassung. Ein Diplom der Karl-Marx-Universität Leipzig aus dem Jahre 1962 bescheinigt mir, daß ich Fertigkeiten erworben habe, die mich zu journalistischer Arbeit befähigen. Zur Zeit gehe ich keiner geregelten Tätigkeit nach. [...] Für die Rente bin ich noch nicht alt genug. Dazu müßte ich in unserem Land 65 sein. Doch ich

---

[123] Gerhard Sauder: Suchbilder. Literarische Autobiographien der neunziger Jahre. In: Peter Winterhoff-Spurk/ Konrad Hilpert (Hgg.): *Die Lust am öffentlichen Bekenntnis. Persönliche Probleme in den Medien.* St. Ingbert 1999 (*Annales Universitatis Saraviensis, Philosophische Fakultät, Band 11*); S. 103-128, S. 104.
[124] Manfred Jäger: Die Autobiographie als Erfindung von Wahrheit. Beispiele literarischer Selbstdarstellung nach dem Ende der DDR. In: *Aus Politik und Zeitgeschichte* B 41/92 v. 2.10.1992; S. 25-36, S. 25.
[125] Günter Schabowski: *Der Absturz.* Berlin 1991, S. 102f.

bin wohl nicht mehr jung genug, um mich mit Aussicht auf Erfolg an das Abenteuer einer neuen Profession zu wagen. Die Chancen sind für mich in der DDR ohnehin gleich Null; denn ich war ein roter Bonze.[126]

Häufig wird die Motivation zum Schreiben von Autobiografien eingangs knapp dargestellt. Alexander Schalck-Golodkowski (*1932), der von 1966 bis 1989 Leiter des fast schon sagenumwogenen Bereichs „Kommerzielle Koordinierung", kurz „KoKo", war, in dem Devisen erwirtschaftet wurden, erklärt zu Beginn seiner *Deutsch-deutschen Erinnerungen* (2000):

Ich habe mich dazu entschieden, dieses Buch zu schreiben, um in der Öffentlichkeit meine Sicht der Dinge darzustellen. Mein Lebensweg war in vielerlei Hinsicht typisch für den Werdegang eines Funktionärs in der DDR. Jedoch gelangte ich im Laufe meiner Karriere in eine eigenartige, ja einzigartige Stellung im Staats- und Parteiapparat. Einerseits stand ich ganz hoch oben in der Machthierarchie. Andererseits waren meine Funktionen mit großen Einflussmöglichkeiten und hoher Verantwortung, doch nicht mit politischer Entscheidungsmacht verknüpft.[127]

Für viele Beiträge von Politikerinnen und Politikern aus der DDR dürfte gelten, was die Lungenfachärztin und letzte Präsidentin der *Volkskammer*, Sabine Bergmann-Pohl, im Hinblick auf ihr Buch *Abschied ohne Tränen* (1991)[128] formuliert:

Es war eine große Zeit. Sie ließ uns persönlich überhaupt keine Möglichkeit eines vertieften Nachdenkens und schon gar nicht der Muße. Erst Monate nach dem 3. Oktober 1990 begann sich die Spannung zu lösen. Dann habe auch ich Zeit gefunden, den Lauf der Dinge zu überschauen und gedanklich zu ordnen.

Mit „Abschied ohne Tränen" wollte ich einige wesentliche Ereignisse und Erlebnisse dieses Jahres 1990, insbesondere das parlamentarische Leben betreffend, aus persönlicher Sicht darstellen und so den offiziellen Dokumenten und Materialien etwas Anschaulichkeit geben.

Das Buch ist aus der Erinnerung geschrieben. Natürlich konnte nicht alles, was in der Volkskammer und im Bereich des Amtierenden Staatsoberhauptes tatsächlich geschehen ist, aufgenommen werden. Es sollte aber ein unmittelbarer, sehr persönlicher Beitrag sein, der helfen kann, manche unserer Gedanken und Handlungen besser zu verstehen. Die Historiker werden es sicher dankbar vermerken.[129]

Es ist hier nicht der Ort, detailliert auf die Geschichte der Gattung ‚Autobiografie' einzugehen, mit der spätestens seit Goethes *Aus meinem Leben. Dichtung und Wahrheit* (1811-1814/1833) ein auch einem breiteren Publikum bekannt gewordenes Modell vorliegt. Für die hier dargestellte Thematik dürfte es Gewinn brin-

---

126 Ebd., S. 12.

127 Alexander Schalck-Golodkowski: Einleitung zu: A.S.-G.: *Deutsch-deutsche Erinnerungen.* Reinbek 2000; S. 7-14, S. 7; ergänzend vgl. die Dokumentation von Wolfgang Seiffert und Norbert Treutwein: *Die Schalck-Papiere. DDR-Mafia zwischen Ost und West. Die Beweise.* Rastatt/München/Wien 1991.

128 Sabine Bergmann-Pohl: *Abschied ohne Tränen. Rückblick auf das Jahr der Einheit.* Aufgezeichnet von Dietrich von Thadden. Berlin/Frankfurt a.M. 1991.

129 Dr. med. Sabine Bergmann-Pohl an F.Th.G., Brief v. 22.3.2001, S. 2.

gender sein, einen Blick auf Günter de Bruyns Essay *Das erzählte Ich* (1995)[130] zu werfen. Darin greift der Autor unter anderem die seines Erachtens wesentlichen Schwierigkeiten und Probleme beim Schreiben von Autobiografien auf.

Die Autobiografie begreift de Bruyn als „Kunstform"[131], bei der sich zunächst das Problem der Auswahl stellt:

> Aus den Lebenstatsachen absichtsvoll eine Auswahl zu treffen, weil man Teile nicht wahrhaben will, für unwichtig hält oder dem Zweck nicht gemäß erachtet, kann also auch Verschweigen oder Irreführen bedeuten, so daß man den Schluß daraus ziehen könnte, daß bei jeder Auswahl Vorsicht geboten ist.
> Damit aber zieht man den Wahrheitsgehalt jeder Autobiographie in Zweifel. Denn da das Wissen über das eigne Leben so groß ist, daß Tausende von Seiten damit gefüllt werden könnten, kommt kein autobiographischer Schreiber ohne das Auswählen aus. Er muß, will er sein Leben erzählen, die großen und kleinen Teilchen desselben sondern und wägen, Wichtiges von Unwichtigem trennen, einen Aussonderungsprozeß also vollziehen.[132]

Für de Bruyn existieren vor allem zwei ‚Motivationsstränge‘:

> Der erste und dickste der Stränge ist der der Selbstauseinandersetzung, der Selbsterforschung und Selbsterklärung, auch der der Rechenschaftslegung vor einer nur mir bekannten Instanz. Es ist der Versuch, mich über mich selbst aufzuklären, Grundlinien meines Lebens zu finden, mir auf die Frage zu antworten, wer eigentlich ich sei.[133]

Dem gegenüber steht der zweite Motivationsstrang. Dieser ist

> weniger selbstisch. Er betrifft die Geschichte, und zwar nicht nur die eigne; es ist der Chronist im Schreiber, der sich hier regt. Hier gilt es, das Ich in die historischen Geschehnisse einzuordnen, es aus ihnen erklären, durch sie vielleicht auch bewerten zu können. Das Ich und die Zeitläufte müssen aufeinander bezogen werden, in der Hoffnung, daß beide dadurch Konturen gewinnen und daß aus dem Einzelfall so etwas wie eine Geschichtsschreibung von unten entsteht.[134]

De Bruyn betont, dass die Autobiografie „nur teilweise" zur „Literatur im engeren Sinne" gehört:

> Ihre großen Werke wurden nicht nur von Literaten geschrieben [...]. Sie erzählt literarisch, aber das Fiktive der Literatur fehlt ihr – oder fehlt ihr angeblich. Sie überschreitet Grenzen, vor allem die zur Geschichtsschreibung, manchmal auch zur Reisebeschreibung oder zu anderen Wissenschaften, zur Theologie zum

---

[130] Günter de Bruyn: *Das erzählte Ich. Über Wahrheit und Dichtung in der Autobiographie*. Frankfurt a.M. 1995 (*Fischer Bibliothek*). Grundlage des Essays sind Vorlesungen, die de Bruyn im Dezember 1993 auf Einladung des Kunstvereins Wien an der Universität Wien hielt. Der Text entstand also zwischen den beiden Teilen seiner Autobiografie *Zwischenbilanz* (1992) und *Vierzig Jahre* (1996).
[131] Ders.: *Das erzählte Ich. Über Wahrheit und Dichtung in der Autobiographie*. Frankfurt a.M. 1995 (*Fischer Bibliothek*), S. 60.
[132] Ebd., S. 12f.
[133] Ebd., S. 18f.
[134] Ebd., S. 19f.

Beispiel [...]. Aber auch ihre innerliterarischen Grenzen sind fließend, sei es, weil der autobiographische Roman es mit dem Romanhaften nicht so genau nimmt, oder weil die Autobiographie auch Fiktives nicht scheut.[135]

So etwas wie eine ‚objektive Wahrheit‘ kann es nach de Bruyns Auffassung nicht geben, denn „[d]as Schwierige an der Wahrheit ist, daß es viele gibt, weil jeder die seine hat. Jede Selbstdarstellung ist zeitbezogen und voreingenommen.“[136] Im Hinblick auf die Auswahl des Dargestellten und die gebotene Wahrung der Privatsphäre anderer Personen in Autobiografien, die sich auf ein zumindest teilweise in der DDR geführtes Leben beziehen, stellt der Schriftsteller fest:

Da aber in Diktaturen fast alle Begegnungen mit Menschen auch politische Dimensionen haben, wird die Abwägung in Zweifelsfällen nicht einfach sein. Zwangsläufig wird das Politische dominieren, und die DDR wird auch dann sichtbar werden, wenn es um Freundschaft, Liebe, Beruf oder Lektüre geht. In dieser Hinsicht aber macht sich der Mangel an Distanz besonders deutlich bemerkbar. Noch sind die Erlebnisse zu nah, um die wesentlichen von den unwesentlichen trennen zu können. Die politischen Zustände von gestern sind noch nicht zur Historie geworden; die Flut der Geschehnisse hat sich noch nicht zur Geschichte geklärt und geformt. Man kennt Daten und Fakten, ist sich aber über die Höhe- und Wendepunkte nicht einig. Man weiß, wann die DDR endete, aber nicht wann und wie das Ende begann.[137]

Nicht zuletzt durch diesen fehlenden historischen Abstand sind die Grenzen zur bloßen Rechtfertigungsliteratur mitunter fließend; zahlreiche Texte dürften deshalb eher als ‚Momentaufnahmen‘ zu begreifen sein. Für den Schreibenden stellt das Festhalten gelebten Lebens eine wichtige Funktion im Hinblick auf einen Selbstfindungsprozess dar. So erklärt Hans Fricke (*1931), ein ehemaliger Kommandeur der DDR-Grenztruppen, im Vorwort zu seiner 1992 erschienenen Autobiografie *Davor – Dabei – Danach*:

Ich dachte zum ersten Mal daran, für unsere Enkel aufzuschreiben, wie mein Leben bisher verlaufen ist, als ich achtundfünfzig Jahre alt war. Und bei mir gab es einen aktuellen Anlaß, nämlich die gesellschaftlichen Veränderungen in der DDR im Herbst 1989.
Ich wollte unseren Enkeln erzählen, wie ich in den vergangenen sechs Jahrzehnten gelebt, was ich erlebt, gewollt und erhofft habe.
[...]
Ich hatte aber auch selbst das Bedürfnis, mich an Vergangenes zu erinnern. Dabei wollte ich versuchen, die Fragen zu beantworten: Hast du richtig gelebt? Bist du einverstanden damit, wie du gelebt hast? Wie würdest du dich heute in dieser oder jener Situation verhalten? Schwierige Fragen.[138]

---

[135] Ebd., S. 21.
[136] Ebd., S. 33.
[137] Ebd., S. 58f.
[138] Hans Fricke: Zuvor. In: H.F.: *Davor – Dabei – Danach. Ein ehemaliger Kommandeur der Grenztruppen der DDR berichtet*. Köln [o.J.]; S. 8-11, S. 8.

Häufig sind mit autobiografischen Texten auch Absichten nach innerdeutscher Verständigung verbunden. So schreibt die ehemalige Lehrerin Gisela Weber 1997 im Vorwort zu ihrer Rückschau auf die DDR mit Schwerpunkt Schule:

> Die Leser östlich der Elbe werden sich hier und da in diesen Geschichten wiederfinden, werden dieses oder jenes Problem vielleicht ähnlich erlebt haben und, sich erinnernd, mit einem weinenden und einem lachenden Auge zurückblicken.
> Meine Erzählungen sind aber auch für die Leser westlich der Elbe geschrieben. Viele von ihnen haben die Geschehnisse und das ganz alltägliche Leben in dem anderen deutschen Staat nur von weitem – meist beeinflußt von den Medien – betrachtet. Ihnen möchte ich hiermit Gelegenheit geben, uns „Ossis" besser zu verstehen. Ich knüpfe damit den Wunsch an, daß wir Deutsche uns näher kommen und unserer Vergangenheit gegenüber mehr Toleranz zeigen.[139]

Im Folgenden werden die Autobiografien einiger Schriftstellerinnen und Schriftsteller etwas genauer betrachtet. Dabei geht es ausdrücklich nicht um die Darstellung des gesamten (bisherigen) Lebens, sondern in erster Linie um die der ‚Wende' und/oder Vereinigung in den entsprechenden Texten. Hervorzuheben sind in diesem Zusammenhang die Texte *Und außerdem war es mein Leben. Aufzeichnungen einer Schriftstellerin* (1994) von Elfriede Brüning (*1910), die beiden Bände *Zwischenbilanz. Eine Jugend in Berlin* (1992) und *Vierzig Jahre. Ein Lebensbericht* (1996) von Günter de Bruyn (*1926), *Abspann. Erinnerung an meine Gegenwart* (1991) von Hermann Kant (*1925), *Erwachsenenspiele* (1997) von Günter Kunert (*1929), *Mauerblume* (1999) von Rita Kuczynski (*1944) sowie *Krieg ohne Schlacht. Leben in zwei Diktaturen* (1992/1994) von Heiner Müller (1929-1995). Mit Ausnahme von Elfriede Brüning und Rita Kuczynski gehören die genannten Autoren derselben Generation an, werfen aber höchst unterschiedliche Blicke auf ihr Leben, die DDR und die ‚Wende'. Meist nimmt letztere nicht allzu viel Raum in den Texten ein – wohl in erster Linie aus Gründen der Proportionalität. Günter Kunerts Erinnerungen *Erwachsenenspiele*[140] enden bereits 1979 mit der Darstellung seines Weggangs aus der DDR. Das Buch erhält seine Relevanz für die Thematik in erster Linie aus der Darstellung der Verhältnisse in der DDR aus der Nachwende-Perspektive. Zudem bezieht Kunert sich immer wieder auf seine Stasi-Akten, die sein Erinnern und die Auswahl des Dargestellten mitbestimmten.

3.1 Elfriede Brüning: *Und außerdem war es mein Leben* (1994)

Am Anfang der meisten Autobiografien stehen kurze Erläuterungen, in denen – ähnlich wie bei den Tagebüchern – die Motivation, Memoiren zu schreiben und zu veröffentlichen, dargelegt wird; zudem wird häufig das Verhältnis von ‚Dichtung' und ‚Wahrheit' thematisiert. Elfriede Brüning äußert dazu in *Und außerdem war es mein Leben*:

---

[139] Gisela Weber: Vorwort. In: Dies.: *Von normal bis verrückt. Rückschau einer DDR-Lehrerin mit einem weinenden und einem lachenden Auge.* Schkeuditz 1997; S. 7f., S. 8.
[140] Günter Kunert: *Erwachsenenspiele. Erinnerungen.* München/Wien 1997.

Ich will alles so aufschreiben, wie es in meiner Erinnerung lebt. Vielleicht hat sich nicht jede Begebenheit so abgespielt, wie ich sie in diesem Buch schildern werde. Ich bin Romanautorin, und oft geht meine Phantasie mit mir durch. Aber ich werde mich bemühen, nahe an der Wahrheit zu bleiben. Ich habe vier Staatsformen durchlebt: Als Kind noch das Kaiserreich, als Halbwüchsige die Weimarer Republik, als Erwachsene den Faschismus und danach den versuchten Sozialismus in der DDR. In meiner Jugend träumte ich vom Sozialismus, dessen weltweiten Zusammenbruch ich jetzt im Alter erlebe; und ich finde mich wieder in den Kapitalismus zurückgeworfen. Habe ich meine Träume für immer ausgeträumt?[141]

Wie viele Kolleginnen und Kollegen blickt auch Brüning selbstkritisch zurück und setzt sich mit der viel diskutierten Frage nach den Privilegien von Schriftstellern auseinander:

Waren wir privilegiert? Ja, ich denke in dem Sinne, daß wir, im Gegensatz zu unseren westdeutschen KollegInnen, von den Erträgen unserer Arbeit leben konnten. Unsere Bücher erschienen in relativ hohen Auflagen und wurden immer wieder aufgelegt, obwohl man um jede Auflage kämpfen mußte, denn die Anzahl der gefragten Titel wurde immer größer. Man hatte als Autorin in der DDR das sichere Gefühl, wirklich gebraucht zu werden. Viele LeserInnen holten sich bei ihren SchriftstellerInnen Lebenshilfen. In den Diskussionen, die sich nach Lesungen ergaben, ging es oft gar nicht mehr um die Literatur, sondern um Fragen, die die ZuhörerInnen unmittelbar bedrängten und auf die sie eine Antwort von uns erhofften. – Und wir durften ins Ausland fahren. Ja, das war tatsächlich ein Privileg, das wir, ebenso wie die WissenschaftlerInnen, die zu internationalen Tagungen reisten, genossen und das uns sicherlich von Teilen der Bevölkerung geneidet wurde.[142]

Der von Beginn an präsente melancholische Grundton setzt sich fort; den formaljuristischen Vollzug der deutschen Einheit erlebt Brüning mit gemischten Gefühlen in ihrem Wochenendhaus bei Bad Saarow. Die resignative Schilderung des letzten Abends der DDR beschließt zugleich das Buch:

Wir Älteren ziehen uns zurück, obwohl noch lange nicht Mitternacht ist. Bevor wir in unseren Bungalow gehen, treten wir noch einmal auf den Bootssteg hinaus und blicken auf den See, auf dessen leicht bewegter Oberfläche ein paar Sterne tanzen. Aber es ist kühl, wir frösteln, und wir gehen hinein, um uns schlafen zu legen.
Als wir am nächsten Morgen erwachen, ist nichts mehr so, wie es vorher war. Wir gleichen Waisen, die ihre Eltern durch Unfall verloren haben. Und die großspurige Bundesrepublik hat uns zwangsadoptiert.

ENDE[143]

[141] Elfriede Brüning: Zur Einstimmung. In: Elfriede Brüning: *Und außerdem war es mein Leben. Aufzeichnungen einer Schriftstellerin.* Berlin 1994; S. 7-8, S. 7.
[142] Dies.: Freundinnen. In: Ebd.; S. 311-325, S. 325.
[143] Dies.: Verlust der Illusionen. In: Ebd.; S. 327-345, S. 345; Hervorhebung im Original.
Eine Fortsetzung der Aufzeichungen stellen Brünings *Nachwende-Notizen Jeder lebt für sich allein* dar. Verbittert registriert die Schriftstellerin darin etwa die Lethargie ihrer Landsleute nach der Vereinigung (vgl. Elfriede Brüning: Sehnsucht nach Utopia. In: Elfriede Brüning: *Jeder lebt für sich allein. Nachwende-Notizen.* Berlin 1999 (*edition reiher*), S. 152-155).

3.2 Günter de Bruyn:
Zwischenbilanz (1992) – *Vierzig Jahre* (1996)

Günter de Bruyn beschäftigt sich nicht nur in dem bereits oben angesprochenen Essay *Das erzählte Ich* mit Fragen des Erinnerns und Bilanzierens im Hinblick auf die eigene Person, sondern auch in einem „Brief an alle, die es angeht" (Untertitel), der unter der Überschrift *Zur Erinnerung* zuerst in der Zeitschrift *Sinn und Form* erschien. Gleich zu Beginn trägt der Autor sein Anliegen vor:

> Dieser Brief, sehr geehrte Herren, möchte Sie dazu bringen, die Arbeit des Umwälzens, mit der Sie beschäftigt sind, für einige Minuten ruhen zu lassen und den stetig nach vorn, in die Zukunft, gerichteten Blick kurz zurück oder nach innen zu wenden – sich also zu erinnern, bevor das Vergessen beginnt.[144]

Dieser Anspruch ist für ihn auch beim Verfassen seiner zweibändigen Autobiografie leitend gewesen. Der zumindest vorläufige Bilanzcharakter des ersten Teils seiner Autobiografie drückt sich bereits im Titel aus: *Zwischenbilanz* (1992). Der Band entstand weit gehend zu DDR-Zeiten: „Aus dem Schlußkapitel geht hervor, daß ich das Buch fertiggestellt habe, als die DDR gerade zu Ende gegangen ist."[145] Insofern ist der erste Teil für die vorliegende Darstellung weniger interessant. Wesentlich ist aber die darin umrissene Motivation de Bruyns, überhaupt eine Autobiografie zu schreiben. Zu dieser Frage äußert er sich zu Beginn des Textes:

> Mit achtzig gedenke ich, Bilanz über mein Leben zu ziehen; die Zwischenbilanz, die ich mit sechzig beginne, soll eine Vorübung sein: ein Training im Ich-Sagen, im Auskunftgeben ohne Verhüllung durch Fiktion. Nachdem ich in Romanen und Erzählungen lange um mein Leben herumgeschrieben habe, versuche ich jetzt, es direkt darzustellen, unverschönt, unüberhöht, unmaskiert. Der berufsmäßige Lügner übt, die Wahrheit zu sagen. Er verspricht, was er sagt, ehrlich zu sagen; alles zu sagen, verspricht er nicht.[146]

Im Zentrum des ersten Teils stehen de Bruyns Kindheit in der untergehenden Weimarer Republik, der Nationalsozialismus und die bitteren Kriegserfahrungen des Autors. Das Buch endet 1950, in der Frühzeit der DDR also. Der zweite Band schließt am 10. November 1989 mit dem Kapitel „Martinstag" und umfasst die DDR-Zeit. Der Fall der Mauer „erzeugte" in de Bruyn

> ein Konglomerat von Gefühlen, in dem allerdings der Jubel vorherrschend war. Zwar ließ ich keine Sektkorken knallen und umarmte auch keine fremden Straßenpassanten, aber ich sah an den gerade geöffneten Grenzübergängen doch mit Freuden zu, wie andere das taten, und auch in mir ertönten Sieges-

---

[144] Günter de Bruyn: Zur Erinnerung. Brief an alle, die es angeht. In: *Sinn und Form* 42 (1990) 3; S. 453-458, S. 453.

[145] [Interview mit Helmut L. Müller]: Eine Zwischenbilanz. Günter de Bruyn äußert sich im Gespräch mit dem außenpolitischen Redakteur der *Salzburger Nachrichten*, Helmut L. Müller, zur Seelenlage der DDR-Autoren. In: *Die politische Meinung* 37 (1992) 276; S. 70-72, S. 70.

[146] Günter de Bruyn: *Zwischenbilanz. Eine Jugend in Berlin*. Frankfurt a.M. 1992, S. 7; bei der Bezeichnung „berufsmäßiger Lügner" handelt es sich um eine Anspielung auf Nietzsche (vgl. Paul Gerhard Klussmann: Deutsche Lebensläufe. Schriftsteller-Biographien im Licht der Vereinigung. In: Friedrich-Ebert-Stiftung/Kurt-Schumacher-Akademie (Hgg.): *Stichwort Literatur. Beiträge zu den Münstereifeler Literaturgesprächen*. Bad Münstereifel 1993; S. 188-205, S. 199).

fanfaren, doch wurden sie leise von dunkleren Melodien untermalt. So wie im Glück oft Tränen geweint werden müssen, kam die unerwartete Freude mit einer Trauer zusammen, die ich mir erst mit dem Gedanken erklären wollte: Es ist zu spät für dich, nun bist du zu alt.[147]

Zu dieser Erklärung tritt hier der Aspekt kritischer Selbstreflexion, denn

[w]as sich da störend unter dem Jubel regte, nährte sich auch aus Selbstvorwürfen, mangelnde Aktivität im Befreiungsprozeß betreffend, aus der Sorge, daß mit der Freiheit auch Dummheit und Bosheit freigesetzt würden, und aus einer Art Abschiedsschmerz. Dieser galt nicht etwa dem Staat, der uns eingesperrt und gedemütigt hatte, sondern einem Kreis von Freunden, der sich unter dem Druck von Bedrohung und Einschränkung gebildet hatte und nun zerfiel. Er war einer jener Gemeinschaften, die im Westen den Eindruck von einem menschlicheren und gemütvolleren Zusammenleben im Osten erweckt hatten. Falsch war der Eindruck nicht, aber kurzsichtig. Denn es handelte sich um Notgemeinschaften, die mit dem Ende der Not ihr Ende finden.[148]

Unter dem Eindruck des Mauerfalls äußert der Autor, der „nicht an die Möglichkeit einer baldigen Wiedervereinigung, wohl aber an die Beständigkeit einer nationalen Kultur"[149] geglaubt hatte:

Zum zweiten Mal in meinem Leben genoß ich das Glück, den Zusammenbruch einer Macht erleben zu können, die sich selbst weisgemacht hatte, auf Dauer gegründet zu sein. [...] Und wenn auch der Zauber des Neubeginns nicht so mächtig war wie mit neunzehn Jahren, so war doch die Neugierde auf das Kommende und auf die Enthüllungen des Vergangenen nicht weniger groß.[150]

Vierzig Jahre endet mit einer Darstellung des Treibens am Grenzübergang Oberbaumbrücke. Gerade hier wird auch ein chronistischer Anspruch des Schriftstellers deutlich; sehr genau beobachtet er die Szenerie:

Vor den Grenzbaracken konnte man Bockwürste kaufen. In den winkligen Gängen, wo man früher, vor Aufregung schwitzend, Gepäckkontrollen und Leibesvisitationen hatte erdulden müssen, wurde niemand mehr aufgehalten. Die Schalter waren geschlossen worden, die Grenzwächter dahinter aber noch immer vorhanden. Mit Türmen von Bierdosen hatten sie ein Plakat befestigt: Betriebsfeier, bitte nicht stören! war in großen Buchstaben darauf gemalt.[151]

Seine persönliche Bilanz zieht de Bruyn bereits zu Beginn des Bandes: Insgesamt bliebe für ihn

nur ein geringes Klagebedürfnis; es könnte die Lebenszwischenbilanz als zufriedenstellend bezeichnet werden; und da die politische Macht, die dauernd in mein Leben hineinregierte, nach Ablauf der vierzig Jahre das Zeitliche segnete, wäre, könnte man alles so sehen, auch ein Happy-End garantiert.[152]

[147] Ders.: *Vierzig Jahre. Ein Lebensbericht.* Frankfurt a.M. 1996, S. 255.
[148] Ebd.
[149] Ebd., S. 256.
[150] Ebd, S. 260f.
[151] Ebd., S. 265.
[152] Ebd., S. 8.

Nach der ‚Wende‘ erfuhr Günter de Bruyn eine deutliche Aufwertung insbesondere in Westdeutschland, aber auch im Osten der Republik.[153] Seine Rolle als ‚gesamtdeutsche Konsensfigur‘ ist von zahlreichen Literaturwissenschaftlern und Kritikern immer wieder hervorgehoben worden. Es gibt allerdings auch Gegenstimmen, die in diesem Zusammenhang fragen, ob de Bruyn nicht etwa „beneficiary of a concerted media campaign“ geworden sei.[154] Diese Auffassung ist im Sinne eines von den Bruyn mitbetriebenen Vorgangs sicher zurückzuweisen. Dass er sich für die Rolle einer ‚Konsensfigur‘ durchaus eignet, mag richtig sein, führt im Übrigen jedoch kaum zu weiteren Erkenntnissen.

3.3 Hermann Kant: *Abspann* (1991)

Hermann Kants Autobiografie wurde – ähnlich wie der erste Band von de Bruyns Erinnerungen – gewissermaßen von der ‚Wende‘ ‚eingeholt‘: Die Einleitung wurde am 6. Februar 1989 geschrieben, der Band 1991 zum Teil neu bearbeitet und ergänzt.[155] Kant hat auf Grund seines Lebenswegs eine grundsätzlich andere Sicht auf die Verhältnisse als de Bruyn oder Kunert. Der Text ist von eher pessimistischen Ton gekennzeichnet, immer wieder wird eine Atmosphäre des Verlustes heraufbeschworen. Diese Haltung zeigt sich bereits an der Wahl des Titels: Ein ‚Abspann‘ steht am Ende eines Films, zudem bezeichnet das Verb ‚abspannen‘ das Abschirren der Pferde nach getaner Arbeit. Der Untertitel heißt nicht etwa „Erinnerungen“, sondern ironisch „Erinnerung an meine Gegenwart“.

Der Haupttext beginnt mit einer Anekdote: Kants Mutter habe über ihn im Fernsehen gesagt, er sei „ihr regierbarstes Kind gewesen.“[156] Um die eigene ‚Regierbarkeit‘ geht es immer wieder im Text – zahlreiche Ereignisse, Entscheidungen und Handlungen seines Lebens erklärt Kant aus seiner politischen Überzeugung heraus:

> Weil ich für eine Arbeiter-und-Bauern-Republik war, muß ich dem Problem, wofür ich hätte streiten sollen, kaum nachhängen. Die Frage ist nur: wie streiten, gegen wen, an wessen Seite, mit welchen Mitteln, bis zu welchem Risiko, mit welcher Regierbarkeit und mit welcher Konsequenz? Ich habe vieles unterlassen, weil ich fürchtete, es werde der anderen Seite dienen – wozu also, fragt sich heute, habe ich es unterlassen? Ich übte Disziplin, weil ich weder Anarchie noch Gelddiktat wollte, und womit habe ich es nunmehr zu tun?[157]

---

153 Vgl. dazu auch Michael Braun: Schwierigkeiten beim Schreiben der Wahrheit. Günter de Bruyns literarische Auseinandersetzung mit der Diktatur. In: Günther Rüther (Hg.): *Literatur in der Diktatur. Schreiben im Nationalsozialismus und DDR-Sozialismus.* Paderborn 1997, S. 391-403; zur Frage der „Aufwertung“ vgl. insbes. S. 391.

154 Dennis Tate: Günter de Bruyn: The ‚gesamtdeutsche Konsensfigur‘ of post-unification literature? In: *German Life and Letters* 50 (1997) 2; S. 201-213, S. 201. *Zwischenbilanz* war ein ausgesprochen erfolgreicher Titel: Zwischen dem Erscheinen des Bandes 1992 und September 1996 wurden allein 220000 Exemplare verkauft (vgl. Ebd., S. 207).

155 Vgl. Jan Bekasiński: Kommt eine neue DDR-Literatur? (Neue Bücher der ehemaligen DDR-Schriftsteller). In: *Colloquia Germanica Stetinensia* 148 (1995) 4; S. 65-80, S. 67.

156 Hermann Kant: *Abspann. Erinnerung an meine Gegenwart.* Berlin/Weimar 1991, S. 5.

157 Ebd., S. 531.

Im Mittelpunkt des Buches stehen die Schilderung der Kindheit und Jugend des Autors in Hamburg und Parchim, die Zeit des Zweiten Weltkriegs und sein Aufenthalt in einem polnischen Kriegsgefangenenlager, seine Ausbildung an der Greifswalder *Arbeiter- und Bauernfakultät (ABF)* und seine Rolle innerhalb des der DDR, insbesondere als Vorsitzender des *Schriftstellerverbandes*. Immer wieder rechtfertigt sich der Autor, wohlweislich mit besonderem Nachdruck auf die eigene Wahrnehmung verweisend:

> Ich berichte nicht von einem Leben, das ich hätte führen sollen, führen müssen, sondern von dem einen, das ich führte. Alles soll nach Möglichkeit nur so auf dieses Papier, wie ich es wahrgenommen habe.
> Gedächtnistäuschung, Ideologie und Erzählerübermut werden ohnehin das Ihre tun. Doch halte ich für gesichert, daß manches Ereignis einfach nicht den Eindruck bei mir hinterließ, den es bei richtiger, gar historisch richtiger Betrachtungsweise hätte machen müssen. Das ist eben etwas, was man meistens erst später haben kann.[158]

Kants Buch ist vor allem auch als Schlüssel zu seinem literarischen Werk zu lesen: Die zentralen Ereignisse in seinem Lebens stellen zugleich die zentralen Themen seiner Bücher dar; zu nennen sind hier insbesondere die Romane *Die Aula* (1965)[159] über die Zeit an der *ABF* sowie *Der Aufenthalt* (1977)[160] und *Okarina* (2002)[161] über die Zeit in Polen. Im Vergleich mit diesen Romanen ließe sich anhand von *Abspann* nachweisen, dass Kants Schreiben stärker autobiografisch motiviert und geprägt ist als bisher gemeinhin angenommen.

Abspann gehört zu den am schärfsten kritisierten Büchern der unmittelbaren Nachwendezeit. Eine der wesentlichen Rezensionen stammt von Günter de Bruyn[162], der zunächst die Authentizität der Darstellung von Kants Kindheit und Jugend lobt, allerdings kritisiert, dass Kant die Fähigkeit zur Selbstkritik völlig abgehe, insbesondere im Hinblick auf die Darstellung der Zeit als Vorsitzender des *Schriftstellerverbandes der DDR* (1978-1990). De Bruyn sieht in Kants Buch eher eines der „schnell verfertigte[n] Rechtfertigungsbücher". Paul Gerhard Klussmann (1992) formuliert seine Kritik wesentlich schärfer: „Überall – auf Schritt und Tritt – verrät die Sprache den Lügner Kant."[163] Die Sprache ist für ihn denn auch zentraler Angriffspunkt:

> Es sei an dieser Stelle nur auf das gescheite und raffinierte Spiel von Hermann Kant hingewiesen, der in seiner so rasch geschriebenen Autobiographie *Abspann* die harte Wirklichkeit der DDR ganz einfach dadurch zum Verschwinden bringt, daß er alle Funktionsbezeichnungen der Machtorgane und Funktionäre und Institutionen poetisierend, goethisierend und verallgemeinernd verändert. So tritt an die Stelle von Staatsrat, Staatsratsvorsitzendem, Politbüro oder

158 Ebd., S. 129.
159 Hermann Kant: *Die Aula. Roman.* Berlin (DDR) 1965.
160 Ders.: *Der Aufenthalt. Roman.* Berlin (DDR) 1977.
161 Ders.: *Okarina. Roman.* Berlin 2002.
162 Günter de Bruyn: Scharfmaul und Prahlhans: Der „Abspann" des Hermann Kant. In: *Die Zeit* v. 19.9.1991.
163 Paul Gerhard Klussmann: Deutsche Lebensläufe. Schriftsteller-Biographien im Licht der Vereinigung. In: Friedrich-Ebert-Stiftung/Kurt-Schumacher-Akademie (Hgg.): *Stichwort Literatur. Beiträge zu den Münstereifeler Literaturgesprächen.* Bad Münstereifel 1993; S. 188-205, S. 202.

ZK das einfache und schöne deutsche Wort Obrigkeit, nur durch das Possessiv-
pronomen ein wenig präzisiert und auf den Autor bezogen, vielleicht auch verharmlosend intimisiert: also *meine* Obrigkeit.[164]

Klussmann fasst zusammen:

Kant schreibt als routinierter Erzähler, der auch über moderne Erzähltechniken
verfügt, ein zugleich unterhaltsames und ärgerliches Buch, eine Autobiographie
mit zu vielen Gedächtnislücken, mit einer auffälligen sprachlichen Verharmlo-
sungstendenz, mit unpräzisen politischen Aussagen ohne jede gedankliche oder
zeithistorische Tiefe. Das Ich erweist sich als idealtypisches Untertanen-
subjekt.[165]

Monika Maron erklärte noch vor Erscheinen des Bandes 1991 – „in bekennender
Ignoranz des Werkes“[166] – gleich alle Äußerungen Kants zur Lüge: „Ich vermute,
selbst wenn Kant wollte, könnte er die Wahrheit nicht mehr von der Lüge trennen,
in die er Jahrzehnte verstrickt war, die seine Lebenslüge ist.“[167] An diesem Umgang
mit Kants Autobiografie zeigt sich, dass weniger der Text als die Person des Autors
im Mittelpunkt des Interesses steht. Reaktionen dieser Art mögen im Falle Hermann
Kants unter Umständen nachvollziehbar sein, akzeptabel sind sie trotzdem nicht.

3.4 Heiner Müller: *Krieg ohne Schlacht. Leben in zwei Diktaturen* (1992)

1992, drei Jahre nach seinem sechzigsten Geburtstag, erscheint Heiner Müllers
Autobiografie *Krieg ohne Schlacht*, die ebenfalls zahlreiche Kritiker auf den Plan
ruft.[168] Das Werk fällt durch seine ungewöhnliche Form aus dem Rahmen: Neben
eher traditionellen Kapitelüberschriften wie „Kindheit in Eppendorf und Bräuns-
dorf, 1929-39“ sind durchgehend Fragen in den Text eingebettet, die im jeweils folgenden Abschnitt beantwortet werden. Diese dialogische Form hängt mit der
Entstehungsgeschichte des Textes zusammen, die Müller in dem Kapitel „Erinnerung
an einen Staat“ erläutert:

Mein Interesse an meiner Person reicht zum Schreiben einer Autobiographie
nicht aus. Mein Interesse an mir ist am heftigsten, wenn ich über andre rede.
Ich brauche meine Zeit, um über andres zu schreiben als über meine Person.
Deshalb der vorliegende disparate Text, der problematisch bleibt. Die Kunst des
Erzählens ist verlorengegangen, auch mir seit dem Verschwinden des Erzählers

---

[164] Ders.: Der Stasi-Komplex in der deutschen Literatur. In: *Die politische Meinung* 37 (1992) 275; S. 56-67, S. 60; Hervorhebungen im Original.

[165] Ders.: Deutsche Lebensläufe. Schriftsteller-Biographien im Licht der Vereinigung. In: Friedrich-Ebert-Stiftung/Kurt-Schumacher-Akademie (Hgg.): *Stichwort Literatur. Beiträge zu den Münstereifeler Literaturgesprächen.* Bad Münstereifel 1993; S. 188-205, S. 203.

[166] Fettaugen auf der Brühe. Die Schriftstellerin Monika Maron über ehemalige DDR-Größen und ihre Auftritte in den Medien. In: *Der Spiegel* 45 (1991) 38 v. 16.9.1991; S. 244-246, S. 244.

[167] Ebd., S. 244f.

[168] Vgl. Gregor Edelmann: Gift der Rache tropft aus dem Buch. In: *Berliner Zeitung* v. 31.7.1992; Fritz J. Raddatz: Ich ist ein anderer. Heiner Müller hat ein Buch gesprochen – voll von ärgerlicher Geschwätzigkeit und anrüh-renden Werkstattberichten: „Krieg ohne Schlacht“. In: *Die Zeit* v. 3.7.1992; Frank Schirrmacher: Kommunismus als Rollenspiel. Geschwätzig, unentbehrlich: Heiner Müller erzählt aus seinem Leben. In: *FAZ* v. 11.7.1992.

in den Medien, der Erzählung in der Schrift. [...] Ich danke Katja Lange-Müller, Helge Malchow, Renate Ziemer und Stephan Suschke für ihre Arbeit. Sie haben mehr als tausend Seiten Gespräch, das über weite Strecken auch Geschwätz war, auf einen Text reduziert, den ich überarbeiten, wenn auch in der mir zur Verfügung stehenden Zeit nicht zu Literatur machen konnte.[169]

Krieg ohne Schlacht wurde also eher ,gesprochen' denn geschrieben. Deshalb, so Paul Gerhard Klussmann (1993), sei es

kaum verwunderlich, daß bei dieser Art der Erinnerungsproduktion manche Fehler entstehen und vieles auch trotz der redaktionellen Nacharbeit stehengeblieben ist, so daß die Kritiker von Müllers Autobiographie ein reiches Feld für das Aufzeigen von Fehlern haben.[170]

Typisch für Müller lautet das erste Wort des Haupttextes „Ich".[171] Stets folgt er seinem – von Rimbaud abgeleiteten[172] – Motto:

Soll ich von mir reden Ich wer
von wem ist die Rede wenn
von mir die Rede geht Ich wer ist das[173].

Später äußert er: „Mein Interesse an den mich betreffenden Akten der Staatssicherheit ist gering. Wenn ich über die Person, die sie beschreiben, einen Roman schreiben will, werden sie ein gutes Material sein. *Ich ist ein anderer.*"[174] Trotz der Länge des Textes erfährt der Leser jedoch relativ wenig über den ,Menschen' Müller. Zahlreiche Aussagen wurden mit einer gewissen Radikalität getroffen: „Die Geschichte der DDR ist auch eine Geschichte der Dummheit, der Inkompetenz von Personen. [...] Viele [Funktionäre; F.Th.G.] waren primitiv, dumm, brutal, verkom-

169 Heiner Müller: *Krieg ohne Schlacht. Leben in zwei Diktaturen. Eine Autobiographie. Erweiterte Neuausgabe mit einem Dossier von Dokumenten des Ministeriums für Staatssicherheit der ehemaligen DDR.* Köln 1994, S. 366f.

170 Paul Gerhard Klussmann: Deutsche Lebensläufe. Schriftsteller-Biographien im Licht der Vereinigung. In: Friedrich-Ebert-Stiftung/Kurt-Schumacher-Akademie (Hgg.): *Stichwort Literatur. Beiträge zu den Münstereifeler Literaturgesprächen.* Bad Münstereifel 1993; S. 188-205, S. 194.

171 Heiner Müller: *Krieg ohne Schlacht. Leben in zwei Diktaturen. Eine Autobiographie. Erweiterte Neuausgabe mit einem Dossier von Dokumenten des Ministeriums für Staatssicherheit der ehemaligen DDR.* Köln 1994, S. 13.

172 Arthur Rimbaud: „Je est un autre." [„Ich ist ein anderer."]. In: Rimbaud à Georges Izambard. Charleville, [13] mai 1871. In: Arthur Rimbaud: *Œuvres complètes.* Édition établie, présentée et annotée par Antoine Adam. Paris 1972 (*Bibliothèque de la Pléade 68*); S. 248f., S. 249. Das Diktum erscheint auch in Heiner Müllers Preisrede auf Durs Grünbein *Porträt des Künstlers als junger Grenzhund* (vgl. Walter Erhart: Gedichte, 1989. Die deutsche Einheit und die Poesie. In: Walter Erhart/Dirk Niefanger (Hgg.): *Zwei Wendezeiten. Blicke auf die deutsche Literatur 1945 und 1989.* Tübingen 1997; S. 141-165, S. 158. Ein Bezug auf Brechts Gedicht *Der 4. Psalm* (1922) ist ebenfalls möglich: „Wer immer es ist, den ihr sucht: ich bin es nicht." (In: Bertolt Brecht: *Werke. Große kommentierte Berliner und Frankfurter Ausgabe.* Hrsg. von Werner Hecht, Jan Knopf, Werner Mittenzwei, Klaus-Detlef Müller. Band 11. *Gedichte I. Sammlungen 1918-1938.* Bearbeitet von Jan Knopf und Gabriele Knopf. Berlin (DDR)/Weimar/Frankfurt a.M. 1988; S. 32f., S. 33.).

173 Heiner Müller: *Krieg ohne Schlacht. Leben in zwei Diktaturen. Eine Autobiographie. Erweiterte Neuausgabe mit einem Dossier von Dokumenten des Ministeriums für Staatssicherheit der ehemaligen DDR.* Köln 1994, S. 9; im Original kursiv.

174 Ebd., S. 218; Hervorhebung von mir; F.Th.G. Ähnliche Formulierungen in Bezug auf die Problematik des „Ich"-Sagens finden sich bei Andreas Lehmann (*1964). Sein Gedicht *Drunter und drüber* gipfelt mit den Fragen bzw. Feststellungen „[...] Was heißt hier Wir / ICH bin Wer bin ICH Oder was" (Andreas Lehmann: Drunter und drüber. In: *Fluchtfreuden Bierdurst. Letzte Gedichte aus der DDR.* Hrsg. von Dorothea Oehme. Mit einer Vorbemerkung von Fritz Rudolf Fries. Berlin 1990; S. 45f., S. 46; Hervorhebungen im Original.)

men, gierig nach bürgerlichem Standard, überfordert alle.[175] – Oder, noch knapper ausgedrückt: „Die Intelligenz war bei der Staatssicherheit, die Blindheit bei der Parteiführung."[176] Auf die Frage *„Was hast Du für Erinnerungen an die letzten Jahre vor dem Ende der DDR?"* antwortet Müller:

> In den letzten Jahren der DDR kam der Widerstand gegen die Politik aus der Partei.[177] Allerdings gab es immer ein Beruhigungsargument, das Warten auf „die biologische Lösung", die Hoffnung, daß Honecker stirbt und ein paar andere auch. [...] Ich habe auf den Untergang gewartet, habe ihn aber nicht befördert. Nur die Funktionäre glaubten das von meinen Texten. Man kann mir und andern vorwerfen, daß wir mit „kritischer Solidarität" – der Akzent verschob sich auf die Kritik, als das Regime zur repressiven Toleranz überging – in unsern Lesern die Illusion genährt haben, daß eine Reform des Systems möglich ist.[178]

In dem im Anhang der Neuausgabe abgedruckten Gespräch mit dem *Zeit*-Redakteur Thomas Assheuer bestätigt er diese Auffassung und betont, er sei „nicht für das Aufgeben der DDR oder für die Wiedervereinigung" gewesen.[179] Aus seiner Sicht war das Problem dabei „die Alternativlosigkeit der Alternative. [...] Die Identität der Deutschen war und ist die Deutschmark. Der Entzug der Deutschmark bedeutete für die DDR-Bevölkerung die Verweigerung der Identität."[180] Über das neue System bemerkt er schlicht:

> Das neue Netz hat von oben gesehn weitere Maschen, von unten gesehn sind sie enger. Der ökonomische Druck sorgt dafür, daß niemandem schwindlig wird, weil ihm der ideologische Druck fehlt. In der DDR war Geld für die Mehrheit der Bevölkerung kein Problem.[181]

Die Existenz der DDR bzw. zweier deutscher Staaten rechtfertigt Müller auf unerwartete, für ihn aber typische Weise; gefragt nach der Bedeutung von Shakespeare für die DDR, antwortet er:

> Deutschland war ein gutes Material für Dramatik, bis zur Wiedervereinigung. Es ist zu befürchten, daß mit dem Ende der DDR das Ende der Shakespeare-Rezeption in Deutschland gekommen ist. Ich wüßte nicht, warum man in der Bundesrepublik Shakespeare inszenieren sollte, es sei denn die Komödien.[182]

Über seine Erfahrungen mit dem Staatssicherheitsdienst berichtet Müller:

> „Offene „Beschattung" habe ich erst 1976 kennengelernt, nach der Austreibung Biermanns. Man sollte es damals merken. Am Telefon wußte man, es wird abgehört. [...]

---

[175] Ebd., S. 213.
[176] Ebd., S. 219.
[177] Der Wahrheitsgehalt dieser Behauptung darf angezweifelt werden. Es stellt sich in diesem Zusammenhang vielmehr die Frage, inwieweit Müller bewusst provokative Antworten auf die Fragen gab und – in diesem Sinne – seine Autobiografie als Spiel versteht.
[178] Ebd., S. 359.
[179] Ebd., S. 485.
[180] Ebd., S. 359f.
[181] Ebd., S. 360f.
[182] Ebd., S. 267.

Das Netz wurde mit den Jahren immer dichter und gleichzeitig auch immer poröser. Ich habe von einigen Leuten gehört, die zu Verhören in Stasi-Büros waren, daß da schon früh Gorbatschow-Porträts hingen. Die DDR ist im Grunde mehr von der Staatssicherheit aufgelöst worden, durch Überproduktion von Staatsfeinden, als von den Demonstrationen. Die waren Schaum auf der Welle, ein Fernseh-Ereignis. Ihr politischer Wille wurde sehr schnell zum Marktfaktor deformiert. Seit Gorbatschow muß die Staatssicherheit auf Grund ihres Informationsstandes gewußt haben, daß die Festung DDR militärisch und ökonomisch nicht mehr zu halten ist.[183]

Seine ‚aktiven' Kontakte zur Staatssicherheit verschwieg Müller zunächst bewusst – ein Verhalten, das ihm nach Bekanntwerden dieser Kontakte viel Kritik eintrug. Die Aufnahme des „Dossier[s] von Dokumenten des Ministeriums für Staatssicherheit der ehemaligen DDR" in die erweiterte Neuausgabe von *Krieg ohne Schlacht* (1994) ist insofern auch als Reaktion darauf zu verstehen. Assheuers Frage, ob die Stasi für ihn „ein legitimer Bestandteil der DDR" gewesen sei, bejaht er[184], seine Integrität sehe er „nicht angegriffen durch die Kontakte zur Staatssicherheit".[185]

3.5 Rita Kuczynski: *Mauerblume* (1999)

Rita Kuczynskis (*1944) Autobiografie *Mauerblume* (1999) enthält zahlreiche Informationen über den abrupten Wandel im Bereich des Alltags und entsprechende Reaktionen der DDR-Bürgerinnen und -bürger in der Zeit des Umbruchs. Dies ist im gesamten Text spürbar und soll im Folgenden anhand eines Textauszugs verdeutlicht werden. Dem Mauerfall begegnete die zeitweilige Schwiegertochter des Wirtschaftswissenschaftlers und -philosophen Jürgen Kuczynski äußerst verhalten: Am 9. November saß sie

gebannt vor dem Fernseher, irgendwann kam Emanuel [ihr damaliger Ehemann; F.Th.G.] dazu. Aus sehr unterschiedlichen Beweggründen kam nicht gerade Freude über die Nachricht unter uns auf. Emanuel wiederholte mehrmals den Satz: „Solch einen politischen Schwachsinn, die Mauer aufzumachen, kann man sich doch nicht ausdenken!" Ich weiß nicht, wie lange ich vor dem Fernseher hockte, bevor ich das Testbild vom Ersten Deutschen Fernsehen abschaltete. Irgendwann fing ich an, bitterlich zu weinen. Ich wußte mit seltener Klarheit, ab jetzt waren die Tage der DDR gezählt, denn ohne Mauer wäre die DDR schon vor 28 Jahren kaputtgegangen. Ich begriff, mein Leben in den Gärten der Nomenklatura war zu Ende. Eine unbeschreibliche Wut überkam mich, denn gerade war ich dabeigewesen, mich mit mir selbst in der DDR häuslich einzurichten. Gerade hatte ich aufgehört, mit Gott und der Welt zu hadern. Ich hatte mich nach 28 Jahren DDR endlich schreibend in den Irrsinn hineingefunden und wollte alles tun, um bei mir zu bleiben. Der Gedanke, daß die Mauer mit

---

183 Ebd., S. 217. Differenziertere Äußerungen zu den Wendeereignissen fehlen in *Krieg ohne Schlacht* nahezu vollständig.
184 Ebd., S. 485f.
185 Ebd., S. 490.

mir schon wieder Schicksal spielte, erboste mich zutiefst. Ich würde nicht die Energie haben, zum drittenmal mein Leben neu zu beginnen.[186]

Ihre Begründung für die Ablehnung der Grenzöffnung mag erstauen, lässt sich aber mit den schweren Traumatisierungen erklären, die Kuczynski in der DDR erlitt. Die Situation zwischen ‚Wende‘ und Einheit schildert sie so detailgetreu wie Wenige:

Es war eine eigenwillige Stimmung im Land. Der Schwarzhandel mit Autos, Farbfernsehern und Videorecordern blühte. Man spürte von Woche zu Woche, wie die DDR aus den Fugen geriet. Die Unsicherheit und Angst vor dem Kommenden trieben groteske und traurige Blüten. [...]
Es waren Monate der Hamsterkäufe. Auch ich kaufte in jenen Wochen allerhand Zeug, von guten Wollstoffen angefangen, die noch heute in der Truhe liegen, weil ich kein Geld für die Schneiderin habe, über Schuhe, die ich nie trug, weil sie nicht bequem genug und im vereinten Deutschland schon nicht mehr modern waren. [...] Mein sommerlicher Superkauf im Jahre 1990 war ein Eimer voller Ohropax aus der Apotheke, in der weisen Voraussicht, daß es in den nächsten Jahren laut werden könnte. [...]
Aber es war nicht nur die Zeit des Schlußverkaufs der DDR, es war auch schon die Zeit des Einkaufs. Der ostdeutsche Markt wurde von Bananen und Apfelsinen überschwemmt und auch von unbekanntem Obst wie Kiwis und Mangos oder Gemüse wie Auberginen und Zucchini, von dem auch ich nicht recht wußte, wie es zuzubereiten war. Verdauungsstörungen in Sachen Obst und Gemüse wurden eine Übergangskrankheit vieler DDR-Bürger.[187]

Die Zeit nach der Währungsunion empfindet sie als „Vakuum"; immer wieder werden Überforderungen deutlich:

Was dann kam, kam so schnell, ich hatte Mühe zu verstehen. Zwischen Benommenheit und Hilflossein hörte ich, wie die Zeit wegbrach, eine in die andere. Ich hörte, wie sie ihr Maß aufgab, weil ihre Strukturen zerbrachen. Ich war gespannt in einen Rhythmus, der von Bruch zu Bruch sein Tempo beschleunigte. Die Zeit davor und die Zeit danach, in einer Gegenwart, von der ich nicht verstand, daß sie nur im Verschwinden war. Da war ein Vakuum und zugleich ein Überdruck. Ich hing in der Luft. Da schien kein Boden mehr, ich wußte nicht, wie und wo aufzutreten war. Wie sollte ich Balance halten?[188]

Aus der Sicht Ende der neunziger Jahre, also mit weitaus größerem Abstand als Müller und andere, betont Kuczynski,

daß zehn Jahre nach dem Niedergang der DDR von einigen ihrer Intellektuellen noch immer nicht konstatiert wird, daß die DDR-Bürger bei ihrer ersten freien Wahl über die „Allianz für Deutschland" die D-Mark als Zahlungsmittel wählten, eben weil die D-Mark Geld ist, wofür sie auch etwas kaufen konnten. Und eben für Geld, das etwas wert ist, ließen die DDR-Bürger 1989 die Vorschläge zur Weltverbesserung im Regen stehen. Sie ignorierten den zweiten, dritten und den vierten Weg für eine bessere Zukunft und nahmen das historische Tages-

---

[186] Rita Kuczynski: *Mauerblume. Ein Leben auf der Grenze.* München 1999, S. 257f.
[187] Ebd., S. 266-268.
[188] Ebd., S. 272.

angebot wahr, die heißersehnte Deutsche Mark. Natürlich zeigten sich viele Intellektuelle enttäuscht vom Volk. In den großen deutschen Nachrichten-magazinen bekamen sie Gelegenheit, ihr Mißfallen über das DDR-Volk kund-zutun, das sich für Bananen und Gebrauchtwagen entschieden hatte, anstatt den dritten Weg in eine „wahre Zukunft" suchen zu gehen. Bei aller Entrüstung über die irdischen Bedürfnisse des DDR-Volkes vergaßen zumindest sehr viele Künstler und hervorragende Persönlichkeiten der DDR oft die Kleinigkeit, daß sie zumeist, wenn nicht ein Dauervisum, dann ein zeitlich begrenztes Visum, auf jeden Fall ein Visum hatten und daß sie ihren Westwagen schon lange fuh-ren, eben weil sie staatstreue Künstler waren, für die anderes galt als für die meisten Bürger der DDR. [...] Für diese Arroganz gegenüber den Bedürfnissen breiter Schichten der Bevölkerung haben sie die Quittung bekommen. Das Volk kümmerte sich nicht mehr um ihre Pläne zur Weltverbesserung. Die Kluft zwi-schen Intellektuellen und Volk, die in den Novembertagen des Jahres 1989 ver-schwunden zu sein schien, wurde von Jahr zu Jahr größer. Heute ist der über-wiegende Teil der DDR-Intellektuellen verschwunden, und kaum einer vermißt sie.[189]

Wie viele andere, empfindet sie seit der ‚Wende' eine ungeheure Beschleunigung des Lebenstempos:

Die Zeit beschleunigte sich in einer mir bis dahin nicht bekannten Weise. Ich weigerte mich, ihr Tempo anzunehmen. Ich versuchte, ihr ein Maß entgegen-zusetzen. Ich versuchte, einen Rhythmus zu finden, damit mich diese Geschwin-digkeit, in der alles um mich herum ablief, nicht zerrieb. Ja, nicht zerrieben zu werden, von dem, was ich „Ereignissturz" nannte, war mein Problem. Mit aller Kraft versuchte ich anzugehen gegen den Sog, in den ich geraten war, da Zeit in Zeit wegbrach.[190]

Erst einige Jahre später lässt dieser Beschleunigungsdruck nach und macht einer „Normalisierung" Platz; das Verhältnis zu den früheren Freunden in Westdeutschland kühlt sich jedoch merklich ab:

Auch in den deutsch-deutschen Alltag fand die erste Normalisierung Eingang. Der historische Abbruch hatte an Geschwindigkeit verloren. Drei, vier Jahre deutsche Einheit waren durch das Land gegangen. Nicht nur unter meinen west-deutschen Freunden hatte sich die Idee festgesetzt, sie hätten einen persön-lichen Anteil an dem, was da historisch auch über sie gekommen war. Sie hät-ten irgend etwas zur deutschen Einheit beigetragen. Eine Religionsphilosophin brachte es auf den Punkt, indem sie sagte: „Wir haben den Krieg gewonnen." Als ich etwas erstaunt nachfragte, welchen, stellte sich heraus, sie meinte den kalten. Es hatte sich also auch unter den 68er Freunden ein nationales „Wir-Gefühl" in Sachen Sieg gegenüber den Ostdeutschen herausgebildet. Auch meine 68er Freunde verstanden sich unerwarteterweise als Gewinner in einem historischen Prozeß, der ohne sie abgelaufen war, für den sie nichts, überhaupt nichts getan hatten. Denn sie waren nicht nur höchst verwundert, daß hinter ihrem Rücken das sozialistische Weltsystem zusammengebrochen war. Sie waren

---

189 Ebd., S. 276f.
190 Ebd., S. 288f.

bestürzt, daß ihre sozialistischen Ideale jenseits der Mauer wegbrachen [...].
Nachdem sie sich von ihrem Schock erholt hatten, daß in der wirklichen Welt
wieder etwas geschehen war, das sie nicht vorausgesehen hatten – der reale
Niedergang der DDR als fiktiver Ort ihrer sozialistischen Utopien –, nutzten sie
die historische Gunst der Stunde. Sie stilisierten sich zu Siegern.
[...]
Die Verständigung wurde schwieriger. Ich erfuhr in den Diskussionen, die bei
solch verstiegenen Ideen nicht ausbleiben konnten, daß ich ab jetzt zu den
Verlierern gehörte und daher von ihnen zu lernen hätte.
Und ich lernte, daß unsere freundschaftlichen Beziehungen ortsgebunden
waren. Die Mauer war ihr Fundament gewesen. Sie dort, ich hier, das war der
freundschaftliche Zement.[191]

Die Frage der Privilegien wird in Autobiografien häufig diskutiert. Durch
Kuczynskis Autobiografie zieht sie sich geradezu leitmotivisch, wobei die Schriftstellerin immer wieder die Rolle der eigenen Position reflektiert:

Über den Grund der zahlreichen Privilegien von namhaften Schriftstellern und
Künstlern in der DDR hatte ich mir bis zu meinem Abgang aus der Akademie
kaum Gedanken gemacht. Ich begriff erst jetzt ihre politische Rolle. Da es in
den Medien nur eine fiktive Öffentlichkeit gab, waren die Schriftsteller und
Künstler als freiberufliche Individuen eine personifizierte Möglichkeit, Mißstände auszusprechen bzw. Mißstände zu vertuschen. Auch sie konnten eine
Mittlerfunktion zwischen Regierung und Regierten innerhalb des DDR-Staats-
volks einnehmen und waren daher von enormer politischer Bedeutung. Diese
Mittlerfunktion konnte in doppelter Weise wahrgenommen werden. Von den
kritischen Künstlern, indem sie in und mit ihren Werken versuchten, Mißstände
und Unzulänglichkeiten auszusprechen, um sie in der Öffentlichkeit zur Diskussion zu stellen. Von den Staatskünstlern und Hofdichtern, indem sie in ihren
Werken die bestehenden sozialistischen Zustände als die glücklichsten Zustände
der Menschheit überhaupt priesen. In politisch ausgeglichenen Zeiten hielten
sich linientreue und kritische Künstler die Waage und trugen somit zum Interes-
senausgleich, innerhalb des von der Parteiführung überwachten Meinungs-
bildungsprozesses, bei. In politisch angespannten Zeiten gewannen die Künstler, die sich als Propagandisten der herrschenden Orthodoxie verstanden, die
Oberhand. Inhalt und Maß des Gesprächs im Volksstaat wurden durch die
Zensurbehörde im Kulturministerium oder durch die Zensur der Literatur- und
Tageszeitungen bestimmt. Je größer die tatsächlichen Differenzen zwischen
Volk und Staatsmacht, desto wichtiger wurden für die DDR-Bürger die Schrift-
steller und Künstler, die aussprachen, was alle wußten.
Kritische Künstler und Schriftsteller, die mehr sagten, als sie sagen durften, wur-
den gemaßregelt. [...][192]

Später heißt es:

Ja, die Privilegien – an der Geschichte ihrer demokratischen Aufweichung könnte die Geschichte des Niederganges der DDR beschrieben werden, die auch ein

[191] Ebd., S. 297-299.
[192] Ebd., S. 188f.

Kampf um die Gleichheit der Privilegien war. Das heißt, in dem Maße, da die DDR wirtschaftlich und politisch in die Knie ging, in dem Maße versuchte die herrschende Politbürokratie über die breitere Streuung der Privilegien zu steuern, was auf Dauer nicht mehr zu steuern war. Mit der immer differenzierteren Bewilligung von Sonderrechten, das heißt Sonderfreiheiten, versuchte sie, die einzelnen Berufsstände und sozialen Schichten voneinander zu isolieren, um sie gegeneinander auszuspielen und zu disziplinieren.[193]

Kuczynskis Äußerungen belegen, in welchem Ausmaß die Privilegien nicht nur die Kluft zwischen ‚Intellektuellen‘ und ‚normaler‘ Bevölkerung vergrößerten, sondern auch Kommunikationsbarrieren schufen.

3.6 Rainer Eppelmann: *Fremd im eigenen Haus* (1993)

Als exemplarisch für die Biografie eines aus Kirchenkreisen hervorgegangenen Politikers kann Rainer Eppelmanns (*1943) autobiografische Rückschau auf die DDR und die ‚Wende‘ gelten, die 1993 unter dem Titel *Fremd im eigenen Haus. Mein Leben im anderen Deutschland*[194] erschien. Eppelmann fügt seinem Text häufig Ausschnitte aus Reden und weitere Dokumente bei, die vermutlich bis zu einem gewissen Grade Objektivität suggerieren sollen. Seinem Buch ist deutlich die Perspektive der Nachwendezeit anzumerken, weite Teile des Dargestellten erwecken den Eindruck einer Selbstinszenierung. Interessant im Zusammenhang mit dem Thema ‚Wende‘ sind vor allem die beiden letzten Kapitel, „Die Wende“ und „Die Abwicklung“. Das erste der beiden genannten Kapitel beginnt mit einer zeitlichen Festlegung der Anfänge einer ‚Wende‘ in der DDR:

> Im nachhinein betrachtet, begann für den Friedenskreis in der Samaritergemeinde die Wende im Mai 1987. Der offenkundig gewordene Betrug bei den Kommunalwahlen 24 Monate später sollte der Glaubwürdigkeit der SED-Herren den Rest geben. Der „Probelauf“ für die umfassende Wahlkontrolle von unten begann aber mehr als zwei Jahre zuvor.
> In der Gruppe „Christen und Sozialismus“ wurde die Idee geboren, die Stimmenauszählung bei den für Mai 1987 angesetzten Volkskammerwahlen zu überprüfen. Wir waren überzeugt davon, daß es bei keiner Wahl in unserer Republik mit rechten Dingen zuging.[195]

Im letzten Kapitel seiner Erinnerungen legt Eppelmann auch seine Rolle als letzter Verteidigungsminister der DDR – die offizielle Amtsbezeichnung lautete *Minister für Abrüstung und Verteidigung* – dar. Den 3. Oktober 1990 schildert er aus sehr persönlicher Sicht:

> Den Abend verbrachte ich zu Hause bei meiner Familie – meine Frau und ich hatten nach zwei Jahren Trennung im Juni wieder geheiratet. Zusammen mit Freunden wollten wir das Ende der Deutschen Demokratischen Republik und die Geburt einer neuen Heimat feiern. Aber das Zusammensein empfand ich als

---

[193] Ebd., S. 248.
[194] Rainer Eppelmann: *Fremd im eigenen Haus. Mein Leben im anderen Deutschland*. Köln 1993.
[195] Ebd., S. 319.

enttäuschend. Jedenfalls wollte bei mir die richtige Stimmung nicht entstehen. Für mich war der 3. Oktober nicht der entscheidende Tag, sondern der Schlußpunkt einer Entwicklung, die ihren Höhepunkt bereits am 9. November 1989 gefunden hatte: am Tag, als die Mauer fiel.[196]

Am Ende des Buches beschreibt Eppelmann das Verhältnis zwischen Ost- und Westdeutschen im Jahr 1993, um mit einem Appell zur Besonnenheit zu schließen:

Die Enttäuschung ist so groß, wie die Illusionen es waren. Heute belasten Mißverständnisse die Beziehungen der Menschen aus Dresden und Düsseldorf, Rostock und Hamburg. Dabei sind die Schwierigkeiten, vor denen wir stehen, die natürliche Folge dieses gewaltigen Projekts „Deutsche Einheit". Wir verhalten uns nur wie Kinder, die sich zehn Geschenke zu Weihnachten gewünscht haben, aber nur fünf bekommen, und sich über diese nicht freuen können, weil sie die anderen nicht auch erhalten haben.
Ich wünsche mir, daß wir unser Gedächtnis nicht nur benutzen, um zu forschen und zu experimentieren, um zu bitten und zu fordern, sondern auch, um uns zu erinnern und zu danken. Wir würden manches an Zufriedenheit und Zuversicht zurückgewinnen.[197]

3.7 Neuauflagen, Fortsetzungen und Neuausgaben bereits vor 1989 erschienener Autobiografien

Die ‚Wende' bildete nicht nur den Entstehungshintergrund bzw. -anlass für zahlreiche Autobiografien, sondern auch für Neuauflagen und erweiterte Neuausgaben zuvor erschienener Texte dieses Genres. Einige davon seien in aller Kürze vorgestellt. *Die Erinnerungen* (1990) des Wissenschaftlers Manfred von Ardenne (1907-1997), der in der DDR zweifellos eine exponierte Stellung innehatte, tragen den Vermerk

Neuschrift 1990 (10. Gesamtauflage) der zuletzt 1984 bei der nymphenburger/München und 1988 beim Verlag der Nation/Ostberlin erschienenen Autobiographie „Mein Leben für Fortschritt und Forschung", bzw. „Sechzig Jahre für Forschung und Fortschritt".[198]

Insbesondere im „4. Buch. Dresden (1955-1990)" nahm der Verfasser Erweiterungen vor und erinnert im 9. Kapitel vor allem an eigene „Reformvorschläge und andere Beiträge zur politischen Wende in der DDR".[199] 1997 erschien unter dem Titel *Erinnerungen, fortgeschrieben* der zweite Band seiner Autobiografie.[200]

---

[196] Ebd., S. 415f.
[197] Ebd., S. 417.
[198] Manfred von Ardenne: *Die Erinnerungen*. München 1990, ohne Seitenangabe.
[199] Ders.: Kapitel 9. Reformvorschläge und andere Beiträge zur politischen Wende in der DDR. Erinnerungen und Episoden. In: Ebd., S. 479-504.
[200] Ders.: *Erinnerungen, fortgeschrieben. Ein Forscherleben im Jahrhundert des Wandels der Wissenschaften und politischen Systeme*. Düsseldorf 1997.

Hans Mayer (1907-2001) schrieb nach der ‚Wende‘, anknüpfend an seine in zwei Bänden erschienene Autobiografie *Ein Deutscher auf Widerruf* (1982/1984)[201], *Der Turm von Babel. Erinnerung an eine Deutsche Demokratische Republik* (1991).[202] In einem *Spiegel*-Artikel äußerte er bilanzierend:

> Ich wende mich [...] gegen die westliche Sprachregelung ‚Ende schlecht, alles schlecht‘. Das ist eine Lüge. In der DDR, in der frühen DDR zumal, gab es doch eine große Hoffnung. [...] wir haben eines nicht gesehen: Daß der Versuch vieler gutwilliger Menschen, auf deutschem Boden eine alternative Gesellschaft zu errichten, deswegen hinfällig wurde, weil die DDR eine Kronkolonie der Sowjetunion war. [...] Dennoch war die DDR nicht von Anfang an verloren. [...] Tausende junger Menschen in der Partei, in der FDJ, in der Volksarmee wollten aus diesem Staat etwas anderes machen.[203]

Ausgehend von der eben angedeuteten Frage „Ende schlecht, alles schlecht?"[204] beurteilt Mayer in *Der Turm von Babel* die DDR aus sehr persönlicher Sicht und geht dabei insbesondere auf die Vorgründungs- und Gründungsphase bis in die Mitte der sechziger Jahre und seinen Weggang aus Leipzig ein. Mayer verurteilt die DDR nicht pauschal, sondern nimmt differenziert Stellung. Der Titel des Buches ist übrigens auf Johannes R. Bechers späte Ballade *Turm von Babel* bezogen.

Mayer ist einer der wenigen, die sich gegen Vergleiche der DDR mit dem Nationalsozialismus bzw. Faschismus explizit verwahren: „Das Volk der DDR hat weder Synagogen angezündet, noch den totalen Krieg gewollt, noch Walter Ulbrich [sic] als Geschenk der Vorsehung verehrt. Es hat sich immer wieder gewehrt und am Ende auch befreit."[205]

Andere Autobiografien wurden lediglich um ein Vor- oder Nachwort erweitert. So erschien *Meine Schlösser* (1995), die Autobiografie des Chefkommentators beim *Fernsehen der DDR*, Karl-Eduard von Schnitzler (1918-2001), dessen bekannteste Sendung *Der Schwarze Kanal* gewesen sein dürfte, sechs Jahre nach ihrer ersten Veröffentlichung erneut. Im Vorwort erläutert von Schnitzler:

> „Meine Schlösser" schrieb ich 1988/89. Die erste Ausgabe kam im letzten Lebensjahr der Deutschen Demokratischen Republik heraus. Bei der Vorstellung in der Karl Marx-Buchhandlung bildeten viele hundert Berliner eine lange Schlange in der Karl-Marx-Allee. Der Verlag „Neues Leben" mußte Bücher nachliefern, damit der Wunsch nach Signierung befriedigt werden konnte.
> Die Autobiographie wurde zur „Bückware", die erste Auflage war umgehend vergriffen. Die zweite Auflage geriet in die sogenannte „Wende", in die freiheitlich-demokratische Grundordnung, ins christliche Abendland und folglich in den Reißwolf.[206]

---

201 Hans Mayer: *Ein Deutscher auf Widerruf. Erinnerungen I*. Frankfurt a.M. 1982; Ders.: *Ein Deutscher auf Widerruf. Erinnerungen II*. Frankfurt a.M. 1984.
202 Ders.: *Der Turm von Babel. Erinnerung an eine Deutsche Demokratische Republik*. Frankfurt a.M. 1991.
203 Ders.: „Ich bin unbelehrbar". In: *Der Spiegel* 47 (1993) 28; S. 166-169, S. 167.
204 Vgl. Ders.: *Der Turm von Babel. Erinnerung an eine Deutsche Demokratische Republik*. Frankfurt a.M. 1991, S. 15ff.
205 Hans Mayer in Antwort auf eine Umfrage der *Süddeutschen Zeitung*. In: *Süddeutsche Zeitung* v. 25.6.1990.
206 Karl-Eduard von Schnitzler: Vorwort zur Neuauflage. In: Ders.: *MEINE SCHLÖSSER oder Wie ich mein Vaterland fand*. Hamburg 1995; S. 5f., S. 5.

Der ‚Untergang' der zweiten Auflage ist nach Schnitzlers Auffassung jedoch nicht der einzige Grund für eine Neuausgabe:

> Eine Neuauflage ist geboten, nicht weil über mich seither ganze Sudeleimer ausgeschüttet worden sind, sondern weil der Geschichtsabschnitt, über den ich zu berichten habe, in die Fälscherwerkstatt derer geraten ist, die das Elend unseres Jahrhunderts verschuldet haben und sich – bis zum Hals in Schuld und Blut watend – als Befreier aus Krieg, Unfreiheit und Unterdrückung aufspielen und ihr „Reich", ihre Herrschaft in Europa wiedererrichten.[207]

Das der Neuausgabe angefügte „Nachwort 1995" besteht in erster Linie aus episodenartigen Nachträgen zur eigenen Biografie, stellt aber zugleich von Schnitzlers Bilanz über die DDR dar:

> Die Deutsche Demokratische Republik bietet – bei aller Unvollkommenheit und manchem Fehlerhaften – uns Deutschen ungleich mehr als die BRD. Seit sie nicht mehr besteht, herrschen Begriffe und Fakten, die in der Deutschen Demokratischen Republik überwunden und vergessen waren und nur in der BRD bekannt: Arbeitslosigkeit und Hoffnungslosigkeit, Hunger und Armut, Wohnungslosigkeit und soziale Unsicherheit, Futterneid und verfallende Solidarität, Konsumterror, Kulturzerfall und Kalter Krieg.[208]

Meine Schlösser zeugt von der Unverbesserlichkeit eines Menschen, der nach wie vor nicht bereit ist, auch die Schattenseiten der DDR zu betrachten.

---

[207] Ebd., S. 5.
[208] Nachwort 1995. In: Ebd.; S. 213-238, S. 235.

4. SCHLUSSBEMERKUNGEN

Während die Veröffentlichung von Tagebüchern nach 1995 merklich zurück ging, ist der ‚Boom‘ von Autobiografien aus ostdeutscher Feder ungebrochen – ganz zu schweigen von den vielen seit Mitte/Ende der neunziger Jahre auf den Markt drängenden autobiografisch gefärbten Romanen, auf die hier nicht eingegangen werden kann.

Unbedingt erwähnt werden müssen jedoch die neben den traditionellen Autobiografien entstandenen fiktiven Autobiografien bzw. Biografien, die exemplarische DDR-Lebensläufe zum Gegenstand haben: Die beiden in diesem Zusammenhang wichtigsten Texte sind zwei Romane: Thomas Brussigs (*1965) *Helden wie wir* (1996)[209] und Matthias Biskupeks (*1950) *Der Quotensachse* (ebenfalls 1996).[210] Beide Werke wurden häufig miteinander verglichen[211], wobei im Falle Biskupeks der Anspruch des Exemplarischen stärker im Vordergrund steht: Der Held seines Romans, Mario Claudius Zwintzscher, wird am 7. Oktober 1949 geboren, dem Gründungstag der DDR, Brussigs Held Klaus Uhltzscht erst 1968. Letzterer sieht sich als Schlüsselfigur im Prozess der ‚Wende‘. Am Ende des Buches behauptet er: „Wer meine Geschichte nicht glaubt, wird nicht verstehen, was mit Deutschland los ist! Ohne mich ergibt alles keinen Sinn! Denn ich bin das *Missing link* der jüngsten deutschen Geschichte!“[212] Er gibt sich ausgesprochen unbescheiden, denn, so Uhltzscht am Ende des vorletzten Kapitels: „Wahrscheinlich bin ich der einzige Mensch, dem die Wende nicht die Spur eines Rätsels aufgibt – schließlich habe ich sie gemacht.“[213]

Autobiografien und ihre Entstehung werden zunehmend auch Gegenstand fiktionaler Texte. So ist die Reflexion über Vor- und Nachteile, Chancen und Risiken von Autobiografien ein zentraler Aspekt in Brigitte Burmeisters Roman *Pollok und die Attentäterin* (1999). Diskutiert werden diese Probleme in einem Gespräch Martin Polloks, der sich als Ghostwriter der Autobiografie des Industriellen Karl Innozenz Weiss betätigt, mit Roswita Sander, die später ein Attentat auf Weiss verüben wird:

– Klar, sagte Roswita, damit muß Weiss rechnen. Sonst könnte er dir seine Biographie gleich diktieren. Aber er will ja, daß du sie schreibst.
– Seine Biographie, nicht meine Erfindung. Und mit sparsamen Verbindungsstrichen. Rekonstruktion, darum geht es.
– Und da fügt sich nun alles zusammen?
– Im Gegenteil. Die Lücken kommen zum Vorschein, sagte Pollok, und die Ungereimtheiten. Weiss hat mir empfohlen, ihn anzurufen, wenn ich Unklarheiten habe – sie entdeckt habe, wäre der richtige Ausdruck. Anrufen werde

209 Thomas Brussig: *Helden wie wir. Roman*. Berlin 1996.
210 Matthias Biskupek: *Der Quotensachse. Vom unaufhaltsamen Aufstieg eines Staatsbürgers sächsischer Nationalität. Roman*. Leipzig 1996.
211 Vgl. dazu Jill Twark: Satireschreiben vor und nach der Wende: Interview mit Matthias Biskupek. In: *GDR Bulletin* 26 (1999); S. 45-53, S. 46.
212 Thomas Brussig: *Helden wie wir. Roman*. Berlin 1996, S. 323; Hervorhebung im Original.
213 Ebd., S. 276.

ich, aber erst einmal feststellen, wie weit ich mit dem Schreiben komme. Es ist ja eine Art Materialprüfung. Außerdem, ein interessantes Kapitel. Nur der Anfang erinnert an die „Planjahre", sagte Pollok und erzählte Roswita in großen Zügen von der „Flucht in die Freiheit"."

– Und wie willst du prüfen, ob wahr ist, was er dich schreiben läßt?

– Dafür, sagte Pollok, bin ich nicht zuständig. Aber verlaß dich drauf, wenn ich den Eindruck habe, irgendwas stimmt nicht, hake ich nach. Mehr kann ich nicht tun: das Material, das er mir gegeben hat, genau nehmen und Unstimmigkeiten klären.

– Und dieses Material, beharrte Roswita, hältst du für echt?

– Allerdings. Wie sollte Weiss seine Briefe und Tagebücher, Zeitungsausschnitte, Fotos undsoweiter gefälscht haben? Und warum auch? Weil er sich eine Zeitlang hinter falschem Namen versteckt hat? Das war eine Vorsichtsmaßnahme. Vielleicht ist er beschädigt durch das System, dem er diente. Daß er unterschlägt und beschönigt, nehme ich an. Aber Dokumente fälschen, seine Biographie fingieren und einem anderen dieses Machwerk anvertrauen, damit er ein Buch daraus macht? Paßt ganz und gar nicht zu Weiss. Dazu müßte er ein wirklich großer Spieler sein, so perfekt im Lügen, daß man ihm nicht auf die Schliche kommt, jemand, den ich bewundern würde.[214]

Zum Schluss sei auf eine Sonderform (auto-)biografischer Darstellung verwiesen, die weit über die literarische hinaus reicht: Porträtbände von Fotografen. Der bedeutendste Band dieser Art ist Bernd Lasdins (*1951) *Zeitenwende* (1998).[215] Mitte der achtziger Jahre fotografierte Lasdin erstmals Menschen aus dem Raum Neubrandenburg in ihrer Wohnung an ihrem jeweiligen Lieblingsplatz.[216] Auf diese Weise konnten sich die Fotografierten in begrenztem Maße selbst inszenieren. Die Porträtierten sollten anschließend handschriftlich eine Art ‚Kommentar' über sich bzw. ihre Fotografien schreiben, nach Möglichkeit aber keine Bildbeschreibung liefern – hier liegt das autobiografische Element des Bandes. Zehn Jahre später wiederholte Lasdin seine Porträtaufnahmen nach demselben Konzept. Die Ergebnisse dokumentieren eindrucksvoll den gegebenenfalls erfolgten Wandel vor allem im Selbstverständnis und in der Selbstwahrnehmung der Porträtierten. Lasdins Arbeiten sind meines Erachtens gerade deshalb so wichtig, weil sie auch Menschen einschließen, die sich in rein schriftlicher Form sicher nicht zum Thema ‚Wende' geäußert hätten bzw. dies – in Einzelfällen – auch gar nicht gekonnt hätten.

Nicht nur für Lasdins Buch, sondern auch für die oben dargestellten Tagebücher und Autobiografien gilt, was Kerstin Hensel (*1961) im Vorwort zu dem Text-Bild-Band *Alles war so. Alles war anders* (1999) schreibt:

[214] Brigitte Burmeister: *Pollok und die Attentäterin. Roman*. Stuttgart 1999, S. 225f.

[215] *Zeitenwende. Portraits aus Ostdeutschland 1986-1998*. Photographien von Bernd Lasdin. Bremen 1998. Vom Konzept her vergleichbar, jedoch kleiner angelegt und ohne Selbstkommentare, ist der zweite Teil des Bandes *Bild Begegnung*. Fotografien von Werner Lieberknecht, Christine Starke, Günter Starke. Texte von Ernst Jandl, Jens Wonneberger, Alexander Lange. Dresden 1993 (*Edition DD - Bild-Begegnung, Heft 1/1993*): Christine und Günter Starke: Handwerker und Geschäftsleute in Dresden vor und nach 1989; ohne Paginierung. Ein weiterer in diesem Zusammenhang wichtiger Fotoband ist das einen viel größeren Zeitrahmen umfassende Buch: *Wendezeiten. Deutsche Lebensläufe in fünf politischen Systemen*. Hrsg. von Franziska Schlotterer und Isabella Knoesel. Fotografien von Markus Schädel. Berlin 1997.

[216] Vgl. „So sind wir – Bilder aus einem Projekt". In: *Fotografie* 42 (1988) 10, S. 376-381; Berd Lasdin: „So sind wir". In: *Niemandsland* 2 (1988) 7, S. 94-102.

Es geht [...] nicht darum, „die DDR wie sie war" darzustellen. Eine Foto-Auswahl läßt dem Betrachter Raum, zu sehen, auch wo scheinbar nicht viel zu sehen ist, und sich zu erinnern. Die Wahrheit steckt hinter den Fassaden. Letztendlich aber ist sie in den Menschen, und man kann sagen: Es gab so viele Deutsche Demokratische Republiken, wie es Menschen gab, die dort gelebt haben. Wenn Typisches vorzuweisen ist, so kristallisiert es sich über Millionen einzelner Biographien heraus. [...]

Auch in der DDR ging nicht alles in Staatlichkeit auf. Die Menschen in diesem Land waren keine gleichgeschalteten Protagonisten, die historische Fakten oder Parteiprogramme bedienten. Von jedem wurde die Zeit anders erlebt, und die Sturheit der eigenen Erinnerungen siegt immer über die scheinbar kollektive Wahrnehmung.[217]

---

217 Kerstin Hensel: Vorspann: Einstellungen. In: Thomas Billhardt/Kerstin Hensel: *Alles war so. Alles war anders. Bilder aus der DDR*. Leipzig 1999; S. 5-7 bzw. 31, S. 5f.

5. LITERATURVERZEICHNIS

Anz, Thomas (Hg.): *„Es geht nicht um Christa Wolf"*. Der Literaturstreit im vereinigten Deutschland. Erweiterte Neuausgabe. Frankfurt a.M. 1995.

Ardenne, Manfred von: *Die Erinnerungen*. München 1990.

Ders.: *Erinnerungen, fortgeschrieben. Ein Forscherleben im Jahrhundert des Wandels der Wissenschaften und politischen Systeme*. Düsseldorf 1997.

Arndt, Artur: Gespräch mit Hermann Kant. In: *Sinn und Form* 43 (1991) 5; 853-878.

Axen, Hermann: *Ich war ein Diener der Partei*. Autobiographische Gespräche mit Harald Neubert. Berlin 1996.

Bahr, Egon: *Zu meiner Zeit*. München 1996.

Becker, Jurek: *Jurek Beckers Neuigkeiten an Manfred Krug & Otti*. München 1999 [zuerst Düsseldorf/München 1997].

Bekasiński, Jan: Kommt eine neue DDR-Literatur? (Neue Bücher der ehemaligen DDR-Schriftsteller). In: *Colloquia Germanica Stetinensia* 148 (1995) 4; 65-80.

Bergmann-Pohl, Sabine: *Abschied ohne Tränen. Rückblick auf das Jahr der Einheit*. Aufgezeichnet von Dietrich von Thadden. Berlin/Frankfurt a.M. 1991.

Beyer, Frank: *Wenn der Wind sich dreht. Meine Filme, mein Leben*. München 2001.

Billhardt, Thomas/Hensel, Kerstin: *Alles war so. Alles war anders. Bilder aus der DDR*. Leipzig 1999.

Biskupek, Matthias: *Der Quotensachse. Vom unaufhaltsamen Aufstieg eines Staatsbürgers sächsischer Nationalität. Roman*. Leipzig 1996.

Ders.: Familiendichter Rosenlöcher. Warum ein Dichter Tagebücher schreibt. In: *Wochenpost* v. 26.3.1992.

Braun, Michael: Schwierigkeiten beim Schreiben der Wahrheit. Günter de Bruyns literarische Auseinandersetzung mit der Diktatur. In: Rüther, Günther (Hg.): *Literatur in der Diktatur. Schreiben im Nationalsozialismus und DDR-Sozialismus*. Paderborn 1997; 391-403.

Brecht, Bertolt: *Der 4. Psalm* (1922). In: Brecht, Bertolt: *Werke. Große kommentierte Berliner und Frankfurter Ausgabe*. Hrsg. von Werner Hecht, Jan Knopf, Werner Mittenzwei, Klaus-Detlef Müller. Band 11. *Gedichte I. Sammlungen* 1918-1938. Bearbeitet von Jan Knopf und Gabriele Knopf. Berlin (DDR)/Weimar/Frankfurt a.M. 1988; 32f.

Brüning, Elfriede.: *Und außerdem war es mein Leben. Aufzeichnungen einer Schriftstellerin*. Berlin 1994.

Dies.: *Jeder lebt für sich allein. Nachwende-Notizen*. Berlin 1999 *(edition reiher)*.

Brussig, Thomas: *Helden wie wir. Roman*. Berlin 1996.

Bruyn, Günter de: Zur Erinnerung. Brief an alle, die es angeht. In: *Sinn und Form* 42 (1990) 3; 453-458.

Ders.: Scharfmaul und Prahlhans: Der „Abspann" des Hermann Kant. In: *Die Zeit* v. 19.9.1991.

Ders.: *Zwischenbilanz. Eine Jugend in Berlin*. Frankfurt a.M. 1992.

Ders.: *Das erzählte Ich. Über Wahrheit und Dichtung in der Autobiographie*. Frankfurt a.M. 1995 *(Fischer Bibliothek)*.

Ders.: *Vierzig Jahre. Ein Lebensbericht*. Frankfurt a.M. 1996.

Burmeister, Brigitte: *Pollok und die Attentäterin. Roman*. Stuttgart 1999.

Cibulka, Hanns: *Am Brückenwehr. Zwischen Kindheit und Wende*. Leipzig 1994.

Ders.: *Tagebuch einer späten Liebe*. Leipzig 1998.

Corino, Karl: *„Aussen* [sic] *Marmor, innen Gips". Die Legenden des Stephan Hermlin*. Düsseldorf 1996.

Der deutsch-deutsche Literaturstreit oder „Freunde, es spricht sich schlecht mit gebundener Zunge". Analysen und Materialien. Hrsg. von Karl Deiritz und Hannes Krauss. Hamburg/Zürich 1991.

Unsere Haut. Tagebücher von Frauen aus dem Herbst 1990. Hrsg. von Irene Dölling, Adelheid Kuhlmey-Oehlert, Gabriela Seibt. Berlin 1992.

Edelmann, Gregor: Gift der Rache tropft aus dem Buch. In: *Berliner Zeitung* v. 31.7.1992.

Eppelmann, Reiner: *Fremd im eigenen Haus. Mein Leben im anderen Deutschland*. Köln 1993.

Erhart, Walter: Gedichte, 1989. Die deutsche Einheit und die Poesie. In: Erhart, Walter/ Niefanger, Dirk (Hgg.): *Zwei Wendezeiten. Blicke auf die deutsche Literatur 1945 und 1989*. Tübingen 1997; 141-165.

Fischer, Therese: *Mit dem Trabi in den Westen. Geschichte eines schweren Neubeginns*. Berlin 1999.

Fricke, Hans: *Davor – Dabei – Danach. Ein ehemaliger Kommandeur der Grenztruppen der DDR berichtet*. Köln [o.J.].

Gast, Gabriele: *Kundschafterin des Friedens. 17 Jahre Topspionin der DDR beim BND*. Frankfurt a.M. 1999.

Göpfert, Mario: Blätter aus dem Dresdner Herbst 89. Ein Stundentagebuch. In: *Die sanfte Revolution. Prosa, Lyrik, Protokolle, Erlebnisberichte, Reden*. Hrsg. von Stefan Heym und Werner Heiduczek. Mitarbeit: Ingrid Czechowski. Leipzig/Weimar 1990; 200-214.

Görner, Rüdiger: *Das Tagebuch. Eine Einführung*. München/Zürich 1986 *(Artemis Einführungen, Band 26)*.

Gundlach, Traute: *Grenzspuren. Tagebuch einer deutsch-deutschen Teilung*. Berlin 1991.

Gysi, Gregor: *Das war's. Noch lange nicht!* Aktualisierte Neuausgabe. München 2001.

Ders.: *Ein Blick zurück, ein Schritt nach vorn*. Hamburg 2001.

Hannover, Heinrich: *Die Republik vor Gericht. 1975-1995. Erinnerungen eines unbequemen Rechtsanwalts*. Berlin 1999.

Hannsmann, Margarete: *Tagebuch meines Alterns*. München 1991.

Hasemann, Erich: *Soldat der DDR. Erinnerungen aus über dreißigjähriger Dienstzeit in den bewaffneten Organen der DDR*. Berlin 1997.

Hegewald, Wolfgang: *Ein obskures Nest. Roman*. Leipzig 1997.

Herhoffer, Astrid/Liebold, Birgit: Schwanengesang auf ein geteiltes Land. Der Herbst 1989 und seine Folgen in der Literatur. In: *Buch und Bibliothek* 45 (1993) 6/7; 587-604.

Honecker, Erich: *Aus meinem Leben*. Oxford/Berlin (DDR) 1980 *(Leaders of the World, Biographische Reihe)*.

Huhn, Klaus: *Briefe aus den blühenden Ländern*. [Berlin] 1997 *(Spotless-Reihe Nr. 74)*.

Jacobeit, Wolfgang: Von West nach Ost – und zurück. Autobiographisches eines Grenzgängers zwischen Tradition und Novation. Münster 2000.

Jäger, Manfred: Die Autobiographie als Erfindung von Wahrheit. Beispiele literarischer Selbstdarstellung nach dem Ende der DDR. In: *Aus Politik und Zeitgeschichte* B 41/92 v. 2.10.1992; 25-36.

Jogschies, Rainer B.: *Ist das noch mein Land? Ein deutsches Tagebuch.* Hamburg 1994.

Kallabis, Heinz: *Ade, DDR! Tagebuchblätter 7. Oktober 1989 bis 8. Mai 1990.* Berlin (DDR) 1990.

Kant, Hermann: *Die Aula. Roman.* Berlin (DDR) 1965.

Ders.: *Der Aufenthalt. Roman.* Berlin (DDR) 1977.

Ders.: *Abspann. Erinnerung an meine Gegenwart.* Berlin/Weimar 1991.

Ders.: *Kormoran. Roman.* Berlin/Weimar 1994.

Ders.: *Okarina. Roman.* Berlin 2002.

Kirsch, Sarah: *Das simple Leben.* Stuttgart 1994.

Klein, Fritz: *Drinnen und Draußen. Ein Historiker in der DDR. Erinnerungen.* Durchgesehene Ausgabe. Frankfurt a.M. 2001 [zuerst Frankfurt a.M. 2000].

Klussmann, Paul Gerhard: Der Stasi-Komplex in der deutschen Literatur. In: *Die politische Meinung* 37 (1992) 275; 56-67.

Ders.: Deutsche Lebensläufe. Schriftsteller-Biographien im Licht der Vereinigung. In: Friedrich-Ebert-Stiftung/Kurt-Schumacher-Akademie (Hgg.): *Stichwort Literatur. Beiträge zu den Münstereifeler Literaturgesprächen.* Bad Münstereifel 1993; 188-205.

Königsdorf, Helga: Das Recht auf Identität und die Lust zur Intoleranz. In: Königsdorf, Helga: *Aus dem Dilemma eine Chance machen. Aufsätze und Reden.* Hamburg/Zürich 1991; 83-88.

Dies.: *Landschaft in wechselndem Licht. Erinnerungen.* Berlin 2002.

Kuczynski, Jürgen: *Schwierige Jahre – mit einem besseren Ende? Tagebuchblätter 1987 bis 1989.* Berlin 1990.

Ders. *Kurze Bilanz eines langen Lebens.* Berlin 1991.

Ders.: *„Ein linientreuer Dissident". Memoiren 1945-1989.* Berlin/Weimar 1992.

Ders.: *Ein hoffnungsloser Fall von Optimismus? Memoiren 1989-1994.* Berlin 1994.

Ders.: *Ein treuer Rebell. Memoiren 1994-1997.* Berlin 1998.

Kuczynski, Rita: *Mauerblume. Ein Leben auf der Grenze.* München 1999.

Kunert, Günter: *Erwachsenenspiele. Erinnerungen.* München/Wien 1997.

Kusche, Lothar: Wenn der Reiter nichts taugt... In: *ndl* 39 (1991) 11; 171-172 *(Post-Skriptum)*.

Ders.: *Aus dem Leben eines Scheintoten. Zerstreute Erinnerungen.* Berlin 1997.

Lasdin, Bernd: „So sind wir – Bilder aus einem Projekt". In: *Fotografie* 42 (1988) 10; 376-381.

Ders.: „So sind wir". In: *Niemandsland* 2 (1988) 7; 94-102.

Zeitenwende. Portraits aus Ostdeutschland 1986-1998. Photographien von Bernd Lasdin. Bremen 1998.

Lehmann, Andreas: Drunter und drüber. In: *Fluchtfreuden Bierdurst. Letzte Gedichte aus der DDR.* Hrsg. von Dorothea Oehme. Mit einer Vorbemerkung von Fritz Rudolf Fries. Berlin 1990; 45f.

Bild Begegnung. Fotografien von Werner Lieberknecht, Christine Starke, Günter Starke. Texte von Ernst Jandl, Jens Wonneberger, Alexander Lange. Dresden 1993 *(Edition DD – Bild-Begegnung, Heft 1/1993)*.

Lindner, Bernd/Grüneberger, Ralph (Hgg.): *Demonteure. Biographien des Leipziger Herbst.* Bielefeld 1992.

Lippelt, Helga: *Der Geschmack der Freiheit. Ein Liebesfall.* Halle (S.) 1991.

Dies.: *Good bye Leipzig. Roman.* Düsseldorf 1985.

Fettaugen auf der Brühe. Die Schriftstellerin Monika Maron über ehemalige DDR-Größen und ihre Auftritte in den Medien. In: *Der Spiegel* 45 (1991) 38 v. 16.9.1991; 244-246.

Mayer, Hans: *Ein Deutscher auf Widerruf. Erinnerungen I.* Frankfurt a.M. 1982.

Ders.: *Ein Deutscher auf Widerruf. Erinnerungen II.* Frankfurt a.M. 1984.

Ders.: *Der Turm von Babel. Erinnerung an eine Deutsche Demokratische Republik.* Frankfurt a.M. 1991.

Ders.: „Ich bin unbelehrbar". In: *Der Spiegel* 47 (1993) 28; 166-169.

Messerschmidt, Beate: *Hinter doppelten Mauern. Eine deutsche Geschichte.* Frankfurt a.M./Wien 1999.

Modrow, Hans: *Aufbruch und Ende.* Hamburg 1991.

Ders.: *Ich wollte ein neues Deutschland.* Mit Hans-Dieter Schütt. Berlin 1998.

Ders.: *Von Schwerin bis Strasbourg. Erinnerungen an ein halbes Jahrhundert Parlamentsarbeit.* Berlin 2001.

Müller, Heiner: *Krieg ohne Schlacht. Leben in zwei Diktaturen. Eine Autobiographie. Erweiterte Neuausgabe mit einem Dossier von Dokumenten des Ministeriums für Staatssicherheit der ehemaligen DDR.* Köln 1994.

Müller, Helmut L.: Eine Zwischenbilanz. Günter de Bruyn äußert sich im Gespräch mit dem außenpolitischen Redakteur der *Salzburger Nachrichten,* Helmut L. Müller, zur Seelenlage der DDR-Autoren. In: *Die politische Meinung* 37 (1992) 276; 70-72.

Mueller-Stahl, Armin: *Unterwegs nach Hause. Erinnerungen.* Düsseldorf 1997.

Petschull, Jürgen: *Der Herbst der Amateure. Roman.* München/Zürich 1991.

Preece, Julian: Damaged lives? (East) German memoirs and autobiographies, 1989-1994. In: *The New Germany. Literary and Society after Unification.* Edited by Osman Durrani, Colin Good, Kevin Hilliard. Sheffield 1995; 349-364.

Raddatz, Fritz J.: Ich ist ein anderer. Heiner Müller hat ein Buch gesprochen – voll von ärgerlicher Geschwätzigkeit und anrührenden Werkstattberichten: „Krieg ohne Schlacht". In: *Die Zeit* v. 3.7.1992.

Rimbaud à Georges Izambard. Charleville, [13] mai 1871. In: Rimbaud, Arthur: *Œuvres complètes.* Édition établie, présentée et annotée par Antoine Adam. Paris 1972 *(Bibliothèque de la Pléade 68);* 248f.

Rosenlöcher, Thomas: *Die verkauften Pflastersteine. Dresdener Tagebuch.* Frankfurt a.M. 1990.

Ders.: Dresdener Tagebuch. In: *Die sanfte Revolution. Prosa, Lyrik, Protokolle, Erlebnisberichte, Reden.* Hrsg. von Stefan Heym und Werner Heiduczek. Mitarbeit: Ingrid Czechowski. Leipzig/Weimar 1990; 183-199.

Ders.: Dresdner Tagebuch – Achter September bis zehnter Oktober. In: *Schöne Aussichten. Neue Prosa aus der DDR.* Hrsg. von Christian Döring und Hajo Steinert. Frankfurt a.M. 1990; 311-325.

Ders.: Der Nickmechanismus. Ein Selbstbefragungsversuch. In: *Das Vergängliche überlisten. Selbstbefragungen deutscher Autoren.* Hrsg. von Ingrid Czechowski. Leipzig 1996.

Ders.: *Ostgezeter. Beiträge zur Schimpfkultur.* Frankfurt a.M. 1997.

Rutschky, Michael: Wie erst jetzt die DDR entsteht. Vermischte Erzählungen. In: *Merkur* 49 (1995) 9/10; 851-864.

Saeger, Uwe: *Die Nacht danach und der Morgen.* München/Zürich 1991.

Sakowski, Helmut: *Wendenburg. Roman.* Berlin 1995.

Sauder, Gerhard: Suchbilder. Literarische Autobiographien der neunziger Jahre. In: Winterhoff-Spurk, Peter/Hilpert, Konrad (Hgg.): *Die Lust am öffentlichen Bekenntnis. Persönliche Probleme in den Medien.* St. Ingbert 1999 *(Annales Universitatis Saraviensis, Philosophische Fakultät, Band 11)*; 103-128.

Schabowski, Günter: *Der Absturz.* Berlin 1991.

Schäuble, Wolfgang: *Der Vertrag. Wie ich über die deutsche Einheit verhandelte.* Hrsg. und mit einem Vorwort von Dirk Koch und Klaus Wirtgen. Stuttgart 1991.

Schalck-Golodkowski, Alexander: *Deutsch-deutsche Erinnerungen.* Reinbek 2000.

Schirdewan, Karl: *Ein Jahrhundert Leben. Erinnerungen und Visionen. Autobiographie.* Berlin 1998.

Schirrmacher, Frank: Kommunismus als Rollenspiel. Geschwätzig, unentbehrlich: Heiner Müller erzählt aus seinem Leben. In: *FAZ* v. 11.7.1992.

Wendezeiten. Deutsche Lebensläufe in fünf politischen Systemen. Hrsg. von Franziska Schlotterer und Isabella Knoesel. Fotografien von Markus Schädel. Berlin 1997.

Schmidt, Karl Wilhelm: Geschichtsbewältigung. Über Leben und Literatur ehemaliger DDR-Autoren in der wiedervereinten Bundesrepublik. Eine Bestandsaufnahme kulturpolitischer Debatten und fiktionaler, essayistischer sowie autobiographischer Publikationen seit der Vereinigung. In: Kreuzer, Helmut (Hg.): *Pluralismus und Postmodernismus. Zur Literatur- und Kulturgeschichte in Deutschland 1980-1995.* Vierte, gegenüber der dritten erweiterte und aktualisierte Auflage. Frankfurt a.M./Berlin/Bern/New York/Paris/Wien 1996 *(Forschungen zur Literatur- und Kulturgeschichte, Band 25)*; 353-395.

Schneider, Jürgen: *Bekenntnisse eines Baulöwen.* Unter Mitarbeit von Ulf Mailänder und Josef Hrycyk. München 1999.

Ders.: *„Alle meine Häuser". Moderne Denkmale in Deutschland.* Bad Homburg/Leipzig 2000.

Schneider, Rolf: *Frühling im Herbst. Notizen vom Untergang der DDR.* Göttingen 1991.

Ders.: *Volk ohne Trauer. Notizen nach dem Untergang der DDR.* Göttingen 1992.

Schnitzler, Karl-Eduard von: *MEINE SCHLÖSSER oder Wie ich mein Vaterland fand.* Hamburg 1995.

Schöbel, Frank: *Frank und frei. Die Autobiographie.* Berlin 1998.

Schübel, Theodor: *Vom Ufer der Saale. Geschichten aus der Zwischenzeit. Ein Journal vom 10. November 1989 bis zum 3. Oktober 1990.* Berlin 1992.

Schur, Gustav-Adolf: *Täve. Die Autobiographie. Gustav-Adolf Schur erzählt sein Leben.* Berlin 2001.

Seiffert, Wolfgang/Treutwein, Norbert: *Die Schalck-Papiere. DDR-Mafia zwischen Ost und West. Die Beweise.* Rastatt/München/Wien 1991.

Seyppel, Joachim: *Schlesischer Bahnhof. Erinnerungen.* München 1998.

Spira, Steffie: *Rote Fahne mit Trauerflor. Tagebuch-Notizen.* Freiburg i.B. 1990.

Strittmatter, Erwin: *Vor der Verwandlung. Aufzeichnungen.* Hrsg. von Eva Strittmatter. Mit einem Nachwort von Eva Strittmatter. Berlin 1995.

Tate, Dennis: Günter de Bruyn: The ‚gesamtdeutsche Konsensfigur' of post-unification literature? In: *German Life and Letters* 50 (1997) 2; 01-213.

Tetzner, Reiner: *Leipziger Ring. Aufzeichnungen eines Montagsdemonstranten Oktober 1989 bis 1. Mai 1990.* Mit 42 Fotos. Frankfurt a.M. 1990.

Thalheim, Barbara: *Mugge. 25 Jahre on the road. Erinnerungen.* Mit einem Vorwort von Konstantin Wecker. Berlin 2000.

Twark, Jill: Satireschreiben vor und nach der Wende: Interview mit Matthias Biskupek. In: *GDR Bulletin* 26 (1999); 45-53.

Weber, Gisela: *Von normal bis verrückt. Rückschau einer DDR-Lehrerin mit einem weinenden und einem lachenden Auge.* Schkeuditz 1997.

Wedel, Mathias/Wieczorek, Thomas: *Mama, was ist ein Wessi?/Papa, was ist ein Ossi? Ein Dreh- und Wendebuch.* Berlin [o.J.].

Wilkening, Christina: *Ich wollte Klarheit. Tagebuch einer Recherche.* Berlin/Weimar 1992.

Witt, Katarina: *Meine Jahre zwischen Pflicht und Kür.* München 1994.

Wolf, Markus: *In eigenem Auftrag. Bekenntnisse und Einsichten.* München 1991 *(Schneekluth, Zeitzeugen sprechen).*

Wolf, Markus: *Spionagechef im geheimen Krieg. Erinnerungen.* München 1997.

Josette Ommer

Identität und Erinnerung

Autobiographisches Schreiben von DDR-Schriftstellern nach 1989

Schriftliche Hausarbeit
im Rahmen der Ersten Staatsprüfung
für das Lehramt für Sekundarstufe II

INHALTSVERZEICHNIS

1. EINLEITUNG

Verlust machte mich beredt. Nur was gänzlich verloren ist, fordert mit Leidenschaft endlose Benennungen heraus, diese Manie, den entschwundenen Gegenstand so lange beim Namen zu rufen, bis er sich meldet. Verlust als Voraussetzung
für Literatur. Fast neige ich dazu, diese Erfahrung als These in Umlauf zu
bringen.[1]

So Günter Grass in seiner „Rede vom Verlust – Über den Niedergang der politischen
Kultur im geeinten Deutschland", die er am 18.11.1992 im Rahmen der Reihe
"Reden über Deutschland" hielt und den drei in Mölln ermordeten Türkinnen wid-
mete. Programmatisch scheint seine These tatsächlich für die Entwicklung der jungen ostdeutschen Literatur zu sein. Der Verlust von Heimat, Kindheit oder der „Kindheitsheimat", wie Roswitha Skare es benennt, der Verlust von alt Verhasstem, aber
auch lang Gekanntem, das durch den Mauerfall veränderte Leben ist das große
Thema. Dabei klingt es paradox, dass ausgerechnet die als ‚Mangelland' erfahrene
DDR nach ihrem Verschwinden als Verlust wahrgenommen wird.

Eine besondere Bedeutung, so lässt sich an den Trendbewegungen der jungen ostdeutschen Literatur ablesen, hat der Verlust für die Generation der ersten Nach-
wendekinder. Diese waren zum Zeitpunkt des Mauerfalls noch zu jung, um die DDR
als System wirklich wahrzunehmen oder wurden sich dessen gerade erst bewusst.
Ich spreche von der DDR-Generation der zwischen Mitte der 60er und Mitte der
70er Jahre Geborenen, die zur Zeit der Wende Teens oder Twens waren; die Generation der „Zonenkinder" (Jana Hensel).

Der Begriff *Generation* hat in Deutschland eine lange Tradition (Wehrmachts-,
Kriegs-, Nachkriegsgeneration, die „68er"); zur Zeit wird er allerdings recht inflationär gebraucht. Wohl am meisten verbreitet ist der Begriff der „Generation Golf",
die das West-Pendant der hier vorgestellten Ostgeneration darstellt. Aber auch
Begriffe wie Generation X, -@ und -Ally[2] stehen für den Versuch, das vermeintliche
Lebensgefühl der heute 25 – 35 jährigen besonders präzise wiederzugeben; mal
durch die Analyse des Konsumverhaltens, dann unter den Bedingungen des Zeit-
alters der neuen Medien oder durch die Darstellung des angeblichen Bindungs-
unvermögens dieser jungen Menschen.
Geht man von Günter Grass Definition von ‚Generation' aus, die er vor kurzem
im Interview mit dem ARD-Intendanten Fritz Pleitgen darlegte, dann orientiert sich
die Generationseinteilung an historischen Brüchen. Laut Grass sind die Menschen
vor und nach den beiden Weltkriegen völlig andere, völlig veränderte; und obwohl
das Nationalsozialistische Regime nur zwölf Jahre andauerte, ist es eine eigenständige Epoche, die eine andere Generation von Deutschen hervorgebracht hat.

---

[1] Grass, Günter: Rede vom Verlust – Über den Niedergang der politischen Kultur im geeinten Deutschland.
Göttingen: Steidl 1992. S.41
[2] nach der US-TV-Anwaltscomedy „Ally McBeal"

Auch im Zusammenhang mit dem wiedervereinten Deutschland kann nun genau auf zwölf Jahre zurückgeblickt werden. Es scheint der richtige Zeitpunkt und damit das Bedürfnis nach Reflexion und Erinnerung gekommen. Die sich nun zu Wort meldenden jungen ostdeutschen Autoren (der Begriff DDR-Autoren ist nicht ganz korrekt, da die meisten der hier Vorgestellten erst nach 1989 zu publizieren begannen) sind erwachsen geworden und haben ihr ganz eigenes Anliegen: den Blick zurück. Sie waren zur Zeit der Wende noch zu jung, um die Ausmaße der politischen Geschehnisse zu begreifen oder gerade so alt, dass sie die Wende mitten in ihre Pubertät und damit in die sensible Phase der Identitätsfindung traf und sie plötzlich mit anderen Maßstäben konfrontierte.

> Sie [die jungen Autoren Ost, J.O.] erzählen von Gestalten, die um 1970 geboren wurden, von einer transitorischen Generation, die mit der Nase hart auf die Wendewirklichkeit stieß und heute ohne eigentliches Kindheits-idyll auskommen muss.[3]

Wenn auch ein bisschen (n)ostalgisch, aber grundsätzlich kritisch gehen sie mit ihrer Vergangenheit um, und mit der Frage: wo komme ich her, was hat sich für mich und für uns als Wendegeneration in den Jahren seit der Wiedervereinigung verändert? Zu ihnen gehören u.v.a. Thomas Brussig (*1965), Katrin Dorn (*1963), Jakob Hein (*1971), Nadja Klinger (*1965), Christoph D. Brumme (*1963), Jana Hensel (*1976), Jana Simon (*1972), aber auch Kerstin Hensel (*1961) und Marion Titze (*1953), auf die ich in dieser Arbeit näher eingehen möchte.

Die Erfahrungen, die diese Autoren in ihren Texten schildern, sind vollkommen andere, als die ihrer Elterngeneration oder die derjenigen, die zum Zeitpunkt nur wenige Jahre älter waren, die DDR aber schon mit politischem Bewusstsein erleben konnten. Friedrich Diekmann beschreibt es für die älteren Generationen so:

> Die zentrale Erfahrung des DDR-Bürgers war die Nicht-Identität. Er lebte in einer Welt, die mit den Prämissen ihrer Lenker und Konstrukteure nicht übereinstimmte, er lebte in dem auf allen gesellschaftlichen Ebenen erfahrbaren Widerspruch zwischen offizieller Bekundung und gesellschaftlicher Wirklichkeit; eine dritte Instanz war das abendliche Westfernsehen. Er lebte von Kindheit an in der Differenz; das erwies sich einerseits als bedrückend und andererseits als inspirierend, als eine Herausforderung.[4]

Diese Gespaltenheit war für das Leben und Aufwachsen in der DDR prägend und wurde von den Kindern sehr schnell wahr genommen, auch das machen alle Texte immer wieder deutlich. Welche Konflikte sich für diese jungen Menschen aus dem Erwachsenwerden in zwei so unterschiedlichen Systemen wie der DDR und der BRD ergaben und die unterschiedlichen Wege, wie sie damit umgehen, das ist das Thema der vorliegenden Arbeit.

---

3 Schmidt, Thomas E.: Als das Boot gekentert war. Die jungen Autoren Ostdeutschlands erzählen kühl vom Leben in der Zone. In: Die Zeit. Nr. 37 (2002) www.zeit.de/2003/37/Kultur/print_200237_1-zonis.html (19.09.02)
4 Diekmann, Friedrich: Nicht-Identität als zentrale Erfahrung. In: Die Mauer fiel, die Mauer steht. Ein deutsches Lesebuch 1989-1999. Hrsg. Von Hermann Glaser. München:dtv 1999. S. 235

Der Titel lautet: „Identität und Erinnerung". An diesen beiden Eckpfeilern richtet sich meine Argumentation auf. Zunächst versuche ich mir über die Definition der Begriffe Zugang zu verschaffen. Der Begriff ‚Identität' wird aus sozialpsychologischer Perspektive erklärt, um im folgenden einen Begriff von nationaler (deutscher) Identität und daraus den Begriff einer ostdeutschen Identität zu entwickeln. Der Begriff ‚Erinnerung' wird am Beispiel der neuropsychologischen Forschung nach dem neo-konnektionistischen Modell von Peter Hejl erläutert, da dieses Modell ideal die Verknüpfung von Erinnerung, Selbstbild und Erzählung als kollektive Gedächtnisleistung aufzeigt. Der historische Zu- und Rückgriff ist dabei grundsätzlich für die kulturwissenschaftliche Betrachtung von maßgeblicher Bedeutung. Ohne das Ermitteln dieser Zusammenhänge würde die Entwicklung der Gegenwart als historischen Konsequenz nicht deutlich, damit weder ein Vergleich noch ein Ausblick möglich. Deshalb beginnt auch der Aufriss über autobiographisches Schreiben mit einem Überblick ab 1945, um nach der kurzen Definition nach Philippe Lejeune den Sprung zum autobiographischen Schreiben nach der Wende zu machen.

Diesem roten Faden folgend, ergab sich bei der Auswahl der Autoren und Texte, dass das verbindende Element und die Basis ihrer Erzählungen die erlebte Erfahrung einer DDR-Kindheit ist.

Da Identitätsfragen in Zeiten gesellschaftlichen Umbruchs verstärkte Bedeutung zukommt, zumal diese meist mit persönlichen Krisen einhergehen, in denen die eigene Person und Biographie in Frage gestellt wird, kann nicht überraschen, daß nach 1989/90 ein neues Interesse an den Heimaten der Kindheit zu verzeichnen ist.[5]

Ich führe auch hier wieder eine kurze historische Phaseneinteilung der DDR-Literatur[6] an, um dann anhand der vorherrschenden Stilmittel und Motive die Weiterführung der kritischen DDR-Tradition *nach* der Wende zu zeigen. An dieser Stelle greife ich mit Christoph D. Brumme „Nichts als das", Katrin Dorn „Lügen und Schweigen" und Kerstin Hensel „Tanz am Kanal" Beispiele aus dem Bereich des nicht-autobiographischen Schreibens auf. Trotzdem gehören die Texte zum Kanon, da an ihnen deutlich wird, dass es nicht unbedingt einer eindeutig autobiographischen Bestimmung bedarf, um die Folie der gelebten DDR-Kindheit darunter zu erkennen. Kerstin Hensel verwendet dafür die Formel der „erfahrenen Erfindung"[7] und verweist auf die literarische Bearbeitung von Wirklichkeit, die auch in autobiographischen Texten verwendet wird.

Das letzte Kapitel schließlich zeigt an drei Beispielen, nämlich an Nadja Klingers autobiographischen Text „Ich ziehe einen Kreis", an Jana Simon semi-autobiographischer/biographischer Geschichte ihres Jugendfreundes Felix in „Wir sind anders" und an Jana Hensels generationsumfassenden autobiographischen Text „Zonenkinder", wie sich das historische Großereignis ‚Wiedervereinigung' in den

---

5 Skare, Roswitha: Auf der Suche nach Heimat? Zur Darstellung von Kindheitsheimaten in Texten jüngerer ostdeutscher Autorinnen und Autoren nach 1990. In: Schreiben nach der Wende. Ein Jahrzehnt deutscher Literatur 1989-1999. Hrsg. von Gerhard Fischer u. David Roberts. Tübingen: Stauffenburg Verlag 2001. S. 240
6 Der Begriff ‚DDR-Literatur' suggeriert eine Homogenität, die so nicht vorhanden war. Er wird hier im Sinne von ‚Literatur der DDR' verwendet. (vgl. Lexikon des DDR-Sozialismus, 1997. Bd. 1)
7 Skare 2001: 246

Lebensläufen der jungen, in der DDR aufgewachsenen Autoren niedergeschlagen hat. Die Betrachtung des Kulturgutes ‚Literatur' steht als Teil des individuellen, aber auch kollektiven Ausdrucks. Die in den Schwerpunkttexten vermittelten Lebensgefühle geben besonders von der Kollektivität ihrer Gedächtnisleistung Auskunft. Ich versuche die theoretische Aufarbeitung mit den historischen Gegebenheiten zu verknüpfen, deren Existenz dann am literarischen Beispiel nachgewiesen wird.

Die Arbeit endet mit der Gegenprobe aus westdeutscher Sicht. Susanne Leinemann beschreibt in ihrem Buch „Aufgewacht. Mauer weg", wie die Jugendlichen im Westen, die DDR und die Wiedervereinigung empfanden und trifft damit ziemlich genau die Erfahrungen, die auch ich (*1976 in Dortmund) in dieser Hinsicht gemacht habe.

Diese Arbeit ist nach den Richtlinien der neuen deutschen Rechtschreibreform geschrieben; in den Zitaten findet sich allerdings auf Grund des Erscheinungsdatums oft noch die alte Schreibweise.

Ich verzichte auf die Verwendung von Binnenmajuskeln; es sind ausdrücklich immer beide Geschlechter in der männlichen Nennung miteingeschlossen.

Für die Kennzeichnung der Zitate aus den Primärwerken verwende ich die geläufigen Kürzel der Autoreninitialen mit der Jahreszahl des Erscheinens des Textes und Seitenzahl. (Zum Beispiel Jana Hensel: Zonenkinder, 2002. S. 15: (JH 2002: 15))

2. IDENTITÄT

„Haben Sie eine DDR-Identität?" – „Ich war bei den Jungpionieren." – „Wie bitte?" – „Nichts", sagte ich. Allein die Art der Erinnerung bewirkte Gedächtnisschwund. Und der plötzliche Zeitenwechsel kam einer Hirnwäsche gleich.[8]

Thomas Rosenlöcher

2.1 Entwicklung von Identität

Im folgenden wird der Begriff ‚Identität' unter sozialpsychologischen Aspekten erfasst und für die Analyse der literarischen Verarbeitung urbargemacht. Dabei orientiere ich mich an Karsten Dümmels Vorgehen in seiner Dissertation aus dem Jahr 1996 mit dem Titel „Identitätsprobleme in der DDR-Literatur der siebziger und achtziger Jahre"[9]. Er beginnt seine Arbeit mit einem „Kleinen ‚Wörterbuch' der Identität", in dem er Theorien u.a. von E.H. Erikson, J. Habermas, G.H. Mead und L. Montada zusammenfasst. Ich greife seine Argumentation auf, da sich der betrachtete Zeitraum des Gegenstandes mit dem Dümmels überschneidet und darüber hinausweist.

2.2 Der Begriff ‚Identität'

Erikson spricht um Bezug auf Identität hier von ‚ICH-Identität' und meint damit den

> spezifischen Zuwachs an Persönlichkeitsreife [...], den das Individuum am Ende der Adoleszenz der Fülle seiner Kindheitserfahrungen entnommen haben muß, um für die Aufgaben der Erwachsenenlebens gerüstet zu sein.[10]

Diese setz sich aus den beiden Komponent des *privaten* und *kollektiven* ICHs zusammen. Das private ICH bezeichnet das Subjektbewußtsein, mit dem sich eine Person als Individuum begreift, während das kollektive ICH das Bewußtsein als Teil einer Gesellschaft bezeichnet. Erst im Zusammenspiel des privaten und kollektiven ICHs, kann sich die ICH-Identität als einen

> „Prozeß gleichzeitiger Reflexion und Beobachtung" des Individuums, das in die Komplexität und somit in die Widersprüchlichkeit der Welt eindringt und sich zu ihr in Beziehung setzt.[11]

verstehen.

---

8 Rosenlöchner, Thomas: Ohne Titel. In: Die Mauer fiel, die Mauer steht. Ein deutsches Lesebuch 1989-1999. Hrsg. Von Hermann Glaser. München:dtv 1999. S. 236-238.
9 Dümmel, Karsten: Identitätsprobleme in der DDR-Literatur der siebziger und achtziger Jahre. Berlin: Lang 1997.
10 Dümmel 1997: 18
11 Dümmel 1997: 19

Deutlicher: Das Bild, welches ein Individuum von sich selbst hat, ist das Korrektiv für die Reaktionen, die das Individuum von seiner Umwelt erhält. Selbstwahrnehmung und Fremdwahrnehmung sollen möglichst ein harmonischen Gleichgewicht miteinander halten.

Die ICH-Identität ist ein komplexes Konstrukt, das sich erst in der Konfrontation mit bestimmten Anforderungen, die an das ICH gestellt werden, besonders in Beziehung zu anderen, konstituiert. Dazu gehören natürlich im Kleinen die Identifikation mit der Familie, dem beruflichen Umfeld und mit der eigenen ethnischen Gruppe im Großen. Auch das Selbstverständnis der eigenen Sexualität, sowie das natürliche Spektrum der möglichen Emotionen, kennzeichnen den Menschen, als das, was er ist. Im Idealfall, so zitiert Dümmel Oerter/Montada, ist die Identitätsbildung von der „freien Gewissensentscheidung", der „Veränderbarkeit sozialer Regeln" und dem „Denken in alternativen (auch utopischen) Lebensformen" gekennzeichnet.[12]

In der Realität sieht es allerdings so aus, dass sich Menschen in bestimmten Zusammenhängen vorgegebenen Rollenmuster anpassen, anstatt ständig ihr Selbst- und Fremdbild zu überprüfen. Theoretisch heißt das, dass mit Annahme einer Rollenidentität das Verhältnis der Wahrnehmung vom privatem ICH und kollektivem ICH sich zu Gunsten des kollektiven ICHs verschiebt. Nun bestimmt die gesellschaftliche Erwartung, die an das ICH gerichtet wird, sein ganzes Wesen am Rahmen der Rolle. Dies führt, so Dümmel, „zu einer Verschiebung der Selbstwahrnehmung und zum Verlust der Konfliktfähigkeit."[13]

Jedes disharmonische Verhältnis zwischen Fremd- und Selbstwahrnehmung oder dem Selbst und der Rolle wird aus psychologischer Sicht als ‚Identitätskrise' bezeichnet. Je mehr ein Mensch lernt diese Spannung auszuhalten und Entwicklung und Veränderung seiner Persönlichkeit zuzulassen, desto gefestiger wird seine Identität werden. Ein flexibler Umgang mit der eigenen Persönlichkeit ist allerdings nur in einer variablen, d.h. auch spannungsgeladenen und komplexen Gesellschaftsstruktur möglich. Eine Gesellschaft dagegen, die sich eindeutig gibt, die sich hermetisch gegen Widersprüche oder Infragestellungen abgrenzt, gibt den in ihr lebenden Personen die Chance zu ungestörtem Verbleib in ihren Rollen. „Dies gilt so lange, bis radikale (gesellschaftliche) Veränderungen das Individuum in eine innere Krise führen, die zu meistern es dann oft nicht in der Lage ist"[14] und im äußersten Fall sogar zu Identitätsverlust führen kann, schlussfolgert Dümmel.

2.3 Nationale Identität

Die Frage nach dem, was es heißt ‚deutsch' zu sein, bewegt seit dem Einschnitt des zweiten Weltkrieges die Gemüter. Mißverständnisse sind vorprogrammiert, da die Thematik historisch massiv belastet ist. Wolfgang Bialas geht sogar so weit, „Deutschsein als historisches und geistesgeschichtliches Verhängnis"[15] zu betiteln. Wohl

---

[12] Dümmel 1997: 19
[13] Dümmel 1997: 24
[14] Dümmel 1997: 26
[15] Bialas, Wolfgang: Historische Erinnerung und gesellschaftlicher Umbruch. Die DDR im Diktaturenvergleich. In: Berliner Debatte INITIAL. Zeitschrift für sozialwissenschaftlichen Diskurs. 6 (1998). S. 31

gemerkt geht es hierbei um ein Nationalbewusstsein nach 1945, welches sich in den beiden Hälften des geteilten Deutschlands andersartig entwickelte. Auf der einen Seite steht ein Nationalbewusstsein, das auf der verfassungsstaatlichen Rechtsidee und der individuellen Freiheit fußt und dem die Erinnerungen an den Nationalsozialismus auf Schritt und Tritt folgen. Auf der anderen Seite wurde ein ideologisches Nationalbewußtsein geprägt, das auf den sozialistischen Ideen sozialer Gerechtigkeit und eines kollektivistischen Gesellschaftsbildes aufbaut. Auf dieser Grundlage wird auch verständlich, warum mit der Wiedervereinigung nicht einfach zusammenwächst, was zusammengehört, denn...

> Ist für „die Westdeutschen ... die Aufarbeitung der DDR kein existentielles Erlebnis, weder in einer biografischen Verdichtung ihrer eigenen Lebenserfahrung, noch in der Reorganisation ihrer kognitiven politischen Einstellung", so ist andererseits „die nationalsozialistische Diktatur nicht die primäre in der Selbsterfahrung der Ostdeutschen."[16]

Der unterschiedliche Umgang von BRD und DDR mit dem nationalsozialistischen Erbe bezeichnet eine Asymmetrie, die für das gegenseitige Verständnis verhängnisvoll ist. Zumal der Diktaturenvergleich der DDR mit dem Nationalsozialismus „einen neuralgischen Punkt im Selbstverständnis einer Mehrheit der Ostdeutschen"[17] trifft, dem Selbstverständnis einer antifaschistischen Gesellschaft.

Mit der Wiedervereinigung bekam die Identitätsdebatte eine neue Qualität, sie konnte sich aber nicht aus dem Kontext der Asylpolitik und fremdenfeindlichen Anschläge lösen. Thomas Blank versucht daher in seinem Artikel „Wer sind die Deutschen?"[18] die ineinander übergreifenden Begriffe Nationalismus, Patriotismus und Identität voneinander zu lösen und auf ihre eigentliche Bedeutung herunterzubrechen. Für ihn ist die Unterscheidung zwischen Nationalismus und Patriotismus nicht nur möglich und wichtig, sondern sogar entscheidend für das Verständnis, das eine „nationale Identität nicht zwangsläufig mit der Abwertung von Fremdgruppen verknüpft ist"[19] und damit wäre (zumindest theoretisch) der Weg für ein gesundes und unverkrampftes ‚deutsches' Selbstbewusstsein geebnet.

Nationalismus und Patriotismus können, laut Blank, als nationsbejahende Einstellungen bezeichnet werden, die das Individuum gegenüber seiner Nation hat. „Beide Konzepte setzen eine subjektive Identifikation mit der Nation voraus"[20], leiten sich allerdings von gegensätzlichen Wertvorstellungen ab. Das Konzept des Nationalismus u.a. basiert auf Dogmatismus, Sozialdarwinismus und Dominanzstreben; das Konzept des Patriotismus auf Gleichheit, Humanismus und Individualismus. Während der Nationalismus eine „innergesellschaftliche Homogenität"[21] anstrebt, ist es dem Patriotismus an Vielfalt gelegen. Der Patriotismus hält ein positiv-kritisches Verhältnis zur eigenen Nation, der Nationalismus dagegen überhöht das nationale Konzept, orientiert sich an Autoritäten und ist dementsprechend schwer mit den demokratischen Grundgedanken zu vereinbaren.

---

[16] Bialas 1998: 33
[17] Bialas 1998: 32
[18] Blank, Thomas: Wer sind die Deutschen? Nationalismus, Patriotismus, Identität – Ergebnisse einer empirischen Längsschnittstudie. In: Aus Politik und Zeitgeschichte. B13 (1997). S. 38–46.
[19] Blank 1997: 46
[20] Blank 1997: 42
[21] Blank 1997: 42

Die von Blank u.a. durchgeführte empirische Analyse „Nationale Identität der Deutschen. Messung und Erklärung der Veränderungsprozesse in Ost und West" (1993, 1995,1996) zeigte, dass „der Nationalismus zu Fremdgruppenabwertung führt, während der Patriotismus Toleranz gegenüber diesen Gruppen fördert."[22] Die Deutschen, so lasse sich außerdem ablesen, sind eher patriotisch orientiert.

Ein weiteres wichtiges Ergebnis der Umfragen war, dass die Bezeichnung ‚das deutsche Nationalbewusstsein' eine durchaus falsche Vorstellung gibt. Es zeigte sich, dass die Wahrnehmung zweier nationaler Identitäten – Ost und West – existiert.

Die Ostdeutschen verfügen über ein spezifisches „Ost-Bewußtsein", welches mit dem nationalen Bewußtsein nicht identisch ist. Im Gegensatz dazu betrachten die Westdeutschen ihr „West-Bewußtsein" als Teilaspekt ihres Nationalbewußtseins.[23]

2.4 Entwicklung einer Ost-Identität

Die im Vorangegangenen nun offensichtlich werdenden Differenzen der Identität von West und Ost gelten im Allgemeinen als kontraproduktiv für den Wiedervereinigungsprozess, da sie das kulturelle Selbstverständnis aller Deutschen in Frage stellen. Als sich nach dem Fall der Mauer die Euphorie gelegt hatte, kam es zu einer Art gegenseitigen ‚Kulturschocks' (Wolf Wagner), als klar wurde, dass das Volk nicht so einig war, wie man angenommen hatte. Auf das Kennenlernen des Gegenübers, das über Jahrzehnte fast nur propagandistisch greifbar gewesen war, folgte auf beiden Seiten eine Phase der Ernüchterung, die jetzt, so scheint es, langsam in eine neue Phase, nämlich die eines neuen Ost-Selbstbewusstseins der letzten DDR-Generation, übergeht.

Doch direkt nach der Wiedervereinigung verlegte man sich zunächst darauf, die gegenseitigen Stereotypen zu pflegen. Demnach sind Westdeutsche machtgierig, zielstrebig und selbstbewusst, Ostdeutsche dagegen hilfsbereit, freundlich und ehrlich. Eine Studie der Universität Trier[24] hat gezeigt, dass die Fremdbilder, die der Osten und Westen voneinander entwickelt haben, auch tatsächlich mit der Selbstwahrnehmung übereinstimmen.

Die Ostdeutschen möchten genau so sein, wie sie von den Westlern gesehen werden, und diese wiederum sind befriedigt von dem Bild, das die Ostler von ihnen haben. Offenbar haben die wechselseitigen Vorurteile bereits den Charakter einer dauerhaften kulturellen Realie angenommen. Was nur heißt, dass auf beiden Seiten die andere wie die eigene soziale Realität durch die Brille des Vorurteils „falsch" wahrgenommen wird.[25]

---

[22] Blank 1997: 46
[23] Blank 1997: 46
[24] Mühlberg, Dietrich: Beobachtete Tendenzen zur Ausbildung einer ostdeutschen Teilkultur. In: Das Parlament. Aus Politik und Zeitgeschichte. Nr 11 (9.3.2001)
www.das-parlament.de/2001/11/beilage/2001_11_006_4816.html (24.08.02) S.3
[25] Mühlberg 2001: 3

Was allerdings viel schwerer wiegt als die gegenseitigen Vorurteile ist, dass der erwartete Akkulturationsprozess ausblieb. Es kam stattdessen zu einer kulturellen Überlagerung, die „bei binnenkoloniesatorischen Kulturzusammenstößen zur einseitigen Übernahme fremdkultureller Muster und Identitätsverlust"[26] im Osten führte. Der Osten hatte sich schnell zu assimilieren. Der Gewinn der politischen Freiheit durch die Eingliederung in den wirtschaftlich reichen Bruderstaat stellte sich als kultureller Totalverlust[27] heraus. Für den Westen schien die Veränderung nur politisch-wirtschaftlicher Art zu sein, nicht aber kultureller.

Die Differenz in der Identität besteht darin, daß „die Westdeutschen" keine Veranlassung haben, aufgrund der Vereinigung mit den anderen Deutschen an ihrem Selbstverständnis etwas zu ändern; von den Ostdeutschen dagegen erwarten sie, daß die endlich ihre Blockade überwinden (Mauer im Kopf, Folgen der SED-Diktatur), normale Deutsche werden (Demokratie lernen) und auf die Höhe „der Kultur" kommen (schlechte Gewohnheiten ablegen).[28]

Da bleibt die Frage, warum die Wiedervereinigung von westlicher Seite aus in ‚paternalischen Formen' (Habermas)[29] vollzogen werden konnte. Warum bestanden die Ex-DDR-Bürger nicht auf ihrem Recht, bei der Gestaltung ihrer Teilgesellschaft eigene Erfahrungen machen zu können? Friedrich Diekmann versucht eine Erklärung für das mangelnde Selbstbewusstsein zu geben:

Die zentrale Erfahrung des DDR-Bürgers war die Nicht-Identität. Er lebte in einer Welt, die mit den Prämissen ihrer Lenker und Konstrukteure nicht übereinstimmte, er lebte in dem auf allen gesellschaftlichen Ebenen erfahrbaren Widerspruch zwischen offizieller Bekundung und gesellschaftlicher Wirklichkeit; eine dritte Instanz war das abendliche Westfernsehen. Er lebte von Kindheit an in der Differenz; das erwies sich einerseits als bedrückend und andererseits als inspirierend, als eine Herausforderung.[30]

Natürlich forderten auch die Lebensbedingungen möglichst schnelle Angleichung an die westlichen Lebens- und Verhaltensstandards[31] Die Ostdeutschen haben bis heute, so Dietrich Mühlberg, aber noch keinen eigenen Lebensstil ausgebildet, „mit dem sie sich ausdrücklich von dem jeweils vergleichbaren sozial-kulturellen Milieu des Westens" abheben oder als zugehörig akzeptiert werden. Eine These, die im Bezug auf die letzte Generation der ‚Zonenkinder' allerdings noch in den späteren Kapiteln zu überprüfen bleibt.

Die Schwierigkeit der Anpassung, gerade der Generationen, die die DDR als Lebenswirklichkeit angenommen hatten, liegt darin, dass das Urteil über das gescheiterte System, trotz der Warnung Marion Gräfin Dönhoffs als „ein Urteil über die in ihm gelebten Biographien"[32], empfunden wird. Dies ist besonders durch die Abwer-

---

[26] Mühlberg, Dietrich: Kulturelle Differenz als Voraussetzung innerer Stabilität der deutschen Gesellschaft? Beitrag zur Konferenz „1989: Später Aufbruch – frühes Ende? Eine Bilanz zehn Jahre nach der Zeitenwende." 1999. www.kulturinitiative-89.de/Texte/DPOM_Kult_Differenz.html (24.08.02) S. 5

[27] Brecht, Eberhard: Probleme politischer Kultur. In: Die Mauer fiel, die Mauer steht. Ein deutsches Lesebuch 1989-1999. Hrsg. Von Hermann Glaser. München: dtv 1999. S. 232

[28] Mühlberg 1999: 7

[29] Mühlberg 1999: 8

[30] Diekmann 1999: 235

[31] Mühlberg 2001: 3

[32] Dönhoff, Marion: Ein Manifest - Weil das Land sich ändern muss. Hamburg: Rowohlt 1992. S. 73

tung der eigenen beruflichen Qualifikationen bedingt. Denn durch den schnellen Transformationsprozess wurde massenhaft Wissen und Können entwertet, was zum Statusverlust führte und damit zum Zusammenbruch des Selbstwertgefühls von Millionen Menschen[33].

Des weiteren kam es im Zuge der Wiedervereinigung neben der ökonomischen Benachteiligung zu zwei bedeutenden kulturelle Unterpriviligierungen für den Osten, die erst langsam aufgearbeitet werden. Die eine Unterpriviligierung liegt in den fehlenden Kommunikationsmedien, durch die das ohne Zweifel vorhandene ‚kulturelle Kapital' (Pierre Bourdieu) aufgefangen und entwickelt werden könnte. Bis heute führen die wenigen ostdeutschen Medien ein oft von Westdeutschen verwaltetes Dasein im Abseits des deutschen Medienmarktes (vgl. auch Interview mit Jana Hensel im Anhang). Es fehlen Orte der ostdeutschen Öffentlichkeit und Selbstverständigung und einhergehend damit die offizielle Auseinandersetzung mit dem Westen. Eine Tatsache, die als gegenseitige ‚Kommunikationsblockade' beschrieben werden kann, die für ein Verständnis beider Seiten nicht besonders förderlich ist und den Eindruck des voneinander Abwendens schürt.

Die zweite Benachteiligung liegt nach Dietrich Mühlberg darin, dass der Osten noch keine eigene Erinnerungskultur entwickelt hat.

Die Mehrheit der Ostdeutschen lehnt die Auseinandersetzung mit ihrer Vergangenheit in der Weise, wie sie ihnen institutionell und medial abgenötigt wird, als beschämend, erniedrigend und persönlich und moralisch unzumutbar ab.[34]

Dagegen boomt der ‚Ostalgie'-Markt. ‚Ostig-sein' wird von der Nachwendegeneration zum Trend erkoren, alte DDR-Produkte werden wiederentdeckt, Erinnerungsbücher und Bildbände zum DDR-Design entworfen.

Für den Westen, so resümiert Lothar Probst, stellt sich dieses „Kultivieren einer diffusen ‚Ost-Identität' [...] als Kontinuität des sozialistischen Erbes, als Nostalgieverlangen nach den Sicherheiten des versorgenden Wohlfahrtsstaates oder als Abgrenzung vor den Zumutungen der westdeutschen Gesellschaft"[35] dar. Detlef Pollak und Gert Pickel fassen die Position des Osten anders auf:

Die Rückwendung der Ostdeutschen zur DDR und die gleichzeitige Abwertung der Westdeutschen ist durchaus eine Form der Selbstbehauptung, aber nicht ... aufgrund einer mentalen Überforderung durch das implementierte bundesdeutsche Institutionensystem, sondern aufgrund der Verletzung des merkwürdigerweise auch bei Ostdeutschen vorhandenen Gefühls der eigenen Würde und des Stolzes.[36]

„Zwei gegensätzliche Identitätskonstruktionen gehen durch die ostdeutsche Übergangsgesellschaft."[37] So bringt Wolfgang Thierse die Lage auf den Punkt. Die eine

---

[33] vgl. Tietz, Udo: Abgewickelt. Über die doppelte Entwertung der „Ost-Biographien". In: Kursbuch 148. Die Rückkehr der Biographien. Hrsg. Von Ina Hartwig, Ingrid Karsunke u. Tilman Spengler. Berlin: Rowohlt Juni 2002. S. 55
[34] Tietz 2002: 61
[35] Mühlberg 1999: 7
[36] Mühlberg 1999: 8
[37] Diekmann, Christoph: Ostdeutschland steht auf der Kippe. Identitätskrise, mehr Arbeitslose, wirtschaftliche Abkopplung – in einem vertraulichen Papier redet Wolfgang Thierse Klartext. www.zeit.de/2001/02/Politik/200102_thierse.html (01.11.02)

Konstruktion ist die Abgrenzungsidentität OST zur gesamtdeutschen Identifikation, die andere ist die Identifikation als Deutscher, die sich wiederum gegen die Ost-herkunft abgrenzt.

Solange ostdeutsche Identität und gesamtdeutsche Identifikation als Wider-spruch erfahren werden, sind sie auch der Boden, auf dem nostalgische und nationalistische Identifikationen wachsen.

So Wolfgang Thierse in den „Fünf Thesen zur Vorbereitung eines Aktionspro-grammes für Ostdeutschland" im Parlament am 3.Januar 2001.

3. ERINNERUNG

Wie schon im vorhergehenden Kapitel angeklungen, ist die Erinnerung ein wichtiges Medium zur Entwicklung von Identität. Dieses Kapitel beschäftigt sich mit Erinnerung zunächst vom Standpunkt der neuropsychologischen Forschung, um den Zusammenhang von Erinnerung und Identitätsentwicklung noch einmal aus wissenschaftlicher Sicht herzustellen. Im weiteren Verlauf wird die Bedeutung von Erinnerung für die Literatur im Allgemeinen und die Wendeliteratur im Speziellen erarbeitet.

3.1 Erinnerung als konstruktive Gedächtnisleistung

Zur Darstellung des neo-konnektionistischen Gedächtniskonzeptes nach Peter Hejl folge ich der Argumentation Siegfried J. Schmidts[38].

Ausgehend vom Netzwerkmodell unseres neuronalen Systems nimmt Hejls Modell die Gehirntätigkeit in zwei Funktionskreisen (siehe Abbildung) an. Der erste Kreis stellte den Prozess der Wahrnehmung dar, während der zweite Kreis die, durch Kognition verarbeitete Wahrnehmung als Wirkung zeigt. Diese Verknüpfung der Funktionskreise Wahrnehmung und Wirkung ist der Grundgedanke des Konzeptes der Konnektivität. Anders ausgedrückt determinieren die genetische Vorraussetzung in Kombination mit gemachten Erfahrungen zusammen die Konnektivität der Bestandteile des neuronalen Systems.[39] Je mehr und je öfter eine bestimmte Wahrnehmung (sensorischer Reiz, motorischer Prozess, etc.) mit einer bestimmten Erfahrung (Wirkung) durch die Eigentätigkeit der Kognition miteinander verknüpft werden, desto schneller wird diese Verbindung in Zukunft hergestellt. Dabei ist die aktuelle Wahrnehmung maßgeblich durch die vorhergegangenen Wahrnehmungen geprägt (vgl. G. Roth 1990).

Die Beschaffenheit und Struktur des Nervensystems synthetisiert das Verhalten des Organismus. „Solche durch Lernprozesse gebahnten Wege bestehen als dauerhafte Eigenschaften eines kognitiven Systems weiter; [...]"[40]. Dem entsprechend sind Gedächtnisleistungen als flexible kognitive Strukturen zu verstehen. Die Idee des Gedächtnisses als „Speicher" sollte für die Vorstellung „von Wahrnehmungs- und Lernprozessen und deren Einwirkung auf die Konnektivität des neuronalen Systems."[41] aufgegeben werden.

Für die Vorstellung von *Erinnerung* heißt das, dass eine Erinnerung nicht an einer bestimmten Position des Nervensystem verankert ist, sondern dass die Struktur, die zur Erinnerung führt, gespeichert ist.

Erinnerung ist demgemäß nicht das Aufsuchen einer Abbildung oder Beschreibung, sondern die Aktivierung der betreffenden Konnektivität, d.h. ein Prozeß der

---

38 Schmidt, S.J.: Gedächtnis – Erzählen – Identität. In: Mnemosyne. Formen und Funktionen der kulturellen Erinnerung. Hrsg. von Aleida Assman u. Dietrich Harth. Frankfurt: Fischer Taschenbuch Verlag 1991. S. 378 – 397.
39 vgl. Schmidt 1991: 379
40 Schmidt 1991: 379
41 Schmidt 1991: 380

aktuellen Erzeugung von Zuständen aufgrund einer historisch entstandenen Konnektivität in einem sich dynamisch verändernden System (Hejl 1988).[42]

Ein wahrgenommenes Erlebnis hinterlässt ein mehr oder weniger aktives, aber stabiles Erregungsmuster im Nervensystem. Dieses Erregungsmuster wird reaktiviert, nicht das Erlebnis selbst. Es kann also in der Erinnerung kein Erlebnis reproduziert werden, es wird lediglich eine kognitive, emotionale und vom Moment des Erinnerungsprozess beeinflusste Disposition oder Sinnproduktion zu einen Handlungszusammenhang hergestellt. *Vergessen* ist in diesem Sinne als Prozess der Konnektionsauflösung zu begreifen, wenn für bestimmte Verknüpfungen über einen bestimmten Zeitraum kein Handlungsbedarf besteht.

Ausgehend von dem Konzept der Erinnerung als aktivem Vorgang, bei dem nicht der vergangene Sinn- oder Handlungszusammenhang, sondern die subjektive Verknüpfung wiederhergestellt wird, wird deutlich, dass die so konstruierte Erinnerung nicht mit der ‚objektiven‘ historischen Vergangenheit kongruent sein kann.

> Erinnerung hängt nicht von Vergangenheit ab, sondern Vergangenheit gewinnt Identität zuallererst durch die Modalität des Erinnerns:
> Erinnern konstruiert Vergangenheit.[43]

So etwas wie Objektivität kann also erst in Übereinstimmung mit Erinnerungen anderer hergestellt werden.

3.2 Erinnerung als identitätsstiftende und kollektive Leistung

Wie schon im Kapitel ‚Identität‘ dargestellt, entwickelt sich das Selbstbild eines Menschen oder seine ‚ICH-Identität‘ aus den miteinander konkurrierenden Instanzen des privaten und kollektiven ICHs. Seine Wahrnehmung von Identität grenzt das Individuum zum einen von Teilen seiner Umwelt ab, zum anderen kreiert sie Zugehörigkeit.

Die Theorie, die ein Individuum über die Wirklichkeit konstruiert, besteht aus Subtheorien über die eigene Person (Selbsttheorie), über die Außenwelt (Umwelttheorie) sowie über die Wechselwirkung zwischen diesen beiden.[44]

Die Umwelt dient dem Individuum als Korrektiv der subjektiven Wahrnehmung, auch sein Verhalten wird maßgeblich vom sozialen Konsens beeinflusst. Diese Einflussnahme des Umfeldes auf das Individuum ist nur über das Medium der Kommunikation möglich. In diesem Fall gilt der Bezug der verbalen Kommunikation. Im Austausch miteinander bestätigt sich jedes Individuum in seiner Wahrnehmung. Solch eine Intersubjektivität...

> [...] erreichen Erzählungen durch Ko-Konstruktivität zwischen Erzähler(n) und Zuhörer(n) bzw. Leser(n), die bedingt ist durch kognitive Parallelität der Bewußtseine von Mitgliedern homogener sozialer Gruppen, wobei diese Homogenität

---

[42] Schmidt 1992: 381
[43] Schmidt 1991: 388
[44] Schmidt 1991: 392

aus der Sozialisation und dem gemeinsamen Umgang mit Massenmedien resultiert.

[...]

Kognitive Parallelität und Homogenität, die zum Aufbau eines vergleichbaren Wirklichkeitsmodells und zur Verpflichtung aller Handlung und Erlebnisse auf dieses Modell führen (vgl. Heijl 1987), erlauben intersubjektiv die Konstruktion von Erzählfamilien, die als Äquivalent des Ausdrucks *kollektives Gedächtnis* angesehen werden können.[45]

Aber nicht nur die eigene Wahrnehmung, sondern auch die Wahrnehmung der Umwelt wird durch den Austausch geformt. Im Vermengen der einzelnen individuellen Geschichten entsteht ein Konsens, den Schmidt hier als „Ausdruck kollektiven Gedächtnisses" bezeichnet. Jede Geschichte ist durch den Filter der vorgeprägten Wahrnehmung gegangen und im Zusammentreffen mit der Wahrnehmung des Umfeldes bearbeitet, am Ende bleibt eine individuell gefärbte Erzählung, die Teil eines kulturellen Gesamtgefüges ist.

Texte und Dokumente sind, so gesehen, mithin keine Bedeutungsspeicher, sondern Anlässe für subjektgebundene semantische Operationen, für Nachdenken und Erinnern. Sie bieten Anlässe, Wahrnehmung und Erfahrung zu objektivieren und weitere Wahrnehmungen und Erfahrungen daran anzuschließen. [...] Die individuelle wie sozial bedeutsame Funktion von „Vertextung" liegt [nach Hejl, J.O.] nicht darin, unsere Erinnerungen durch Objektivierung zu verstetigen und zeitübergreifend verfügbar zu machen, sondern wohl eher darin, mit ihrer Hilfe die Komplexität unserer Wirklichkeitskonstruktionen zu steigern und dadurch auch komplexer handeln zu können.[46]

Dieses Verständnis von identitätssteigernder Erinnerung macht deutlich, wie signifikant der ‚Erinnerungsboom‘ DDR zur Zeit für die Entwicklung der ‚Ostidentität‘ ist. Das bisher fehlende Medium und die verlorene Sprache scheint im individuellen Erzählen gefunden. Denn, so Dietrich Mühlberg, das

[...] Verschwinden und Ausbleiben der bekannten Zeichen mit ihren geläufigen Bedeutungen hat das Alltagsverständnis von Zugehörigkeit und Herkunft zerstreut und zur Neuorientierung gezwungen. Dabei stehen Ostdeutsche etwas traditionslos im sozialen Raum, weil ihnen eine eigene Erinnerungskultur ausgerechnet zu einer Zeit verwehrt wird, in der in Europa ein spürbar kultureller Wandet stattfindet.[47]

Erst in der Fülle der verschiedenen ‚Nachwendeperspektiven‘ entsteht ein einheitliches Bild vom Effekt den die Wiedervereinigung auf die Menschen in Ostdeutschland hat. Das sich so langsam entwickelnde Mosaik gibt in seiner immer wiederkehrenden Überlagerung und Variation der Darstellung eine präzise Abbildung eines Zeitgefühls, was der langersehnte Wenderoman allein nicht hätte bewältigen können. Erst die Vielzahl von Wenderomanen macht begreiflich, welche kollektive Beeinträchtigung das historische Großereignis ‚Wiedervereinigung‘ hat. Schmidt fasst noch einmal zusammen:

---

[45] Schmidt 1991: 389
[46] Schmidt 1991: 391
[47] Mühlberg 2002: 4

[...] nicht nur die individuelle, auch die „soziale Autobiographie" einer Gesellschaft, ihr Geschichtsentwurf, ihre Prozesse der Selbstvergewisserung, kurz: der Aufbau sozialer Identität in der Kultur operiert weitgehend mit gedächtnisbasierten Erzählungen (vgl. Assmann/Assmann 1990). Erzählen als Grenz(wert)bildung dürfte auch im Wettstreit der Kulturen eine unersetzliche Rolle spielen. Erzählen ermöglicht Kollektiverfahrungen im Sinne übertragbarer Fremderfahrungen.[48]

Zuletzt weist Schmidt auf den Machtfaktor der Medienpräsenz hin. Je mehr Zeit eine Thematik hat, sich über die Medien (und derer sind heutzutage viele: TV, Printmedien, Internet und auch das (Hör-)Buch) mitzuteilen, desto mehr Chancen hat sie auch, dauerhaft ihren Platz im kollektiven Gedächtnis zu behaupten. Wie wichtig dies auch für das dauerhafte Verstehen um die kulturellen Differenzen für das weitere Zusammenleben von Ost und West ist, zeigt die derzeit vermehrte Medienpräsenz Ostdeutschlands, die mit der ‚Flutwelle‘ nach Westen schwappt: Ein Ringen um gesamtdeutsche Normalisierung.

---

[48] Schmidt 1991: 393

4. AUTOBIOGRAPHISCHES SCHREIBEN

Welchen Ausschlag Texte auf Identifikation und Selbstfindung haben, hat das letzte Kapitel versucht zu zeigen. Im Folgenden geht es um die spezifische Textsorte der Autobiographie bzw. des autobiographischen Schreibens. In Fortführung der historischen Aufbereitung des Themas führe ich auch hier einige geschichtliche Hinweise an, die zum Verständnis der Entwicklung wichtig sind. Des Weiteren werde ich anhand der Definition von Philippe Lejeunes Autobiographiebegriff die Auswahl der Texte begründen.

4.1 Die Entwicklung des autobiographischen Schreibens ab 1945

Nach dem Untergang des Nationalsozialismus war das Selbstverständnis der Deutschen schwer gestört. Die Frage nach der spezifisch deutschen Disposition, die die Gräueltaten der Jahre 1933-45 möglich gemacht hatte, wurde in den Folgejahren vielfach wissenschaftlich gestellt und beantwortet. Die Kriegsgeneration selbst hüllte sich jedoch in großes Schweigen. Mit dem Erscheinen des Mitscherlich-Textes „Unfähigkeit zu trauern"[49], der diese psychische Reaktion mit der ‚Derealisierung' der NS-Vergangenheit erklärt, wurde 1967 eine ‚geistig-moralische Wende' (Christian Schneider) eingeläutet. In diese Zeit, so der Soziologe Christan Schneider, „fällt die Wiederentdeckung des Biographischen"[50]. Weniger die betroffenen Eltern, als ihre Kinder benutzen den literarischen Rahmen, um der eigenen und dadurch auch kollektiven Irritation ihrer Generation im Konflikt mit der ihrer Eltern Ausdruck zu verleihen. Die an die Eltern gerichtete Schuldfrage und deren Schweigen, sowie die davon abgrenzende Selbstfindung wird besonders in den ‚Väterbüchern' der 70er und 80er, um mit Christoph Meckels „Suchbild"[51] nur ein Beispiel zu nennen, thematisiert.

> Die Wiederkehr des Biographischen im innovativen Forschungsbetrieb der achtziger Jahre war die verwissenschaftlichte Selbstthematisierung der zweiten Generation, die nach '68 versucht hatte, sowohl das Schema der ererbten als auch das der von den Eltern verleugneten Schuld zu brechen.[52]

Eine in den USA durchgeführte Studie zeigte, dass sich psychische Folgen des Holocaust noch auf die nachwachsende Generation auswirkten, eine sozusagen transgenerationelle Weitergabe eines Traumas. Daher Schneider weiter:

> Mit dieser Denkfigur der transgenerationellen Weitergabe, die in Deutschland mit einiger Verspätung auf die eigene Geschichte übertragen wurde, begann

---

[49] Mitscherlich, Alexander u. Margarete: Die Unfähigkeit zu trauern. Grundlagen kollektiven Verhaltens. München: R. Piper & Co. Verlag 1967.
[50] Schneider, Christian: Ich und mein Selbst. Über deutsche Identität und die Konjunktur biographischer Selbstverständigung. In: Kursbuch 148. Die Rückkehr der Biographien. Hrsg. Von Ina Hartwig, Ingrid Karsunke u. Tilman Spengler. Berlin: Rowohlt Juni 2002. S. 46.
[51] Meckel, Christoph: Suchbild. Über meinen Vater. Düsseldorf, Claassen 1980.
[52] Schneider 2002: 46

eine neue Form der biographischen Selbstreflexion: Neben die Idee der politischen Parthenogenese, die Phantasie einer von allen elterlichen Instanzen unabhängig und deshalb unschuldigen Selbstzeugung, die den zentralen Wunsch von ´68 bezeichnete, trat die Vorstellung einer langfristigen Prägung und mit ihr das Bild eines persönlichen, von der Geschichte gezeichneten Selbst.[53]

Ich sehe in der hier beschriebenen Entwicklung eine signifikante Parallele zum Konflikt der Wendekinder mit ihren Eltern, der u.a. im Kapitel „Schulter an Schulter, Zahn um Zahn – über unsere Eltern" in Jana Hensels Text „Zonenkinder" aufgezeigt wird (siehe auch Kapitel 8). Die Lebenswelten der Eltern und Kinder haben sich mit dem Fall der Mauer massiv voneinander getrennt. Für die Elterngeneration ist die Aufarbeitung des ‚gestohlenen Lebens' (Dümmel) im Sozialismus und dessen Zusammenbruch das Thema, während die ‚Zonenkinder' versuchen, sich über die Gespaltenheit ihres Aufwachsens in DDR und BRD und die Suche nach der verlorenen ‚Kindheitsheimat' (Skare) zu definieren.

Die Entwicklung der (auto)biographischen Literatur ist dementsprechend analog zu den Entwicklungsstufen der sich in unterschiedlichen historischen Kontexten bewegenden Menschen zu sehen.

Erste Anzeichen autobiographischer Literatur, von Memoiren über Autobiographien bis zum Roman zeigen sich auch in den siebziger Jahren, exemplarisch in der Tendenz, die eigene Geschichte oder Vergangenheit zu thematisieren, zu gestehen. So wie der Text *Kindheitsmuster* von Christa Wolf zeigt, geht es in den autobiographischen Texten vor allem um die literarische Bewältigung der faschistischen Vergangenheit mit deutlichem Gegenwartsbezug.[54]

Hyunseon Lee weist weiter auf die Entwicklung der Vorkriegsgeneration mit Heiner Müller, Christa Wolf u.a. zu jüngeren Autoren wie Christoph Hein und Monika Maron hin. Die Themenverschiebung von der Aufarbeitung der nationalsozialistischen Vergangenheit hin zur Gesellschaftskritik der DDR-Gegenwart ist deutlich ablesbar.

Ein Ex-DDR-Bürger schreibt über seine autobiographische Intention:

Meine eigene Geschichte verstehe ich als eine nicht endende Reihe von Versuchen, die Auswirkung der deutschen Teilung in mir selbst zu bewältigen. Das Leitmotiv dieser Geschichte ist der Kampf um Identität und Zugehörigkeit. Ein zweites Thema – eng mit dem ersten verbunden – hat mit der Art und Weise zu tun, Identität zu gewinnen und zu verteidigen, ohne in eine Nische zu kriechen oder ein Märtyrer zu werden.[55]

Anhand der Texte der Nachwendegeneration lassen sich auch die Schritte der unterschiedlichen Entwicklungen nachvollziehen. Autoren, wie Kerstin Hensel oder Christoph D. Brumme gehören schon auf Grund ihres Alters zu einer Übergangsphase; sie sind noch weitestgehend mit der Tradition der DDR-Literatur verbunden.

---

[53] Schneider 2002: 47
[54] Lee, Hyunseon: Geständniszwang und „Wahrheit des Charakters" in der Literatur der DDR. Diskursanalytische Fallstudie. Stuttgart; Weimar: Metzler 2000. S. 19
[55] Lee 2000: 15

Über Nadja Klinger und Katrin Dorn hin zu den jüngsten ostdeutschen Autoren wie Jana Simon und Jana Hensel ist immer mehr der Abstand und die veränderte Perspektive zur DDR-Vergangenheit zu spüren.

Thomas E. Schmidt beschreibt dieses Phänomen in einer Rezension über Jana Simon, Antje Rávic Strubel u.a. wie folgt:

> Vor der Wende waren diese Autoren Beobachter mit kindlich geweiteten Augen, danach fiel ihnen die Blickschärfe von Fremden oder Gästen zu.
> [...]
> Alle suchen sie nach einem literarischen Beobachtungsstandpunkt, der Anwesenheit und Beteiligung nachträglich nicht leugnet, der aber doch Distanz zu einem lebensgeschichtlich verordneten Stoff sichert.[56]

4.2 Definition des autobiographischen Schreibens nach Lejeune

In diesem Abschnitt versuche ich die sehr komplexe Autobiographietheorie von Lejeune in Kürze mit Blick auf die in dieser Arbeit besprochenen Texte zu skizzieren. Die Terminologie Lejeunes setze ich hierbei voraus und beschränke mich auf die Darstellung der Unterschiede von Biographie, Autobiographie und autobiographischem Roman.

Lejeune definiert die Autobiographie als eine

> rückblickende Prosaerzählung einer tatsächlichen Person über ihre eigene Existenz, wenn sie den Nachdruck auf ihr persönliches Leben und insbesondere auf die Geschichten ihrer Persönlichkeit legt.[57]

Diese Definition bestimmt vier Kategorien, die alle bedient werden müssen, wenn sich ein Text als Autobiographie bezeichnen lassen soll. Die sprachliche *Form*, das behandelte *Thema*, die *Situation* des Autors und die *Position* des Erzählers.
Der Text sollte im Idealfall in Prosa abgefasst sein. Sein Thema ist die Geschichte einer individuellen Persönlichkeit. Genauer:

> Das Thema muß hauptsächlich das individuelle Leben, die Herausbildung der Persönlichkeit sein: Aber die Chronik und die politische oder Sozialgeschichte können darin ebenfalls einen gewissen Raum einnehmen.[58]

Mit Situation des Autors meint Lejeune die Identität zwischen Autor und Erzähler. „Damit es sich um eine Autobiographie [...] handelt, muß Identität zwischen dem Autor, dem Erzähler und dem Protagonisten bestehen."[59] Diese Übereinstimmung bezeichnet Lejeune als *autobiographischen Pakt,* der sich letztendlich mit dem auf dem Buchumschlag angezeigten Namen legitimiert. Diesen Fall beschreiben Nadja Klinger „Ich ziehe einen Kreis – Geschichten", die sich im Text selbst als

---

[56] Schmidt, Thomas E.: Als das Boot gekentert war. Die jungen Autoren Ostdeutschlands erzählen kühl vom Leben in der Zone. In: Die Zeit. Nr. 37 (2002)
[57] Lejeune, Philippe: Der autobiographische Pakt. Frankfurt a. M., Suhrkamp 1994. S.14
[58] Lejeune 1994: 15
[59] Lejeune 1994: 15

‚Nadja'[60] rufen lässt und Susanne Leinemann in „Aufgewacht. Mauer weg."[61] Sollte diese Kennzeichnung des Autoren nachweislich ein Pseudonym sein, kann davon ausgegangen werden, dass es sich nicht um eine Autobiographie handelt. (Der Roman „Wasserfarben" von Thomas Brussig wurde 1991 zuerst unter dem Pseudonym Cordt Berneburger verlegt.) Allerdings ist

> [...] der zweite Name [...] genauso echt wie der erste, er zeigt einfach diese zweite Geburt an, dieses Öffentlichwerden des Schreibens. [...] Das Pseudonym ist eine Differenzierung, eine Verdoppelung des Namens, die keinen Wechsel der Identität bedingt.[62]

Die Position des Erzählers verortet er in einer rückblickenden Erzählperspektive, die die Distanz zum vor längerer oder kürzerer Zeit gelebten Leben andeutet.

Die Autobiographie ist kurz gesagt eine vom Betroffenen selbst verfasste Biographie. Die Biographie ist also von einem mit dem Erzähler bzw. Protagonisten *nicht* identischen Autoren verfasst und muss sich auch nicht an die für die Autobiographie obligatorischen Verpflichtungen (Kategorien) halten.

Um nach Lejeune also einen Text als Autobiographie zu bestimmen, muss, wie schon erwähnt, der Erzähler mit dem Protagonisten übereinstimmen. Diese Übereinstimmung wird in der Regel mit der Verwendung der grammatischen ersten Person *ich* angezeigt. Eine Autobiographie kann aber auch in der zweiten oder dritten Person geschrieben sein (siehe Abbildung 1). Die Verwendung der verschiedenen grammatischen Personen kennzeichnet den Grad der Distanz, den der Autobiograph zum Text herstellen will. Gerade die Verwendung der dritten Person signalisiert einen besonders grossen Abstand.

> Die Verwendung der dritten und der zweiten Person sind in der Autobiographie selten, bezeugen aber deutlich, daß man die grammatikalischen Probleme der Person nicht mit den Identitätsproblemen verwechseln darf.[63]

Diese Distanz nimmt Jana Simon für die biographische Beschreibung ihres Freundes Felix in „Denn wir sind anders – die Geschichte des Felix S."[64] zu Hilfe. Der Text ist aber autobiographisch zu lesen, da die Autorin ihr eigenes Mitwirken in der Geschichte keineswegs verbirgt. Durch die Distanz im Benennen der eigenen Person mit *sie* versucht Simon eine in gewissermaßen objektive und in Teilen auch übertragbare Berichterstattung herzustellen.

Was bezeichnet nun nach der Definition von Biographie und Autobiographie den autobiographischen Roman? Lejeune gibt die Antwort:

> So bezeichne ich alle fiktionalen Texte, in denen der Leser aufgrund von Ähnlichkeiten, die er zu erraten glaubt, Grund zur Annahme hat, daß eine Identität zwischen Autor und *Protagonist* besteht, während der Autor jedoch beschlossen hat, diese Identität zu leugnen oder zumindest nicht zu behaupten.[65]

---

[60] Klinger, Nadja: Ich ziehe einen Kreis. Berlin: Alexander Fest Verlag 1997. S. 48
[61] Leinemann, Susanne: Aufgewacht. Mauer weg. Stuttgart; München: Deutsche Verlags-Anstalt 2002. S. 25ff
[62] Lejeune 1994: 25
[63] Lejeune 1994: 18
[64] Simon, Jana: Denn wir sind *anders*. Die Geschichte des Felix S.. Berlin: Rowohlt Verlag 2002.
[65] Lejeune 1994. 26

Auch hier besteht ein Pakt, den der Leser eingeht, wenn er den Text liest. Der Romanpakt wird ganz offensichtlich durch die Auszeichnung eines Textes als Roman geschlossen. In diesem Fall ist der Autor nicht identisch mit dem Protagonisten, womit ein autobiographischer Pakt ausgeschlossen wird. Umgekehrt bedeutet dies, wenn der Name des Autors doch identisch mit dem des Protagonisten sein sollte, dass es sich nicht um einen Romanpakt handelt, sondern um einen autobiographischen Pakt. In der Regel sollte der Leser wissen, worauf er sich einlässt. Der komplizierteste Fall ist die Unbestimmtbarkeit eines Textes. Es handelt sich um die Situation, in der offensichtlich kein Pakt geschlossen wurde und gleichzeitig die Identität oder Nichtidentität im Dunkeln gelassen wird. Ist der autobiographische Pakt geschlossen worden, aber kein Name zur Identitätsüberprüfung vorhanden, handelt es sich trotzdem um einen autobiographischen Text. Umgekehrt: sollte der Pakt nicht eindeutig festgelegt worden sein, aber der Autor ist mit dem Protagonisten identisch, dann ist der vorliegende Text ein Roman (siehe Abbildung 2).

Der autobiographische Roman füllt die theoretischen Lücken der Matrix. Er existiert in der Grauzone zwischen klar bestimmbaren Roman und Autobiographie. Ihn kennzeichnen die *Gradunterschiede*, die dem Leser selbst zu bestimmen bleiben. Durch die nicht eindeutige Kennzeichnung kann er in der Skala von vager Ähnlichkeit bis zur verblüffenden Übereinstimmung zwischen dem Protagonisten und dem Autor wählen.

Je mehr autobiographische Texte durch den Einsatz poetischer Verfahren, intertextueller Verweise und Metaphern eine Literarisierung erfahren, desto offener und mehrdeutiger werden sie. Sie erleiden jedoch durch diese Möglichkeit der variablen Interpretation keinen Schaden; die Tendenz geht in die Richtung der Polysemie, der mehrfachen Lesbarkeit. Richard Kämmerlings unterstützt daher die Vermischung der beiden Textsorten:

> „Fiktionalität ist nicht der Sargnagel des autobiographischen Projekts, sondern Bedingung seiner Möglichkeit, soll nicht die eindimensionale Banalität des rein historischen Zugriffs das Schreiben in unauflösbare Frontstellung zur Erfahrung bringen.“[66]

4.3 Autobiographisches Schreiben seit der Wende

Die aktuelle Tendenz hin zum autobiographischen Schreiben einer Generation, die im eigentlichen Sinne noch nicht auf ein gelebtes Leben zurückblicken kann, nahm mit Florian Illies „Generation Golf“ ihren Anfang. „Die Suche nach dem Ziel“, so begründet Illies sein Schreibprojekt, „hat sich erledigt. Veränderungen wird die Zukunft kaum bringen. Und deswegen kann man sich um so intensiver um die eigene, ganz persönliche Vergangenheit kümmern.“ Die Zwischenbilanz einer West-Generation, die vor lauter Konsum den Sinn des Lebens nicht mehr findet. Die „Suchbewegung nach einer verlorenen Zeit“, so betitelt Richard Kämmerlings die

---

66 Kämmerlings, Richard: Das Ich und seine Gesamtausgabe. Zum Problem der Autobiographie. In:Kursbuch 148. Die Rückkehr der Biographien. Hrsg.Von Ina Hartwig, Ingrid Karsunke u.Tilman Spengler.Berlin: Rowohlt Juni 2002. S. 106

Entwicklung und sieht diese jedoch in der Pionierarbeit der jungen ostdeutschen Autoren begründet.

Denn wer, wenn nicht die früheren Bürger der DDR haben allen Anlaß zu einer Recherche in eigener Sache. Mit der Wiedervereinigung verschwand nicht einfach nur ein Staat und eine Gesellschaftsform, sondern zugleich ein ganzer Hallraum identitätsstiftender Erfahrungen.[67]

Das Verlorene, was diejenigen, für die der Fall der Mauer gleichzeitig die Markierung des Endes ihrer Kindheit oder Jugend war, suchen, ist nur noch in der gemeinsamen Erinnerung zu finden. Ein Heimatgefühl wird so durch das Aufzählen von Gegen-, Um- und Zuständen herbeibeschworen. Aus diesem Grund ist die von den Popliteraten (die Moritz Baßler sinnigerweise als *Archivisten* bezeichnet) eingeführte Benennung und Aufzählung von Markennamen, Songtiteln und jugendsprachlichen Chiffren als „Selbstvergewisserung in einer rasend beschleunigten Konsumsphäre"[68] zu verstehen. Denn,

da die Autobiographie immer auch die Geschichte ihrer eigenen Speichermedien enthält, wird sie von den Veränderungen der medialen Bedingungen des Erinnerns im Kern getroffen.[69]

Identitätsfindung funktioniert in dieser Hinsicht für den Westen durch das Auswählen bestimmter Erinnerungsstücke aus dem unendlich gewordenen Fundus der medial festgehaltenen Entwicklung. Für den Osten hingegen wird der Speicher immer leerer; was nicht festgehalten wurde, gerät in Vergessenheit, daher ruft die junge Generation zum kollektiven Erinnern auf. Ihr Archiv, so Kämmerlings, ist die Sprache selbst, die das Verlorene noch zu benennen weiß.

Weil mit der Wiedervereinigung die Kontinuität des Erinnerns zerbrach, kann die Authentizität erst in der Erfindung erstellt werden.
[...]
Weil Bewahrung in diesem Fall gar keine Option mehr ist, kann es nur um Neuerschaffung gehen, um die Konstruktion einer verlorenen Heimat als Kunstwerk, kurz: um Brennersatzstoffe, die keine falsche Nestwärme erzeugen, sondern das Dasein durch Selbsterkenntnis illuminieren sollen.[70]

Das dieses Ziel nicht nur in autobiographischen Texten verfolgt wird, zeigt ein Blick in thematisch ähnliche Romane, wie Kerstin Hensels „Tanz am Kanal", Christoph D. Brummes „Nichts als das", Thomas Brussigs „Wasserfarben" u.v.a.. Die DDR-Kindheit und die damit verbundenen Erinnerungen liegen als Folie unter allen Geschichten und haben für die Protagonisten persönlichkeitskonstituierende Funktion.

---

[67] Kämmerlings 2002: 108
[68] Kämmerlings 2002: 107
[69] Kämmerlings 2002: 107
[70] Kämmerlings 2002: 109

5. KINDHEITSHEIMAT IN DER DDR-LITERATUR

Das letzte Kapitel hat darauf hingewiesen, dass die Kindheitsthematik nicht nur in autobiographischen Texten eine besondere Stellung einnimmt. Dieses Kapitel beschäftigt sich kursorisch mit den Entwicklungsphasen und literarischen Mitteln der DDR-Literatur nach Karsten Dümmel und zeigt, wie diese noch in der Nachwendezeit zu finden sind. Dafür und für die Darstellung von Kindheitsheimaten sind die Nachwendetexte von Hensel, Brumme, Dorn und Brussig exemplarisch.

5.1 Phasen der DDR-Literatur

> DDR-Literatur – das war (...) zunächst ein ideologisch-synthetisches Konstrukt der literaturwissenschaftlich gestützten SED-Propaganda zur Abgrenzung gegenüber der ‚bürgerlichen BRD-Literatur'.[71]

So ist eine DDR-Literaturgeschichte nicht von den politischen Vorgaben und Repressionen zu trennen. Analog zur veränderten politischen Haltung der DDR-Bürger, die sie bis zur Wiedervereinigung einnahmen, entwickelte sich so auch ein anderer Ton in der Literatur. Doch zunächst galt es, das Medium Literatur zur Verwirklichung der sozialistischen Ziele einzusetzen:

> Den orthodoxen Kulturfunktionären ging es also unter dem Postulat Schaffung einer neuen Nationalliteratur darum, daß von den Autoren vor allem der sozialistische Neubeginn geschildert, der Aufbau der Gesellschaft über Literatur mitgestaltet wurde.[72]

Daher wurde die Repetition des Offizialdiskurses als literarisches Thema verpflichtend. Gefordert war eine affirmativ-idealisierende Darstellung der kollektiven Leistung. Darstellung subjektiver oder individueller Art wurden ausgeklammert. Dümmel bezeichnet diese erste Phase der DDR-Literatur als *affirmative Literatur*. Sie ist ein Sammelbegriff für alle staatsloyalen Texte der fünfziger und sechziger Jahre, die in den Folgejahren der DDR den Kanon der Schulliteratur (wie Apitz, Bredel, Barthel, Fürnberg, u.a.) stellten und so zur Umerziehung des Volkes funktionalisiert waren.

> Alle Texte, die sich in jenem Zeitraum mit Problemen der Identität beschäftigten, führen emphatisch eine eigene DDR-Identität der Helden vor. Eine Identität allerdings, die auf einer Nicht-Identität basierte: nicht-faschistisch, nicht-bourgeois, nicht-volksfremd, nicht-nihilistisch-skeptizisch-dekandent, nicht formalistisch-modern.[73]

Aus Mangel eines gewachsenen sozialistischen Selbstbildes musste eine Identifikation vermittelt werden. Diese entstand (wie jetzt nach der Wende auch) in der Abgrenzung zum anderen Teil Deutschlands.

---

[71] Dümmel 1997: 29
[72] Dümmel 1997: 30
[73] Dümmel 1997: 29

Der Diskurs der sechziger und siebziger Jahre wurde vor allem durch den Prager Frühling und die Ausbürgerung Wolf Biermanns (1976) geprägt: Dadurch erhielt auch die literarische Entwicklung kritische Züge. „Die Symbiose zwischen Geist und Macht zerbrach endgültig."[74] Die neue *kritische Literatur* offenbarte sich durch ein distanziertes Verhältnis zur Machtausübung des Staates, das durch Kompensationsmomente, wie verhüllte Rede, historische Camouflage und Zwischen-den-Zeilen-Schreiben, Merkmal der gesamten DDR-Literatur seit dieser Zeit wurde. Die Befindlichkeit des Menschen im sozialistischen Alltag war nun das große Thema; das ICH wurde gegenüber dem WIR gefördert.

Die dritte Phase, die Dümmel ausmacht, ist die so genannte *subversive Literatur*, die sich oft auch unter der ungenaueren Bezeichnung ‚Prenzlauerbergliteratur' findet. Subversiv wird Literatur erst im Laufe der achtziger Jahre. Sie überschneidet sich in Teilen mit der *kritischen Literatur*, überspitzt sie.

Unsicherheiten im Umgang mit Problemen der Identität – Antifaschismus als Identitätsmuster, Vater-Sohn-, Mutter-Tochter-Divergenzen, Träume und Identitätssuche, Gesellschaft und Individuum – sind hier durchweg kennzeichnend.[75]

All diese Themen der *kritischen Literatur* sind auch noch in der Literatur nach der Wende zu finden, die sich auf die Vorwendezeit bezieht. Zum Beispiel: Antifaschismus in Nadja Klingers Beschreibung ihres Großvaters, der Vater-Sohn-Konflikt bei Christoph Brumme, (Vater-) Mutter-Tochter-Konflikt in Katrin Dorns „Lügen und Schweigen" und das Individuum versus Gesellschaft in Kerstin Hensels „Tanz am Kanal"; auf der Suche nach der eigenen Identität sind alle Protagonisten.

5.2 Sprache und Motivik der DDR-Literatur

Die Entwicklung einer Distanz zum sozialistischen Regime erforderte Talent, kritische Aspekte geschickt im Text zu verbergen, um nicht der Zensur zum Opfer zu fallen, denn die Kulturpolitiker der SED befürchteten, dass das Selbstbewusstsein und die Konfliktfähigkeit durch literarische Meinungsbildung gestärkt werden könnte.

Aus der Text- und Motivanalyse Dümmels[76] ergeben sich unterschiedliche Reaktionsweisen, wie die Figuren auf den Anpassungsdruck der sozialistischen Gesellschaft reagieren und die sich auch in den Beschreibungen der jungen ostdeutschen Autoren nach der Wende vor allem im Bezug auf ihre Eltern wieder finden. Dazu gehören zum Beispiel die „pathologische Verdrängung als Selbstschutz der Rolle, innere Zerrissenheit zwischen Anpassung und Verweigerung, Lüge und Wahrheit [...]"[77].

Die gestörte Kommunikation besonders zwischen Eltern und Kindern und ganz besonders den Kindern, die mit der Wende andere identitätsstiftende Erfahrungen

---

74 Lexikon des DDR-Sozialismus. Das Staats- und Gesellschaftssystem der Deutschen Demokratischen Repulik. Hrsg. von Rainer Eppelmann, Horst Möller, Günter Nooke und Dorothee Wilms. 2. Auflage. Paderborn; München; Wien; Zürich: Schönigh 1997. S. 518
75 Dümmel 1997: 33
76 Dümmel geht auf Texte von Schlesinger, Braun, Maron, Hein, u.a. ein.
77 Dümmel 1997: 224

machen durften, ist in fast allen Texten immanent. Bestes Beispiel ist natürlich der Text von Katrin Dorn, den sie progammatisch „Lügen und Schweigen" betitelt. Lügen und Schweigen sind zum einen die Überlebenstechnik im Nachkriegsdeutschland und in der DDR, zum anderen das Unvermögen der ostdeutschen Protagonistin Vera, ihrem Trauma der Kindheit gegenüber ihrem westdeutschen Partner Ausdruck zu verleihen. Der Tod des Vaters führt sie zu einer Erinnerungsreise in die alte Heimat, wo sich nichts verändert hat. „Halt die Klappe" sind die einzigen Worte, die der sterbende Vater nach Jahren des Schweigens an seine Tochter richtet, und auch die Mutter verharrt ihr gegenüber in Sprachlosigkeit.

Eine traumatische Erinnerung an die Kindheit im Ostharz ist auch Christoph D. Brummes Roman „Nichts als das"[78]. Die Kommunikation von No (namenlos, nobody, Lehrerkind und Legastheniker) und seinem totalitären und sadistischen Vater ist auch von Lügen und Schweigen geprägt. Sprechen wird zur Gratwanderung für No im Vater-Sohn-Konflikt.

Sein Vater schrieb auf Pappkärtchen. *Ruhe!* Das Kärtchen legte er No auf den Tisch, zur Erinnerung, weil sonst vergaß No, daß er ruhig zu sein hatte. [...] Das hatte den Vorteil, daß sein Vater nicht mit ihm zu sprechen brauchte und ihm trotzdem etwas sagen konnte. (CB 1994: 34)

No flüchtet sich in seine Träume und in seinen Träumen über die Grenze, an der sie wohnen, in fremde Länder; er flüchtet sich in die Geschichten seiner Bücher und erfindet selbst Geschichte, er lügt aus Lust und Angst.

Kopfschmerzen mußten etwas anderes sein als das, was er hatte. Bei ihm war es bestimmt das schlechte Gewissen, das so weh tat. Wer so viel lügt wie du, sagte sein Vater ihm oft, der muß doch ständig ein schlechtes Gewissen haben. Fühlst du dich damit eigentlich wohl? Also war es sein schlechtes Gewissen, das seinen Kopf entzündete. (CB 1994: 14)

So beschreibt Brumme „[...] im Kleinformat, ein intimes Portrait der DDR."[79] Nicht nur das Thema ist ganz in Anlehnung der kritischen DDR-Literatur geschrieben, auch sein sachlich-nüchterner Stil spiegelt den typischen Duktus wieder. „Alles sagen zu wollen ist langweilig. Literatur ist eine Symbiose von Sprechen und Schweigen – das Schweigen ist immer transzendent" erklärt Brumme in einem Interview.[80]

Vielen kindlichen Protagonisten sind Väter zu eigen, die unter den Repressionen des Regimes leiden und die die Gelegenheit zur Flucht verpasst haben. „Republikflucht als Möglichkeit, dem Kreislauf vertrauter nicht endender Bevormundung zu entkommen [...]"[81] ist ein weiteres verbindendes Leitmotiv. Nos Vater bleibt bei seiner Mutter, weil schon der Bruder in den Westen ausgewandert ist. Die Träume von einem Leben in Südamerika oder Australien scheitern endgültig an der Verbindung zu Nos Mutter. Auch „No träumte, er würde abhauen. Das träumte er oft. Er lief auf

---

[78] Brumme, Christoph D.: Nichts als das. Berlin: Verlag Mathias Gatza 1994.
[79] Geisel, Sieglinde: Deutsche Kindheit. „Nichts als das" – Christoph D. Brummes eindrucksvolles Debüt. In: Freitag. Nr. 41 (7.10.1994)
[80] Geisel, Sieglinde: Auf Stelzen über Zäune steigen. Christoph D. Brumme, Schriftsteller aus Berlin. In: Der Tagesspiegel. Nr. 15085 (7.11.1994) S. 20
[81] Dümmel 1997: 225

Stelzen auf die Grenze zu."[82] Vorort gefangen, wird das System allerdings nur mit legitimierten Mitteln, nie subversiv bekämpft. Der Vater schreibt Briefe an die Regierung, in denen er ihnen ihre Widersprüche anhand von Zeitungsartikeln aufzeigt. „Sein Vater hatte einen Rochus auf die Kommunisten."[83] Nos Vater, sowie auch Veras Vater (Dorn) und Gabrielas Vater (K. Hensel) sind mehr Nörgler als ernstzunehmende Systemgegner; sie geben die Demütigungen, die sie erleben in direkter Linie an ihre Kinder weiter.[84] Als der älteste Bruder aus Protest gegen seinen Vater in die Armee eintritt, da ist auch dieser Vater-Sohn-Konflikt perfekt.

> Er [der ältere Bruder Nos, J.O.] hätte immer gehofft, mit seinem Vater über seine Kindheit reden zu können, vielleicht wäre dann, wenn sein Vater einsehen würde, daß er einiges verkehrt gemacht habe, diese Entscheidung [sich der Armee zu Verpflichten, J.O.] nicht notwendig gewesen. (CB 1994. 177)

Auch die schon geplante Flucht von Veras Vater scheitert an der plötzlichen Schwangerschaft der Mutter. Die Tochter ist der Verhinderungsgrund der Flucht und die Basis der gestörten Vater-Tochter-Mutter-Beziehung. „Ich verstehe diese ganze Fernsucht nicht", ruft die Mutter plötzlich. „Ich hab euch schon damals nicht verstanden. Hier ist es doch auch schön."[85] Der Vater wird depressiv. Vera war, sobald sie konnte, nach Berlin gezogen, die Eltern blieben in der Provinz. Sie versteht nicht, warum der Vater nach dem Fall der Mauer nicht die Gelegenheit, ins Ausland zu fahren, nutze.

> [...] als sie die Grenze aufgemacht haben... ich meine, es sah doch plötzlich so aus, als hätte man das auch schon vor zehn oder zwanzig Jahren machen können. Als wäre so eine Grenze nicht viel mehr als ein Irrtum, den man unter anderen Umständen gar nicht erst begangen hätte. (KD 2002: 80)

Aber für den Vater ist es zu spät, er hat sich mit seiner Enttäuschung, dem gestohlenen Leben, abgefunden. Die Tochter gibt sich die Schuld für die Unzufriedenheit des Vaters und später auch für seinen Tod. „Ich heiße Vera und bin eine schlechte Schülerin," beschreibt sie sich und dabei will sie eine andere sein. „Bisher hat sie alles falsch gemacht." (KD 2002: 54)

Auch Gabriela, die Protagonistin in Kerstin Hensels[86] Erzählung, ist ein an Leib und Seele missbrauchtes Kind.

> Ich heiße Gabriela von Haßlau. Mein Vater ist Obermedizinalrat, erster Venenchirurg der Leibnitzer Klinik. I wie Intelligenz, I wie I-Werk. Ich tauche ins heiße Badewasser, versuche, den Körper zu spüren: Das bist *Du*, Gabriela von Haßlau. (KH 1997: 85)

Der Vater verfällt mit zunehmender Nivellierung seiner Amts- und Adelstitel „aus Gründen historischer Gerechtigkeit" (KH 1997: 73) dem Alkohol. „Es ging nicht um mich, es ging um ihn. Um das verlorene *Prestiesch*," erinnert sich Gabriela. Die Mutter verlässt die Familie für einen anderen Mann. Als Gabriela von einem Volks-

---

[82] Brumme 1994: 84
[83] Brumme 1994: 35
[84] Skare 2001: 242
[85] Dorn, Katrin: Lügen und Schweigen. Berlin: Aufbau-Verlag 2000. S. 40
[86] Hensel, Kerstin: Tanz am Kanal. Frankfurt a. M.: Suhrkamp 1997.

polizisten vergewaltigt wird, wird ihr Vater gezwungen, die Verletzungen unkennt-lich zu machen. „Ich begriff nichts mehr, alle verließen sie mich, einer nach dem anderen, keiner zeigte mir, wo lang es geht und wohin ich gehen sollte. Keiner nahm mich mit." (KH 1997: 74) Auch sie flüchtet zunächst in die Welt der Jungmädchen-literatur, sucht Geborgenheit in den Geschichten von ‚Goldköpfchen' und ‚Nest-häkchen'. Als Obdachlose entdeckt sie auf der Suche nach sich selbst das Schreiben, nachdem sie als Kind von ihrem Vater auf „gutes Deutsch" getrimmt worden war. Die Wende erlebt sie dann zwischen Bewusstlosigkeit und Psychatrie: „Jetzt ist deine Zeit gekommen." (KH 1997: 116)

> Bei aller Unterschiedlichkeit im Gebrauch des jeweiligen Stoffes zeigten die subversiv eingesetzten Varianten der Topoi, daß der Prozeß der Identitätssuche, der Identitätsfindung beziehungsweise des Identitätsverlustes von den Autoren stets als Leidensprozeß [...] geschildert wurde.[87]

Die Kinder flüchten aus der Heimat, während die Eltern auf der Strecke bleiben. Wie weit die Biographie der Eltern prägend ist und welche Auswirkungen die Wende letztendlich auch auf die jüngste DDR-Generation hatte, lässt sich auch anhand der drei autobiographischen Texte von Nadja Klinger, Jana Simon und Jana Hensel ablesen.

5.3 Darstellung von Kindheit und Heimat

Dass vermehrt junge (ost)deutsche Autoren zum literarischen Gegenstand ‚Kind-heit' greifen, weist verschiedene Deutungsmöglichkeiten auf. Roswitha Skare wer-tet dies als „Hinweis auf Identitätsprobleme in der Gegenwart"[88]. Obwohl oder viel-leicht gerade weil die Wende auch eine Wende im persönlichen Leben, sozusagen einen neuen Start für die Jüngeren bedeutete, scheint es ein Bedürfnis zu geben, sich seiner Wurzeln zu versichern. Skare zitiert Karlheinz Rossbacher, der das Erfor-schen der Kindheitsräume und ihre sozialen Bedingungen als wesentlich für die gegenwärtige subjektive Befindlichkeit erkennt.[89] Dies ist nicht erst seit der Nach-wendeliteratur zu bemerken.

> Die Darstellung autoritärer Strukturen der DDR in Familie, Schule und Militär ist kein neues Thema; angeknüpft wird an Texte der DDR-Literatur der 70er Jahre, die Jugendliche in den Mittelpunkt rücken, die entweder ausbrechen und ihre eigenes Leben führen wollen oder aber am „real existierenden Sozialismus" kaputtgehen.[90]

Doch gerade die Nachwendegeneration hat ein besonderes Anliegen, denn mit den veränderten Lebensbedingungen ist auch ein veränderter Blick auf die Vergan-genheit möglich, die diese Autoren noch nicht aus der zeitlichen Perspektive ver-loren haben.[91]

---

[87] Dümmel 1997: 228
[88] Skare 2001: 238
[89] Skare 2001: 238
[90] Skare 2001: 243
[91] vgl. Skare 2001: 237

Die emotionale Bindung [...] an einen konkreten, eng umgrenzten Raum und nicht zuletzt an die Eltern steht in enger Verbindung zum menschlichen Grundbedürfnis nach Identifikationsraum und aktualisiert so den Heimatbegriff erneut.[92]

Die Heimat, die die Autoren schildern, ist oft die Provinz, auf die die Protagonisten aus der sicheren Entfernung der Großstadt (dem Nachwende-Berlin) zurückblicken, wie bei Katrin Dorn, Nadja Klinger oder Jana Hensel. Aber auch die beschriebenen Kleinstädte wie Kerstin Hensels fiktiver Ort Leibnitz (eine Mischung aus Leipzig und Chemnitz) oder Ostberlin sind durch provinzielle, überschaubare Enge gekennzeichnet. Jana Simon beschreibt das ostberliner Industriegebiet Schöneweide als „die Welt seiner [Felix', J.O.] Kindheit" mit den Worten „er muss sich hier gefühlt haben wie an Ende der Welt" (JS 2002: 7). Alles spielt sich an diesem einen Ort ab, die Protagonisten wollen diesen Ort nicht verlassen, wie Jana Simons Felix, der sein kurzes Leben lang immer in Ostberlin bleibt oder Nadja Klingers Ich-Erzählerin, die sich mit ihren Kindern in ihrer Ostberliner Wohnung sogar einschließt.

Provinz ist vielmehr Erfahrungs- und Handlungshintergrund der Texte und damit indirekt an der Verteidigung von Identität und Geschichte beteiligt.[93]

Obwohl der Heimatort räumlich derselbe blieb, waren die Veränderungen, die mit der Wende einhergingen, so gravierend, dass sich für viele ein Fremdheitsgefühl einstellte. Bisher, so formuliert Ina Merkel den Bezug des Ostens zum Westen, bestand das Problem nicht darin, „daß es dem Osten nicht *gelang*, wie der Westen zu werden, sondern daß der Osten *versuchte* wie der Westen zu werden."[94] Die Heimat, der Osten wurde immer mit der Messlatte der westlichen Möglichkeiten gemessen, weil, so Ina Merkel, „er sich die Legitimität seiner Herrschaft nicht erworben hatte, sondern ihm als Ergebnis des II. Weltkrieges zugefallen war." Mit der Abwertung des Systems schien die eigene Identität wertlos geworden, und das höchste Ziel wurde die vollkommene Anpassung an den Westen.

Zwar ist in den Jahren nach der Vereinigung eine Abkehr von der Identifikation mit abstrakten Staatsgebilden und Institutionen und die Rückkehr zu einer emotionalen Bindung an historisch gewachsene Regionen bei ostdeutschen Autoren durchaus zu beobachten. Da aber besonders der Westen als Fremde erlebt und in seiner Darstellung wenig differenziert oder fast ganz ausgeklammert wird, ist die These naheliegend, daß der Rückgriff auf Regionalität der nachträglichen Identitätsfindung bzw. Identifizierung mit dem Osten und damit der Abgrenzung vom Westen dient.[95]

Die Erfahrung, dass die eigene Heimat doch mehr geprägt hatte, als die Jugendlichen zu meinen glaubten, bestätigt Jana Simon im Vergleich zur West-Generation Golf: „Es war schon erschreckend, wie sehr sie – 17, 18, 19 oder 20 Jahre alt, als die Mauer fiel – Kinder des Ostens waren." (JS 2002: 50) Heimat ist für die Jugendlichen markiert durch die eigenen Konsumgüter und die Westkonsumgüter, die sie im

---

[92] Skare 2001: 239
[93] Skare 2001: 238
[94] Hensel, Kerstin: Lenin-Büste mit BH. Die Konsumkultur in der DDR war Futter fürs Kabarett. Ina Merkel erklärt, wie Mangel produzitet wurde. In: Die Zeit. Nr. 42 (1999)
[95] Skare 2001: 239

Osten offiziell nicht erhalten konnten. „Dass ein ganzes System mitsamt seinen ungeliebten Repräsentanten und Produkten verschwinden kann, ist eine Erfahrung, die sie von den Altersgenossen im Westen trennt", erklärt Jana Simon in „Denn wir sind anders" (JS 2002: 48).

Im Erzählen alltäglicher Geschichten ist „Heimat" nicht nur ein reales Bezugsfeld der Autoren, sondern stets auch ein Konstrukt von Raum und Zeit in der Vergegenwärtigung neu zu vermessender Erinnerung.[96]

Die eigene Kindheit nicht aus den Augen zu verlieren, einen Maßstab für die historischen und privaten Ereignisse zu erarbeiten und daraus die Gegenwart besser verstehen zu können, so könnte die Arbeit der jungen Autoren verstanden werden.

---

[96] Skare 2001: 247

6. BEISPIELE AUTOBIOGRAPHISCHEN SCHREIBENS JUNGER OSTDEUTSCHER AUTOREN

In diesem Kapitel wird die theoretische Annäherung an das Thema „Identität und Erinnerung" anhand von drei Beispielen autobiographischen Schreibens junger ostdeutscher Autorinnen vervollständigt. Die Auswahl ist exemplarisch für den Trend der ostdeutschen Entwicklungsromane. Die Reihenfolge der Analysen von Nadja Klinger über Jana Simon und Jana Hensel ist nicht nur durch die Erscheinungsdaten bedingt, sondern auch durch den betrachteten Zeitrahmen. Nadja Klingers (*1965) Kindheitserinnerungen beziehen sich auf einen etwas größeren Zeitraum, als Jana Simon (*1972) in behandelt. Ihr Schwerpunkt liegt auf den achtziger Jahren und der Nachwendezeit. Jana Hensel (*1976) versucht mit „Zonenkinder" die eigenen Kindheitserfahrungen auf ihre Altersgenossen zu übertragen. Damit gewinnt ihr Text mehr ‚generationsbiographischen' als autobiographischen Anspruch und steht daher am Ende.

6.1 Nadja Klinger: Ich ziehe einen Kreis

> Der Kreis führt zu sich selbst zurück und ist daher ein Symbol der Einheit [...]. Magischen Praktiken gilt der Kreis als wirksames Symbol des Schutzes gegen böse Geister und Dämonen usw.; [...] C.G. Jung sieht im Kreis ein Symbol der Seele und des Selbst.[97]

„Ich kreise in Geschichten", schreibt Nadja Klinger und ihr autobiographischer Text ähnelt im Aufbau tatsächlich einer „Hefeschnecke"[98]. Die Erzählung beginnt in der Gegenwart sieben Jahre nach der Wiedervereinigung, geht dann zurück in die Kindheit, zu den Eltern und Großeltern und schließt wieder mit der Gegenwart auf. Es ist eine generationelle Retrospektive, die nicht nur die Geschichte einer Familie erzählt, sondern auch DDR-Geschichte mit einschließt. Der Großvater war im Dritten Reich kommunistischer Widerstandskämpfer, er ist Teil des antifaschistischen Bildes der DDR. Der Vater arbeitete für den DDR-Ministerrat. In ihrem Kreis, wünscht sich Nadja „sollten meine Kinder sein, Vater und Mutter, die Großeltern, der Garten auf dem Dorf und unser Haus in der Stadt." Sie will in ihrem Leben eine Grenze ziehen, Ruhe finden. Die kleinen und großen Geschichten werden, der Kreisbewegung folgend, aus der Erwachsenenperspektive, aus der „Perspektive des nähesuchenden Kindes"[99] und wieder aus der Erwachsenenperspektive geschildert. Obwohl ihr die Erinnerung schwerfällt, scheint es ihr trotzdem ein Bedürfnis zu sein, sich zu erinnern.

---

[97] Becker, Udo: Lexikon der Symbole. Freiburg. Herder Taschenbuch Verlag 1998. Schlagwort ‚Kreis': S. 153.
[98] Tewinkel, Christiane: Nadja Klinger „Ich ziehe einen Kreis". In: Grauzone. Zeitschrift über neue Literatur. Ausgabe 15 (1998). S. 33.
[99] Birgit Dahlke: „ich ziehe einen kreis" – Geschichten von Nadja Klinger, Alexander Fest Verlag Berlin 1997. In: Glossen: rezensionen. www.dickinson.edu/departments/germn/glossen/heft4/klinger.html (24.08.02)

Ich will nicht wahrhaben, daß sie [ihre kleine Tochter, J.O.] mir mein Leben anmerkt. Ich frage mich, wie sie es merkt, nein: Ich weiß es. Ich rede nicht von früher, erzähle kaum Geschichten, weil ich nicht den Anschein erwecken will, als wünschte ich etwas zurück. (NK 1997:169)

Nach dem Tod des Vaters wird die eigene Mutter als Erinnerungsspeicher allerdings immer wichtiger für Nadja. „Das Gefühl, mit dem Tod des Vater die Familie und durch den Umzug vom Dorf zurück nach Berlin die Heimat verloren zu haben, wird zum prägenden Erlebnis"[100] für sie.

Meine Mutter erzählte mir, woran sie sich erinnern kann, manches mehrmals. Doch ohne daß wir es merken, verändern sich die Geschichten von Mal zu Mal. Sie sind verwandelt durch ihre Sehnsucht nach meinem Vater, verfärbt durch die Jahre nach seinem Tod, entzaubert durch den Fall der Mauer, das Ende der DDR und das Leben im Westen. Wahr sind sie nicht; der Spiegel hat Sprünge. Ich habe mein Gedächtnis verloren, kenne mich selbst nicht. (NK 1997:98)

Durch den Verlust des Vaters, der gewohnten und geliebten Umgebung und schließlich durch die wendebedingten Veränderungen gerät Nadjas bisheriges Selbstbild ins Wanken.

Ich fühlte mich als Teil des Großen. Ich war Teil meiner Familie, Teil meiner Schulklasse, Teil einer Generation, Teil der DDR, Teil des sozialistischen Systems. Alles, was der Sozialismus, die DDR, meine Generation, meine Klasse, meine Familie wollten, wollte zwangsläufig auch ich. Was ich wollte, so sah ich allerdings bald, wollten die anderen nicht unbedingt. Das kam zuletzt und hatte nur eine Chance: wenn mal ein Platz frei oder ein bißchen Zeit übrig war. Der Freiheitsbegriff [nach Friedrich Engels: „Freiheit als Einsicht der Notwendigkeit", J.O.] war so groß, daß er meine kleinen Freiheitsgefühle in den Schatten stellte. [Absatz, J.O.] Also beschloß ich, anders zu fühlen. Ich wollte richtig leben, nicht falsch, und ich mühte mich damit es mir gelänge. (NK 1997: 69f)

Das Kind Nadja ist verunsichert, weiß die politischen Umstände und sozialistischen Leitsätze nicht einzuordnen. Sie ist ein Kind mit kindlichen Wünschen und Bedürfnissen, das Westjeans und Westkaugummi liebt. Der Westen aber war zunächst nur die verbotene, fremde Welt, die per Fernseher ins Wohnzimmer kam. „Papa guckt das aus dienstlichen Gründen", erklärte die Mutter der kleinen Nadja.

Ich bin mit der Hoffnung meiner Eltern groß geworden. All das, was mein Vater, mit dem Parteiabzeichen am Revers, täglich tat, auch das, was meine Mutter umständlich zu erklären versuchte, war die DDR: ein Versprechen, das noch einzulösen war. (NK 1997:136)

Die Mutter ist diejenige, von der sich Nadja wünscht, dass sie aus dem Nichts auftaucht, wenn sie nicht mehr weiter weiß. Sie ist die starke, beherrschte Frau, die mit dem Tod ihres Mannes vollkommen den Halt verliert. „Nun trägt meine Mutter den Schleier des Verlustes [...]." (NK 1997:47) Der Nachname, den die Mutter später durch eine zweite Heirat ablegt, wird für sie und Nadja zum Codewort für das,

---

[100] Fessmann, Meike: Vom unbenannten Verlust. Nadja Klinger debütiert mit Geschichten: „Ich ziehe einen Kreis". In: Süddeutschen Zeitung Literaturbeilage. Nr. 260. (12.11.1997). S. 2.

„wonach wir uns sehnen: nach einer Familie, die Vergangenheit und zugleich Zukunft hat." (NK 1997:489 Marie-Luise Knott[101] bemerkt in einer Rezension, Nadja Klingers Text „ist eine Variation auf das Hauptthema der autobiographischen (west)deutschen Literatur der Nachkriegsgeneration: die Zerstörung familiärer Bindungen." Die Männer in ihrer Geschichte sind für die Politik, für das Geschehen außerhalb der Familie verantwortlich (zum Beispiel sagt der Großvater zu Nadjas Vater, sie sind beide Parteimitglieder: „Für das, was ihr jetzt macht, [...] haben wir nicht gekämpft."(NK 1997: 106)) Die Großmütter und Mütter sind die Versorgerinnen der Familie; die Männer glänzen durch Abwesenheit, verhindert durch Krieg, Tod oder Politik.

> Und immer wenn ihr Mann [der Großvater, J.O.] nicht bei der Arbeit, nicht bei der Partei, nicht bei den Kriegsveteranen, nicht bei den alten Antifaschisten und nicht im Auftrag der *Volkssolidarität* unterwegs war, versuchte er, es seiner Frau recht zu machen. (NK 1997: 115)

Daher schließt Nadja auch den Vater ihrer Kinder aus ihrem Leben aus. „Ich erwartete sein Kind, und er suchte Anschluß an seine Familie. Ich jedoch zog eine Grenze." (NK 1997: 18) Nadja sucht eine klar begrenzte Umgebung und Ruhe. Die Orte, an denen sie einkehrt, vermitteln ein Gefühl von klaustrophobischer Enge. Mit ihren Eltern zog sie von Leipzig auf ein Dorf, an einen quasi zeitlosen Ort am Stadtrand von Berlin (vgl. NK 1997: 91). Im Gegensatz dazu wird von Berlin selbst immer im Zusammenhang mit Zeit gesprochen, die Stadt wirkt auf Nadja gehetzt. Heimat dagegen ist für sie ein gleichbleibender und zuverlässiger Rhythmus, wie das Klacken der Schreibmaschine des Nachbarn. Diese kindliche Ruhe ist für Nadja überlebenswichtig: „So war ich an den hastigen Veränderungen meines Landes beteiligt, indem ich mir die dafür nötige Ruhe bewahrte." (NK 1997: 142) Auch die räumliche Begrenztheit vermittelt für Nadja ambivalente Gefühle. Auf der einen Seite scheint sie das Miefige und Provinzielle der DDR zu verachten:

> Leipzig auf zwei Quadratmetern. Die Stadt, die sich, provinziell wie alle Orte der DDR, ihrer internationalen Messen rühmte, die sich ein paar ortsansässige Verlage wegen als traditionelle ‚Buchstadt' fühlte, die ‚Sportstadt' war, als Hunderte von Müttern und Vätern, Kindern und Soldaten aus der ganzen DDR im Zentralstadion das *Turn- und Sportfest* veranstalteten, diese Stadt, die Goethe im Faust ‚Klein-Paris' genannt hatte – für mich war sie nicht größer als zwei Quadratmeter. (NK 1997: 141)

Auf der anderen Seite sucht sie die Enge einer verwohnten Altbauwohnung am Prenzlauer Berg, als einen bestimmbaren Schutzraum, den sie gegen Eindringlinge verteidigt und der ihr als Stützpunkt und Rückzug vor Vergangenheit und Zukunft dient. „Mit meinen Kindern sitze ich in unserem Haus. Wir blicken aus unserer in die andere Welt da draußen. Und in die Vergangenheit." (NK 1997:166)

Wie sehr die Wende in ihr Leben eingegriffen hat, beschreibt sie rückblickend so:

---

[101] Knott, Marie-Luise: Denken ins Unreine. Nadja Klinger beschäftigt sich in ihrem ersten Buch mit Muttersein, Politik, Familie und dem ganzen Rest und sagt: „Ich ziehe einen Kreis". In: Die Tageszeitung. Nr.5356 (15.10.1997). S. 11.

Nein, mir ist, als müßte ich nach Leipzig, der Stadt, in der ich studierte, in die meine Kindheit mündete und in der sie im Herbst 1989 jäh endete, vor allem mit meinem Prinzip der Freiwilligkeit brechen, mit dem Prinzip, nach dem ich nicht nur etwas gekauft und gegessen, sondern auch etwas gemocht hatte, was es nicht wert war. (NK 1997: 139)

Nadja Klinger formuliert hier die persönliche Abwertung, die viele ihrer Landsleute so und anders mit der Wiedervereinigung erfahren haben.

Die Stadt ist bis heute meine einzige Möglichkeit, die Veränderungen ertragen zu lernen, die seit der Wiedervereinigung die vertrauten Orte meines Landes unkenntlich und aus der DDR den Osten gemacht haben. Nur in Leipzig bedeutet mir Veränderung das, was sie ist: eine Möglichkeit. Denn hier habe ich mich immer heimatlos gefühlt, und so ist dies der einzige Ort, an dem ich die Chance habe, nicht hinter der Zeit zurückzubleiben." (NK 1997: 146)

Heimat ist für sie somit ein unveränderlicher und vertrauter Ort, aber auch Stillstand. Die Wende erschüttert die schon verletzte heimatliche Welt; sie vollzieht für Nadja noch einmal, was im Familiären schon passiert ist: die Zerrüttung von Beziehungen.

Es war nicht der letzte Tag, an dem ich in andere meine Hoffnung setzen wollte. Es war aber der erste, an dem mir klar wurde, daß ich nur mir selbst vertrauen kann.(NK 1997: 143)

Der Tag ist der Tag der ersten freien Volkskammerwahlen, Nadja erinnert sich genau, es war der 18.3.1990. Sie erlebt die Geschehnisse als „Beben", „Schock" und „Schlag", ihre Welt scheint „aus den Fugen", sie hat das Gefühl, sich hinlegen zu müssen, sie träumt, allein gegen den Strom zu schwimmen (vgl. NK 1997: 144f). Wieder dringt die Neuigkeit, die Veränderung, der Westen nur vermittelt durch den Fernseher zu ihr. „Zweimal ist die Welt hinter meiner verschlossenen Tür erschüttert worden, und beide Male ging das Beben vom Fernseher aus." (NK 1997: 142) Schaltet sie den Fernseher aus, dann ist sie wieder in der selbstgewählten Isolation. Sie verliert das Vertrauen in andere Menschen; das Kollektiv scheint sich aufzulösen.

Statt Zusammenhänge entdeckte ich in meinem Fernseher jetzt die Beziehungslosigkeit zwischen Menschen wie ihr [Sabine Bergmann-Pohl, J.O.] und mir. Wir lebten in verschiedenen Welten, zwischen uns verlief eine Grenze. In der DDR war es anders gewesen. Da es nur einen Kandidaten gab, stand er, egal ob ich wählte oder nicht, für mich – für meine Alternativelosigkeit. Nun konnte ich mich für diesen oder jenen entscheiden; niemand aber sprach in meinem Namen. Niemand vertrat das Land, das ich meinte. (NK 1997: 146)

Nadja fühlt sich allein und auf der Suche nach Vertrautem und Vertrauten. Diese erkennt sie am Lächeln: „Es soll die Ratlosigkeit ersetzen, mit der Menschen wie wir nach Gleichgesinnten suchen."(NK 1997: 166) *Wir* sind für sie die Menschen, die sich ebenso befremdet, bevormundet und allein gelassen fühlen. All die Dinge, die die DDR vertraut gemacht hatten, in ihrer (nach westlichen Maßstäben) etwas verbrauchten und vernachlässigten Art, wurden nun durch den direkten Vergleich mit dem Westen unattraktiv; ihr Wert ging verloren und mit ihm die eigene Wertschätzung der Menschen.

Und nur in Leipzig, nicht weniger als meine Heimat, konnte ich all dies mit einem Schlag ganz anders sehen: als paßte es gar nicht ins *Corso* [Café Corso, J.O.], sondern sähe wie der Osten aus, den man, so wie es war, im Westen nicht servieren lassen konnte. (NK 1997: 153)

Die DDR war verschwunden und man befand sich plötzlich in der Bundesrepublik (vgl. NK 1997:158f). Aber Veränderung heißt unbedingt Veränderung zum Positiven, muss Nadja feststellen. Das dass Haus in dem sie mit ihren Kindern lebt, nun nicht mehr von der kommunalen Wohnungsverwaltung, sondern von einer westlichen Notverwaltung betreut wird, macht für den Verfall keinen Unterschied. Nur der neue Hausbesitzer aus dem Westen prophezeit: „Vierzig Jahre Mißwirtschaft werden bald ein Ende haben! Vor allem aber die Mißwirtschaft in den Jahren seit der Wende!" (Nk 1997:164)

Demnach sind wir in Not, nicht im normalen Leben. Es handelt sich dabei um eine Not, in der der ganze Osten zu sein scheint und die die Menschen, zuweilen gleichgültig, zuweilen tapfer, aber immer in Warteposition dazu gebracht hat, sich den Gegebenheiten nicht entgegenzustellen oder sie wenigstens angemessen hinzunehmen, sondern ihr Schicksal zu verwalten. (NK 1997: 159)

Es heißt, das Schicksal zu verwalten, auch für Nadja. „So finde ich mich mit Vergangenem ab und kenne keine Sehnsucht, weil ich nichts vergesse." (NK 1997:168) Die Vergangenheit ist Teil ihrer Zukunft, eine Prägung, die auch ihre Kinder spüren und annehmen; und so fragt sich Nadja zurecht:

Warum gebe ich mir, da ich die Gegenwart ausschließe, solche Mühe, so zu tun, als seien meine Kinder nicht mit meiner Vergangenheit in unserer Wohnung eingeschlossen? (NK 1997: 169)

Sie ziehe nun keinen Kreis mehr, sie kreise in Geschichte, so schließt Nadja Klinger den Reigen. Aber für eine Weile die Außenwelt auszusperren, anzuhalten und den Weg zurückzugehen, sich zu erinnern, schien für sie ein wichtiger Schritt gewesen zu sein, um sich selbst in der Gegenwart finden zu können.

6.2 Jana Simon: Denn wir sind anders

Jana Simon erzählt die Geschichte ihres Freundes Felix, den sie von 1987 an bis zu seinem Selbstmord im August 2000 kannte. Dabei trägt sie die Erinnerung, die sie selbst hat, die seiner Großeltern, seiner Freunde, Kumpel und Frauen zusammen und läßt so auch ein Stück DDR-Geschichte entstehen, wie sie in den achtziger und neunziger Jahren von der Generation der Wendekinder empfunden wurde.

Die achtziger Jahre beschreibt Jana Simon als eine „endlos bleierne Zeit der Stagnation, permanentes Warten" (JS 2002: 38). Es ist eine melancholische Zeit, für die jungen Menschen, denen Ideale des Sozialismus schon nicht mehr greifbar waren. „Es war klar, für die Revolution war ihre Generation verloren, sie erwarteten nichts mehr von ihrem Land, und doch war es ein Teil von ihnen. Irgendwie." (JS 2002:36) „Damals war die DDR das Land der Grufties." (JS 2002: 35)

Die Grufties[102] sind eine aus der Punkbewegung in Großbritannien entstandene jugendliche Subkultur der Trauer und der Melancholie, die auf subjektiv erlebten und kollektiv geteilten Enttäuschungen aller Mitglieder basiert und zur Verarbeitung der resignativen und pessimistischen Lebenseinstellung führt. Ihr Lebensgefühl ist geprägt von Einsamkeit und Isolation, fehlende Zuwendung und Kommunikation, Schul- und Identitätsprobleme. Dieses versuchen sie auch über ihre Musik auszudrücken, die die Motive von Einsamkeit, Sinnlosigkeit und Trauer in Wort und Ton verarbeitet.

[...], fundamentaler hätte die Absage an das System nicht sein können. Die desillusionierten Enkel der Revolutionäre sangen keine fröhlichen Lieder mehr, sie versenkten sich in Weltschmerz und Todessehnsucht oder in Sarkasmus. (JS 2002:35)
[...]- es war ein Gefühl, als würde bald irgendetwas Fundamentales schief gehen. Sie harrten aus in einer Art erwartungsfroher Endzeitstimmung, die sie wohl mit den Gleichaltrigen hinter der Mauer verband. (JS 2002:38)

Tatsächlich waren die Jugendlichen aus dem Westen genauso in der „Null Bock"- und „No Future"-Phase, wie Susanne Leinemann bestätigt: „Die Ähnlichkeit der West- und Ost-Jugendlichen war in den 80er Jahren frappierend." (SL 2002:93)
Aber die Jugend West hatte es einfacher; sie konnten sich ihrem Verdruss unbeachtet hingeben, ihren „Egoismus feiern" (vgl. SL 2002:49) und sich gelangweilt dem Konsumrausch hingeben.

Felix lebte wie alle Gleichaltrigen in der DDR eine Doppelleben. Er versuchte die westlichen Attribute in den DDR-Alltag zu integrieren, was nicht immer besonders gut funktionierte. (JS 2002:42)

Der Westen, bzw. das Substrat des kapitalistischen Konsums, das im Osten durch das Fernsehen das Westbild der Jugendlichen formte, lockte mit dem Verbotenen. Nichts wurde sehnlicher gewünscht, als das, was es in der DDR nicht zu kaufen gab. Schließlich spielten auch die Eltern das Versteckspiel mit. Nach Außen wurde Konformität geübt, untereinander galten andere Interessen: so funktionierte die sogenannte ‚Nischengesellschaft'.

Meist ging es [in den FDJ-Versammlungen, J.O.] um die DDR und die Feinde, die sie umzingelten, es galt, immer wachsam zu sein. Ohnehin hörte keiner mehr zu, auch Felix nicht. Schließlich waren sie alle Kinder des Westens, die nur im Osten aufwuchsen, vorübergehend. (JS 2002:42)

Die Politikverdrossenheit unter den Jugendlich war in der DDR genauso groß wie im Westen. Auch in der BRD herrschte Mitte der achtziger Jahre ein „Gefühl der Stagnation" (SL 2002:51), doch es mangelte an nichts und es wurden keine ideologischen Bekenntnisse verlangt. Genau das erhofften sich die Jugendlichen in der DDR: Gedankenfreiheit und vor allem Konsumfreiheit.

Die Generation der Anfang der siebziger Jahre Geborenen war schon, als die DDR noch existierte, eine Zwischengeneration; sie waren keine Kommunisten, wie vielleicht noch ihre Großeltern oder Eltern, aber auch keine Antikommu-

---

[102] Richard, Birgit: Todesbilder. Kunst, Subkultur, Medien. München 1995. (Auszug)

nisten. Es war ihnen egal, viele planten ihre Zukunft nicht im Ostteil der Welt, gedanklich waren sie schon lange emigriert. (JS 2002: 46)

In dieser Welt lebt Felix. Jana und er lernen sich im Alter von 14 und 16 kennen und finden trotz unterschiedlicher Interessen und später verschiedener Lebenswege immer wieder zueinander.

Trennungskinder scheinen eine Art Sensor füreinander zu haben, sie spüren im anderen die gleiche tief sitzende Verunsicherung und das Bemühen, bloß niemanden etwas merken zu lassen. (JS 2002: 15)

Aber Felix ist kein typischer DDR-Bürger. Er ist Mulatte und fällt in der ausländerarmen DDR auf. „Sie lebten damals in einem Land [DDR, J.O.], in dem es Rassismus offiziell nicht gab." (JS 2002: 28) Seine Großeltern flohen in den 60er Jahren aus Südafrika, weil sie dort gegen die Rassentrennung verstießen und der Großvater Mitglied der Kommunistischen Partei war, die DDR nahm sie auf. Jana Simon erzählt auch die Geschichte der Großeltern, die sie nach Felix' Tod bei Gesprächen erfährt und von der Felix zu Lebzeiten nie etwas wissen wollte. Er wollte nicht anders sein, suchte immer die Anpassung und trug den Konflikt doch schon in sich.

Dieser Widerspruch scheint symptomatisch. Felix Charakter ist zwiegespalten wie seine Situation. Er steht immer zwischen Weiß und Schwarz, zwischen neuem Deutschland und altem Osten, unbeugsamen Kriegertum und sensiblem Selbstzweifel.[103]

Als sie sich kennenlernen, beginnt Felix mit dem Kampfsporttraining. Er will sich wehren können, identifiziert sich mit der Lebensphilosophie Bruce Lees, die ihm in ihrer Radikalität und extremen Konsequenz anzieht. Zunächst ringen die beiden Teenager im Vergleich ihrer sportlichen Ausdauer miteinander. „Außerdem war Karate in der DDR verboten, was ihren Gesprächen etwas Subversives verlieh." (JS 2002: 16).

Da Karate in der DDR eigentlich verboten war, hieß Felix' Kurs <Kraftsport II>. Die Regierung hatte Angst, ihre Untertanen würden zu stark, vielleicht sogar stärker als Polizei und Armee.(JS 2002: 28)

Auch sonst war der Lebensraum der Jugendlichen sehr limitiert. Sie bewegten sich zwischen delikat-Laden mit Westprodukten, dem Kino mit Westfilmen, der Eisdiele mit drei Eissorten und dem Jugendclub, der „[...] kurz vor der Mauer nach Westberlin, also kurz vor dem Ende ihrer Welt,[...]" (JS 2002: 37) lag. „Diese vier Attraktionen lenkten Felix und sie manchmal davon ab, dass sie in Johannisthal, Ostberlin, DDR, von der Welt nicht viel mitbekamen." (JS 2002: 38)
Der Blick nach Außen war versperrt und auch nach Innen auf sich selbst, wurde der Blick unterbunden; das spüren die Beiden, als sie für sein Training einen Spiegel suchen. „Spiegel waren eine Rarität in der DDR." (JS 2002: 31)

---

[103] Temming, Tobias: Wendezeit. Jana Simons wahres Kapitel zum Thema „Aufbau Ost". www.literaturkritik.de/txt/2002-07/2002-07-0048.html (23.10.02)

Mit dem Fall der Mauer bricht zunächst auch der Kontakt von Jana (im Buch nur als ‚sie' bezeichnet.) und Felix ab. Alle mussten sich in der neuen Situation zurechtfinden, Bekanntes wurde erst einmal eingemottet, war störender Ballast. Denn...

> ihr Land löste sich vor ihnen auf. Sicher, sie hatten darauf gewartet, irgendwie; es ging dann aber doch ziemlich schnell, und sie schienen keinerlei Einfluss auf die verwirrenden Geschehnisse zu haben. Die Wendezeit nahmen Felix und sie wahr wie im Rausch, wie eine einzige riesige Demonstration. Diese Zeit war extrem in jeder Hinsicht. (JS 2002: 48)

> In jenen ersten zwei, drei Jahren nach dem Mauerfall zerbrachen fast alle alten Freundschaften. [...] Es war, als sei nicht nur das Land untergegangen, sondern mit ihm auch für untrennbar gehaltene Beziehungen. Es war, als bemerke man das erste Mal seine Unterschiedlichkeit. Die einen wurden linksradikal, gingen weiter täglich auf Demonstrationen und schmissen Steine gegen das neue System. Andere wurden rechts, entdeckten plötzlich deutsche Tugenden und Traditionen. Die extremen Erfahrung zu erleben, wie ein Land zusammenbricht, scheint auch extreme Antworten zu fordern. (JS 2002: 51)

Eine extreme Antwort auf die plötzliche Freiheit sucht auch Felix. „Es gab keine Grenzen mehr, nur noch unendliche Freiheit. Was nur sollte man mit dieser Freiheit anfangen?" (JS 2002: 49) Er findet Halt bei den Türstehern der ostberliner Diskotheken, in deren Gangs untereinander feste Strukturen herrschen; mit Hooligans lässt er in Schlägereien seiner Aggression freien Lauf. „Sie sahen, dass nichts sicher und für immer ist – kein System, keine Partei, nicht mal mehr eine vormals mächtige Weltordnung." (JS 2002: 48) Die inzwischen 20jährigen erleben ein Wertevakuum. Die Ordnung, in der sie aufwuchsen und die bisher Leitlinie, ob in Protest oder Anpassung, war, gab es nicht mehr. „Schwerer als der Verlust ihres Landes, das Felix' Generation nie besonders geliebt hatte, wog für sie der Verlust der Eindeutigkeit." (JS 2002: 49) Nun war die Freiheit der Gedanken, Wahlfreiheit, die freie Marktwirtschaft da und mit ihr die universelle Verunsicherung einer Generation, die mit einem Mal ihres eigenen Glückes Schmied sein sollte, etwas, worauf die westdeutsche ‚Paralleladoleszenz'[104] seit frühester Kindheit getrimmt worden war. „Die Kinder des Ostens versuchten zu sein wie sie, nur fehlte ihnen der dazu notwendige finanzielle stabile und psychisch ausgeglichene Hintergrund." (JS 2002: 50)

> Erst als es weg war, dieses Leben [in der DDR, J.O.], merkten sie, wie sehr es auch schon ein Teil von ihnen gewesen war, wie sehr dieses Denken – alles ist immer schwarz oder weiß – sie geprägt hatte. (JS 2002: 49)

Die ‚Generation Golf', die auf der anderen Seite der Mauer aufgewachsen war, schien Lichtjahre von der eigenen Lebenserfahrung entfernt.

> Es war eine Generation der Erben, der wohlhabend Geborenen; viele von ihnen lebten mit der Sicherheit, schon bald nicht mehr arbeiten zu müssen, oder zumindest nicht so viel. Es schien im Leben dieser Generation wenig Abgründe zu geben, sie schien ein gleichmäßiges sattes, ein wenig langweiliges Dasein zu

---

[104] Kabisch, Jörn: Ostberlin gibt es nicht mehr. Verlust der Eindeutigkeit. In: Freitag 29. Die Ost-West-Wochenzeitung. (12.07.2002)

führen und richtig aufregen konnten sie sich nur über Geschmacksfragen: welche Jacke gerade schick sei und welche verabscheuungswürdig oder ob man Puma- oder Adidas-Schuhe tragen solle. (JS 2002: 50)

Auch für die westdeutschen Jugendlichen scheint die ‚Generation Zone' nicht zu den potentiell Gleichgesinnten zu gehören, zu groß die Unterschiede. So zitiert Jana Simon den Westautoren David Wagner:

Tief befreundet kann man nur mit Menschen sein, mit denen man alle möglichen Geschichten, möglichst viel Vergangenheit gemeinsam hat, mit denen, die einem möglichst ähnlich sind.[105]

Doch schreibt David Wagner weiter über seine Aussage, was Jana Simon leider nicht mehr in ihren Text aufgenommen hat:

Ich wußte selbst nicht recht, ob ich mir glauben wollte. Soweit ich mich erinnere, flüchtete ich gerade vor den Leuten, die meiner Beschreibung nach als gute Freunde in Frage kamen.[106]

Felix jedenfalls sucht die Nähe Gleichgesinnter. Für ihn wird die gemeinsame Vergangenheit, so kurz sie auch war, zum Angelpunkt seiner Zukunft. Er verlässt Ostberlin nie freiwillig und sein Freundeskreis besteht tatsächlich aus den Gleichaltrigen, die die vermeintlichen verlorengegangenen Werte konservieren wollen.

Früher, ein Wort, das diese Generation der in den siebziger Jahren Geborenen zusammenhält – das einzige vielleicht. Sie hatten dieses komische Land noch miterlebt, das später unterging, sie waren sich einig in ihrem Hass dagegen oder in ihrer Gleichgültigkeit. Später vereinigten sie sich in ihren Kindheits- und Jugenderinnerungen.(JS 2002: 25)

So entsteht das Paradoxon, dass der Farbige Felix Anschluss an die Rechtsradikalenszene findet. Hooligans aus seinem Umfeld schlagen bei der Fußballweltmeisterschaft 1998 in Frankreich den Polizisten Daniel Nivel zusammen. Dass sich Rassismus und Fremdenfeindlichkeit besonders in der Fußballszene findet, liegt für Prof. Dr. Gunter A. Pilz[107] (Mitglied der Daniel-Nivel-Stiftung), in der brisanten Mischung aus Ideologie und Erlebnishunger begründet. Felix hat sich durch seine Kampfkünste genau dort einen Platz geschaffen. Dass er selbst die Identifikation mit der ‚deutschen Nation' und den ‚deutschen Tugenden', wie Ehre, Mut, Vertrauen und Ehrlichkeit, die diese Szene gegen sich selbst praktiziert, sucht, scheint den Wunsch nach festen Strukturen, nach Sinn und wahren Werten in seinem Leben auszudrücken. „Menschen, die ihre Identität abstreifen oder verlieren, heißt es, werden aggressiv. Auch wenn sie nie wussten, dass sie eine haben." (JS 2002: 51)

Beim Lesen des Buches wird es nachvollziehbarer, dass viele Jugendliche nach dem Zusammenbruch der DDR in Extreme verfielen. Das Ende der DDR bedeutete für viele Menschen auch einen Teil der Vergangenheit, der Gewohnheiten

---

[105] Wagner, David: Meine Cousine und ich. Vom Neid auf den Umsturz der anderen. In: Das Buch der Unterschiede. Warum die Einheit keine ist. Hrsg. von Jana Simon, Frank Rothe und Wiete Andrasch. 2. Auflage. Berlin. Aufbau-Verlag 2000. S. 30
[106] Wagner 2000: 30
[107] Pilz, Gunter A.: Massnahmen gegen Rassismus im Fussball. www.erz.uni-hannover.de/ifsw/daten/lit/pil_rass.pdf (17.11.02)

und der eigenen Identität zu verlieren. Die Szene, in der sich Felix bewegt, will nicht von heute auf morgen vom Ossi zum Wessi werden. Sie sind keine Neonazis, sondern versuchen an ihrer Ost-Indentität festzuhalten.[108]

Felix' Sinnsucht bleibt erfolglos. Als er wegen diverser Delikte und von einem Szenefreund schwer belastet, zu einer Gefängnisstrafe verurteilt wird, erhängt er sich kurz darauf in seiner Zelle.

6.3 Jana Hensel: Zonenkinder

Heute [2002, J.O.], mehr als zehn Jahre später [nach der Wende, J.O.] und nach unserem zweiten halben Leben, ist unser erstes lange her, und wir [die zwischen 1972 und 1976 Geborenen, J.O.] erinnern uns, selbst wenn wir uns anstrengen, nur noch an wenig. Ganz so, wie unser ganzes Land [das vereinigte Deutschland, J.O.] es sich gewünscht hatte, ist nichts übrig geblieben von unserer Kindheit, und auf einmal, wo wir erwachsen sind und es beinahe zu spät scheint, bemerke ich all die verlorenen Erinnerungen. Mich ängstigt, den Boden unter meinen Füßen nur wenig zu kennen, selten nach hinten und stets nur nach vorn geschaut zu haben. Ich möchte wieder wissen, wo wir herkommen, und so werde ich mich auf die Suche nach den verlorenen Erinnerungen und unerkannten Erfahrungen machen, auch wenn ich fürchte, den Weg zurück nicht mehr zu finden. (JH 2002: 14)

So der Auftakt von Jana Hensels Buch „Zonenkinder". Die Zonenkinder sollen sich wieder an ihre Kindheit erinnern können, ist ihre Intention. Der Text belegt derzeit Platz 4 der ‚SPIEGEL'-Bestsellerliste (47/2002) für Sachbücher. Allein diese Beliebtheit macht klar, dass Jana Hensel einen Nerv getroffen hat. Doch ist ‚Zonenkinder' nicht nur eine Erinnerungsstütze für die Wendegeneration, sondern auch (und deswegen die Deklaration als Sachbuch) ein Lehrwerk für den Westen. Zunächst etwas nostalgisch wirkend erzählt sie von den frühen Kindheitserinnerungen, beschreibt die Dinge, die für sie DDR ausgemacht haben. Zunehmend kritischer schreitet sie dann verschiedene Lebensbereiche (Eltern, Freunde, Sport, etc.) ab und zeigt immer wieder den Kontrast zum Aufwachsen im Westen auf.

Auch wenn „alle Orte unserer Kindheit verschwunden" sind oder „ein neues Gesicht erhalten" (JH 2002: 38) haben, ein wenig Heimatgefühl kommt schon auf, wenn Jana Hensel zurück nach Leipzig fährt, in die Stadt, in der sie aufgewachsen ist. Aber „Heimat, das war ein Ort, an dem wir nur kurz sein durften" (JH 2002: 38), denn mit der Wende ist aus ihrer „Kindheit ein Museum geworden, das keinen Namen und keine Adresse hat und das zu eröffnen kaum noch jemand interessiert." (JH 2002: 20) Besser gesagt: interessiert hat, so scheint es heute. Doch bisher war die Devise „Go West", und die Zonenkinder, so sagt sie, hätten nichts eiliger zu tun gehabt, als sich an die westlichen Standards anzupassen. Die DDR war out.

---

[108] Sondermann, Gretel: Denn wir sind *anders*. Die Geschichte des Felix S.. Jana Simon. http://www.zeichensprache.de/pages/bibliothek/seiten/denn_wir_sind_anders_03b.htm (32.10.02)

Wie ich waren auch sie [Ostberliner Freunde, J.O.] bemüht, sich dauerhaft in einer Fremdheit einzurichten, die sich auf dem Boden des Heimatlandes ausbreitete und von uns verlangte, permanent alte gegen neue Bilder auszutauschen. (JH 2002: 45)

Nur wenn die Anstrengung zu groß wurde und sie die eigenen Eltern im Kampf mit den neuen Gegebenheiten beobachteten, dann ertappen sie sich dabei, die Zeit doch zurück zu wünschen, wo alles ein wenig einfacher, überschaubarer schien.

Wenn wir daran dachten, überfiel uns eine große, schwere Sehnsucht nach diesem Stillstand im anderen Teil des Landes, aus dem wir nicht kamen. Wir sehnten uns nach dieser Zeitlosigkeit und Langeweile, die dort alles in sich einzuhüllen und zu überdecken schien, bis nichts Brüchiges und Unebenes mehr darunter zu sehen war. (JH 2002: 80)

Mit der Wende hielt nicht nur die Rastlosigkeit, sondern auch eine gewisse Sprachlosigkeit Einzug. „Die Dinge hießen einfach nicht mehr danach, was sie waren." (JH 2002: 22) Mit dem Werteverfall kam ein ‚Worteverfall‘: so musste man auf das ‚Einheits-Westdeutsch‘ umlernen. (Kaufhalle – Supermarkt, Jugendherberge – Schullandheim, Nickis – T-shirt, Lehrlinge – Azubis, Popgymnastik – Aerobic, Speckitonne – grüner Punkt, Mondos – Kondome, Fidschis – Ausländer etc.) (JH 2002: 21) Doch genau an diese Begrifflichkeiten knüpfen sich für Jana Hensel Erinnerungen; es sind die kleinen Dinge des Alltags, die über die Jahre in Vergessenheit gerieten.

[...] unsere Helden von damals leben schon lange nicht mehr, und weil unsere Kindheit ein Museum ohne Namen ist, fehlen mir die Worte dafür; weil das Haus keine Adresse hat, weiß ich nicht, welchen Weg ich einschlagen soll, und komme in keiner Kindheit mehr an. (JH 2002: 25)

Im Trubel der Nachwendezeit war für sie alles neu und aufregend. Ihre Generation war jung und geschmeidig; so sieht sich Jana Hensel als pars pro toto, wenn sie sich erinnert: „Ich gab mir viel Mühe – denn ich lebte jetzt in der Demokratie -, nicht wie früher alles vorher genau zu überlegen, sondern schnell zu kritisieren und manchmal sogar zu provozieren: [...]." (JH 2002: 97) Hinter der neuen Rhetorik verlor sich die eigenen Geschichten, von denen die damaligen Teenager noch keine Ahnung hatten, dass sie noch einmal für ihre Zukunft wichtig sein könnten. So reduzierte sich ihr Leben auf ein paar Anekdoten, die die westdeutschen Besucher hören wollten. „Oder von denen ich dachte, sie wollten sie hören." (JH 2002: 33)

Leider bemerkten weder wir noch sie [die westdeutschen Besucher, J.O.], dass hinter solchen *authentischen* Geschichten ein ganzes Land verschwand, sich erst wie hinter einer Maske versteckte und dann ganz langsam auflöste. Weil wir aber glauben wollten, aus diesen Anekdoten setze sich unser neues Leben zusammen, haben wir sie gern erzählt und später sogar angefangen, sie untereinander auszutauschen; eine Erinnerung nach der anderen, ein Ort nach dem anderen ging so verloren. (JH 2002: 31)

„Dachten wir uns den Osten vielleicht nur aus?" (JH 2002: 41) fragt sich Jana Hensel. „Der Osten war oft nichts anderes als das, was wir in unserer Fantasie daraus machten, doch als Gegenstück zur Bundesrepublik erfüllte er in jedem Fall seinen Zweck." (JH 2002: 74) Denn nachdem der kapitalistische Westen nun nicht mehr propagiertes Feindbild war, blieb er trotzdem negatives Ideal dessen, was man zwar haben, aber nicht sein wollte.

Ansonsten hatte ich mein bisheriges Leben so schlecht nun auch wieder nicht gefunden, dass gleich alles anders werden musste. Aber das sagte ich nicht laut, sondern kritisierte zunächst, wie es von uns verlangt wurde. Schließlich hatten wir noch keine Erfahrungen mit der Demokratie. (JH 2002: 97)

Der Westen steht für eine Reihe unbeliebter Eigenschaften, allen voran die Oberflächlichkeit.

Herrschte im Westen der Achtziger eine außengelenkte, oberflächenverliebte Selbstinszenierung vor, mit der die jungen Menschen auf die selbstbezogene Innerlichkeit des vorangegangenen Jahrzehnts reagierten, so misstraute man im Osten Leuten, für die alles Ausdruck war. (JH 2002: 156)

Die Jugendlichen aus dem Westen bleiben, in ihren Augen, die „Generation Golf", man selbst hatte die Ernsthaftigkeit und Ehrlichkeit für sich gepachtet:

„...ansonsten aber traute ich den Wohlstandskindern wirkliche Gefühle, Intensität, großes Leiden nicht zu und hielt alle entsprechenden Bekundungen für eine weitere Attitüde ihrer Sorglosigkeit." 127

Doch dass mit dieser stereotypen Einschätzung der ‚anderen Deutschen' nicht weit zu kommen ist, bestätigt Jana Hensel. Ihre Generation steht allerdings unter dem Erfolgsdruck, sich alles selbst erarbeiten zu müssen, um in der westlichen Gesellschaft selbständig zu bestehen. Sie könne weder auf ein finanzielles noch ideelles Erbe zurückgreifen, so sagt sie in einem Interview mit dem Leipziger Magazin „Kreuzer".

Wir sind in unserem Herzen klassenlose Kinder geblieben. Wir glauben von der neuen Bundesrepublik noch immer, was wir bereits von der alten gedacht haben: Wenn man sich in diesem Land nur richtig anstrengt, steht einem hier alles offen, und mit Talent und Ehrgeiz kommt jeder ans Ziel. (JH 2002: 104)

Dass dem nicht immer so ist, beschreibt auch schon Marion Titze (*1953) in ihrem autobiographischen Text „Unbekannter Verlust"[109]. Sie hatte die Gelegenheit bei einem Casting kurz nach der Wende die Selbstdarstellung von Ost- und West-Teenagern zu beobachten.

Hier war nichts mehr Spiel, harmloser Versuch, der nichts kostet, Showbusiness gibts nicht auf deutsch, wie es bestimmt keinen deutschen Ernst in Amerika gibt. Aber wenn etwas dort von unerbitterlicherem Ernst sein soll, denn ist es das Gemachtwerden, die Präsentation, also genau das, was im alten Osten nicht zählte. [...] Die Ostkinder, unerfahren in Dingen der Konkurrenz, hatten Weltzutrauen, die Westkinder Ichvertrauen, jeder warf seine Karte, die Ostkinder zum letztenmal. (MT 1994: 84)

Die sozialistische Erziehung trägt bis weit nach der Wiedervereinigung ihre Früchte und erschwert den Kontakt zwischen der Jugend Ost und West.

---

[109] Titze, Marion: Unbekannter Verlust. Berlin: Rowohlt Verlag 1994.

Sollten von dort, wo man unter kapitalistischen Ausbeutungsverhältnissen groß wurde, wo es um nichts als den Genuss materieller Güter ging und es nie erklärtes Ziel war, den Weltfrieden zu sichern und den Hunger in Afrika zu bekämpfen, wirklich nette Menschen herkommen, in die ich mich, wenn alles gut ging, sogar verlieben sollte? (JH 2002: 126)

Dabei ist vor und nach der Wende für die jungen Menschen nichts erstrebenswerter als der Westen. „Wir wurden in einem materialistischen Staat geboren, obwohl heute oft das Gegenteil behauptet wird." (JH 2002: 51) Zumindest war das Leben in der DDR von Mangel geprägt, vor allem am Mangel an Konsumgütern. Jana Hensel hofft, wie alle, man würde sie „für eine aus dem Westen halten." (JH 2002: 39) Sie beobachtet und bewundert, zum Beispiel, die beizeiten gewagte Kleidung und den Gestus der westdeutschen Kommilitoninnen und stellt fest: „Bei mir, da war ich mir sicher, hätte das einfach nur schlechten Geschmack bewiesen." (JH 2002: 61) Doch das Ankommen im Westen hat für sie auch erniedrigende Züge:

Dann sehe ich uns wieder, wie wir im Wendeherbst mit unserem Begrüßungsgeld bei Hertie in Hof und Woolworth in Hannover den letzten Schrott kauften und sehr stolz auf alles waren. Überhaupt: Denke ich an diese Zeit und betrachte Bilder unserer Jugend, wird mir schlecht. [...] Unser Blick verrät, dass wir doch eigentlich nur alles richtig machen wollten. (JH 2002: 60)

Erst mit der Distanz aus dem Ausland gelingt es Jana Hensel eine andere Perspektive zu sich und ihrem Deutschlandbild einzunehmen. „Mit einem Schlag hatte ich es satt, anders zu sein als all die anderen" (JH 2002: 26) schreibt sie, weil sie sich mit ihrer besonderen Vergangenheit unter den westeuropäischen Kommilitonen einsam fühlt. Doch wie Jana Simon muss auch sie feststellen „Denn wir sind *anders*". „Nach der Wende aber kam mir Ich bin Deutsche nie so richtig über die Lippen, und aus dem Westen wollte ich gleich gar nicht mehr sein." (JH 2002: 40) So wird die Identifikation mit Ostdeutschland wieder wichtig, denn dass Deutschland trotz Wiedervereinigung nicht einheitlich ist, wird ihr hier klar. Jana Hensel verteidigt die Differenz vor dem einheitlichen Bild, das im Ausland umgeht:

Deutschland war ein reiches Land. Dass ein Großteil meiner Landsleute sich als Menschen zweiter Klasse fühlten und unter Arbeitslosigkeit litt, verstand sie [eine algerische Kommilitonin, J.O.] wohl. Aber sie hatte Schlimmeres gesehen. (JH 2002: 40)

Auch in Deutschland hatte man schon Schlimmeres gesehen, doch davon wurde Jana Hensels Generation verschont. „Der Krieg hatte in unserem Land nicht stattgefunden. Die Welt um mich herum hatte im Jahr 1945 begonnen. Vorher, so schien es, war nicht viel passiert." (JH 2002: 108) Mit dieser historischen Lücke wuchsen die Jugendlichen in der DDR auf, während die Jugendlichen in Westdeutschland bis heute im Geschichtsunterricht fast kein anderes Thema so eindringlich durchnehmen wie die nationalsozialistische Vergangenheit Deutschlands. Die DDR-Jugend dagegen wurde „als Gegenwartsgeneration in einen Vergangenheitsstaat hineingeboren", der ihnen „Fragen und unschöne Geschichten" abnahm. (vgl. JH 2002: 112)

Aber auch die eigene (Vor-)Geschichte ging zu Ende, bevor die politische Mündigkeit erreicht wurde und man zu einer Positionierung im System gefragt wurde.

Um all das [Entscheidungen in der DDR, J.O.] sind wir herumgekommen und haben an das Land unserer Kindheit nur, oder fast nur, private Erinnerungen. Pubertät und Volljährigkeit erlebten wir in jenem geographischen Raum, der danach kam. Wir sind weder in der DDR noch in der Bundesrepublik erwachsen geworden. Wir sind die Kinder der Zone, in der alles neu aufgebaut werden musste, kein Stein auf dem anderen blieb und kaum ein Ziel bereits erreicht worden war. (JH 2002: 159f)

Diese mehr oder weniger unbelastete Ausgangslage war aber für die Beziehung der einen und der anderen DDR-Generation wichtig. Die letzte ‚echte' DDR-Generation, also diejenigen, die schon ihren Platz in der sozialistischen Gesellschaft behaupten mussten, sowie die deren Eltern stehen im Mittelpunkt der soziologischen Forschung. Die Generation der „zwittrigen Ostwestkinder" (Jana Hensel) dagegen fand bis jetzt noch kaum wissenschaftliche Beachtung.

Wir waren die Söhne und Töchter der Verlierer, von den Gewinnern als Proletariat bespöttelt, mit dem Geruch von Totalitarismus und Arbeitsscheu behaftet. Wir hatten nicht vor, das länger zu bleiben. (JH 2002: 73)

Schon mit einem Bein im Westen angekommen, entfernen sich die Kinder immer weiter von der Lebenswirklichkeit der Eltern. Für die Kinder brachte die Wende neue Chancen mit sich, während die Eltern mit einem Schlag von vorn beginnen mussten. Doch, so beschreibt Jana Hensel die Beziehung der Generationen, nehmen die Kinder Rücksicht auf die benachteiligten Eltern und verheimlichen zu Hause ihr westliches Leben; die Eltern bleiben mit dem Osten verhaftet.

Eine Rebellion gab es für uns nicht. Im Gegenteil: Wir waren nahezu die Einzigen, die nichts gegen unsere Eltern taten, so zumindest kam es uns manchmal vor. Sie lagen ja schon am Boden, inmitten der Depression einer ganzen Generation, und wir, die wir mit viel Glück und nur dank unserer späten Geburt um ein DDR-Schicksal herumgekommen waren, wollten die am Boden Liegenden nicht noch mit Füßen treten. Die Geschichte der Wende hatte die Illusion und Selbstbilder unserer Eltern zerstört und weggefegt. (JH 2002: 75f)

Die Eltern-Kind-Beziehung ist (wenn auch anders als bei Christoph Brumme und Kerstin Hensel, aber ähnlich wie bei Katrin Dorn beschrieben) von Schweigen und Unverständnis, von einer gestörten Kommunikation geprägt. Zu unterschiedlich sind die Lebenswelten, die nicht nur durch den Altersunterschied, sondern auch noch von historischen Rahmenbedingungen belastet werden. Eine ähnliche Konstellation wie die zwischen der Kriegs- und der Nachkriegsgeneration in Westdeutschland. Jana Hensel zeichnet die Kluft am Beispiel der Geschmacksdifferenz nach:

Lange suchten wir nach einer besonderen Idee [für das elterliche Geburtstagsgeschenk, J.O.] und bemerkten dabei gar nicht, wie sehr wir uns längst den feinen Distinktionen der westlichen Warenwelt ergeben hatten, mit ihnen lebten und wie weit sich der Abstand zwischen uns und unseren Eltern schon vergrößert hatte. (JH 2002: 53)

Jana Hensel behauptet: „Wir sind die ersten Wessis aus Ostdeutschland,[...]" (JH 2002: 166). Eine Kollektiv-Gesellschaft wurde individualisiert. Nicht ohne kritischen Unterton schreibt sie daher: „Unsere Welt war kleiner geworden. Das erleichterte uns. Es war schön, sich von nun an nur noch um sich selbst kümmern zu müssen." (JH 2002: 99) Diese Selbstbezogenheit spiegelt für Reinhard Mohr „die tiefe Erschöpfung aller vorhergehenden Generationen, die versuchten, die Welt zu verändern"[110] wieder.

Die Wende hatte uns alle zu Aufstiegskindern gemacht, die plötzlich aus dem Nirgendwo kamen und denen von allen Seiten eingeflüstert wurde, wo sie hinzuwollen hatten. Unser Blick ging nur nach vorn, nie zurück. Unablässig das Ziel vor Augen, taten wir gut daran unsere Wurzeln so schnell wie möglich zu vergessen, geschmeidig, anpassungsfähig und ein bisschen gesichtslos zu werden. (JH 2002: 72)

Eine gewisse Gleichgültigkeit ist auch in der Einstellung zur Erinnerung zu verzeichnen, vergleichbar mit dem Frust der westdeutschen Jugendlichen mit der zwanghaften Erinnerung an den Holocaust.

[...] wir Jüngeren lassen die Unterschiede Unterschiede sein. Wir wollen sie nicht vertuschen, aber irgendwie wollen wir sie auch nicht mehr besprechen. Mit Altersgenossen führen wir nie solche Diskussionen. Unsere Erinnerungen an die DDR haben spürbar nachgelassen. Es ist alles zu lange her. Wir waren einfach zu jung. (JH 2002: 132)

Im Text und im persönlichen Gespräch mit ihr (siehe Anhang) bestätigt Jana Hensel noch einmal die gedankliche Nähe zu Martin Walser, was die Funktionalisierung von Beschäftigung mit Vergangenheit angeht. Sie will sich nicht vorschreiben lassen, wann sie sich wie erinnern und zu ihrer Vergangenheit äußern soll. Ihr Text funktioniert daher für sie auch identifikatorisch. Es bleibt dem Leser überlassen, ob er sich identifizieren kann oder nicht, oder ob der Text zu seinem Deutschlandbild beträgt. Schließlich bleibt das Fazit, die Geschichte und die damit einhergehenden Unterschiede der Identifikation mit West und Ost zu akzeptieren und aus ihnen etwas Neues entstehen zu lassen, anstatt eine Einheit zu fordern, die so oder anders nicht praktikabel ist.

Die Deutsche Demokratische Republik war einfach noch nicht verschwunden. Sie hatte mit dem Fall der Mauer nicht, wie viele glaubten, ihren Hut genommen, sie war nicht weggegangen und hatte die Menschen an den nächsten, schon vor der Tür Wartenden abgegeben. Sie hatte sich nur verwandelt und war von einer Idee zu einem Raum geworden, einem kontaminierten Raum, in den freiwillig nur der einen Fuß setzte, der mit den Verseuchungen Geld verdienen oder sie studieren wollte. Wir aber sind hier erwachsen geworden. Wir nennen diesen Raum, fast liebevoll, Zone. Wir wissen, dass unsere Zone von einem Versuch übrig geblieben ist, den wir, ihre Kinder, fast nur aus Erzählungen kennen und der gescheitert sein soll. Es gibt hier heute nur noch sehr wenig, was so aussieht, wie es einst ausgesehen hat. Es gibt nichts, was so ist, wie es sein soll. Doch langsam fühlen wir uns darin wie zu Hause. (JH 2002: 155)

---

110 Mohr, Reinhard: Jenseits von Schkopau. In ihrem Debüt „Zonenkinder" schreibt Jana Hensel die Biografie ihrer „zwittrigen" Generation – ein Höhepunkt in der Menge der Lebensbilder auf der Buchmesse. In: Der Spiegel. Nr. 41 (2002).

7. AUFGEWACHT. MAUER WEG:
VERGLEICH UND AUSBLICK AUS WESTDEUTSCHER SICHT

Genau so, wie Susanne Leinemann („Aufgewacht. Mauer weg"[111]) es in ihrer Erklärung das Ost-West-Verhältnis unserer Generation (1965-75) beschreibt, musste ich mich an das Thema heranwagen, denn „das kostet offensichtlich Überwindung" (SL 2002: 248). „In der kurzen Spanne unseres westdeutschen Lebens hatte die DDR bisher ja kaum existiert" (SL 2002: 133) Ich gehöre wie Susanne Leinemann zum westlichen Pendant der „Zonenkinder" und kann nur bestätigen, „daß wir Heranwachsenden, die Deutschland nur geteilt kannten, auf das Pflichtthema DDR keine besondere Lust hatten." (SL 2002: 21) Für uns war die DDR tatsächlich weiter entfernt als das europäische Ausland, das dank der Eltern fleissig bereist werden konnte. „Ich wuchs ja in der späten Bundesrepublik auf, die sich aufrichtig bemühte, heller, freundlicher, toleranter, weltgewandter zu werden." (SL 2002: 29) Susanne Leinemann hatte - im Gegensatz zu einigen anderen - die Chance, noch vor der Wende Kontakte in die DDR zu knüpfen und die Auswirkung des politischen Umschwungs in ihren persönlichen Beziehungen wiedergespiegelt zu sehen. Auch sie will zum kollektiven Erinnerungsbild beitragen, auch für sie scheint die Zeit jetzt reif dafür.

Jetzt, nachdem die Mauer aus unserem Leben verschwunden ist und diese Zeit immer ferner liegt, wird deutlich, daß sich die Bundesrepublik ihrem zweiten relevanten Thema - neben der Aufarbeitung der NS-Zeit - ängstlich verweigert hat. (SL 2002: 36)

Die DDR war ein blinder Fleck in der Wahrnehmung und „so blieb von Beginn an außer Zweifel, daß die friedliche Revolution von 1989 eine ausschließlich ostdeutsche Angelegenheit war." (SL 2002: 134) Die Jugendlichen auf der anderen Seite Deutschlands waren für die „Generation Golf" quasi nicht existent, schlimmer noch „unsere halbe Nation dachte sich die andere Hälfte als Zombies." (SL 2002: 81)

> Das konnte keine Jugend sein - ihnen fehlte die Aufmüpfigkeit. Zumindest in den Augen der bequemen Westdeutschen, die sich nur schwer von ihrer bundesrepublikanischen Nabelschau verabschieden konnten und nicht erkennen wollten, daß die Wünsche nach Selbständigkeit, Individualität und Konsum für junge DDR-Bürger eine echte Provokation gegen ihre Machthaber darstellte. (SL 2002: 139)

Auf beiden Seiten der Mauer herrschten völlig falsche Vorstellungen über das, was die jeweils andere Seite zu sein hatte. Dieses Bild konnten nur die abbauen, denen die Gelegenheit zum Besuch geboten war. So zitiert Susanne Leinemann einen Schüler aus Braunschweig über seinen DDR-Besuch:

> In den Köpfen vieler von uns war das Bild der DDR ein Bild von schlechten Verhältnissen, von Unfreiheit und Angst. Doch die Überraschung, um nicht zu sagen Enttäuschung war recht groß. Die umfassende Normalität konnte die durch Unwissenheit und Phantasie hervorgerufene Sensationslust nicht befriedigen. (SL 2002: 82)

---

[111] Leinemann, Susanne: Aufgewacht. Mauer weg. Stuttgart; München: Deutsche Verlags-Anstalt 2002.

„Erstaunt wurde registriert, daß die Jugendlichen von drüben eigentlich ganz normal sind." (SL 2002: 83) Im Westen haben viele dieser Generation gerade deswegen keinen Bezug zur DDR und zu Ostdeutschland, weil ihnen auf der einen Seite der historische Bezug fehlt (wir haben uns nie getrennt gefühlt, die BRD war für uns einheitlich) und auf der anderen Seite kein Verständnis entwickeln konnten, weil das System als zu fremd zur eigenen Lebenserfahrung gesehen wurden.

Manchmal versuche ich mir vorzustellen, wie das gewesen sein muß. In einem politischen System zu leben und von dem anderen permanent stimuliert zu werden. Wie lebt man so ein Leben? (SL 2002: 99)

Nicht nur die Jugendlichen in der DDR wurden mit den verfälschten Fernsehinformationen über den Westen gefüttert. Den Jugendlichen im Westen ging es ganz ähnlich. Informationen über die DDR wurden nur durch Westmedien präsentiert, selten kam die DDR (und später der Osten) selbst zu Wort.

Meine wichtigste Quelle für die Veränderungen in der DDR waren westdeutsche Zeitungen und westdeutsches Fernsehen. Zutiefst verstört sah ich die Bilder der ersten Oktobertage in Dresden, als die Züge der Ausreisenden aus Prag die Stadt durchfuhren und Tausende – überwiegend junge Männer – wütend vor dem abgesperrten Bahnhof randalierten, Steine schmissen, Autos umkippten und sogar kleine Feuer legten, während die Vopos brutal auf den Pulk eindroschen. (SL 2002: 147)

Dass diese Bilder den Anfang vom Ende auch unserer westdeutschen Welt, unserer Zukunft bedeuten könnte, war ein zutiefst befremdlicher Gedanke. Susanne Leinemann resümiert, dass für sie 1989 eine Befreiung aus der „bundesrepublikanischen Sicherheit" (SL 2002: 151) war, die sie als beengend empfand. Doch dass auch die westdeutsche Jugend an diesem Ereignis teilhaben könnte, dass wir sie hätten mitformen können, schien damals nicht in die gedanklichen Konzepte zu passen. Niemand habe den Mut gehabt, sagt Susanne Leinemann, unsere eigene Vision eines erstrebenswerten Zustandes anzugehen (vgl. SL 2002: 187); „die Stimmung war da. Aber sie fand kein Medium." (SL 2002: 192) „So eroberte diese Generation mit einem Schwips die Ikone der deutschen Teilung [das Brandenburger Tor, J.O.], an der so viele Tränen vergossen worden waren. Unernst, lachend, spaßig." (SL 2002: 173)

Eine witzige Situation. Spätestens jetzt wurde klar, als wie unzeitgemäß diese Generation den Kalten Krieg mit seiner Teilung Europas empfunden hatte. Sie feierten und lachten die Grenze einfach weg. [....] Wir waren eben durch und durch Friedenskinder, aufgewachsen in einer zunehmend grenzenlosen Welt. (SL 2002: 174)

Die gemeinsame deutsche Vergangenheit und das unterschiedliche Bewusstsein, somit auch das unterschiedliche Selbstbewusstsein als Deutsche, wurde und wird kaum als solches wahrgenommen. Die Differenzen bleiben für die Jugendlichen zunächst an den Oberflächlichkeiten, wie Kleidung, Verhalten und Geschmack haften. Die historische Entwicklung bleibt vielfach unbedacht und manifestiert so weiter gegenseitiges Unverständnis.

Aus „Deutschland ist geteilt" war im Osten „Deutschland muß geteilt sein, weil wir nur so existieren können" und im Westen „Deutschland muß geteilt sein, weil wir büßen müssen" geworden. (SL 2002: 177)

Jetzt scheint es beiden Seiten ein Bedürfnis zu sein, sich zu erinnern – vielleicht aus dem Mangel an individueller Selbstbestätigung. Je offener, vernetzter, postmoderner die Wahrnehmung der Welt wird, desto sehnsüchtiger wird die Abgrenzung nach Innen gesucht. Im äussersten Fall endet diese Schlussfolgerung im zunehmenden Rechtsradikalismus. Deshalb erzählen wir uns unsere Geschichte nun selbst, wenn wir unsere Identifikation nicht in der Nation finden wollen.

Fast wirkt es [das Schreiben von Generations-Geschichte, J.O.] wie eine Verweigerung. Als hätten wir uns niedliche Puschelohren aufgesetzt, um ewig kindlich bleiben zu dürfen. Wir schreiben Texte über die richtige Handtaschenmarke, Bücher über kleine Begebenheiten in der Straßenbahn, Essays aus dem Kinderzimmer. Wenn wir uns an früher erinnern, dann befällt uns, wie bei alten Leuten, tiefe Nostalgie. [...] Wir erinnern uns an solche Dinge mit einer Leidenschaft und Inbrunst, wie es sonst nur Exilanten und Emigranten tun, die – fern der Heimat – mit übergroßer Liebe Gerichte ihrer Vergangenheit kochen. 249

Für Susanne Leinemann hat der Mauerfall auch unsere Nabelschnur zur Kindheit gekappt. Ganz langsam scheint sich eine Generation in Ost und West selbst bewusst zu werden. Vielleicht ein erster Hinweis darauf, dass wir in Zukunft bereit sind, Verantwortung zu übernehmen, als letzte Generation, die noch beide Systeme gekannt hat und als erste, die noch jung genug ist, aus dieser Entwicklung zu lernen.

Die vorliegende Arbeit versucht keine endgültigen Antworten zu geben, aber sie rührt an den Kern der aktuellen deutschen Befindlichkeit. Wie aktuell die Frage nach der deutschen Identität und ihrer historischen Entwicklung ist, zeigt allein die Medienpräsenz des Themas. Zuletzt erschienen große Artikel zum deutschen Selbstverständnis in In- und Ausland in der ZEIT(46/2002). Für das Ausland formuliert der amerikanische Lyriker C.K. Williams das befremdliche Gefühl, welches die Versuche einer deutschen Normalisierung anscheinend in der Welt hervorrufen. Er sieht die deutsche Rolle als „symbolisches Volk" mit der sich jeder abzufinden hat oder nur auf das Vergessen hoffen kann.

Gewiss ist es unangenehm, wenn man erkennt, dass man ein Symbol ist. Man ist dann die Repräsentation einer Bedeutung eher als die Person, die man zu sein glaubt. Man fühlt sich in das unsichtbare und unerwünschte Gewand einer Identität eingewickelt, die für einen selbst nicht bedeutsam ist, für die anderen aber Vorrang hat.[112]

Aber vielleicht ist eben genau eine Normalisierung in unserem Umgang mit Vergangenheit – der natürlich das Bewusstsein um unsere Geschichte vorraussetzt – der Weg zu einem deutschen Selbstbewusstsein, der sowohl beide deutschen Teile näher bringt, als auch im Ausland einen einheitlichen Eindruck von einer ernstzunehmenden Identität als Deutsche prägt?

---

[112] Williams, C.K.: Das symbolische Volk der Täter. In: Die Zeit. Nr 46 (2002).

Allein durch die Aktualität sind der weiteren Nachforschung sowohl in Vergangenheit, als auch Gegenwart keine Grenzen gesetzt. Für mich bedeutet diese Beschäftigung ein Stück zukunftsweisender Vereinigungsarbeit hin zu einer heterogenen deutschen Gesellschaft. Die Antwort auf die Frage nach den Unterschieden der ost- und westdeutschen Identität sollte die gleiche sein, wie die Antwort Marion Gräfin Dönhoffs auf die Frage, was es heute heißt Deutsche zu sein: „Nichts Besonderes, aber etwas Bestimmtes."[113]

---

113 Dönhoff 1992:67

8.1 Literaturverzeichnis

Primärliteratur

BRUMME, Christoph D.: Nichts als das. Berlin: Verlag Mathias Gatza 1994.

BRUSSIG, Thomas: Am kürzeren Ende der Sonnenallee. 3. Auflage. Frankfurt a.M.: Fischer Taschenbuch Verlag 2001.

BRUSSIG, Thomas: Wasserfarben. 3. Auflage. Berlin: Aufbau-Verlag 2001.

DORN, Katrin: Lügen und Schweigen. Berlin: Aufbau-Verlag 2000.

HEIN, Jakob: Mein erstes T-Shirt. München: Piper Verlag 2001.

HENSEL, Jana: Zonenkinder. Berlin: Rowohlt Verlag 2002.

HENSEL, Kerstin: Tanz am Kanal. Frankfurt a. M.: Suhrkamp 1997.

KLINGER, Nadja: Ich ziehe einen Kreis. Berlin: Alexander Fest Verlag 1997.

LEINEMANN, Susanne: Aufgewacht. Mauer weg. Stuttgart; München: Deutsche Verlags-Anstalt 2002.

MECKEL, Christoph: Suchbild. Über meinen Vater. Düsseldorf, Claassen 1980.

SIMON, Jana: Denn wir sind anders. Die Geschichte des Felix S.. Berlin: Rowohlt Verlag 2002.

TITZE, Marion: Unbekannter Verlust. Berlin: Rowohlt Verlag 1994.

Sekundärliteratur

BAßLER, Moritz: Der deutsche Pop-Roman. Die neuen Archivisten. München: Beck 2002.

BAUSINGER, Hermann: Heimat und Identität. In: Heimat. Sehnsucht nach Identität. Hrsg. von Elisabeth Moosmann. Berlin: Verlag Ästhetik und Kommunikation 1980. S. 13-29.

BRECHT, Eberhard: Probleme politischer Kultur. In: Die Mauer fiel, die Mauer steht. Ein deutsches Lesebuch 1989-1999. Hrsg. Von Hermann Glaser. München: dtv 1999.

BLANK, Thomas: Wer sind die Deutschen? Nationalismus, Patriotismus, Identität – Ergebnisse einer empirischen Längsschnittstudie. In: Aus Politik und Zeitgeschichte. B13 (1997). S. 38–46.

BIALAS, Wolfgang: Historische Erinnerung und gesellschaftlicher Umbruch. Die DDR im Diktaturenvergleich. In: Berliner Debatte INITIAL. Zeitschrift für sozialwissenschaftlichen Diskurs. 6 (1998). S. 25-44.

DIECKMANN, Christoph: Ostdeutschland steht auf der Kippe. Identitätskrise, mehr Arbeitslose, wirtschaftliche Abkopplung – in einem vertraulichen Papier redet Wolfgang Thierse Klartext. In: Die Zeit. Nr. 2 (2001) www.zeit.de/2001/02/Politik/200102_thierse.html (01.11.02)

DIECKMANN, Friedrich: Nicht-Identität als zentrale Erfahrung. In: Die Mauer fiel, die Mauer steht. Ein deutsches Lesebuch 1989-1999. Hrsg. Von Hermann Glaser. München: dtv 1999.

DÖNHOFF, Marion: Ein Manifest – Weil das Land sich ändern muss. Hamburg: Rowohlt 1992.

DÜMMEL, Karsten: Identitätsprobleme in der DDR-Literatur der siebziger und achtziger Jahre. Berlin: Lang 1997.

GRASS, Günter: Rede vom Verlust – Über den Niedergang der politischen Kultur im geeinten Deutschland. Göttingen: Steidl 1992.

HENSEL, Kerstin: Lenin-Büste mit BH. Die Konsumkultur in der DDR war Futter fürs Kabarett. Ina Merkel erklärt, wie Mangel produziet wurde. In: Die Zeit. Nr. 42 (1999) www.zeit.de/1999/42/199942_sl_merkel.html (16.08.02)

HESSEL, Aike (u.a.): Psychische Befindlichkeiten in Ost- und Westdeutschland im siebten Jahr nach der Wende. Ergebnisse einer empirischer Untersuchung. In: Aus Politik und Zeitgeschichte. B13 (1997). S. 15–24.

LEE, Hyonseon: Geständniszwang und „Wahrheit des Charakters" in der Literatur der DDR. Diskursanalytische Fallstudie. Stuttgart; Weimar: Metzler 2000.

LEJEUNE, Philippe: Der autobiographische Pakt. Frankfurt a. M., Suhrkamp 1994.

KÄMMERLINGS, Richard: Das Ich und seine Gesamtausgabe. Zum Problem der Autobiographie. In: Kursbuch 148. Die Rückkehr der Biographien. Hrsg. Von Ina Hartwig, Ingrid Karsunke u. Tilman Spengler. Berlin: Rowohlt Juni 2002. S. 99-109.

MEYER, Gerd: „Zwischen Haben und Sein". Psychische Aspekte des Transformationsprozesses in postkommunistischen Gesellschaften. In: Das Parlament. Aus Politik und Zeitgeschichte. B5 (1997). S. 17–28.

MITSCHERLICH, Alexander u. Margarete: Die Unfähigkeit zu trauern. Grundlagen kollektiven Verhaltens. München: R. Piper & Co. Verlag 1967.

MÜHLBERG, Dietrich: Kulturelle Differenz als Voraussetzung innerer Stabilität der deutschen Gesellschaft?
www.kulturinitiative-89.de/Texte/DPOM_Kult_Differenz.html (24.08.02)

MÜHLBERG, Dietrich: Beobachtete Tendenzen zur Ausbildung einer ostdeutschen Teilkultur. In: Das Parlament. Aus Politik und Zeitgeschichte. Nr 11 (9.3.2001) www.das-parlament.de/2001/11/beilage/2001_11_006_4816.html

PILZ, Gunter A.: Massnahmen gegen Rassismus im Fussball. www.erz.uni-hannover.de/ifsw/daten/lit/pil_rass.pdf (17.11.02)

RICHARD, Birgit: Todesbilder. Kunst, Subkultur, Medien. München 1995.
http://www.uni-frankfurt.de/fb09/kunstpaed/indexweb/publikationen/gruftie.htm

ROSENLÖCHER, Thomas: Ohne Titel. In: Die Mauer fiel, die Mauer steht. Ein deutsches Lesebuch 1989-1999. Hrsg. Von Hermann Glaser. München: dtv 1999. S. 236-238.

SCHMIDT, S.J.: Gedächtnis – Erzählen – Identität. In: Mnemosyne. Formen und Funktionen der kulturellen Erinnerung. Hrsg. von Aleida Assman u. Dietrich Harth. Frankfurt: Fischer Taschenbuch Verlag 1991. S. 378 – 397.

SCHMIDT, Thomas E.: Als das Boot gekentert war. Die jungen Autoren Ostdeutschlands erzählen kühl vom Leben in der Zone. In: Die Zeit. Nr. 37 (2002) www.zeit.de/2003/37/Kultur/print_200237_1-zonis.html (19.09.02)

SCHNEIDER, Christian: Ich und mein Selbst. Über deutsche Identität und die Konjunktur biographischer Selbstverständigung. In: Kursbuch 148. Die Rückkehr der Biographien. Hrsg. Von Ina Hartwig, Ingrid Karsunke u. Tilman Spengler. Berlin: Rowohlt Juni 2002. S. 41-53.

SKARE, Roswitha: Auf der Suche nach Heimat? Zur Darstellung von Kindheitsheimaten in Texten jüngerer ostdeutscher Autorinnen und Autoren nach 1990. In: Schreiben nach der Wende. Ein Jahrzehnt deutscher Literatur 1989-1999. Hrsg.

von Gerhard Fischer u. David Roberts. Tübingen: Stauffenburg Verlag 2001. (= Studien zur deutschsprachigen Gegenwartsliteratur Bd.14)

SLOTERDIJK, Peter: Zur Welt kommen – Zur Sprache kommen. Frankfurter Vorlesungen. Frankfurt a. M.: Suhrkamp Verlag 1988.

TIETZ, Udo: Abgewickelt. Über die doppelte Entwertung der „Ost-Biographien". In: Kursbuch 148. Die Rückkehr der Biographien. Hrsg. Von Ina Hartwig, Ingrid Karsunke u. Tilman Spengler. Berlin: Rowohlt Juni 2002. S. 54-64.

WAGNER, David: Meine Cousine und ich. Vom Neid auf den Umsturz der anderen. In: Das Buch der Unterschiede. Warum die Einheit keine ist. Hrsg. von Jana Simon, Frank Rothe und Wiete Andrasch. 2. Auflage. Berlin. Aufbau-Verlag 2000. S. 29-35.

WILLIAMS, C.K.: Das symbolische Volk der Täter. In: Die Zeit. Nr 46 (2002). www.zeit.de/2002/46/Kultur/print_200246_symbol.html (07.11.02)

Zu den Autoren:

Christoph D. Brumme:

GEISEL, Sieglinde: Deutsche Kindheit. „Nichts als das" – Christoph D. Brummes eindrucksvolles Debüt. In: Freitag. Nr. 41 (7.10.1994)

GEISEL, Sieglinde: Auf Stelzen über Zäune steigen. Christoph D. Brumme, Schriftsteller aus Berlin. In: Der Tagesspiegel. Nr. 15085 (7.11.1994) S. 20.

Jana Hensel:

Glückskinder der späten Geburt. Jana Hensels biographischer Essay „Zonenkinder" erzählt von der Generation Golf des Ostens. In: Frankfurter Allgemeine Sonntagszeitung. (8.9.2002)

MOHR, Reinhard: Jenseits von Schkopau. In ihrem Debüt „Zonenkinder" schreibt Jana Hensel die Biografie ihrer „zwittrigen" Generation – ein Höhepunkt in der Menge der Lebensbilder auf der Buchmesse. In: Der Spiegel. Nr. 41 (2002).

OSTWALD, Susanne: Die Generation, das bin ich. Jana Hensel erinnert sich an ihre zu kurze DDR-Kindheit. www.buecher.nzz.ch/books/nzzbooks.html (30.9.2002)

WURSTER, Stephanie: „Wir sind geschmeidiger". Jana Hensel über ostdeutsche Prägung, die Sehnsucht nach Selbstständigkeit und ihr Buch „Zonenkinder". In: ‚Kreuzer' Nr.9 (2002)

Nadja Klinger:

DAHLKE, Birgit: „ich ziehe einen kreis" – Geschichten von Nadja Klinger, Alexander Fest Verlag Berlin 1997. In: Glossen: rezensionen.
www.dickinson.edu/departments/germn/glossen/heft4/klinger.html (24.08.02)

FESSMANN, Meike: Vom unbenannten Verlust. Nadja Klinger debütiert mit Geschichten: „Ich ziehe einen Kreis". In: Süddeutschen Zeitung Literaturbeilage. Nr. 260. (12.11.1997). S. 2.

JENTZSCH, Cornelia: Aus einem alten Land. Nadja Klinger über ihr Leben und ihre Familie in der DDR: „Ich ziehe einen Kreis". www.berlinonline.de/wissen/berliner_zeitung/archiv/1998/0207/magazin0009/index.html (24.08.02)
http://www.BerlinOnline.de/wissen/berliner_zeitung/archiv/1998/0207/magazin/0009/index.html?keywords=Nadja%20Klinger;ok=OK%21;match=strict;author=Jentzsch;ressort=Leserforum;von=;bis=;mark=nadja%20klinger

KNOTT, Marie-Luise: Denken ins Unreine. Nadja Klinger beschäftigt sich in ihrem ersten Buch mit Muttersein, Politik, Familie und dem ganzen Rest und sagt: „Ich ziehe einen Kreis". In: Die Tageszeitung. Nr. 5356 (15.10.1997). S. 11.

TEWINKEL, Christiane: Nadja Klinger „Ich ziehe einen Kreis". In: Grauzone. Zeitschrift über neue Literatur. Ausgabe 15 (1998). S. 33.

Jana Simon:

KABISCH, Jörn: Ostberlin gibt es nicht mehr. Verlust der Eindeutigkeit. In: Freitag 29. Die Ost-West-Wochenzeitung. (12.07.2002)
www.freitag.de/2002/29/02291502.php (23.20.02)

SONDERMANN, Gretel: Denn wir sind anders. Die Geschichte des Felix S..
http://www.zeichensprache.de/pages/bibliothek/seiten/denn_wir_sind_anders_03b.htm (32.10.02)

TEMMING, Tobias: Wendezeit. Jana Simons wahres Kapitel zum Thema „Aufbau Ost".
www.literaturkritik.de/txt/2002-07/2002-07-0048.html (23.10.02)

Hilfsmittel

BECKER, Udo: Lexikon der Symbole. Freiburg. Herder Taschenbuch Verlag 1998.

EMMERICH, Wolfgang: Kleine Literaturgeschichte der DDR. Erweiterte Neuausgabe. Berlin. Aufbau Taschenbuchverlag 2000.

Lexikon des DDR-Sozialismus. Das Staats- und Gesellschaftssystem der Deutschen Demokratischen Repulik. Hrsg. von Rainer Eppelmann, Horst Möller, Günter Nooke und Dorothee Wilms. 2. Auflage. Paderborn; München; Wien; Zürich: Schönigh 1997.

8.2 Autorenverzeichnis

Christoph D. Brumme geboren 1961, lebt als freier Schriftsteller in Berlin.

Kerstin Hensel, geboren 1961 in Chemnitz. Lernte Krankenschwester und studierte am Institut für Literatur Leipzig. Heute lebt sie als freie Autorin und Dozentin an der Hochschule für Schauspielkunst Berlin in Berlin. 1991 Leonce- und Lena-Preis der Stadt Darmstadt.

Katrin Dorn, geboren 1963, wuchs in Thüringen auf, studierte in Leipzig Psychologie und arbeitete u.a. als Theaterpädagogin und Herausgeberin der Literaturzeitschrift „eDIT – Papier für neue Texte". Sie lebt seit 1996 in Berlin. Sie wurde mit mehreren Stipendien ausgezeichnet. 1997 erschien Ihr Debüt „Der Hunger der Kellnerin" im Aufbau-Verlag.

Nadja Klinger, 1965 in Berlin geboren, ist im Ostteil der Stadt aufgewachsen. Sie hat in Leipzig Journalistik studiert und war Reporterin bei der Tageszeitung „Junge Welt"; heute lebt sie als freie Autorin in Berlin. Sie ist Kolumnistin bei der „tageszeitung", schreibt für „Die Zeit", den „Freitag" und die „Berliner Zeitung" und hat 1996 den Journalistenpreis der IG Medien Berlin-Brandenburg erhalten.

Susanne Leinemann, geboren 1968 in Hamburg, wuchs in Washington D.C. und Bonn auf. Nach dem Studium der Geschichte in Jena und der Ausbildung an der Deutschen Journalistenschule in München arbeitete sie als Redakteurin im Feuilleton der Tageszeitung „Die Welt" und danach als Reporterin für die Zeitschrift „Max". Sie lebt mit ihrem Mann in Berlin.

Jana Simon wurde 1972 in Potsdam geboren und wuchs in Ostberlin auf. Osteuropastudien in Berlin und London, nebenbei Arbeit als freie Journalistin. Seit 1998 ist sie Reporterin beim „Tagesspiegel" in Berlin und schreibt auch für „Die Zeit" und „Geo Saison". 2000 wurde sie mit dem Alexander-Rhomberg-Preis für Nachwuchsjournalisten ausgezeichnet. 2001 erhielt sie für ihre Reportagen den Axel-Springer-Preis und den Theodor-Wolff-Preis. Jana Simon kannte Felix seit seinem 16. Lebensjahr.

Jana Hensel wurde 1976 in Leipzig geboren. Sie studierte in Leipzig, Marseille, Berlin und Paris. 1999 gab sie die Leipziger Literaturzeitschrift „Edit" heraus, 2000 die Internetanthologie „Null" (zusammen mit Thomas Hettche). Jana Hensel lebt in Berlin.

8.3 Auszüge aus einem Gespräch mit Jana Hensel am 4.10.2002 in Berlin.

(Kursivdruck = Josette Ommer)

Ich habe heute morgen im Radio Berlin die ,Prinzen' mit „Das alles ist Deutschland" gehört. Was ist alles Deutschland für Dich?

Das wird ja sehr schnell privat. Deutschland ist für mich natürlich Berlin, es ist auch Leipzig, Frankfurt, wo mein Freund wohnt. Ich glaube, dass ist so ein privater Begriff.

Wie hast Du denn den Tag gestern (3.10.2002) verbracht?

Ich hatte halt Pressetermine beim Deutschlandfunk und anderen. Die Enthüllung des Brandenburger Tors habe ich im Fernsehen gesehen, das fand ich auch eher lächerlich.

Was hat das zwölfte Jubiläum der Vereinigung für eine Bedeutung für Dich?

Ja (lacht), das haben die mich im Radio gestern auch alle gefragt. Das finde ich dann schon ein bisschen problematisch, das gestehe ich ganz ehrlich, dass man dann, wenn man so ein Buch geschrieben hat, wirklich dann auch zu solchen staatstragenden Geschichten irgendwie ne Meinung haben muss und dann oft enttäuschen muss, wenn man irgendwie sagt: na ja, ich war gestern am See, und dann bin ich zurück in die Stadt gefahren und es war sehr schönes Wetter und ich dachte, eigentlich wäre ich gern am See geblieben und dann musste ich da eben diese Interviews führen. Das war natürlich zum 3. Oktober, die Deutsche Welle und die wollen natürlich auch ähnliche Dinge hören, das fällt manchmal ein bisschen schwer, da immer Standardantworten zu haben. Als ich da gestern rumlief am Brandenburger Tor und so die ganzen Menschen gesehen habe, da ergreift mich das dann auch immer irgendwie emotional, wo ich immer für mich das Gefühl habe, ich bin zu gefühlig. Ich müsste das eher kälter sehen. Ich bin dann auch ergriffen und denk dann immer: WOW und super und Geschichte und so. Aber eigentlich ist es ein riesiges inszeniertes Spektakel. Ich fand es aber eigentlich trotzdem ganz schön.

Wie behandeln Dich denn die Journalisten in solchen Gesprächen? Wirst Du jetzt zur Ostikone stilisiert?

Na ja, zur Ostikone... die Journalisten oder die Medien brauchen ja auch immer so ihren Spezialisten für irgendwas und dann fragt man mich jetzt gerne nach allen möglichen Sachen, obwohl ich halt gestehen muss, dass ich das nicht als meine Aufgabe empfinde. Ich rede gerne über das Buch und ich tue auch alles für das Buch, aber irgendwie Kochtipps zu geben... ich wurde letztens von der ZEIT angesprochen, die haben ihre Medienseite eingestellt und da sollten Prominente ihr persönliches Fernsehprogramm zusammenstellen. Da weiß ich natürlich genau, wenn ich dazu eingeladen werden, dann bin ich so die Ostquotenfrau. Ich bin dann nicht der Angela Merkel-Faktor, aber dreizig Jahre jünger und auf so etwas habe ich keine Lust.

Warum hast Du dieses Buch ‚Zonenkinder' geschrieben?

Weil ich schon finde, dass man diese Geschichten erzählen muss und weil ich auch finde, dass das spannende Geschichten sind und, wenn ich mich in dreizig Jahren zurück erinnert hätte und das einzige Buch, das wir über die neunziger Jahre kennen würden, die ‚Generation Golf'[1] wäre, dann fände ich das sehr wenig. Und ich dachte immer, da muss man was daneben stellen. Da müssen wir auch unsere Geschichte erzählen, die total anders ist. Und auch weil ich festgestellt habe, dass die Leute sehr wenig wissen. Also meine Altergenossen aus dem Osten machen sich ihre Erfahrungen wenig bewusst und ich will ihnen ihre Geschichten wieder erzählen, damit sie sich an die Sachen wieder erinnern.

Aber ist es nicht gefährlich so zu verallgemeinern?

Nein. Man darf seinen Leser natürlich nicht unterschätzen. Ich nehme ihn natürlich auch ernst und wenn ich dann in ‚wir' schreibe, dann ist das natürlich auch ein Stück weit provokant gemeint, wo sich jeder dann die Frage stellen kann: gehört er dazu oder gehört er nicht dazu? Und wenn er dann sagt, er gehört nicht dazu, fängt er an, sich seine Geschichte zu erzählen und das will ich. Ich will, dass die Leute sich an die Dinge erinnern, ob genauso wie ich oder genau in der Absetzung davon, ist mir dann relativ egal.

Ich lese Dir mal vor, was Thomas Brussig in seinem Buch ‚Sonnenallee' zum Thema Erinnern geschrieben hat:
„Wer wirklich bewahren will, was geschehen ist, der darf sich nicht den Erinnerungen hingeben. Die menschliche Erinnerung ist ein viel zu wohliger Vorgang, um das Vergangene nur festzuhalten; sie ist das Gegenteil von dem, was sie zu sein vorgibt. Denn die Erinnerung kann mehr, viel mehr: Sie vollbringt beharrlich das Wunder, einen Frieden mit der Vergangenheit zu schließen, in dem sich jeder Groll verflüchtigt und der weiche Schleier der Nostalgie über alles legt, was mal scharf und schneidend empfunden wurde. Glückliche Menschen haben ein schlechtes Gedächtnis und eine reiche Erinnerung.“[2]

Was soll ich jetzt dazu sagen? Das ist natürlich das Problem vor dem jeder ostdeutsche Schriftsteller steht: der Vorwurf der Ostalgie. Da muss, so glaube ich, ein ostdeutscher Text sehr, sehr viel leisten, dass er nicht in den Verdacht von ostalgischen oder nostalgischen Gefühlen gerät, weil sich dann alle Warnsignale aufstellen und man den Text sehr schnell ablehnt. Das habe auch ich gemacht, in dem ich versucht habe, den Text überall abzudichten, wo es nur möglich war, und ihn auch oftmals ein Stück weit kälter zu machen, als ich die Sachen dann doch empfinde. Das wird mir vorallem deutlich im Elternkapitel, das ich als sehr kalt empfinde. Wo ich aber auch meinen Blick nicht aufbrechen wollte und nicht in die Persektive der Eltern reingehen wollte, weil das hätte vielleicht dann ostalgisch geklungen oder wäre dann zu stark nostalgisch. Aber das ist, glaube ich, wirklich ein Problem so eines jeden Ostdeutschen, der schreibt, weil das so der Generalverdacht gegen diese ganze Literatur ist.

---

[1] Florian Illies: Generation Golf. Berlin, 2000.
[2] Thomas Brussig: Am kürzeren Ende der Sonnenallee. Frankfurt a.M., 2001. S. 156/157.

Hast du die Rezension von Susanne Ostwald[3] in der NZZ gelesen und was sagst du zu ihrer Kritik?

Ja, ich muss gestehen, da musste ich lachen. Da gibt es den Satz: ich beuge mich im Habitus einer Greisin über meinen Text. Die Reaktionen auf dieses Buch sind sehr emotional, also es gibt sehr wenige Besprechungen oder Reaktionen, die so sagen: na ja, das Buch ist ganz schön, das sollten Sie mal lesen. Am Mittwoch war eine Besprechung in der ‚Welt‘, von einem Schreiber, der sich als Zonenkind geoutet hat. Ein sehr, sehr emotionaler Text, und ich fand ihn sehr schön, und genau dazwischen wird es sich immer bewegen. Das Buch funktioniert halt identifikatorisch. Also viel, viel stärker als jeder literarische Text. Auch wenn man sich in einen Protagonisten in einem Roman irgendwie einfühlt, er spricht ja nicht zurück mit einem. Und ich versuche ja schon quasi auch aus dem Buch rauszusprechen und den Leser anzusprechen. Da sind die Reaktionen sehr viel krasser, positiv wie negativ. Und das ist natürlich am Anfang schwierig, aber da stellt man sich irgendwann darauf ein und über so eine Rezension bin ich sehr froh, weil ich schon das Gefühl habe, dass der Text Frau Ostwald umtreibt, sonst würde sie nicht so hart darauf reagieren. Das war ja auch sehr groß aufgemacht in der Zeitung und dann dachte ich, wenn ihr es so unwichtig findet, dann macht es doch klein, aber es war ein großer Verriss. Das ist natürlich auch sehr schön. Also anders schön. Da muss man sich dran gewöhnen, aber inzwischen finde ich das auch sehr gut. Ich glaube, es langweilt die Leute auch, wenn es nur positive Reaktionen gibt.

Fühlst Du Dich nicht von dieser fernen Schweizer Perspektive missverstanden?

Ich bin mir nicht so sicher, ob das eine Schweizerin ist. Darüber kann ich jetzt nur spekulieren, ich glaube aber nicht, dass sie eine Schweizerin ist, ich glaube, sie ist eine Ostdeutsche.

J.O.: ???

Die aber komplett andere Erfahrungen gemacht hat als ich und die wahrscheinlich auch älter ist, glaube ich. Aber das müsste man recherchieren.[4]

Das ist sehr interessant für mich, dass Du das so siehst, denn ich komme ja aus dem Westen und es ist ja nun so, dass die meiste Forschungsarbeit über den Osten vom Westen her geleistet wird und ich schlage da in die gleiche Kerbe und weiß nicht, ob das wirklich so sein sollte.

Nein, das ist sehr schön für mich zu merken, dass dich das Thema interessiert, weil das waren auch so die Kämpfe, die ich auszustehen hatte. Es gab auch einen großen westdeutschen Verlag, der gesagt hat, dass sei kein Thema, das interessiert im Westen keinen Menschen. Das Buch ist seit einer Woche nun auf der Bestsellerliste und das ist natürlich ein sehr schönes Ergebnis, dass ich feststelle, dass es doch die Leute interessiert und auch im Westen interessiert.

---

3 Ostwald, Susanne: Die Generation, das bin ich. Jana Hensel erinnert sich an ihre zu kurze DDR-Kindheit. www.buecher.nzz.ch/books/nzzbooks.html (30.9.2002)

4 Frau Ostwald nahm in einer E-Mail vom 10.10.02 an mich (J.O.) dazu Stellung: „Um Ihre Frage zu beantworten: Nein, ich bin kein ‚Zonenkind‘. In Westdeutschland aufgewachsen, haben sich mir allerdings bei häufigen Verwandtschaftsbesuchen in der DDR viele Gelegenheiten geboten, mir ein Bild vom Leben in der DDR machen zu können.“

Wie sind die Reaktion Deiner Freunde?

Bei Freunden ist es ja zum Glück so, dass die Erfahrungen ähnlich sind, sonst wären sie nicht Freunde. Die Verallgemeinerung, die ich in meinem Text betreibe, ist ja schon die Verallgemeinerung von mir und meinen Freunden auf den Rest, weil das der überschaubare Kreis ist, den man hat. Da sind die Reaktionen natürlich sehr schön, weil die sich natürlich noch mal ganz anders wieder finden im Text. Mit eigenen Erfahrungen, die sie dann wieder lesen, und sehen natürlich auch die Bilder, die ich beschreibe, die sie dann nicht als fiktionale Bilder oder Bilder, die sich der Leser aufbauen muss, sondern sie sehen sie als reale Bilder. Die kennen es. Das ist, glaube ich, ein ganz schönes Gefühl. Ich wäre sehr froh, wenn mal jemand ein Buch geschrieben hätte, in dem ich sozusagen meine eigene Geschichte wieder finden würde. Da blättert man so ein bisschen, wie in einem Photoalbum.

Hast Du Jakob Heins ‚Mein erstes T-Shirt‘[5] gelesen?

Ich habe es angefangen, musste es dann aber weglegen, weil ich es nicht lesen wollte, bevor ich selber mein Buch geschrieben hatte. Wenn dann so Sachen zu nah rangehen, dann nimmt man sie nicht in die Hand, denn am Ende findet dann da Geschichten in seinem eigenen Text wieder, die man auch nur angelesen hat. Ich muss es jetzt noch mal lesen, denn das was ich gelesen habe, mochte ich sehr gern.

Ich finde es sehr schön, dass es so eine Reihe von Büchern im Moment gibt, die zu diesem Thema erscheinen und es werden immer mehr. Da fühlt man sich sehr geborgen, weil man merkt: da sind noch andere Leute da und die schreiben über ähnliche Sachen, d.h. auch die Sachen, die man selber schreibt sind nicht aus der Luft gegriffen, sie haben sozusagen reales Fundament. Das finde ich sehr schön. Dass ich diese Literaten um mich habe, die über ähnliche Sachen schreiben. Das beruhigt irgendwie.

Du schreibst an einer Stelle, „Doch seien sie (Jugendliche aus West- und Ostdeutschland, J.O.) zu der gemeinsamen Überzeugung gelangt, dass das Thema (Wiedervereinigung, J.O.) erschöpft, alte Kränkungen zu überwinden seien und dass die ganze Geschichte, mal ehrlich, nun wirklich niemanden mehr interessiere. Ich muss in solchen Momenten an Martin Walser denken und bin fast auf seiner Seite; er hat den Menschen wenigstens fünfzig Jahre Zeit gegeben.“[6] Warum schreibst du: ich bin ‚fast‘ auf seiner Seite?

Das ist natürlich das ironische Brechen. Obwohl ich Martin Walser da ungerechterweise sehr verkürze. Also Martin Walser war der große Dichter, der immer für die Wiedervereinigung eintrat und immer wieder das deutsch-deutsche Thema in den fünfziger, sechziger Jahren auf die Tagesordnung brachte, wo alle irgendwie so dachten: ne, nicht schon wieder, usw.. Ein großer Streiter für die Wiedervereinigung. Ich tue ihm da relativ unrecht und benutze ihn da für meine Argumentation. Aber natürlich ist das so ein ähnliches Phänomen, die Szene, die ich da beschreibe mit diesem westdeutschen Schnösel. Ich empfinde es persönlich als Problem, wenn mir jemand vorschreibt, wann ich mit meiner Geschichte an ein Ende kommen soll oder wann

---

5 Jakob Hein: Mein erstes T-Shirt. München, 2001.
6 Jana Hensel: Zonenkinder. Berlin, 2002. S.133

nicht. Das hat Martin Walser ja auch so geäußert. Das muß dann nicht nur von den Opfern oder von den Tätern oder von den Beteiligten oder von den Unbeteiligten entschieden werden, das ist die Entscheidung von jedem Einzelnen. Das ist dann diese Aggression, die bei mir rauskommt. Ich kann Leute nicht mehr hören, die mir erzählen, der Osten sei kein Thema mehr. Solange es für mich ein Thema ist und ich es auf die Tagesordnung bringe, ist es ein Thema. Und das ist eigentlich für mich die Verarbeitung.

Aber es ist für viele Ostdeutsche kein Thema mehr, weil sie keine Lust haben, darüber nachzudenken. Es wird für alle wieder ganz schnell Thema, wenn man ihnen so einen Stoff in die Hand gibt, weil sie sich so schwer erinnern können und weil es so müde macht, sich mit dem Alltag auseinanderzusetzen und die Erfahrungen, die man macht, zu untersuchen oder darüber nachzudenken. Das tun die wenigsten Leute. Ich bin mir aber sicher, dass man alle aus der DDR wieder kriegt, so dass sie sagen: es ist doch noch Thema. Es betrifft die eigene Biografie so immens, dass ich mir nicht vorstellen kann, dass es kein Thema mehr ist. Natürlich ist es auch leicht zu sagen: ne, ich habe keine Lust, es ist kein Thema mehr, der Osten interessiert mich nicht mehr. Er interessiert mich natürlich auch nicht so alltäglich, dass ich mich nachmittags hinsetze und irgendwie Geschichtsbücher lese. Es ist eher der spielerische Umgang von Herkunftssuche.

Dietrich Mühlberg beschreibt die Vereinigung als einen missglückten Akkulturationsprozess, bei dem die ostdeutsche Identitätsfindung völlig untergegangen ist. Kannst Du Dir vorstellen, was passieren müsste, damit sich eine gesunde Ostidentität etablieren kann?

Na, das mit den Medien ist natürlich ein fundamentales Problem. Wir haben entweder ARD und ZDF, Spiegel, Focus usw. und dann haben wir auf der anderen Seite den MDR oder die SuperIllu. Das sind sozusagen die marketingtechnischen Ostalgieblätter, allerdings von Westdeutschen gemacht! Ich hatte jetzt auch ein Interview mit der SuperIllu, wo ich früher dachte: das machst Du nie, aber das ist die auflagenstärkste Zeitung im Osten.

Wenn einem so eine Identität so aus der Hand genommen wird und dann gesagt wird... (denkt)

Der MDR ist ja ganz schlimm. Die erziehen sich natürlich auch ihre Zuschauer. Ich hatte kürzlich ein Diskussion in Leipzig mit Freunden, die da noch wohnen, die mich sehr wütend gemacht hat. Die meinten dann, so schlimm sei der MDR dann auch wieder nicht, die Leute hätten es nicht besser verdient, so war die Aussage. Ich dachte bloß, gegen so etwas wie den MDR muss man sich immer und immer wieder wehren, weil er sein Sendegebiet so verdummt und ihnen immer und immer wieder den gleichen Ostscheiß vorsetzt. Natürlich ist die breite Masse empfänglich, sie empfängt einfach, ohne sich dagegen zu wehren. Die Medienlandschaft ist ein sehr großes Dilemma und deswegen glaube ich, gesunde ostdeutsche Identität ist ein ganz schwieriges Thema, von dem ich eigentlich auch glaube, dass es erst dann eine gesunde ostdeutsche Identität geben wird, wenn sie nicht mehr da ist. Vielleicht in zwanzig, dreizig Jahren, aber wer weiß, was dann Ostidentität noch sein soll. Ich glaube, ein gesundes Verhältnis wird es nie geben, weil das alles zu stark überformt wurde, auch zu stark medial inszeniert wurde. Das schreibe ich ja auch im Einstieg, dass ich von den Montagsdemonstration nicht mehr wüsste, ob ich mich an das Ereignis selbst oder an all die Bilder im Fernsehen erinnere. Das ist natürlich ein ganz großes Problem, das alle Ereignisse, sobald sie so ein bisschen über die tagespolitische Wichtigkeit hinausragen, sofort medial verbrannt sind, weil man sie immer und immer wieder sieht. Das sagen ja auch viele Schriftsteller, dass man über den elften September eigentlich kein Buch mehr schreiben kann. Obwohl ja immer die große Forderung an die Schriftsteller ist, sich mit solchen Themen auseinanderzusetzen. Aber die sind halt medial verbrannt, die kann man nicht mehr beschreiben, die hat jeder so oft gesehen, da kommst du nicht mehr ran. Die ostdeutsche Identität wird erst einfach werden, wenn sie kein Thema mehr ist.

Herta Müller hat mal in einem Gespräch zu mir gesagt, ...
Sie hat viel über die Rumäniendeutschen geschrieben und lebt seit langen Jahren in Deutschland und ist die große Schriftstellerin von da. Die Rumäniendeutschen ziehen ja immer und immer weiter nach Deutschland und assimilieren sich usw. und verschwinden dann auch als Minderheit oder als kulturelles Volk. Da sagte ich, dass ich das ja schon schade fände, dass sie alle weggingen und das die Geschichte so ausstirbt. Da war sie ganz entrüstet und meinte: ganz ehrlich, (ich weiß nicht mehr, welche Zahl sie nannte) aber 500 Jahre Unterdrückung sind ihr genug. Also, sie ist ganz froh, dass das nun vorbei ist und dass die Leute ein normales Leben führen können. Das hat jetzt natürlich mit dem Osten sehr wenig zu tun, aber die Frage ist ja auch nach Identität und Identitätssuche ist ein lebendiger Prozess, deswegen bin ich mir gar nicht sicher, ob man den so bewerten kann und sagen kann, das sei ja dann schade, wenn das nicht mehr da ist.

Würdest du von dir sagen, dass du zwei Kulturen hast?

Wenn ich das sagen könnte, dann müsste ich beide Kulturen so weit von einander trennen, dass ich entscheiden könnte, wann ich die eine bin und wann die andere.

Das vermischt sich und wird dann zu einer. Die ist dann wieder anders als vielleicht eure, aber es ist trotzdem nur eine. Sie ist nur anders gebildet und setzt sich aus anderen Teilen zusammen. Die DDR-Kultur brauche ich nicht mehr im Alltag, sie begegnet mir nicht mehr, ich brauche sie nicht mehr, um damit umzugehen. Wenn ich im Café sitze, begegnet sie mir nicht, wenn ich zur Post gehe, begegnet sie mir nicht, wenn ich in die Uni gehe, begegnet sie mir nicht. Ich brauche sie also auch nicht mehr. Wo soll sie also sein? Sie schleift sich natürlich aus und verschwindet irgendwann.

PERSONENREGISTER

Die fett gedruckten Seitenzahlen weisen auf biografisch zusammenhängende Textbereiche hin. Nicht aufgenommen sind die Namen fiktiver Personen.